ACCESO GRATIS *a la Lectura en la Nube*

Para visualizar el libro electrónico en la nube de lectura envíe junto a su nombre y apellidos una fotografía del código de barras situado en la contraportada del libro y otra del ticket de compra a la dirección:

ebooktirant@tirant.com

En un máximo de 72 horas laborales le enviaremos el código de acceso con sus instrucciones.

DERECHO JURISDICCIONAL

III

Proceso Penal

Procedimiento de selección de originales, ver página web:
www.tirant.net/index.php/editorial/procedimiento-de-seleccion-de-originales

Juan Montero Aroca
Catedrático Emérito de Valencia

Juan Luis Gómez Colomer   Silvia Barona Vilar
Iñaki Esparza Leibar   José F. Etxeberría Guridi

Catedráticos de Derecho Procesal
en las Universidades de Castellón, de Valencia y del País Vasco

DERECHO JURISDICCIONAL

III
Proceso Penal

27ª Edición

tirant lo blanch
Valencia, 2019

En caso de erratas y actualizaciones, la Editorial Tirant lo Blanch publicará la pertinente corrección en la página web www.tirant.com.

EDITA: TIRANT LO BLANCH
C/ Artes Gráficas, 14 - 46010 - Valencia
TELFS.: 96/361 00 48 - 50
FAX: 96/369 41 51
Email:tlb@tirant.com
www.tirant.com
Librería virtual: www.tirant.es
DEPÓSITO LEGAL: V-1991-2019
ISBN: 978-84-1313-925-8
IMPRIME: Guada Impresores, S.L.
MAQUETA: Tink Factoría de Color

Si tiene alguna queja o sugerencia, envíenos un mail a: *atencioncliente@tirant.com*. En caso de no ser atendida su sugerencia, por favor, lea en *www.tirant.net/index.php/empresa/politicas-de-empresa* nuestro procedimiento de quejas.

Responsabilidad Social Corporativa: http://www.tirant.net/Docs/RSCTirant.pdf

Índice

II. PARTE ESPECIAL
El proceso penal

LIBRO I
INTRODUCCIÓN

Lección Primera
Los conceptos esenciales

LIBRO II
LOS CONCEPTOS GENERALES DEL PROCESO DE DECLARACIÓN

CAPÍTULO I
LA COMPETENCIA

Lección Segunda
La competencia penal

LIBRO III
EL PROCEDIMIENTO PRELIMINAR (LA INSTRUCCIÓN)

Lección Sexta
La instrucción del proceso: Su estructura esencial

Lección Séptima
El procedimiento preliminar: Los actos de investigación

Lección Décima

Los actos de investigación garantizados (II)
[Modernos medios tecnológicos de investigación]

LIBRO IV
EL PROCESO CAUTELAR

Lección Décimo primera
Las medidas cautelares

Lección Décimo segunda
Medidas cautelares específicas

CAPÍTULO II
LA PRUEBA

Lección Décimo quinta
La prueba (I)

Lección Décimo sexta
La prueba (II)

CAPÍTULO IV
LOS MEDIOS DE IMPUGNACIÓN

Lección Decimonovena
Los recursos (I)

Lección Vigésima
Los recursos (II)

CAPÍTULO V
LOS EFECTOS DEL PROCESO

Lección Vigésima primera
Los efectos del proceso

LIBRO VI
EL PROCESO DE EJECUCIÓN

Lección Vigésimo segunda
La ejecución en el proceso penal

LIBRO VII
LOS PROCESOS ORDINARIOS Y LOS ESPECIALES

Lección Vigésimo tercera
Los procesos ordinarios

Lección Vigésimo quinta
Procesos penales especiales regulados fuera de la LECRIM y procesos civiles derivados del hecho punible

II. PARTE ESPECIAL
El proceso penal

LIBRO I

INTRODUCCIÓN

Lección Primera

Los conceptos esenciales

I. LOS MONOPOLIOS EN LA APLICACIÓN DEL DERECHO PENAL

Los cimientos del edificio

A) Aplicación del Derecho
B) Exclusividad estatal: autotutela, delitos, penas, no privado
C) Exclusividad por los tribunales:
D) Exclusividad procesal: 2 etapas: – aplicación derecho objetivo
– tutela derechos subjetivos
E) Inexistencia de derechos subjetivos materiales; facultades procesales
- no hay relación jurídica material penal
- no hay derecho subjetivo a la pena

II. LA GARANTÍA JURISDICCIONAL

Principio de legalidad penal; más 4 garantías
Garantía con triple componente
Lo que es proceso: *actus trium personarum*, – un tercero imparcial
– dos partes parciales

III. LA ACOMODACIÓN DEL PROCESO AL DERECHO MATERIAL APLICADO

Diferencias en la aplicación de Privado y Penal

A) La aplicación del Derecho privado
a) El principio de oportunidad: Libertad y 4 aspectos
b) El principio dispositivo: Supone 4 consecuencias
c) El principio de aportación de parte: Hechos y prueba
B) El caso especial de las normas civiles de *ius cogens*
a) Actuación exclusivamente judicial
b) Consecuencias de la no disposición: 5
C) La aplicación del Derecho penal
a) El principio de necesidad: Inicio y fin del proceso
b) Creación artificial del Ministerio Fiscal: No tiene *ius puniendi*
c) Actividad preparatoria pública: Investigación e instrucción

IV. EL PROCESO PENAL COMO GARANTÍA DEL DERECHO DE LIBERTAD

Todo está sujeto a debate. Función de la jurisdicción hoy

a) *Due process of Law*: No es más que un proceso
b) Examen de las garantías: genéricas y concretas

Sólo hay progreso en el camino a la libertad

I. LOS MONOPOLIOS EN LA APLICACIÓN DEL DERECHO PENAL

Existen demasiadas ocasiones en la vida política de una sociedad y, en la parte de esa vida que es la consideración jurídica, en las que es imprescindible volver sobre conceptos elementales. Se trata de los cimientos del edificio; no se ven pero son determinantes de todo lo que sí se ve. Sin el conocimiento de esos conceptos elementales lo que se diga, lo que se escriba y, sobre todo, lo que se legisle es palabra vana.

Como en tantos otros aspectos de la vida, en la actualidad, y en lo que suele llamarse Derecho, estamos asistiendo a un fenómeno muy difícil de explicar; todos hablan de todo y al final nadie sabe de qué se está hablando. Hay una confusión total en los conceptos, y en las palabras por medio de las que aquellos se quieren expresar, tantas que muchas veces no sabemos qué se nos quiere decir cuando se nos habla, por ejemplo, de principio acusatorio. La imprecisión conceptual lleva a que todo sea lo mismo o, por lo menos, a que lo parezca.

A) Aplicación del Derecho

Hay que recordar, por tanto, algo conocido: No es lo mismo la aplicación del Derecho penal que la aplicación del Derecho privado. Si cuando se trata de aplicar el Derecho privado los tribunales no tienen monopolio alguno en su aplicación, cuando se trata de aplicar el Derecho penal debe decirse seguidamente que el mismo sólo se aplica por los tribunales y por medio del proceso. Esta es una diferencia esencial.

El Derecho privado, es decir, la parte del Ordenamiento jurídico que regula las relaciones de los individuos entre sí, atendiendo de modo principal, pero no exclusivo, a las relaciones económicas, se aplica normalmente por los particulares en su vida diaria cuando compran, alquilan, contratan, cuando viajan, cuando hacen testamento, etc. Los tribunales también aplican ese Derecho, pero no lo hacen en régimen de exclusividad, y ni siquiera puede decirse que estadísticamente sean sus aplicadores más importantes.

Más aún, índice de normalidad en la vida jurídica de un país es que ese Derecho se aplique por los individuos sin necesidad de tener que acudir a los órganos del Estado; cuanto más se acuda al Estado —en cualquiera de sus órganos— para que intervenga en las relaciones entre los individuos, más se está denotando que algo anómalo sucede entre los individuos y en la sociedad.

El Derecho penal, por el contrario, esto es, la parte del Ordenamiento jurídico que determina qué conductas son delito y cuál es la pena que corresponde a cada una de ellas, se aplica única y exclusivamente por el Estado, dentro de él sólo por los tribunales y éstos lo aplican precisamente por medio del proceso. De este modo resulta que estamos ante una situación muy diferente de la aplicación de las otras ramas del Ordenamiento jurídico. El Derecho penal no se aplica por los particulares, ni por la Administración y ni siquiera por el Ministerio fiscal; éste pide su aplicación, pero no lo aplica él. Los jueces son sus exclusivos aplicadores. Únicamente estos determinan con consecuencias jurídicas si una conducta concreta es delito y sólo ellos imponen las penas.

Esta situación sólo puede explicarse si se constata que la sociedad, cualquier sociedad que hoy quiera calificarse de civilizada, ha tomado a lo largo de su historia tres decisiones políticas de gran trascendencia que han supuesto grandes avances civilizadores y que hoy consisten en la existencia de tres monopolios consagrados en las constituciones. No pretendemos ahora precisar ni cómo ni cuándo tomó la sociedad esas decisiones, pero sí hay que asumir que las decisiones fueron, sin duda, tomadas, y que se han resuelto en los tres monopolios siguientes.

B) Exclusividad estatal

El primero de los monopolios atiende a que el Estado ha asumido en exclusiva la determinación del Derecho penal en general y su aplicación en el caso concreto, de modo que no existe delito fuera de lo que el Estado configura como tal, ni imposición de penas por los particulares. La sociedad tomó una gran decisión civilizadora, conforme a la cual:

1.º) Quedó prohibida la autotutela o, en otras palabras, dejó de consentirse que los ciudadanos se tomaran la justicia por su propia mano. No ya el Estado de Derecho, sino la misma sociedad civilizada, puede existir sólo en tanto que en la misma se parta de la prohibición de la autotutela y, consiguientemente, de la tipificación como delito del ejercicio del propio derecho (art. 455 CP).

Cabe que existan algunas manifestaciones específicas de autotutela, y el supuesto más destacado es el de la legítima defensa (art. 20, 4º CP), pero incluso estas manifestaciones tienen que ser controladas los tribunales del Estado, para determinar si se han ejercitado dentro de los límites que justifican su propio ejercicio.

2.º) Sólo el Estado puede determinar, primero, qué conductas se tipifican como delito, siendo éstas las únicas que dan lugar a responsabilidad penal y, después, qué pena se aplica a esas conductas.

Se trata de decisiones políticas que van adaptándose a los tiempos cambiantes, de modo que una conducta puede ser delito en un momento y puede dejar de serlo después en el tiempo, y para la misma puede disponerse una pena u otra, en clase y en duración o cantidad. Nadie puede dentro del Estado asumir competencias que nieguen este monopolio.

3.º) La aplicación del Derecho penal queda fuera de la disposición por los particulares, de modo que ni los delincuentes ni las víctimas de las conductas tipificadas como delito pueden disponer de la pena. Esto supone: 1) No puede acordarse de modo privado la imposición de penas, ni aun con la aceptación del sujeto pasivo (disposición positiva; el digamos delincuente no puede entrar en la cárcel voluntariamente tras llegar a un acuerdo con el ofendido por su delito), y 2) Tampoco es posible que decidan su no imposición (disposición negativa; el ofendido por el delito no puede digamos «perdonar» al delincuente el delito y hacer como si no hubiera pasado nada).

Existen, sí, algunos supuestos excepcionales en los que cabe referirse a una disposición negativa, bien porque el inicio de la persecución penal se deja depender de la voluntad del ofendido por el delito (como ocurre en los llamados «delitos privados» (art. 215.1 CP), y aun en los «semiprivados» (caso, por ejemplo, de los arts. 147.4, 152.2, IV, 171.7, 172 ter.4, 173.4, CP), bien porque algunas veces quepa el perdón del ofendido (como suele ocurrir en los delitos de calumnia e injuria, art. 215.3 CP), pero la regla general es que la voluntad del particular no puede ser determinante a la hora de la aplicación del Derecho penal y, por tanto, la persecución de los «delitos públicos» no dependerá de la voluntad del ofendido o perjudicado por los mismos, ni su perdón extinguirá la responsabilidad penal.

Lo que se está diciendo es que el Estado asume la titularidad exclusiva de lo que suele llamarse *ius puniendi* (derecho de castigar, en traducción literal), sin perjuicio de que no se trata de un verdadero derecho subjetivo. Es una potestad (la de determinar cuándo una conducta concreta se entiende incluida en una norma penal y cuál es la pena a imponer) y un deber (el ejercicio de esa potestad no es discrecional). De una y de otro su único titular es el Estado.

C) Exclusividad por los tribunales

El segundo monopolio se refiere a que el Derecho penal, dentro ya del Estado, sólo puede ser aplicado por los tribunales.

Consecuencia obvia de ello es que los órganos legislativos y los órganos administrativos (incluidos los que más propiamente cabe llamar ejecutivos) no pueden en el caso concreto ni declarar la existencia de un delito (que una conducta está incluida en una norma penal), ni imponer penas. Estamos ante otra opción de civilización que es también irrenunciable.

No ha sido siempre así históricamente y aun en la actualidad se está soslayando esta opción civilizadora, cuando se admite en las constituciones, mediante la distinción entre pena y sanción administrativa, la potestad sancionadora de la Administración. Hoy plasmar en las constituciones que la Administración no puede enjuiciar conductas constitutivas de delito ni imponer penas es manifiestamente insuficiente, y lo es porque se constata a diario como las leyes permiten a los órganos administrativos imponer sanciones pecuniarias de tal magnitud que muchas veces no pueden ser impuestas por los tribunales como penas.

Siempre amparándose en la tutela de los intereses generales, el ámbito en el que va moviéndose la potestad sancionadora de la Administración es tal que en muchas ocasiones las diferencias entre pena y sanción administrativa son puramente semánticas. Si a ello se une un movimiento doctrinal, hecho suyo inmediatamente por los titulares del poder político, tendente a la descriminalización de conductas hasta ahora delictivas, para convertirlas en ilícitos administrativos, el resultado puede ser muy preocupante para la distinción entre ilícitos (penal y administrativo) y sanciones y para las garantías del ciudadano ante el poder político.

Principio esencial del Estado de libertad es que el Derecho penal se aplica por los tribunales. Y ello es así para que sus únicos aplicadores sean unos órganos sujetos a unos concretos principios políticos (unidad, exclusividad, predeterminación) que están integrados por unas personas con un estatuto jurídico diferente y propio (tercero, independiente, imparcial y responsable).

D) Exclusividad procesal

El tercer monopolio se centra en que el Derecho penal lo aplican los tribunales necesariamente por medio del proceso, no pudiendo imponer penas de cualquier otra forma. Estamos aquí, otra vez, ante otra opción de civilización; el Derecho penal se aplica sólo con las garantías del proceso.

Cuando se habla de proceso se está haciendo mención de un fenómeno único dentro del que hay que distinguir dos etapas:

a) La primera de ellas se puede entender consolidada cuando se reconoce que el proceso lo utilizan sólo los tribunales, de modo que éstos por su medio cumplen con la función de aplicar el Derecho penal, y si no pueden hacerlo de manera instantánea necesitan, primero de un estímulo ajeno (la acción) y, después de una actividad realizada tanto por un juez como por las partes, por medio de la que se tiende a la aplicación del Derecho objetivo, de modo que al conjunto de la misma llamamos proceso. En éste entran en juego nexos específicos entre los actos, los sujetos tienen que ser necesariamente un juez imparcial y dos partes parciales, la finalidad a la que se tiende es, como hemos repetido, la aplicación del Derecho penal y el efecto es nada menos que la cosa juzgada, lo que supone la imposibilidad de que se vuelva a suscitar la misma cuestión.

Es preciso recordar que no ha sido siempre así históricamente. Durante siglos se ha asistido a la aplicación del Derecho penal por unos órganos que podían ser considerados tribunales pero que no actuaban por medio del proceso, como se evidencia simplemente recordando que no toda la actividad que podía realizar un tribunal era siempre procesal. En las monarquías absolutas no existía una clara distinción entre las funciones administrativas y las funciones jurisdiccionales y, por lo mismo, era común atribuir a los corregidores o a las Audiencias o al Consejo de Castilla funciones de muy distintas naturalezas; en este sentido la confusión llegó al extremo de que pudo atribuirse a los tribunales la aplicación del Derecho penal, pero no por medio del proceso. Era la etapa de un pretendido proceso inquisitivo, que no es realmente proceso.

b) La etapa actual presupone la anterior y, sin renunciar a sus conquistas, da un paso más para entender que la función que cumplen los tribunales por medio del proceso es la tutela de los derechos de las personas. De este modo la función del proceso penal, su objetivo último, es la tutela de los derechos y principalmente del derecho a la libertad.

Esta noción se tiene que complementar en la actualidad con estas dos afirmaciones: 1) El proceso es el único instrumento con el que los tribunales cumplen su función, de modo que la serie de actos que lo integran persigue un único fin: que los tribunales tutelen los derechos de las personas, y 2) El proceso es también el único instrumento puesto a disposición de los individuos para instar de los tribunales la tutela de sus derechos e intereses legítimos. La serie de actos persiguen el mismo fin, pero desde dos puntos de vista: desde el de los tribunales y desde el de las personas: En el caso del proceso penal, la tutela del derecho a la libertad.

Conviene resaltar que, decidido políticamente en la fase primera que el proceso era el mejor instrumento para garantizar la legalidad del resultado final, y en la fase segunda que es el único instrumento para garantizar los derechos de los individuos, de todos y no sólo del acusado, ese proceso ha de conformarse según los principios esenciales del mismo, aquellos que hacen que una actividad sea proceso y no otra cosa, y a los que nos referiremos después, pero adelantando ya que esto no puede significar que el proceso penal tenga que ser igual que el proceso civil.

E) Inexistencia de derechos subjetivos materiales; facultades procesales

La constatación de la existencia de los monopolios nos lleva a una conclusión inicial que tiene gran trascendencia, en cuanto que condiciona todo lo que hemos de decir a continuación. Esa conclusión puede articularse en dos apartados:

1.º) No existe relación jurídica material penal entre los que han intervenido en la comisión del delito, bien como autor, bien como víctima, y por lo mismo no puede hablarse en sentido estricto de que entre ellos surja un conflicto que debe decidirse por los tribunales y por medio del proceso.

En el campo de Derecho privado las personas entablan entre ellas relaciones jurídicas, las que quieren y con el contenido que ellas deciden, y se habla entonces de la existencia de una relación jurídica material, por ejemplo, de préstamo entre dos personas; si luego el que ha recibido el préstamo estima que no debe pagar (por la razones que fueren; por ejemplo porque el préstamo fue usurario) y en cobrar insiste el prestamista, cabe hablar de la existencia de un conflicto, que puede acabar siendo resuelto por un juez. Ante el juez acudirá una de las partes (normalmente el prestamista) pidiendo la tutela de su derecho; y la otra parte (correlativamente el prestatario) pedirá que se desestime la petición del demandante porque el derecho alegado no existe. En cualquier caso se trata de decidir si existe un derecho subjetivo o no y, en su caso cuál es el contenido del mismo.

La idea de conflicto (en tanto que «problema, cuestión, materia de discusión») entre el ofensor y la víctima es ajena a la aplicación del Derecho penal en el caso concreto. Cuando una persona ha sido asaltada en la calle por unos atracadores, que le han causado unas lesiones, aparte de robarle lo que llevaba de valor, no puede decirse que haya nacido un conflicto entre los atracadores y su víctima, conflicto que debe componer o resolver un juez por medio del proceso. Piénsese en el absurdo que supone hablar de conflicto entre el violador y la violada y se comprenderá mejor lo que decimos. El conflicto entre dos personas, en su sentido propio, es decir, en tanto que contienda o debate entre dos personas, colocadas en contradicción y en pie de igualdad, conflicto que debe resolverse por un juez y mediante la aplicación de una norma jurídica, es algo ajeno al Derecho penal. El ofensor no tiene un conflicto con el ofendido.

2.º) La víctima (ni el ofendido, ni el perjudicado) no es titular de un derecho subjetivo a que al autor del delito se le imponga una pena. La aplicación del Derecho penal ha sido asumida en exclusiva por el Estado, de modo que los particulares no tienen derechos subjetivos de contenido penal.

El segundo monopolio de los indicados añade a todo lo anterior la aparición de una alternativa, y hay que decidirse políticamente por una de sus dos opciones. Se trata de que la legislación puede o no reconocer a la víctima (al ofendido o al perjudicado por el delito) el derecho subjetivo procesal a promover la actuación del Derecho penal en el caso concreto. Adviértase que no se trata de reconocer a la víctima un derecho subjetivo material penal, sino un derecho o facultad procesal para, primero, pedir a un tribunal que inicie la averiguación del delito y la persecución de su autor y, después y en su caso, para convertirse en parte acusadora.

II. LA GARANTÍA JURISDICCIONAL

El resultado de los tres monopolios es la llamada garantía jurisdiccional, que forma parte del principio de legalidad en materia penal. Este principio, se ha articulado tradicionalmente en cuatro garantías:

1) Criminal (*nullum crimen sine legge*), conforme al cual sólo puede hablarse de delito si una norma anterior al hecho así lo ha dispuesto expresamente (art. 1 CP).

2) Penal (*nulla poena sine legge*), las únicas penas que pueden imponerse son las previstas por ley anterior a la perpetración del hecho (art. 2 CP).

3) Jurisdiccional (*nemo damnetur sine legale iudicium*), la declaración de que una conducta es delito y la pena a imponer por el mismo sólo puede hacerse en virtud de un juicio (=proceso) realizado conforme a lo que debe entenderse por tal en atención a las garantías constitucionales (art. 3.1 CP).

4) De ejecución o las penas se ejecutan sólo por los tribunales y en el modo previsto en la ley (art. 3.2 CP).

La garantía jurisdiccional penal nos tiene que servir en la actualidad para: 1) Determinar que el Derecho penal lo aplican sólo los tribunales, 2) Que lo hacen por medio del proceso y 3) Que la función que los tribunales cumplen por medio del proceso es la tutela de los derechos de los individuos. Esa garantía no nos dice nada más y, especialmente, no nos resuelve cómo ha de conformarse ese proceso, salvo que ha de tratarse de una actividad que pueda calificarse realmente de proceso, en los términos antes dichos.

La naturaleza del Derecho material a aplicar condiciona la manera de configurar el proceso. Esto es, todo proceso, se aplique por su medio el Derecho objetivo material que fuere, privado o penal, ha de responder a unos principios esenciales que hacen que «algo» sea proceso y no otra cosa, pero eso no puede suponer que el proceso civil y el penal hayan de ser iguales también en las reglas conformadoras, reglas que vienen determinadas por el tipo de Derecho objetivo material que han de aplicar. También las garantías que deben respetarse puede ser diferentes.

Muy en síntesis se trata de que el medio o instrumento necesario y único de aplicación del Derecho penal debe ser en todo caso concebido como un *actus trium personarum*, en el que necesariamente han de existir un tercero imparcial y dos partes parciales. En el tercero ha de concurrir toda una serie de requisitos para que pueda calificarse de tal, principalmente independencia, imparcialidad y responsabilidad (Tomo I, lección 5ª). Con relación a las partes sólo cabe hablar de proceso cuando las mismas están en situación de dualidad, contradicción e igualdad (Tomo I, lección 13ª). Para que pueda hablarse de proceso se necesita la concurrencia de dos partes, y por ello y por esencia parciales, ante un tercero necesariamente imparcial. Cuando se habla de «parte imparcial» se incurre en un error grosero, tanto como una *contradictio in terminis* (propio de la poesía amorosa pero no de la literatura jurídica); y cuando se pretende que el juzgador asuma atribuciones propias de las partes y ajenas a su condición de tercero (por ejemplo, acordar prueba de oficio en la fase de juicio oral) se está destruyendo la base misma de lo que es proceso.

III. LA ACOMODACIÓN DEL PROCESO AL DERECHO MATERIAL APLICADO

Creemos haber aclarado lo que supone la garantía jurisdiccional y ahora debe advertirse que el instrumento que es el proceso se acomoda a los derechos subjetivos que se tutelan y al Derecho material que se aplica.

Por un lado se trata de las diferencias existentes entre la tutela de derechos subjetivos de naturaleza privada, normalmente económicos, propia del proceso civil, y la garantía del respeto a la libertad (interés individual) frente a la seguridad (interés colectivo) propia del proceso penal. Y por otro de la actuación jurisdiccional del Derecho privado frente a la del Derecho penal. Esas diferencias condicionan el instrumento que es el proceso tanto que puede hablarse de la existencia de dos principios contrapuestos.

Debe tenerse en cuenta que en este momento no estamos considerando de manera directa cuál es la función de la jurisdicción, sino simplemente las diferencias en la aplicación de los distintos sectores del Ordenamiento jurídico. La función de la jurisdicción consiste en ser el garante último de los derechos de las personas, de los derechos que el Ordenamiento reconoce al individuo, y con ello estamos diciendo que la función de la jurisdicción no consiste en la actuación del Derecho objetivo en el caso concreto, que es una manera totalitaria de entender la potestad jurisdiccional.

A) La aplicación del Derecho privado

El proceso civil parte del presupuesto de que el conflicto que en él se debate y se decide versa sobre relaciones jurídicas materiales, en las que es determinante la autonomía de la voluntad, porque los intereses en juego son esencialmente privados. De una u otra manera ese proceso civil responde a una concepción del sistema económico en el que se reconoce amplio campo de acción a los intereses privados de los que son titulares los individuos.

a) El principio de oportunidad

Este principio responde a una concepción política que proclama la libertad del ciudadano para decidir tanto qué relaciones jurídicas materiales contrae como la mejor manera de defender los derechos subjetivos que cree tener, y así:

1°) Cuando se trata del Derecho privado, y en él de normas que establecen verdaderos derechos subjetivos, que son principalmente económicos, el punto de partida es el reconocimiento de la autonomía de la voluntad y de esos derechos subjetivos, de modo que se reconoce la existencia de relaciones jurídicas materiales, de las que existen titulares activo y pasivo, con lo que estamos ante la existencia de verdaderos derechos subjetivos, por un lado, y de obligaciones, por el otro. Siempre existirá, pues, quien afirma ser titular de un derecho subjetivo y a quien imputa la titularidad de la obligación.

2°) El Derecho objetivo privado se aplica principalmente por los particulares, y ello hasta el extremo de que los tribunales del Estado, por medio del proceso, proceden a la actuación de ese Derecho privado sólo de modo excepcional. El Derecho privado es aplicado por los particulares millones de veces cada día y sólo en poquísimas ocasiones, por lo menos relativamente, se pide a un órgano judicial, por un particular y contra otro particular, que proceda a la actuación de ese Derecho.

3°) Cuando un derecho subjetivo privado es desconocido o violado, el proceso civil, y con él la actuación de un tribunal, no es el único sistema para su restauración, pues el particular que se cree titular de ese derecho puede desde dejarlo insatisfecho hasta acudir a sistemas no jurisdiccionales de solución de conflictos.

> El ordenamiento jurídico le impedirá utilizar medios de autotutela (de tomarse la justicia por su propia mano), pero le quedan abiertas todas las posibilidades de autocomposición (solución del conflicto por las partes del mismo, generalmente por medio de la transacción) y de heterocomposición (solución del conflicto por medio de la decisión de un tercero ajeno al mismo, normalmente el arbitraje, pero no el único).

4°) El acudir a los órganos judiciales del Estado, pidiendo la incoación de un proceso civil, es algo que queda en manos de los particulares, pues son ellos los que tienen que decidir si es oportuno o no para la mejor defensa de sus intereses el acudir a los tribunales, de modo que el proceso sólo podrá iniciarse cuando un particular lo pida expresamente y de la manera que la ley prevé. El proceso no podrá iniciarse nunca de oficio por el juez, pero tampoco podrá instarlo alguien distinto del particular, alguien que no llegue a afirmar ser titular del derecho subjetivo, con lo que se excluye también al Ministerio público.

Establecido el contenido esencial del principio de oportunidad aparece claro que el mismo responde a una concepción política que se basa en la libertad del individuo, libertad que sirve para que aquél decida qué relaciones jurídicas materiales contrae y cómo las conforma, pero también sirve para que el mismo individuo decida cuál es la mejor manera de defender los derechos subjetivos que cree que le corresponden en esas relaciones materiales. Uno de los modos, pues, de ejercer la libertad consiste en tener la disposición de la tutela judicial de los derechos de los que se cree un individuo titular.

b) El principio dispositivo

El principio de oportunidad conduce al principio dispositivo; éste es consecuencia lógica de aquél, por cuanto se fundamenta en la naturaleza privada de las relaciones jurídicas materiales, en la existencia de verdaderos derechos subjetivos privados que se afirman en el proceso, en la autonomía de la voluntad de los particulares y, en definitiva, en la libertad. Partiendo de este fundamento el principio dispositivo, en cuanto conformador del proceso, supone:

1.º) La actividad de los tribunales del Estado sólo puede iniciarse si existe petición concreta de parte; el particular queda en libertad para decidir si es lo mejor para su derecho subjetivo el acudir o no al proceso. Pedida por el particular la iniciación del proceso, el juez ha de dar curso al mismo y debe tramitarlo hasta su final, hasta dictar un pronunciamiento sobre el fondo del asunto (concurriendo los presupuestos y cumpliéndose los requisitos procesales, esto es respetándose las reglas dispuestas por la ley y que operan como exigencias lógicas para pueda entenderse bien pedida la incoación de un proceso).

2.º) La determinación concreta del interés cuya satisfacción se solicita de los tribunales es facultad exclusiva de los particulares, lo cual repercute en que el objeto del proceso es determinado exclusivamente por el particular que se convierte en demandante, es decir, por el que ejercita la pretensión, mientras que el demandado, por medio de la resistencia, si no determina el objeto del proceso, si contribuye a fijar los términos del debate procesal.

3.º) Los órganos judiciales al tutelar los derechos de las partes, lo que hacen obviamente aplicando el Derecho objetivo en el caso concreto, han de ser congruentes con el objeto del proceso, fijado por el actor, y con los términos del debate, fijados también por el demandado, de modo que han de limitarse a pronunciarse sobre la tutela pedida tal y como les ha sido planteado, sin poder salirse de la misma para pronunciarse sobre lo no cuestionado.

4.º) Iniciado el proceso por las partes, determinado su objeto por las mismas y pudiendo ser ellas titulares de los derechos subjetivos que afirman, nada puede impedir que pongan fin al proceso, bien disponiendo de la relación jurídica material, de modo que se dicte una sentencia predeterminada en su contenido por las partes (renuncia, allanamiento) o de modo que el juez homologue el acuerdo a que éstas han llegado (transacción), bien simplemente disponiendo el fin del proceso, sin que en éste llegue a resolverse sobre el objeto del mismo (desistimiento). En este sentido, y sólo en él, las partes son «dueñas» del proceso.

Los procesos civiles que se regulan en los códigos del mundo occidental responden plenamente a este principio dispositivo, que no es sino manifestación de una concepción política que puede calificarse de liberal, sobre todo en su aspecto económico, pues se parte de la proclamación de derechos subjetivos de este tipo (principalmente del derecho de propiedad). Este principio debe seguir informando los códigos que se dicten en el futuro, por lo menos mientras se estime que la libertad y la autonomía de la voluntad son valores esenciales.

c) El principio de aportación de parte

Fijado quién inicia el proceso y quién configura su objeto según los principios anteriores, el paso siguiente consiste en precisar quién debe aportar los hechos al proceso y quién debe probarlos, con lo que se está haciendo alusión a las facultades materiales de dirección del proceso, que en el civil se conforman según el principio de aportación de parte.

> No debe dudarse de que, una vez puesto el proceso en marcha ante la petición de una parte, corresponde al tribunal la que podemos llamar dirección procesal del mismo. Por ejemplo, el juez deberá controlar de oficio (es decir, aunque no se lo pida la parte contraria) si concurren los presupuestos y requisitos necesarios para que pueda entenderse que el proceso está entablado respetando lo que la ley dice; de la misma manera controlará de oficio el respeto a las normas procesales que regulan cómo se realizan los actos procesales. El proceso formalmente lo dirige el juez. Y no puede ser de otra manera. Otra cosa, que no guarda relación con lo que decimos, es el intento de ampliar el ámbito de ejercicio de las funciones del letrado de la administración de justicia, pues en último caso se trata de distinguir entre lo que debe ser hecho por las partes y lo que puede ser hecho por el tribunal.

1.º) Tratándose relaciones jurídicas materiales privadas y de verdaderos derechos subjetivos, esto es, de un conflicto entre particulares, lo lógico es que deben ser las partes en el conflicto las que deban aportar los hechos al proceso, careciendo el juez de esa facultad. El actor afirmará los hechos que constituyan la causa de pedir de su pretensión, y el demandado hará lo mismo respecto de los hechos que fundamentan su resistencia. El juez no podrá salir a la búsqueda de los hechos; no realizará una actividad investigadora.

2.º) Las partes tienen la facultad de admitir como existentes los hechos afirmados por su contraria, quedando los mismos fijados para el juez, que ha de partir de su existencia en la sentencia a dictar. Si las partes pueden disponer de su derecho subjetivo material, nada puede impedir que la admisión que realicen de los hechos afirmados por la contraria vincule al juez; si pueden lo más han de poder también lo menos. Los hechos en que las partes están de acuerdo y en los que no lo están los determinan ellas; admitido por las dos partes la existencia de un hecho, el juez no puede desconocerlo y salir a la aventura a la búsqueda de lo él llegue a considerar la verdad.

3.º) Las partes tienen el derecho de probar los hechos que afirman como existentes (derecho a la utilización de los medios de prueba), pero también sobre ellas recae la carga de la prueba de los hechos controvertidos, de aquellos en que no están conformes, y esto supone que sobre ellas recaerán las consecuencias de que los hechos alegados por cada una de ellas no lleguen a ser probados.

Este principio de aportación de parte debe significar necesariamente, en lo referido a la prueba, que sobre ellas recaerá la doble carga: 1) De las partes ha de partir la iniciativa para que el proceso sea recibido a prueba, pues el juez no decreta de oficio que en el proceso se practicará prueba, y 2) Los únicos medios de prueba que se practicarán son los propuestos por las partes, quedando el juez excluido de la posibilidad de decretar medios de prueba de oficio.

Tradicionalmente el llamado principio de aportación de parte se concretó en el brocardo *iudex iudicare debet secundum allegata et probata* (el juez debe juzgar según los hechos alegados y probados), que si no es romano sí es al menos de la época de los glosadores. A finales del siglo XIX en el brocardo se incluyó la palabra *partium* y de este modo se acabó con una elipsis que ya no era conveniente. Se dice ahora *iudex iudicare debet secundum allegata et probata partium* (el juez debe juzgar conforme a los hechos alegados y probados por las partes), y se dice de modo com pletamente correcto.

B) El caso especial de las normas civiles de *ius cogens*

El principio alternativo al de oportunidad es el de necesidad, que es su par dialéctico, y con el que se conforma el proceso en el que se aplica el Derecho penal, como veremos después. En un terreno intermedio se encuentra el supuesto de la aplicación por los tribunales de las normas civiles de *ius cogens* (de derecho necesario).

En el Derecho privado las normas son generalmente dispositivas, esto es, aquellas que su aplicación queda a la voluntad de las partes, pero existen algunas normas que llaman imperativas. Estas normas configuran situaciones jurídicas en las que lo determinante no es la autonomía de la voluntad de los particulares, por cuanto el legislador estima que en algunas parcelas de este Derecho privado concurren intereses públicos que han de predominar sobre los intereses privados. Nos estamos refiriendo principalmente a las normas reguladoras del estado y la condición civil de las personas y de su capacidad; en estas normas se dice que se ha producido una suerte de «publicización», es decir, de dejar de ser Derecho privado para pasar o, por lo menos, se aproxima, al Derecho público.

Cuando se trata de las normas imperativas civiles reguladoras de las parcelas citadas del Ordenamiento, no puede decirse que la aplicación de las mismas se realice normalmente por los particulares, ni que éstos tengan la disposición de las consecuencias previstas por ellas. Nadie tiene derecho, por ejemplo, a que se declare incapaz a otra persona, y esa declaración de incapacidad no puede producirse por acuerdo entre dos personas, siendo una de ellas el incapaz. Estas simples constataciones tienen que llevar a la conclusión de que el proceso civil, en el que se trate de la actuación de esas normas de *ius cogens*, no puede responder plenamente al principio de oportunidad y a sus consecuencias, entrando en juego una mezcla de la oportunidad y de la necesidad.

a) Actuación exclusivamente judicial

En aquellos supuestos en que es más acusado el grado de «publicización» de las normas civiles, la actuación judicial de las mismas podría teóricamente responder a la actuación de oficio del tribunal, de modo que éste, en el momento en que tuviera conocimiento, y de cualquier manera, de la posible existencia de unos hechos que integraran el supuesto fáctico de una de esas normas imperativas, debería poner en marcha de oficio su actividad. Estaríamos así ante la actuación exclusivamente judicial de las normas de *ius cogens*, pero no realmente por medio del proceso, dado que el juez se convertiría al mismo tiempo en demandante y en juzgador, con lo que desaparecería algo que responde a la esencia misma del proceso: La existencia de dos partes parciales y de un tercero que es, además, imparcial.

Cuando en alguna ocasión se ha defendido la incoación de oficio por el juez del proceso civil ha sido desde concepciones políticas totalitarias, caso de la Rusia comunista (y ni siquiera de la Alemania nazi ni de la Italia fascista), o desde la ignorancia de lo que es la función jurisdiccional y los principios que la gobiernan.

Esta solución ha sido desechada por los ordenamientos del mundo occidental, en los que se ha optado por la ampliación de las personas (la legitimación activa) que pueden pedir la actuación del Derecho objetivo y, sobre todo, en la atribución de esa legitimación al Ministerio Público, el cual además pedirá la incoación del proceso civil con base en el principio de legalidad. Con ello se mantiene el esquema formal del proceso (la existencia de dos partes parciales y un tercero imparcial), si bien este proceso responderá a principios distintos de los propios de la oportunidad.

Naturalmente cuando se atribuye al Ministerio fiscal el deber (pues para él no es un derecho, ni una mera facultad procesal) de pedir la aplicación del Derecho objetivo (técnicamente esto se conoce como atribución de legitimación activa) lo que realmente se está haciendo es concluir que, en las materias reguladas por normas civiles imperativas, no existen derechos subjetivos verdaderamente privados. En esas materias no existe autonomía de la voluntad para los particulares implicados en la situación jurídica y, por tanto, éstos no tienen la disposición de la consecuencia jurídica (lo que equivale a decir que no hay posibilidad de que una persona sea declarada incapaz por acuerdo de los interesados).

Un grado menor que el anterior en la «publicización» de algunas normas de Derecho civil se produce cuando la ley establece únicamente que los particulares no pueden aplicar por sí mismos esas normas, de modo que si alguien aspira a obtener una determinada consecuencia jurídica ha de acudir a un órgano jurisdiccional instando la incoación de un proceso. En este caso, concurriendo el supuesto de hecho establecido en la norma, la consecuencia jurídica no se presenta como necesaria, y por ello al Ministerio Público no se le legitima de modo activo. El grado menor en la «publicización» radica en que, concurriendo el supuesto de hecho, los particulares no pueden dar por existente la consecuencia jurídica, sino que ésta sólo puede declararse o constituirse por un órgano judicial y por medio del proceso, pero la consecuencia jurídica la pueden pedir sólo los particulares interesados.

Se trata, pues, de que en estos segundos supuestos la ley atribuye legitimación activa sólo a los titulares de la relación o situación jurídica (los cónyuges son los únicos que pueden pedir el divorcio), si bien la legitimación pasiva puede o no reconocerse al Ministerio Público, aunque en todo caso la aplicación del Derecho objetivo al caso concreto sólo puede hacerse jurisdiccionalmente (el divorcio se declara sólo en una sentencia).

b) Consecuencias de la no disposición

Manteniéndose en los procesos civiles no dispositivos el esquema formal del proceso, esto es y a riesgo de ser reiterativo, dos partes parciales y un tercero imparcial, las cosas son muy diferentes. De este modo aparece toda una serie de consecuencias que pueden ir enunciándose de la siguiente manera:

1ª) Al Ministerio fiscal la ley le convierte en parte: A veces se le legitima de modo activo, y otras solo de modo pasivo

2ª) Exclusión de la terminación anormal: En esos procesos no son posibles los actos de terminación anormal que supongan disposición del objeto del proceso, tanto bilaterales (transacción) como unilaterales (renuncia y allanamiento).

3ª) No admisión de hechos: La admisión de hechos por la parte contraria a la que los ha afirmado no impone que el juez en la sentencia tiene que partir de la existencia de los mismos. Todos los hechos deben ser probados.

4ª) Por lo mismo no cabe la existencia de prueba con valor legal: Por ejemplo, si un documento privado, reconocido legalmente por las partes, tuviera entre ellas el valor de hacer prueba, se estaría propiciando la disposición de la consecuencia jurídica prevista por la norma de *ius cogens* (derecho necesario), y podría así imponerse al juez la existencia del supuesto fáctico previsto en la norma.

5ª) Aumento de los poderes materiales del juez: De modo absurdo es tradicional el aumento en los mismos de los poderes del juez en la dirección material del proceso, y sí puede acordar prueba de oficio. Si se ha convertido al fiscal en parte no era necesario poner en riesgo la imparcialidad del juez.

C) La aplicación del Derecho penal

Lo primero que debe temerse en cuenta es que la necesidad de proceso para aplicar el Derecho penal no supone que ése proceso tenga que ser igual al proceso civil. Hay principios que tienen que ser comunes (los que hacen que algo sea proceso y no otra cosa; bien relativos al tribunal, bien a las partes), pero hay reglas conformadoras que tienen que ser diferentes y exclusivas del proceso en su manifestación penal.

a) Principio de necesidad

En la aplicación del Derecho penal el interés público es el preponderante y ello supone que:

1.º) La existencia de un hecho aparentemente delictivo exige la puesta en marcha de la actividad jurisdiccional, pues es la legalidad la que debe determinar cuándo ha de iniciarse el proceso penal, no siendo admisibles criterios de oportunidad. El proceso penal no puede dejarse en su inicio a la decisión discrecional de nadie; aquél a quien la ley le atribuya la incoación del proceso ha quedar sujeto a la legalidad estricta.

Algunas de las reglas conformadoras propias del proceso penal están siendo matizadas en los tiempos presentes. Hoy se está defendiendo que la regla de la necesidad puede ser matizada con la introducción de criterios de oportunidad a la hora de la persecución de los delitos; esa oportunidad lo es para el Fiscal y, de este modo, realmente para el Poder Ejecutivo. Los argumentos ahora utilizados atienden a la mejor utilización de los recursos disponibles; se admite que el Estado no puede perseguir del mismo modo todos los delitos porque sus recursos son limitados y entonces la oportunidad se convierte sólo en un medio de acomodación de las reglas conformadoras a la realidad social (véase lo que dispone el art. 105 LECRIM; y también para los delitos leves el art. 963).

2.º) Una vez iniciado el proceso penal, éste ha de tender a llegar a su fin normal de la sentencia, no pudiendo acabarse por actos discrecionales de nadie. El proceso penal no puede ser revocado, suspendido, modificado o suprimido sino en los casos en que así lo permita una expresa disposición de la ley, sin que ello pueda dejarse a la discrecionalidad de persona alguna. Esto no supone que el proceso tenga que acabar siempre con sentencia; implica sólo que en su desarrollo y terminación debe aplicarse la legalidad estricta.

El principio de necesidad pretende evitar dos riesgos importantes en la aplicación del Derecho penal:

1) Impide que alguien pueda disponer de la aplicación de las penas, pues esa disposición implicaría que perdería su razón de ser todo el sistema penal del Estado. Si alguien tuviera esa facultad de disposición tendría en realidad el *ius puniendi*, por cuanto éste sólo se ejercitaría si ese alguien así lo decidía.

2) Se pretende impedir que los delitos queden impunes; si el Estado considera que un acto debe ser tipificado como delito, no puede luego consentir que dejen de perseguirse actos concretos que quedan subsumidos en la norma general.

Lo que se está diciendo, en conclusión, es que la conformación del enjuiciamiento penal como un verdadero proceso, no puede significar que éste quede sometido a los principios de oportunidad y dispositivo. La actuación del derecho penal debe hacerse por medio del proceso, pero las reglas configuradoras de éste (salvo los principios esenciales de dualidad, contradicción e igualdad) tienen que ser distintas de los del proceso civil.

b) Creación artificial del Ministerio Fiscal

Si hubiera de mantenerse el esquema normal del proceso civil, también en el proceso penal aparecería como parte acusada aquella persona a la que se imputa la comisión de un delito y como parte acusadora el ofendido o agraviado por el mismo. Este no tendría derecho subjetivo a la imposición de una pena, pero sí quedaría legitimado para instar el ejercicio por el tribunal del *ius puniendi*. Con todo, este esquema de acusador=ofendido por el delito y acusado=a quien se imputa la comisión del delito, se quebró cuando se reconoció que la persecución de los delitos no puede abandonarse en manos de los particulares, sino que es una función que debe asumir el Estado y ejercerla conforme al principio de legalidad. Se produjo así la creación del Ministerio Fiscal.

El Ministerio Fiscal es, por consiguiente, una creación artificial que sirve para hacer posible el proceso, manteniendo el esquema básico de éste, y de ahí que se le convierta en parte acusadora que debe actuar conforme al principio de legalidad. Con ello estamos indicando los dos caracteres esenciales de la figura: 1) Es una parte, aunque pública, que responde a la idea de que el delito afecta a toda la sociedad, la cual está interesada en su persecución, y 2) Su actuación ha de basarse en la legalidad.

El que después ese Ministerio Fiscal asuma o no en exclusiva el ejercicio de la acción penal, esto es, que además de a la parte pública se reconozca legitimación a los ciudadanos particulares para el ejercicio de la acción penal, es algo que ya no afecta al esquema esencial del proceso. En la mayoría de los países se ha privado a los particulares de esa legitimación, incluso cuando han sido ofendidos por el delito, pero en España todos los particulares pueden convertirse en acusadores penales (art. 125 CE), y en esa opción hay un gran componente de libertad y de civilización, por cuanto no se aparta a los ciudadanos del interés público, sino que se les hace partícipes del mismo.

Naturalmente la atribución de la condición de parte acusadora pública y sujeta a la legalidad no significa que al Ministerio Fiscal se le atribuya el *ius puniendi*; éste sigue siendo monopolio de los tribunales, pero para que éstos puedan ejercitarlo por medio de un verdadero proceso es necesario que alguien formule la acusación, y con ese fin se crea al Ministerio Fiscal. Si algún día llegara a atribuirse a éste facultades discrecionales a la hora de formular la acusación, se estaría de hecho cambiando la titularidad del *ius puniendi*.

c) Actividad preparatoria pública

El proceso civil comienza cuando, ante un órgano jurisdiccional, se presenta una demanda en la que una parte, el actor, formula una pretensión contra otra, el demandado. Naturalmente la presentación de la demanda ha de estar precedida de una actividad preparatoria, realizada normalmente por el abogado del futuro actor, pero esa actividad es privada y la LEC no la regula. Por el contrario, las leyes procesales penales de todos los países sí regulan la actividad preparatoria del proceso penal y le atribuyen naturaleza pública, con lo que están introduciendo un elemento desconocido en el proceso civil.

En el siglo XIX se decidió que el sistema de aplicación del Derecho penal fuera el proceso y éste se partió en dos fases bien delimitadas: 1) Una preparatoria o de instrucción y 2) Otra enjuiciadora o de juicio en sentido estricto. La primera fase recibió nombres distintos en los varios códigos, pero en la LECRIM española se llamó sumario, aunque en este manual vamos a llamarla procedimiento preliminar, y es discutida su verdadera naturaleza procesal; la segunda fase también se denominó de varias maneras pero en la LECRIM se llama juicio oral.

Un código procesal penal no puede prescindir de la regulación de esa fase preparatoria; no puede empezar la regulación por el escrito de acusación que formulen las partes acusadoras. La actividad preparatoria atiende a dos finalidades esenciales:

1ª) *Investigación*: Investigar es partir de lo desconocido e ir a la búsqueda de cómo ocurrieron unos hechos que aparecen *prima facie* como delictivos. Esta actividad es propiamente policial, tanto que ni el juez de instrucción ni el fiscal podrían asumirla de hecho y sin perjuicio de lo que disponga una norma.

2ª *Instrucción*: Es evidente que instruir no es lo mismo que investigar. La instrucción ya es jurídica, e implica hacer constar la perpetración de los delitos, con todas las circunstancias que puedan influir en su calificación, y las personas que han intervenido en ellos. En la instrucción se integran varias actividades:

1) Preparar el posterior juicio oral y es obvio que esta actividad preliminar debe servir tanto para lo que determina la inculpación como para lo que la excluye, es decir, debe preparar tanto la acusación como la defensa.

2) Impedir que llegue a abrirse el juicio oral: El juicio oral sólo debe de ser sufrido por una persona cuando existan elementos suficientes para ello, elementos que deben ser necesariamente determinados antes de la apertura de la segunda fase. Esta actividad jurídica no puede quedar en manos de los acusadores, pues estos no pueden decidir que sientan en el banquillo a quienes ellos quieran.

Desde esta perspectiva debe afrontarse la cuestión de a quién debe confiarse el procedimiento preliminar o instrucción, si a un juez imparcial o si a una parte, y por lo mismo parcial, como es el Ministerio Fiscal, lo cual a su vez debe ser determinante de la naturaleza jurídica de esa primera fase. Pero eso es algo que se verá en su momento.

IV. EL PROCESO PENAL COMO GARANTÍA DEL DERECHO DE LIBERTAD

El principio de necesidad, y sus consecuencias, hasta hace poco eran considerados como conquista de civilización, pero es el caso que en los últimos tiempos casi todas sus consecuencias se han puesto en cuestión. Se ha sometido a discusión casi todo, desde que la existencia de un hecho aparentemente constitutivo de delito tenga que suponer el inicio de la actividad jurisdiccional, hasta que el proceso tenga que terminar por sentencia; desde que nadie tiene la disposición de la penas hasta que las penas pueden ser acordadas entre acusador y el acusado (aunque de éste ni siquiera se sabe, con la certeza que da el proceso, si es el autor del delito).

Todo se ha debatido y todo debe debatirse, pero sería conveniente que en ese debate se empezara a cuestionar algo de más calado, como es si el proceso penal debe seguir siendo concebido como un mero instrumento para la aplicación del Derecho penal o si debe empezar a concebirse como garantía contra la represión que es connatural con el Derecho penal. No se trataría ya simplemente de que el Derecho penal sólo se aplicara por medio del proceso —lo que debería seguir siendo elemento esencial—, sino que se trataría de que el proceso penal debería ser instrumento de garantía del derecho a la libertad. Ese proceso no debería entenderse incluido como un elemento más en la política represora del Estado, sino que debería ser entendido como un medio de garantía de los ciudadanos contra o, por lo menos, frente al Estado represor.

En las últimas décadas ha sido común entender que la función de la jurisdicción se resolvía en la actuación del Derecho objetivo mediante la aplicación de la norma en el caso concreto, lo que se hacía por medio del proceso. En esta concepción lo importante no era la tutela de los derechos de los ciudadanos, sino el cumplimiento de las normas. No se trataba de garantizar los derechos de los individuos, sino de que se cumpliera la previsión general de la ley, en cuanto en ella se recogía lo que el Estado entendía como interés público. Lo público debía primar sobre lo individual y por ello hemos dicho que con el principio de necesidad se trataba de impedir que alguien pudiera disponer de la aplicación de las penas e impedir que los delitos quedasen impunes. Ahora hay que dar un paso más. No se trata de negar lo anterior y de privatizar el proceso penal. Se trata de, asentado lo anterior, avanzar en el camino de la civilización, entendiendo que el verdadero progreso lo es solo si da pasos en el camino que lleva a la libertad.

Desde estas consideraciones se abren dos puntos de vista complementarios:

a) Entender que cuando se habla del debido proceso legal (*due process of law* de la Enmiendas V y XIV de la Constitución de los Estados Unidos) lo único que se está diciendo es algo elemental: a ninguna persona se le privará de la vida, la libertad o la propiedad sin el debido proceso legal; esto es, el Poder político no privará a nadie de esos derechos sin un proceso, sin un verdadero proceso; la palabra debido no añade nada a proceso.

En los últimos tiempos han proliferado en las constituciones expresiones como «proceso justo, «proceso equitativo» o similares que llaman poderosamente la atención del jurista crítico. Si hubiera un proceso que debiera calificarse de justo es porque necesariamente tendría que existir otro proceso que debería ser injusto o no equitativo; o, mejor, si hay un procedo debido es porque hay que haber un proceso indebido. Y esto es algo absurdo. Rehágase la frase de esta manera: el Poder político sólo podrá privar a las personas de la vida, de la libertad y de la propiedad por medio de un verdadero proceso. Con ello lo único que se está diciendo, en lo que ahora importa, es que el Derecho penal se aplica única y exclusivamente por los tribunales y por medio del proceso.

b) Dado que la mención del debido proceso dice muy poco respecto de las garantías procesales de las personas es necesario estar al examen detallado de las garantías unas veces genéricas y otras más concretas que se contienen en las constituciones. Ese examen se hará en las lecciones siguientes.

En síntesis, hoy el proceso penal se debe primero regular por el Estado, luego aplicar por los tribunales y, por último, estudiarse en tanto que garantía de las personas frente a la aplicación del Derecho penal. No forma parte del Derecho penal; antes al contrario, sólo tiene sentido para la tutela de los derechos de los ciudadanos contra (o acaso, frente a) la actuación del Derecho penal, que es siempre represor.

LECTURAS RECOMENDADAS: El principio de legalidad se formuló inicialmente por A. Feuerbach en su *Tratado*, y siempre tiene interés su lectura. ARMENTA DEU, *Sistemas procesales penales*, Madrid, 2012. MONTERO, *Proceso penal y libertad*, Madrid, Civitas, 2008. ESPARZA LEIBAR, *El principio del debido proceso*, Barcelona, 1995. BARONA VILAR, *Proceso penal desde la Historia. Desde sus orígenes hasta la sociedad global del miedo*, 2017; BARONA VILAR, *Justicia penal, globalización y digitalización*, 2018.

LIBRO II
LOS CONCEPTOS GENERALES DEL PROCESO DE DECLARACIÓN

CAPÍTULO I
LA COMPETENCIA

Lección Segunda

La competencia penal

I. EXTENSIÓN Y LÍMITES DE LA JURISDICCIÓN ESPAÑOLA EN EL ORDEN PENAL

Son las normas que determinan si el proceso penal debe atribuirse a un Juez y si ese Juez debe ser español.

A) Criterios de atribución: Universalidad, exclusividad y generalidad, fijados por la LOPJ, estableciendo un punto de conexión con un tribunal español.

B) Tratamiento procesal: Apreciable de oficio por el juez y a instancia de parte mediante declinatoria.

II. LA COMPETENCIA GENÉRICA PENAL

Presupuesto procesal. Atribuye las causas por delito al orden jurisdiccional penal (salvo jurisdicción militar).

III. LOS CRITERIOS DE ATRIBUCIÓN

A) Objetivo y funcional: Determinan la competencia por la materia (delito) y la persona en función de quién sea el imputado.

B) Órganos jurisdiccionales con competencia penal: JPaz, JI, JVMujer, JCI, JPen, JCPen, JVP, JCVP, JMen, AP, TSJ, AN, TS (ordinarios) y TJ (especial)

C) La competencia objetiva ordinaria nos indica la atribución concreta de un delito a cada órgano jurisdicción penal

D) Territorial: Se rige por el fuero del lugar de comisión del delito, si bien existen fueros subsidiarios.

E) Tratamiento procesal: Apreciable de oficio por el juez y a instancia de parte mediante declinatoria. No cabe la sumisión.

IV. TRATAMIENTO PROCESAL

Siempre es improrrogable.

Control de oficio y por declinatoria.

V. OTRAS POSIBLES ALTERACIONES EN LA FIJACIÓN DEFINITIVA DE LA COMPETENCIA; EN ESPECIAL, LA CONEXIÓN PENAL

Son delitos conexos los fijados por la ley, deben conocerse en un único procedimiento.

Existen varias clases de conexión (simultánea, bajo acuerdo, mediata, para impunidad y análoga).

Los fueros en estos casos se fijan legalmente (gravedad pena, subsidiario temporal y supletorio de la orden).

I. EXTENSIÓN Y LÍMITES DE LA JURISDICCIÓN ESPAÑOLA EN EL ORDEN PENAL

Los tribunales españoles no pueden asumir el conocimiento de cualquier delito que se produzca, ni siquiera cuando el autor o la víctima sea español. Por eso la LOPJ fija los límites de la jurisdicción penal española en su art. 23, completado por los anticuados arts. 46 y 47 LECRIM.

A) Criterios de atribución

La LOPJ establece en lo penal diferentes criterios para fijar la jurisdicción española en el conocimiento de una causa por delito. El principio básico es que sobre todo delito cometido en España tiene jurisdicción un tribunal español, pero con matices fundados en los siguientes criterios:

a) Universalidad: La LOPJ reconocía en un primer momento el principio de justicia penal universal o de persecución mundial del delincuente, en virtud del cual los tribunales españoles podían conocer de cualquier delito realizado en el mundo, independientemente de la nacionalidad de sus autores y del lugar de su comisión, si bien el principio adquiría relevancia jurídica tratándose de los delitos más espantosos, como genocidio, lesa humanidad o terrorismo.

La práctica del mismo en los crímenes más graves, todos ellos competencia de la AN, que llevó sin duda a desmesuras quijotescas y, sobre todo, a situaciones de singularidad mundial (entre otras, SSTC 237/2005, de 26 de septiembre, caso genocidio Guatemala; y 227/2007, de 22 de octubre, caso genocidio China), ha obligado a matizar en una primera reforma el mismo, aplicándolo sólo en caso de que esté acreditado que el autor del delito esté en España, o que la víctima sea española, o que exista algún punto de conexión relevante con España y, además, esto es clave en la reforma, siempre que otro país competente o un tribunal internacional no haya iniciado ya un proceso penal sobre los mismos hechos (art. 23.4 LOPJ, reformado por la LO 1/2009, de 3 de noviembre, reforma aprobada para impedir la mayor parte de casos competenciales por los que España fue alabada en su lucha contra la impunidad internacional más grave).

Una segunda reforma operada por la LO 1/2014, de 13 de marzo (declarada íntegramente constitucional por la STC 140/2018, de 20 de diciembre, que en particular afirma la constitucionalidad de la restricción del principio de universalidad de la jurisdicción), ha ido más allá, restringiendo todavía más el criterio de universalidad, porque aunque se amplíe el listado de delitos cometidos en el extranjero y se adapte a los convenios internacionales (art. 23.2 y 4 LOPJ), lo cierto es que su persecución en España se condiciona en general a querella del MF o de la víctima, que debe ser española, y dirigirse contra imputado que se encuentre en España. En particular, cada delito tiene ahora requisitos propios de perseguibilidad derivados de la vigencia de un convenio internacional al respecto.

Pero no resuelve todos los problemas, pues esta reforma podría impedir, por ejemplo, la persecución por la AN en aguas internacionales del narcotráfico si en el barco no hay españoles ni su destino es España, un tema muy sensible en nuestro país al ser lugar de tránsito ideal de la droga que se canaliza desde América y

África a Europa. La no persecución de determinados delitos tan graves pondría en una situación difícil a sus víctimas. Por eso el TS ha dicho que en este caso la jurisdicción española sí es competente, resolviendo todas las dudas (STS 592/2014, de 24 de julio, RA 3690). La ley impone además el sobreseimiento de oficio de las causas pendientes que no reúnan los nuevos requisitos (DT-única LO 1/2014).

Finalmente, una tercera reforma en este tema, la actualmente vigente, operada por la LO 4/2014, de 11 de julio (sólo cuatro meses después que la anterior), amplía los requisitos para perseguir determinados delitos en España, sólo por querella del ofendido o del Fiscal, haciendo más difícil que conozca la jurisdicción española (art. 23.4 y 6 LOPJ), indicando expresamente y por qué razones esos delitos no serán perseguibles en España si se dan los casos previstos en el nuevo art. 23.5 LOPJ. El sobreseimiento opera ahora para todas las causas sin excepción hasta que se acredite el cumplimiento de los nuevos requisitos (DT-única LO 4/2014). En términos jurídicos estrictos, esta reforma significa que el principio de Justicia universal puede considerarse en España un mero tema residual, puramente conceptual (y así lo confirman los casos *Falun Gong*, STC 10/2019, de 28 de enero; y *Tibet*, SSTC 23/2019, de 25 de febrero y 35/2019, de 25 de marzo).

b) Exclusividad: La jurisdicción española conoce en exclusiva de los delitos cometidos en territorio español, lo que incluye los cometidos en buques y aeronaves de pabellón español, salvo que tratados internacionales en vigor en nuestro país dispongan lo contrario (art. 23.1 LOPJ).

c) Generalidad: Siempre que no estemos ante un supuesto de aplicación del principio de justicia universal o de criterios de exclusividad, los tribunales españoles tienen jurisdicción en los siguientes casos: 1) Tratándose de hechos punibles cometidos por españoles naturales o nacionalizados en el extranjero siempre que se den las circunstancias del art. 23.2 LOPJ (reformado por la LO 4/2014), por ejemplo, existencia de denuncia o querella de parte; y 2) De los hechos punibles muy graves cometidos por españoles o extranjeros fuera del territorio español enumerados en el art. 23.3 LOPJ (por ejemplo, delitos contra el rey, o rebelión).

B) Tratamiento procesal

El presupuesto procesal de jurisdicción penal es controlable de oficio por el tribunal en cualquier momento cuando quede acreditada su falta, o a instancia de la parte mediante el instrumento competencial de la declinatoria en el trámite de artículos de previo pronunciamiento (art. 666, 1ª LECRIM), o en cualquier otro momento procesal previo según la jurisprudencia mediante un escrito específico al tratarse de una cuestión de orden público procesal. No olvidemos que su falta provoca la nulidad del proceso conforme al art. 238, 1º LOPJ).

II. LA COMPETENCIA GENÉRICA PENAL

La competencia en el orden penal no presenta ninguna variación en cuanto al concepto de la misma estudiado para el proceso civil. Las diferencias son, obviamente, de contenido, e importantes. En este sentido, la competencia penal aparece como un presupuesto procesal relativo al órgano jurisdiccional ya en el primer artículo de la LECRIM (a relacionar con el art. 117.3 CE, recuérdese), pues además de la exigencia del principio de legalidad procesal, se requiere que el juez que haya dictado la sentencia sea el competente.

Según la LOPJ, tienen competencia los siguientes órganos jurisdiccionales del orden penal: Los Juzgados de Paz (JP), los Juzgados de Instrucción (JI), los Juzgados de Violencia sobre la Mujer, los Juzgados Centrales de Instrucción (JCI), los Juzgados de lo Penal (JPe), los Juzgados Centrales de lo Penal (JCPe), los Juzgados de Menores (JM), el Juzgado Central de Menores (JCM), los Juzgados de Vigilancia Penitenciaria (JVP), los Juzgados Centrales de Vigilancia Penitenciaria (JCVP), las Audiencias Provinciales (AP), los Tribunales Superiores de Justicia (TSJ) de las Comunidades Autónomas, la Audiencia Nacional (AN) y el Tribunal Supremo (TS). También tiene competencia penal el Tribunal del Jurado (TJ) que, aunque órgano especial, debe ser considerado aquí.

Las reformas operadas en 2002, 2003 y 2015 no han creado un nuevo órgano jurisdiccional, el Juzgado de Guardia, ya que éste es un Juzgado de Instrucción, en funciones de guardia. No obstante, extrañamente se le atribuye una competencia objetiva como si fuera un órgano judicial propio, dictar sentencia de conformidad en el proceso penal especial para el enjuiciamiento rápido de determinados delitos y en el proceso penal ordinario por delitos leves.

Dado que, como ya sabemos, el orden civil es subsidiario (art. 9.2 LOPJ), los juzgados y tribunales del orden jurisdiccional penal tienen atribuido el conocimiento de las causas y juicios criminales, con excepción de los que correspondan a la jurisdicción militar (art. 9.3 LOPJ).

El orden penal queda deferido, por tanto, y básicamente, a la competencia para el enjuiciamiento de los delitos tipificados como tales por el CP o las leyes penales especiales o complementarias, con exclusión de las previstas en la legislación militar, conforme al art. 1 LECRIM o normativa procesal ordinaria o especial fuera de ella, que así lo establezcan expresamente.

III. LOS CRITERIOS DE ATRIBUCIÓN

Ha llegado el momento, una vez sabemos que a un asunto individualizado se extiende la jurisdicción española, y que su conocimiento genérico corresponde al orden jurisdiccional penal, de precisar por qué vías se llega a la atribución concreta de una causa penal a un juez o tribunal que tiene competencia para ello. Pues bien, partiendo de los conceptos generales expuestos en el tomo I de esta obra y al igual que veíamos en el orden civil, no hay aquí tampoco ninguna variación, puesto que los criterios de atribución son el objetivo, el funcional y el territorial.

A) Objetivo

La atribución de una causa penal objetivamente viene determinada por la ley con base en un criterio cualitativo, según quién sea el investigado, y en otro cuantitativo o material, a saber, que se trate de un delito.

La determinación legal de la competencia objetiva de los órganos jurisdiccionales penales parte del art. 14 LECRIM, que atribuye la competencia objetiva «general» a unos concretos órganos jurisdiccionales del orden penal contemplados por la LOPJ, salvo que la Constitución y las leyes la atribuyan a jueces y tribunales determinados.

En la redacción originaria del art. 14 (núms. 2.º y 4.º) LECRIM, el sistema significaba en punto a los delitos atribuir la competencia para la instrucción al JI, y para la cognición y fallo a la AP, a través del proceso ordinario por delitos, puesto que era el único para enjuiciar estos hechos punibles.

B) Funcional

La competencia funcional de los órganos jurisdiccionales penales no presenta ninguna variación conceptual respecto a lo que ya conocemos para el proceso civil. Por motivos pedagógicos, igual que hicimos en este proceso, expondremos también juntas a continuación la determinación particular de las competencias objetiva y funcional penales más llamativas.

C) Concreciones

Combinando, por lo que hace referencia a la competencia objetiva, el criterio cualitativo (aforamiento), con el criterio cuantitativo o material (que además de tomar en cuenta que sea delito atiende a la gravedad de la pena fijada legalmente), y añadiendo la competencia funcional, resulta el siguiente esquema, que en parte ha sido profundamente modificado por el CP de 1995 y sus numerosas y sucesivas reformas desde entonces, yendo de menor a mayor grado en la jerarquía jurisdiccional, y teniendo en cuenta que se pretenden destacar sus competencias más importantes, sin ánimo de exhaustividad:

1.º) Juzgados de Paz

Al haber sido suprimidas las faltas por la LO 1/2015, de 30 de marzo, los JP, que eran competentes para conocer de casi todas ellas, no tienen ya ninguna competencia penal objetiva (a pesar del art. 100.2 LOPJ). Únicamente les resta conocer hoy sólo de los actos de conciliación en materia criminal (art. 278 LECRIM), una competencia irrelevante que justificaría por sí sola la desaparición de este órgano con competencias penales.

2.º) Juzgados de Instrucción

La competencia más importante de los JI, de carácter funcional, es instruir todas las causas por delito cuyo enjuiciamiento corresponda a las AP, a los JPe y al TJ (arts. 87.1 a) LOPJ y 14, 2.º LECRIM), salvo en violencia de género. Conocen, por tanto, del procedimiento preliminar judicial, tanto en el proceso penal ordinario por delitos más graves (sumario), como en el proceso penal ordinario abreviado (diligencias previas), en el proceso penal ordinario por delitos leves si hubiese instrucción (juicios por delito leve), en el proceso penal especial para el enjuiciamiento rápido de determinados delitos (diligencias urgentes) y en el proceso penal especial ante el Tribunal del Jurado. También conocen del proceso por aceptación de decreto y del proceso por decomiso autónomo (LO 13/2015, de 5 de octubre), así como de los procedimientos de revisión de medidas por modificación de circunstancias, se supone que en materia de violencia de género (art. 87.3 LOPJ, añadido por la LO 5/2018, de 28 de diciembre).

Estando en funciones de guardia pueden dictar sentencia de conformidad en los términos de los arts. 14, 3º y 801 LECRIM, según las reformas de 2002, de 2003 y de 2015 antes indicadas.

También conocen y fallan de los juicios por delito leve (art. 14, 1º, reformado en 2015, y 973.1 LECRIM).

Igualmente son competentes para la ejecución de medidas de embargo y de aseguramiento de pruebas en procesos penales de la UE, de acuerdo con el art. 87.1, g), introducido por la LO 5/2006, de 5 de junio (BOE del 6); para la emisión y ejecución de instrumentos de reconocimiento mutuo de resoluciones penales de la Unión Europea que les atribuya la ley (art. 87.1, g) LOPJ, reformado por la LO 6/2014, de 30 de octubre); autorizan el internamiento de extranjeros, controlan el desarrollo del mismo y conocen de sus quejas, así como el funcionamiento de la salas de inadmisión de las fronteras (arts. 62 y ss., LExt de 2000 y DA 4.ª LO 2/2009, de 11 de diciembre); y tienen otras competencias no penales en función de la garantía jurisdiccional de determinados derechos (*habeas corpus*, y, en su caso, recursos en punto al beneficio de asistencia jurídica gratuita, pero ya no conocen de la entrada administrativa en domicilios, pues esa competencia ha pasado a los Jueces de los Contencioso-Administrativo, al suprimirse el art. 87.2 LOPJ por la LO 6/1998, de 13 de julio, y de acuerdo con el art. 8.6 LJCA de 1998);

Debe simplemente recordarse que la LO 2/2002, de 6 de mayo (en relación con el art. 598-9° LOPJ) tratándose de las actividades del Centro Nacional de Inteligencia, atribuyeron la autorización para las entradas y registros y la intervención de las comunicaciones a un magistrado del Tribunal Supremo.

3.º) Juez de Violencia sobre la Mujer

Creado por la LO 1/2004, de 28 de diciembre, de Medidas de Protección Integral contra la Violencia de Género (art. 87 bis LOPJ), como órgano mixto, es decir, con competencias civiles y penales, conoce en lo penal de las materias fijadas en el art. 87 ter.1 LOPJ y en el art. 14.1 y 5 LECRIM, reformados sen 2015; básicamente de la instrucción de procesos penales por los delitos, más graves, graves, menos graves y leves, especificados en esa norma cuya víctima sea una mujer y se haya producido un acto de violencia de género; y la adopción de órdenes de protección, salvo que sean competencia del Juez de Guardia. Corresponde también a los JVM dictar sentencia de conformidad con la acusación en los casos establecidos por la ley (art. 87 ter.1, e) LOPJ). Los posibles conflictos competenciales con los Jueces de Familia se regulan en el art. 49 bis LEC, y con los demás Jueces Instructores penales en el art. 87.1 LOPJ.

4.º) Juzgados Centrales de Instrucción

La relación existente entre el JI y la AP es, salvadas las distancias, prácticamente la misma que la que hay entre el JCI y la AN, teniendo en cuenta que en este órgano jurisdiccional no se incardina ningún TJ, añadiéndose la competencia para conocer del proceso especial («expediente») de extradición pasiva, conforme a la Ley 4/1985, de 21 de marzo; para tramitar los expedientes de ejecución de la orden europea de detención y entrega, de extradición pasiva y las solicitudes de información entre los servicios de seguridad de los estados de la Unión Europea; y para la emisión y ejecución de instrumentos de reconocimiento mutuo de resoluciones penales de la Unión Europea que les atribuya la ley (art. 88 LOPJ).

5.º) Juzgados de lo Penal

Este órgano judicial penal fue creado por la LO 7/1988, de 28 de diciembre, con el único fin de conocer y fallar en los procesos penales abreviados, instruidos por el JI e introducidos en nuestro ordenamiento igualmente por aquellas normas y por la Ley 10/1992, siempre y cuando no deba fallar la AP o el TJ. Esa es su única competencia objetiva (art. 89 bis 2 LOPJ y 14-3º LECRIM). Conocen funcionalmente del reconocimiento y ejecución de las resoluciones que impongan sanciones pecuniarias transmitidas por las autoridades competentes de otros Estados miembros de la Unión Europea, cuando las mismas deban cumplirse en territorio español (art. 89 bis 2 LOPJ); y de la emisión y ejecución de instrumentos de reconocimiento mutuo de resoluciones penales de la Unión Europea que les atribuya la ley (art. 89 bis.4 LOPJ).También pueden conocer del proceso por decomiso autónomo (LO 13/2015, de 5 de octubre).

6.º) Juzgados Centrales de lo Penal

El paralelismo entre JI y JPe es exactamente el mismo entre JCI y JCPe, por lo que éste tiene las mismas competencias que el JPe, referidas a los delitos contemplados en el art. 65 LOPJ, y las demás que le señalen las leyes (arts. 88, 89 bis.2 LOPJ y 14.3.º LECRIM).

7.º) Juzgados de Vigilancia Penitenciaria

Su competencia fundamental, de acuerdo con los arts. 76 LGP y 94.1 LOPJ, desarrollados por el Reglamento Penitenciario (RD 190/1996, de 9 de febrero), es ejercer las funciones previstas en la LGP en materia de ejecución de las penas privativas de libertad y medidas de seguridad.

8.º) Juzgado Central de Vigilancia Penitenciaria

La LO 5/2003, de 27 de mayo, ha creado el Juzgado Central de Vigilancia Penitenciaria, incardinado en la Audiencia Nacional, con jurisdicción en toda España, encargado de cumplir con sus funciones propias de acuerdo con la Ley, cuando se trate de delitos competencia de la Audiencia Nacional (art. 94.4 LOPJ).

9.º) Juzgados de Menores

Los Juzgados de Menores conocen de los hechos cometidos por personas mayores de 14 años y menores de 18 tipificados como delito en el Código Penal o en las leyes penales especiales, así como de sus responsabilidades civiles (art. 2 LO 5/2000, de 12 de enero, reguladora de la Responsabilidad Penal de los Menores). También existe un Juzgado Central de Menores.

10.º) Audiencias Provinciales

Uno de los órganos penales más importantes, su competencia básica se centra «ratione materiae» en las causas por delito, a excepción de las que la ley atribuye al conocimiento de los JPe o de otros tribunales previstos en la LOPJ (arts. 82.1, 1.º, 83.1 y 83.2, d), y DA-1.ª.1 LOPJ, 14-4.º y 757 LECRIM), o del TJ (art. 1 LJ). Por tanto conocen y fallan en el proceso penal ordinario por delitos más graves y en el proceso penal abreviado cuando no es competencia del JPe. No tienen ninguna competencia objetiva en el proceso penal especial ante el TJ, pero pueden conocer del proceso por decomiso autónomo (LO 13/2015, de 5 de octubre).

Funcionalmente debemos destacar el conocimiento del recurso de apelación que se interponga contra las resoluciones del JI y del JPe de la provincia (arts. 82.1, 2.º LOPJ, y 790.1 LECRIM), de los JVM (hay posibilidad de Secciones especializadas) contra los de los JMen, y JVP que no sean competencia de la Audiencia Nacional (art. 82.1, 3.º y 4.º LOPJ).

11.º) Tribunales Superiores de Justicia

La Sala de lo Civil y Penal de los TSJ, actuando como órgano jurisdiccional penal, tiene competencia objetiva para conocer de las causas contra los diputados autonómicos por delitos cometidos en el territorio de su respectiva Comunidad Autónoma (v. v. gr., el art. 12.3, II EA Comunidad Valenciana); contra los miembros del gobierno autónomo, incluido al Presidente (v. gr., el art. 19 EA Comunidad Valenciana); y contra jueces, magistrados y miembros del Ministerio fiscal, por delitos cometidos en el ejercicio de su cargo en la CA, siempre que esta atribución no corresponda al TS (art. 73.3, b) LOPJ).También pueden conocer del proceso por decomiso autónomo (LO 13/2015, de 5 de octubre).

Conocen del recurso de apelación contra determinados autos o resoluciones equivalentes dictados por la AP en fase de juicio oral (art. 846 bis a) II LECRIM; así como contra la sentencia del TJ incardinado en la AP (art. 846 bis a) LECRIM).

La LO 41/2015, de 5 de octubre, con base en la LO 19/2003, de 23 de diciembre, generaliza finalmente la apelación en nuestro proceso penal, pues la Sala de lo Civil y Penal (funcionando como Sala de lo Penal) de los TSJ conoce de los recursos de apelación contra las sentencias de las Audiencias Provinciales y Audiencia Nacional en primera instancia (art. 846 ter y 847 LECRIM).

De esta manera se reduce la sobrecarga de trabajo del Tribunal Supremo y se cumple mejor con las previsiones del art. 14.5 PIDCP, pues en el parecer de la ONU nuestro sistema no era acorde con él (Resolución de 20 de julio de 2000 del Comité de Derechos Humanos, entre otras muchas posteriores contra España), a pesar de que con ello se cometió un grave error de interpretación por este órgano internacional, pues nuestro sistema casacional bastaba hasta ahora para cumplir lo previsto en el Pacto.

12.ª) Audiencia Nacional

Órgano dogmáticamente muy discutido (sobre su ajuste a la CE, v. STC 199/1987, de 16 de diciembre), conoce fundamentalmente de los delitos más graves que se pueden cometer en España, como los que afectan a la Corona y Altos Organismos de la Nación, a la forma de Gobierno (entre los que se incluyen los delitos de rebelión y sedición siempre que no haya aforados al TS, por ser delitos contra la forma de Gobierno, A AN de 31 de octubre de 2017, JUR 2017I276230, caso referéndum ilegal en Cataluña), falsificaciones, delitos monetarios, defraudaciones, tráfico de drogas y otros fraudes, previstos en el art. 65, 1.°, a) a d) LOPJ; los delitos cometidos fuera del territorio nacional (art. 65, 1.°, e) LOPJ), incluida la extensión de la competencia a los delitos conexos a ellos (art. 65-1.°, e), II LOPJ); los delitos de mutilación genital femenina, de tráfico ilegal o inmigración clandestina de persona y los delitos de terrorismo, sin duda su competencia más conocida (DT LO 4/1988, de 25 de mayo, ahora en relación con los arts. 571 y ss. CP, reformados por la LO 2/2015, de 30 de marzo y también art. 14 del Convenio núm. 196 del Consejo de Europa de 16 de mayo de 2005 para la prevención del terrorismo, BOE de 16 de octubre de 2009).

Conoce finalmente de los recursos respecto a los instrumentos de reconocimiento mutuo de resoluciones penales en la Unión Europea que les atribuya la ley, y la resolución de los procedimientos judiciales de extradición pasiva, sea cual fuere el lugar de residencia o en que hubiese tenido lugar la detención del afectado por el procedimiento (art. 65.4 LOPJ, modificado por la LO 6/2014, de 29 de octubre).También pueden conocer del proceso por decomiso autónomo (LO 13/2015, de 5 de octubre).

En lo funcional, conoce de los recursos previstos en el art. 65, 5.° LOPJ y de los recursos contra resoluciones dictadas por el Juzgado Central de Vigilancia Penitenciaria (art. 65, 6.° LOPJ).

La reforma de la LOPJ operada por la LO 19/2003, de 23 de diciembre, crea en la AN una nueva Sala, la Sala de Apelación (art. 64.1 LOPJ), la cual adquiere la competencia funcional exclusiva de conocer de los recursos de apelación contra las resoluciones de la Sala de lo Penal, si bien ello se producirá cuando se reforme en este sentido la LECRIM.

13.º) Tribunal Supremo

Cúspide de la organización del Poder Judicial ordinario (art. 123.1 CE), conoce su Sala II básicamente del recurso de casación penal (art. 57.1, 1.º LOPJ); y del proceso de revisión penal (art. 57.1, 1.º LOPJ).

Por su importancia debemos destacar igualmente su competencia para conocer del enjuiciamiento y fallo por delito cometido por una de las Altas Autoridades y demás personas aforadas enumeradas en el art. 57.1, 2.º, LOPJ; y del enjuiciamiento y fallo de las causas contra magistrados de la AN o de un TSJ (art. 57.1, 3.º LOPJ).También conoce del enjuiciamiento y fallo de las causas dirigidas contra la Familia Real contemplada en el art. 55 bis LOPJ (introducido en 2014).

Funcionalmente es de notar igualmente la competencia de dicha Sala para conocer del recurso de casación contra las sentencias del TSJ dictadas en apelación del proceso penal especial ante el TJ (art. 847 LECRIM).

> Pero nuestro sistema no permite que todos los delitos lleguen a conocimiento jurídico del TS y por tanto, una parte importantísima de la tipicidad penal queda excluida de la jurisprudencia auténtica, lo que no ocurre en otros ordenamientos. Al fijarse la penalidad excluyente en cinco años, la franja de criminalidad más amplia está sujeta a variadas y contradictorias interpretaciones, lo que no es bueno nunca, y menos en el orden penal.

14.º) Tribunal del Jurado

Tiene competencia objetiva para conocer del enjuiciamiento de los siguientes delitos, esté incardinado en la Audiencia Provincial, en el Tribunal Superior de Justicia o en el Tribunal Supremo (aunque en estos dos últimos casos el criterio personal de aforado es el que los hace entrar en juego, si bien el TS ha decidido, en contra de la LJ, no enjuiciar a aforados en única instancia para no vulnerar en su entender la Constitución), y sea cual fuere la pena que les corresponda (art. 1.1 y 2 LJ, en relación con el art. 83.2 LOPJ, teniendo en cuenta que ya no conoce del delito de incendios forestales, de acuerdo con la DF-3ª LO 1/2015, de 30 de marzo):

1. Delitos contra las personas, a saber, delitos de homicidio previstos en los arts. 138 a 140 (Título I, «del homicidio y sus formas», del Libro II «Delitos y sus penas» del CP, reformados en 2015), que son el homicidio y el asesinato (art. 1.2 LJ).

2. Delitos cometidos por los funcionarios públicos en el ejercicio de sus cargos: El CP de 1995 los ha reducido a los siguientes tipos, enmarcados en el Libro II, Título XIX («Delitos contra la Administración Pública») y Título XX («Delitos contra la Administración de Justicia») Arts. 413 a 415 (infidelidad en la custodia de documentos), arts. 419 a 426 (cohecho), arts. 428 a 430 (tráfico de influencias), arts. 432 a 434 (malversación de

caudales públicos), arts. 436 a 438 (fraudes y exacciones ilegales), arts. 439 a 440 (negociaciones prohibidas a funcionarios), y art. 471 (infidelidad en la custodia de presos), muchos de ellos modificados en 2015.

3. Delitos contra el honor: Son los previstos en los arts. 205 a 210 del CP de 1995 (Título XI del Libro III, modificados en parte en 2015), pero ni tenían ni tienen ningún desarrollo de momento, pues el art. 1.1 LJ no se concreta luego en el art. 1.2 LJ.

4. Delitos de omisión del deber de socorro: Arts. 195 y 196 del CP de 1995 (Título IX del Libro II).

5. Delitos contra la inviolabilidad del domicilio: Arts. 202 a 204 del CP de 1995 (Capítulo II, Título X del Libro II, modificados en parte en 2015), reguladores del allanamiento de morada.

6. Delitos contra la libertad: El TJ conoce del delito de amenazas (art. 1.2, 9) LJ), que se corresponde con el art. 169-1.° CP de 1995 (Capítulo II, Título VI del Libro II).

También se extiende la competencia objetiva a los delitos conexos, al concurso ideal y al delito continuado (art. 5.2 y 3 LJ, y STS 683/2017, de 18 de octubre, RJ 2017\4522). Sorprendentemente el TJ puede conocer de cualquier otro delito, si en conclusiones definitivas las partes calificasen los hechos como constitutivos de un delito de los no atribuidos a su conocimiento, pues entonces no hay transformación de procedimiento adecuado ni alteración de la competencia objetiva (art. 48.3 LJ).

D) La competencia objetiva ordinaria

El anterior esquema, ilustrativo de la competencia objetiva y funcional más importante de los órganos jurisdiccionales penales, no es útil de cara a la práctica si no tomamos en consideración además los supuestos normales, cambiando la óptica del análisis. Se trata de la llamada competencia objetiva ordinaria, que nos dice de qué delitos va a conocer cada juzgado o tribunal, y cuál es el procedimiento adecuado según la penalidad establecida por el CP, excluyendo los supuestos específicos (aforamientos y conexiones, básicamente, por un lado, y Jurado por otro).

En este sentido las reglas son aparentemente muy sencillas (arts. 14-3.°, I y 757 LECRIM): De los delitos castigados hasta 5 años de prisión, conoce el JPe por el proceso abreviado, o por el proceso penal especial para el enjuiciamiento rápido de determinados delitos; de los delitos castigados entre 5 y 9 años de prisión, conoce la AP por el proceso abreviado; y de los delitos castigados con más de 9 años de prisión conoce la AP por el proceso por delitos más graves. La fijación de la competencia se hace en abstracto, es decir, en función de la cantidad de pena señalada al delito por el CP, y no por la pena concreta solicitada por la acusación (STS de 4 de mayo de 1998, RA 2747). Respecto a delitos castigados con penas no privativas de libertad, es competente también el JI. Para el enjuiciamiento de las personas jurídicas se estará a la pena legalmente prevista para la persona física (art. 14 bis LECRIM).

No obstante, las particularidades tienen aquí ciertas complicaciones que deben detallarse:

1. Delitos leves, castigados con penas no privativas de libertad entre un día y un año; y la pena de multa hasta tres meses (arts. 13.3 y 4, y 33.4 CP, reformados en 2015 y 14.1 LECRIM, reformado en 2015).

Es competente para instrucción, conocimiento y fallo, el JI, también en funciones de Juez de Guardia.

2. Delitos graves y menos graves, castigados con penas privativas de derechos, inhabilitaciones, suspensiones, trabajos en beneficio de la comunidad o de localización permanente desde 3 meses hasta 8 años, multas de más de 3 meses, o prisión de 3 meses a 5 años (arts. 13.2 y 33.3 CP):

Hay que distinguir de acuerdo con la LECRIM dos posibilidades:

Primera. Delitos no rápidos:

a) Competencia para instrucción: Juez de Instrucción del partido en el que el delito se haya cometido o Juez de Violencia sobre la Mujer del lugar del domicilio de la víctima (arts. 87.1, a) LOPJ, 14-2º y 15 bis LECRIM).

b) Competencia para conocimiento y fallo: Juez de lo Penal de la provincia en que el delito se haya cometido, o de la circunscripción del JVM (arts. 89 bis.2 LOPJ, y 14.3 y 14.5, d) LECRIM).

c) Procedimiento adecuado: El proceso penal abreviado (Diligencias Previas: arts. 757 y ss. LECRIM).

Segunda. Delitos rápidos, castigados con pena privativa de libertad hasta 5 años o cualesquiera otras penas, bien sean únicas, conjuntas o alternativas cuya duración no exceda de 10 años, cualquiera que sea su cuantía, siempre que el proceso penal se incoe en virtud de atestado policial y que la Policía Judicial haya detenido a una persona y la haya puesto a disposición del Juzgado de Guardia o que, aún sin detenerla, la haya citado para comparecer ante el Juzgado de Guardia por tener la cualidad de denunciado en el atestado policial, y además concurra cualquiera de las circunstancias previstas en el art. 795.1 LECRIM:

a) Competencia para instrucción: Juez de Instrucción en funciones de guardia del partido en el que el delito se haya cometido (Diligencias Urgentes: Arts. 87.1, a) LOPJ, 14-2° y 797 LECRIM).

b) Competencia para conocimiento y fallo: Juez de lo Penal de la provincia en que el delito se haya cometido (arts. 89 bis.2 LOPJ, 14-3º y 803 LECRIM).

c) Procedimiento adecuado: El proceso penal especial para el enjuiciamiento rápido de determinados delitos (arts. 795 y ss. LECRIM).

3. Delitos graves y menos graves castigados con penas graves y menos graves de naturaleza distinta a las privativas de libertad, cualquiera que sea su cuantía pero de duración inferior a 10 años, bien sean únicas, conjuntas o alternativas, que no deban tramitarse por el proceso penal especial para el enjuiciamiento rápido de determinados delitos de acuerdo con el art. 795.1 LECRIM:

a) Competencia para instrucción: Juez de Instrucción del partido en el que el delito se haya cometido o Juez de Violencia sobre la Mujer del lugar del domicilio de la víctima (arts. 87.1, a) LOPJ, 14-2º y 15 bis LECRIM, en relación con los arts. 13.2 y 33.3 CP).

b) Competencia para conocimiento y fallo: Juez de lo Penal de la provincia en que el delito se haya cometido (arts. 89 bis. 2 LOPJ, 14-3º y 757 LECRIM).

c) Procedimiento adecuado: El proceso penal abreviado (arts. 757 y ss. LECRIM).

4. Delitos graves, castigados con penas de prisión permanente revisable o de cinco a nueve años, o bien con cualesquiera otras penas de distinta naturaleza, bien sean únicas, conjuntas o alternativas, cualquiera que sea su cuantía o duración (arts. 13.1 y 33.2 CP, y 757 LECRIM):

a) Competencia para instrucción: Juez de Instrucción del partido en que el delito se haya cometido o Juez de Violencia sobre la Mujer del lugar del domicilio de la víctima (arts. 87.1, a) LOPJ, 14-2º y 15 bis LECRIM).

b) Competencia para conocimiento y fallo: La Audiencia Provincial (arts. 82.1-1º LOPJ, 14-4º y 757 LECRIM).

c) Procedimiento adecuado: El proceso penal abreviado (arts. 757 y ss. LECRIM).

5. Delitos graves castigados con penas de prisión permanente revisable o de nueve a quince años, prisión de quince a veinticinco años, o prisión de hasta treinta años (arts. 13.1, 33.2, y 76 CP):

a) Competencia para instrucción: El Juez de Instrucción del partido en que el delito se haya cometido o el Juez de Violencia sobre la Mujer del lugar del domicilio de la víctima (arts. 87.1, a) LOPJ, y 14-2º LECRIM).

b) Competencia para conocimiento y fallo: La Audiencia Provincial (arts. 82.1-1º LOPJ y 14-4º LECRIM).

c) Procedimiento adecuado: El proceso penal ordinario por delitos más graves (Sumario ordinario: Arts. 259 y ss. LECRIM).

E) Territorial

La distribución de la competencia desde el punto de vista territorial se opera en la ley con base en el «forum commisii delicti», es decir, el lugar de comisión del delito, estableciéndose asimismo unos fueros subsidiarios provisionales para cuando no conste aquél. La LO 1/2004, de 28 de diciembre, de Medidas de Protección Integral contra la Violencia de Género, ha establecido un fuero específico.

1) El lugar del delito

Salvo en aquellos órganos jurisdiccionales penales que tengan competencia en todo el territorio nacional (la AN y el TS), o competencia para enjuiciar delitos cometidos en el extranjero (la AN, art. 65.1, e) LOPJ), y dejando fuera el caso especial del TJ (aunque sigue los criterios de la LECRIM, v. art. 5.4 LJ), respecto a los demás, la regla general en orden a la competencia territorial penal viene dada por el art. 14 LECRIM, que consagra el denominado fuero del lugar de comisión del delito, es decir, es juez o tribunal competente el de la circunscripción en que se hubiera cometido el hecho punible.

El problema es que no siempre es fácil determinar el lugar en que se cometió el delito, por lo que la LECRIM se ha visto obligada a dictar normas de actuación hasta tanto conste. El tema no es sólo procesal, pues también materialmente interesa conocer el lugar del delito, y sobre este punto se desarrollaron varias teorías (de la actividad, del resultado y ecléctica o de la ubicuidad). No vale la pena entrar en ellas, porque del art. 23 LOPJ se deduce, acogiendo la tendencia de la jurisprudencia del TS, que el delito se comete donde se consuma, ya que los extranjeros que delinquen en España son enjuiciados aquí (v. S 23 de abril de 1949, RA 514; y STC 75/1984, de 27 de junio). Claro es que no sirve la teoría del resultado cuando el delito produce efectos en sitios diversos, o en caso de estar ante un delito continuado o permanente, que han tenido que ser resueltos con carácter especial (v., por ejemplo, S TS 26 de enero de 1970, RA 452).

2) Los fueros subsidiarios

No constando el lugar del delito, la LECRIM establece en su art. 15 cuatro fueros subsidiarios:

1. El del lugar en donde se hayan descubierto pruebas materiales del delito;
2. El del lugar en que haya sido detenido el presunto culpable;
3. El del lugar de residencia del presunto culpable; y
4. El del cualquier lugar en donde se hubieran tenido noticias del delito.

Obsérvese que el denominado fuero de la prevención, por el que es competente definitivamente el que primero realice actos procesales o entienda de la causa, vigente en muchos países (como en Alemania Federal, § 12 StPO), no se haya recogido en este precepto.

Además, la competencia territorial subsidiaria es meramente provisional, puesto que en cuanto conste el lugar de comisión, el que esté conociendo debe inhibirse y remitir los detenidos y las actuaciones al competente (art. 15, III, LECRIM).

3) El domicilio de la víctima

Tratándose de delitos de violencia de género, cuya instrucción o conocimiento corresponda al Juez de Violencia sobre la Mujer, la competencia territorial vendrá determinada por el lugar del domicilio de la víctima, sin perjuicio de la adopción de la orden de protección, o de medidas urgentes del artículo 13 de la presente Ley que pudiera adoptar el Juez del lugar de comisión de los hechos (art. 15 bis LECRIM).

IV. TRATAMIENTO PROCESAL

La competencia se configura en el proceso penal como presupuesto procesal, por lo que tiene el carácter de indisponible en todos sus criterios, por tanto, en el objetivo, el funcional y el territorial. En el proceso civil, recuérdese, es disponible generalmente la competencia territorial, pudiendo prorrogarse por las partes, pero en el proceso penal esto no sucede, porque el art. 8 LECRIM afirma expresamente que es improrrogable.

Con ello se quiere decir también que en el proceso penal no cabe la sumisión. La consecuencia directa es clara: Es el órgano jurisdiccional quien debe examinar de oficio, en cualquier estado de la causa, su propia competencia objetiva, funcional, y territorial (arts. 19-1.° y 2.°; y 25 LECRIM).

Pero téngase en cuenta que la ley no da a todos los actos relacionados con la competencia el mismo valor, puesto que, por ejemplo, una sentencia del JP no impide perseguir posteriormente el mismo hecho como delito, o si el JP condena por delito, la firmeza del fallo no puede sanar la nulidad de la sentencia (v. el art. 238-1.° LOPJ).

Cabe, por supuesto, la denuncia de la incompetencia por las partes, si bien sujeta a un plazo preclusivo: El acusador particular (y el popular), antes de formular su primera petición después de personado en la causa (art. 19-5.° LECRIM); el investigado, dentro de los tres días siguientes a aquél en que se les comunique la causa para calificación (art. 196.°), puesto que el medio es la declinatoria, a proponer como artículo de previo pronunciamiento (art. 666-1.ª). En cualquier caso, la no denuncia de parte no significa nunca que entre en juego la sumisión tácita, sino tan sólo la preclusión de la posibilidad impugnatoria.

V. OTRAS POSIBLES ALTERACIONES EN LA FIJACIÓN DEFINITIVA DE LA COMPETENCIA; EN ESPECIAL, LA CONEXIÓN PENAL

Recordemos que la alteración de la competencia por plantearse una cuestión de competencia penal (por declinatoria o por inhibitoria) ha sido estudiada en el tomo I de esta obra, al igual que el reparto de negocios, aunque en este caso no estamos ante norma competencial alguna. Ahora debe analizarse una alteración importante de la competencia penal, debida a una norma fundada en la conexión procesal (equivalente salvadas las distancias a la institución de la acumulación estudiada en el tomo II, dedicado al proceso civil).

En efecto, la LECRIM sienta en su art. 17.1 (reformado por la Ley 41/2015, de 5 de octubre, que ha derogado el clásico art. 300), la regla de que cada delito de que conozca la autoridad judicial será objeto de un sumario, pero a continuación excepciona los delitos conexos, pues éstos deben comprenderse en un solo proceso, siempre y cuando la investigación y la prueba en conjunto de los hechos resulte conveniente para su esclarecimiento y la determinación de las responsabilidades procedentes. Pero si a pesar de ello existe una excesiva complejidad o dilación para el proceso, se enjuician por separado. Esta es la norma española para evitar los últimos procesos «monstruo» que hemos tenido y seguimos teniendo en España (caso de los ERE, v. Auto AP Sevilla Sec. 7ª núm. 938/2013, de 13 de diciembre de 2013, y TS de 13 de noviembre de 2014 (JUR\272065, caso Gürtel, v. Auto TS de 19 de junio de 2012 (JUR\252202, etc.).

La conexión entendida en sentido estricto (diversidad de delitos culpándose a una sola persona o a varias), puede ser determinante tanto de jurisdicción (competencia genérica), como de competencia objetiva y territorial. La ley no se ocupa de los delitos conexos sino a tales efectos, olvidando, después de establecer el efecto más importante de la acumulación, a saber, el enjuiciamiento en un único proceso (art. 17.1), la forma de hacerlo efectivo o de impugnarlo, además de establecer una regla específica para un incidente de la ejecución en el art. 988 LECRIM (v. lección 20ª de este tomo). La acumulación tiene repercusión en la competencia cuando cada uno de los delitos, de perseguirse por separado, correspondería a un órgano distinto.

Es la propia LECRIM la que nos dice cuándo existe conexión en su art. 17:

1.º) *Comisión simultánea* (art. 17.2-1.º): Son delitos conexos los cometidos por dos o más personas reunidas. Se supone, ante el silencio de la ley que la comisión debe ser simultánea y que esas personas deben venir sujetas a diversos órganos jurisdiccionales ordinarios o especiales, o que puedan estarlo por la naturaleza del delito. Pero, obsérvese, si esas personas presuntas autoras no están sometidas a diversos jueces y tribunales, también se produce la conexión, aunque no se altera la competencia;

2.º) *Comisión bajo acuerdo* (art. 17.2-2.º): Son también conexos los delitos cometidos por dos o más personas en distintos lugares o tiempos, si hubiera precedido acuerdo para ello;

3.º) *Comisión mediata* (art. 17.2-3.º): Son delitos conexos los cometidos como medio para perpetrar otros o facilitar su ejecución;

4.º) *Comisión para impunidad* (art. 17.2-4.º): También se consideran legalmente delitos conexos los cometidos para procurar la impunidad de otros delitos; y

5.º) *Por decisión de la ley* (art. 17.2-5º): Los delitos de favorecimiento real y personal y el blanqueo de capitales respecto al delito antecedente. Es una causa de conexidad nueva en nuestro Derecho Procesal, impuesta por la realidad práctica.

6.º) *Comisión de daños recíprocos* (art. 17.2-6º): Los cometidos por diversas personas cuando se ocasionen lesiones o daños recíprocos. Causa también nueva.

7.º) *Comisión análoga* (art. 17.3): Los delitos que no sean conexos pero que hayan sido cometidos por la misma persona y tengan analogía o relación entre sí, cuando sean de la competencia del mismo órgano judicial, podrán ser enjuiciados en la misma causa, a instancia del Ministerio Fiscal, si la investigación y la prueba en conjunto de los hechos resulta conveniente para su esclarecimiento y la determinación de las responsabilidades procedentes, salvo que suponga excesiva complejidad o dilación para el proceso. Es un matiz de la causa ya existente, que no se quiso asumir para el Tribunal del Jurado (art. 5.2 LJ), aunque ello no siempre haya sido posible.

En caso de delitos conexos con delitos de violencia de género, conoce también el JVM, siempre que la conexión tenga su origen en alguno de los supuestos previstos en los números 3.º y 4.º del artículo 17 (art. 17 bis LECRIM). Es decir, la conexión sólo será admisible si se funda en la comisión mediata, o en la comisión para impunidad.

La LECRIM también determina en su art. 18.1 los fueros competenciales existiendo conexión de delitos. En este sentido, son jueces y tribunales competentes, por su orden, para conocer de las causas por delitos conexos:

1.º) *Fuero principal de la gravedad de la pena* (art. 18-1.º): Conoce el órgano jurisdiccional del territorio en que se haya cometido el delito al que esté señalada pena mayor;

2.º) *Fuero subsidiario temporal* (art. 18-2.º): Si los delitos tienen señalada igual pena en las leyes, conoce el órgano jurisdiccional que primero hubiera comenzado las actuaciones; y

3.º) *Fuero supletorio de la orden* (art. 18-3.º): Si las causas hubieran comenzado al mismo tiempo, o no constara qué órgano empezó antes, conoce el órgano jurisdiccional que la AP o el TS, en sus casos respectivos, designen.

Cuando se trate de comisión bajo acuerdo, el art. 18.2 establece un fuero específico con preferencia sobre los anteriores: El fuero de la sede de la Audiencia Provincial, siempre que los distintos delitos se hubieren cometido en el territorio de una misma provincia y al menos uno de ellos se hubiera perpetrado dentro del partido judicial sede de la correspondiente AP. Asume la competencia, por tanto, el órgano jurisdiccional correspondiente de la capital de provincia.

LECTURAS RECOMENDADAS: DOLZ LAGO, *Comentarios a la Legislación Penal de Menores,* Valencia, 2007; MONTERO AROCA/GÓMEZ COLOMER (coordinadores), *Comentarios a la Ley del Jurado,* Pamplona, 1999; GONZÁLEZ CUSSAC/TAMARIT SUMALLA/GÓMEZ COLOMER, *Justicia penal de menores y jóvenes*, Valencia 2002; GÓMEZ COLOMER, *Violencia de género y proceso*, Valencia 2007.

CAPÍTULO II
LAS PARTES

Lección Tercera

Las partes acusadoras

I. CONCEPTO DE PARTE

A) Parte en sentido formal: No hay partes materiales
B) Clasificaciones. Pluralidad de partes
  a) Dos posiciones y enfrentadas
  b) Presencia necesaria o contingente

II. LAS PARTES ACUSADORAS

Anticipación terminológica

III. EL MINISTERIO FISCAL

A) Ejercicio de la acción penal
  – Clases de delitos: Privados, Semiprivados y públicos
  – Sujeto a la legalidad; no oportunidad. Oportunidad: denuncia y perdón
B) Capacidad y legitimación: Acusa la institución, no una persona

IV. LOS ACUSADORES POPULAR Y PARTICULAR

España: acusación es pública: a todos
A) Acusador popular: art. 125 CE: ganas de limitarla
  a) Requisitos subjetivos: legitimación
    Ciudadanos españoles. Personas jurídicas.
    Exclusiones. Arts. 102 y 103
  b) Requisitos objetivos: delitos públicos
  c) Requisitos de actividad: Querella
B) Acusación particular: Art. 24.1 CE. Ley 4/2015
  a) Requisitos subjetivos: Ofendido o perjudicado. Confusión en Lecrim
  b) Requisitos objetivos: delitos públicos y semi-privados
  c) Requisitos de actividad: No querella

V. EL ACUSADOR PRIVADO

Para los delitos privados. El Fiscal no actúa
a) Requisitos subjetivos: Normal
b) Requisitos objetivos: Injuria y calumnia contra particulares
c) Requisitos de actividad: Querella
  1) Conciliación
  2) En juicio. Licencia del tribunal
    Principio de oportunidad

VI. POSTULACIÓN PROCESAL DE LOS ACUSADORES

No el Fiscal.
Sí todos los demás

I. CONCEPTO DE PARTE

Lo primero que ha discutido la doctrina procesal penal es la misma existencia de partes en este proceso. Naturalmente, y como ya advirtió Gómez Orbaneja, la discusión tiene sentido en los sistemas procesales que no son ni acusatorio puro, en el que sin duda hay partes, ni inquisitivo estricto, en el que también sin duda no hay partes.

El que una ley concreta utilice o no la palabra «parte» no es decisivo. La Ley Procesal Penal alemana no la utiliza ni una sola vez, usando la de «participante», mientras que nuestra LECRIM la emplea con reiteración, tanto en el procedimiento preliminar judicial (o instrucción) como en el juicio oral. En la Ley española hay que tener en cuenta que pueden hallarse dos maneras de utilizar la palabra: unas veces la Ley habla sin más de «partes» (por ejemplo, arts. 160, 222, II, 467, 653, 662, 708, 761.2 y 766.3), mientras que otras parece complicar las cosas al referirse al «Ministerio fiscal y las partes» (arts. 26, 311, I, 656, I, 759, 1ª, 2ª, II, 3ª, 779.1, 5ª) o a «las partes o el Ministerio fiscal» (arts. 161, II, 762, 5.ª) o aún a «las demás partes personales y, por último, el Fiscal» (art. 228, II), pero en cualquier caso se trata de decir lo mismo: las partes.

A) Parte en sentido formal

Con referencia, pues, a unos determinados tipos de proceso penal la existencia o no de verdaderas partes vendrá condicionada por el concepto que de éstas se maneje. Si pretendiéramos hallar un concepto material de parte, la conclusión habría de ser que éstas no existen en el proceso penal, y ello por dos tipos de razones:

a) Ese concepto tendría que referirse a una inexistente relación jurídica material penal que vendría integrada por los que han participado en el hecho considerado delictivo, de modo tal que las partes materiales se convertirían en partes en el proceso; el ofendido por el delito se convertiría en parte activa o acusador y el autor de aquél en parte pasiva o acusado.

Este pretendido reparto de papeles no se corresponde con lo que sucede en el proceso, pues:

1.º) Desde el punto de vista de la parte activa en esa posición procesal puede ocurrir que:

1″) No esté el ofendido por el delito, por cuanto la posición la ocupe sólo el Ministerio fiscal, con lo que el proceso se iniciará y concluirá sin que el ofendido sea parte en él.

2″) No esté sólo el ofendido, pues junto al mismo actuará el Ministerio fiscal y es posible que se constituya como parte cualquier ciudadano, aun cuando no haya sido ofendido por el delito.

2.º) Desde la perspectiva de la parte pasiva el proceso se realiza precisamente para determinar si una persona ha sido o no el autor del delito, lo que únicamente se sabrá al final, pudiendo por tanto figurar como acusado quien no ha sido autor del delito.

b) El mismo concepto material de parte tendría que partir de que los acusadores fueran titulares, o por lo menos así lo afirmaran, de un derecho subjetivo a que al autor del delito se le impusiera una pena; esto es, tendría que afirmar su titularidad de un *ius puniendi* propio, lo que va en contra de la consideración elemental de que ese *ius puniendi* corresponde sólo al Estado, el cual lo ejerce exclusivamente por medio de los órganos jurisdiccionales. Los acusadores tienen únicamente la facultad, o si se quiere el derecho, de promover el ejercicio por el tribunal de ese derecho a castigar. En cambio, el acusado sí tiene un derecho subjetivo que podríamos referir a la libertad, y así llegaríamos a la conclusión de que sólo existía una parte material, la pasiva.

Por el contrario, si reducimos la búsqueda del concepto de parte al proceso mismo, si nos limitamos a una noción de parte en sentido procesal, sí cabe afirmar que existen. Parte formal (en realidad parte sin más) es quien actúa en el proceso pidiendo del órgano jurisdiccional una resolución judicial, esto es, quien promueve la actuación del órgano jurisdiccional aportando, por medio de sus alegaciones y pruebas, el material para la resolución de contenido determinado que postula, quien en síntesis participa de la contradicción en que se resuelve todo proceso.

La Ley 4/2015, de 27 de abril, del estatuto de la víctima del delito, ha establecido el catalogo de los derechos de la víctima del delito, derechos procesales y extraprocesales. Entre los primeros, los referidos a la «participación de la víctima en el proceso penal», ha incluido el de ejercer la acción penal conforme a lo que dispone la LECRIM [art. 11, a)] y no ha podido ir más allá; no hay un derecho subjetivo material penal.

B) Clasificaciones. Pluralidad de partes

Admitida, pues, la existencia de partes y establecido su concepto general, conviene inmediatamente distinguir entre ellas, y las distinciones pueden basarse en dos criterios:

a) El primero atiende a la necesidad de que existan dos posiciones y de que éstas estén enfrentadas. Ha de existir, por tanto, como mínimo un acusador y un acusado, pero nada impide que en la posición activa o en la pasiva se coloque más de una parte.

1.º) En los países donde el Ministerio fiscal tiene el monopolio de la acusación no existen problemas, dado que sólo habrá una parte en la posición activa, pero en España ese monopolio no existe y así en esta posición activa cabe referirse al Fiscal, al acusador popular y al acusador particular (y aún éstos ser varios).

En este caso estaremos ante un litisconsorcio activo cuasi-necesario, dado que la ley no impone a los litisconsortes la actuación conjunta de modo necesario, pudiendo el proceso desarrollarse y concluirse válidamente con la presencia de uno solo (o algunos). La sentencia que se dicte afectará activamente a todos los ciudadanos, de forma tal que todos quedarán comprendidos en los efectos de la cosa juzgada, no pudiendo desarrollarse un nuevo proceso cambiando sólo al acusador, y ello hayan sido o no parte en el anterior. El proceso puede iniciarse y concluirse actuando sólo el Ministerio fiscal y si otras personas quieren actuar en él, hayan sido o no ofendidas por el delito, han de hacerlo en el mismo proceso, no en otro distinto. Desde la posición activa puede existir proceso único con pluralidad de partes, nunca acumulación de procesos.

Tratándose de delito privado actuará sólo el acusador privado pero, a su vez, éstos pueden ser varios, constituyendo también un litisconsorcio activo cuasi-necesario.

2.º) Desde el punto de vista pasivo cabe que existan uno o varios acusados, bien porque se impute a varias personas la comisión de un mismo delito, bien porque existan varios delitos conexos (art. 17), pero en cualquiera de los dos casos no puede hablarse de litisconsorcio, sino de acumulación, pues la sentencia deberá contener tantos pronunciamientos como acusados.

En el caso de un delito y varios acusados la declaración judicial de existencia o inexistencia de los hechos les afectará todos por igual, pero a partir de ahí la sentencia puede declarar que unos han participado en los hechos y los otros no, que unos han participado como autores y los otros como cómplices o encubridores e, incluso habiendo tenido el mismo grado de participación, la pena a imponer puede ser distinta.

Cuando se trata de delitos conexos, que se imputan a una única o a varias personas, la existencia de la acumulación es aún más evidente, tratándose en realidad de varios delitos y de otros tantos procesos, aunque de todos se conozcan en un procedimiento único.

b) El segundo criterio se refiere a su presencia necesaria o contingente en el proceso y presupone la existencia, como mínimo, de una parte en la posición acusadora y otra en la acusada:

1.º) En la posición acusadora hay que distinguir entre delitos públicos y semiprivados (o semipúblicos) por un lado y, por otro, los delitos privados. En los primeros es acusador necesario el Ministerio fiscal, siendo los demás acusadores (popular y particular) contingentes, es decir, pudiendo no existir; en los delitos privados la parte necesaria es el acusador privado, no existiendo las demás.

2.º) En la posición acusado siempre como mínimo ha de existir un acusado, pues sin éste el proceso carecería de sentido; puede iniciarse el proceso contra persona indeterminada, pero a partir de un determinado momento procesal o existe acusado cierto o el proceso se acaba.

Hasta aquí nos hemos referido, naturalmente, a las partes en el proceso penal en sentido estricto. Junto al mismo cabe la acumulación de un proceso civil, tomando como base lo dispuesto en los arts. 100 y ss. LECRIM y arts. 109 a 122

CP, y en el mismo existirán partes en el sentido civil, por lo menos un actor y un responsable civil o demandado. Aparte naturalmente está todo lo atinente al decomiso, de conformidad con los arts. 127 a 129 bis del mismo CP, especialmente cuando se trata del decomiso autónomo.

II. LAS PARTES ACUSADORAS

Llamar a los que pueden ocupar la posición activa acusadores es realmente una «anticipación terminológica», dado que la acusación en sentido estricto sólo aparecerá en la segunda fase del proceso, en el juicio oral. En la fase inicial de instrucción o procedimiento preliminar judicial no existe propiamente acusación, aunque se cumplan indudablemente funciones propias de parte según el concepto anterior. Con todo, esta es la terminología tradicional y no existen razones de peso para modificarla, sin perjuicio de advertir que la LECRIM en ocasiones habla de querellante

III. EL MINISTERIO FISCAL

La dificultad de la caracterización del Ministerio fiscal proviene de la multitud de funciones que se le confían, y aun de cierto exceso en las palabras que no se corresponden luego con la realidad. En la LECRIM se refieren esas funciones a:

1.º) El ejercicio de la acción penal en los delitos públicos y en los semiprivados (art. 105); en este sentido hay que estar también al art. 3.4 y 5 del EOMF de 1981.

2.º) La inspección directa en la formación del sumario (fase de instrucción o procedimiento preliminar judicial) por los jueces de instrucción (art. 306).

A pesar de las palabras el Fiscal no «inspecciona» la labor del juez, ni éste puede considerarse un subordinado suyo. El procedimiento preliminar judicial está en manos del juez de instrucción y la pretendida «inspección», se reduce a que el Ministerio fiscal se constituya como parte en aquél, formulando las alegaciones y solicitando los actos de investigación que considere oportunos. Sus privilegios consisten en que el juez de instrucción debe darle parte de la incoación de la instrucción (art. 308) y en que para él el sumario no puede decretarse secreto. El fiscal no «informa»; alega como todas las partes.

3.º) La formación de un procedimiento preliminar que es sólo posible en el proceso abreviado (lección 6.ª). En el proceso ordinario el Ministerio fiscal puede realizar investigación previa al sumario (para fundamentar la querella que presentará, arts. 269 y 287 LECRIM y art. 5 EOMF) o simultánea al sumario (para fundamentar las solicitudes que haga al juez instructor, art. 287), pero ni una ni otra son un procedimiento preliminar. Este existe sólo en el proceso abreviado (art. 773.2), y, naturalmente, en aquél el Ministerio fiscal no es parte; con todo, téngase en cuenta que ese procedimiento preliminar del Fiscal no es ni jurisdiccional ni procesal, por lo que en él no puede hablarse de verdaderas partes.

A) Ejercicio de la acción penal

De lo anterior resulta que el Ministerio fiscal como parte en el proceso tiene la función esencial de ejercitar la acción penal en los delitos públicos, que son la mayoría y cuya persecución se realiza de oficio, y en los delitos semiprivados para cuya persecución se exige denuncia del ofendido, constituyéndose como parte el Fiscal después de presentada la denuncia. En cambio, no será parte en el proceso relativo a los delitos privados.

A la necesidad de querella (privados) o de denuncia de la persona agraviada (semiprivados) para la persecución de delitos determinados:

a) *Delitos privados*: Los únicos son los de calumnia e injuria contra particulares (art. 215 CP), para cuya persecución se exige querella del ofendido y en el proceso correspondiente el Ministerio fiscal no será parte (art. 105 LECRIM).

b) *Delitos semiprivados*: La relación es mucho más extensa y comprende todos los delitos para cuya persecución se exige en el CP denuncia de la persona agraviada, después de la cual el Ministerio fiscal se convierte en parte. Pueden verse, por ejemplo, los arts. 142.2, 152.2, 161.2, 172.3, 191.1, 201, 287, 296, etc.

c) *Delitos públicos*: Todos los demás.

Con todo, la actitud del Ministerio fiscal, manteniendo su condición de parte, no ha de ser siempre acusadora. Como dicen los arts. 3.4, y 6 EOMF su función puede ser ejercitar la acción penal pero también oponerse a la ejercitada por otro, cuando proceda, lo que implica que el Fiscal no siempre ha de sostener la acusación, sino que puede también pedir la absolución del acusado por otro. Ello no le convierte en «parte imparcial», lo que supondría una *contradictio in terminis*, sino simplemente que la legalidad, que ha de presidir su actuación, debe llevarlo a pedir la consecuencia jurídica que se deriva de los hechos acreditados.

La legalidad, pues, supone que el Ministerio fiscal no se rige por criterios de oportunidad a la hora de ejercitar y sostener la acción penal. Cuando la acción penal se somete a consideraciones de oportunidad, ésta no puede atribuirse al Fiscal. Así:

1) En los delitos para cuya persecución se exige denuncia del ofendido, suele decirse que cuando el ofendido es menor de edad o persona discapacitada necesitada de especial protección, puede denunciar el Ministerio fiscal, pero entonces no se está diciendo que éste pueda decidir con crite-

rios de oportunidad, sino que la decisión debe adecuarse a servir mejor los intereses de dicho ofendido.

2) Cuando el perdón del ofendido puede extinguir la responsabilidad penal (arts. 130.5, 201.3, 215.3 y 267 CP y 106 LECRIM), ese perdón no puede realizarse por el Fiscal; éste podrá en ocasiones oponerse al perdón, pero no concederlo él.

B) Capacidad y legitimación

Si el Ministerio fiscal en su organización se rige por el principio de unidad, siendo un órgano del Estado incardinado en la órbita del Poder Ejecutivo, carece de sentido cuestionarse su capacidad y lo mismo cabe decir de la postulación. Cosa distinta ocurre con la legitimación, que le viene conferida por la ley, desde el art. 124.1 CE hasta el art. 105 LECRIM, pasando por los arts. 1 y 3.4 y 5 del EOMF; la legitimación no le proviene, pues, de la afirmación de ser titular de un derecho subjetivo material, por lo que no es ordinaria, sino de la expresa atribución legal, debiendo calificarse de extraordinaria (lección 3.ª del Tomo II).

Esa legitimación se refiere, como hemos adelantado, a todos los procesos en que se persigan delitos públicos y semiprivados (partiendo en éstos de la denuncia del ofendido), y queda excluida en los procesos que versen sobre delitos privados. Pero lo que importa ahora es precisar que en determinadas ocasiones, aún tratándose de delitos semiprivados, se concede legitimación al Fiscal incluso para pedir la iniciación de la persecución penal. Esas condiciones atienden básicamente a la situación de la víctima del delito, es decir, a ser menor o persona discapacitada necesitada de especial protección, y ellas no hay reconocimiento de oportunidad alguna.

IV. LOS ACUSADORES POPULAR Y PARTICULAR

El ordenamiento procesal penal español se caracteriza, frente a los de los países vecinos, porque la acción penal es pública, pudiendo ejercitarla todos los ciudadanos españoles (art. 101) o, dicho de otra manera, no existe el monopolio de la misma por el Ministerio fiscal propio de los derechos alemán (par. 152 StPO), francés (arts. 1 y 31 CPP) e italiano (art. 50 CPP).

Cuando en estos derechos se dice que la acción penal es pública, se está diciendo algo muy diferente de lo que significa la misma expresión en España. Con unas mismas palabras en esos países se está diciendo que la acción la ejercita sólo un órgano público, el Ministerio fiscal, mientras que en España se dice que pueden ejercitarla todos los ciudadanos.

En nuestro ordenamiento, por un lado, el Estado no abandona el ejercicio de la acción penal en manos de los particulares, con el riesgo de impunidad que ello podría suponer, estableciendo un órgano específico, el Ministerio fiscal, pero, por otro, éste no la asume en exclusiva, permitiéndose la actuación de los ciudadanos. Si para el Fiscal el ejercicio de la acción penal es un deber, para el ciudadano es un derecho.

El sostenimiento de la acción penal por personas diferentes del Ministerio Fiscal puede atender a dos tipos de razones muy distintas. La acusación que puede sostener cualquier persona tiene una base esencialmente política y se denomina acusación popular. La otra atiende al reconocimiento de un derecho procesal de la víctima del delito y se denomina acusación particular.

A) Acusador popular

Con carácter incluso constitucional (art. 125 CE) se reconoce a todos los ciudadanos el derecho a ejercitar la acción popular; esto es, se permite que cualquiera, sin tener que afirmar que es ofendido por el delito, pueda ejercitar la acción penal, con lo que en realidad los ciudadanos asumen un papel similar al del Ministerio fiscal; se trata de promover la acción de la justicia en defensa de la legalidad, procurando la tutela del interés público ante la existencia de hechos aparentemente constitutivos del delito público.

Si el hecho delictivo supone una lesión del orden social, se reconoce a todos los miembros de la sociedad el derecho de pedir, en nombre de ésta, el restablecimiento del orden lesionado. Ese derecho supone el ejercicio por un particular de una función pública: el *ius accusandi*. No se trata simplemente de que el acusador popular se adhiera a la acción ejercitada por el Ministerio fiscal, sino de ejercitar una acción propia, que hay que considerar hoy como derecho constitucional (SSTC 62/1983, de 11 de julio, y 147/1985, de 29 de octubre), cívico y activo, siendo por ello perfectamente posible que el Fiscal no inste la acusación y que sí lo haga este acusador.

En los últimos años se está asistiendo a un claro intento de negar la virtualidad de esta acusación popular (por ejemplo, STS de 17 de diciembre de 2007), de modo que se está queriendo suprimir o, por lo menos, limitar una conquista española de civilización política y jurídica (en sentido más limitado la STS de 87 de abril de 2008). El ataque contra la acusación popular ha continuado en el ATS de 15 de junio de 2009 relativo a la necesidad de que los varios acusadores populares actúen con una misma representación y defensa procesales.

a) Requisitos subjetivos; la legitimación

Según el art. 125 CE («los ciudadanos»), 101 y 270 LECRIM («todos los ciudadanos españoles») y 19.1 LOPJ («los ciudadanos de nacionalidad española») la acción popular queda reservada a los ciudadanos españoles, con lo que quedan excluidos de su ejercicio los extranjeros. El verdadero problema, con todo, consiste en si las personas jurídicas pueden ejercitar o no esta acusación popular.

En nuestra opinión la respuesta debe ser matizada atendida la posible contradicción entre los arts. 125 y 22 CE y la necesidad de atribuir realidad práctica a la acción popular. El derecho de asociación, entendiendo en general como el derecho de constituir personas jurídicas, sólo puede tener los límites que se derivan del art. 22 CE, esto es, el de las asociaciones que persigan fines o utilicen medios tipificados como delito y el de las asociaciones secretas o de carácter militar, por lo que el derecho a constituir asociaciones cuyo objeto social sea ejercitar la acción popular, en cuanto derecho reconocido en la propia Constitución, no puede verse negado por una interpretación restrictiva del art. 125 de la misma que haga equivaler ciudadano a persona física, cuando es perfectamente posible una interpretación amplia. En la posible contradicción entre dos artículos de la Constitución, debe estarse a favor de aquél que contenga un derecho fundamental.

Por otra parte todas las personas jurídicas han de tener necesariamente un objeto social, determinado bien por la ley bien por los estatutos de creación, y si el ejercicio de la acción popular fuera necesario o, por lo menos, útil o conveniente para el mejor logro de sus fines, no debería impedírseles ejercitar aquélla, en cuanto la negativa sería contraria, de modo indirecto, al derecho fundamental de asociación, dado que se admitiría la creación de asociaciones (mejor, personas jurídicas en general) pero no se les permitiría utilizar los medios para lograr sus fines.

En realidad la utilidad práctica de la acción popular se vería muy disminuida si no se permitiera que la ejercitaran las personas jurídicas. Si un sindicato no puede ejercitar la acción popular en el caso de los arts. 311 y ss., delitos contra los trabajadores, o si una asociación de ecologistas no puede constituirse como parte ante un delito de los del art. 325, los dos del CP, el reconocimiento constitucional de esta acción deviene inútil. Los particulares de modo aislado es difícil que tengan el interés y los medios precisos para ejercitar la acción popular; ésta adquiere utilidad cuando se pone en manos de las asociaciones.

Una cosa es que las personas jurídicas privadas puedan tener legitimación y otra muy distinta que ésta se reconozca a las personas jurídico-públicas (STC 23 de octubre de 2006). Es absurdo que el interés público, que se defiende por el Fiscal, quiera tener otro defensor.

A partir de atribuir legitimación a todos los ciudadanos, otras precisiones sobre la misma se efectúan de modo negativo en los arts. 102 y 103. Así no tienen esta legitimación:

1.º) El que no goce de la plenitud de los derechos civiles, para la determinación de lo cual ha de estarse a las reglas generales del CC.

Aunque otra cosa pudiera parecer, esta exclusión no se hace por razón de la falta de capacidad, sino que guarda relación con la legitimación. Si se atendiera a la capacidad, la incapacidad podría suplirse por los mecanismos establecidos en la ley, es decir, por la representación legal y la asistencia, y, sin embargo, estos mecanismos no pueden entrar aquí en juego. Por el menor de edad no podrá ejercitar la acción popular su representante legal, y ello por la elemental razón de que éste puede ejercitar la acción por sí mismo, siendo inútil acudir a la representación legal. Adviértase que las causas limitadoras de la capacidad operan aquí como excluidoras de la legitimación.

2.º) El que hubiera sido condenado dos veces por sentencia firme como autor del delito de denuncia o querella calumniosa.

3.º) Los jueces y magistrados (los fiscales sí tienen esta legitimación extraordinaria, pudiendo actuar entonces por sí, no en cuanto titulares de la acusación estatal).

El art. 102 establece a continuación dos excepciones a estas primeras reglas negativas:

1") Todos los excluidos podrán, sin embargo, ejercitar la acción popular por delitos cometidos contra las personas o bienes de su cónyuge, ascendientes, descendientes, hermanos consanguíneos o uterinos y afines. En estos casos los que no estén en el pleno ejercicio de sus derechos civiles podrán ser parte, supliendo su incapacidad el representante legal.

2") Los excluidos en los números 1.º y 2.º podrán, además, ejercitar la acción popular por delitos cometidos contra la persona o bienes de los que estuviesen bajo su guarda legal.

4.º) Los cónyuges entre sí, salvo por delitos cometidos por el uno contra la persona del otro o la de sus hijos, y por el delito de bigamia.

5.º) También entre sí los ascendientes, descendientes y hermanos por naturaleza, por la adopción o por afinidad, salvo por delitos cometidos por los unos contra las personas de los otros.

Dado que en estos artículos 102 y 103 aluden con reiteración a delitos cometidos contra personas o bienes determinados, se convierte en elemento decisivo de la interpretación el concepto de ofendido por el delito, y sobre él vid. después al referirnos al acusador particular.

b) Requisitos objetivos

Estos atienden a los delitos por los que se puede ejercitar la acción popular, que son únicamente los públicos. Para los delitos privados y semiprivados queda excluida esta acción; en los primeros, por la razón evidente de que sólo va a ser parte en el proceso correspondiente el ofendido, sin que pueda serlo ni siquiera el Ministerio fiscal; en los segundos, porque la iniciación del proceso queda dependiendo de la voluntad del ofendido, continuando luego como parte el Fiscal, pero sin que pueda iniciarse el proceso por querella de un no ofendido, el cual tampoco podrá luego constituirse como parte acusadora.

c) Requisitos de actividad

El ejercicio de la acción popular precisa necesariamente de la querella (arts. 270, I, y 761), y ello aun en el supuesto de que el procedimiento preliminar judicial (sumario o diligencias previas) haya comenzado. Se trata de una consecuencia de que el acusador popular ejercite una acción propia, para la que está expresamente legitimado por la ley, no limitándose a una adhesión a la acción ejercitada por el Ministerio fiscal o por cualquier otro acusador. Su querella puede no iniciar el proceso, cuando éste ha comenzado ya, pero en todo caso es el medio de ejercicio de su acción penal.

La admisión de la querella vendrá condicionada a que el acusador popular preste fianza, de la clase y cuantía que fije el juez, para responder de las resultas del juicio (art. 280). Las sentencias del Tribunal Constitucional 62/1983, de 11 de julio, 113/1984, de 29 de noviembre, y 147/1985, de 29 de octubre, admiten la constitucionalidad de la fianza, aunque suponga un obstáculo al ejercicio de la acción popular y ésta sea un derecho constitucional, pero al mismo tiempo declaran que ha de adecuarse a las posibilidades del que debe prestarla. El art. 20.3 LOPJ dispone ahora que no podrán exigirse fianza que por su inadecuación impidan el ejercicio de la acción popular.

La admisión de la querella convierte al ejercitante de la acción popular en parte; desde ese momento su tratamiento procesal será el mismo que el del acusador particular.

Se preguntaba Solón: ¿Cuál es la ciudad mejor regida? Y se respondía: «Aquella en que persiguen a los insolentes, no menos que los ofendidos, los que no han recibido ofensa». En Plutarco, *Vidas paralelas*, Solón, XVIII, in fine. Y añadía Plutarco: «Concedió indistintamente a todos el poder presentar querella en nombre del que hubiese sido agraviado; porque herido que fuese cualquiera, o perjudicado o ultrajado, tenía derecho el que podía o quería de citar o perseguir en juicio al ofensor; acostumbrando así el legislador a los ciudadanos a sentirse y dolerse unos por otros como miembros de un mismo cuerpo».

B) Acusador particular

Si la acción penal puede ser ejercitada por cualquier ciudadano español, aunque no haya sido ofendido por el delito, es obvio que también podrá ejercitarla, y con mejores razones, el ofendido; también éste puede asumir el derecho subjetivo que comporta el *ius accusandi*. A este acusador se le suele denominar particular, para distinguirlo del popular.

No faltan, con todo, sentencias y obras doctrinales en las que se habla únicamente de acusador particular, estableciendo luego dos clases, una con ejercicio de la acción popular del art. 125 CE y, otra, simplemente respecto del ejercicio de la acción penal que cabe llamar ordinaria y que encuentra su base en el art. 24.1 CE. Por nuestra parte creemos que, a diferentes supuestos de hecho y consecuencias jurídicas, deben darse distintas denominaciones.

El fundamento constitucional de las acciones popular y particular es diferente. El acusador particular encuentra apoyo directo para el ejercicio de la acción penal en el art. 24.1 CE, por cuanto puede afirmar que él es ofendido por el delito; no es titular, evidentemente, de un derecho subjetivo material a que se imponga una pena al delincuente, pero sí lo es de una legitimación ordinaria. Por este camino la vulneración de su derecho a acusar, tiene la especial protección del recurso de amparo (arts. 24.1 y 53.2 CE).

En cambio el acusador popular tiene simplemente una legitimación extraordinaria, en cuanto se la reconoce el art. 125 CE, no precisando afirmar que es el ofendido por el delito para que se le reconozca el derecho al ejercicio de la acción penal. La denegación de su derecho de acusar no tiene protección en el amparo ante el Tribunal Constitucional de modo directo, sino sólo en el caso de que pueda alegar que al defender un interéscomún está también defendiendo un interés legítimo suyo (así STC 62/1983, de 11 de julio). La acción popular por sí misma, sin referencia a un posible interés común, no tiene la protección del amparo.

Desde lo anterior debe atenderse a la Ley 4/2015, de 27 de abril, del Estatuto de la Víctima del Delito, para tener en cuenta algunas consideraciones imprescindibles: 1ª) La Ley 4/2015 se aplica a las víctimas de los delitos cometidos en España o que puedan ser perseguidos en España; 2ª) La nacionalidad de la víctima, el que sea mayor o menor de edad o que tenga o no residencia legal es indiferente; 3ª) Sólo se aplica a las personas físicas y 4ª) El estatuto de la víctima comprende todo un conjunto de derechos, en buena medida extraprocesales, que no podrán ser examinados en estas páginas.

Examinamos aquí el derecho a ejercer la acción penal como acusador, derecho que no se reserva a los ciudadanos españoles, pudiendo ejercitarlo también los extranjeros (art. 270, II). De modo especial debe destacarse que el derecho a ejercitar la acción penal corresponde también a las personas jurídicas, en tanto hayan sido perjudicadas por el delito.

a) Requisitos subjetivos

Los requisitos de capacidad para ser parte y de capacidad procesal son los mismos que en el proceso civil, y ello supone que respecto de las personas físicas, no estando en el pleno ejercicio de sus derechos civiles, se acudirá a los mecanismos de representación legal y asistencia, y que las personas jurídicas actuarán por medio de sus órganos.

La determinación de quién está legitimado se hace en la LECRIM con referencia al ofendido por el delito y, por tanto, es preciso determinar quién sea éste. La finalidad práctica que se persigue con ello radica, primero, en que a veces sólo el ofendido tiene legitimación (no admitiéndose la acción popular) y, después, en que existen algunas diferencias de tratamiento entre los acusadores popular y particular.

Ofendido por el delito, agraviado o sujeto pasivo del mismo es el titular del bien jurídico protegido por la norma penal bajo la cual la acción u omisión objeto del proceso se subsume; en otras palabras, es el titular del bien jurídico lesionado o puesto en peligro por el delito. Naturalmente de aquí se deduce que pueden ser ofendidos por el delito todas las personas, físicas y jurídicas, que sean titulares de derechos e intereses. El perjudicado es sólo el que sufre alguna consecuencia dañosa del hecho delictivo.

El art. 2 de la Ley 4/2015 no define lo que es el ofendido por el delito, lo que dice es que esa misma Ley es aplicable como víctima directa a toda persona física que haya sufrido un daño o perjuicio sobre su propia persona o patrimonio, en especial lesiones físicas o psíquicas, daños emocionales o perjuicios económicos directamente causados por la comisión de un delito. Y seguidamente dice quien puede ser la que llama víctima indirecta en los casos de muerte o desaparición de una persona que haya sido causada directamente por un delito, haciendo seguidamente una lista de personas, se entiende siempre físicas, basadas en el parentesco con la víctima directa.

Algunos aspectos concretos deben precisarse atendida su trascendencia práctica:

1.º) Distinción entre ofendido y perjudicado por el delito: Normalmente estas dos cualidades coincidirán en la misma persona, pero no tiene por qué ser siempre así. El ejemplo típico es el del homicidio; en este delito el ofendido es el muerto, pero pueden ser perjudicados todas las personas físicas enumeradas en el art. 109 bis de la LECRIM

La determinación de si una persona es o no ofendida por el delito, requiere una calificación jurídica previa de los hechos; es decir, precisa dar como hipotéticamente existentes unos hechos que, en su caso, habrá de ser probados en el proceso, y luego calificarlos jurídicamente.

La distinción entre ofendido y perjudicado no siempre tiene reflejo legal técnico. Los arts. 109, 109 bis y 110 parecen emplear de modo indistinto las palabras ofendido y perjudicado y lo mismo hace el art. 761. La Ley 4/2015 ha añadido elementos de confusión pues en la misma, y en los artículos de la LECRIM modificados en su redacción por ella, se está partiendo siempre de que la víctima es una persona física y que siempre son perjudicados personas físicas.

2.º) Los entes intermedios entre las personas físicas y las jurídicas, como son las uniones sin personalidad, las sociedades irregulares y los patrimonios autónomos, también pueden ser ofendidos por el delito y, por tanto, acusadores particulares. A estos entes no parece que se les pueda admitir como acusador popular, pero si como particular, por cuanto pueden ser sujetos pasivos de determinados delitos, especialmente de los que podemos calificar de patrimoniales.

3.º) Naturalmente el Estado y las demás Administraciones Públicas, en cuanto sujetos pasivos del delito, pueden convertirse en acusadores particulares. El caso más llamativo es el del Estado pues éste, por medio del Ministerio fiscal, ejercita la acción penal pública, y por medio del Abogado del Estado ejercitará el derecho subjetivo que significa el *ius accusandi* (arts. 76 a 82 del Decreto de 27 de julio de 1943, que aprueba el texto refundido del Reglamento orgánico de la Dirección General de lo Contencioso y Cuerpo de Abogados del Estado, teniendo en cuenta el RD 850/1985, de 5 de junio, de organización de los Servicios Jurídicos del Estado).

4.º) La acción penal también podrá ser ejercitada por las asociaciones de víctimas y por las personas jurídicas a las que la ley reconoce legitimación para defender los derechos de las víctimas, siempre que ello fuera autorizado por la víctima del delito. Esto supone que esas entidades no tienen legitimación propia, se trata más bien de un caso de representación.

Las exclusiones de la legitimación que vimos antes para el acusador popular no operan tratándose de la acusación particular, y así:

1.º) El que no goce de la plenitud de sus derechos civiles, podrá ejercitar la acusación particular, actuando por él su representante legal o con la asistencia necesaria.

2.º) El condenado dos veces por sentencia firme como autor del delito de denuncia o querella calumniosa y el juez o magistrado, podrán ejercitar la acción penal por delitos cometidos contra su persona o bienes (art. 102).

3.º) Los cónyuges podrán ejercitar acciones penales entre sí, por delitos cometidos por el uno contra la persona del otro y por bigamia.

4.º) Los ascendientes, descendientes y hermanos consanguíneos o uterinos y afines, también podrán ejercitarla por delitos cometidos por los unos contra las personas de los otros (art. 103).

b) Requisitos objetivos

Se refiere a la clase de delitos por los que puede formularse la acusación particular, quedando incluidos tanto los públicos como los semiprivados, con exclusión únicamente de los privados. Si se trata de delitos públicos, junto al acusador particular podrá constituirse como parte un acusador popular y siempre lo hará el Ministerio fiscal; si se trata de delitos semiprivados, junto al acusador particular sólo aparecerá, pero necesariamente, el Ministerio Fiscal.

c) Requisitos de actividad

Si la acción popular ha de ejercitarse por medio de querella, esté o no el proceso ya iniciado, no parece que aquélla sea necesaria tratándose de la acusación particular. A pesar de lo que pudiera opinarse que se desprende del art. 270, I, los arts. 109 y 110, siempre de la LECRIM, permiten concluir la no necesidad de la querella y la posibilidad de constituirse como parte en un proceso ya iniciado, simplemente por un acto procesal en que se haga esa manifestación de voluntad; en el proceso abreviado así lo dispone expresamente el artículo 761.2.

Lo anterior supone que el ofendido puede comparecer como parte de dos maneras: 1) Formulando querella en la que pedirá la iniciación del proceso y su constitución como parte en él, y 2) En un proceso ya iniciado (a lo mejor por denuncia de él mismo), cuando se le ofrezcan las acciones, compareciendo por medio de escrito, suscrito por abogado y con poder a procurador, en el que pedirá que se le tenga por parte.

El art. 109 alude a lo que viene denominándose ofrecimiento de acciones y se refiere al ofendido; al tomarse declaración a éste en el sumario (o procedimiento preliminar judicial del proceso ordinario) se le instruirá por el letrado de la administración de justicia del derecho que le asiste para mostrarse parte en el proceso. El art. 110, con referencia al perjudicado, dice que éste podrá mostrarse parte en la causa. Ya en el proceso abreviado el art. 761.2, dice que al ofendido o perjudicado por el delito se le instruirá de los derechos que le asisten, conforme a los arts. 109 y 110, y que podrá mostrarse en la causa sin necesidad de formular querella.

Insistimos en que la LECRIM no está manejando con precisión técnica los términos ofendido y perjudicado, sino que los mezcla y confunde. Ahora bien, esa confusión está sirviendo a la práctica judicial, que tampoco se ha percatado de la diferenciación, para dar al simple perjudicado la condición procesal de acusador particular, aunque en técnica estricta no le corresponda.

Demostración de lo que afirmamos es el art. 281. Conforme a la regla general del art. 280 el particular querellante prestará fianza de la clase y cuantía que fijare el juez o tribunal para responder de las resultas del juicio. A continuación el art. 281 establece quiénes quedan exentos de la carga de la fianza y atiende a dos supuestos:

1.º) El ofendido por el delito y sus herederos o representantes legales; es decir, quienes puedan ejercitar la acusación particular quedan exentos de la fianza.

2.º) En el delito de homicidio se exime al viudo o viuda, a los ascendientes y descendientes consanguíneos o afines, a los colaterales consanguíneos u uterinos y afines hasta el segundo grado, a los herederos de la víctima y al padre, madre e hijos naturales; esto es, precisamente a los que pueden considerarse perjudicados.

Si perjudicado y ofendido fuera lo mismo esta distinción del artículo 281 carecería de sentido. El artículo significa que el ofendido por el delito queda excluido de la fianza y que de los perjudicados se contempla sólo el caso especial de los delitos de asesinato y de homicidio; en todos los demás delitos los perjudicados no quedan exentos de la fianza.

Si el acusador particular no ha pedido la iniciación del proceso por medio de querella, el artículo 110, para el proceso ordinario, le marca un límite preclusivo para mostrarse parte por simple escrito de personación: antes del trámite de calificación, se entiende provisional (art. 649, pero atendidos los artículos 642 y 643). El artículo 761, para el proceso abreviado, no fija límite pero es evidente que debe estarse al trámite del escrito de acusación (art. 780). Y para el juicio rápido antes del trámite de apertura del juicio oral (art. 800).

V. EL ACUSADOR PRIVADO

La persecución de los delitos denominados privados depende, no sólo de la voluntad del ofendido, sino de que ésta se manifieste precisamente por medio de querella. Aparece entonces el acusador privado que es el titular único de la acción penal, tanto respecto de la incoación del proceso como de su sostenimiento a lo largo del mismo. Por estos delitos el Ministerio fiscal ni puede ejercitar la acción, ni se constituirá después como parte. El acusador privado será la única parte acusadora.

En la LECRIM existe una grave confusión terminológica, hasta el extremo de que en ella el manejo del término acusador carece de toda precisión técnica:

1) En ocasiones cuando habla de acusador particular está comprendiendo a todos los acusadores, con excepción del Ministerio fiscal (arts. 53 y 132), aunque otras veces se refiera al querellante particular (arts. 133 y 274) e incluso al actor particular (art. 142).

2) A veces las expresiones acusador o querellante particular no pueden incluir al acusador privado (arts. 19, 5.º, 108, 280, 642).

3) Otras las diferencias entre acusador particular y privado son evidentes (artículos 105, 649, 650, respecto del 651).

4) Por último, no faltan casos en que la expresión acusador privado tiene que significar necesariamente acusador popular (art. 622, II).

a) Requisitos subjetivos

Los de capacidad para ser parte y capacidad procesal son los mismos que en el proceso civil, con los mecanismos legales para suplir o integrar la incapacidad de las personas físicas, y actuando por las jurídicas sus órganos. La legitimación se atribuye únicamente a la parte ofendida (art. 215.1 CP).

b) Requisitos objetivos

En la actualidad los únicos delitos privados son los de injuria y calumnia contra particulares (art. 215.1 CP).

c) Requisitos de actividad

La acción penal ha de ejercitarse precisamente por medio de querella (art. 215 CP), único sistema para que el acusador se constituya como parte. La posibilidad de presentar la querella viene condicionada por dos presupuestos:

1.º) El normal o general para los delitos de calumnia e injuria que se refiere a la necesidad de intentar la conciliación, por lo que con la querella debe presentarse la certificación de haberse celebrado sin avenencia o intentado sin efecto (arts. 278 y 804).

2.º) El especial para la calumnia o injuria causadas en juicio que atiende a la exigencia de presentar la licencia del juez o tribunal ante el que hubieren sido inferidas (arts. 215.2 CP y 279 y 805 LECRIM). Estos artículos han sido considerados constitucionales en la STC 100/1987, de 12 de junio, en cuanto contienen una limitación razonable de la acción penal, exigida por la tutela judicial de la libertad de defensa, pero la licencia no puede suponer una facultad arbitraria del juez o tribunal, sino orientarse a «asegurar la defensa en términos adecuados sin el temor de la incoación de un proceso penal indebido».

Naturalmente la admisión de la querella no se hace depender de la prestación de fianza alguna, pero lo que realmente importa ahora es poner de manifiesto el poder de disposición que tiene el ofendido por el delito sobre la iniciación del proceso y sobre su conclusión.

> La acción penal por delitos públicos no se extingue porque el acusador popular o particular renuncie a la misma; el Ministerio fiscal tiene el deber de continuar con su ejercicio, haciendo que el proceso llegue hasta su final por medio de sentencia (art. 106). Cuando se trata de delitos semiprivados el acusador particular puede apartarse del proceso y éste seguir sólo con el Ministerio fiscal; en algunos casos, con todo, cabe el perdón del ofendido, finalizando así el proceso (arts. 130.5, 201.3, 215.3, 267 CP).

Cuando se trata de delitos privados la disposición por el ofendido abarca, de modo completamente oportuno, la iniciación del proceso y su conclusión. Respecto de la iniciación cabe que el ofendido no interponga la querella y aun que renuncie a la acción antes de ejercitarla, de modo expreso (arts. 106, II, y 107) o tácito (art. 112, II). La conclusión del proceso puede producirse:

1) Por el perdón del ofendido, que no requiere aprobación alguna (arts. 130.5 y 215, CP), salvo menores o personas discapacitadas necesitadas de especial protección.

2) Por renuncia de la acción por el ofendido, que puede ser expresa (arts. 106, II, y 107) o tácita (arts. 275 y 276).

VI. POSTULACIÓN PROCESAL DE LOS ACUSADORES

La postulación procesal de las partes acusadoras, de todas excluido el Ministerio fiscal obviamente, no ofrece graves problemas. El Fiscal no precisa de postulación; concebido como órgano único del Estado puede comparecer por sí mismo y toda referencia a abogado y procurador es ociosa. Para los demás acusadores debe partirse de la regla general de la necesidad de abogado y procurador para constituirse como parte en los procesos por delito y de su no necesidad en el proceso por delito leve (STC 216/1988, de 14 de noviembre; SS TEDH de 9 de octubre de 1979, caso Airey y de 25 de abril de 1983, caso Pakelli). Curiosamente esta regla general hay que deducirla hoy, derogada la LOPJ de 1870, del hecho de que la querella por delito precisa firma de abogado y procurador (art. 277).

La aplicación de esa regla general presenta dos únicos problemas. El primero se deriva de lo dispuesto en los arts. 109.2 y 113 que faculta al tribunal para imponer una misma representación procesal y defensa técnica cuando concurran varios acusadores.

El segundo problema atendía a si también los acusadores populares tenían derecho al beneficio de justicia gratuita pero ahora la respuesta tiene que ser afirmativa (art. 125 CE y Ley 1/1986, de 10 de enero, de asistencia jurídica gratuita), por cuanto tiene que comprenderse a todos los que pueden ser parte en un proceso en el que la intervención de abogado y procurador sea preceptiva.

LECTURAS RECOMENDADAS: Para la pluralidad de acusadores y acusados y su situación procesal, GIMÉNEZ SÁNCHEZ, *Pluralidad de partes en el proceso penal,* Madrid, 1998. DÍEZ-PICAZO, L. M., *El poder de acusar,* Barcelona, 2000. Sobre la acción popular MONTERO, *Proceso penal y libertad,* Madrid, 2009.

Lección Cuarta

La parte acusada y las partes civiles

I. LA PARTE ACUSADA

A) Concepto: Contra la que se dirige el proceso
   Situaciones: Investigado, procesado, acusado, condenado, reo
   La instrucción puede iniciarse sin que exista imputado; el juicio oral exige acusado

B) Capacidad y legitimación
   a) Personas físicas
      1º) Capacidad para ser parte: Cosas y animales; fallecidos
      2º) Capacidad procesal: Enajenación mental
      3º) Legitimación: A quien se imputa o acusa
   b) Personas jurídicas: Ley 5/2010

C) Postulación procesal: General y excepciones
   a) La defensa técnica: Derecho fundamental irrenunciable
      3 consecuencias: juicio en ausencia; de oficio; no excusa
      Abogado de confianza; ¿desde cuándo? Con detención o sin ella
   b) La representación procesal: Nace de la ley

II. LA AUSENCIA DEL INVESTIGADO-ACUSADO

A) En el proceso ordinario: Nunca en ausencia del acusado
   a) Declaración de rebeldía: Requisitoria, plazo declaración
   b) Efectos: 1) En sumario, y 2) En juicio oral
      Comparecencia con abogado y procurador
   c) Extradición activa: Paradero conocido en el extranjero
      2 actos: jurídico + político

B) En el proceso abreviado
   1º) Pena superior a 2 años prisión y 6 otra naturaleza. No juicio
   2º) Pena menor cabe juicio en ausencia, con requisitos. + Anulación

C) En el proceso por delito leve: Cabe juicio en ausencia

III. LAS PARTES EN EL PROCESO CIVIL ACUMULADO

La responsabilidad civil no nace del delito; sí del acto ilícito

A) Los actores civiles
   a) Ministerio fiscal: Obligado por la ley
      Caso especial de legitimación extraordinaria
   b) Acusador popular: No acción civil
   c) Acusadores particular y privado: Legitimación ordinaria
      1º) Particular: Las dos cosas, con personación
      2º) Privado, Siempre con querella
   d) Actor civil: Ejerce sólo acción civil; es raro

B) Los demandados responsables civiles
   a) Responsables directos
      1º) Acusado+demandado
      2º) Terceros: Título lucrativo; seguro; locos; necesidad; miedo
   b) Responsables subsidiarios: Insolvencia; CP arts. 120 y 121
   c) Determinación de la legitimación
      Capacidad sin problemas, y también de acusado
      De tercero, incidente para determinar al legitimado; arts. 615 y ss.

I. LA PARTE ACUSADA

A) Concepto

La parte necesaria pasiva es aquélla contra la que se formula la acción penal, contra la que se dirige el proceso. Respecto de ella la primera aclaración a hacer es terminología, pero reflejando problemas de contenido, y tiene su origen en que la LECRIM usa muy distintas palabras: «inculpado» (art. 368), «presunto culpable» (art. 371), «procesado» (art. 373), «reo» (art. 448), «presunto reo» (art. 512, «persona a quien se imputa un acto punible» (art. 486), «querellado» (artículo 272), «acusado» (art. 687), «investigado» (art. 760, III), etc.

Hasta la LO 13/2015, de 5 de octubre, la palabra más utilizada fue la de imputado, pero los políticos que eran citados por un Juez para que se les tomara declaración como imputados creyeron que esa palabra estaba llena de contenido peyorativo y han conseguido que se sustituya en la LECRIM por investigado.

Con todo hay que explicar el sentido progresivo de un conjunto de palabras:

1) Ahora *investigado*, pero siempre ha sido *imputado*: Esta palabra tenía dos sentidos, pues imputado de parte es aquel contra el que se dirige nominalmente una denuncia o querella (art. 118, II), mientras que cabe hablar de imputado judicial respecto del sujeto pasivo desde que el procedimiento preliminar judicial se dirige, de una u otra forma, contra él como persona ya determinada; esto es, desde que existe un acto procesal que supone atribuir a una persona participación en el delito que se persigue; se es imputado o inculpado cuando existe citación (art. 486), detención judicial (arts. 494 y 492, 4.º), prisión provisional (art. 503). Con la palabra investigado se ha querido suavizar. El titular del poder político, en el colmo de su prepotencia, quiere dominar el diccionario e imponer al Derecho las palabras que políticamente le parecen más correctas para sus fines. Parte de nuestra responsabilidad como juristas consiste en no dejar que nos impongan palabras.

2) *Procesado*: Esta es la denominación tradicional en el proceso ordinario en el que existe auto de procesamiento (art. 384) que supone una inculpación formal; en el proceso abreviado, en que no existe dicho auto, el paso de una etapa a otra se diluye y así los arts. 757 y ss. se refieren sólo al imputado y después del escrito de acusación los arts. 780 y ss. hablan de acusado.

3) *Acusado*: Ya en la segunda fase del proceso, cuando se ha formulado la calificación provisional (proceso ordinario) o el escrito de acusación (proceso abreviado) y el juicio oral se va a realizar contra persona determinada, a ésta se le denomina acusado.

4) *Condenado*: Contra el que se ha dictado sentencia condenatoria; si la sentencia es absolutoria cabe hablar de absuelto.

5) *Reo*: El que está cumpliendo la pena impuesta en la sentencia.

Naturalmente no todas estas situaciones son inevitables en todos los procesos; ni siquiera es imprescindible la primera, dado que la instrucción o procedimiento preliminar judicial puede acabar sin imputado, sin que se dirija contra persona determinada porque ésta es desconocida; las etapas siguientes dependerán del desarrollo del proceso.

La apertura del procedimiento preliminar judicial o instrucción (tanto sumario, en el proceso ordinario, como diligencias previas, en el proceso abreviado) puede decretarse sin que exista investigado (salvo en los delitos privados); la denuncia puede presentarse sin indicación del denunciado y el juez de instrucción ha de poner en marcha el procedimiento preliminar desde que tenga conocimiento de la existencia de un hecho aparentemente delictivo, aunque no exista autor conocido; incluso la querella, a pesar del art. 277, 3.º, puede formularse contra quien resulte autor del delito. Ello es así porque precisamente una de las funciones del procedimiento preliminar consiste en la averiguación de los autores (art. 299).

También con la excepción de los delitos privados, la querella no fija definitivamente el ámbito subjetivo de la parte pasiva. Cabe que aquélla dirija contra una persona determinada y que, a lo largo de la instrucción, surjan nuevos investigados, según los actos de investigación vayan revelando la participación en el hecho delictivo de otras personas, como autores, cómplices o encubridores. Nada impide, por otra parte, que un investigado deje de serlo; los actos de investigación pueden hacer que el ámbito subjetivo de la parte pasiva se modifique, con ampliaciones y reducciones.

Si el procedimiento preliminar judicial acaba sin que se haya determinado un posible autor del delito, el proceso penal no puede continuar y procederá su archivo por sobreseimiento provisional (arts. 641, 2.º, y 779.1, 1.ª). La fase de juicio oral sólo podrá abrirse si la parte pasiva está completamente determinada, esto es, existiendo al menos un investigado o encausado (o procesado), que entonces se convertirá en acusado. La finalidad de esta fase no es ya «descubrir» al posible autor del delito, sino fijar si una persona determinada, el acusado, es o no el autor del hecho y si es o no responsable criminalmente. Los actos de acusación fijan el ámbito subjetivo de la parte pasiva.

B) Capacidad y legitimación

Aun manteniéndose los conceptos tradicionales, su aplicación al investigado-acusado lleva a consecuencias muy distintas. Se debe empezar por distinguir también en el proceso penal entre personas físicas y jurídicas.

a) Personas físicas

El sistema penal y el procesal penal se han construido para que estas personas aparecieran como investigadas-acusadas, y de este modo:

1.º) Capacidad para ser parte: Desde el punto de vista del derecho penal esta capacidad se ha atribuido sólo a las personas físicas vivas. De esta regla general resulta la exclusión de:

1") Las cosas y animales: A lo largo de la historia se han producido procesos penales contra animales y objetos inanimados que hoy no pasan de ser mera curiosidad.

2") Las personas fallecidas: Cualquier tipo de responsabilidad penal que pudiera existir se extingue con la muerte (art. 130, 1.º, CP) y lo mismo ocurre con la acción penal (art. 115 LECRIM); no hay supuesto alguno en que esta responsabilidad se transmita a los herederos. Si una persona está muerta de modo notorio el abrir un proceso penal contra ella constituye prevaricación.

2.º) Capacidad procesal: La capacidad de actuación procesal, la aptitud para realizar válidamente actos procesales, no guarda aquí relación con la plenitud de ejercicio de los derechos civiles y ni siquiera atiende a la capacidad necesaria para delinquir según el derecho penal. Desde la perspectiva procesal penal tienen esta capacidad todos los que pueden participar conscientemente en el proceso, todos los que tienen de hecho posibilidad de ejercitar los derechos procesales que la ley reconoce al investigado-acusado.

Las causas de incapacidad de obrar civil se basan en razones jurídicas (como minoría de edad o prodigalidad), y no tienen relevancia en el proceso penal. Ni siquiera al menor de dieciocho años puede negársele capacidad procesal, pues si contra el mismo llega a formularse imputación, tendría que tener como mínimo la posibilidad de alegar en el proceso esa circunstancia personal a los efectos procedentes.

El artículo 380 carece hoy de sentido. Contra los menores de dieciocho años no puede ejercitarse la acción penal y por ello, cuando el juez haya constatado que el investigado inicial no llega a esa edad, tendrá que concluir el proceso aplicando el artículo 19 CP, es decir, inhibiéndose a favor del órgano competente (art. 779.1, 3ª, LECRIM), pero hasta ese momento el menor ha de poder actuar, aunque sólo sea para alegar su edad.

La falta de capacidad procesal ha de referirse, pues, a la imposibilidad de hecho de intervenir de modo consciente en el proceso, con lo que se está haciendo referencia a la enajenación mental, a la alteración grave de la percepción de la realidad y, en general, a cualquier enfermedad que impida la actuación. Naturalmente el aspecto mejor regulado es el de la enajenación mental que, evidentemente, sí supone inexistencia de capacidad procesal, sin que quepa acudir a la representación legal.

En la LECRIM se distinguen dos situaciones respecto de la enajenación mental:

1.ª) Que el investigado hubiera cometido el delito en situación de anomalía o alteración psíquica y que ésta continúe: El juez de instrucción lo someterá a la observación de los médicos forenses, que emitirán su dictamen pericial (art. 381), oirá a las personas que puedan deponer sobre sus circunstancias y aún lo examinará personalmente (art. 382). A partir de ahí nos encontramos con dos normas contradictorias; por un lado, el art. 637, 3.º, LECRIM ordena decretar el sobreseimiento libre y, por otro, el art. 101 CP dice que el tribunal sentenciador decretará el internamiento en centro destinado al efecto, del cual no podrá salir sin previa autorización del mismo tribunal. Ante esta contradicción la práctica tiende a la celebración del juicio oral, dictándose sentencia absolutoria por la concurrencia de eximente y luego ordenándose el internamiento; con todo, esta solución es perfectamente imposible cuando el estado de demencia es tan manifiesto que el juicio oral no puede realizarse.

2.ª) Que la enajenación sobreviniera después de cometido el delito: El juez de instrucción ordenará acreditar tal circunstancia (arts. 381 y 382), realizando todo el procedimiento preliminar y, a su conclusión, disponiendo el internamiento de conformidad con el art. 101 CP (art. 383 LECRIM); si la enajenación sobreviniere pendiente la fase de juicio oral, lo dispuesto en el art. 383 debe cumplirse por el tribunal.

3.º) Legitimación: Legitimado pasivamente en el proceso lo está simplemente aquél que adquiere la condición de investigado-acusado; el mero hecho de que se realice la imputación, en cualquiera de sus formas, convierte a una persona en parte y le atribuye legitimación; no es necesario nada más.

Al final del proceso puede ser absuelto, pero ello no podrá suponer que ha actuado sin legitimación; significará que el juicio sobre su culpabilidad se ha resuelto negativamente. Es por ello posible adquirir y perder la legitimación a lo largo del proceso; una persona puede ser investigada-imputada, pero puede suceder que los actos de investigación posteriores hagan retirar la imputación, formulándose ésta contra otra persona o, incluso, sin realizar nueva imputación.

b) Las personas jurídicas

La regla tradicional fue que *societas delinquere non potest* y por ello se decía que, dado que esa personas actúan por sus órganos, que han ser o han de estar integrados por personas físicas, éstas eran las que asumían la capacidad criminal y con ella la capacidad para ser parte (art. 31 CP en la redacción inicial). La situación ha cambiado con la LO 5/2010, de 22 de junio, de reforma del Código Penal; ahora las personas jurídicas podrán ser imputadas, acusadas y condenadas, si bien no en todos los delitos.

Se exceptúan al Estado, las Administraciones Públicas territoriales e institucionales, los Organismos Reguladores, las Agencias y Entidades Públicas Empresariales, las organizaciones internacionales de derecho público, y a aquellas otras que ejerzan potestades públicas de soberanía, administrativas o cuando se trate de Sociedades mercantiles Estatales que ejecuten políticas públicas o presten servicios de interés económico general.

Junto a la enunciación negativa de personas jurídicas irresponsables se hace una lista de delitos que pueden cometer las personas jurídicas responsables y que son: Tráfico ilegal de órganos (art. 156 bis), Trata de seres humanos (177 bis), Delitos relativos a la prostitución y corrupción de menores (art. 189 bis). Delitos contra la intimidad y allanamiento informático (art. 197). Estafas propias e impropias (art. 251 bis). Insolvencias punibles: alzamientos, concursos punibles (art. 261 bis). Daños informáticos, hacking (264). Delitos contra la propiedad intelectual e industrial (art. 288). Delitos contra el mercado y los consumidores (art. 288 [donde se incluyen Desabastecimiento de materias primas (art. 281), Publicidad engañosa (art. 282), Facturación fraudulenta (art. 283), Maquinación para alterar el precio de las cosas (284.1), Insider trading (art. 285), Facilitación ilegal de acceso a servicios de radiodifusión y televisión (art, 286), Nuevo delito de fraude de inversores y de crédito (art. 282 bis), Nuevo delito de manipulación del mercado (art. 284, 2 y 3) y Nuevos delitos de corrupción de particulares y corrupción deportiva [art. 286 bis)]. Blanqueo de capitales (art. 302), Delitos contra la Hacienda Pública y la Seguridad Social (art. 310 bis). Delitos contra los derechos de los ciudadanos extranjeros (art. 318 bis). Delito de construcción, edificación o urbanización ilegal (art. 319). Delitos contra el medio ambiente (art. 327 y 328). Delitos relativos a la energía nuclear y a las radiaciones ionizantes (art. 343). Delitos de riesgo provocado por explosivos (art. 348). Delitos contra la salud pública: tráfico de drogas (art. 369 bis). Falsedad en medios de pago (art. 399 bis). Cohecho (art. 427). Tráfico de influencias (art. 430). Corrupción de funcionario extranjero (art. 445).Organizaciones/grupos criminales (art. 570 quater). Financiación del terrorismo (art. 576 bis).

Para la actuación procesal de las personas jurídicas se estará a las modificaciones de la LECrim introducidas por la Ley 37/2011, de 10 de octubre, de medidas urgentes de agilización procesal.

C) Postulación procesal

También con relación al investigado-acusado rige la regla general de la necesidad de procurador que represente y de abogado que defienda, pero aquí la defensa técnica tiene caracteres propios que se derivan de su constitucionalización.

La regla general no impide, por un lado, la existencia de excepciones derivadas de la consideración de personalísimos de ciertos actos, los cuales han de realizarse personalmente por la parte o han de realizarse con ella; las declaraciones del procesado (art. 385) y del acusado (salvado el derecho a no declarar contra sí mismo, art. 24.2 CE), los careos (arts. 451 y 729, 1.º), los actos relativos a la fijación de la identidad del delincuente (arts. 368 y ss.), la comparecencia ante la citación del art. 486, y tantos otros, han de realizarse por o con la parte directamente.

Pero existen otras excepciones que atienden a lo que suele denominarse autodefensa, esto es, a la defensa del investigado-acusado por sí mismo. En estos actos normalmente cabe su realización bien por medio de abogado y procurador, bien por la propia parte, y de ellos se encuentran mención en los arts. 57 y 58 (recusación del juez, más art. 223 LOPJ), 333 (presencia en inspección ocular), 336 (en el examen del cuerpo del delito), 350, 356 y 471 (nombramiento de peritos),

368 (solicitud de diligencia de reconocimiento), 396 (proposición de diligencias), 400 (declarar cuantas veces quisiera), 469 (recusación de peritos), 501 (pedir reposición del auto elevando la detención a prisión), 655 y 689 (conformidad) y 739 (última palabra). Es obvio que alguno de estos actos sólo puede realizarse por la propia parte.

La excepción más importante, con todo, atiende al proceso por delito leve, en el que no es necesaria la intervención de abogado ni de procurador.

a) La defensa técnica

El derecho de defensa del investigado-acusado, contrapartida del derecho (o deber) a ejercitar la acción penal por parte de los acusadores, tiene una manifestación concreta en lo que el art. 24.2 CE llama derecho «a la defensa y asistencia de letrado». Resulta así que la defensa técnica en el proceso penal es un derecho fundamental, que queda todavía reforzado por lo dispuesto en el art. 17.3 CE sobre la asistencia de abogado al detenido en las diligencias policiales y judiciales.

Ahora bien, decir que la defensa técnica en el proceso penal es un derecho fundamental de la parte no es suficiente; hasta aquí podría decirse lo mismo para el proceso civil. En el proceso penal la defensa técnica del imputado-acusado adquiere, además, la condición de requisito necesario que se impone al propio titular del *ius puniendi*. El Estado, y en concreto los tribunales que asumen el monopolio del derecho a castigar, no pueden realizar el proceso e imponer penas si no existe abogado del acusado.

De aquí se derivan tres importantes consecuencias:

1.ª) Es posible que, con determinados requisitos, la ley regule un proceso en el que su segunda fase o de juicio oral se celebre en ausencia del acusado (así art. 786.1, II), pero nunca podrá celebrarse un juicio oral sin la presencia del abogado del acusado.

2.ª) Si el acusado no nombra abogado de su confianza, habrá de procederse a la designación de oficio.

Sobre el momento en que esto debe hacerse cabe discutir, como veremos después, pero es por lo menos indudable que para el juicio oral la designación es imperativa (art. 652, II). Esto supone que si en el proceso civil la defensa de oficio se deriva del beneficio de asistencia jurídica gratuita, en el proceso penal respecto del investigado-acusado previene de que éste no nombre abogado de su confianza cuando sea preceptiva la asistencia técnica (STC 216/188, de 14 de noviembre).

3.ª) El abogado designado de oficio no podrá excusarse de la defensa alegando que la posición jurídica del investigado-acusado «es insostenible».

La excusa es posible por esa causa en el proceso civil, pero inadmisible en el proceso penal (art. 32 de la Ley 1/1996); sí cabe la excusa por «motivo personal y justo» que será apreciada por el decano del Colegio (art. 31, II, de la Ley 1/1996).

a") En realidad el derecho «a la defensa y asistencia de letrado» no se refiere a cualquier abogado sino precisamente al abogado de confianza, al nombrado por la propia parte (se entiende, obviamente, siempre que aquél acepte, lo que vendrá condicionado, entre otras cosas, por la posibilidad de que sea retribuido). Este contenido esencial del derecho había sido reconocido por el TC en las sentencias 30/1981, de 24 de julio, 42/1982, de 5 de julio y 7/1986, de 21 de enero, y se deriva del art. 6.3, c, del Convenio Europeo de Derechos Humanos de 1950, de los arts. 17.3 y 24.2 CE, del art. 440.1 LOPJ, de los arts. 118, III, y 520.2, c, LECRIM y del art. 57 EGA.

Como excepción a lo anterior el art. 527, a), LECRIM dispone que el abogado del detenido o preso en situación de incomunicación (lección 22.ª) en todo caso será designado de oficio, con lo que parece contrariar lo que antes hemos dicho sobre el contenido esencial del derecho. No es de extrañar, pues, que inmediatamente se formulara cuestión de inconstitucionalidad que fue resuelta por el TC en la sentencia 196/1987, de 11 de diciembre; sí hay que extrañarse de que la sentencia declare que el art. 527, a), LECRIM no es contrario al art. 17.3 CE (de los doce magistrados cinco votaron en contra).

La debilidad de la argumentación del TC se pone de manifiesto en este párrafo, que es el fundamental: «La esencia del derecho del detenido a la asistencia letrada es preciso encontrarlo, no en la modalidad de la designación del Abogado, sino en la efectividad de la defensa, pues lo que quiere la Constitución es proteger al detenido con la asistencia técnica de un Letrado, que le preste su apoyo moral y ayuda profesional en el momento de su detención y esta finalidad se cumple objetivamente con el nombramiento de un Abogado de oficio, el cual garantiza la efectividad de la asistencia de manera equivalente al Letrado de libre designación».

En la S 30/1981 el TC había dicho que «...el derecho a la defensa y asistencia de Letrado, consagrado en el artículo 24.2 de la Constitución, interpretado de acuerdo con los textos internacionales mencionados, por imperativo del artículo 10.2 de la misma (se refiere al art. 6.3, c del CEDH), comporta de forma esencial el que el interesado pueda encomendar su representación y asesoramiento técnico a quien merezca su confianza y considere más adecuado para instrumentar su propia defensa, máxime cuando la actuación procesal se supedita al requisito de la postulación».

Con esos antecedente la LO 13/2015, de 5 de octubre, ha podido insistir en la posibilidad de que el detenido o preso sea privado del derecho a designar abogado de su confianza y de que se le prive de comunicarse reservadamente con su abogado (art. 527).

b") Naturalmente el nombramiento de abogado es posible para el investigador-imputado desde que éste lo es, es decir, desde que se realiza cualquier tipo de imputación contra persona determinada (arts. 118, III, y

767), pero la verdadera cuestión no radica ahí, sino en determinar cuál es el momento procesal a partir del cual la defensa técnica se hace necesaria, imponiéndose a la propia parte y al juez de instrucción, de modo que si aquélla no lo nombra debe designarlo éste.

Posiblemente la mejor manera de determinar ese momento pase por distinguir dos posibles situaciones (en lección 6.ª):

1.ª) Si ha existido detención o prisión: Según el art. 520.2, c, LECRIM, que es desarrollo del art. 117.3 CE, toda persona detenida o presa será informada de manera inmediata de su derecho a nombrar abogado y si no lo nombra se procederá a la designación de oficio; luego el párrafo 5 matiza que la asistencia de abogado no es renunciable, salvo en los casos de detención por hecho delictivo contra la seguridad del tráfico rodado.

Resulta así que en esta situación el abogado es necesario incluso antes de la iniciación del verdadero proceso, por cuanto el mero hecho de la detención, aunque sea policial o del Ministerio fiscal, determina la obligatoriedad de su asistencia. Por ello el art. 520.5 regula cómo se hace el nombramiento libre o la designación de oficio, y el apartado 6 lo que supone la asistencia inicial; con todo el TC no es nada claro en este extremo, en las SS 94/1983, de 14 de noviembre, 175/1985, de 17 de diciembre, y 47/1986, de 21 de abril, al estimar que la falta de abogado sólo vulnerará el derecho fundamental del art. 17.3 CE cuando produzca indefensión al imputado.

2.ª) Si no ha existido detención o prisión: Es conveniente distinguir entre:

1") Proceso ordinario: La interpretación conjunta de los arts. 118, I, c) y IV, 384, IV, y 652, II, debe llevar a la conclusión de que lo procedente hoy es que el juez de instrucción, desde que se realice un acto de imputación, requiera a la parte para que nombre abogado de confianza y, en caso de que no se nombre, designe él al de oficio.

2") Proceso abreviado: Aquí la interpretación conjunta atiende a los arts. 767 y 784 y debe llevar a la misma conclusión que en el caso anterior.

La solución que estamos proponiendo es, sin duda, simple, pero parte de la existencia de expresiones indeterminadas que deben interpretarse en el sentido más favorable al imputado. Es éste el caso del art. 118.3 en el que se lee: «Si no hubiesen (los imputados) designado Procurador o Letrado, se les requerirá para que lo verifiquen o se les nombrará de oficio, si, requeridos, no los nombrasen, cuando la causa llegue a estado en que se necesite el consejo de aquéllos o haya de intentar algún recurso que hiciese indispensables su actuación», y el del art. 767 que dice: «Desde la detención o desde que de las actuaciones resultare la imputación de un delito contra persona determinada será necesaria la asistencia letrada. La Policía Judicial, el Ministerio Fiscal o la autoridad judicial recabarán de inmediato del Colegio de Abogados la designación de un Abogado de oficio, si no lo hubiere nombrado ya el interesado».

Es cierto que después el art. 652, II, para el proceso ordinario, establece que se nombrará abogado para que formule la calificación provisional y que el art.

784 para el proceso abreviado dice que cuando el Ministerio Fiscal o la acusación particular hayan solicitado la apertura del juicio oral, se dará traslado de las diligencias previas y de los escritos presentados al imputado si fuere hallado, emplazándole para que en el plazo de tres días comparezca en la causa con Abogado que le defienda y Procurador que le represente, de modo que si no ejercitase su derecho a designar Procurador o a solicitar uno de oficio, se le nombrará en todo caso Procurador de oficio, con lo que está presuponiendo que ya existe abogado. Esto supone que el abogado no puede considerarse imprescindible sólo desde que existe acusación formal.

b) La representación procesal

Los arts. 17.3 y 24.2 CE no establecen un derecho constitucional del investigado-acusado a ser representado procesalmente; el derecho de defensa en la postulación atiende sólo al abogado. La representación por procurador nace así de la ley, del art. 438 LOPJ, de las normas que veremos de la LECRIM y del art. 5 del EGPTE.

Para determinar cuál es el momento procesal a partir del que la representación por procurador se hace necesaria es preciso distinguir entre los dos procesos por delito:

1.º) En el proceso ordinario: Cuando la intervención del abogado es posible la comparecencia habrá de hacerse por medio de procurador; si el nombramiento o designación del abogado es obligatorio, lo mismo cabe decir del procurador, salvo en la asistencia al detenido o preso pues el art. 117.3 CE se refiere sólo al abogado y lo mismo hace el art. 520 LECRIM.

2.º) En el proceso abreviado: Aquí la distinción previa atiende a la existencia de abogado nombrado por la propia parte o de abogado designado del turno de oficio; en el primer caso junto al abogado habrá de nombrarse procurador por la parte; en el segundo el abogado de oficio asume inicialmente la defensa y la representación, no siendo necesaria la intervención de procurador hasta el trámite del art. 784.1, es decir, hasta el escrito de defensa (art. 768).

II. LA AUSENCIA DEL INVESTIGADO-ACUSADO

Una de las cosas menos admisibles en nuestro sistema es que deba distinguirse en atención a la clase de proceso, pues pone de manifiesto la falta de sistema.

A) En el proceso ordinario

El ejercicio del *ius puniendi* por el Estado, en principio, no puede ejercitarse en ausencia del investigado-acusado. Si en el proceso civil el principio de contradicción se cumple otorgando a las partes la posibilidad real de ser oídas, cuando se trata del proceso penal la presencia del imputado-acusado es para el Estado, para el órgano jurisdiccional correspondiente, un deber ineludible y para aquél un derecho no renunciable que, por tanto, puede calificarse de derecho-deber. El imputado no está obligado a declarar (art. 24.2 CE), pero sí está obligado a comparecer ante el llamamiento judicial y tanto es así que la orden judicial de comparecencia puede convertirse en orden de detención ante la incomparecencia injustificada (art. 487).

Junto a lo anterior hay que tener en cuenta las funciones y las clases de actos que se realizan en el procedimiento preliminar judicial (lección 6.ª) y también lo que significa el juicio oral con su acusación, defensa y sentencia (lecciones 12.ª a 16.ª), y de todo este conjunto de consideraciones se desprende que la ausencia del imputado-acusado ha de producir efectos distintos según se produzca en una fase u otra del proceso. Común a las dos fases es, en cambio, cómo se llega a la declaración de rebeldía.

a) Declaración de rebeldía

Cuando vaya a notificársele una resolución judicial al procesado, de cualquier contenido, no necesariamente pero también una citación, y no fuere hallado en su domicilio por haberse ausentado ignorándose su paradero, cuando el mismo no tuviere domicilio conocido, cuando el procesado en situación de libertad provisional dejare de concurrir a la presencia judicial el día que le esté señalado y cuando el detenido o preso se fugare del establecimiento al efecto (art. 835), el juez de instrucción o el tribunal sentenciador mandará expedir requisitoria para su llamamiento y busca (art. 836). Supuesto especial es el de los arts. 512 y 515 relativo al cumplimiento del auto de prisión provisional.

En la requisitoria concurren dos facetas; por un lado es un emplazamiento hecho al procesado o acusado para que comparezca ante el órgano jurisdiccional y de ahí su contenido, según los arts. 837 y 513, y la publicidad que debe dársele, según los arts. 838 y 512, pero, por otro, supone una orden dirigida a la policía para la busca del ausente; curiosamente esta orden, que en realidad es lo más importante de la requisitoria, sólo se refleja en el caso especial del art. 515 (y hoy, además, en el art. 762, 4.ª, para el proceso abreviado). En nuestro derecho histórico se conocía una requisitoria secreta dirigida a la policía y, sólo ante el fracaso de ésta, se acudía al llamamiento por edictos y pregones.

Transcurrido el plazo fijado por el juez o tribunal, sin que el ausente haya comparecido o sea presentado por la policía, se procederá a la declaración de rebeldía (art. 839), dictándose al efecto el auto correspondiente.

b) Efectos

Lo importante de la rebeldía son sus efectos, que son distintos según la fase en que se encuentre el proceso al declararse aquélla:

1.ª) En la fase de procedimiento preliminar judicial, que en el proceso ordinario se denomina sumario, éste continuará hasta que se declare concluso, «suspendiéndose después su curso y archivándose los autos» (art. 840). La rebeldía no significa, pues, la suspensión del sumario; en éste continuarán practicándose todas las actuaciones que según el art. 299 lo constituyen.

Dictado auto de conclusión del sumario por el juez instructor, la declaración anterior de rebeldía no impide cumplir los trámites de los arts. 622 y ss.; es decir, el juez elevará las actuaciones a la Audiencia y ésta, previa instrucción del Ministerio fiscal y de los acusadores, si los hubiere (art. 627), aprobará en su caso el auto de conclusión, pero en el mismo auto o inmediatamente aprobará también el de declaración de rebeldía. A partir de este momento se produce la suspensión del proceso penal.

2.ª) En la fase de juicio oral al ser declarado en rebeldía el acusado se suspenderá el juicio y se archivarán los autos (art. 841). No existe juicio oral sino con la presencia del acusado.

En los dos casos cuando el declarado rebelde se presenta voluntariamente o es encontrado por la policía, se abrirá nuevamente la causa para continuarla según su estado (art. 846).

Caso especial es el de la ausencia en el recurso de casación. Según el art. 845 si, después de notificada la sentencia de la Audiencia, el acusado se coloca en situación de ausencia el recurso de casación, lo interponga su representación procesal o cualquier acusador, no se suspende, continuándose hasta sentencia firme, pudiéndose incluso tener que designarle Abogado y Procurador de oficio. La solución es correcta si se tiene en cuenta que la casación versará normalmente sobre la aplicación del derecho.

Aspecto de trascendencia teórica y práctica es el de la comparecencia del procesado rebelde en el sumario por medio de abogado y procurador. El TC ha estimado (SS 87/1984, de 27 de julio, y 140/1986, de 26 de noviembre) que no existe el derecho constitucional del procesado rebelde a personarse en el sumario para intervenir en él mientras no cese en su situación de rebeldía. Esta solución es inadmisible; con ella se vuelve a lo dispuesto en la Partida III, V, 12.ª, que prohibía admitir en las causas sobre «reos» ausentes a representantes o personeros, olvidando que ya en la Novísima Recopilación XII, XXXV, 8.ª, la prohibición se refirió únicamente a los «casos de hermandad».

c) Extradición activa

El ausente puede encontrarse en paradero conocido, pero éste estar fuera del alcance de los medios coactivos del órgano jurisdiccional para hacerlo comparecer; esto sucederá, obviamente, cuando el procesado se encuentre en un país extranjero. Para esa situación se prevé la extradición activa, aquélla en que España pide la entrega de un procesado, que se regula en los arts. 824 a 833 LECRIM con su remisión a los tratados vigentes; la extradición pasiva, en la que lo mismo se pide a España por otro país, se rige por la Ley 4/1985, de 21 de marzo, con la misma remisión a los tratados.

Los tratados suelen regular al mismo tiempo los dos tipos de extradición; el multilateral más importante es, sin duda, el Convenio Europeo de Extradición de 13 de diciembre de 1957, ratificado por España el 21 de abril de 1982 (BOE de 8 de junio).

La petición de extradición se basa en la concurrencia de dos actos, uno jurídico y otro político. El jurídico es un auto del juez instructor o del tribunal sentenciador, por el que se acuerda pedir la extradición cuando concurren los requisitos legales y convencionales (arts. 828 y 829); esa petición se dirige al Gobierno por medio del presidente de la Audiencia o del Tribunal Supremo. El político comporta una decisión del Gobierno que, en contra de interpretaciones interesadas, no puede basarse en la arbitrariedad.

B) En el proceso abreviado

Dijimos antes que, con determinados requisitos, era posible que la ley regulara un proceso en el que se permitiera la realización del juicio oral en ausencia del acusado. Esto es lo que hace la LECRIM para el proceso abreviado (y para el juicio rápido), distinguiendo dos posibilidades:

a) Si la pena solicitada por los acusadores excede de dos años de privación de libertad o, cuando sea de otra naturaleza, si su duración excede de seis años, debe procederse a dictar requisitoria para el llamamiento y busca del acusado, declarándole rebelde si no comparece o no fuera encontrado por la policía, con los efectos que antes hemos visto de suspensión y archivo (art. 784.4). El art. 762, 4ª, se refiere a la inserción de las requisitorias en el fichero automatizado de las Fuerzas y Cuerpos de Seguridad y a su posible publicación en los medios de comunicación escrita.

b) Si la pena solicitada es igual o inferior a las antes dichas cabe la realización del juicio oral en ausencia del acusado (art. 786.1, II). Para que ello sea posible han de concurrir los siguientes requisitos:

1.º) Al imputado, en la primera comparecencia ante el juez de instrucción, habrá de habérsele requerido para que designe un domicilio en España en el que se le harán las notificaciones o una persona que las reciba en su nombre, haciéndole la advertencia expresa de que la citación realizada en dicho domicilio o a la persona designada permitirá la celebración del juicio oral en su ausencia (art. 775). El requerimiento y la advertencia han de realizarse al imputado personalmente y precisamente por el juez instructor; en las diligencias previas el letrado de la administración de justicia dará fe de la realización del acto.

Naturalmente si no ha existido el requerimiento, con la fijación de domicilio o la designación de persona, y la advertencia y, abierto el juicio oral, el acusado se halla en ignorado paradero, sea cual fuere la pena solicitada por los acusadores, el juez procederá a expedir requisitoria, declarando la rebeldía y suspendiendo las actuaciones con archivo.

2.º) Siempre será necesaria la presencia del abogado defensor del ausente, bien sea aquél de confianza bien del turno de oficio.

3.º) Ha de existir solicitud de alguna de las partes acusadoras y audiencia del abogado defensor.

4.º) La ausencia del acusado ha de ser injustificada, pudiendo la justificación ser expresa o presunta.

Cabe que el acusado, hecha la citación para el juicio oral, alegue antes de su iniciación alguna causa, debiendo el tribunal sentenciador pronunciarse sobre si es o no bastante o justa; motivos triviales o no acreditados no pueden ser suficientes para hacer nuevo señalamiento. Aun no existiendo alegación de causa por el acusado, cabe que el tribunal haga nuevo señalamiento, con suspensión del juicio, cuando existan indicios de que la no presencia del acusado es involuntaria; estos indicios pueden ser de cualquier índole y atenderán a que no haya tenido conocimiento del señalamiento o de que esté impedido de asistir.

El tribunal ha de estimar que existen suficientes elementos para juzgar en ausencia. Esta es, sin duda, el requisito más indeterminado y difícil de valorar con carácter general, pues se reduce a una decisión del órgano jurisdiccional que debe basarse en algo que o bien no es prueba (los actos de investigación de las diligencias previas) o bien no se ha realizado todavía (la prueba del juicio oral).

Realizado el juicio oral y condenado en la sentencia el acusado ausente, cabe que éste comparezca o sea habido por la policía y entonces habrá de ofrecérsele la posibilidad de que interponga un recurso contra aquélla. Lo importante aquí es que ha de notificársele la sentencia y que se le ha de hacer saber su derecho a interponer ese recurso, que se denomina de anulación, el plazo de diez días de que dispone para ello y el órgano competente (art. 793) (vid. lección 19.ª).

C) En el proceso por delito leve

La LECRIM ya en su redacción originaria (arts. 966, 967, 970 y 971) permitió la realización de este juicio en ausencia del acusado. Esta posibilidad existe siempre que conste que al acusado se le ha citado «con las formalidades previstas», es decir, cumpliendo lo ordenado en el art. 178, entre otros, que permite incluso la citación por publicación de la cédula en el B. O. de la provincia.

En realidad conviene distinguir:

1) Si el acusado reside fuera de la demarcación del Juzgado no tiene obligación de concurrir al acto del juicio; puede dirigir a aquél escrito realizando las alegaciones oportunas o bien apoderar a abogado o procurador que le represente (art. 970).

2) La ausencia injustificada del acusado no suspenderá la celebración ni la resolución del juicio, siempre que conste habérsele citado con las formalidades prescritas en esta Ley, a no ser que el Juez, de oficio o a instancia de parte, crea necesaria la declaración de aquél (art. 971).

Y no se distingue la causa de la ausencia. Pueden darse muchos supuestos, desde que el acusado no tenga domicilio conocido, hasta que el acusado, estando en el lugar del juicio, porque allí tenga su domicilio conocido, no quiera asistir. ¿Qué ocurre si la parte o el Juez estiman necesaria la declaración del acusado y éste no se sabe dónde está?

III. LAS PARTES EN EL PROCESO CIVIL ACUMULADO

Según el art. 100 de todo delito nace acción penal para el castigo del culpable y puede nacer también acción civil para la restitución de la cosa, la reparación del daño y la indemnización de perjuicios causados por el hecho punible, y en el mismo sentido en el CP se habla de las personas responsables civilmente de los delitos. Estamos ante lo que viene denominándose tradicionalmente la acción civil derivada del delito, para cuya regulación hay que estar a una serie de disposiciones dispersas por el CP, la LECRIM y el CC.

Básicamente las normas de referencia son: arts. 100 a 117, 320, 615 a 621, 635, 650, 655, 742, 764, 765, 783, 786.1 y 975 LECRIM; arts. 109 a 122 y 125 y 126 CP y arts. 1.089,1.092, 1.813 y 1.956 CC.

Puso de manifiesto Gómez Orbaneja de modo indiscutible que la responsabilidad civil no nace del delito, el cual no produce otros efectos jurídicos que la pena, pero que el acto que lo constituye puede ser a la vez fuente de obligaciones civiles, atendido el art. 1.089 CC, en cuanto quepa calificarlo de ilícito civil.

Pues bien, partiendo del supuesto de que un mismo acto puede ser, a la vez, delito, del que nace una responsabilidad penal que se exigirá en el proceso de esta naturaleza, e ilícito civil originando una obligación y un derecho civil, que cabe exigir en un proceso de los de esta clase, lo que el ordenamiento jurídico español *permite* es la acumulación de los dos procesos en un único procedimiento, y atribuye la competencia para conocer del conjunto al órgano jurisdiccional competente para conocer del proceso penal.

No vamos a tratar aquí ni del contenido de la responsabilidad civil que nace del acto ilícito (a estudiar en la lección 5.ª), ni de la tramitación procedimental específica de ese objeto (que se estudiará en la lección 23.ª). Nos referiremos ahora únicamente a las partes propias de ese proceso civil. Destacaremos sólo que el proceso civil, aunque se acumule al penal, no deja de regirse por los principios propios de aquél, con lo que estamos ante un proceso en el que impera la oportunidad y lo dispositivo, con todas las consecuencias que ello implica. La acumulación lo es entre un proceso penal necesario y un proceso civil oportuno.

A) Los actores civiles

El ejercicio de la acción civil y, consiguientemente, de la pretensión, reviste modalidades distintas según quien la ejerza. En todo caso actor civil es quien ejercita, en el proceso acumulado al penal, una acción pretensión de naturaleza patrimonial reparatoria.

a) Ministerio fiscal

En principio el Fiscal está obligado por la ley a ejercitar la acción civil junto con la penal y ello aunque exista en el procedimiento otro acusador; sólo en el caso de que el derecho subjetivo civil derivado del acto ilícito haya sido renunciado expresamente por su titular o éste se lo haya reservado también expresamente para ejercitarlo después de acabado el proceso penal (art. 112, I), el Ministerio fiscal se verá limitado a la acción penal (arts. 108 y 773.1).

Resulta así que el Fiscal es, al mismo tiempo, parte penal acusadora y parte demandante civil, asumiendo papeles distintos, pero complementarios, en cada uno de los procesos acumulados. En el civil no es representante del titular del derecho subjetivo material, no estando sujeto a las posibles directivas de éste, no es tampoco sustituto procesal, pues el acreedor puede comparecer como parte civil, y desde luego no afirma ser titular de derecho civil alguno. Estamos ante un fenómeno muy especial de legitimación extraordinaria.

b) Acusador popular

Dado que éste, según la práctica judicial, no es ni ofendido ni perjudicado por el acto ilícito que es al mismo tiempo delito, y atendido que no existe norma alguna que le legitime de modo extraordinario, no puede ejercitar la acción civil. La acción popular o pública es la penal (art. 101), no la civil.

c) Acusadores particular y privado

El ofendido y el perjudicado por el delito pueden constituirse como parte acusadora, esto es, penal, y, al mismo tiempo, como parte demandante civil, y pueden hacerlo: 1) El acusador particular de dos maneras, bien formulando querella, bien mostrándose parte en la causa mediante simple escrito después de que se le haya hecho el ofrecimiento de acciones (arts. 109, 110 y 761), y 2) El acusador privado sólo de una forma: por medio de querella.

No concurren especialidades respecto de la capacidad y legitimación; en cuanto actor civil hemos de estar a las normas generales que vimos en el proceso civil incluyendo también lo relativo a la sucesión procesal por muerte de la parte (art. 276 LECRIM). Los acusadores, en cuanto actores civiles, tienen legitimación ordinaria, debiendo afirmar su titularidad del derecho subjetivo material civil. Sobre la postulación será necesaria la representación procesal por procurador y la defensa técnica por abogado según lo sea en el proceso penal al que se acumula el civil.

d) Actor civil

Aunque la expresión «actor civil» puede aplicarse a todos los que ejercitan la acción-pretensión patrimonial civil en el proceso acumulado al penal, normalmente se reserva para denominar a la persona física o jurídica que aparece sólo como demandante en el proceso civil acumulado al penal.

El Ministerio fiscal tiene el deber de ejercitar conjuntamente las dos acciones (art. 108), y respecto de los acusadores particular y privado ejercitada la acción penal se entiende interpuesta también la civil (salvo renuncia o reserva expresas, art. 112), pero cabe que el sujeto pasivo del acto ilícito civil comparezca judicialmente a los efectos de constituirse como parte en el proceso civil, sin que haga lo mismo en el proceso penal. No será esto lo normal en la práctica, pero su posibilidad es innegable.

Este actor civil es sólo parte en el proceso civil y en esta situación se ve más claramente como a la norma general procesal civil habrá de estarse para la capacidad y la legitimación. Para la postulación, en cambio, se estará a lo dispuesto para el proceso penal, por cuanto éste determina al civil en este punto.

Si esta parte lo es sólo del proceso civil acumulado, consecuencia jurídica será que verá limitado su objeto a la pretensión patrimonial y, además, que sólo podrá realizar actos procesales relativos a ella. En este sentido el art. 320 es determinante respecto del sumario (procedimiento preliminar judicial en el proceso ordinario), los arts. 651, II, y 735 para el juicio oral, y el art. 854, II, para el recurso de casación.

B) Los demandados responsables civiles

Desde el punto de vista pasivo, demandado, en el proceso civil acumulado al penal, será aquél frente al que se interpone la pretensión de naturaleza patrimonial reparatoria. Demandado puede ser, pues, el mismo investigado-acusado u otra persona que asuma sólo la condición de parte pasiva civil. También aquí es conveniente distinguir entre:

a) Responsables directos

Si como dice, con escasa técnica, el art. 116 CP toda persona criminalmente responsable de un delito lo es también civilmente si del hecho se derivaren daños y perjuicios, la condición de demandado la tendrán los autores y los cómplices; éstos, cada uno dentro de su respectiva clase, serán responsables solidariamente entre sí, y subsidiariamente por las cuotas correspondientes a los demás responsables. Frente a ellos se ejercitará, en principio, la pretensión civil. Pero no son los únicos posibles demandados, pues la ley hace referencia a otros posibles responsables directos.

Terceras personas no responsables criminalmente, pueden ser también responsables civiles de modo directo. Este tipo de responsabilidad alcanza a:

1.º) El que por título lucrativo hubiere participado en los efectos de un delito o falta, está obligado a la restitución de la cosa o al resarcimiento del daño hasta la cuantía de su participación (arts. 122 CP y 615 LECRIM).

2.º) Los aseguradores de las responsabilidades pecuniarias, hasta el límite de la indemnización legalmente establecida o convencionalmente pactada (art. 117 CP).

3.º) En los casos de los núms. 1.º (anomalía o alteración psíquica) y 3.º (alterada la conciencia de la realidad) del art. 20 CP, son responsables los autores del acto y quienes los tengan bajo su potestad o guarda legal o de hecho siempre que mediare culpa o negligencia por su parte (art. 118.1, 1.ª, CP).

4.º) En el caso del núm. 5.º (estado de necesidad) del art. 20 CP serán responsables las personas a cuyo favor se haya precavido el mal en proporción al perjuicio que se les hubiere evitado (art. 118.1, 3.ª, CP).

5.º) En el caso del núm. 6.º (miedo insuperable) del art. 20 CP, responderán principalmente los que hayan causado el miedo y, en su defecto, los que ejecutaren el hecho (art. 118.1, 4.ª, CP).

b) Responsables subsidiarios

Esta responsabilidad tiene su origen en la insolvencia del responsable directo y, por lo mismo, alcanza a personas que no son responsables criminalmente, de modo que la pretensión habrá de dirigirse contra un demandado distinto del investigado-acusado.

En el CP esta responsabilidad se determina en los arts. 120 y 121:

1.º) Los padres o tutores, por los mayores de dieciocho años sujetos a su patria potestad o tutela y que vivan en su compañía, siempre que haya por su parte culpa o negligencia.

2.º) Cualquier persona titular de medios de comunicación social, por los delitos cometidos utilizando dichos medios (salvo en los delitos de injuria y calumnia en que la responsabilidad civil es solidaria).

3.º) Cualquier persona titular de un establecimiento, por los actos cometidos por los empleados siempre que se hayan infringido los reglamentos de policía o las disposiciones de la autoridad que estén relacionados con el hecho punible, de modo que éste no se hubiera producido sin dicha infracción.

4.º) Cualquier persona dedicada a cualquier género de industria o comercio, por sus empleados en el desempeño de sus obligaciones o servicios.

5.º) Los titulares de vehículos susceptibles de crear riesgo para terceros, por los actos cometidos en la utilización de aquéllos por sus dependientes, representantes o persona autorizada.

6.º) Cualquier administración o ente público, por los daños causados por la autoridad, agente, contratados o funcionarios públicos en el ejercicio de sus cargos o funciones, siempre que la lesión sea consecuencia directa del funcionamiento de los servicios públicos.

c) Determinación de la legitimación

Sobre la capacidad del responsable civil no es preciso hacer aquí cuestión. Para la postulación lo dispuesto para el proceso penal atrae al civil acumulado. El único problema de interés se refiere a la legitimación, y respecto de ésta hay que distinguir.

1.º) Cuando la responsabilidad civil se pretende por el o los actores del investigado-acusado: La legitimación civil no es dudosa dado que la imputación y la acusación suponen convertir a aquél también en parte pasiva o demandada en el proceso civil acumulado.

2.º) Cuando la responsabilidad civil se pretende de un tercero, tanto de modo directo como subsidiario: Para este supuesto los artículos 615 a 619 y 621 prevén un incidente tendente a discutir en el procedimiento preliminar judicial el tema de la legitimación de ese tercero.

Cuando en la instrucción del sumario aparezca indicada la responsabilidad civil de un tercero, el juez, a instancia del actor civil, le exigirá fianza para asegurar el resultado del proceso civil acumulado y si ésta no se presta se procederá al embargo de sus bienes (art. 615).

A partir de aquí el tercero puede, durante el procedimiento preliminar judicial, manifestar por escrito las razones que tenga para que no se le considere civilmente responsable, proponiendo prueba (art. 616). El juez dará vista del escrito al o a los actores civiles, que responderán a la demanda incidental, proponiendo prueba (art. 617); unas y otras pruebas se practicarán por el juez de instrucción, el cual resolverá por auto sobre las pretensiones formuladas (art. 618). Este auto no prejuzga respecto de la pretensión civil; las partes pueden reproducir sus peticiones en el juicio oral, en el que ya se discutirá respecto del tema de fondo, o acudir a la vía civil de modo independiente (art. 621).

Adviértase que en este incidente no se trata de resolver en el procedimiento preliminar judicial sobre la acción-pretensión de responsabilidad civil dirigida contra el tercero, sino de algo más simple: determinar si éste está o no legitimado para convertirse en demandado en el proceso civil acumulado. En este orden vid. también los arts. 764 y 765, para el proceso abreviado.

LECTURAS RECOMENDADAS: RENEDO ARENAL, *Problemas del imputado en el proceso penal,* Madrid, 2007; ARNÁIZ SERRANO, A., *Las partes civiles en el proceso penal,* Valencia, 2006.

CAPÍTULO III
EL OBJETO DEL PROCESO

Lección Quinta

El objeto del proceso

I. EL OBJETO DEL PROCESO PENAL

Es el hecho criminal imputado a una persona.

A) Concepto, características y relevancia: El proceso penal español puede tener dos objetos: Penal y civil.

Rigen los principios de unidad y oficialidad. La pretensión penal no es importante porque las partes no tienen el monopolio sobre la configuración y proposición del objeto del proceso

Relación con el derecho de acción. Características de inviolabilidad e indisponibilidad.

Explica numerosas instituciones procesales.

B) La incidencia de la calificación jurídico-penal: Relativa, pero incide, pues aunque unos hechos puedan ser calificados de diversas maneras, sirve para iniciar el proceso, determinar la competencia, legitimación y clase de procedimiento y vinculación (con matices) para el contenido de la sentencia.

II. LOS ELEMENTOS IDENTIFICADORES DEL OBJETO DEL PROCESO

La identificación es necesaria para dictar la sentencia.

A) El hecho criminal imputado: Fijación legal y actos procesales en función del hecho a lo largo del proceso.

La identidad del hecho y las teorías sobre su identificación: Teorías naturalista y normativista. Problemas para identificar si un hecho es el mismo. El hecho es el mismo cuando hay identidad total o parcial de los actos de ejecución y el bien jurídico protegido es el mismo.

B) La persona acusada: Integra necesariamente la cosa juzgada.

III. LA CONEXIÓN DE OBJETOS

El objeto del proceso es así múltiple.

IV. EL OBJETO DEL PROCESO CIVIL ACUMULADO

El objeto del proceso es el mismo que el civil estudiado en el tomo anterior de esta obra.

Las pretensiones son tres, casi siempre patrimoniales: restitución de la cosa, reparación del daño e indemnización de perjuicios.

I. EL OBJETO DEL PROCESO PENAL

A) Concepto, características y relevancia

El sistema de enjuiciamiento criminal español permite acumular al proceso penal un proceso civil, lo que significa que un procedimiento puede tener, y de hecho la situación normal es que tenga, dos objetos diferentes, que han de estudiarse en esta misma lección, pero que también deben deslindarse perfectamente. Punto de partida clarificador es igualmente que el concepto y elementos que configuran el objeto del proceso civil (estudiados en el tomo II de esta obra), poca ayuda nos van a brindar para hallar los correlativos del proceso penal, salvo en el general de entender por objeto del proceso (terminología alemana y española), el «thema decidendi» o la materia (terminología italiana) fundamental a resolver por el órgano jurisdiccional en la sentencia, según su sentido técnico más depurado.

En efecto, recordemos, el objeto del proceso civil viene constituido por la pretensión interpuesta por la parte demandante, configurada decisivamente a la luz de los principios de oportunidad y dispositivo. Esa pretensión contiene el asunto jurídico fundamental sobre el que el actor pide la sentencia al juez.

Sin embargo, en el proceso penal, en el que rigen los principios de necesidad y oficialidad, las partes, sin que evidentemente quede excluida su actividad, no tienen el monopolio sobre la configuración y proposición del objeto del proceso, con lo que la pretensión ni tiene, ni puede tener un papel decisivo.

Si los principios de necesidad y oficialidad significan que debe abrirse por el órgano jurisdiccional, de oficio o a instancia de un órgano público (insistimos, sin que cambie las cosas el que la parte particular realice un acto de iniciación), un proceso penal en el momento conste la existencia de un delito, y el hecho punible, en cuanto acción humana, tiene que haber sido cometido por una persona, el objeto del proceso penal no puede ser más que, con las precisiones que más adelante hacemos, y en principio, el hecho criminal imputado a una persona, elementos que determinan la extensión de la investigación y cognición judicial.

El objeto del proceso penal se caracteriza por su relación con el derecho de acción, en tanto en cuanto iniciado el proceso por la parte, bien obligatoriamente (Ministerio Fiscal), bien voluntariamente (por cualquiera de los acusadores no públicos: particular, popular o privado), a través de la correspondiente querella, se proporciona al órgano judicial el hecho que debe ser investigado por revestir los caracteres de criminal (delito), pues el art. 277-4.º LECRIM obliga a la parte a expresar una relación circunstanciada del hecho ejecutado, conclusión a la que se llega igualmente si el proceso se ha iniciado de oficio o mediante denuncia, pues ante la comunicación del hecho criminal (arts. 259, 262, I, y 264 LECRIM, para la denuncia; arts. 308, 318, 638, III, LECRIM, y 195 LOPJ, para la iniciación de oficio), la querella del Fiscal es insoslayable (arts. 124.1 CE; 105.1, 271 y, a contrario, 761 LECRIM), aunque en la práctica no sea siempre así.

Admitida a trámite la querella (o la denuncia, con la precisión anterior), el proceso incoado tiene ya su objeto, aunque luego resulte por resolución definitiva su negación, y ello ha sido consecuencia del ejercicio del derecho de acción. Pero éste conlleva (y la interposición de la acusación en la calificación provisional conllevará posteriormente) otros varios contenidos y, por tanto, afecta a otras instituciones, que nada o muy poco tienen que ver con el objeto del proceso, que estudiaremos oportunamente en este mismo tomo.

El objeto del proceso penal se caracteriza también por su *inmutabilidad,* pues no es posible cambiarlo ni eliminarlo, ni la actividad de las partes puede pretenderlo; y por su *indisponibilidad,* tanto desde un punto de vista fáctico, pues el hecho comprende todos los actos preparatorios, accesorios, particulares o posteriores, como del jurídico, pues el proceso considera el hecho desde todos los puntos de vista jurídicos posibles.

Por otra parte, determinar el objeto del proceso resulta fundamental, sola o conjuntamente, para la mejor comprensión de varias instituciones procesales penales:

a) El hecho criminal sirve para determinar la *extensión y límites de la jurisdicción española* frente a la extranjera en el orden penal, pues se asumen el criterio de territorialidad («comisión del delito en territorio español»), y los principios de persecución de todos los hechos punibles que atenten contra los intereses fundamentales del Estado, y de persecución universal del hecho punible, sin consideración a la nacionalidad del imputado (v. arts. 21 y 23 LOPJ).

b) El hecho criminal aprovecha igualmente para fijar la *competencia penal genérica,* pues los órganos jurisdiccionales penales enjuician los hechos que la ley penal repute delito (v. art. 9.3 LOPJ).

c) La naturaleza del hecho criminal y la calidad de la persona imputada sirven para determinar la *competencia objetiva,* tanto cuantitativa («ratione materiae», a saber, si es delito), como cualitativamente («ratione personae», a saber, si hay aforamientos).

d) El hecho criminal determina los fueros, principal («lugar de comisión del delito») y subsidiarios («lugar donde...»), que determinan la *competencia territorial* del órgano jurisdiccional (v., fundamentalmente, arts. 14 y 15 LECRIM).

e) El hecho criminal sirve para fijar el presupuesto procesal de la legitimación, en tanto determinados delitos únicamente pueden ser perseguidos previa denuncia o querella del ofendido, además de aprovechar para hallar con precisión los conceptos de «ofendido» y» perjudicado».

f) La naturaleza del hecho criminal y la calidad de la persona determinan asimismo *la clase de proceso,* ordinario o especial, que debe seguirse contra el imputado, al igual que su procedimiento adecuado.

g) De gran trascendencia, que trataremos específicamente como pregunta aparte en esta misma lección, el hecho criminal y su conexión con otros hechos igualmente punibles lleva, bajo determinados presupuestos, a la *acumulación* de procesos penales.

h) Finalmente, de suma importancia también, la determinación del hecho criminal y de la persona imputada ponen de relieve si en las calificaciones definitivas se ha producido una *variación sustancial* del objeto del proceso respecto a las calificaciones provisionales, modificación prohibida, como veremos en la lección 12ª. Igualmente, si se ha producido una variación sustancial entre la sentencia y la acusación, es decir, si existe correlación entre ambos actos (congruencia).

Pero la relevancia jurídica de la determinación del objeto del proceso adquiere sus mayores cotas cuando se ponen en relación dos procesos, puesto que la constatación de si existe *litispendencia* o *cosa juzgada*, y, por tanto, de si el segundo proceso debe ser evitado por darse cualquiera de esos dos presupuestos procesales, únicamente es posible comparando los objetos de ambos procesos, el pendiente o simultáneo en un caso y el fenecido en otro, y viendo si son los mismos, es decir, si se dan las identidades objetivas y subjetivas exigidas por la ley para su concurrencia.

B) La incidencia de la calificación jurídico-penal

Es afirmación común de la doctrina que la calificación jurídico-penal del hecho no tiene relevancia para la determinación del objeto penal del proceso penal, de la misma manera que tampoco es elemento esencial del objeto del proceso civil, en donde la calificación jurídica únicamente tiene influencia, pero relativa por la vigencia del principio «iura novit curia», en la causa de pedir o fundamento de la pretensión.

Según esta opinión, ello es así porque si bien es verdad que un mismo hecho puede ser calificado jurídicamente de varias maneras (por ejemplo, la muerte violenta de una persona puede ser delito de asesinato, delito de homicidio, u homicidio imprudente), de ahí no se tiene que deducir necesariamente que hayan tantos objetos cuantas posibilidades.

Esto no debe significar, sin embargo, que la calificación jurídica del hecho sea absolutamente irrelevante en cualquier caso, pues tiene incidencias muy concretas en todos aquellos supuestos en los que el hecho es importante jurídicamente, aunque, y de ahí vienen quizás los problemas, no juega ningún papel precisamente cuando la identificación del hecho viene exigida con mayor fuerza, es decir, cuando se discute la litispendencia o la cosa juzgada.

Por tanto, hay que establecer los límites justos, que en lo penal exige unos criterios interpretativos muy rígidos, de la incidencia o no de dicha calificación en la determinación del objeto del proceso penal:

1.°) En este sentido, y en primer lugar, la calificación jurídica incide ya en la decisión sobre si se incoa el proceso penal o no, en el siguiente sentido: Solamente pueden formar el objeto del proceso penal aquellos hechos o actos que el Derecho Penal toma en consideración como delito. Por eso, en otro caso, no ha lugar al proceso que carezca «desde el principio» de objeto, archivándose la denuncia (art. 269 LECRIM), o inadmitiéndose la querella (art. 313, I LECRIM), que reflejen unos hechos que no son indubitadamente constitutivos de delito.

2.º) Hecha la anterior precisión, hay que decir en segundo lugar que la calificación jurídica del hecho punible incide también en los casos relevantes anteriormente considerados, pues hay que tenerla en cuenta, es cierto que de una manera meramente aproximativa y a veces intuitiva, para la determinación de la extensión y límites de la jurisdicción española, de la competencia penal genérica, de los criterios objetivo y territorial de atribución de la competencia, de la legitimación, de la clase de proceso y procedimiento adecuado, de la acumulación y, sobre todo, para ver si existe variación sustancial del objeto entre la acusación y la sentencia.

Esta última cuestión es problemática, pues se aduce como argumento fundamental que prueba evidente de que la calificación jurídica no juega ningún papel esencial en la determinación del objeto del proceso penal, es que el órgano jurisdiccional no está vinculado por la calificación que hagan las partes en su acusación definitiva, así como tampoco por la pena, ni en clase ni en cantidad, que se pida en virtud de dicha calificación, pues siempre puede desvincularse, para imponer la pena que él considere justa conforme a la calificación que estime correcta, utilizando el art. 733 LECRIM.

Aunque a la lección 14ª nos tenemos que remitir para un tratamiento más profundo de estas cuestiones, hay que decir ahora que esto es verdad con matices en el proceso penal ordinario por delitos más graves, pero ya no en el proceso penal abreviado, en el que el art. 789.3 prohíbe al órgano jurisdiccional imponer pena que exceda de la más grave de las acusaciones, o condenar por delito distinto cuando éste conlleve una diversidad de bien jurídico protegido o mutación sustancial del hecho enjuiciado, salvo que alguna de las acusaciones haya asumido la tesis de desvinculación del tribunal.

Ello demuestra, entre otras cosas, que no es un argumento definitivo, pues en un proceso la calificación jurídica incide y en otro no.

3.º) Finalmente, en donde la calificación jurídico-penal del hecho punible no puede ser en absoluto esencial, es más, en donde ni siquiera se puede tomar en consideración, es a la hora de determinar si existe litispendencia o cosa juzgada, concretamente, al analizar la identidad objetiva identificando el hecho.

En efecto, por razones de estricta justicia, en combinación con el principio «non bis in idem», una persona que esté siendo enjuiciada o que ya haya sido condenada o absuelta, no puede volver a serlo simplemente porque se cambie la calificación jurídica siendo el hecho el mismo. Por ejemplo, fue absuelta por parricidio, se abre un proceso posterior en su contra por homicidio. Esto lo impide la identidad objetiva de la litispendencia y de la cosa juzgada, que convierten en autoridad únicamente los hechos esenciales enjuiciados. Lo contrario sería permitir tantas acusaciones reiteradas cuantas posibles calificaciones jurídicas permita el hecho (ante la muerte violenta, acusación por parricidio, por asesinato, por homicidio o por infanticidio), posibilidad que repugna a los más elementales principios del proceso penal propio de un Estado de Derecho.

Por ello, a nuestro juicio, teniendo en cuenta todos estos elementos y circunstancias, se podría superar formalmente el problema indicando que el elemento esencial determinante del objeto del proceso penal es el «hecho criminal imputado», porque con ello se toman en consideración tanto todos los supuestos en los que la calificación jurídica que hace el Derecho penal material tiene incidencia, como aquéllos en los que no tiene ninguna («hecho criminal»), pero que en cualquier caso hay que reflejar por estar un proceso, o uno de los dos, pendiente, resultado del descubrimiento de un hecho que reviste los caracteres de delito, del que es responsable una persona a la que se le reprocha la acción cometida («imputado»).

II. LOS ELEMENTOS IDENTIFICADORES DEL OBJETO DEL PROCESO

El objeto de un proceso penal concreto, pendiente o fenecido, debe ser identificado por los elementos esenciales que lo componen, no sólo para que el juez pueda saber exactamente qué tiene que resolver (absolución o condena) en la sentencia, sino también, y precisamente, para poder determinarlo en los casos relevantes citados.

Conforme a lo hasta ahora expuesto, esos elementos fundamentales del objeto del proceso penal son, desde el punto de vista objetivo, el hecho criminal imputado, y desde el punto de vista subjetivo, la persona acusada.

A) El hecho criminal imputado

a) Fijación legal y actos procesales de formación

Nuestra LECRIM no da ninguna definición del hecho criminal imputado, objeto del proceso penal, a diferencia de lo que ocurre en otras legislaciones.

Ello no quiere decir, sin embargo, que el hecho criminal imputado no se tome en consideración por la ley, fundamentalmente cuando regula los actos de iniciación, los actos de investigación, los actos de prueba y la sentencia, es decir, todos los actos procesales de formación del objeto del proceso, como no podría ser menos.

En efecto, el proceso penal sirve para esclarecer y enjuiciar un hecho criminal producido, imputado a una persona, y así lo hace en sus diversas etapas:

1.ª) En el procedimiento preliminar (sumario o diligencias previas), se pretende poner de manifiesto, en primer lugar, la existencia objetiva del hecho; en segundo lugar, la toma en consideración por el Derecho Penal de ese hecho, es decir, si se trata de un hecho punible o no; y, por último, desde el punto de vista subjetivo, si ese hecho puede ser imputado razonablemente a una persona (v. el fundamento legal, incompleto, que proporciona el art. 299 LECRIM).

Los actos que lo conforman demuestran la anterior afirmación sin resquicio alguno: La existencia del hecho se comunica, dejando de lado el supuesto excepcional de iniciación de oficio por el juez, por la denuncia o querella; y la investigación sobre su existencia y presunto autor se lleva conforme a las diligencias previstas en el Título V del Libro II LECRIM, con las modificaciones para el proceso abreviado del art. 762 LECRIM.

2.ª) Si se admite la fase intermedia, sin entrar en polémicas, con relación al hecho se quiere impedir en los actos que la conforman la continuación del proceso si el hecho no ha existido, o si no es punible; también, pero con relación al aspecto subjetivo, si no es posible la imputación. A ello responde el sobreseimiento (v. arts. 637, 645, 779.1, 1ª y 782 LECRIM). En caso contrario, se entra en la fase en la que el hecho va a quedar definitivamente delimitado y formado.

3.ª) Así es, determinado y constatado el hecho y la persona del acusado, la fase de juicio oral sirve para realizar el análisis final del hecho punible y de sus consecuencias jurídicas, produciéndose el fallo de culpabilidad o inocencia en relación con el hecho criminal enjuiciado, con expresión, en su caso, de la pena a cumplir, siempre que concurran los presupuestos procesales exigidos, en los que tanta influencia, piénsese en la litispendencia o en la cosa juzgada, tienen los elementos esenciales del objeto del proceso penal (v. art. 666 LECRIM).

Por ello, de concurrir esos presupuestos, la acusación delimita, a la vista de las anteriores investigaciones objetivas y subjetivas, el hecho criminal a enjuiciar y la persona del acusado (arts. 650-1.ª a 5.ª y 781.1 LECRIM); que no es posible variar en calificaciones definitivas, salvo que se haya calificado el hecho punible con manifiesto error, en cuyo caso el órgano jurisdiccional puede desvincularse en principio (art. 733 LECRIM). La sentencia, por congruencia, debe ser correlativa con el hecho criminal que motivó la investigación y la acusación, frente a la misma persona acusada (art. 742 LECRIM).

De modo que tenemos que la fijación a través de los diversos actos procesales de formación del objeto del proceso penal, que afecta tanto al aspecto objetivo como al subjetivo, pero que reviste mayor complejidad respecto al primero de ellos, se hace definitivamente en la sentencia. O, si se prefiere, es elemento esencial del objeto del proceso penal el hecho criminal investigado y acusado que ha fundamentado el fallo condenatorio o absolutorio de la sentencia firme.

b) La identidad del hecho y las teorías sobre su identificación

Es fácilmente colegible, llegados a estos extremos, que las mayores dificultades que presenta el estudio del elemento esencial objetivo del hecho no son teóricas, o al menos no lo deberían ser, sino prácticas, pues giran en torno a su identificación en el caso concreto, v. gr., cuando se discute, en el juicio oral o en impugnación, si se ha producido una variación sustancial en los hechos, o cuando se discute la litispendencia o la cosa juzgada. Entonces se hace necesaria la comparación, y para comparar bien hay que tener el hecho perfectamente identificado.

Al respecto se han formulado diversas corrientes de opinión, en concreto, la llamada teoría naturalista, con dos variantes, y la teoría normativista. Lo esencial de cada una de ellas puede entenderse del siguiente modo:

a) *Teoría naturalista:* Llamada así porque considera el hecho sin aplicación de ninguna regla, y por tanto, de ninguna valoración jurídica, considerando que la identidad surge del propio acaecer natural. Presenta dos modalidades a su vez, según intervenga la voluntad o no:

1. Para la primera de ellas, el objeto del proceso penal no es el hecho como viene afirmado por la acusación o la sentencia, sino una parte de la vida del acusado, un acaecer real en el que ha tenido intervención.

El hecho se identifica entonces por lo que el acusado hizo (o no hizo), en un lugar y en un tiempo concretos (unidad espacial y temporal). Sólo así es posible reducir a la unidad la pluralidad de elementos fácticos que integran un acaecer real.

Pero esta formulación es difícilmente aceptable, entre otras razones, porque existen casos en los que no concurriendo la unidad espacial-temporal, hay sin embargo unidad de hecho (disparo el lunes, muerte del herido el viernes siguiente); o no siendo el modo de participación el mismo, hay unidad de hecho (acusado como autor, se le condena como cómplice).

2. Para la segunda variante de la teoría naturalista, es la voluntad lo que permite identificar ese acaecer real, de modo que el hecho es el mismo siempre que la voluntad del acusado haya sido la misma.

El problema es que la voluntad interna es muy difícil de probar y, además, da igual para que el hecho sea el mismo que haya sido cometido dolosa que imprudentemente.

b) *Teoría normativista:* Para esta teoría, el hecho no viene configurado exclusivamente por criterios naturales, sino también y principalmente por criterios jurídicos. Según ella, el objeto del proceso es el acaecer real reducido a una configuración unitaria, atendiendo al modo como el legislador penal configura las unidades de la conducta humana a las que llama delito.

La identificación del hecho es posible, en esta posición doctrinal, cuando coinciden elementos esenciales en cualquiera de las unidades jurídicas en las que un acaecer humano puede ser reducido. Por ello, el hecho es el mismo cuando exista identidad parcial en los actos de ejecución concretos. Por ejemplo, acusado de lesiones, se condena al autor por tentativa de homicidio.

Presenta, sin embargo, la dificultad, al ser un trasplante en el proceso de la teoría penal del concurso de delitos, de no explicar satisfactoriamente ni la participación, ni el encubrimiento (cuando sea delictivo), porque, por ejemplo, al no ser la misma actividad la del autor que la del encubridor, al acusado como autor del hurto de una cosa, no se le podrá condenar como receptador de ese hecho punible.

Por ello, se intenta buscar el contenido material del injusto como elemento común que permita abarcar la participación y el encubrimiento, ya que, en el ejemplo puesto, el interés jurídico lesionado es el mismo.

A la vista de esta evolución, y teniendo en cuenta los avances de la doctrina alemana, la única posibilidad de identificar perfectamente el hecho es tomar casuísticamente todos y cada uno de los tipos de la legislación penal, y describir los elementos esenciales de la acción material que los conforman.

Ante la imposibilidad de poder efectuar esto en un manual, sólo queda recoger las características esenciales que permiten identificar al hecho criminal imputado, objeto del proceso penal, partiendo de las teorías anteriores. Así, estaríamos ante el mismo hecho, de acuerdo con la mejor doctrina, a efectos de congruencia, litispendencia o cosa juzgada:

1.º) Cuando, en el sentido expresado por la teoría normativista, exista identidad, total o parcial, en los actos de ejecución que recoge el tipo penal; y

2.º) Cuando, aun sin darse la anterior identidad, el objeto material del delito, es decir, el bien jurídico protegido, sea el mismo.

B) La persona acusada

El segundo elemento identificador del objeto del proceso no es objetivo, como podría deducirse terminológicamente del propio concepto que estamos tratando, sino subjetivo, y ello no es ninguna contradicción, porque es la persona acusada. Y lo es porque, adquirida la fuerza de cosa juzgada por la sentencia, la persona que en ella haya resultado absuelta o condenada es absolutamente inescindible del hecho criminal por el que, habiendo sido acusada, ha resultado finalmente declarada inocente o culpable, de manera que la parte subjetiva no se puede comprender sin la objetiva, ni a la inversa.

Incluso, con mayor precisión, de todos los posibles autores de un hecho punible, únicamente se da la identidad subjetiva respecto a la persona que efectivamente fue acusada en el proceso penal, con independencia de que el resultado final haya sido condenatorio o absolutorio.

Que únicamente pueda ser el acusado y no el acusador es indubitado, porque quién sea el acusador no juega ningún papel. La razón fundamental es que en nuestro Derecho la acción penal es pública (arts. 125 CE, 19.1 y 20.3 LOPJ, 101 y 270 LECRIM), lo que significa que pueden ejercerla voluntariamente todos los españoles, ofendidos o no por el delito, y todos los extranjeros ofendidos por el delito, o cualquiera de ellos indistintamente, con lo cual da exactamente igual quién haya ejercido en definitiva su derecho de acción penal.

Por lo que toca al Ministerio fiscal, que está obligado a querellarse, es un órgano que actúa por sus representantes, siendo indiferente cuál de todos ellos acuse en el caso concreto (arts. 124.1 CE, 435.1 LOPJ, 1 y 3 EOMF, 105 y 271 LECRIM).

La consecuencia práctica es clara también: Discutiéndose si ha habido variación subjetiva sustancial, o el aspecto subjetivo de la litispendencia o cosa juzgada, da exactamente igual quién es o fue el querellante o acusador. No se toma en consideración su persona, ni pasa a cosa juzgada en su momento (salvo en delitos privados).

III. LA CONEXIÓN DE OBJETOS

En el proceso penal, la acumulación de procesos contra el mismo acusado, o los mismos acusados, no es en principio posible, porque «cada delito del que conozca la Autoridad judicial será objeto de un sumario» (art. 17.1 LECRIM, reformado en 2015). Es decir, cada hecho punible da lugar a un único proceso penal. La única excepción, según esa norma en su párrafo segundo, se da en caso de conexión, porque «... los delitos conexos serán investigados y enjuiciados en la misma causa cuando la investigación y la prueba en conjunto de los hechos resulte conveniente para su esclarecimiento y la determinación de las responsabilidades procedentes salvo que suponga excesiva complejidad o dilación para el proceso», aspecto ya tratado en este mismo tomo al estudiar la competencia.

Las razones por las que se permite la conexión son claras: Se cumple satisfactoriamente con el principio de economía procesal al unificar los procedimientos en uno; se impide la ruptura de la continencia de la causa; se evita la posibilidad de sentencias contradictorias; y se facilita la aplicación de las reglas materiales del concurso.

La conexión (acumulación de procesos en terminología civil), significa la existencia de varios delitos imputados a una sola persona o a varias. Es esencial, pues, para que se produzca la conexión, la concurrencia de varios hechos punibles, independientemente de cuántas personas los hayan podido cometer, pues da exactamente igual que sea una o diez. Por otro lado, que un solo hecho criminal haya sido cometido por varios autores (la llamada conexión objetiva), para nada afecta a la unidad de delito, no existiendo, por tanto, conexión, sino sólo acumulación.

La LECRIM ha precisado cuándo existe conexión en su art. 17, y su art. 18 nos indica el órgano jurisdiccional competente en caso de delitos conexos. Pero también significa, y de ahí su análisis ahora, una variedad de objetos penales a tratar en un mismo procedimiento y a resolver en una misma sentencia. El art. 17 bis, para casos penales de violencia de género, es a estos efectos irrelevante.

Nada dice la ley sobre el régimen jurídico de la conexión, salvo el efecto fundamental recogido en el citado art. 17 (recordemos, la formación de un único sumario), de donde hay que deducir además que todos los sujetos pasivos deben ser sometidos a una sola causa y enjuiciados en una misma sentencia, si bien ésta puede tener diversos contenidos según los acusados. Pero olvida cuestiones tan importantes como el modo de hacer efectiva la conexión, o el de impugnarla, aunque sí establece reglas específicas en la ejecución (art. 988 LECRIM).

Respecto al primer punto, habría que decir que la conexión, en cuanto repercute en la competencia, debe ser vigilada de oficio por el órgano jurisdiccional, sin que por ello quede impedida lógicamente la actividad de las partes. Se echa en falta en nuestro Ordenamiento, sin embargo, una norma que faculte expresamente al Ministerio fiscal para pedir la reunión de procesos por conexión, o, incluso, para separarlos si entiende que no existe, como ocurre por ejemplo en el alemán (§§ 3 y 13 StPO), con lo que quedaría mejor asegurada «ab initio» la finalidad principal prevista en el art. 300.

En cuanto a los medios de impugnación, habrá que estar a las normas generales sobre los remedios y recursos contra las resoluciones de los órganos jurisdiccionales (arts. 216 y ss. LECRIM).

IV. EL OBJETO DEL PROCESO CIVIL ACUMULADO

Partiendo, como sabemos, de la permisividad de acumular al proceso penal uno civil, estudiadas ya las partes civiles del proceso penal (el actor civil y el responsable civil), y determinados sus presupuestos de capacidad y legitimación, así como su régimen jurídico específico, y dejando las cuestiones, procedimentales o no, relativas al tratamiento de la responsabilidad civil y medidas correspondientes durante el procedimiento preliminar, el juicio oral y la ejecución para lecciones posteriores, toca ahora fijarnos en las respectivas peticiones de ambos, es decir, en el objeto del proceso civil acumulado al penal. En este sentido, en cuanto estamos ante un proceso civil, el concepto de objeto del proceso es el mismo que veíamos en el tomo II de esta obra y recordábamos al principio. Se trata, consiguientemente, de la pretensión y de la resistencia.

El contenido de esta pretensión es casi siempre patrimonial. Sin embargo, ésta no es la única particularidad importante que se da con relación a ellas en nuestro sistema de enjuiciamiento criminal, pues además quedan limitadas las pretensiones civiles que en el proceso penal pueden interponerse acumuladamente a la penal.

Así es, de todas las consecuencias jurídico-civiles que se pueden producir a causa del daño derivado de la comisión de un hecho punible en cuanto acción ilícita (v. art. 1089 CC), la ley penal (arts. 109 a 115 CP —modificados en parte en 2015 al suprimirse las faltas—, 100 y 650, II LECRIM) solamente considera que pueden acumularse en el proceso penal tres: La restitución de la cosa, la reparación del daño causado y la indemnización de perjuicios derivados de la comisión de ese hecho. En realidad, como veremos enseguida, se trata sólo de dos pretensiones, pues las dos últimas tienen el mismo contenido.

En nuestra opinión, permitir la acumulación de un objeto penal y de otro civil en un mismo procedimiento tiene la evidente ventaja de la economía procesal, pues se resuelven dos objetos interrelacionados en un solo procedimiento, de ahí que en la práctica se vea con buenos ojos la acumulación. Contribuye igualmente a evitar decisiones contradictorias. Pero también tiene el grave inconveniente de obligar a nuestros jueces y magistrados a utilizar, aplicar y manejar una doble mentalidad y técnica jurídicas al mismo tiempo, pues deben investigar, probar y juzgar penal y civilmente en la misma causa. Esta opción, que es por ello discutible, ronda el absurdo cuando por mor de las circunstancias se tiene que desarrollar un proceso penal para dictar un pronunciamiento únicamente civil (v. gr., en caso de conformidad del acusado con la pena pero no con la responsabilidad civil, v. art. 695 LECRIM y lección 14ª en este mismo tomo).

Las pretensiones posibles son, pues, las siguientes:

a) Restitución de la cosa

Prevista en el art. 110-1.° CP, es la pretensión procedente cuando el ofendido por el delito o el perjudicado por él, quiere que le sea devuelta la cosa robada, hurtada o apropiada por el autor del delito, porque desea dejar las cosas como estaban antes de la comisión del hecho punible de desapoderamiento. Ejemplo típico: Robo o hurto de un reloj de oro, o de joyas.

El régimen jurídico principal de la restitución se fija en el art. 111. Aunque el CP no lo prevea expresamente, es frecuente en la práctica que la cosa sea hallada, pasando a formar parte de las piezas de convicción, que deben ser devueltas a su legítimo propietario, o cosas equivalentes si se trata de bienes, como el dinero, que son fungibles. El art. 111 se fija más en el supuesto cuando la cosa está en poder de tercero, pues aunque sea adquirente de buena fe debe entregarla, sin perjuicio de sus derechos de repetición e indemnización (art. 111.1), por la vía exclusivamente jurisdiccional civil, con la única excepción de que el bien sea irreivindicable de acuerdo con las Leyes (art. 111.2). La irreivindicabilidad se da, por ejemplo, en los casos de posesión de buena fe de un bien mueble por tercero (art. 464 CC, que consagra como título la posesión de buena fe), o de bienes inmuebles (art. 34 Ley Hipotecaria), o de adquisición de bienes muebles o dinero prevista en los arts. 85 (los bienes adquiridos en establecimiento abierto al público), 86 (la moneda con que se paga la compra), 545 (títulos al portador), 559 y 560 (valores hurtados o robados o extraviados) del Código de Comercio.

Es posible una restitución de la cosa con la obligación añadida de reparar los daños materiales, es decir, con la segunda pretensión que vemos enseguida, en caso de que se hayan producido efectivamente (v. gr., el reloj de oro robado tiene un golpe que le impide funcionar, al collar le faltan varias perlas), cuya cuantía exacta es fijada por el juez o tribunal, de acuerdo con el art. 111.1, primera frase CP.

b) Reparación del daño e indemnización de perjuicios

Como han demostrado la doctrina y la jurisprudencia más solventes, se trata de la misma pretensión, aunque los arts. 110, 112 y 113 CP sigan optando por dividirla. Quizás la única diferencia sea conceptual, pues se pide reparar el daño, mientras que se solicita indemnizar el perjuicio, pero en ambas se considera el objeto de la misma obligación de reparación, atendidos los arts. 1902 y ss. CC, reguladores de la responsabilidad extracontractual.

Mediante ella, establecida con carácter general en el art. 110-2.° y 3.° CP, se pide al órgano jurisdiccional, ante la imposibilidad de restituir las cosas objeto del delito o falta, que el autor repare e indemnice el daño patrimonial o moral producido por el hecho punible.

La pretensión de reparación consiste en responder, a ser posible matemáticamente, del coste del daño producido en la cosa con ocasión de la ejecución del hecho punible, tanto el daño emergente, como el lucro cesante. El CP dispone, sin embargo, en su art. 112, que fue novedad en nuestro Derecho, introducida para favorecer una mejor reparación de la víctima, que la forma de respuesta puede consistir en «obligaciones de dar, de hacer o de no hacer que el Juez o Tribunal establecerá atendiendo a la naturaleza de aquél y a las condiciones personales y patrimoniales del culpable, determinando si han de ser cumplidas por él mismo o pueden ser ejecutadas a su costa», permitiendo sobre todo el precepto una reparación efectiva de los daños producidos, que en su caso, es decir, frente al incumplimiento de la sentencia en este punto por parte del condenado, abre mejores perspectivas si hay patrimonio para la ejecución, aunque a partir de ahí el texto resulte excesivamente general e inespecífico.

Pero el art. 112 no dice que la valoración del daño patrimonial se hará con base en criterios no únicamente económicos, a saber, el precio de la cosa y el grado de afección del agraviado (piénsese que no es lo mismo perder un dedo de la mano izquierda un abogado diestro, que un pianista), aunque es de suponer que estos temas caben perfectamente en el amplio art. 115.

La indemnización de daños y perjuicios afecta tanto a lo patrimonial como a lo moral, y está relacionada no sólo los que se hubieran causado al agraviado, sino también a sus familiares o a terceros (art. 113). Ello comprende los delitos de terrorismo, los delitos de tráfico, los delitos dolosos violentos y contra la libertad sexual, y los delitos de caza.

Ha sido siempre un problema cuantificar las indemnizaciones, aunque ahora para casos concretos y con el carácter de mínimos viene fijada legalmente. Ello por la inseguridad jurídica producida por los diferentes criterios de los tribunales a la hora de fijar las cuantías de indemnización en estos casos. Hasta 1999 la doctrina consolidada indicaba que los baremos recogidos en las diferentes normas de referencia no eran vinculantes, sino orientativos. Pero la STS de 5 de julio de 1999 inició un cambio a favor de ni siquiera considerar esos baremos como mínimos, no quedando limitado el órgano jurisdiccional en ningún sentido, siendo propio de la potestad jurisdiccional fijar el quantum indemnizatorio que se piense apropiado en cada caso. Sin embargo, la STC 181/2000, de 29 de junio, consideró que el sistema tasado o de baremo vinculaba a los órganos jurisdiccionales en todo lo que atañese a la apreciación y determinación de la responsabilidad civil, doctrina que corroboró el TS (S de 20 de diciembre de 2000), y así se sigue manteniendo desde entonces (STC 222/2004, de 29 de noviembre).

Un tema importante es el de las indemnizaciones a las víctimas de delitos, cuando el autor del delito sea declarado insolvente: Se regula mediante normas propias internas de los Estados miembros de la UE (v. para España el art. 5.1, e) Estatuto de la Víctima del Delito de 2015), pero no en todos los casos, y lo que es más grave, de manera totalmente diferente. Deben tenerse en cuenta el Convenio Europeo sobre Indemnización a las Víctimas de Delitos Violentos, de 24 de noviembre de 1983 (ratificación por España BOE de 29 de diciembre de 2001), y la Directiva 2004/80/CE del Consejo de Europa, de 29 de abril de 2004, sobre indemnización a las víctimas de delitos, en relación con la Directiva 2012/29/UE del Parlamento Europeo y del Consejo de 25 de octubre de 2012, por la que se establecen normas mínimas sobre los derechos, el apoyo y la protección de las víctimas de delitos, y por la que se sustituye la Decisión marco 2001/220/JAI del Consejo.

Los baremos que se aplican son los regulados para casos de accidentes de circulación, con las correcciones atingentes necesarias, ahora específicamente previstos y con todo detalle por la Ley 35/2015, de 22 de septiembre, atualizados en 2018 (Resolución de 31 de enero de 2018, BOE del 14 de febrero). El CP establece también diferentes reglas.

Destaquemos que:

1) El órgano jurisdiccional debe fijar en la sentencia, motivadamente, las bases que fundan la cuantía exacta de los daños a reparar o a indemnizar (art. 115). Un ejemplo típico de fijación de bases: La futura operación quirúrgica del perjudicado será costeada en función del importe económico a que asciendan los honorarios de los médicos, la factura de la clínica y el costo de los medicamentos, añadiéndose 60 euros por cada día de baja del paciente.

2) La cuantía exacta se puede fijar en la propia sentencia, o diferirla para la ejecución (art. 115 «in fine»), como ya venía ocurriendo en la práctica.

3) Norma novedosa importante, si la propia víctima del delito o falta, es decir, el actor civil, hubiera contribuido con su conducta a la producción del daño o perjuicio sufrido, el órgano jurisdiccional discrecionalmente podrá moderar el importe de su reparación o indemnización (art. 114). Con ello se recoge la jurisprudencia que, sobre todo en materia de tráfico, ha aplicado el principio de la compensación de culpas, o más exactamente la concurrencia de culpas.

La obligación de reparar el daño moral surge en ocasiones de la propia ley, pudiendo hacerse en algunos casos en especie, supuestos que han sido notablemente ampliados por el CP. Así ocurre en los: 1) Delitos contra la libertad sexual (art. 193); 2) Delitos de calumnias e injurias (arts. 214 y 216); 3) Delito de incumplimiento de obligaciones alimenticias (art. 227.3); 4) Delito de insolvencia punible (art. 260.3); 5) Delitos contra la propiedad intelectual (art. 272.1); 6) Delitos contra las propiedades intelectual e industrial, contra el mercado y contra los consumidores (art. 288); 7) Delitos sobre ordenación del territorio (art. 319.3); y 8) Delitos sobre el patrimonio histórico (arts. 321, II y 324, II).

Hay que seguir contando con otros tres supuestos de obligaciones legales de reparación de los daños cometidos por el delito, regulados fuera del CP:

1) El auto de sobreseimiento libre por inexistencia del hecho o inexistencia del hecho punible, puede, de un lado, expresar que la formación de la causa no perjudica a la reputación de los imputados; de otro, y en su caso, reservar a instancia de éstos o de oficio el derecho a perseguir al querellante como calumniador (art. 638 LECRIM, en relación ahora con los arts. 205 a 207 y 211 a 216 CP);

2) La indemnización fijada legalmente para los supuestos de delitos de terrorismo la asume directamente el Estado, que se subroga en la titularidad del

derecho de crédito nacido de la sentencia que declare la responsabilidad civil hasta el límite de la indemnización satisfecha, gozando del derecho de repetición (de acuerdo con las previsiones que cada año establece la Ley Presupuestos Generales del Estado); y

3) La indemnización prevista para las víctimas de los delitos dolosos violentos y contra la libertad sexual, igualmente citada, que también asume directamente el Estado.

LECTURAS RECOMENDADAS: ARNÁIZ SERRANO, *Las partes civiles en el proceso penal*, Valencia 2006; GÓMEZ COLOMER, *Constitución y proceso penal,* Madrid, 1996; GÓMEZ ORBANEJA, *Comentarios a la Ley de Enjuiciamiento Criminal,* Barcelona, 1947/1951, t. I, págs. 49 y ss., y t. II, págs. 286 y ss., y 317 y ss.

LIBRO III
EL PROCEDIMIENTO PRELIMINAR (LA INSTRUCCIÓN)

Lección Sexta
La instrucción del proceso: Su estructura esencial

I. CONCEPTO DE PROCEDIMIENTO PENAL PRELIMINAR

Es la fase de investigación del delito. Recibe diversas denominaciones.

A) Funciones: Preparar el juicio oral o adelantar la absolución (sobreseimiento libre) o el archivo de las actuaciones

B) Naturaleza jurídica: Jurisdiccional porque sólo con lo investigado en el sumario se puede decidir la absolución o condena del imputado.

C) Se divide en piezas necesarias (principal, situación personal y responsabilidad civil) y eventualmente pieza de responsabilidad civil subsidiaria.

II. ACTOS DE INICIACIÓN

A) La denuncia: Puesta en conocimiento de *notitia criminis*
Interrumpe la prescripción del delito.

B) La querella: Comunica hechos punibles y asume la condición de parte acusadora.
Declaración de voluntad, ejercicio del derecho de acción.
Sujeta a requisitos formales. Interrumpe la prescripción.

III. LAS PARTES EN LA INSTRUCCIÓN

Las partes acusadoras proponen práctica de diligencias, conocen de las actuaciones realizadas e intervienen en las diligencias acordadas.
El acusado interviene igualmente con dicha extensión
Consideración especial de su derecho a la defensa técnica

IV. LA ACTUACIÓN EN ESTA FASE DE LA POLICÍA JUDICIAL

Muy importante porque es la única organización pública realmente preparada para una correcta investigación del crimen. No existe una verdadera Policía Judicial en España y hay cuatro clases (PN, GC, PA y PL)
El problema es que hoy cuenta con dos jefes (el juez y el MF).
Realizan funciones con relación al delincuente, al delito y a la víctima, ejecutando los actos de investigación acordados.
Destacan las diligencias de prevención y el atestado policial.

V. LA IMPUTACIÓN

A) Imputación en sentido lato: Es el reproche de un delito a una persona.
Se es imputado desde la admisión a trámite de la denuncia o querella, desde la detención o adopción de otra medida cautelar.

B) Imputación formal:

a) El procesamiento.
Sólo cabe en el proceso penal ordinario por delitos más graves. Indicios racionales

b) La imputación específica: Menos impactante, pero cumple la misma función.
Cabe en el procedimiento abreviado, en el juicio rápido y en el procedimiento por delitos leves.

VI. TERMINACIÓN DEL PROCEDIMIENTO PRELIMINAR

A) Terminación del sumario
Termina de oficio o a instancias del Fiscal cuando se considera que los hechos están suficientemente investigados, en todos los procesos.
Intervienen las partes acusadoras y el imputado para dar su opinión.

B) Terminación de las diligencias previas y las urgentes

I. CONCEPTO DE PROCEDIMIENTO PENAL PRELIMINAR

Con fundamento constitucional parcial (en el art. 117.3 CE), puede dividirse el proceso penal en tres fases (llamadas a su vez procesos) distintas: *Fase de declaración*, en la que tras el desarrollo de una investigación del hecho criminal y la constatación de existencia de responsabilidad criminal suficiente para enjuiciar a una persona (subfase de procedimiento preliminar), se la acusa ante un tribunal pidiendo su condena (subfase de juicio oral), decidiendo el juez mediante resolución fundada (subfase de sentencia); *fase de ejecución*, en la que se ejecuta lo juzgado dando cumplimiento al fallo condenatorio de la sentencia; y *fase cautelar*, no prevista de modo directo en la CE, pero necesaria al tener que asegurar personas y bienes para que, si un día se dicta sentencia condenatoria, ésta se pueda ejecutar.

La reforma operada en la LECRIM en 2002, sin mencionarlo expresamente, permite inferir que una nueva fase del proceso penal, previa a todas las indicadas, toma cuerpo formalmente en nuestro Derecho, la *fase policial*, en la que la Policía Judicial asume el papel casi exclusivo de investigar el delito. Aunque se ciña de momento al proceso abreviado (arts. 769 a 772), y al proceso especial para el enjuiciamiento rápido de determinados delitos (art. 796), se confirma la progresiva «anglosajonización» del proceso penal español y se eleva a categoría de legal que la investigación del crimen en la práctica realmente es función policial y no fiscal, ni mucho menos judicial.

Iniciamos pues, ahora y con esta lección, el proceso de declaración. En este sentido, hay que decir que vamos a centrarnos en las instituciones propias del proceso penal ordinario por delitos más graves, al ser el mejor regulado por la LECRIM (el originario por delitos, recordemos), sin prescindir de las referencias oportunas a los demás procesos, sobre todo al abreviado.

El proceso penal comienza, en su fase de declaración, por una etapa o subfase inicial, llamada de investigación o procedimiento preliminar, o, más sencillamente, de instrucción.

Realmente, el proceso penal comienza de verdad cuando se formula una acusación contra una persona determinada por un hecho criminal concreto. Pero para poder llegar a este punto, se requiere previamente realizar una serie, a veces muy complicada, de actos, principalmente de investigación, tendentes a averiguar las circunstancias del hecho y la personalidad de sus autores, que fundamenten así la posterior acusación, dado que lo normal es que el delito se cometa en secreto, que se procure evitar su descubrimiento y que no se conozca desde el principio quién lo ha podido realizar.

El procedimiento preliminar está formado, pues y en principio, por el conjunto de «actuaciones encaminadas a preparar el juicio y practicadas para averiguar y hacer constar la perpetración de los delitos con todas las circunstancias que puedan influir en su calificación, y la culpabilidad de los delincuentes, asegurando sus personas y las responsabilidades pecuniarias de los mismos» (art. 299 LECRIM).

Esas actuaciones son los actos de investigación, básicamente, y las diligencias procesales que haya que tomar para que el proceso pueda desarrollarse adecuadamente y que el juicio pueda tener lugar, como son los actos de iniciación, las medidas cautelares, la prueba anticipada, la imputación, los actos de comunicación, etc. Los más importantes son los actos de investigación y a ellos dedicaremos las lecciones 7ª, 8ª, 9ª y 10ª.

Legalmente, el procedimiento preliminar se denomina «sumario» en el proceso penal ordinario por delitos más graves, «diligencias previas» en el proceso penal abreviado y «diligencias urgentes» en el proceso penal para el enjuiciamiento rápido de determinados delitos.

A) Funciones

La declaración del art. 299 LECRIM no es, sin embargo, del todo exacta, pues el procedimiento preliminar cumple diversas funciones:

a) Preparar el juicio oral, fundamentando la acusación y la defensa respecto de una persona concreta por un hecho criminal determinado que se le atribuye. Esta función, que para la LECRIM es la principal (art. 299: «... encaminados a preparar el juicio...»), se cumple plenamente en todos aquellos supuestos en los que al sumario o procedimiento preliminar siga efectivamente la fase de juicio oral.

b) Impedir que llegue a abrirse el juicio oral. La realización del juicio oral contra una persona concreta y por un hecho determinado sólo debe producirse cuando del resultado de la primera fase se desprenda la existencia de indicios que permitan llegar a la conclusión provisional de que es conveniente la celebración de ese juicio. La que se ha denominado «pena de banquillo», es decir, el hacer que una persona llegue a sufrir un juicio, con todos los inconvenientes que ello le supone, sólo se justifica si antes se han acreditado los indicios. El juicio oral no se abre sólo porque lo pidan los acusadores, sino cuando un órgano judicial decide que hay elementos suficientes para esa apertura.

De estas funciones se deduce también que el contenido del procedimiento preliminar es muy variado: a) Actos que implican el ejercicio de la acción penal (querella), y de iniciación del proceso (denuncia); b) Actos de investigación, y, en su caso, de prueba anticipada; c) Actos de imputación (auto de procesamiento, básicamente); d) Actos cautelares (prisión y libertad provisionales, fundamentalmente); y e) Otras diligencias.

B) Naturaleza jurídica

El tema de la naturaleza jurídica del procedimiento preliminar es polémico en la doctrina española, particularmente cuando se está discutiendo si debe ser competente para instruirlo un Juez o el Ministerio Fiscal.

En resumen, un sector doctrinal entiende que estamos ante actividad administrativa (ya que hay actos del Juez que son administrativos, porque intervienen órganos no jurisdiccionales como la Policía Judicial, y porque ninguna de sus decisiones tiene el carácter de definitiva, sino que son revocables); y otro sector opina que es actividad jurisdiccional; no faltando quienes piensan que tiene carácter mixto.

En nuestra opinión, el procedimiento preliminar tiene naturaleza jurisdiccional por el fundamental argumento siguiente: Con base únicamente en el sumario se puede resolver la absolución o condena, tanto penal como civil, del acusado, por ejemplo, cuando se conforma con la pena solicitada en la calificación provisional, pues entonces no hay juicio oral. Es más, cuando se sobresee libremente, con efectos de cosa juzgada, también se actúa con base únicamente a diligencias sumariales, lo que sería inconcebible si el procedimiento preliminar no tuviera naturaleza jurisdiccional.

Esto es realmente importante para resolver las lagunas legales, ya que teniendo naturaleza jurisdiccional, únicamente podemos acudir a normas de este tipo para resolver los problemas de interpretación que se planteen ante la no previsión de un supuesto por la Ley.

Suele decirse que existen dos clases de procedimientos preliminares, según sea competente para formarlo un Juez, o venga atribuido al Ministerio Fiscal y que: 1) En los procesos por delitos más graves, en los abreviados y en los urgentes, es competente el Juez de Instrucción (arts. 14, 762 y 797 LECRIM), y 2) En los procesos abreviados en los que concurran los presupuestos del art. 773.2 LECRIM, su formación viene atribuida al Ministerio Fiscal.

No es algo evidente que puedan igualarse las actuaciones del Juez de Instrucción y las del Ministerio Fiscal. A éste puede confiarse una actuación previa de preparación de la acusación, pero esa actividad no puede tener la misma naturaleza jurídica que la actividad preparatoria del juicio oral del juez. A pesar de todo vamos a seguir hablando de procedimiento preliminar judicial y de procedimiento preliminar fiscal.

C) Principios que lo rigen

Esta primera fase está en principio caracterizada por principios del sistema inquisitivo, pero, o bien se aplican a aspectos concretos del procedimiento, o bien no se dan en toda su pureza, hallándose influidos por los opuestos principios del sistema acusatorio. De entre ellos, hay que señalar los siguientes:

a) La *escritura de las actuaciones procesales*: Varios preceptos de la LECRIM hacen referencia al principio de la escritura (arts. 315, 450, etc.). En concreto, el art. 321, I dispone que «los Jueces de instrucción formarán el sumario ante sus secretarios», quienes están obligados a documentar por escrito las actuaciones. Esto es muy importante, porque con base en estas actuaciones escritas se va a tomar la decisión de si se abre el juicio oral contra determinada persona, o, al contrario, si procede el sobreseimiento (art. 627 LECRIM).

b) El carácter reservado (antes llamado *secreto*) de las actuaciones que forman el procedimiento preliminar viene impuesto por el art. 301 LECRIM, reformado por el Estatuto de la Víctima del Delito de 2015, si bien debe tenerse en cuenta que hay que distinguir:

1°) Cuando la Ley dice que las diligencias del sumario serán reservadas (secretas) se está refiriendo al público, con lo que dice que no existe publicidad en sentido estricto. La publicidad aparece sólo después de la apertura del juicio oral.

2°)El Juez podrá acordar, de oficio o a instancia del Ministerio Fiscal o de la víctima, la adopción de cualquiera de las medidas a que se refiere el apartado 2 del artículo 681 cuando resulte necesario para proteger la intimidad de la víctima o el respeto debido a la misma o a su familia (art. 301 bis LECRIM, añadido por el Estatuto de la Víctima de 2015).

3°) El carácter reservado o secreto no se refiere a las partes en el procedimiento preliminar, pues éstas pueden tomar conocimiento de todas las actuaciones e intervenir en todas las diligencias, como dice el art. 302, reformado en 2015.

4°) Excepcionalmente el mismo art. 302 prevé la posibilidad de que el juez declare el carácter reservado de las actuaciones para las partes personadas (no para el Fiscal), por medio de auto y por tiempo no superior a un mes (no se dice si cabe prórroga) cuando resulte necesario para: a) evitar un riesgo grave para la vida, libertad o integridad física de otra persona; o b) prevenir una situación que pueda comprometer de forma grave el resultado de la investigación o del proceso.

Esta declaración de secreto sí que afecta al principio de contradicción en la instrucción, puesto que se produce una verdadera limitación del mismo.

5°) El secreto del sumario deberá alzarse necesariamente con al menos diez días de antelación a la conclusión del sumario (art. 302, III LECRIM).

c) *Iniciación de oficio*: Este carácter es netamente inquisitivo, pero ciertamente dura poco tiempo, ya que inmediatamente el Juez haya incoado el sumario, debe ponerlo en conocimiento del Ministerio Fiscal, para que éste se constituya en parte (arts. 303, I y 308 LECRIM).

D) Piezas

El procedimiento preliminar está formado por tres piezas necesarias y una eventual:

a) *Pieza principal*: Se forma con el auto de incoación del sumario o de las diligencias previas, y en ella se comprenden las diligencias encaminadas a la averiguación del delito y a la participación del investigado, con todas las circunstancias relevantes para su calificación, terminando con el auto de conclusión del sumario.

b) *Pieza de situación personal*: En esta pieza se hacen constar todas las diligencias relativas a la prisión o libertad provisionales del investigado, así como las fianzas correspondientes a estas medidas cautelares (art. 544 LECRIM).

c) *Pieza de responsabilidad civil*: Aquí constan todas las diligencias sobre fianzas y embargos decretados para asegurar las responsabilidades pecuniarias del investigado, como multas, costas y responsabilidad civil (art. 590 LECRIM), o para declarar la insolvencia.

d) *Pieza de responsabilidad subsidiaria*: Esta pieza es eventual, pero sólo se forma cuando es responsable civil un tercero no investigado penalmente (art. 619 LECRIM).

En los procesos abreviados se pueden formar más piezas separadas, si existe conexión o varios investigados (art. 762-6ª LECRIM).

E) Clases en función del órgano competente

Nuestra LECRIM no ha dado el paso todavía para hacer competente para la instrucción al Ministerio Fiscal, siguiendo el sistema anglosajón y de acuerdo con nuestros modelos tradicionales europeos que ya lo han hecho (Alemania e Italia). Por ello, sigue siendo competente el Juez, llamado Juez Instructor. Pero en algunos casos sí instruye el Fiscal.

a) Juez instructor

La fase de investigación en el proceso penal español se encuentra en manos de los Jueces. Ello se podría entender que es consecuencia de los arts. 117.3 y 24.1 CE, pero este fundamento constitucional no es absolutamente claro, pues lo constitucionalmente ordenado es que el proceso y la sentencia, es decir, las fases en donde se ejerce la función jurisdiccional realmente, en donde se juzga y se dicta sentencia, sean competencia de un Juez, quien deberá fundar su decisión en el material fáctico y probatorio que ante él se ha aportado y practicado. Por tanto, la decisión de absolver o condenar a un acusado sólo puede ser judicial. De la Constitución no se desprende literalmente que sea el Juez (otro Juez naturalmente) quien deba realizar la instrucción, de modo que no se impide que la preparación del juicio oral se confíe a órgano distinto del judicial, aunque ello ofrezca problemas pues lo lógico es que si la función se encomienda al Fiscal éste prepare la acusación y no el juicio. Por ello la opción del legislador español ha sido tradicionalmente encomendar el sumario en todos los procesos al Poder Judicial, a la figura de un Juez instructor.

Ese Juez instructor es el *ordinario*, es decir, la formación del procedimiento preliminar corresponde al Juez de Instrucción que sea competente según las reglas de competencia objetiva, funcional y territorial (art. 303, I, LECRIM, en relación con los arts. 14.2 LECRIM, y 87, a) y 88 LOPJ), con las particularidades que ya conocemos de la JVM en caso de violencia de género. Este Juez puede comisionar determinados actos a otro Juez, por ejemplo, para realizar a prevención diligencias (por parte de Jueces de Paz), cuando sea necesaria una actuación urgente (arts. 100.2 LOPJ, 303, I, y 307 LECRIM), limitada a los actos enumerados en el art. 13 LECRIM.

Para los casos de aforamiento o competencia por razón de la persona, conoce del procedimiento preliminar un *Juez instructor especial*, a saber, un Magistrado de la Sala, que no formará parte de ésta en el juicio oral (arts. 57.2, 63.2 y 73.4 LOPJ, que deben derogar tácitamente el art. 303, II y III, LECRIM). En estos casos el Magistrado de la Sala asume con plenitud las facultades de la instrucción.

b) Fiscal instructor

La posibilidad de que el Ministerio Fiscal pueda instruir una causa penal en España existe desde 1988, fecha en que la ley que introdujo el proceso penal abreviado lo permitiera de manera muy limitada en el hoy derogado art. 785 bis LECRIM. Las posteriores reformas continúan admitiendo esta posibilidad, por lo que el Ministerio Fiscal, dejando la instrucción del proceso penal de menores para la lección 24ª, puede instruir las diligencias previas del proceso abreviado, bien directamente, bien a través de la Policía Judicial, siempre que se den los requisitos fijados en el art. 773.2 LECRIM:

1.º) Que el Fiscal tenga noticias de un hecho aparentemente delictivo, directamente o a través de denuncia o atestado; y

2.º) Que no se esté tramitando un procedimiento judicial sobre los mismos hechos, pues en ese caso, debe cesar en sus competencias y remitir las actuaciones practicadas al Juez competente.

Dándose los anteriores requisitos, el Ministerio Fiscal realiza las actuaciones imprescindibles para comprobar el hecho y determinar la persona presuntamente responsable del mismo (y si son infructuosas, archivará las actuaciones, aunque el ofendido puede denunciar los hechos ante el Juez de Instrucción), pidiendo al órgano jurisdiccional la incoación de las diligencias previas, para a partir de ahí continuar el proceso abreviado su tramitación procedimental normal. El Fiscal General del Estado puede dictar instrucciones al respecto (art. 773.1, III LECRIM).

Finalmente, el art. 5, III EOMF dispone que todas las diligencias que practique el Ministerio Fiscal, o que se lleven a cabo bajo su dirección, gocen de presunción de autenticidad. Esta disposición no debe llevar a engaño, puesto que en la práctica su valoración se somete al régimen general, por lo que son apreciadas libremente por los órganos jurisdiccionales.

Las investigaciones del Fiscal instructor no son prueba, y están limitadas por el respeto a los derechos constitucionales de los pre-investigados, particularmente su derecho de defensa (STS núm. 980/2016 de 11 enero, RJ\2017\6).

El aspecto más difícil de las actuaciones previas del Fiscal, según las conforma el art. 773.2 LECRIM, atiende a que estas diligencias no puede decirse que sirven realmente para preparar el juicio oral, sino que sirven para «instar» del Juez de Instrucción la incoación de las verdaderas diligencias previas o procedimiento preliminar, con lo que la equiparación que se hace entre procedimiento preliminar judicial y fiscal no es del todo acertada, como antes apuntábamos.

La reforma del CP en 2015 ha modificado el art. 990, IV LECRIM, introduciendo una disposición dogmáticamente difícil de encajar, pues en los supuestos de delitos contra la Hacienda pública, contrabando y contra la Seguridad Social, los órganos de recaudación de la Administración Tributaria o, en su caso, de la Seguridad Social, tendrán facultades investigadoras, pues pueden investigar, bajo la supervisión de la autoridad judicial, el patrimonio que pueda llegar a resultar afecto al pago de las responsabilidades civiles derivadas del delito, ejercer las facultades previstas en la legislación tributaria o de Seguridad Social, remitir informes sobre la situación patrimonial, y poner en conocimiento del juez o tribunal las posibles modificaciones de las circunstancias de que puedan llegar a tener conocimiento y que sean relevantes para que el juez o tribunal resuelvan sobre la ejecución de la pena, su suspensión o la revocación de la misma.

II. ACTOS DE INICIACIÓN

El procedimiento preliminar sólo se puede iniciar o por denuncia o por querella. Es equivocado afirmar que se pueda iniciar de oficio, como a veces se ha sostenido, pues en realidad cuando el juez tiene conocimiento de un hecho punible cometido ante él, debe dar parte al Ministerio Fiscal para que éste inicie el proceso, sin que pueda iniciarlo él de oficio. El principio acusatorio no permite otra solución. Nos centramos, por tanto, en estos dos actos procesales de iniciación, regulados con detalle en nuestra LECRIM.

A) La denuncia

1) Concepto

La denuncia es un acto procesal por el que una persona emite una declaración de conocimiento, que proporciona al titular del órgano jurisdiccional la noticia de un hecho que reviste los caracteres de delito. Es, por tanto, la manera idónea según la ley de transmitir la *notitia criminis.*

2) Características generales

Su regulación se encuentra, fundamentalmente, en los arts. 259 a 269 LECRIM, y tiene como características generales las siguientes:

a) La denuncia es una afirmación, no una petición.

b) Quien denuncia es en principio ajeno al proceso, limitándose a comunicar un hecho, sin que se entienda por esto mismo que es parte en el proceso penal (aunque sin duda será llamado como testigo si se limita a denunciar).

c) La denuncia es un acto responsable, razón por la cual quien denuncia un hecho delictivo adquiere responsabilidades, si actúa intencionadamente de manera no adecuada.

3) Forma

La denuncia puede ser escrita u oral, en incluso, lo que no es frecuente, por medio de mandatario (arts. 266, 267 y 265 LECRIM). Como veremos en esta misma lección, el atestado de la Policía Judicial equivale a denuncia (arts. 297 LECRIM y S TC 49/1986, 23 abril). En la práctica el funcionario de Policía redacta por escrito la denuncia que le está comunicando verbalmente el ofendido por el hecho punible o un tercero.

4) Voluntariedad y obligatoriedad de la denuncia y exenciones

La denuncia se formula por un sujeto frente a un destinatario. Esto es importante, puesto que la persecución de determinados delitos se vincula al requisito previo de la denuncia.

Es sujeto activo de la denuncia, en general, quien tenga conocimiento de la comisión de un delito. Es tratado por la LECRIM en función de los requisitos de perseguibilidad que ella misma u otra Ley establezcan:

1.- Hechos punibles perseguibles previa denuncia del ofendido: Existen delitos que únicamente pueden perseguirse previa denuncia del ofendido u otra persona relacionada con él (parientes próximos, representantes legales, guardadores de hecho, o incluso el MF si son agraviados menores, incapaces o personas absolutamente desvalidas). Esto significa que el proceso penal únicamente puede iniciarse si el ofendido por el delito, o persona allegada a él, denuncia los hechos ante el sujeto destinatario que veremos luego.

Requieren previa denuncia de la parte ofendida los delitos de reproducción asistida inconsentida (art. 161.2 CP), los delitos de agresiones sexuales, acoso o abusos sexuales (art. 191 CP), si bien en ellos cabe también querella del Ministerio Fiscal, en los términos señalados en dicho artículo; los delitos de descubrimiento y revelación de secretos (art. 201 CP); los de abandono de familia e impago de alimentos (art. 228 CP); delito de daños por imprudencia grave en cuantía superior a 80.000 euros (art. 267, II CP); delitos contra la propiedad intelectual, la propiedad industrial, el mercado y contra los consumidores (art. 287.1 CP); delitos societarios (art. 296.1 CP), en los términos del número 2 del mismo artículo; delito de acusación falsa, potestativo (art. 456.2 CP); y delito de denuncia falsa, potestativo (art. 456.2 in fine CP).

La denuncia de los ofendidos por estos delitos es en todo caso un derecho, no una obligación. Por tanto, depende de ellos que se inicie el proceso penal contra el presunto autor. Denunciándose los hechos en estos casos, además de cumplir con un derecho propio, se está poniendo de manifiesto una afirmación, requisito del inicio del proceso penal.

2.- Hechos punibles perseguibles de oficio: En todos los demás delitos, su persecución se realiza de oficio. La denuncia se configura aquí como una obligación, con exenciones.

Tienen el deber de denunciar quienes hayan presenciado los hechos criminales (art. 259 LECRIM), y quienes tengan conocimiento de los mismos por razón de su cargo, profesión u oficio (art. 262 LECRIM), así como quienes, en general, tengan el conocimiento de la comisión de hechos punibles (deber general de denunciar: art. 264, I LECRIM).

Pero están exentos del deber de denunciar:

a) En función de la capacidad: Los impúberes y quienes no gocen del pleno uso de su razón (art. 260 LECRIM);

b) En función del parentesco con el autor del hecho punible: El cónyuge del delincuente no separado legalmente o de hecho o la persona que conviva con él en análoga relación de afectividad, y los ascendientes y descendientes del delincuente y sus parientes colaterales hasta el segundo grado inclusive (art. 261 LECRIM, reformado por el Estatuto de la Víctima de 2015);

c) En función del cargo o profesión: Los abogados y procuradores del autor-cliente (art. 263 LECRIM, en relación con el art. 437.2 LOPJ), y los sacerdotes de la religión católica que sepan de él por confesión (según el Código de Derecho Canónico y el art. 263 LECRIM); y

d) En función del objeto del delito: Están exentos del deber de denunciar los Jueces, Fiscales y Jefes de la Policía Judicial encargados de vigilar el tráfico de drogas, que decidan permitir su circulación o entrega en España o a través del territorio nacional, atendidos los fines de la investigación, la importancia del delito, el descubrimiento de los delincuentes y los efectos de su vigilancia, con comunicación a la Fiscalía Especial para la prevención y represión del tráfico ilegal de drogas y, en su caso, al JI (art. 263 bis LECRIM) (v. lección siguiente sobre este punto desde otra perspectiva).

En virtud de estas normas, toda autoridad o profesional que por el medio que sea (v. gr., la televisión), conozca de la existencia de un hecho punible, tiene obligación de denunciarlo, incluido el Ministerio Fiscal, bajo sanción (art. 262 LECRIM).

En caso de que el propio autor denuncie los hechos (autodenuncia), la denuncia es admisible, independientemente de los beneficios a que pueda acogerse el denunciante (por ser atenuante el arrepentimiento espontáneo según el art. 21, 4ª CP).

Finalmente, en ningún caso es necesario identificar a la persona denunciada, porque lo importante es dar parte de hechos delictivos, pero si se conoce, deberá expresarse su nombre en la denuncia.

5) Órganos receptores

El destinatario de la denuncia puede ser un órgano judicial o un órgano distinto, dado que las denuncias se pueden presentar ante el Juez, generalmente el de Guardia (arts. 259, 262, I y 264 LECRIM), ante el Ministerio Fiscal (art. 259, 262, I y 264 LECRIM), y la Policía Judicial (Policía Nacional, Guardia Civil y Policía Local: arts. 262, I y 264 LECRIM; art. 445.1, a) LOPJ). Lo usual es la presentación de la denuncia ante la Policía. Si la denuncia se presenta ante la Fiscalía, debe tenerse en cuenta que ésta tiene un plazo de 6 meses, prorrogable en ciertos casos, para decidir si sigue adelante o no (art. 5.2 EOMF de 1981), lo que puede afectar a la prescripción del delito cuando los plazos sean breves.

6) Efectos

La denuncia, en tanto en cuanto es un acto procesal, produce determinados efectos, que afectan tanto al denunciante como al proceso penal, o, por mejor decir, al órgano jurisdiccional:

a) Respecto al denunciante: Formulada la denuncia, el denunciante ha cumplido con su deber y no queda obligado, en consecuencia, a sostener la acción penal, es decir, a presentarse como parte en el proceso querellándose contra el autor, ni a probar los hechos que acaba de denunciar (art. 264, I «in fine» LECRIM). La Ley le protege, además, especialmente, porque a pesar de que denunciar un hecho criminal sea un deber, con la denuncia se puede incurrir en un riesgo personal (v. el art. 464 CP).

No obstante y en sentido contrario, si la denuncia hubiera sido realizada con dolo (voluntad de dañar injustamente a otra persona), el denunciante queda sometido a responsabilidad (delitos de denuncia falsa, art. 456 CP; o de simulación de delito, art. 457 CP).

b) Respecto al órgano jurisdiccional: Tiene la obligación de investigar el hecho denunciado, y también el órgano administrativo que la hubiera recibido (v.gr., la Policía Judicial), incluso antes de dar parte al Juez (art. 269 LECRIM), además de comunicar la misma al MF y a los sujetos denunciados en su caso, lo que les convierte en investigados (art. 118, II LECRIM).

Sólo si los hechos no revisten caracteres de delito o la denuncia resulta manifiestamente falsa, se archivará (art. 269 LECRIM).

También se interrumpe la prescripción, dados los mismos requisitos que con la querella (v. inmediatamente).

B) La querella

1) Concepto y diferencias con la denuncia

La querella es también un acto procesal que inicia el proceso penal, consistente en una declaración de voluntad dirigida por una persona al órgano jurisdiccional competente para la instrucción de la causa, por medio de la cual, además de proporcionar a aquél la *notitia criminis*, se ejercita la acción en el proceso penal, constituyéndose el querellante en parte actora (particular, popular o privada) del proceso penal. Se regula en los arts. 270 a 281 LECRIM.

De este simple concepto, se desprenden claras diferencias con la denuncia, aunque tengan en común el ser ambos actos de iniciación. La fundamental consiste precisamente en que a través de la querella se ejerce el derecho de acción procesal, esto es, el derecho de acudir a los órganos jurisdiccionales penales, convirtiéndose su titular en parte. Sin embargo, en la querella no se interpone también la pretensión, porque para poder pedir algo, la imposición de una pena, se requiere una investigación completa antes. La pretensión se interpondrá en el escrito de acusación (calificaciones provisionales: en Lec. 17ª).

Existen más diferencias, que conviene remarcar: 1ª) La querella contiene una declaración de voluntad; mientras que la denuncia es sólo una declaración de conocimiento. 2ª) La querella constituye un derecho; la denuncia un deber, generalmente. 3ª) La querella debe presentarse ante el Juez competente; la denuncia ante cualquier autoridad de las anteriormente vistas. 4ª) La querella se formula siempre por escrito y cumpliendo determinados requisitos formales; la denuncia puede ser verbal o escrita, y no tiene formalismo alguno. 5ª) En la querella se proponen diligencias; en la denuncia no; etc.

La querella se convierte así en un acto esencial del proceso penal, en tanto en cuanto es necesario para convertirse en parte acusadora en el proceso penal. Ello es particularmente relevante para el Ministerio Fiscal, órgano estatal encargado de ejercer la acusación pública en este proceso (arts. 124.1 CE, 435.1 LOPJ, 271 LECRIM y art. 3.4 EOMF).

Sin embargo, ya desde hace tiempo el legislador quiere facilitar el acceso a la cualidad de parte acusadora sin necesidad de interponer querella, por dos razones básicamente: 1º) Porque los ofendidos por el delito pueden adquirir la condición de parte acusadora particular una vez ya iniciado el proceso sin necesidad de querella, respondiendo afirmativamente al ofrecimiento de acciones que en tal sentido les haga el órgano jurisdiccional (basta un simple escrito pidiéndolo: arts. 109, 110, 642 y 643 LECRIM); y 2º) Porque en los procesos penales abreviados el legislador dice expresamente que no es necesario (art. 761.2 LECRIM). Esto es equivocado, y acabará con ello perdiendo totalmente su sentido la querella, que por los requisitos y contenido que tiene es de vital importancia para el correcto actuar del órgano jurisdiccional en la fase de investigación.

En la práctica, sin embargo, el MF no se querella siempre, aun siendo obligatorio para él (impuesta en el RD-ley 13 junio 1927, a pesar de la claridad de los arts. 105 y 271 LECRIM,) puesto que si el proceso ya ha sido iniciado mediante denuncia o querella de acusador particular o popular, el MF se muestra parte en la causa mediante un simple escrito, llamado de personación, y no mediante la querella, que es la institución prevista por la Ley específicamente para alcanzar ese fin. El argumento es que iniciado el proceso penal, el MF es parte ya por obligación de la Ley y, por tanto, no le hace falta querellarse. Pero esta interpretación va en contra de lo dispuesto clarísimamente en la LECRIM, como veremos inmediatamente.

2) *Requisitos formales*

El análisis de esta rica institución exige considerar además los sujetos, los presupuestos, la forma, los documentos que deben acompañarla y los efectos:

1.- Sujetos: Hay que distinguir a su vez entre sujeto activo, sujeto pasivo y destinatario:

a) Sujeto activo: Conviene a su vez observar la clasificación de los delitos en públicos, semipúblicos y privados, que hemos visto resulta fructífera para diversas instituciones procesales.

1) En los delitos perseguibles de oficio (públicos), sujeto activo de la querella pueden ser tanto el MF (éste en todo caso), como el ofendido por el delito, sea español o extranjero (actor particular), o el no ofendido por el delito español (actor popular), según los arts. 101, 105, 270 y 271 LECRIM, 19.1 LOPJ y 3.4 y 5 EOMF, partiendo del art. 125 CE).

2) En los delitos perseguibles previa denuncia del ofendido (semipúblicos), sujeto activo de la querella pueden ser, una vez consta la denuncia previa, el MF (en todo caso), y el ofendido por el delito (arts. 104, 105, 270 LECRIM, y los correspondientes del CP en donde se establece el requisito previo de la denuncia, antes citados). No parece admisible que se pueda querellar el no ofendido por el delito, porque la ley supedita la persecución de los delitos semipúblicos a la voluntad de los ofendidos.

3) En los delitos perseguibles previa querella del ofendido (privados), únicamente éste o los autorizados expresamente en cada caso por el CP pueden querellarse (arts. 104, I LECRIM y 215.1 CP). En todo caso queda excluido el MF, salvo en los casos previstos expresamente en el art. 105 LECRIM (modificado en 2015).

Hoy únicamente exigen querella previa del ofendido los delitos de injuria y calumnia contra particulares (art. 215 CP), a tramitar conforme a los arts. 804 LECRIM.

No todo el mundo puede sin embargo querellarse. En general hay que tener en cuenta respecto a los sujetos activos de la querella las restricciones absolutas y relativas a la legitimación fijadas por la LECRIM, tanto por razón de falta de capacidad (art. 102-1º), por razones de prevención (art. 102-2º), o por razón del cargo judicial (art. 102-3º), así como por razones de parentesco (art. 103).

b) Sujeto pasivo: Es el querellado, que debe precisarse en la querella del modo mejor posible (art. 277, II-3º LECRIM). Si no se identifica de alguna manera, la querella debe admitirse ello no obstante igualmente (porque el art. 313, I LECRIM nada dice al respecto), y practicarse las diligencias de investigación necesarias (v. arts. 368 y ss. LECRIM).

c) Sujeto destinatario: La querella tiene que presentarse ante el JI competente (art. 272 LECRIM, con las particularidades fijadas en sus párrafos segundo y tercero y en el art. 273, para las actividades de prevención de quien quiera querellarse por un delito cometido «in fraganti» o que no deja huellas), pues de no ser así se inadmitirá (art. 313, I LECRIM), aunque valga entonces como denuncia.

2.- Presupuestos: Hay que distinguir a su vez también diversos presupuestos, que están en función, según la Ley y la Jurisprudencia de los siguientes extremos:

a) Querella por cualquier delito en general: Se exige que los hechos tengan apariencia de delito (art. 313, I LECRIM, «a contrario sensu»), constituir fianza si la querella se presenta por persona distinta del ofendido, sus parientes más próximos o representantes, y del MF (arts. 280 y 281 LECRIM, con la precisión del art. 20.3 LOPJ y la Jurisprudencia del TC, v. su S 62/1983, 11 julio); y que el querellante acredite mediante la residencia en territorio español que está sometido a la competencia del órgano jurisdiccional (art. 274, I LECRIM).

La no necesidad de depositar fianza se ha ampliado con la reforma que ha sufrido el art. 281 LECRIM por el Estatuto de la Víctima de 2015, además de, en los delitos de asesinato o de homicidio, a la persona vinculada con el difunto por una análoga relación de afectividad, a las asociaciones de víctimas y a las personas jurídicas a las que la ley reconoce legitimación para defender los derechos de las víctimas siempre que el ejercicio de la acción penal hubiera sido expresamente autorizado por la propia víctima.

b) Querella por delito perseguible previa querella del ofendido: Se exige también que los hechos tengan apariencia de delito, que el querellante acredite mediante la residencia en territorio español que está sometido a la competencia del órgano jurisdiccional, pero el requisito de la fianza se sustituye por el del acto de conciliación (art. 278 LECRIM), único caso en que se reconoce esta forma autocompositiva de resolver los conflictos intersubjetivos en el proceso penal.

c) Querella por injuria o calumnias causadas en juicio: Se exige también que los hechos tengan apariencia de delito, y que el querellante acredite mediante la residencia en territorio español que está sometido a la competencia del órgano jurisdiccional, pero el requisito de la fianza (o el del acto de conciliación) se sustituye por el de la licencia del Juez o Tribunal que hubiera conocido de las respectivas causas (arts. 279 LECRIM y 215.2 CP), ya que éste puede actuar más objetivamente respecto a frases ofensivas que se hayan podido producir en el juicio.

3.- Forma: La querella es un acto procesal de parte escrito, firmado por el Abogado y el Procurador del querellante, cuyo contenido formal viene fijado en el art. 277 LECRIM: Identificación del órgano jurisdiccional ante quien se presenta; identificación del querellante y su representación; identificación en la medida de lo posible del querellado; relación circunstanciada de los hechos criminales; fijación de la relevancia penal de los hechos (pero sin acusar a nadie y sin pedir pena alguna, aunque sí imputando los hechos al querellado); diligencias que deben practicarse para la comprobación de los hechos en el entender de la parte; peticiones relativas a medidas cautelares personales, en su caso; peticiones relativas a la responsabilidad civil, también en su caso; firmas necesarias; y la petición (suplico) de que se admita la querella, se practiquen las diligencias solicitadas y se acuerden las demás peticiones formuladas.

4.- Documentos que deben acompañarse a la querella: El querellante debe acompañar con carácter general a su querella el poder del Procurador y el bastanteo del Letrado. Pero también, según el objeto de la querella, la certificación negativa del acto de conciliación, la licencia del órgano jurisdiccional (ambas anteriormente vistas), o los documentos objeto del hecho punible si se poseen y se trata de delitos de falsedad documental (arts. 309 y ss. CP).

3) Efectos

Efectos de la presentación de la querella: Finalmente, la querella produce efectos muy importantes, tanto si se admite como si se inadmite:

a) Si la querella se admite a trámite, se producen los siguientes efectos:

1°) Se constituye en parte procesal actora el querellante (particular si es el ofendido por el delito, popular si no lo es, privada si se trata de delitos perseguibles sólo mediante su querella), entendiéndose con él a partir de ahora todas las diligencias y actos del proceso.

El querellante parte en el proceso penal puede desistir de la acción en cualquier momento de la causa, pero si es el ofendido por el delito en delitos públicos y semipúblicos, queda sometido a posibles responsabilidades (art. 274, II LECRIM), y si lo es por delito privado, el proceso termina (art. 275 LECRIM). En caso de muerte del querellante, los herederos pueden continuar el proceso en función de que cumplan con lo prevenido en el art. 276 LECRIM.

2°) El JI debe ordenar la práctica de todas las diligencias pedidas en la querella, salvo que las considere contrarias a las leyes, innecesarias o perjudiciales (arts. 311, I y 312 LECRIM).

3°) La admisión a trámite de la querella debe ponerse en conocimiento del querellado, el cual, si no había sido detenido anteriormente por la Policía o por el propio Juez, adquiere desde entonces la condición de encausado, gozando de los derechos previstos en el art. 118 LECRIM.

4°) La prescripción del delito se interrumpe en los términos del art. 130-6° CP. Por tanto, admitida a trámite la querella por auto en el plazo previsto en esa norma, la prescripción del delito opera desde la fecha de la misma.

b) Si la querella, al contrario, no se admite a trámite, se producen también unos efectos muy concretos, pero antes hay que considerar las causas legales de inadmisión:

1ª) Que los hechos no sean constitutivos de delito (art. 313, I LECRIM).

2ª) Que el Juez no sea competente (art. 313, I LECRIM).

3ª) Que la querella sea presentada por un incapaz (con base en los arts. 102 a 104 y 312 LECRIM); y

4ª) Que la querella no reúna los requisitos establecidos en el art. 277 LECRIM (art. 312 LECRIM).

Muchos de estos defectos son subsanables, por lo que devuelta la querella a la parte, ésta debe proceder a rectificar los errores y volver a presentarla ante el JI competente. Pero en caso de que no lo fueran o la parte no los subsanara, no debe olvidarse que en ella, aunque defectuosa, se han descrito unos hechos que constituyen delito, por lo que se transmite una *notitia criminis* al órgano jurisdiccional, que debe actuar en consecuencia, es decir, incoar el proceso penal correspondiente si es competente y no lo hubiera hecho ya, y si no lo es, ponerlo en conocimiento del MF para que se querelle ante quien lo sea.

La inadmisión se efectúa por medio de auto, que es apelable (art. 313, II LECRIM), no cabiendo ningún recurso contra la resolución del órgano jurisdiccional competente para la apelación. Dado que puede significar la negación del derecho de acción (art. 24.1 CE), a mi juicio estaría abierta la posibilidad de recurrir en amparo ante el TC (pero v. SS TC 148/1987, 28 noviembre y 191/1989, 16 noviembre). En cualquier caso, debe practicarse una mínima actividad investigadora (S TC 1/1985, 9 enero), y motivar la inadmisión (S TC 196/1988, 24 octubre).

Los efectos específicos de la inadmisión son: La reanudación de nuevo de la prescripción del delito; la inexistencia ya de la litispendencia; y la imposición de las costas al querellante si ha actuado con temeridad o mala fe (art. 240-3º LECRIM).

III. LAS PARTES EN LA INSTRUCCIÓN

Las funciones que realiza el Fiscal en el procedimiento preliminar ya han sido estudiadas, y las de la Policía Judicial las veremos a continuación en esta misma lección.

Hemos de referirnos ahora a la intervención de las demás partes acusadoras y a la del investigado, pero con carácter general, puesto que en particular la iremos viendo oportunamente en lecciones posteriores.

A) Las partes acusadoras no públicas

Así, todas las partes tienen las posibilidades siguientes:

a) Proponer la práctica de las diligencias que estimen oportunas (arts. 302, 311, I y 776.3 LECRIM), como consecuencia del principio de contradicción y del derecho de defensa, si bien su realización efectiva depende de que sean admitidas por el Juez, que puede rechazarlas si las considera inútiles o perjudiciales.

b) Conocer las actuaciones del procedimiento preliminar (art. 302, I LECRIM, reformado en 2015), como consecuencia del principio de contradicción, salvo que esté declarado el secreto, como hemos apuntado antes.

c) Intervenir en todas las diligencias que se practiquen en el procedimiento preliminar (art. 302, I LECRIM), también como consecuencia del principio de contradicción.

Hay que precisar que, aunque formalmente no esté incoado el procedimiento preliminar judicial, las «futuras» partes pueden intervenir también en caso de que dicho procedimiento preliminar se haya puesto en marcha materialmente por el Fiscal y, por tanto, en caso de actuaciones desarrolladas por la Policía a instancia suya (v. art. 773.2 LECRIM, reformado en 2015 para favorecer los derechos de las víctimas).

B) Investigado o encausado (imputado)

Ello es particularmente importante para el detenido, pues tiene ya desde el momento de la detención derecho a la defensa técnica pre-procesalmente y una vez iniciado el proceso penal (arts. 17.3 y 24.2 CE, y arts. 118, 520 y 775, II LECRIM, reformados en 2015, v. lecciones 3ª y 14ª), aunque el investigado goza también de otros derechos durante esta primera fase del proceso penal español, que iremos viendo oportunamente.

No debe olvidarse tampoco la vigencia en el proceso penal español del principio de investigación oficial, por lo que el Juez puede practicar de oficio todas las diligencias que considere necesarias para alcanzar los fines propios del procedimiento preliminar, sin necesidad de que se lo pidan las partes (v. los arts. 315, II, y 777.1 LECRIM).

Finalmente, tanto en los puntos tratados en esta lección, como en otros muchos del proceso penal, hay que tener en cuenta las disposiciones procesales penales recogidas en el Convenio Europeo para la Protección de los Derechos Humanos y Libertades Fundamentales (CEDH), de 1950, ratificado por España en 1979, concretamente en sus arts. 1 a 8, y principalmente en los arts. 5 y 6, todas ellas contempladas en nuestra Constitución, que en muchos aspectos supera al texto internacional, que es de aplicación en España también jurisprudencialmente (Tribunal Europeo de Derechos Humanos, con sede en Estrasburgo, Francia), por el art. 10.2 CE.

C) Sobre el derecho de defensa del investigado o encausado

El derecho constitucional de defensa del investigado o encausado ha sido expuesto en su concepto general en la lección 4ª de este volumen. Toca ahora entrar en su desarrollo ordinario, bajo la protección máxima que dispensa el art. 24 CE, realizado fundamentalmente por los arts. 118 y 520 LECRIM.

Ambos preceptos han sido reformados dos veces en 2015, por la Ley Orgánica 5/2015, de 27 de abril, por la que se modifican la Ley de Enjuiciamiento Criminal y la Ley Orgánica 6/1985, de 1 de julio, del Poder Judicial, para transponer la Directiva 2010/64/UE, de 20 de octubre de 2010, relativa al derecho a interpretación y a traducción en los procesos penales y la Directiva 2012/13/UE, de 22 de mayo de 2012, relativa al derecho a la información en los procesos penales (BOE del 28), que modifica los números 1, 3 y 5; y la segunda por la Ley Orgánica 13/2015, de 5 de octubre, de modificación de la Ley de Enjuiciamiento Criminal para el fortalecimiento de las garantías procesales y la regulación de las medidas de investigación tecnológica que da nueva redacción al número 1, 3 e incorpora el número 2 y 4.

Esas normas contemplan el derecho de defensa desde dos perspectivas complementarias: A) El ejercicio del derecho a la defensa técnica a partir de la imputación; y b) El ejercicio del derecho a la defensa técnica en la detención policial, fiscal y judicial, o en la prisión. Pero aunque se trate de dos preceptos distintos, ambos se complementan y no presentan diferencias apreciables en cuanto a lo que es una regulación enormemente detallada, quizás la que más en nuestro entorno jurídico, a veces redundante y confusa.

a) Defensa técnica tras imputación

1°) El derecho de defensa nace para la persona cuando es investigada (v. apartado V de esta misma lección), entendido este término en sentido amplio, es decir, según la ley, cuando se le comunique la existencia del hecho, haya sido objeto de detención o de cualquier otra medida cautelar o se haya acordado su procesamiento, debiendo ser informada una vez admitida a trámite la denuncia o querella o cualquier acto procesal que implique imputación, que se le debe comunicar inmediatamente (art. 118.5 LECRIM).

Debe ser además instruida expresamente sobre el contenido de su derecho de defensa por la autoridad que haya imputado, teniendo en cuenta su edad, su grado de madurez, discapacidad y cualquier otra circunstancia personal de la que pueda derivar una modificación de la capacidad para entender el alcance de la información que se le facilita (art. 118.1 LECRIM).

2°) El contenido del derecho de defensa tras la imputación es complejo, pues viene integrado a su vez por varios derechos, de acuerdo con ese mismo precepto:

a) Derecho a ser informado de los hechos que se le atribuyan, así como de cualquier cambio relevante en el objeto de la investigación y de los hechos imputados. Esta información será facilitada con el grado de detalle suficiente para permitir el ejercicio efectivo del derecho de defensa.

b) Derecho a examinar las actuaciones con la debida antelación para salvaguardar el derecho de defensa y en todo caso, con anterioridad a que se le tome declaración.

c) Derecho a actuar en el proceso penal para ejercer su derecho de defensa de acuerdo con lo dispuesto en la ley.

d) Derecho a designar libremente abogado, sin perjuicio de lo dispuesto en el apartado 1 a) del artículo 527.

e) Derecho a solicitar asistencia jurídica gratuita, procedimiento para hacerlo y condiciones para obtenerla.

f) Derecho a la traducción e interpretación gratuitas de conformidad con lo dispuesto en los artículos 123 y 127.

g) Derecho a guardar silencio y a no prestar declaración si no desea hacerlo, y a no contestar a alguna o algunas de las preguntas que se le formulen.

h) Derecho a no declarar contra sí mismo y a no confesarse culpable. La información a que se refiere este apartado se facilitará en un lenguaje comprensible y que resulte accesible.

3°) Ejercicio del derecho: El derecho de defensa se ejercerá sin más limitaciones que las expresamente previstas en la ley. Implica exactamente la asistencia letrada de un abogado de libre designación o, en su defecto, de un abogado de oficio. El imputado (investigado o encausado) podrá comunicarse y entrevistarse reservadamente con su abogado, incluso antes de que se le reciba declaración por la policía, el fiscal o la autoridad judicial, sin perjuicio de lo dispuesto en el artículo 527 y que estará presente en todas sus declaraciones así como en las diligencias de reconocimiento, careos y reconstrucción de hechos (art. 118.2 LECRIM, apartado introducido en 2015 por la LO citada).

4°) Redundantemente, el art. 118.3 vuelve a disponer que: «Para actuar en el proceso, las personas investigadas deberán ser representadas por procurador y defendidas por abogado, designándoseles de oficio cuando no los hubiesen nombrado por sí mismos y lo solicitaren, y en todo caso, cuando no tuvieran aptitud legal para hacerlo. Si no hubiesen designado procurador o abogado, se les requerirá para que lo hagan o se les nombrará de oficio si, requeridos, no los nombrasen, cuando la causa llegue a estado en que se necesite el consejo de aquéllos o haya de intentar algún recurso que hiciese indispensable su actuación.»

5°) Las comunicaciones entre investigado o encausado y abogado son reservadas según el art. 118.4 LECRIM. La LO 13/2015, cit., ha introducido este párrafo después de la doctrina sentada por el *caso Garzón* (STS 79/2012, de 9 de febrero), pero no sin excepciones (Auto TS de 6 febrero 2019, Caso Lezo).

El TEDH, en su S de 24 de mayo de 2018, caso *Lambert v. Francia*, ha determinado que la interceptación por la Policía de documentos de un abogado con sus clientes detenidos, viola el art. 8 del CEDH.

b) Defensa técnica tras detención o prisión

Regulada en el larguísimo art. 520, su contenido esencial es, en lo que atañe estrictamente al derecho de defensa, el siguiente:

1°) Derecho del detenido o preso a ser informado por escrito, en un lenguaje sencillo y accesible (reiterado por el art. 520.2 bis), en una lengua que comprenda y de forma inmediata, de los hechos que se le atribuyan y las razones motivadoras de su privación de libertad (art. 520.2 LECRIM). También se le informará del plazo máximo legal de duración de la detención hasta la puesta a disposición de la autoridad judicial y del procedimiento por medio del cual puede impugnar la legalidad de su detención. La información se adaptará a la edad del detenido o preso, su grado de madurez, discapacidad y cualquier otra circunstancia personal de la que pueda derivar una limitación de la capacidad para entender el alcance de la información que se le facilita (art. 520.2 bis).

2°) El contenido del derecho de defensa es el siguiente de acuerdo con el mismo art. 520.2 LECRIM:

a) Derecho a guardar silencio no declarando si no quiere, a no contestar alguna o algunas de las preguntas que le formulen, o a manifestar que sólo declarará ante el juez.

b) Derecho a no declarar contra sí mismo y a no confesarse culpable.

c) Derecho a designar abogado, sin perjuicio de lo dispuesto en el apartado 1.a) del artículo 527 y a ser asistido por él sin demora injustificada. En caso de que, debido a la lejanía geográfica no sea posible de inmediato la asistencia de letrado, se facilitará al detenido comunicación telefónica o por videoconferencia con aquél, salvo que dicha comunicación sea imposible.

d) Derecho a acceder a los elementos de las actuaciones que sean esenciales para impugnar la legalidad de la detención o privación de libertad.

e) Derecho a que se ponga en conocimiento del familiar o persona que desee, sin demora injustificada, su privación de libertad y el lugar de custodia en que se halle en cada momento. Los extranjeros tendrán derecho a que las circunstancias anteriores se comuniquen a la oficina consular de su país.

f) Derecho a comunicarse telefónicamente, sin demora injustificada, con un tercero de su elección. Esta comunicación se celebrará en presencia de un funcionario de policía o, en su caso, del funcionario que designen el juez o el fiscal, sin perjuicio de lo dispuesto en el artículo 527.

g) Derecho a ser visitado por las autoridades consulares de su país, a comunicarse y a mantener correspondencia con ellas.

h) Derecho a ser asistido gratuitamente por un intérprete, cuando se trate de extranjero que no comprenda o no hable el castellano o la lengua oficial de la actuación de que se trate, o de personas sordas o con discapacidad auditiva, así como de otras personas con dificultades del lenguaje.

La LECRIM establece particularidades al respecto para cuando no haya intérprete y su derecho a obtener la declaración por escrito.

i) Derecho a ser reconocido por el médico forense o su sustituto legal y, en su defecto, por el de la institución en que se encuentre, o por cualquier otro dependiente del Estado o de otras Administraciones Públicas.

j) Derecho a solicitar asistencia jurídica gratuita, procedimiento para hacerlo y condiciones para obtenerla.

3°) Según el art. 520.5 LECRIM, «el detenido designará libremente abogado y si no lo hace será asistido por un abogado de oficio. Ninguna autoridad o agente le efectuará recomendación alguna sobre el abogado a designar más allá de informarle de su derecho.

La autoridad que tenga bajo su custodia al detenido comunicará inmediatamente al Colegio de Abogados el nombre del designado por el detenido para asistirle a los efectos de su localización y transmisión del encargo profesional o, en su caso, le comunicará la petición de nombramiento de abogado de oficio.

Si el detenido no hubiere designado abogado, o el elegido rehusare el encargo o no fuere hallado, el Colegio de Abogados procederá de inmediato al nombramiento de un abogado del turno de oficio.

El abogado designado acudirá al centro de detención con la máxima premura, siempre dentro del plazo máximo de tres horas desde la recepción del encargo. Si en dicho plazo no compareciera, el Colegio de Abogados designará un nuevo abogado del turno de oficio que deberá comparecer a la mayor brevedad y siempre dentro del plazo indicado, sin perjuicio de la exigencia de la responsabilidad disciplinaria en que haya podido incurrir el incompareciente.

4°) La asistencia del abogado consistirá según el art. 520.6 LECRIM en:

a) Solicitar, en su caso, que se informe al detenido o preso de los derechos establecidos en el apartado 2 y que se proceda, si fuera necesario, al reconocimiento médico señalado en su letra i).

b) Intervenir en las diligencias de declaración del detenido, en las diligencias de reconocimiento de que sea objeto y en las de reconstrucción de los hechos en que participe el detenido. El abogado podrá solicitar al juez o funcionario que hubiesen practicado la diligencia en la que haya intervenido, una vez terminada ésta, la declaración o ampliación de los extremos que considere convenientes, así como la consignación en el acta de cualquier incidencia que haya tenido lugar durante su práctica.

c) Informar al detenido de las consecuencias de la prestación o denegación de consentimiento a la práctica de diligencias que se le soliciten.

Si el detenido se opusiera a la recogida de las muestras mediante frotis bucal, conforme a las previsiones de la Ley Orgánica 10/2007, de 8 de octubre, reguladora de la base de datos policial sobre identificadores obtenidos a partir del ADN, el juez de instrucción, a instancia de la Policía Judicial o del Ministerio Fiscal, podrá imponer la ejecución forzosa de tal diligencia mediante el recurso a las medidas coactivas mínimas indispensables, que deberán ser proporcionadas a las circunstancias del caso y respetuosas con su dignidad.

Téngase en cuenta la STC 135/2014, de 8 de septiembre y el Acuerdo de Sala General del TS de 24 de septiembre de 2014, rectificado, que en su párrafo I dispone: «La toma biológica de muestras para la práctica de la prueba del ADN con el consentimiento del imputado, necesita la asistencia de letrado, cuando el imputado se encuentre detenido y en su defecto autorización judicial.»

Pero exigir asistencia letrada para prestar el consentimiento sobre muestras no abandonadas es en el fondo un error jurídico, porque la toma de muestras no vulnera ningún derecho fundamental del imputado ya que no estamos ni ante un interrogatorio ni ante un reconocimiento de identidad, aunque para prevenir posibles complicaciones la autorización judicial debe ser siempre exigible, sino que es en verdad un elemento objetivo para la práctica de una prueba pericial. La STS núm. 685/2010, de 7 de julio, produjo el cambio de rumbo que optó por un garantismo exacerbado en perjuicio de una efectividad, controlada judicialmente, de la persecución penal.

d) Entrevistarse reservadamente con el detenido, incluso antes de que se le reciba declaración por la policía, el fiscal o la autoridad judicial, sin perjuicio de lo dispuesto en el artículo 527.

5°) Carácter reservado de las comunicaciones: Las comunicaciones entre el investigado o encausado y su abogado tendrán carácter confidencial en los mismos términos y con las mismas excepciones previstas en el apartado 4 del artículo 118 (art. 520.7 LECRIM).

6°) Excepciones al derecho de defensa técnica: El detenido o preso podrá renunciar a la preceptiva asistencia de abogado si su detención lo fuere por hechos susceptibles de ser tipificados exclusivamente como delitos contra la seguridad del tráfico, siempre que se le haya facilitado información clara y suficiente en un lenguaje sencillo y comprensible sobre el contenido de dicho derecho y las consecuencias de la renuncia, pudiendo el detenido revocar su renuncia en cualquier momento (art. 520.8 LECRIM). El TC exige que la Policía dé esa información por escrito al detenido, en la que constarán los datos objetivos de la detención, si no se le ha dado conocimiento verificable de la parte del atestado correspondiente (STC 21/2018, de 5 de marzo).

7°) Sobre el derecho de defensa del declarado rebelde, v. STC 24/2018, de 5 de marzo, que cambia la jurisprudencia anterior.

8°) Es importante tener en cuenta, finalmente, la Directiva (UE) 2016/343 del Parlamento Europeo y del Consejo, de 9 de marzo de 2016, por la que se refuerzan en el proceso penal determinados aspectos de la presunción de inocencia y el derecho a estar presente en el juicio.

IV. LA ACTUACIÓN EN ESTA FASE DE LA POLICÍA JUDICIAL

El concepto y organización de la Policía Judicial, han sido estudiados en el Tomo I (Lección 9ª). Toca ahora explicar sus funciones en el proceso penal, analizar sus actuaciones principales y el valor de sus actos.

Las últimas reformas han potenciado a la Policía Judicial de una manera notable, encargándole formalmente la investigación del crimen previa a la incoación formal del proceso penal. De acuerdo con la LECRIM, debe realizar tareas específicas (arts. 770, 771 y 796), que conduzcan a una investigación correcta del hecho y de su autor, preparando adecuadamente el juicio oral.

El cometido general de la Policía Judicial es el de ser auxiliares de los órganos jurisdiccionales y de la Fiscalía en la averiguación de los delitos y descubrimiento de sus responsables (art. 126 CE, art. 547 LOPJ y art. 282 LECRIM, modificado éste por el Estatuto de la Víctima de 2015, para mejorar las relaciones entre la Policía y las víctimas), quedando obligados a seguir las instrucciones que reciban de ellos (art. 283, I, LECRIM).

Ello significa que su actuación comienza inmediatamente sean requeridos, aunque todavía no se haya incoado formalmente el proceso penal correspondiente (ya se aportarán luego a la causa esas actuaciones), teniendo asimismo la obligación de participar a la autoridad judicial la comisión de un delito público, a través de lo que se llama diligencias de prevención (art. 284), que consideraremos en este mismo apartado.

El comienzo de su tarea puede provenir de una de estas tres fuentes: 1) Por propia iniciativa al llegar a su conocimiento la existencia de unos hechos que pueden constituir un delito público (art. 284.1 LECRIM); 2) Cumpliendo las órdenes del órgano jurisdiccional que está efectuando ya un procedimiento preliminar; y 3) Por orden del Ministerio Fiscal (art. 287 LECRIM).

Las funciones de más trascendencia son las que realiza la Policía Judicial en el primero de los supuestos indicados, que son las llamadas diligencias de prevención. Esa labor genérica termina cuando hayan completado las diligencias (art. 284.2 LECRIM), o cuando se presente el Juez competente (art. 286 LECRIM), que asumirá la dirección de la investigación, sin perjuicio de las que le puedan ser ordenadas a lo largo del procedimiento preliminar judicial (v. inmediatamente).

No obstante, de acuerdo con el art. 282.2 y 3 LECRIM (introducidos por la Ley 41/2015, de 5 de octubre), cuando no exista autor conocido del delito la Policía Judicial conservará el atestado a disposición del Ministerio Fiscal y de la autoridad judicial, sin enviárselo, salvo que concurra alguna de las siguientes circunstancias: a) Que se trate de delitos contra la vida, contra la integridad física, contra la libertad e indemnidad sexuales o de delitos relacionados con la corrupción; b) Que se practique cualquier diligencia después de transcurridas setenta y dos horas desde la apertura del atestado y éstas hayan tenido algún resultado; o c) Que el Ministerio Fiscal o la autoridad judicial soliciten la remisión. La Policía Judicial comunicará al denunciante que en caso de no ser identificado el autor en el plazo de setenta y dos horas, las actuaciones no se remitirán a la autoridad judicial, sin perjuicio de su derecho a reiterar la denuncia ante la fiscalía o el juzgado de instrucción.

Téngase en cuenta que la actuación de la Policía Judicial viene limitada por el art. 297, III, LECRIM a observar estrictamente las formalidades legales en cuantas diligencias practiquen, y se abstendrán bajo su responsabilidad de usar medios de averiguación que la ley no autorice.

La Policía Judicial estaba formada en la concepción de la LECRIM por muchos miembros (art. 283), precepto no derogado. Hoy, y probablemente porque la Policía Judicial no existe como tal, todos los miembros de las Fuerzas y Cuerpos de Seguridad, tanto si dependen del Gobierno Central, como de las CC.AA. o de los Entes Locales, son miembros de la Policía Judicial (art. 547 LOPJ). Respecto a la Política Local, la jurisprudencia del TS a favor de su carácter de Polícia Judicial, es indubitado (v. STS num. 210/2016, de 15 de marzo, RJ\2016\988).

Según el art. 2 LOFCS son miembros de las mismas:

1.º) Las Fuerzas y Cuerpos de Seguridad del Estado dependientes del Gobierno de la nación (Policía Nacional y Guardia Civil).

2.º) Los Cuerpos de Policía dependientes de las CC.AA. (Policía Autonómica).

3.º) Los Cuerpos de Policía dependientes de las Corporaciones Locales (Policía Local).

Según el RD 769/1987, de 19 de junio, las funciones de la Policía Judicial corresponden a todos los miembros de las Fuerzas y Cuerpos de Seguridad, cualquiera que sea su naturaleza y dependencia (art. 1), constituyendo la Policía Judicial en sentido estricto las Unidades Orgánicas previstas en el art. 30.1 LOFCS (art. 7), integradas por miembros del Cuerpo Nacional de Policía y de la Guardia Civil.

A) Funciones

La cuestión más importante estriba en determinar exactamente las funciones de la Policía Judicial que tienen incidencia procesal penal, al hilo de lo dispuesto en los arts. 547 y 549 LOPJ (y en el art. 28 RD 769/1987). Podríamos seguir la siguiente clasificación:

a) *Con relación a los delincuentes* (arts. 767, 770, 771 y 772.2 LECRIM, 20.2 LOSC de 1992): 1.º) Averiguar quiénes son los responsables del delito y 2.º) En su caso, detenerlos y ponerlos a disposición judicial tras la realización de las diligencias pertinentes. Destaca aquí la medida de retención para identificación, regulada en el art. 20 LOSC de 1992.

b) *Con relación al delito*: Averiguar las circunstancias de su comisión (v. los arts. 569, IV, 770, 777 y 796 LECRIM). Las posibilidades son muchas y giran fundamentalmente en torno a los actos de investigación.

c) *Realización de actos de auxilio* (arts. 770-1º, 772.1 y 796 LECRIM): 1.º) Auxiliar al Juez y al Fiscal en cuantas actuaciones deban realizar fuera de su sede y requieran la presencia policial; 2.º) Realizar citaciones; y 3.º) Realizar cualquier otra actuación en que sea necesaria su cooperación o auxilio y lo ordenen el Juez o el Fiscal.

d) *Actos de ejecución*: 1.º) La realización material de las actuaciones que exijan el ejercicio de la coerción y ordenasen el Juez o el Fiscal; y 2.º) La garantía del cumplimiento de las órdenes y resoluciones del Juez o del Fiscal.

e) *Con relación a la víctima del delito* (arts. 771, 796 y 964.1 LECRIM, éste reformado en 2015): 1.º) Proporcionarle auxilio médico, en su caso; y 2.º) Instruirle de sus derechos. Téngase en cuenta en general para los temas de auxilio, información, instrucción de derechos y protección de las víctimas de delitos, el Estatuto de la Víctima de 2015.

f) *Como testigos* (arts. 297, 717 y 772.2 LECRIM): Al tener sus actuaciones valor procesal de denuncia, aunque no sólo como veremos inmediatamente, comparecen como testigos en el proceso penal.

No olvidemos que la Ley Orgánica 4/2015, de 30 de marzo, de protección de la seguridad ciudadana, prevé actuaciones administrativas que debe desarrollar la Policía (administrativa) que pueden acabar siendo materia de proceso penal por transformarse o dar paso a un delito, en el que actuarán como Policía Judicial. Así, atendido los arts. 15 (Entrada y registro en domicilio y edificios de organismos oficiales), 16 (Identificación de personas), 17 (Restricción del tránsito y controles en las vías públicas), 18 (Comprobaciones y registros en lugares públicos), 20 (Registros corporales externos), 22 (Uso de videocámaras), ó 28 (Control administrativo sobre armas, explosivos, cartuchería y artículos pirotécnicos), de esa ley, la situación puede ser perfectamente la descrita.

B) Las diligencias de prevención

Las diligencias de prevención son las primeras que hay que practicar una vez descubierto el hecho criminal: Dar protección a los ofendidos y perjudicados por el delito, a sus familiares o a otras personas, consignar las pruebas del mismo que puedan desaparecer, recoger y poner en custodia cuanto conduzca a su comprobación y a la identificación del delincuente, y detener en su caso a los sospechosos (art. 13 LECRIM).

La ejecución de las primeras diligencias significa, en ciertos casos de gran trascendencia social y que requieren una actuación urgente, la adopción de determinadas medidas cautelares, no sólo penales, pues también pueden tener naturaleza civil. Eso sucede con la protección procesal penal de las víctimas de la violencia de género, pudiéndose decretar en concreto las previstas en el art. 544 bis, o en el art. 544 ter. Es importante resaltar que su competencia es exclusivamente judicial, por tanto, en ningún caso puede la Policía Judicial proceder a su imposición.

La práctica de estas diligencias obliga a comunicar la comisión del delito a la autoridad judicial o fiscal inmediatamente, salvo que se perjudique la propia investigación (arts. 284 y 295 LECRIM, éste último modificado parcialmente por la Ley 41/2015, de 5 de octubre).

Téngase en cuenta que el aseguramiento (detención) del presunto autor de los hechos, y el auxilio a las víctimas del delito, son diligencias prioritarias para la Ley, de manera que únicamente pueden practicarse otras cuando estas dos, en su caso, estén cumplidas (art. 366 LECRIM).

Sobre la práctica en concreto de las diligencias, conviene tener en cuenta los siguientes aspectos:

a) La obligación de practicar las diligencias de prevención surge para la Policía Judicial en el momento tengan noticia de la comisión de un hecho punible (art. 4 RD 769/1987, de 19 de junio).

b) La práctica de las diligencias de prevención cesa cuando se haga cargo de la investigación la autoridad judicial, o el Fiscal encargado de las actuaciones, a quienes se hará entrega de todo lo practicado, incluyendo los efectos intervenidos, poniendo a su disposición las personas detenidas si las hubiere (art. 5 RD 769/1987, de 19 de junio); y

c) Muy importante: No habiéndose incoado sumario o diligencias previas, el jefe de los miembros de la Policía Judicial es exclusivamente el Fiscal, por lo que sólo a él deben dar cuenta de las investigaciones practicadas, sin perjuicio de ejecutar las que les ordene (art. 20 RD 769/1987, de 19 de junio).

Tratándose de diligencias de prevención practicadas por la Policía Local, esta función, necesaria tras la presentación de las correspondientes denuncias por los ciudadanos por hechos delictivos, o por conocimiento propio, consiste en realizar las diligencias que el caso aconseje y que tengan carácter urgente, y, tanto si se han completado como si no, dar parte inmediatamente a la Comisaría del Cuerpo Nacional de Policía o al puesto de la Guardia Civil autorizado más cercano. En caso de que se haya practicado una detención, deberá entregar la Policía Local al detenido inmediatamente a la Policía Nacional o a la Guardia Civil.

Finalmente, qué tipo de diligencias pueden practicarse. La respuesta es muy sencilla, puesto que, dado que el acto de investigación a realizar depende fundamentalmente del hecho delictivo concreto producido, y dado que el art. 13 LECRIM establece las diligencias con carácter abierto, se pueden ejecutar todas las conducentes al buen fin de la investigación (v. art. 299 LECRIM), salvo que su autorización esté reservada exclusivamente al Juez o al Fiscal.

No obstante, la Ley clasifica las actuaciones, sin perjuicio de que para el proceso abreviado y para el proceso especial para el enjuiciamiento rápido de determinados delitos los arts. 770 y 796 establezcan disposiciones específicas, en cinco grupos, cuyo orden seguimos:

a) *Dar protección a los perjudicados*: No sólo está pensando el legislador en posibles consejos jurídicos a la víctima del delito, sino y más fundamental en realizar las actuaciones físicas que permitan a ésta hacer que la situación se recupere, cese o quede protegida frente al peligro del delito. Por ejemplo, llevarla a un hospital, recoger sus pertenencias, evitar la continuación de la agresión, etc. La protección comprende también a los familiares de los ofendidos o perjudicados e, incluso, a otras personas.

b) *Consignar las pruebas del delito que puedan desaparecer*: Actuación totalmente necesaria, puesto que la prueba va a servir para convencer al juez el día del juicio oral si el acusado es culpable o inocente (art. 741, I, LECRIM). Su pérdida podría significar sin duda el fracaso del proceso y la impunidad del delincuente. Así, el miembro de la Policía Judicial deberá anotar todos los testigos que hayan presenciado el hecho, los elementos que requieran una actuación posterior de carácter pericial, etc.

c) *Recoger y poner en custodia cuanto conduzca a la comprobación del delito (piezas de convicción)*: Los miembros de la Policía Judicial deben asegurar también aquellos objetos que sean las piezas de convicción del delito, como el arma homicida, la droga, los documentos contables, etc., que sirven para que el órgano jurisdiccional se forme una idea exacta de cómo han ocurrido los hechos (arts. 438 y 712 LECRIM).

d) *Identificación del delincuente*: Si no es posible directamente, leyendo su documentación personal, las actuaciones a practicar permiten incluir la toma de huellas dactilares, descripción de testigos, etc.

e) *Detener al presunto autor*: Posibilidad permitida con carácter general por el art. 492 LECRIM, que es una medida cautelar personal.

C) El atestado policial

La especialización técnica de la Policía Judicial actual, que la ha convertido realmente en una Policía Científica, hace que sus actuaciones tengan un contenido muy rico desde el punto de vista procesal, tanto que su valor, a efectos sobre todo probatorios, puede ser decisivo en la fundamentación de las sentencias de condena.

No siendo sin embargo ni autoridad judicial ni fiscal, la LECRIM, anticuada en este tema, no ha previsto que la documentación policial relativa a actos de investigación penal, que hoy es ciertamente compleja, tiene diferente valor y alcance. De ahí que la jurisprudencia, tanto la del TS como la del TC, hayan precisado, sobre todo últimamente, estas cuestiones.

El atestado policial es el documento que contiene la investigación (entendida como conjunto y no como unidad) realizada por la Policía respecto a un hecho aparentemente criminal, sea de la naturaleza que sea. En principio tiene valor de denuncia, según el art. 297, I, LECRIM, pero esta declaración legal es decir bien poco.

Los atestados, por tanto, pueden tener muy diversos orígenes o fundamentos, pero si tomamos como ejemplo el atestado policial que se levanta con ocasión de un accidente de tráfico cuyo conductor presenta signos externos evidentes de alcoholemia (delito de conducción de vehículo de motor bajo la influencia de bebidas alcohólicas del art. 379 CP), por ser el de más frecuente utilización práctica quizás, podemos extraer un contenido homogéneo importante a estos efectos.

Así, observamos que un atestado completo respecto a dicho delito debería constar de los siguientes documentos y declaraciones:

1.º) Documento que identifica al agente que instruye el atestado por accidente de circulación.

2.º) Acta de información de derechos previa a la prueba de alcoholemia.

3.º) Diligencias de inspección ocular del lugar del accidente, con indicación en su caso de los nombres de los testigos presenciales.

4.º) Diligencias de manifestación e identificación del conductor (permiso de conducir, de circulación, seguros, etc.).

5.º) Diligencias de identificación administrativa de otros posibles conductores implicados (permiso de conducir, de circulación, seguros, etc.).

6.º) Diligencias para hacer constar los datos del peatón atropellado, en su caso, con indicación del hospital al que ha sido trasladado.

7.º) Diligencias para hacer constar los datos del ocupante del vehículo, en su caso.

8.º) Diligencias para hacer constar los daños causados.

9.º) Diligencias de apreciación de la forma de producirse el accidente, que consta de dos apartados: El croquis del accidente y los datos «externos» del conductor (el llamado en la práctica «parte complementario», de gran utilidad judicial, en donde el agente da su impresión del estado físico y mental del conductor, v.gr. «habla pastosa», «ojos brillantes», «deambulación vacilante», «expresión titubeante», «olor a alcohol», etc.).

10.º) Acta de alcoholemia y, en su caso, acta de información de derechos por haberse negado el conductor a la prueba de alcoholemia (sobre el test de alcoholemia) (Lección 9.ª).

11.º) Declaración del conductor posterior a la práctica del test de alcoholemia (circunstancias previas al accidente, v. gr., cuánto ha bebido, fumado, dormido, etc., dándosele oportunidad de que manifieste todo lo que tenga por conveniente); y

12.º) Finalmente, diligencia de entrega del atestado en el Juzgado de Guardia correspondiente, con copia al Ministerio Fiscal.

Este contenido, que en España puede incluir además un parte resumen a efectos estadísticos, e información complementaria en diferentes idiomas ante el carácter cosmopolita de nuestro país, tiene indudablemente diferente valor. Por ello, la jurisprudencia ha precisado las siguientes cuestiones:

a) El atestado tiene valor de denuncia, como hemos indicado, de manera que cumple la función de ser acto de iniciación del proceso penal (declaración que ha formulado el TC desde su Sentencia 31/1981, de 28 de julio, y ha reiterado luego constantemente).

b) Para que el acto de iniciación pueda llegar a tener consecuencias probatorias es necesario que el miembro de la Policía Judicial que lo redactó declare como testigo en el juicio oral ante el tribunal juzgador y sentenciador, reiterándolo y ratificándolo. El policía es así en el proceso penal testigo (S TC 173/1985, de 16 de diciembre; y SS TS de 10 de diciembre de 1986, RA 7873; y de 18 de enero de 1988, RA 300, entre otras muchas); pero carece de valor probatorio el testimonio de referencia prestado ante la Policía, según la STS núm. 264/2016, de 4 de abril (RJ\2016\1225). También carecen de valor probatorio las diligencias policiales realizadas sin contradicción, por regla general [STS 500/2017, de 30 de junio (RJ 2017\3578)].

No se trata de que el atestado se convierta en medio de prueba en el juicio oral, sino de que los hechos constados en él pueden llegar a entrar en el juicio oral por medio de la declaración del policía como testigo, que es cosa muy diferente y por ese camino pueden llegar a tener consecuencias probatorias. Naturalmente esos hechos han de haber sido antes afirmados por las partes.

c) En cuanto al contenido estricto de los atestados, la importantísima S TS de 23 de enero de 1987 (RA 450), ha hecho las siguientes distinciones:

1.ª) Cuando se trata de opiniones o apreciaciones de la Policía (por ejemplo, su parecer de cómo han ocurrido los hechos), de las declaraciones de los investigados, aunque se les haya instruido de sus derechos constitucionales y hayan gozado de la asistencia de Abogado, de declaraciones de testigos, de diligencias de identificación o de reconocimiento, en rueda o fuera de ella, o de otras diligencias semejantes, efectivamente, no se les puede atribuir por sí solas otro valor que el de *meras denuncias*, aunque luego si el policía declara como testigo en el juicio oral debe estarse al valor probatorio de este medio de prueba;

2.ª) Cuando se trata de dictámenes o de informes emitidos por Gabinetes de los que actualmente dispone la Policía, tales como los de dactiloscopia, identificación, análisis químicos, balísticos y otros análogos, tendrán, al menos, *valor de dictámenes periciales*, aunque deban ser ratificados en presencia judicial, durante las sesiones del juicio oral y con la posibilidad de que las partes puedan dirigir observaciones u objeciones o pedir aclaraciones a los miembros de los referidos Gabinetes; y

Algunas pericias de la Policía Científica explicando el modus operandi criminal, están teniendo una gran relevancia en la lucha contra la criminalidad organizada. Se habla entonces de "periciales de inteligencia" y su admisibilidad probatoria es indiscutible (STS núm. 134/2016, de 24 de febrero, RJ\2016\2172).

3.ª) Finalmente, tratándose de diligencias objetivas y de resultado incuestionable, como la aprehensión «in situ» de los delincuentes, los supuestos en que éstos sean sorprendidos en situación de flagrancia o de cuasi flagrancia, la ocupación y recuperación de los efectos e instrumentos del delito, armas, drogas o sustancias estupefacientes, efectos estancados o prohibidos, entrada y registro en lugar cerrado y lo que se hallara durante el transcurso de los mismos, siempre que mediara asentimiento del morador o del que tiene derecho a excluir, o de otros supuestos semejantes, el valor que debe atribuírsele es el de *verdaderas pruebas* (documentales o periciales, añadimos nosotros, sin perjuicio de la testifical del agente), sometidas como las demás al principio de libre valoración establecido en los arts. 717 y 741, I, LECRIM.

El art. 75 de la Ley de Tráfico de 1990, para los supuestos específicos en que intervengan los agentes con competencias en materia de circulación vial, añade que las denuncias efectuadas por los mismos harán fe, salvo prueba en contrario, respecto de los hechos denunciados, sin perjuicio del deber de aquéllos de aportar todos los elementos probatorios que sean posibles sobre el hecho denunciado. La jurisprudencia sin embargo con buen criterio, hace caso omiso de esta vinculación probatoria, porque conforme a los preceptos de la LECRIM acabados de citar, todas las pruebas, absolutamente todas, se valoran por los tribunales penales libremente.

D) Las declaraciones ante la Policía Judicial

La jurisprudencia ha tenido ocasión igualmente de pronunciarse acerca del valor probatorio que tienen las declaraciones formuladas por los investigados ante la Policía Judicial, particularmente cuando luego no son ratificadas por éstos en el acto del juicio, e incluso son negadas.

El principio general parte de la necesidad de practicar las diligencias de referencia rodeadas de todas las garantías establecidas por el art. 17 CE y la legislación ordinaria (art. 520 LECRIM fundamentalmente, precepto que ha sufrido dos modificaciones en el año 2015, la primera por la Ley Orgánica 5/2015, de 27 de abril, y la segunda, de mayor calado, por la Ley Orgánica 13/2015, de 5 de octubre), y en particular con la presencia del Abogado defensor (S TC 31/1981, de 28 de julio).

Para que dichas declaraciones alcancen el valor de prueba tienen que ser ratificadas por el posteriormente acusado en el acto del juicio oral, y así poder el órgano jurisdiccional formar su convicción libremente, tanto en lo relativo a su ratificación en sentido estricto, como si el acusado niega o se contradice respecto a lo declarado ante la Policía o el propio Juez de Instrucción, ya que en este último caso el Tribunal debe realizar una apreciación conjunta sobre todas las declaraciones producidas (doctrina sentada por el TC en sus SS 80/1986, de 17 de junio; y 217/1989, de 21 de diciembre, entre otras muchas).

La clave de esta interpretación se basa en que el acusado, de un lado, haya sido interrogado con respeto íntegro a todos sus derechos constitucionales y, en segundo lugar, que tenga oportunidad el día del juicio oral de explicar la rectificación o retractación de su declaración, naturalmente con vigencia del principio de contradicción (SS TC 161/1990, de 19 de octubre; y 80/1991, de 15 de abril).

No obstante, nos parece que siendo la única prueba realizada en el proceso, la retractación o negación en el acto del juicio de la declaración ante la Policía no puede llevar más que a la absolución, puesto que sólo el segundo acto es probatorio y nunca el primero, y conforme al art. 741, I, LECRIM la convicción judicial se forma con base en la actividad probatoria y no a la sumarial o policial, sin perjuicio de infringir el principio de la presunción de inocencia, al no existir mínima actividad probatoria de cargo, según la conocida doctrina del TC al respecto. No obstante, la revelación de datos ante la Policía que únicamente puede conocer el imputado declarante, sí debería ser valorable como prueba aunque luego se retracte, si tal declaración fue hecha con todas las garantías que la ley prevé. Y, por supuesto, deberían ser igualmente valorables como prueba en lo que afecten a otros participantes (coacusados), aunque luego se retracte.

Pero el último Acuerdo de la Sala II en Pleno no Jurisdiccional de 3 de junio de 2015, que deroga el Acuerdo de 28 de noviembre de 2006, relativo al valor de la declaración del imputado en sede judicial, al haber perdido su validez como consecuencia de la STC 68/2010, de 18 de octubre, no admite ni una sola excepción. En su virtud: «Las declaraciones ante los funcionarios policiales no tienen valor probatorio. No pueden operar como corroboración de los medios de prueba. Ni ser contrastadas por la vía del art. 714 de la LECR. Ni cabe su utilización como prueba pre constituida en los términos del art. 730 de la LECR. Tampoco pueden ser incorporadas al acervo probatorio mediante la llamada como testigos de los agentes policiales que las recogieron. Sin embargo, cuando los datos objetivos contenidos en la autoinculpación son acreditados como veraces por verdaderos medios de prueba, el conocimiento de aquellos datos por el declarante evidenciado en la autoinculpación puede constituir un hecho base para legítimas y lógicas inferencias. Para constatar, a estos exclusivos efectos, la validez y el contenido de la declaración policial deberán prestar testimonio en el juicio los agentes policiales que la presenciaron.»

La condena vendría asegurada, por tanto, existiendo otras pruebas de cargo, coadyuvando como otro elemento más la valoración judicial de la retractación. De acuerdo con jurisprudencia consolidada, ésta es la doctrina a aplicar también cuando estamos ante la llamada declaración de co-imputados (co-investigados), o co-acusados. Así, S TC 68/2010, de 18 de octubre, FJ 5; y SS TS núm. 127/2016, de 23 de febrero, RJ\2016\714; y 213/2016, de 5 de marzo, RJ\2016\986).

El TS admite el valor probatorio de las declaraciones hechas ante la Policía que hayan sido hechas voluntariamente (libre y espontáneamente), siempre que los policías se ratifiquen en el acto del juicio oral (STS 597/2017, de 24 de julio, RJ 2017\3989).

V. LA IMPUTACIÓN

Imputar en sentido procesal penal es reprochar judicialmente a una persona la comisión de un hecho punible, existiendo cierto grado de probabilidad de que efectivamente ella sea el autor.

La LECRIM, sin embargo, y esto se ve claro en las últimas reformas de la misma (desde la CE), entiende también por imputar el reproche inicial implícito a una persona cuando se realiza un acto procesal que la vincula sospechosamente con el proceso penal (sentido amplio).

Esto significa que, según la Ley, pueden existir actos que materialmente signifiquen imputación, y actos que sólo lo sean formalmente.

Antes de seguir adelante, conviene decir que la imputación, en sentido amplio o formal, es un concepto necesario en el proceso penal, porque de eso se trata en el proceso: Imputar para, después de la investigación, confirmar si se acusa, que es un grado más, o no, y en caso de que se acuse, condenar, que es el grado máximo de reproche a una conducta, o absolver.

Siendo ello así, la condición de imputado se adquiere ya desde la mera detención policial, y no digamos desde la detención judicial y desde la prisión provisional de una persona, que se ha llamado hasta 2015 y por esto mismo «imputado». Esto es lo que ocurre en todos los procesos (v. arts. 118 y 520 LECRIM, ambos reformados varias veces en 2015), y así ha sido confirmado por la S TC 135/1989, 19 julio.

Pero en nuestro Derecho histórico, la imputación se ha considerado siempre un acto formal, que debía estar rodeado de determinadas garantías por las consecuencias que conllevaba y que exigía determinados presupuestos. Este acto se ha concretado, y sigue en vigor aunque sólo en el proceso penal ordinario por delitos más graves, en el auto de procesamiento (art. 384 LECRIM).

La coexistencia de estos dos conceptos de imputación ha producido graves defectos legales, sobre todo de entendimiento de lo que significa realmente la institución, que en la regulación legal se traducen en que el auto de procesamiento únicamente se mantenga en el proceso penal por delitos más graves, al lado de los demás cauces para la imputación, lo que en realidad significa una progresiva desvalorización; mientras que en los procesos abreviados, en los procesos rápidos y en los procesos por delito leve la imputación se entiende exclusivamente en sentido lato.

Consecuentemente, debemos distinguir los procesos en donde existe un acto de imputación formal, de aquellos en donde no existe.

A) El procesamiento

La concreción máxima de la imputación formal en el proceso penal ordinario por delitos más graves, y sólo hoy en este proceso como hemos dicho, se realiza en el procesamiento, que se dicta por medio de auto y se regula básicamente en el larguísimo art. 384 y en el art. 384 bis LECRIM.

El procesamiento, institución típicamente española, es el acto formal del órgano jurisdiccional más importante por el que se imputa (reprocha) a una persona determinada la comisión del hecho que, revistiendo caracteres de delito, constituye el objeto de la instrucción, y que atribuye, mientras no sea revocado, a esa persona la condición de parte en el proceso, con todos los derechos, posibilidades, cargas, deberes y sujeciones correspondientes a dicha condición.

A partir de 1978, el procesamiento dejó de ser el único acto de imputación que otorgaba al ahora imputado la cualidad de parte en la instrucción, pues, en efecto, los párrafos I y II del art. 118 LECRIM redactados de nuevo en ese año, vincularon ese efecto a cualquier acto de imputación, que son en la actualidad los siguientes (art. 118, I LECRIM, no afectado en este puntos por las reformas posteriores): a) Por el hechos de ser «detenida» una persona o sufrir cualquier otra medida cautelar; b) Por la circunstancia de figurar como «indiciada» en alguno de los medios de iniciación del proceso penal; c) Por haber sido declarada «procesada» mediante el correspondiente auto.

No obstante, el procesamiento continúa distinguiéndose, en el proceso penal ordinario por delitos más graves, de los restantes actos de impugnación, con los que coexiste, por las siguientes características:

1) Es exclusiva y solamente acto de imputación, a diferencia de las medidas cautelares, que son fundamentalmente actos de aseguramiento.

2) Es acto de imputación necesario: Sin procesamiento de persona determinada el juicio oral no se abre, o, lo que es lo mismo, la acusación no puede dirigirse frente a persona no procesada.

3) Es el acto de imputación relativamente más estable de los que se emiten en la instrucción. La citación para ser oído no otorga de modo fijo la cualidad de imputado (según el art. 488 LECRIM pueden ser citados a lo largo de la instrucción cuantas personas resultan sospechosas. Por otra parte, la estabilidad de las medidas cautelares depende de la del procesamiento. Por último, la condición de parte, admitida la querella o la denuncia a los efectos del art. 118 LECRIM, puede perderse si se deniega el procesamiento.

Los presupuestos o requisitos del auto de procesamiento hacen referencia a los sujetos, a la forma, y al fondo de la medida adoptada.

1.- Sujetos: Son el Juez y el procesado:

a) Órgano jurisdiccional: El procesamiento puede ser acordado únicamente por el Juez de Instrucción que incoó el sumario (con base en el art. 384, IV y V LECRIM).

b) El procesado: El sujeto pasivo del auto de procesamiento es el imputado, en quien ha de concurrir la capacidad para ser parte y de actuación procesal.

En determinados casos, precisamente en virtud de la calidad del procesado, hay que tener en cuenta normas especiales: a) En cuanto al procesamiento de senadores y diputados, los arts. 22.1, II y 11 de los Reglamentos del Senado y del Congreso de 1982; b) Sobre procesamiento de policías, téngase en cuenta que el art. 8.1, II LFCS, relativo a atribuir la competencia para el enjuiciamiento a la AP, ha sido declarado inconstitucional por la S TC 55/1990, 28 marzo, y que la suspensión de funciones en tanto dure la causa se puede acordar disciplinariamente según el art. 28.1 LFCS, al poder calificarse el hecho inicialmente como delito; c) Respecto al procesamiento de notarios, el art. 83 del Rto. Notarial (Decreto 2 junio 1944); y d) En cuanto, por último, al procesamiento de clérigos y religiosos, el art. II del Acuerdo entre España y la Santa Sede, de 28 julio 1976, instrumento del 19 agosto (BOE 24 septiembre).

2.- Requisitos formales: En cuanto a la forma del procesamiento, son dos los requisitos que se exigen en el art. 384, I LECRIM: Que se dicte mediante auto, y que éste se dirija contra persona determinada.

3.- Presupuestos materiales: El procesamiento exige materialmente que resulte «del sumario algún indicio racional de criminalidad» contra persona determinada (art. 384, I LECRIM).

La interpretación correcta de esta frase, después de no pocas polémicas, debe ser la siguiente: Por «indicios racionales de criminalidad» hay que entender la sospecha (indicio) fundada (racional) de haber participado el procesado en la comisión de un hecho que se reputa delito (criminalidad); no exigiéndose la convicción plena, sino que basta que los indicios hagan concebir aquellos extremos como probables.

El procesamiento produce unos efectos determinados, tanto con relación a la posición procesal del procesado, cuanto a él mismo, e incluso fuera de él.

a) Respecto a la posición procesal del inculpado: El efecto más importante, aun a pesar de la reforma, sigue siendo el convertir en parte en ese proceso concreto al sujeto procesado. Pero, como consecuencia de ello, hay otros efectos importantes:

1) Esa persona, a partir de ese momento está interesada en todos los actos de la instrucción que concretamente se dirijan contra ella, pudiendo nombrar Abogado y Procurador o pedir que se le nombren de oficio, bien entendido que ello si no lo hubiere nombrado o pedido ya (v. art. 118 LECRIM).

2) El procesamiento cumple además con la función de ilustrar fehacientemente al procesado (y como consecuencia a su abogado) del hecho delictivo, con lo cual se concreta la garantía del derecho constitucional a la defensa técnica (art. 24.2).

3) El procesado está facultado para intervenir en actos concretos muy importantes para él, que hay que entender igualmente como concreción del art. 24.2 CE: Puede intervenir en la práctica de los actos de investigación contradictorios y pruebas anticipadas; y puede pedir, por sí o por medio de Abogado, la práctica de los actos de investigación que le interesen (art. 384, II LECRIM).

b) Efectos respecto al proceso: El procesamiento es presupuesto de la apertura del juicio oral respecto a la persona determinada a la que aquél afecta. Sin previo procesamiento de una persona, el juicio oral no puede abrirse y el sumario terminará con alguna de las formas de sobreseimiento.

En cuanto al hecho básico por el que se dicta el procesamiento, no olvidemos que el auto debe delimitar, relatándolo, el hecho sobre el que posteriormente ha de acusarse, discutirse y recaer sentencia en el juicio oral, con posibilidad de variaciones no esenciales.

c) Efectos extraprocesales: Dos son los tipos de efectos extraprocesales que puede producir tal resolución judicial: La privación del permiso de conducir, y la suspensión en su oficio o cargo del funcionario, lo que es particularmente relevante en caso de rebelión o terrorismo (art. 384 bis LECRIM).

Finalmente, en cuanto resolución judicial que es, el auto de procesamiento es impugnable. Lo que ocurre es que el art. 384 LECRIM establece un sistema muy complicado de impugnación, en función de si el auto acuerda o deniega el procesamiento, y de si es el propio JI el que lo firma, o se lo ordena la AP (v. sus párrafos V, VI y VII).

B) Procesos sin imputación formal

Los procesos sin acto de imputación formal, es decir, sin auto de procesamiento, son los dos abreviados, el proceso especial para el enjuiciamiento rápido de determinados delitos y el proceso por delitos leves. El procesamiento fue suprimido por el legislador sin explicación alguna cuando introdujo los procesos rápidos.

Respecto a los procesos penales abreviados, la imputación lata se produce cuando se adopta cualquier medida cautelar personal sobre una persona, por ejemplo, la detención policial, si procede. En caso de que no se haya dictado ninguna medida cautelar en su contra, ni esté «indiciado», no cabe duda que el «status» de imputado se alcanza con el escrito de acusación (arts. 775, 779.1-5ª y 784 LECRIM), que puede desaparecer inmediatamente si el JI considera que no concurren indicios racionales de criminalidad contra el acusado por el MF o las partes particulares (arts. 779.1-1ª y 783.1 LECRIM). Obsérvese, los mismos presupuestos materiales que veíamos supra que han de concurrir para dictar el auto de procesamiento.

En el proceso especial para el enjuiciamiento rápido de determinados delitos rigen las normas del proceso abreviado en este punto (v. art. 795.4 LECRIM).

En el juicio por delitos leves, en el que no existe procedimiento preliminar, la condición de imputado se adquiere con la notificación para juicio oral que recibe la persona sospechosa de haber cometido el hecho punible (art. 962, I LECRIM, introducido en 2015).

VI. TERMINACIÓN DEL PROCEDIMIENTO PRELIMINAR

Una vez que el JI haya practicado las actuaciones que a su juicio son necesarias para el buen éxito del procedimiento preliminar, es decir, cuando estime que la instrucción se halla completa, deberá hacer la declaración de estar el sumario o las diligencias previas, según el tipo de proceso, conclusas.

Esta declaración de terminación se hace mediante resolución motivada y en forma de auto, llamado por este mismo, auto de conclusión del procedimiento preliminar (sumario/diligencias previas/diligencias urgentes/ diligencias leves).

Vamos a fijarnos aquí en el proceso penal ordinario por delitos más graves, dejando para las lecciones oportunas el análisis de los procesos penales abreviados y demás. Pues bien en el proceso ordinario por delitos más graves hay que distinguir entre la conclusión del sumario por el instructor, y la aprobación de aquélla por la Audiencia Provincial.

1.- Conclusión del sumario: Los pasos a dar son los siguientes:

a) Cuando se hubieren practicado todas las diligencias ordenadas de oficio o a instancia de parte, y el JI considere que no es necesario practicar otras, dictará auto de conclusión del sumario (art. 622, I LECRIM), pudiendo pedir a continuación el MF la remisión a la AP de lo actuado (art. 622, II LECRIM).

b) Una vez dictado el auto de conclusión, el JI puede considerar el hecho punible sólo delito, porque las faltas se han suprimido en 2015, aunque el art. 624 no ha sido modificado, lo que nos obliga a entenderlo derogado tácitamente en este punto. Por ello, si el JI considera que el hecho es delito, remitirá las actuaciones, junto con las piezas de convicción recogidas al Tribunal juzgador (art. 622, I «in fine» LECRIM). También deberá expresar el instructor, al hacer al remisión a la AP, los recursos de apelación en un efecto que haya pendientes (art. 622, IV «ab initio» LECRIM). Y asimismo, deberá poner en conocimiento de la AP los cambios de domicilio de los testigos que así se la hubieren participado (art. 447 LECRIM).

c) El auto de conclusión del sumario se notificará al querellante particular, si lo hubiere, aun cuando sólo tenga el carácter de actor civil, emplazándoles para que comparezcan ante la respectiva AP en el plazo de 10 días, o en el de 15 si el emplazamiento fuese ante el TS. También se le comunicará el auto al MF cuando la causa verse sobre delito en que tenga intervención por razón de su cargo (art. 623 LECRIM).

2.- Aprobación o revocación del auto de conclusión: Recibidos los autos y piezas de convicción por la AP, el Presidente mandará pasarlos al Ponente por el tiempo que falta para cumplir el término del emplazamiento, abriendo antes los pliegos y demás objetos cerrados y sellados que hubiere remitido el JI (art. 626, I LECRIM). De esta apertura se extenderá acta por el letrado de la administración de justicia, en la cual se hará constar el estado en que se hallasen (art. 626, II LECRIM).

Cumplida la disposición del art. 626, si hubiera pendiente de resolución algún recurso de apelación en un efecto, se suspenderán las actuaciones hasta que se resuelva, con las siguientes consecuencias: a) Si se estima el recurso, se revocará el auto de conclusión y se devolverá el sumario al JI, con testimonio del auto resolutorio de la apelación, expresando las diligencias que hayan de practicarse (art. 622, IV «in fine» LECRIM); b) Si el recurso se desestima, en cuanto que la resolución en que así se acuerde sea firme, continuará la sustanciación de la causa conforme a los artículos 627 y s. (art. 622, IV LECRIM).

Idénticamente debe procederse si hubiesen pendientes recursos de queja interpuestos en el plazo de la apelación. Tratándose de recursos de queja interpuesto fuera de plazo, sólo en este momento pueden resolverse y determinar los efectos que procedan (v. art. 235, II LECRIM).

Si no existen esos recursos, o se desestiman, se pasan los autos para instrucción a las partes acusadoras, por un plazo mínimo de 3 días y máximo de 10, según el volumen del proceso, pero primero al MF si la causa versa sobre delito en el que deba tener intervención (art. 627, I LECRIM). El plazo puede prorrogarse al doble si excede de mil folios la causa (art. 627, II LECRIM).

Al entregar la causa dispondrá el Tribunal lo conveniente para que el MF o el querellante en su caso, puedan examinar la correspondencia, libros, papeles y demás piezas de convicción sin peligro de alteración de su estado (art. 629 LECRIM).

Las partes, al devolver los autos, acompañarán un escrito manifestando alguno de los siguientes extremos:

a) Pedir la confirmación del auto de conclusión (art. 627, III). En este caso, las partes vienen además obligadas a pronunciarse bien por el sobreseimiento de cualquier clase, bien a solicitar la apertura del juicio oral (art. 627, IV LECRIM).

b) Pedir la revocación del auto de conclusión del sumario (art. 627, III «in fine» LECRIM). La solicitud de revocación del auto puede fundarse en alguno de estos motivos: 1°) En que no se han realizado determinados actos de investigación relevantes para el objeto de la instrucción; 2°) En la falta de adopción de medidas cautelares procedentes; y 3°) En la falta de procesamiento de determinada persona (art. 384, VI LECRIM).

Devuelta o recogida la causa del último que la tuviera en su poder, el Tribunal dictará auto confirmado o revocando el del JI (art. 630):

1º) Si fuese confirmado el auto declarando terminado el sumario, el Tribunal resolverá, dentro del tercer día, respecto a la solicitud del juicio oral o de sobreseimiento (art. 632 LECRIM).

2º) Si se revocase el auto de conclusión del sumario, se mandará hacer llegar de nuevo los autos al JI que los hubiese remitido, expresando las diligencias que hayan de practicarse (art. 631, I), devolviéndose también las piezas de convicción que el Tribunal considere necesarias para la práctica de las nuevas diligencias (art. 632, II LECRIM).

Las AP deben tener facultades para revocar de oficio el auto de conclusión. A pesar de que la cuestión ha sido muy discutida, no cabe duda que rige el principio de investigación oficial. En donde no debe caber ya ninguna duda es en la necesidad de oír al procesado sobre la conclusión del sumario (arts. 118, I y 302, I).

LECTURAS RECOMENDADAS: IZAGUIRRE GUERRICAGOITIA, *La investigación preliminar del Ministerio Fiscal. La intervención de las partes en la misma*, Pamplona 2001; MARCHAL ESCALONA, *El atestado,* Pamplona, 2008; ALVAREZ RODRÍGUEZ, *El atestado policial completo,* Madrid, 2009; RODRÍGUEZ FERNÁNDEZ, *El procesamiento (Doctrina y jurisprudencia),* Granada, 1999; GONZÁLEZ I JIMÉNEZ, A., *Las diligencias policiales y su valor probatorio*, Barcelona, 2014.

Lección Séptima

El procedimiento preliminar: Los actos de investigación

I. CONCEPTO DE ACTOS DE INVESTIGACIÓN

Se realizan en el procedimiento preliminar para averiguar el delito, sus circunstancias y quién lo ha podido cometer.

Muchos coinciden con los actos de prueba a practicar en el juicio oral, pero su naturaleza es distinta.

Se ordenan por el JI, y los hay garantizados constitucionalmente.

Unos se dirigen a buscar y adquirir las fuentes de investigación y otros proporcionan por sí mismos esas fuentes.

II. CLASES

a) Actos que se dirigen a buscar y adquirir las fuentes de la investigación: Entrada y registro en lugar cerrado, registro de libros y papeles, detención de la correspondencia postal, telegráfica e intervención telefónica, y

b) Actos que proporcionan por sí mismos las fuentes de investigación: Inspección ocular, declaraciones de testigos, careos, informe pericial, documentos, identificación del imputado, e injerencias corporales

III. EL NÚCLEO ESENCIAL DE LA INVESTIGACIÓN

La organización de la investigación del crimen no requiere de una regulación exhaustiva de todos los actos de investigación. Muchos de ellos responden a técnicas profesionales habituales y su práctica es irrelevante si no tiene consecuencias procesales en el juicio oral o afecta a un derecho fundamental de la parte.

Las leyes españolas yerran cuando para acelerar el proceso limitan la investigación sólo a las diligencias de investigación que sean pertinentes, pues todas lo son en función del delito cometido.

IV. LA DETERMINACIÓN DEL DELITO Y DE SUS CIRCUNSTANCIAS

Debe analizarse la escena del crimen y el cuerpo del delito, recoger las armas, instrumentos o efectos relacionados con los hechos, realizar análisis químicos, practicar diligencias en caso de muerte violenta, en caso de envenenamiento o lesiones, en caso de hurto, robo, estafa o falsificación, y para determinar las consecuencias económicas del delito

V. LA PERSONALIDAD DEL PRESUNTO AUTOR Y DEMÁS CARACTERÍSTICAS PROPIAS

Hay que proceder a su reconocimiento, identificación, determinación de la edad, averiguar su conducta y antecedentes, así como su capacidad intelectiva y mental

VI. DURACIÓN DE LA INSTRUCCIÓN

Con previsión legal específica, parece una ingenuidad que se fijen 6 meses para las causas no complejas y hasta 34 meses en las complejas, cuando es normal que un delito de robo tarde 3 años en ser investigado.

VII. TÉCNICAS POLICIALES ESPECÍFICAS DE INVESTIGACIÓN EN LA LUCHA CONTRA LA CRIMINALIDAD ORGANIZADA

A) Circulación o entrega vigilada de drogas, estupefacientes y otras sustancias.

B) El agente encubierto y el agente encubierto informático.

I. CONCEPTO DE ACTOS DE INVESTIGACIÓN

Las diligencias o actos de investigación son los que se realizan en el procedimiento preliminar (sumario, diligencias previas, urgentes o leves) para descubrir los hechos criminales que se han producido y sus circunstancias, y la persona o personas que los hayan podido cometer, de manera que una vez investigado todo ello quede preparado el juicio oral o, en su caso, tenga que terminar el proceso penal por sobreseimiento.

El problema inicial que plantea el estudio de los actos de investigación es que son prácticamente coincidentes con los actos de prueba, y ello a pesar de que ambas instituciones son distintas porque cumplen finalidades muy diversas. La claridad conceptual exige tener en cuenta que:

1.º) El acto de investigación se dirige a averiguar o descubrir algo que se desconoce; el acto de prueba se dirige a verificar la verdad de una afirmación de hecho realizada por la parte.

2.º) El acto de investigación se realiza en el procedimiento preliminar; el acto de prueba, salvo los casos de prueba anticipada, en el juicio oral.

3.º) La fundamental diferencia consiste en la distinta función que cumplen en el proceso: El acto de investigación, aunque da resultados no ciertos sino probables, puede fundar las resoluciones interlocutorias que es preciso ir dictando en el procedimiento preliminar para que el proceso penal avance (por ejemplo, con base en esos actos se decide si se dicta auto de procesamiento, o si se abre el juicio oral); estos actos no sirven para fundar la sentencia sobre la culpabilidad o inocencia del acusado. Los actos de prueba son los que sirven para determinar la convicción del juzgador sobre la existencia del hecho punible y la participación en él del acusado, de modo que la presunción de inocencia ha de ser desvirtuada precisamente en el juicio oral y por los actos de prueba.

4.º) También existen diferencias por la forma de ejecutarlos, pues el acto de investigación puede practicarse sin contradicción si la investigación así lo exige (v.gr., por estar declarado el secreto del art. 302 LECRIM); mientras que los actos de prueba se deben practicar siempre con audiencia de todas las partes.

5°) No se olvide tampoco la Orden Europea de Investigación en Materia Penal (OEI, Directiva 2014/41/CE del Parlamento Europeo y del Consejo, de 3 de abril de 2014, traspuesta mediante Ley 3/2018, de 11 de junio), cuyos objetivos son facilitar y agilizar la obtención y transmisión de pruebas entre los distintos Estados miembros de la UE, permitiendo llevar a cabo actos de investigación en estado distinto a aquél en el que se lleve la investigación.

II. CLASES

Los actos de investigación son de diferentes clases, aunque en realidad se pueden considerar desde dos puntos de vista distintos:

a) Actos que se dirigen a buscar y adquirir las fuentes de la investigación: Entrada y registro en lugar cerrado, registro de libros y papeles, detención y apertura de la correspondencia escrita y telegráfica, la interceptación de las comunicaciones telefónicas y telemáticas, y todos los demás modernos medios de investigación basados en la utilización de altas tecnologías (captación y grabación de comunicaciones orales mediante la utilización de dispositivos electrónicos; utilización de dispositivos técnicos de captación de la imagen, de seguimiento y de localización; registro de dispositivos de almacenamiento masivo de información; y registros remotos sobre equipos informáticos), y

b) Actos que proporcionan por sí mismos las fuentes de investigación: Inspección ocular, declaraciones de testigos, careos, informe pericial, documentos, identificación del investigado, e injerencias corporales (v.gr., ADN).

> Una aclaración inicial también, al hilo del derecho fundamental a utilizar los medios de prueba pertinentes para su defensa (art. 24.2 CE): Deben admitirse, aunque ese precepto se refiera a la prueba, todos los medios de investigación que la mente humana considere como tales, estén regulados o no específicamente por la Ley. No hay por tanto tasación legal de los actos de investigación, siendo sus únicos límites el respeto a los derechos fundamentales de las personas, su adecuación a los fines del proceso penal, y su pertinencia, utilidad y no perjudicabilidad respecto a los hechos criminales concretos que han dado origen a la causa y a la personalidad de los investigados.

Los actos de investigación son ordenados por el Juez de Instrucción competente, bien de oficio, bien a instancias del Ministerio Fiscal o de otras partes acusadoras y del investigado (arts. 311, I, y 777.1 y 2, y 776.3 LECRIM), teniendo en cuenta que el Juez puede ser otro en caso de diligencias de prevención o urgentes, o existiendo causa justificada (arts. 13 y 310 LECRIM). Una vez incoado el procedimiento preliminar judicial todos los actos de investigación han de ser ordenados por el Juez, aunque en ocasiones la ejecución material del acto pueda confiarse a la Policía Judicial, pero siempre teniendo en cuenta que entonces la Policía actúa bajo la inmediata dependencia del Juez; no es la Policía la que realiza el acto, es el Juez aunque utilizando a la Policía.

Otro criterio de clasificación de los actos de investigación atiende a si por medio de ellos se puede producir o no una limitación de derechos fundamentales, de modo que:

1.º) Existen actos de investigación que comportan limitación de los derechos fundamentales relativos (por ejemplo, la entrada y registro del domicilio, que limita el derecho del art. 18.2 CE a la inviolabilidad del domicilio), debiendo distinguirse entonces en actos realizados con vulneración de los requisitos constitucionales (art. 11.1 LOPJ) o con vulneración de los requisitos sólo legales (art. 238 LOPJ). Son llamados doctrinalmente actos garantizados. En la LECRIM se han introducido en 2015 novedades muy importantes en este ámbito que serán consideradas en las lecciones 9ª y 10ª.

2.º) Otros actos de investigación no afectan a los derechos fundamentales (la declaración de un testigo por ejemplo), por lo que sólo debe estarse al cumplimiento de los requisitos legales. Se trata de los actos no garantizados, que serán analizados en la lección siguiente.

Finalmente, dentro de cada diligencia estudiaremos su regulación legal, objeto y práctica, siguiendo el orden previsto en la LECRIM. Previamente hay que recordar y tener en cuenta, sin embargo, las tres siguientes consideraciones:

1) Que, como sabemos, la LECRIM da en su art. 13 un concepto de diligencias de investigación urgentes o de prevención;

2) Que, independientemente de lo anterior, la LECRIM obliga a practicar, en caso de que sean procedentes, dos actos de investigación antes que cualquier otro: La inspección ocular y los actos con relación al cuerpo del delito (art. 366); y

3) Que no existe en ningún caso autorización para practicar actos de investigación con violación de los derechos fundamentales, es decir, ilícitos o prohibidos (art. 11.1 LOPJ).

Para la solicitud y práctica de actos de investigación en otros estados de la Unión Europea, que se consideran necesarios para procesos llevados en España, y viceversa, hay que estar a la Ley 23/2014, de 20 de noviembre, profundamente modificada por la Ley 3/2018, de 11 de junio, que incorpora la Orden Europea de Investigación en materia penal, creada por la Directiva 2014/41/CE, de 3 de abril de 2014, del Parlamento Europeo y del Consejo (nuevos arts. 186 a 223).

El fin principal de esta extensa ley ahora reformada es luchar contra la criminalidad transfronteriza más eficazmente, articulando un único instrumento legal para la realización de actos de investigación que permitan la obtención de pruebas o para recabar éstas directamente.

En España es autoridad competente para su emisión el juez o fiscal que esté a cargo de la instrucción del proceso en el que se acuerde, y para la tramitación de su recepción el Ministerio Fiscal (del lugar de ejecución o de la AN), salvo que la orden contenga medidas limitativas de derechos fundamentales, en cuyo caso será el juez o tribunal.

III. EL NÚCLEO ESENCIAL DE LA INVESTIGACIÓN

Cada delito requiere de unos específicos y concretos actos de investigación, pero la ley no puede, ni debe, regular todos los actos de investigación posibles. Debe atenerse a un criterio de realidad pragmática en el que las reglas mínimas de actuación estén claras. Es evidente que investigar un asesinato y un robo requieren actividades de instrucción distintas, aunque algunas puedan ser comunes, por ejemplo, la búsqueda de testigos. También lo es que no se puede aspirar a que todos los actos de investigación practicados resulten exitosos.

Esa realidad, máxime en los tiempos actuales en los que el enorme desarrollo tecnológico lleva la investigación del crimen a cotas de complejidad nunca vistas, teniendo en cuenta los avances del Derecho comparado, nos ayuda a explicar el núcleo esencial de la investigación en los siguientes términos:

1°) Los actos a practicar por el Juez o por el Fiscal, o incluso por las propias partes en lo que legalmente puedan, deben ser los pertinentes para demostrar los hechos o negarlos.

No es posible fijar una lista tasada de actos de investigación que deben practicarse necesariamente en todos los casos, ni tampoco es posible regular cualquier actividad humana que pueda ser considerada de investigación. La intuición, la inteligencia, la sabiduría, el olfato, deben tener cabida en la investigación del crimen sin tasar los medios en los que esas cualidades del investigador deben hacerse patentes.

Es ridículo pretender regular cómo debe entrar la Policía en un piso ajeno. Dependerá de las circunstancias y de técnicas policiales habituales. Lo importante es regular si puede entrar o no.

2°) Los actos de investigación exigibles no se pueden limitar, dependen del hecho punible cometido.

Todas las leyes que quieren acelerar el procedimiento incurren en el error de limitar la investigación a las diligencias mínimas posibles, únicamente a aquéllas que sirvan para demostrar los hechos, las llamadas pertinentes. Pero esto es contradictorio, porque siempre se deben practicar las diligencias que sirven para demostrar los hechos, es decir, las pertinentes. Por tanto, esa limitación es muy discutible.

3°) Los actos de investigación que no se van a utilizar en el juicio no deberían estar sujetos a restricciones legales.

La Fiscalía y la Judicatura instructora realizan muchas actuaciones que las demás partes nunca conocen, porque pretender la aplicación del principio de contradicción a toda la actividad sumarial es imposible. Por eso no deben ni siquiera constar en la causa, o si constan, no deben ser adoptadas en decisión recurrible, siempre que no se vayan a utilizar en el juicio oral o vayan a provocar un acto de investigación viciado.

Llamadas telefónicas intentando averiguar la existencia de testigos, consultas extraoficiales con los médicos que atendieron a la víctima, consultas con compañeros sobre casos similares, etc., son irrelevantes si únicamente se utilizan para información propia.

4º) la Ley sólo debe regular los actos de investigación que suponen injerencia en los derechos fundamentales del imputado y aquellos que serán medio de prueba en el juicio oral.

Este es el núcleo esencial de la investigación en lo que a tutela legal se refiere, porque lo importante es que se regulen aquellos actos de investigación que coinciden con los medios de prueba tasados por la ley y aquéllos que implican un riesgo de afectar a algún derecho fundamental de las partes, principalmente del investigado.

Nuestra LECRIM se acaba de modernizar en este aspecto y en 2015 ha introducido toda una serie de actos de investigación que la jurisprudencia ya venía reconociendo, algunos con difícil amparo legal o incluso inexistente, muy delicados por afectar a diversos derechos fundamentales del investigado.

IV. LA DETERMINACIÓN DEL DELITO Y DE SUS CIRCUNSTANCIAS

La determinación del delito y sus circunstancias es averiguar el objeto material del delito, es decir, cómo ha sido cometido (acción preparatoria y acción ejecutoria) y qué ha sucedido (objeto material de esas acciones, el resultado dañino personal o real producido). En España se denomina a ese objeto «cuerpo del delito».

La LECRIM dedica el Capítulo II del Título V de su Libro II (arts. 334 a 367) al «Cuerpo del Delito». A pesar de la antigüedad de su contenido y de la falta de adaptación a los tiempos actuales de la realidad criminalística, sólo algunos pocos preceptos han sido modificado en los últimos tiempos (en 2009 y en 2015 concretamente, éste último para proteger los bienes de la víctima frente a posibles incautaciones injustas).

Debemos decir inicialmente que la LECRIM no regula la escena del crimen como un todo institucionalizado, que es por donde habría que empezar hoy, porque delimitada legalmente su existencia, es más fácil asegurar una buena investigación de lo sucedido.

La escena del crimen es el lugar, abierto, cerrado, o en cualquier forma imaginable, en el que se ha producido el delito. Para la Criminalística y, en menor medida para la Victimología, se ha convertido en una institución importantísima, porque una buena técnica policial aplicable a cada clase de crimen lleva a una investigación adecuada, lo que es siempre paso necesario para encontrar a su autor y con ello proteger y reparar a la víctima.

Lo más importante es aplicar una buena técnica de investigación y saber descubrir los vestigios dejados por el criminal y atender a los hallazgos que se produzcan de manera adecuada. Los errores más importantes que se han cometido en procesos penales con fracasos clamorosos en la historia procesal penal mundial, se han producido en la escena del crimen. Por eso las normas legales, si las hubiere y su redacción lo permitiera, y si no las técnicas policiales de investigación, deben atender ante todo a la conservación de todos los objetos, huellas, vestigios y restos biológicos que se encuentren en la escena del crimen, para su pertinente análisis pericial y posterior información al Juez y a las partes.

No olvidemos nunca que las 24 horas siguientes a la comisión del delito son clave para averiguar qué paso y quién lo pudo cometer, y en esas 24 horas el análisis de la escena del crimen es una de las principales actuaciones a desarrollar por la Policía Judicial.

La denominación cuerpo del delito, de rancio abolengo en nuestro país, significa lo que la ley quiere que signifique, pero ello no nos sujeta a que mantengamos una realidad hoy inexistente.

Cuerpo del delito es en sentido estricto la persona o cosa objeto del delito. En su art. 334 la LECRIM, sin embargo, al afirmar que «el Juez instructor ordenará recoger en los primeros momentos las armas, instrumentos o efectos de cualquiera clase que puedan tener relación con el delito y se hallen en el lugar en que éste se cometió, o en sus inmediaciones, o en poder del reo, o en otra parte conocida», incluye en este concepto los instrumentos o medios utilizados para la comisión del mismo (que en realidad son las piezas de convicción), y también los indicios, es decir, las cosas o hechos que pueden contribuir a esclarecer el hecho (v. la importante S TS 6 febrero 1982, RA 633), lo que nos obliga a hacer una distinción un tanto compleja a la hora de estudiar la ejecución de esta diligencia.

La LECRIM distingue las diligencias con relación al cuerpo del delito en sentido estricto, con relación a las piezas de convicción e indicios, y unas disposiciones comunes a ambas investigaciones.

a) La persona o cosa del delito: Hay que distinguir a su vez según se trate de una persona fallecida o lesionada o cosa:

1°) Si es una persona muerta, aparte de proceder a una descripción detallada de su estado y circunstancias, y especialmente de todas las que tuviesen relación con el hecho punible (art. 335, I LECRIM), hay que identificar en primer lugar el cadáver por medio de testigos, si los hay (arts. 340 a 342 LECRIM).

> Antes de proceder al enterramiento del cadáver o inmediatamente después de su exhumación, hecha la descripción, se identificará el cadáver por medio de

testigos que, a la vista del mismo, den razón satisfactoria de su conocimiento. No habiendo testigos de conocimiento, si el estado del cadáver lo permitiere, se expondrá al público antes de practicarse la autopsia, por tiempo a lo menos de veinticuatro horas, expresando en un cartel, que se fijará a la puerta del depósito de cadáveres, el sitio, hora y día en que aquél se hubiese hallado y el Juez que estuviese instruyendo el sumario, a fin de que quien tenga algún dato que pueda contribuir al reconocimiento del cadáver o al esclarecimiento del delito y de sus circunstancias, lo comunique al Juez instructor (hoy no se practica de este modo, obviamente, sino a través de la prensa mediante anuncio policial). Cuando a pesar de tales prevenciones no fuere el cadáver reconocido, ordenará el Juez que se recojan todos los efectos personales con que se le hubiere encontrado, a fin de que puedan servir oportunamente para hacer la identificación.

En el caso especial de accidente mortal en vía férrea, el art. 354 LECRIM ordena, para perjudicar lo mínimo posible a los viajeros, la detención del tren únicamente el tiempo preciso para separar el cadáver o cadáveres de la vía, haciéndose constar previamente su situación y estado, y que, sin perjuicio de seguir el tren su marcha, sea avisada la Autoridad que deba instruir las primeras diligencias y acordar el levantamiento de los cadáveres.

También prevé la LECRIM la práctica de la autopsia en casos de muerte violenta o sospechosa de ser criminal, aun cuando por la inspección exterior pueda presumirse la causa de la muerte (art. 343), que se realiza según lo establecido en el art. 353. Los Médicos forenses, después de describir exactamente dicha operación, informarán sobre el origen del fallecimiento y sus circunstancias. En el procedimiento abreviado puede prescindirse de la autopsia, conforme al art. 778.4 LECRIM.

La manera de describir legalmente dónde se hace una autopsia ha quedado obsoleta por completo, ya que hoy en día se hacen todas ellas en hospitales o en la clínica forense. La ley aún dice que las autopsias se harán en un local público que en cada pueblo o partido tendrá destinado la Administración para el objeto y para depósito de cadáveres. Podrá, sin embargo, el Juez de instrucción disponer, cuando lo considere conveniente, que la operación se practique en otro lugar o en el domicilio del difunto, si su familia lo pidiere, y esto no perjudicase al éxito del sumario. Si el Juez de instrucción no pudiere asistir a la operación anatómica, delegará en un funcionario de Policía judicial, dando fe de su asistencia, así como de lo que en aquélla ocurriere, el Secretario de la causa.

En caso de lesiones, es el médico forense el encargado de prestar las atenciones necesarias, pero están obligados a dar parte de su estado y adelantos en los períodos que se les señalen, e inmediatamente que ocurra cualquiera novedad que merezca ser puesta en conocimiento del Juez instructor (art. 355 LECRIM).

2º) Si es una cosa, la LECRIM, además de la descripción regulada en el art. 335, I, prevé alguna medida en atención a la naturaleza del delito (v.gr., si se trata de falsificación de documentos públicos en poder de la

Administración, según el art. 335, si hubiere imprescindible necesidad de tenerlos a la vista para su reconocimiento pericial y examen por parte del Juez o Tribunal, el LAJ los reclamará a las correspondientes Autoridades, sin perjuicio de devolverlos a los respectivos Centros oficiales después de terminada la causa).

También se preocupa la ley de determinar la preexistencia del objeto en los casos de delitos contra la propiedad (art. 364 LECRIM).

> En los delitos de robo, hurto, estafa, y en cualquiera otro en que deba hacerse constar la preexistencia de las cosas robadas, hurtadas o estafadas, si no hubiere testigos presenciales del hecho, se recibirá información sobre los antecedentes del que se presentare como agraviado, y sobre todas las circunstancias que ofrecieren indicios de hallarse éste poseyendo aquéllas al tiempo en que resulte cometido el delito.

Y de determinar su valor (art. 365), importante hoy sólo para fijar la responsabilidad civil, pues ya no opera para distinguir entre delito o falta al haberse suprimido éstas en 2015.

> Cuando para la calificación del delito o de sus circunstancias fuere necesario estimar el valor de la cosa que hubiere sido su objeto o el importe del perjuicio causado o que hubiera podido causarse, el Juez oirá sobre ello al dueño o perjudicado, y acordará después el reconocimiento pericial en la forma determinada en el capítulo VII de este mismo título. El Secretario judicial facilitará a los peritos nombrados las cosas y elementos directos de apreciación sobre que hubiere de recaer el informe. Si tales efectos no estuvieren a disposición del órgano judicial, el Secretario judicial les suministrará los datos oportunos que se pudieren reunir, a fin de que, en tal caso, hagan la tasación y regulación de perjuicios de un modo prudente, con arreglo a los datos suministrados. La valoración de las mercancías sustraídas en establecimientos comerciales se fijará atendiendo a su precio de venta al público.

Como regla general, durante la tramitación del procedimiento preliminar está prohibida toda reclamación del propietario de la cosa pidiendo su entrega (art. 367 LECRIM), a los efectos de poder dar cumplimiento en su caso a lo que dispone el art. 127 CP respecto al decomiso de bienes.

Pero hay matices y en algún caso contradicciones al respecto:

1º) La persona afectada por la incautación podrá recurrir en cualquier momento la medida ante el Juez de Instrucción (art. 334, III LECRIM, añadido por el Estatuto de la Víctima del Delito de 2015). Si el propietario acabamos de ver no puede reclamar sus bienes, ¿en quién se está pensando? Sólo puede tratarse de terceros, pero la norma no es clara, salvo en que el tercero no necesita abogado para interponer el recurso reclamando el bien.

2ª) Los efectos que pertenecieran a la víctima del delito serán restituidos inmediatamente a la misma, salvo que excepcionalmente debieran ser conservados como medio de prueba o para la práctica de otras diligencias, y sin perjuicio de su restitución tan pronto resulte posible. Los efectos serán también restituidos inmediatamente cuando deban ser conservados como medio de prueba o para la práctica de otras diligencias, pero su conservación pueda garantizarse imponiendo al propietario el deber de mantenerlos a disposición del Juez o Tribunal. La víctima podrá, en todo caso, recurrir esta decisión conforme a lo dispuesto en el párrafo anterior (art. 334, IV LECRIM, añadido también por el Estatuto de la Víctima del Delito de 2015).

b) Los instrumentos del delito: Con relación al cuerpo del delito en sentido amplio (piezas de convicción), la LECRIM establece la necesidad de su recogida y descripción (art. 334), con la particularidad del secuestro de los moldes y ejemplares de prensa si se trata de delito cometido por medio de la imprenta (arts. 816, I LECRIM). Se recogerán de tal forma que se garantice su integridad y el Juez acordará su retención, conservación o envío al organismo adecuado para su depósito (art. 338 LECRIM).

Las piezas de convicción se guardan por el JI, o por la institución adecuada, debidamente sellados y custodiados, de acuerdo con el RD 2.783/1976, 15 octubre, sobre depósitos judiciales, conservación y destino de las Piezas de Convicción y el RD 467/2006, de 21 de abril, por el que se regulan los depósitos y consignaciones judiciales en metálico, de efectos o valores.

Pero los instrumentos peligrosos, como drogas, pueden destruirse, guardándose muestras suficientes y dejando expresa constancia en autos (art. 338 LECRIM). La razón es que debe tenerlos el órgano jurisdiccional competente para el juicio oral a su disposición, cuando comience éste y a efectos de una correcta práctica de la prueba (art. 688, I LECRIM), y, en su caso, de la ejecución de la consecuencia accesoria de decomiso (arts. 127 a 127 octies CP, introducidos en 2015).

En caso de ser necesarios análisis químicos para determinar el medio de comisión del hecho punible (piénsese en asesinato por envenenamiento, arts. 356 a 363 LECRIM, más preocupados por los honorarios que por otra cosa y que en buena parte han quedado anticuados).

> Las operaciones de análisis químico que exija la sustanciación de los procesos criminales se practicarán por Doctores en Medicina, en Farmacia, en Ciencias Fisicoquímicas, o por Ingenieros que se hayan dedicado a la especialidad química. Si no hubiere Doctores en aquellas Ciencias, podrán ser nombrados Licenciados que tengan los conocimientos y práctica suficientes para hacer dichas operaciones. Los Jueces de instrucción designarán, entre los comprendidos en el párrafo anterior, los peritos que han de hacer el análisis de las sustancias que en cada caso exija la administración de justicia. Los Juzgados y Tribunales ordenarán la práctica de los análisis químicos únicamente en los casos en que se consideren absolutamente indispensables para la necesaria investigación judicial y la recta administración de justicia.

Un caso especial es el del ADN: «Siempre que concurran acreditadas razones que lo justifiquen, el Juez de Instrucción podrá acordar, en resolución motivada, la obtención de muestras biológicas del sospechoso que resulten indispensables para la determinación de su perfil de ADN. A tal fin, podrá decidir la práctica de aquellos actos de inspección, reconocimiento o intervención corporal que resulten adecuados a los principios de proporcionalidad y razonabilidad.» (art. 363, II LECRIM, añadido en 2003).

c) Disposiciones comunes: La LECRIM regula una serie de disposiciones en las que se prevé la intervención de peritos (arts. 336 y 339) y testigos (art. 337), que ayuden a esclarecer el modo de comisión de los hechos, tanto técnicamente como por haberlos presenciado. El investigado y su defensor pueden asistir a la ejecución de estas diligencias.

El informe pericial es necesario cuando esté indicado para apreciar mejor la relación con el delito, de los lugares, armas, instrumentos y efectos a que dichos artículos se refieren, haciéndose constar por diligencia el reconocimiento y el informe pericial. También es imprescindible para explicar la desaparición del cuerpo del delito, o sobre las pruebas de cualquiera clase que en su defecto se hubiesen recogido.

La declaración testifical es necesaria cuando en el acto de describir la persona o cosa objeto del delito, y los lugares, armas, instrumentos o efectos relacionados con el mismo, estuvieren presentes o fueren conocidas personas que puedan declarar acerca del modo y forma con que aquél hubiese sido cometido, y de las causas de las alteraciones que se observaren en dichos lugares, armas, instrumentos o efectos, o acerca de su estado anterior.

Finalmente, la LECRIM dedica unos preceptos a qué debe hacerse con todos aquellos bienes puestos a disposición judicial, embargados, incautados o aprehendidos en el curso de un proceso penal, a los que llama «efectos judiciales» (art. 367 bis).

El problema es determinar si se destruyen o se venden y la decisión se establece en los arts. 367 bis a 367 septies (Capítulo II bis del Título V del Libro II, introducido en 2006 y reformado en 2013 y en 2015 parcialmente). Las reglas son las siguientes:

1ª) A efectos de liberar espacio en los juzgados, y también de evitar posibles peligros ante la naturaleza de los efectos intervenidos (droga, por ejemplo), puede decretarse la destrucción de los efectos judiciales, dejando muestras suficientes y cumpliendo determinados requisitos previstos en la norma. No sólo se prevé esto en relación con delitos contra la salud, sino también respecto a efectos intervenidos en relación con la comisión de delitos contra la propiedad intelectual e industrial (artículo 367 ter LECRIM).

2ª) En cambio, si se trata de efectos de lícito comercio, pueden venderse sin esperar al pronunciamiento o firmeza del fallo, y siempre que no se trate de piezas de convicción o que deban quedar a expensas del procedimiento, en cualquiera de los casos previstos por la norma, básicamente si son perecederos, han sido abandonados por su propietario o el costo de mantenerlos es demasiado elevado. La venta se hará a través de la Oficina de Recuperación y Gestión de Activos, salvo que concurra alguna de las siguientes circunstancias: 1ª) Esté pendiente de resolución el recurso interpuesto por el interesado contra el embargo o decomiso de los bienes o efectos; 2ª) La medida pueda resultar desproporcionada, a la vista de los efectos que pudiera suponer para el interesado y, especialmente, de la mayor o menor relevancia de los indicios en que se hubiera fundado la resolución cautelar de decomiso; o 3ª) Cuando el bien de que se trate esté embargado en ejecución de un acuerdo adoptado por una autoridad judicial extranjera en aplicación de la Ley de reconocimiento mutuo de resoluciones penales en la Unión Europea, su realización no podrá llevarse a cabo sin obtener previamente la autorización de la autoridad judicial extranjera (artículo 367 quáter).

La Oficina de Recuperación de Activos se ha regulado administrativamente por el RD 948/2015, de 23 de octubre, reformado por el RD 93/2018, de 2 de marzo (BOE del 13). La Orden JUS/188/2016, de 18 de febrero (BOE del 20), ha determinado el ámbito de actuación, la entrada en funcionamiento operativo de la Oficina de Recuperación y Gestión de Activos y la apertura de su cuenta de depósitos y consignaciones.

3ª) Las modalidades de realización se regulan en el art. 367 quinquies LECRIM, a saber: a) La entrega a entidades sin ánimo de lucro o a las Administraciones públicas; b) La realización por medio de persona o entidad especializada; c) La subasta pública. Siempre previa audiencia al Ministerio Fiscal y a los interesados. El producto de la realización de los efectos, bienes, instrumentos y ganancias se aplicará principalmente a los gastos que se hubieran causado en la conservación de los bienes y en el procedimiento de realización de los mismos, y la parte sobrante se ingresará en la cuenta de consignaciones del juzgado o tribunal, quedando afecta al pago de las responsabilidades civiles y costas que se declaren, en su caso, en el procedimiento.

4ª) Es posible también utilizar provisionalmente los bienes o efectos decomisados cautelarmente en los siguientes casos: a) Cuando sea más rentable que la realización anticipada, o no se considere procedente la realización anticipada de los mismos; b) Cuando se trate de efectos especialmente idóneos para la prestación de un servicio público. La Oficina de Recuperación y Gestión de activos resolverá sobre ello (artículo 367 sexies).

5ª) Finalmente, la Oficina de Recuperación y Gestión de activos, puede encargarse si el juez lo decide de la localización, la conservación y la administración de los efectos, bienes, instrumentos y ganancias procedentes de actividades delictivas cometidas en el marco de una organización criminal. Su organización y funcionamiento se determinarán reglamentariamente (artículo 367 septies).

V. LA PERSONALIDAD DEL PRESUNTO AUTOR Y DEMÁS CARACTERÍSTICAS PROPIAS

En segundo lugar, la LECRIM regula en su capítulo III del Título V del Libro II la personalidad del presunto autor y otras características propias de incidencia procesal, bajo la denominación: «De la identidad del delincuente y de sus circunstancias personales» (arts. 368 a 383).

Las diligencias de identificación del investigado y de determinación de sus circunstancias personales afectan al aspecto subjetivo de la investigación. Su finalidad es, obviamente, comprobar la participación de los autores del hecho punible y averiguar su responsabilidad criminal, a efectos de que, constatadas, se les pueda acusar una vez abierto el juicio oral. Se trata por tanto de averiguar en un primer paso quién ha podido ser el autor del delito y si puede ser enjuiciado, y en un segundo paso si puede ser acusado.

La LECRIM establece en cuanto a la ejecución de esta medida diversas actuaciones, relativas tanto a la identificación del inculpado, como a la determinación de su capacidad y de sus circunstancias subjetivas:

a) Identificación del investigado o encausado: La LECRIM regula una serie de disposiciones para conocer quién ha podido cometer los hechos punibles, y, una vez conocido, identificarlo perfectamente.

En el primer sentido, los que dirijan cargo contra alguna persona tienen que identificarla, incluso a través de la llamada diligencia en «rueda» (arts. 368 a 372); en el segundo, si una vez conocida no es posible saber sus datos personales (nombre completo y apellidos, DNI, estado civil y, en su caso, domicilio y teléfono), ello se averiguará por cualquier medio que resulte apropiado (arts. 373 y 374).

Para cumplir con lo prevenido en las disposiciones anteriores, se permite la utilización de medios criminalísticos como la fotografía, las grabaciones de cámaras de seguridad (STS núm. 134/2017, de 2 de marzo), la antropometría y la dactiloscopia, así como cualquier otro moderno que permita la identificación completa del sujeto (por ejemplo, el grupo sanguíneo).

En cuanto a la rueda, la LECRIM es muy prolija (arts. 368 a 372).

> Los denunciantes (los que dirigen cargos según la ley) de determinada persona deberán reconocerla judicialmente, si el Juez instructor, los acusadores o el mismo inculpado conceptúan fundadamente precisa la diligencia para la identi-

ficación de este último, a fin de que no ofrezca duda quién es la persona a que aquéllos se refieren. La diligencia de reconocimiento se practicará poniendo a la vista del que hubiere de verificarlo la persona que haya de ser reconocida, haciéndola comparecer en unión con otras de circunstancias exteriores semejantes. A presencia de todas ellas, o desde un punto en que no pudiere ser visto, según al Juez pareciere más conveniente, el que deba practicar el reconocimiento manifestará si se encuentra en la rueda o grupo la persona a quien hubiese hecho referencia en sus declaraciones, designándola, en caso afirmativo, clara y determinadamente.

Cuando fueren varios los que hubieren de reconocer a una persona, la diligencia expresada en el artículo anterior deberá practicarse separadamente con cada uno de ellos, sin que puedan comunicarse entre sí hasta que se haya efectuado el último reconocimiento. Cuando fueren varios los que hubieren de ser reconocidos por una misma persona, podrá hacerse el reconocimiento de todos en un solo acto.

El que detuviere o prendiere a algún presunto culpable tomará las precauciones necesarias para que el detenido o preso no haga en su persona o traje alteración alguna que pueda dificultar su reconocimiento por quien corresponda.

Si se originase alguna duda sobre la identidad del procesado, se procurará acreditar ésta por cuantos medios fueren conducentes al objeto. El Juez hará constar, con la minuciosidad posible, las señas personales del procesado, a fin de que la diligencia pueda servir de prueba de su identidad.

b) Determinación de la capacidad del investigado o encausado: No todos los autores de hechos punibles tienen capacidad para ser enjuiciados criminalmente por ellos. Según el Derecho Penal material, no pueden ser condenados ni el menor de 18 años de edad (art. 19 CP, en relación con el art. 1.1 LRPM), ni el que sufra enajenación o trastorno mental transitorio (art. 20-1º CP), ni el que tenga gravemente alterada la conciencia de la realidad por sufrir alteración en la percepción desde el nacimiento o la infancia (art. 20-3º CP).

Son necesarias, consecuentemente, una serie de diligencias para, en caso de duda, fijar la edad y grado de discernimiento del investigado. A las primeras, aunque parezca que en teoría hoy no deba representar problema alguno determinar con exactitud la edad de una persona, se refieren los arts. 375 y 376 LECRIM; a las segundas, los arts. 380 a 383 LECRIM.

La comprobación de la edad se realiza, preferiblemente mediante prueba documental, y en caso de no existir documentos, pericial.

De acuerdo con el artículo 375, para acreditar la edad del procesado y comprobar la identidad de su persona, el letrado de la administración de justicia traerá al sumario certificación de su inscripción de nacimiento en el Registro civil o de su partida de bautismo, si no estuviere inscrito en el Registro. En todo caso, cuando no fuere posible averiguar el Registro civil o parroquia en que deba constar el nacimiento o el bautismo del encausado, o no existiesen su inscripción y partida, y cuando por manifestar el procesado haber nacido en punto lejano hubiere necesidad de emplear mucho tiempo en traer a la causa la certificación oportuna, no se detendrá el sumario, y se suplirá el documento del artículo anterior por informe que acerca de la edad del encausado, y previo su examen físico, dieren los Médicos forenses o los nombrados por el Juez. El art. 376 exime de esa comprobación cuando no ofreciere duda la identidad del encausado, y conocidamente tuviese la edad que el Código Penal requiere para poderle exigir la responsabilidad criminal en toda su extensión.

La capacidad mental o discernimiento del investigado se determina, una vez se observen indicios en él estando detenido o preso, su observación médica para elaborar un informe pericial (art. 381).

Si la demencia sobreviniera después de cometido el delito, concluso que sea el sumario se mandará archivar la causa por el Tribunal competente hasta que el procesado recobre la salud, disponiéndose además respecto de éste lo que el Código Penal prescribe para los que ejecutan el hecho en estado de demencia (art. 383 LECRIM, en relación con los arts. 20 y 60 CP).

Una observación importante a este respecto hay que hacer, pues el requisito de la capacidad del encausado, en caso de enajenación mental (o por emplear la terminología médico-psiquiátrica moderna, en caso de trastorno mental, transitorio o no), tiene tratamiento distinto: Si el delito se comete en estado de trastorno mental, el sujeto es inimputable, pero se celebra el juicio, absolviéndole y ordenando como regla general la medida de seguridad de internamiento en hospital psiquiátrico (v. art. 20-1º CP). Pero si el sujeto comete el delito estando sano y luego deviene trastornado mental, el proceso se suspende hasta que sane (art. 383 y 991 a 994 LECRIM).

c) Determinación de las circunstancias subjetivas del inculpado: Finalmente, es sabido que el CP tiene en cuenta la conducta anterior del autor de los hechos punibles, v.gr., para agravar la pena del reincidente (art. 22-8ª CP). Por esta razón, la LECRIM establece la posibilidad de que el JI pueda pedir informes del inculpado a las autoridades municipales, o preguntar a conocidos del mismo (arts. 377 y 378). El JI debe pedir también al Registro Central de Penados, sito en el Ministerio de Justicia (v. Real Decreto 95/2009, de 6 de febrero, por el que se regula el Sistema de registros administrativos de apoyo a la Administración de Justicia), los antecedentes penales de la persona imputada (art. 379). Para el proceso abreviado v. el art. 762-10ª LECRIM.

Si el Juez instructor lo considerase conveniente, podrá pedir informes sobre el procesado a las Alcaldías o a los correspondientes funcionarios de policía del pueblo o pueblos en que hubiese residido. Estos informes serán fundados, y si no fuere posible fundarlos, se manifestará la causa que lo impidiere. Esos informes se regulan en la Ley 68/1980, de 1 de diciembre sobre expedición de certificaciones e informes de conducta ciudadana. Podrá además el Juez recibir declaración acerca de la conducta del procesado a todas las personas que por el conocimiento que tuvieren de éste puedan ilustrarle sobre ello. Se traerán a la causa los antecedentes penales del procesado.

VI. DURACIÓN DE LA INSTRUCCIÓN

La Ley 41/2015, de 5 de octubre, de modificación de la Ley de Enjuiciamiento Criminal para la agilización de la justicia penal y el fortalecimiento de las garantías procesales ha introducido en el artículo 324 LECRIM una previsión obligatoria de duración del procedimiento preliminar, en los siguientes términos:

a) Causas no complejas: Las diligencias de instrucción se practicarán durante el plazo máximo de 6 meses desde la fecha del auto de incoación del sumario o de las diligencias previas. No obstante, antes de la expiración de ese plazo, el instructor a instancia del Ministerio Fiscal y previa audiencia de las partes, podrá declarar la instrucción compleja a los efectos previstos en el apartado siguiente cuando, por circunstancias sobrevenidas a la investigación, ésta no pudiera razonablemente completarse en el plazo estipulado o concurran de forma sobrevenida algunas de las circunstancias previstas en el apartado siguiente de este artículo.

b) Causas complejas: Si la instrucción es declarada compleja el plazo de duración de la instrucción será de dieciocho meses, que el instructor de la causa podrá prorrogar por igual plazo o uno inferior a instancia del Ministerio Fiscal y previa audiencia de las partes. La solicitud de prórroga deberá presentarse por escrito, al menos, tres días antes de la expiración del plazo máximo. Contra el auto que desestima la solicitud de prórroga no cabrá recurso, sin perjuicio de que pueda reproducirse esta petición en el momento procesal oportuno.

Excepcionalmente, antes del transcurso de los plazos establecidos en los apartados anteriores o, en su caso, de la prórroga que hubiera sido acordada, si así lo solicita el Ministerio Fiscal o alguna de las partes personadas, por concurrir razones que lo justifiquen, el instructor, previa audiencia de las demás partes, podrá fijar un nuevo plazo máximo para la finalización de la instrucción.

c) Se considerará que la investigación es compleja cuando: 1) recaiga sobre grupos u organizaciones criminales, 2) tenga por objeto numerosos hechos punibles, 3) involucre a gran cantidad de investigados o víctimas, 4) exija la realización de pericias o de colaboraciones recabadas por el órgano judicial que impliquen el examen de abundante documentación o complicados análisis, 5) implique la realización de actuaciones en el extranjero, 6) precise de la revisión de la gestión de personas jurídico-privadas o públicas, o 7) se trate de un delito de terrorismo.

d) Cómputo de los plazos: Los plazos previstos en este artículo quedarán interrumpidos: 1) En caso de acordarse el secreto de las actuaciones, durante la duración del mismo, o 2) en caso acordarse el sobreseimiento provisional de la causa.

Cuando se alce el secreto o las diligencias sean reabiertas, continuará la investigación por el tiempo que reste hasta completar los plazos previstos en los apartados anteriores, sin perjuicio de la posibilidad de acordar la prórroga prevista en el apartado siguiente.

e) Conclusión de las diligencias previas: El juez concluirá la instrucción cuando entienda que ha cumplido su finalidad. Transcurrido el plazo máximo o sus prórrogas, el instructor dictará auto de conclusión del sumario o, en el procedimiento abreviado, la resolución que proceda conforme al artículo 779. Si el instructor no hubiere dictado alguna de las resoluciones mencionadas en este apartado, el Ministerio Fiscal instará al juez que acuerde la decisión que fuera oportuna. En este caso, el juez de instrucción deberá resolver sobre la solicitud en el plazo de quince días.

Cuando el Ministerio Fiscal no hubiera hecho uso de la facultad que le confiere el apartado anterior, no podrá interesar las diligencias de investigación complementarias previstas en los artículos 627 y 780.

f) Validez de las actuaciones: Las diligencias de investigación acordadas antes del transcurso de los plazos legales serán válidas, sin perjuicio de su recepción tras la expiración de los mismos.

g) Sobreseimiento: En ningún caso el mero transcurso de los plazos máximos fijados en este artículo dará lugar al archivo de las actuaciones si no concurren las circunstancias previstas en los artículos 637 o 641.

Hasta aquí la novísimas regulación legal. Respetando los deseos del legislador y atendiendo a sus razones, las previsiones en cuanto a plazos concretos son una ingenuidad si conocemos nuestras estadísticas judiciales y nuestra práctica diaria, muy lejos de esas previsiones, la mayor parte de las veces, lo que es alarmante, en casos que serían no complejos. Quizás si se hubieran establecido sanciones para los jueces y los fiscales violadores de esos plazos las cosas cambiarían un poco, porque para las partes que dilatan ya existen.

Escéptica en cuanto a su éxito es la Circular de la Fiscalía General del Estado núm. 5/2015, de 13 de noviembre, sobre los plazos máximos de la fase de instrucción. Sorprende también que no se hayan fijado plazos para la celebración del juicio oral, que en España puede tardar años, lo que indiscutiblemente implica vulneración de la prohibición constitucional de dilaciones indebidas.

VII. TÉCNICAS POLICIALES ESPECÍFICAS DE INVESTIGACIÓN EN LA LUCHA CONTRA LA CRIMINALIDAD ORGANIZADA

La criminalidad organizada se ha convertido en un auténtico problema de Estado. Los modernos medios de comunicación e información, altamente tecnológicos, hacen que la lucha contra ella requiera de instrumentos legales cada vez más agresivos. Los que afectan a dispositivos o técnicas muy específicas serán analizados en la lección 10ª, por reunir unas características especiales. Ahora trataremos dos que afectan específicamente a la policía, diseñados para que puedan cumplir con su trabajo más acertadamente: La exención de denunciar cuando conozcan del delito de tráfico de estupefacientes y la utilización del agente encubierto para enfrentarse desde dentro de la organización a los crímenes más graves que nuestra sociedad conoce hoy.

A) Circulación o entrega vigilada de drogas, estupefacientes y otras sustancias

El artículo 263 bis LECRIM, introducido en 1999 y reformado en 2010, tiene como meta principal, aparentemente, establecer una exención del deber de denunciar a la autoridad policial, puesto que ha descubierto un delito y tiene en sus manos el objeto material del mismo. Su ubicación permite llegar a esta conclusión, pues se regula en la denuncia, a continuación de la exención del deber de denunciar del abogado, si bien expresamente no se dice nada al respecto.

Sin embargo ello es pura apariencia, puesto que en realidad, quizás con defectuosa técnica y desde luego mal ubicado sistemáticamente, se trata de un arma muy eficaz si se emplea correctamente para luchar contra una de las modalidades de criminalidad organizada que más daño hace desde siempre, el narcotráfico.

La idea es permitir que la droga circule desde el punto de colecta hasta el punto de destino, de manera que podamos tener todos los cabos atados y podamos capturar y detener a todos los que forman la cadena delictiva, desde el miembro más modesto hasta los grandes jefes.

La lucha contra el narcotráfico es internacional. Por eso esta norma forma parte de un complejo mucho más amplio, en concreto la Convención de Naciones Unidas de Viena de 1998, y el Convenio de Schengen de 1985, sobre permisividad de la entrega vigilada de estupefacientes, que intentan favorecer la investigación de hechos relacionados con el narcotráfico, sin perjuicio de dirigir la lucha contra la criminalidad organizada en general. Un problema clave es que los resultados que se obtengan se vean ratificados por el proceso penal, evitando absoluciones escandalosas o impunidades flagrantes.

Por ello, de acuerdo con el art. 263 bis. 1, no sólo se lucha contra el narcotráfico, sino también contra estos delitos: Fabricación, transporte o distribución de materiales de cualquier tipo, aptos para la producción de sustancias alucinógenas (art. 371 CP); adquisición, conversión o transmisión de bienes de origen delictivo (art. 301 CP); tráfico de especies amenazadas o protegidas de la flora o la fauna (arts. 332 y 334 CP); falsificación, introducción o expedición de moneda falsa (art. 386 CP); alteración, reproducción o falsificación de tarjetas de crédito o cheques de viaje (art. 399 bis CP); y tráfico y depósito de armas (arts. 566, 568 y 569 CP).

a) Autorización: El Juez de Instrucción competente y el Ministerio Fiscal, así como los Jefes de las Unidades Orgánicas de Policía Judicial, centrales o de ámbito provincial, y sus mandos superiores puedan autorizar la circulación o entrega vigilada de drogas tóxicas, estupefacientes o sustancias psicotrópicas, así como de otras sustancias prohibidas (arts. 263 bis.1).

Esta medida deberá acordarse por resolución fundada, en la que se determine explícitamente, en cuanto sea posible, el objeto de autorización o entrega vigilada, así como el tipo y cantidad de la sustancia de que se trate. Para adoptar estas medidas se tendrá en cuenta su necesidad a los fines de investigación en relación con la importancia del delito y con las posibilidades de vigilancia. El Juez que dicte la resolución dará traslado de copia de la misma al Juzgado Decano de su jurisdicción, el cual tendrá custodiado un registro de dichas resoluciones (art. 263 bis. 1).

La entrega vigilada se autorizará caso por caso y, en el plano internacional, se adecuará a lo dispuesto en los tratados internacionales. Los Jefes de las Unidades Orgánicas de la Policía Judicial centrales o de ámbito provincial o sus mandos superiores darán cuenta inmediata al Ministerio Fiscal sobre las autorizaciones que hubiesen otorgado de conformidad con el apartado 1 de este artículo y, si existiese procedimiento judicial abierto, al Juez de Instrucción competente (art. 263 bis.3).

b) Delimitación de la vigilancia: Se entenderá por circulación o entrega vigilada la técnica consistente en permitir que remesas ilícitas o sospechosas de drogas tóxicas, sustancias psicotrópicas u otras sustancias prohibidas, los equipos, materiales y sustancias a que se refiere el apartado anterior, las sustancias por las que se haya sustituido las anteriormente mencionadas, así como los bienes y ganancias procedentes de las actividades delictivas tipificadas en los arts. 301 a 304 y 368 a 373 del Código Penal, circulen por territorio español o salgan o entren en él sin interferencia obstativa de la autoridad o sus agentes y bajo su vigilancia, con el fin de descubrir o identificar a las personas involucradas en la comisión de algún delito relativo a dichas drogas, sustancias, equipos, materiales, bienes y ganancias, así como también prestar auxilio a autoridades extranjeras en esos mismos fines (art. 283 bis.2)

c) Garantías: La interceptación y apertura de envíos postales sospechosos de contener estupefacientes y, en su caso, la posterior sustitución de la droga que hubiese en su interior se llevarán a cabo respetando en todo momento las garantías judiciales establecidas en el ordenamiento jurídico, con excepción de lo previsto en el art. 584 de la presente Ley (art. 263 bis.4).

Por tanto, al configurarse como una excepción al deber de denunciar, la Policía puede realizar el seguimiento sin temor alguno a que se le impute un delito.

B) El agente encubierto y el agente encubierto informático

a) El agente persona física

Una segunda técnica policial de investigación de los delitos más graves es la utilización de un policía para que se infiltre en el grupo criminal organizado y desde dentro coadyuve a su desarticulación.

La utilización de una tercera persona que ayuda a la Policía a descubrir el delito sin ser testigo debe ser tan vieja como el mismo crimen. A lado de soplones y delatores, que a cambio de protección o de dinero dan el chivatazo para facilitar a la policía la averiguación de ciertos hechos o de quién los ha podido cometer, o ambas cosas a la vez; y de miembros de la propia banda que colaboran con la Policía a cambio de impunidad, permaneciendo ocultos hasta el desenlace final, llamado testigo de la corona u hombre de confianza, aunque también arrepentido, por la tremenda importancia de sus confesiones y las enormes consecuencias procesales de sus declaraciones (la lucha contra la Mafia en Italia lo demuestra, así como contra el terrorismo en Alemania, España e Italia); existe la persona oculta, encubierta, el investigador policial infiltrado que, consciente de su papel, se juega la vida diariamente mientras recaba y transmite información. La LECRIM sólo regula éste tercero, aunque la admisibilidad del primero y del segundo y su validez como testigos debe estar fuera de toda duda.

Y lo regula específicamente, en el art. 282 bis LECRIM, no sólo para delimitar su actuación, sino sobre todo para protegerlo, para que sepa en todo momento qué puede hacer y qué no puede hacer. De hecho, ningún funcionario de la Policía Judicial podrá ser obligado a actuar como agente encubierto, por tanto, es absolutamente voluntario. Y no se olvide tampoco que en la mayor parte de las ocasiones su actuación va a tener lugar cuando el proceso penal formalmente todavía no ha comenzado.

El problema es por tanto la criminalidad organizada. El art. 282 bis.4 LECRIM, para que no haya duda alguna, nos da un concepto de criminalidad organizada, no perfecto ni completo, pero que sirve de guía.

> A los efectos señalados en el apartado 1 de este artículo, se considerará como delincuencia organizada la asociación de tres o más personas para realizar, de

forma permanente o reiterada, conductas que tengan como fin cometer alguno o algunos de los delitos siguientes:

a) Delitos de obtención, tráfico ilícito de órganos humanos y trasplante de los mismos, previstos en el artículo 156 bis del Código Penal.

b) Delito de secuestro de personas previsto en los artículos 164 a 166 del Código Penal.

c) Delito de trata de seres humanos previsto en el artículo 177 bis del Código Penal.

d) Delitos relativos a la prostitución previstos en los artículos 187 a 189 del Código Penal.

e) Delitos contra el patrimonio y contra el orden socioeconómico previstos en los artículos 237, 243, 244, 248 y 301 del Código Penal.

f) Delitos relativos a la propiedad intelectual e industrial previstos en los artículos 270 a 277 del Código Penal.

g) Delitos contra los derechos de los trabajadores previstos en los artículos 312 y 313 del Código Penal.

h) Delitos contra los derechos de los ciudadanos extranjeros previstos en el artículo 318 bis del Código Penal.

i) Delitos de tráfico de especies de flora o fauna amenazada previstos en los artículos 332 y 334 del Código Penal.

j) Delito de tráfico de material nuclear y radiactivo previsto en el artículo 345 del Código Penal.

k) Delitos contra la salud pública previstos en los artículos 368 a 373 del Código Penal.

l) Delitos de falsificación de moneda, previsto en el artículo 386 del Código Penal, y de falsificación de tarjetas de crédito o débito o cheques de viaje, previsto en el artículo 399 bis del Código Penal.

m) Delito de tráfico y depósito de armas, municiones o explosivos previsto en los artículos 566 a 568 del Código Penal.

n) Delitos de terrorismo previstos en los artículos 572 a 578 del Código Penal.

o) Delitos contra el patrimonio histórico previstos en el artículo 2.1.e de la Ley Orgánica 12/1995, de 12 de diciembre, de represión del contrabando.

a) Delimitación del ámbito de actuación: Tratándose de investigaciones que afecten a actividades propias de la delincuencia organizada, el Juez de Instrucción competente o el Ministerio Fiscal dando cuenta inmediata al Juez, podrán autorizar a funcionarios de la Policía Judicial, mediante resolución fundada y teniendo en cuenta su necesidad a los fines de la investigación, a actuar bajo identidad supuesta y a adquirir y transportar los objetos, efectos e instrumentos del delito y diferir la incautación de los mismos.

También podrá autorizarse la obtención de imágenes y la grabación de las conversaciones que puedan mantenerse en los encuentros previstos entre el agente y el investigado, aun cuando se desarrollen en el interior de un domicilio.

b) Protección de la identidad: La identidad supuesta será otorgada por el Ministerio del Interior por el plazo de seis meses prorrogables por períodos de igual duración, quedando legítimamente habilitados para actuar en todo lo relacionado con la investigación concreta y a participar en el tráfico jurídico y social bajo tal identidad.

La resolución por la que se acuerde deberá consignar el nombre verdadero del agente y la identidad supuesta con la que actuará en el caso concreto. La resolución será reservada y deberá conservarse fuera de las actuaciones con la debida seguridad.

c) Transmisión de la información: La información que vaya obteniendo el agente encubierto deberá ser puesta a la mayor brevedad posible en conocimiento de quien autorizó la investigación. Asimismo, dicha información deberá aportarse al proceso en su integridad y se valorará en conciencia por el órgano judicial competente.

d) Declaración como testigos: Los funcionarios de la Policía Judicial que hubieran actuado en una investigación con identidad falsa de conformidad a lo previsto en el apartado 1, podrán mantener dicha identidad cuando testifiquen en el proceso que pudiera derivarse de los hechos en que hubieran intervenido y siempre que así se acuerde mediante resolución judicial motivada, siéndole también de aplicación lo previsto en la Ley Orgánica 19/1994, de 23 de diciembre.

e) La actividad del agente encubierto y los derechos fundamentales: Cuando las actuaciones de investigación puedan afectar a los derechos fundamentales, el agente encubierto deberá solicitar del órgano judicial competente las autorizaciones que, al respecto, establezca la Constitución y la Ley, así como cumplir las demás previsiones legales aplicables.

La inimputabilidad: Es lo más importante. El agente encubierto estará exento de responsabilidad criminal por aquellas actuaciones que sean consecuencia necesaria del desarrollo de la investigación, siempre que guarden la debida proporcionalidad con la finalidad de la misma y no constituyan una provocación al delito. Para poder proceder penalmente contra el mismo por las actuaciones realizadas a los fines de la investigación, el Juez competente para conocer la causa deberá, tan pronto tenga conocimiento de la actuación de algún agente encubierto en la misma, requerir informe relativo a tal circunstancia de quien hubiere autorizado la identidad supuesta, en atención al cual resolverá lo que a su criterio proceda.

Por tanto, el agente encubierto está exento del deber de denunciar inmediatamente los hechos que conozca, siendo decisión suya la extensión del seguimiento de la actividad criminal del grupo, no puede ser imputado si comete algún delito, siempre que el delito cometido guarde proporcionalidad con los hechos y la investigación en curso (no está autorizado a matar), no está exento de solicitar autorización al juez si va a realizar una interceptación telefónica, por ejemplo (lo que puede ser problemático, debiendo bastar una autorización general con dación de cuentas posterior), y tiene obligación de declarar como testigo bajo identidad supuesta y protegido. El testigo de referencia del art. 710 LECRIM puede tener aquí plena aplicación.

b) El agente informático

En 2015 se ha añadido (art. 282 bis. 6 y 7) que el juez de instrucción podrá autorizar a funcionarios de la Policía Judicial para actuar bajo identidad supuesta en comunicaciones mantenidas en canales cerrados de comunicación con el fin de esclarecer alguno de los delitos a los que se refiere el apartado 4 de este artículo o cualquier delito de los previstos en el artículo 588 ter a. El agente encubierto informático podrá intercambiar o enviar por sí mismo archivos ilícitos por razón de su contenido y analizar los algoritmos asociados a dichos archivos ilícitos si tiene autorización específica para ello.

Una eficacia especial en la práctica de esta técnica (el uso de un apodo por la Policía científica) se supone en la persecución de los delitos de pedofilia del art. 183 ter CP, pero sorprendentemente este delito no está en el listado de los autorizados, ya que su pena es inferior y no suele ser un acto criminal típico de grupo organizado. Un olvido lamentable. Tampoco dispone la ley prevenciones acerca de la comparecencia en juicio como testigo de este «agente especial».

Para los supuestos de colaboración internacional europea en materia de investigaciones encubiertas, hay que estar al art. 19 del Segundo Protocolo Adicional al Convenio Europeo de Asistencia Judicial en Materia Penal de Estrasburgo 2001 (BOE del 1 de junio de 2018).

Fuera de Europa, sobre suplantación de personalidad por agente encubierto, simulando ser otro usuario en la red, en persecución de delito de pornografía infantil, v. STS núm. 173/2018, de 11 de abril (RJ|2018|1584).

LECTURAS RECOMENDADAS: IGLESIAS CANLE, *Investigación penal sobre el cuerpo humano y pruebas científicas*, Madrid, 2003; SOLETO MUÑOZ, *La identificación del imputado (Rueda, fotos, ADN... de los métodos basados en la percepción a la prueba científica)*, Valencia, 2009; GASCÓN INCHAUSTI, *Infiltración policial y agente encubierto*, Granada, 2001; FLORES PRADA, *Peligrosidad social predelictual y trastorno mental*, Pamplona 2018.

Lección Octava

Los actos de investigación no garantizados

I. ACTOS DE INVESTIGACIÓN SUJETOS A LEGALIDAD ORDINARIA

Son regulados por la LECRIM y no están directamente amparados por la Constitución
La infracción de sus preceptos no permite llegar al TC mediante el amparo.

II. DOCUMENTOS

Importantísimos en el proceso penal desde el mismo momento que el procedimiento preliminar es una causa documentada.
En la práctica no se actúa correctamente respecto a los documentos nulos o falsos.

III. DECLARACIONES DE TESTIGOS

Acto de investigación personal, testigo es quien ha presenciado u oído los hechos criminales investigados.
El testigo tiene deber de comparecer y obligación de declarar (salvo excepciones).
La práctica de la diligencia se regula en la LECRIM con detalle.
Testigos protegidos mediante ley especial.
La impugnación de su falta de veracidad debe regularse específicamente

IV. CAREOS

Apropiados en caso de discrepancias o contradicciones evidentes.

V. INFORMES PERICIALES

Acto de investigación personal, el perito da su opinión científica, técnica o artística aplicando conocimientos que el juez no tiene.
Intervienen dos o un perito, nombrados por las partes. A la práctica asisten las partes.
El perito puede ser recusado y tiene derechos y deberes.
Testigos protegidos mediante ley especial.

VI. INSPECCIÓN OCULAR

Se practica fuera de la sede del tribunal, y en él se pueden practicar otras diligencias de investigación (testificales, periciales).

I. ACTOS DE INVESTIGACIÓN SUJETOS A LEGALIDAD ORDINARIA

Iniciamos en esta lección los concretos actos de investigación regulados en la LECRIM, y alguno fuera de ella. Primero estudiaremos los no garantizados, y en las dos lecciones siguientes los garantizados.

La distinción es puramente dogmática, pero muy plástica. La ley no los distingue así, pero lo cierto es que determinados actos que se realizan en la investigación del delito requieren de una cobertura legal específica porque pueden afectar en su ordenación y ejecución a derechos fundamentales del imputado regulados en la Constitución, mientras que en otros la legalidad ordinaria, es decir, la fijada por la ley, básicamente la LECRIM, es su regulación principal y en muchos casos prácticamente única.

Estos actos regulados en la legislación ordinaria que no tienen una protección constitucional específica se denominan actos no garantizados, mientras que los que sí la tienen son los llamados actos garantizados, que veremos en las dos lecciones siguientes.

Se trata de los siguientes: Documentos, testigos, peritos, inspección ocular y careos (con los matices que veremos).

Pero antes de continuar dos aclaraciones:

1ª) Muchos actos de investigación son también actos de prueba. Por ejemplo, declaración de testigos (prueba testifical) e informe de peritos (prueba pericial). Ya hemos dicho en lecciones anteriores que en el primer caso fundan la apertura o no del juicio oral, mientras que en el segundo fundan la condena o absolución del acusado.

El problema no es sin embargo esa distinción, por otra parte muy clara, sino la regulación que hace la LECRIM en ambos caos, pues el legislador, en vez de regular en un título separado los actos de investigación que no son prueba pero que pueden afectar a derechos fundamentales (y en otro la prueba, indicando en caso de coincidencia cuándo una era acto de investigación y cuándo era prueba), o, mucho mejor, en vez de regular con detalle sólo la prueba en una única regulación, lo que ha hecho es regularla dos veces, dando preeminencia a su ordenación, regulación y práctica en la fase de investigación. Esto significa en la práctica, a pesar de los deseos en contra del propio legislador y de la mucha jurisprudencia que lo ratifica, que el defensor sabe que se lo juega todo en favor de su cliente en la fase de procedimiento preliminar, y no en la fase de juicio oral, como debería ser y ocurre en el sistema adversarial anglosajón y en el avanzado sistema alemán, que no es adversarial, porque lo que verdaderamente pesa es la diligencia.

Los defensores saben muy bien en España que de nada sirve que se afirme, lo que es técnicamente correcto, que lo que vale de verdad es el resultado probatorio obtenido en la práctica de la prueba en el juicio oral ante el juez sentenciador, si en el sumario no te han permitido aportar hechos claros sobre tu inocencia a través de las correspondientes diligencias, o no te han dejado acreditar como víctima también a través de las diligencias correspondientes que hay delito, que hay autor y que por tanto está fundada la acusación.

El Derecho comparado resuelve de otra manera esta cuestión, pues o bien regula la prueba fuera del proceso (*Rules of Evidence* en Estados Unidos), lo que tampoco deja de plantear sus problemas, o bien regula únicamente la prueba con detalle, permitiendo al investigador acogerse a sus normas cuando investiga, con los matices legales establecidos (Alemania e Italia). En ambos casos se evita la doble regulación y, sobre todo, las confusiones sobre qué norma será aplicable en cada caso, siendo en la práctica realmente la clave el acto del juicio oral.

2ª) Que el acto de investigación sea de los no garantizados no quiere decir que esté fuera o al lado de la Constitución, en absoluto. Muchos actos de investigación no garantizados están protegidos parcialmente por la Constitución, por ejemplo, si se deniega una pregunta a la defensa que considera pertinente respecto a un testigo de la acusación, o si no es citada para la práctica de la prueba pericial. Por tanto, el desarrollo ordinario que efectúa la ley, que es lo principal en estas diligencias, no escapa en algunos casos del control constitucional, que por la propia regulación debe hacer el propio juez y si no lo hace, el mecanismo de la protesta abre la vía del recurso para resolverlo ante un tribunal ordinario antes de llegar al TC.

II. DOCUMENTOS

La LECRIM no regula como diligencia de investigación la documental. Sí la menciona, porque no se puede decir que la regule, como prueba en la Sección Cuarta (ubicada en el Capítulo III del Título III del Libro III), titulada «De la prueba documental y de la inspección ocular»; ¡ni siquiera merece una sección propia!), y únicamente en el art. 726: «El Tribunal examinará por sí mismo los *libros, documentos, papeles* y demás piezas de convicción que puedan contribuir al esclarecimiento de los hechos o a la más segura investigación de la verdad.»

La falta de regulación es un error, aunque de la propia ley podemos extraer explicaciones que permiten de alguna manera amortiguar sus efectos negativos.

a) En primer lugar, toda la causa tramitada en la que constan las actuaciones practicadas en el procedimiento preliminar forman en sí mismas un expediente documental, llamado sumario, diligencias previas, diligencias urgentes o diligencias leves. Muchas veces es inabarcable por su extensión, complejísimo por la cantidad de delitos conexos y responsables afectados, con numerosas piezas, e inarchivable por falta de espacio. Pero es un documento, un complejo documental si se prefiere.

Ese documento lo tiene ante sí el tribunal que vaya a conocer del juicio oral y dictar la sentencia porque pasa a él desde el Juzgado de Instrucción para estudio por el Ponente si es colegiado cuando se abre el juicio oral (arts. 622, I, 626 y 627 LECRIM). Se notifica para examen de las partes (art. 629 LECRIM). Pero no es una prueba documental todavía, porque para que lo sea se tienen que leer ante el tribunal y las partes aquellas páginas que se designen y así se admitan en virtud del art. 730 LECRIM, por cierto reformado en 2015. Esas páginas y documentos leídos constituyen prueba documental y no todo lo actuado en el sumario. La jurisprudencia exige por ello que sean las partes las que manifiesten específicamente en sus escritos de acusación qué documentos deben «leerse» en el juicio oral, prohibiendo una remisión a la lectura de toda la causa. Esos documentos son la prueba documental.

b) Pero en el proceso preliminar también presentan las partes en numerosas ocasiones documentos concretos. A ellos se refiere muy ocasionalmente la LECRIM, básicamente para regular su admisión. Y aquí está el problema, porque la práctica española entiende mal la cuestión esencial que detrás del documento inadmitido puede existir.

Muchas veces se inadmite el documento por no considerarse pertinente, pero indicando a la parte, con fundamento en el art. 785.1 LECRIM, que a pesar de que no existe recurso, la parte a quien perjudique la decisión puede reproducir su petición al inicio de las sesiones del juicio oral, momento hasta el cual podrán incorporarse a la causa los informes, certificaciones y demás documentos que el Ministerio Fiscal y las partes estimen oportuno y el Juez o Tribunal admitan.

Pero en otras ocasiones lo admite y el documento nunca debió ser admitido porque es nulo. Y entonces, si la parte lo impugna recurriendo en (reforma y) apelación, se le dice que no es admisible el recurso (ni tampoco la queja que pueda interponer), porque ya tendrá tiempo de plantear el tema ante el juez competente cuando se abra el juicio oral.

Esta última actuación, que es legalmente correcta, es sin embargo perversa y debe corregirse cuanto antes por el legislador o por la jurisprudencia porque vulnera el derecho de la parte a la prueba a la tutela judicial efectiva y le produce indefensión (art. 24.1 y 2 CE), sobre todo a la víctima acusadora particular. Y lo es cuando con base en el documento que nunca debió admitirse, entre otras diligencias, se dicta auto de sobreseimiento libre o provisional, porque entonces nunca podrá plantear la parte a quien perjudicó la admisión y el posterior sobreseimiento, en el juicio oral.

La impugnación de un documento nulo debe hacerse inmediatamente sea admitido por la parte a quien perjudique en el propio desarrollo del procedimiento preliminar, y el juez debe admitir la reforma o el tribunal la apelación sin esperar a que se abra el juicio oral si lo considera como tal sacándolo del proceso. Es absurdo que un documento nulo sirva para decretar el sobreseimiento y no se admita su impugnación para poder abrir el juicio oral. Y no sólo absurdo, es inconstitucional.

También constituyen prueba documental los documentos que las partes aporten con el recurso de apelación (arts. 231 y 766.3 LECRIM), así como no conviene olvidar el fundamental papel que pueden jugar los documentos en el recurso de casación (art. 849 LECRIM).

c) A veces un informe técnico, que es prueba pericial es transformado por mor de la ley en prueba documental, erróneamente, pero así se debe valorar (v. art. 788.2 LECRIM).

d) El TS se refiere últimamente a prueba documental "sugestiva", por ejemplo, la documentación que revela las condiciones de trabajo de las prostitutas en un burdel, para otorgarle valor probatorio de cargo conjuntamente con las demás que prueben el tipo penal (S TS 270/2016, de 5 de abril (RJ\2016\3058).

e) Finalmente, existen otros documentos específicos que habrá que tener en cuenta para cada caso, que no constituyen ni diligencia de investigación ni prueba en el sentido que aquí estamos tratando. Por ejemplo traducciones (art. 123 LECRIM, reformado en 2015)

En otras ocasiones el documento es el objeto material del delito, y por tanto, no es ni diligencia de investigación ni prueba tampoco, sino requisito de admisión de la querella a trámite, lo que ocurre por ejemplo en las falsificaciones (v. art. 335 LECRIM).

Y existen casos muy determinados en los que el documento «prueba» algo, por ejemplo, la causa de recusación (arts. 469 y 470 LECRIM), o del artículo de previo pronunciamiento alegado (arts. 668 a 672 LECRIM), pero en estos casos no estamos verdaderamente ni ante diligencias de investigación ni ante pruebas, porque lo que se discute no afecta ni a si se debe abrir el juicio oral o no, ni al fondo del asunto, sino a presupuestos procesales.

III. DECLARACIÓN DE TESTIGOS

a) En general

La segunda diligencia a considerar es mixta, de naturaleza personal y material, porque la declaración del testigo exige considerar tanto la figura del testigo, que es la fuente de prueba, como la declaración que emite, que es el medio de prueba (de investigación aquí).

Se regula con amplitud enorme en los arts. 410 a 450 LECRIM.

Ni que decir tiene que las consideraciones conceptuales relacionadas con el testigo y la declaración testifical deben ser sustancialmente las mismas tanto en el proceso civil como en el proceso penal. Decimos esto porque definir qué es un testigo, qué se pretende con la prueba y qué valor sociológico tiene en la realidad, deben darse por explicados ya en la lección xx del tomo II de esta obra.

Pero aún así, hay matices. El primero es que así como en el proceso civil la prueba reina es la documental, en el proceso penal es la testifical, pero atendida la práctica secular en el mundo de esta prueba, no olvidemos que «prueba testifical, prueba demonial», o que «testimonio, prueba del demonio», y por ello debemos estar atentos a sus peligros y manera de conjurarlos la ley.

Conviene recordar que testigo es toda aquella persona que no es parte en la causa, que ha presenciado el hecho criminal (visto, oído o conocido de referencia), mientras que la diligencia mediante la cual las percepciones sensoriales del testigo se aportan al procedimiento preliminar es la declaración testifical en la fase del procedimiento preliminar.

b) El testigo

La LECRIM dedica unas cuantas normas a la figura del testigo, partiendo de la obligación de testificar que tienen todas las personas que hayan presenciado o conocido los hechos (art. 410), bajo fuertes sanciones en caso contrario (arts. 420 y 429, II: Multa hasta 5000 € y, de persistir, delito del art. 463.1 CP).

> Todos los que residan en territorio español, nacionales o extranjeros, que no estén impedidos, tendrán obligación de concurrir al llamamiento judicial para declarar cuanto supieren sobre lo que les fuere preguntado si para ello se les cita con las formalidades prescritas en la Ley.

a) La capacidad para ser testigo no tiene prácticamente límites, puesto que en el proceso penal cualquier persona, sea cual fuere su edad y circunstancias, puede ser testigo, a no ser que sea un incapaz física o psíquicamente (art. 417-3°).

b) El deber de testificar no es, sin embargo, siempre exigible, puesto que existen personas que están exentas o son incompatibles. En algunos casos este auténtico privilegio es más que discutible, porque vulnera directamente el principio de igualdad del art. 24 CE, es innecesario y además no existe parangón alguno con los países que son nuestro modelo jurídico.

Existen dos grupos de personas exentas del deber de testificar, según se les exima tanto de concurrir como de declarar, o sólo de concurrir:

1) Personas exentas de la obligación de concurrir y de declarar:

1.- Por razones de Estado: El Rey, la Reina, sus consortes, el Príncipe Heredero y los Regentes (art. 411, I).

2.- Por razones de Derecho Internacional: Los Agentes Diplomáticos acreditados en España y demás personal previsto en los tratados, incluyendo familiares (art. 411, II).

3.- Por razón del parentesco con el imputado: El cónyuge y parientes más próximos (art. 416-1°), aunque pueden declarar si lo desean (art. 416-1°, II), con fundamento en el art. 22.2, II CE y en la Ley Orgánica 2/1997, de 19 de junio, reguladora de la cláusula de conciencia de los profesionales de la información:

> Los parientes del procesado en líneas directa ascendente y descendente, su cónyuge o persona unida por relación de hecho análoga a la matrimonial, sus hermanos consanguíneos o uterinos y los colaterales consanguíneos hasta el segundo grado civil, así como los parientes a que se refiere el número 3 del artículo 261.
>
> El Juez instructor advertirá al testigo que se halle comprendido en el párrafo anterior que no tiene obligación de declarar en contra del procesado; pero que puede hacer las manifestaciones que considere oportunas, y el Secretario judicial consignará la contestación que diere a esta advertencia.
>
> Sobre este precepto la Sala Segunda del Tribunal Supremo ha adoptado dos Acuerdos de Pleno no Jurisdiccional, con fecha 23 de enero de 2018 (con los matices de la importante STS núm. 205/2018, de 25 de abril, en caso de retirada de la víctima personada como acusación particular):
>
> "1.- El acogimiento, en el momento del juicio oral, a la dispensa del deber de declarar establecida en el artículo 416 de la LECRIM, impide rescatar o valorar anteriores declaraciones del familiar-testigo aunque se hubieran efectuado con contradicción o se hubiesen efectuado con el carácter de prueba preconstituida"; y
>
> "2.- No queda excluido de la posibilidad de acogerse a tal dispensa (416 LECRIM) quien, habiendo estado constituido como acusación particular, ha cesado en esa condición".

4.- Por tener obligación de guardar secreto: El abogado del investigado (art. 416-2°); sus traductores e intérpretes (art. 416-3°, introducido por la LO 5/2015, de 27 de abril) los religiosos de cualquier culto (art. 417-1°); y, en su caso, los funcionarios públicos (art. 417-2°).

> Respecto a los religiosos, debe tratarse de hechos que les han sido revelados en el ejercicio de las funciones de su ministerio (Cánones 983 y 984 Código de Derecho Canónico de 1983). Respecto a los funcionarios públicos son tanto los civiles como los militares, de cualquier clase que sean, cuando no pudieren declarar sin violar el secreto que por razón de sus cargos estuviesen obligados a guardar, o cuando, procediendo en virtud de obediencia debida, no fueren autorizados por su superior jerárquico para prestar la declaración que se les pida.

2) Personas exentas de la obligación de concurrir pero no de declarar, en donde se distingue a su vez entre:

1.- Personas que declaran informando por escrito: Los demás miembros de la Familia Real y un listado de altos cargos políticos y judiciales:

> Están exentos de concurrir al llamamiento del Juez, pero no de declarar, pudiendo informar por escrito sobre los hechos de que tengan conocimiento por razón de su cargo:
>
> 1.º El Presidente y los demás miembros del Gobierno.
>
> 2.º Los Presidentes del Congreso de los Diputados y del Senado.
>
> 3.º El Presidente del Tribunal Constitucional.
>
> 4.º El Presidente del Consejo General del Poder Judicial.
>
> 5.º El Fiscal General del Estado.
>
> 6.º Los Presidentes de las Comunidades Autónomas.
>
> Si fuera conveniente recibir declaración a alguna de las personas a las que se refiere el apartado 2 anterior sobre cuestiones de las que no haya tenido conocimiento por razón de su cargo, se tomará la misma en su domicilio o despacho oficial.

Curiosamente, estos altos cargos gozan del privilegio tanto si están en activo como si ya han cesado en sus cargos (art. 412.4), y además, incluso si declaran sobre temas que no han conocido por su cargo (art. 412.3).

2.- Personas que declaran en su despacho oficial o en la sede del órgano del que son miembros: Las enumeradas en el art. 412.5 LECRIM:

> 1.º Los Diputados y Senadores.
>
> 2.º Los Magistrados del Tribunal Constitucional y los Vocales del Consejo general del Poder Judicial.
>
> 3.º Los Fiscales de Sala del Tribunal Supremo.
>
> 4.º El Defensor del Pueblo.
>
> 5.º Las Autoridades Judiciales de cualquier orden jurisdiccional de categoría superior a la del que recibiere la declaración.
>
> 6.º Los Presidentes de las Asambleas Legislativas de las Comunidades Autónomas.
>
> 7.º El Presidente y los Consejeros Permanentes del Consejo de Estado.
>
> 8.º El Presidente y los Consejeros del Tribunal de Cuentas.
>
> 9.º Los miembros de los Consejos de Gobierno de las Comunidades Autónomas.
>
> 10.º Los Secretarios de Estado, los Subsecretarios y asimilados, los Delegados del Gobierno en las Comunidades Autónomas y en Ceuta y Melilla, los Gobernadores civiles y los Delegados de Hacienda.

Si se trata, en todos los casos anteriores, de cargos cuya competencia esté limitada territorialmente, sólo será aplicable la exención correspondiente respecto de las declaraciones que hubieren de recibirse en su territorio, excepción hecha de los Presidentes de las Comunidades Autónomas y de sus Asambleas Legislativas (art. 412.6 LECRIM) En cuanto a los miembros de las Oficinas Consulares, se estará a lo dispuesto en los Convenios Internacionales en vigor (art. 412.7 LECRIM).

Téngase en cuenta para ejecución del interrogatorio testifical en estos casos lo siguiente: Para recibir la declaración a que se refiere el apartado 3 del artículo anterior, el Juez pasará al domicilio o despacho oficial de la persona concernida, previo aviso, señalándose día y hora. El Juez procederá de igual modo para recibir la declaración de alguna de las personas a que se refiere el apartado 5 del artículo anterior, cuando la misma fuere a tener lugar en su despacho oficial o en la sede del órgano del que sean miembros (art. 413 LECRIM).

La resistencia de cualquiera de las personas a que se refieren los apartados 3 y 5 del artículo 412 a recibir en su domicilio o residencia oficial al Juez, o a declarar cuanto supieren sobre lo que les fuere preguntado respecto a los hechos del sumario, se pondrá en conocimiento del Ministerio Fiscal para los efectos que procedan. Si las personas mencionadas en el apartado 7 de dicho artículo incurrieren en la resistencia expresada, el Juez lo comunicará inmediatamente al Ministerio de Justicia, remitiendo testimonio instructivo y se abstendrá de todo procedimiento respecto a ellas, hasta que el Ministro le comunique la resolución que sobre el caso se dictare (art. 414).

Serán invitadas a prestar su declaración por escrito las personas mencionadas en el párrafo segundo del artículo 411 y en el apartado 7 del artículo 412, remitiéndose al efecto al Ministerio de Justicia, con atenta comunicación para el de Asuntos Exteriores, un interrogatorio que comprenda todos los extremos a que deban contestar, a fin de que puedan hacerlo por vía diplomática (art. 415).

c) Personas que son incompatibles para ser testigos: Aunque la LECRIM nada diga al respecto, es obvio que tanto el JI y los funcionarios del MF, como las partes acusadoras o acusadas y sus defensores, tienen incompatibilidad para ser testigos en la causa concreta.

No obstante, hay que hacer una precisión importante aquí. Sabemos que el concepto de parte en el proceso penal no es un concepto material, y que quien no es ni Juez, ni parte, es tercero a efectos procesales, como por ejemplo los testigos. Pero existen casos en los que el ofendido por el delito es la única persona que ha presenciado los hechos. Piénsese en los delitos de violación, determinados robos con violencia, o en caso de accidente de tráfico grave.

Pues bien, en el caso de que el ofendido no ejerza la acción penal, no hay ningún problema: Comparece en la causa como testigo (de cargo). Pero si decide ejercer la acción penal como acusador particular, además de testigo es parte, con lo cual se plantea el problema de qué naturaleza, qué régimen jurídico y que valor tendrá su declaración.

Para la Jurisprudencia, el testigo-parte es perfectamente admisible, y sus declaraciones son acto de investigación sumarial, y después en el juicio oral, prueba (v. SS TS 20 mayo 1991, RA 3721; y 24 abril 1992, RA 3451). De modo, y así se hace en la práctica, que declara bajo juramento y puede ser interrogado por todas las demás partes, valorándose libremente por el Juez sus declaraciones.

Una problemática especial se plantea en los casos en los que la víctima es mujer y lo es de un delito de naturaleza sexual, o de acoso laboral o de tratos vejatorios. La jurisprudencia no duda del valor probatorio de su declaración como única testigo directa de los hechos, pero exige determinados requisitos (coherencia, persistencia en la incriminación, credibilidad, corroboración periférica mediante dictámenes médico-forenses, etc.) para su consideración de testimonio de cargo suficiente para enervar la presunción de inocencia (v. SSTS núm. 303/2016, de 12 de abril, RJ\2016\1579; y 342/2016, de 21 de abril, RJ\2016\1839).

c) La práctica de la diligencia de declaración testifical

La LECRIM establece en cuanto a la ejecución de esta medida varias disposiciones de interés, que permiten distinguir los siguientes apartados:

1°) Iniciación: La necesidad de interrogar a los testigos surge normalmente de la denuncia o de la querella, por constar en ellas personas que han presenciado los hechos, o de cualquier otra diligencia del procedimiento preliminar, por la misma razón, y se ejecuta citando a su presencia el JI a los mismos para la comprobación o averiguación del delito y del delincuente (art. 421 LECRIM).

2°) Citación: La citación de los testigos se realiza conforme a las normas generales (arts. 426, en relación con los arts. 166 a 182 y 661 LECRIM), aunque es posible una citación personal inmediata donde son encontrados (art. 430, I), e incluso verbalmente si existe urgencia (art. 430, II), pudiendo realizar citaciones la Policía Judicial (art. 431). No hay inconveniente alguno, si se sabe de la existencia de testigos o se sospecha pero no son conocidos, de proceder a citarlos el LAJ por cualquier modo efectivo (v.gr., prensa, radio o televisión, con base en el art. 432).

3°) Comparecencia del testigo: El testigo comparece generalmente en la sede del órgano jurisdiccional para declarar, aunque existen excepciones, además de las vistas en caso de exenciones (v. arts. 412 y 413), en caso de urgencia(art. 430, III), enfermedad (art. 419, casos éstos dos últimos en los que es el juez quien va al domicilio del testigo), o residencia en otro lugar del territorio nacional (arts. 422 y 423), o en el extranjero (art. 424, acudiéndose en estos supuestos a instrumentos de cooperación judicial nacional e internacional, v. arts. 427 a 429 por ejemplo), etc.

4°) Juramento: Los testigos mayores de edad penal (hoy 18 años, antes de la reforma 14) tienen obligación de decir todo lo que supieren respecto a lo que les fuese preguntado y de ser veraces (art. 433, II, reformado en 2015). El Juez les advertirá sobre las responsabilidades penales en que pueden incurrir si no cumplen con dichos deberes, y les tomará juramento conforme al art. 434).

Es válida la promesa en sustitución del juramento, conforme a la Ley de 24 noviembre de 1910, el art. 16 CE, garantizador de la libertad religiosa, y el art. 5-3° Ley 44/1967, 28 junio (BOE 1 julio).

El juramento ha sido modificado por el Estatuto de la Víctima del Delito de 2015 en el sentido, en lo que ahora nos interesa, siguiente, y de acuerdo con el art. 433, II: «Los testigos mayores de edad penal prestarán juramento o promesa de decir todo lo que supieren respecto a lo que les fuere preguntado, estando el Juez obligado a informarles, en un lenguaje claro y comprensible, de la obligación que tienen de ser veraces y de la posibilidad de incurrir en un delito de falso testimonio en causa criminal.»

5°) Declaración: El testigo declara separadamente de los demás y en secreto, es decir, sin publicidad, estando presentes el JI y el LAJ, además del MF y las partes personadas si lo desean (art. 435), y, salvo los casos vistos anteriormente, en forma oral (art. 437). Se prevé también la posibilidad de intérprete para testigos extranjeros que no sepan español (arts. 440 y 441), y la asistencia especial al sordomudo (art. 442).

Cuando el testigo es la víctima, el Estatuto Jurídico de la Víctima del Delito ha introducido variantes importantes hasta ahora inexistentes en el art. 433, III a V, en esencia, la posibilidad de hacerse acompañar por una persona de su elección, que sean interrogados por expertos si son menores de edad o personas con la capacidad modificada judicialmente, y que se grabe la comparecencia:

> «Los testigos que, de acuerdo con lo dispuesto en el Estatuto de la Víctima del Delito, tengan la condición de víctimas del delito, podrán hacerse acompañar por su representante legal y por una persona de su elección durante la práctica de estas diligencias, salvo que en este último caso, motivadamente, se resuelva lo contrario por el Juez de Instrucción para garantizar el correcto desarrollo de la misma.
>
> En el caso de los testigos menores de edad o personas con la capacidad modificada judicialmente, el Juez de Instrucción podrá acordar, cuando a la vista de la falta de madurez de la víctima resulte necesario para evitar causarles graves perjuicios, que se les tome declaración mediante la intervención de expertos y con intervención del Ministerio Fiscal. Con esta finalidad, podrá acordarse también que las preguntas se trasladen a la víctima directamente por los expertos o, incluso, excluir o limitar la presencia de las partes en el lugar de la exploración de la víctima. En estos casos, el Juez dispondrá lo necesario para facilitar a las partes la posibilidad de trasladar preguntas o de pedir aclaraciones a la víctima, siempre que ello resulte posible.
>
> El Juez ordenará la grabación de la declaración por medios audiovisuales. La declaración debe evitar en estos casos la confrontación con su agresor (art. 87.6 LOPJ, añadido por la LO 5/2018, de 28 de diciembre).»

En primer lugar, el testigo responde a las preguntas llamadas «generales de la Ley» (datos de identificación personal, parentesco y antecedentes penales: art. 436, I LECRIM).

> Esas preguntas generales son: Nombre, apellidos paterno y materno, edad, estado y profesión, si conoce o no al procesado y a las demás partes, y si tiene con ellos parentesco, amistad o relaciones de cualquier otra clase, si ha estado procesado y la pena que se le impuso.

Si el testigo fuera miembro de las Fuerzas y Cuerpos de Seguridad en el ejercicio de sus funciones, será suficiente para su identificación el número de su registro personal y la unidad administrativa a la que está adscrito, lo que es importante en caso de agente encubierto, explicado en la lección anterior.

A continuación, relata los hechos que conoce sin interrupción, respondiendo después a las preguntas que le formule el JI (art. 436, II LECRIM). La ley dice que el Juez dejará al testigo narrar sin interrupción los hechos sobre los cuales declare, y solamente le exigirá las explicaciones complementarias que sean conducentes a desvanecer los conceptos oscuros o contradictorios. Después le dirigirá las preguntas que estime oportunas para el esclarecimiento de los hechos.

Pero en la práctica no es así, debido a un mal entendimiento del principio de investigación oficial. Primero hace todas las preguntas que considera oportunas el Instructor y luego permite a la parte que ha presentado al testigo hacer las que considere convenientes, que a la vista de lo ya interrogado suele dejar muy poco margen; finalmente pregunta la otra parte. El Fiscal no suele acudir en muchos juzgados de España al interrogatorio testifical, en contra de su obligación, sobre todo si hay acusación particular. Debería exigírsele responsabilidad por ello, ya que al abogado defensor sí se le sanciona si incumple sus obligaciones. Al fin y a la postre el Fiscal es parte. El Juez Instructor debería por ello interrogar el último, para desvanecer los conceptos oscuros o contradictorios, o formular preguntas que no se han hecho y debieron hacerse. Ello respetaría mucho más el sistema adversarial hacia el que paulatinamente nos dirigimos, en el que el juez nunca interroga, y nos alejaría del juez inquisitivo que tantas veces se critica. Si el cambio de instrucción del Juez al Fiscal implica mantener esta misma actitud, poco ganamos con el cambio.

El interrogatorio se puede producir también en el lugar de los hechos (art. 438).

Los testigos declararán de viva voz, sin que les sea permitido leer declaración ni respuesta alguna que lleven escrita, aunque pueden consultar algún apunte o memoria que contenga datos difíciles de recordar, pudiendo dictar las contestaciones por sí mismo (artículo 437).

No se pueden formular al testigo preguntas de cuya respuesta pueda resultar una imputación en su contra (art. 418, en relación con el art. 24.2 CE). Para que ello fuera posible el Juez tendría que cambiar el *status* de testigo a imputado y nombrarle abogado de oficio si no lo designa el mismo imputado. Tampoco se le pueden formular preguntas comprometidas para sus parientes, según el mismo precepto, cuyo párrafo segundo ha devenido inconstitucional por el derecho a no declarar contra sí mismo.

Tampoco se le pueden formular preguntas capciosas, ni ejercer coacción, engaño, promesa ni artificio alguno para obligarle o inducirle a declarar en determinado sentido (art. 439).

Los testigos extranjeros que necesiten intérprete y traducción por no entender el idioma español se sujetan al régimen de los arts. 440 y 441

LECRIM. Es posible su declaración por videoconferencia o conferencia telefónica (arts. 9 y 10 del Segundo Protocolo Adicional al Convenio Europeo de Asistencia Judicial en Materia Penal de Estrasburgo 2001 (BOE del 1 de junio de 2018, STS núm. 200/2017, de 27 de marzo). En caso de ser sordo, hay que estar al art. 442 LECRIM.

6º) Obligaciones respecto al juicio oral: Al término de su declaración, el JI hará saber al testigo su obligación de comparecer en el juicio oral, para lo cual deberá quedar sometido al Tribunal (arts. 446 y 447). Ello, porque entonces el acto de investigación deja de ser tal para convertirse en acto de prueba, que fundará la sentencia de absolución o condena.

Si no puede comparecer justificadamente el día fijado para el juicio oral, se le toma declaración con plenas garantías y bajo contradicción, pues entonces es un acto de prueba anticipada (art. 448 LECRIM, reformado por el Estatuto de la Víctima del Delito de 2015). Lo mismo sucede en caso de peligro inminente de muerte (art. 449).

7º) Documentación: Las declaraciones de los testigos se hacen constar en la causa por escrito (art. 445), siendo leídas por los declarantes (art. 443), y firmadas por el JI y el testigo, bajo la autorización del LAJ (art. 444), sin que puedan existir tachaduras, aunque sí se pueden salvar equivocaciones (art. 450).

d) La diligencia testifical periférica

A veces y en determinados casos, para demostrar que se puede abrir el juicio oral porque hay delito y autor, la acreditación debe hacerse mediante una testifical indirecta, es decir mediante la declaración de un testigo que no ha presenciado los hechos pero que sabe que los hechos han existido y quién los ha podido cometer.

Esta diligencia, llamada periférica, es una modalidad de la diligencia o prueba de referencia o de *testes de auditur*, de indiscutible admisión en el proceso penal español (STC núm. 146/2003, de 14 de julio, SS TS núm. 1135/2000, de 23 de junio (RJ\2000\5789), y núm. 343/2013, de 30 de abril (JUR\2013\152612) y a las que ella se remite.

El FD-2º de esta última nos dice clarísimamente que:

«Ahora bien nuestro sistema procesal admite de manera expresa la figura del testigo de referencia, al referirse el art. 710 LECRIM, siendo aquél la persona que no proporciona datos obtenidos por la percepción directa de los acontecimientos, sino la versión de lo sucedido obtenida a través de manifestaciones o confidencias de terceras personas.

... En definitiva las manifestaciones que realizó en su día la víctima o testigo directo de los hechos objeto de acusación debe ser necesariamente objeto de contradicción por el acusado o por su Letrado en el interrogatorio del juicio oral, y por ello no se puede inferir que el principio de inmediación permite sustituir un testigo directo por otro de referencia, pero no obstante la testifical de referencia sí puede formar parte del acervo probatorio en contra del reo, siempre que no sea la única prueba de cargo sobre el hecho enjuiciado y siempre con independencia de la posibilidad o no de que el testigo directo puede deponer o no en el juicio oral.

El testigo de referencia podrá ser valorado como prueba de cargo —en sentido amplio— cuando sirva para valorar la credibilidad y fiabilidad de otro testigo —por ejemplo testigo de referencia que sostiene sobre la base de lo que le fue manifestado por un testigo presencial, lo mismo o lo contrario, o lo que sostiene otro testigo presencial que si declara en el plenario—, o para probar la existencia o no de corroboraciones periféricas —por ejemplo, para coadyuvar a lo sostiene el testigo único—.

Ello no obsta, tampoco, para que el testigo de referencia puede valorarse, como cualquier otro testigo, en lo que concierne a hechos objeto de enjuiciamiento que haya apreciado directamente y a hechos relativos a la validez o fiabilidad de otra prueba.»

Pero la práctica judicial española es por regla general reacia a ello, exigiendo siempre testigos directos, cuando debería ser absolutamente favorable a su admisibilidad, sobre todo en aquellos delitos en los que es muy difícil que haya testigos o los que hay están todos contaminados por depender económicamente o en lo profesional del investigado o encausado, como los de violencia de género y en general aquéllos en los que la víctima es una mujer (agresión sexual, acoso laboral, trato vejatorio o degradante, etc.). En otro caso, de no admitirse estos puntos la impunidad de semejantes seres humanos quedaría casi garantizada.

e) Impugnabilidad de la veracidad de un testigo

Las advertencias que realizábamos al principio, una vez conocida la regulación legal, siguen vigentes. El testigo puede ser subjetivo, manipulable, codicioso, egocéntrico, temeroso, es en definitiva un ser humano y tiene los mismos defectos y las mismas virtudes que cualquier otra persona. La manera de corregir adecuadamente su mendacidad, o por mejor decir, la infracción de su deber de decir verdad, no es sólo multando o amenazando con una pena, sino persiguiendo eficazmente el falso testimonio.

Hay países en los que mentir al tribunal es considerado casi un sacrilegio y las penas por ello son durísimas (*Contempt of Court*, penas de cárcel, por ejemplo, en Estados Unidos), y se persigue siempre toda mentira ante cualquier tribunal.

En España no es así (el perjurio se pena en los casos más graves con prisión de hasta tres años, pero generalmente se impone una multa, art. 458 CP), con lo que el testigo, preparado en forma adecuada por el abogado del investigado (o de la acusación, que nadie es inocente en este tema), sabe que aunque diga mentira, nada le va a pasar por ello.

Por eso la prueba testifical no es fiable en nuestro país, al menos no es su característica general. Una máxima de la experiencia irrefutable nos dice que en aquellos casos en los que los testigos del imputado o bien dependen económica y profesionalmente de él, o bien pueden resultar dañados por él, tienden a no decir verdad y, por tanto, que los jueces no pueden aceptar en principio como creíbles sus declaraciones.

El problema es entonces, en la fase de procedimiento preliminar, cómo poner de manifiesto la falta de veracidad del testigo. En nuestra opinión, inmediatamente declare y se ponga en evidencia su mendacidad, la parte a quien perjudique la declaración debe comunicar al Instructor los hechos y datos en que se funda.

La prueba sobre la prueba testifical debe ser admisible, no como tacha, pues la LECRIM no las ha previsto, sino como tachabilidad, es decir, como impugnabilidad.

La práctica española, equivocadamente también, suele inadmitir esos escritos en los que se denuncia la mendacidad de un testigo y los recursos correspondientes si se interponen, con el argumento de que la LECRIM no ha previsto las tachas y que ya podrá la parte a quien interese poner estos extremos de manifiesto en el juicio oral, para que él órgano sentenciador lo valore. Pero, ¿y si no hay juicio oral porque con base en la declaración falsa de un testigo se ha acordado sobreseimiento?

Es el mismo caso que veíamos con la prueba documental nula admitida en el sumario. La denuncia de falta de veracidad de un testigo debe ser admitida sin duda alguna por los jueces instructores españoles y, cuando tengan que valorar si deciden sobreseer o abrir el juicio oral, que sepan que un testigo ha sido «tachado» por una parte y por tanto, que tienen que entrar a valorar si sus argumentos son aceptables antes de tomar esa decisión procesal.

IV. CAREOS

Regulados en los arts. 451 a 455 LECRIM, no estamos en realidad ante una diligencia de investigación directa, sino ante una diligencia de comprobación.

Careo es colocar cara a cara a dos o más personas, preferiblemente para la ley sólo a dos personas. El careo se produce entre testigos, entre investigados, y entre testigos e investigados, cuando por sus declaraciones se observen hechos contradictorios o discordantes, con el fin de averiguar quién dice la verdad (art. 451 LECRIM).

El careo se realiza ante el JI, leyendo el LAJ a los testigos o a los investigados las declaraciones que han realizado en donde se deduzcan las contradicciones, y pidiéndoles, tras recordarles que siguen bajo juramento y las posibles sanciones, que se ratifiquen en ellas o que varíen lo que consideren conveniente, manifestando el Juez las contradicciones que resulten en dichas declaraciones, e invitando a los careados para que se pongan de acuerdo entre sí, de todo lo cual se levanta acta, a firmar por todos (arts. 452 y 453 LECRIM). El JI no permitirá ningún insulto o amenaza (art. 454 LECRIM).

La LECRIM cataloga al careo como un acto de investigación y comprobación subsidiario, pues no se practicarán careos salvo que sea imprescindible para comprobar la existencia del delito o la culpabilidad de alguno de los investigados. Tampoco se practicarán careos con testigos que sean menores de edad, salvo que el Juez lo considere imprescindible y no lesivo para el interés de dichos testigos, previo informe pericial (art. 455 LECRIM).

V. INFORMES PERICIALES

a) En general

La diligencia de investigación pericial reúne las mismas características que la testifical, pues es una prueba mixta, personal y material, en la que el perito es la fuente de investigación y el informe pericial el medio de investigación.

Se regula ampliamente como diligencia de investigación en los arts. 456 a 485 LECRIM.

También los conceptos estudiados en la prueba pericial civil nos sirven para la penal, pues la finalidad que se persigue con esta diligencia es exactamente la misma: Suplir la falta de conocimientos no jurídicos del juez mediante un experto en la materia en discusión.

En este sentido, recodemos que el perito es un tercero, es decir, una persona ajena al proceso, que posee unos conocimientos científicos, técnicos o artísticos especializados que el Juez no tiene, sea título profesional o no, y que los vierte en el mismo tras haberlos aplicado a estudiar los hechos u otros elementos objeto de la investigación. La diligencia de informe pericial es el medio para aportar los conocimientos del perito.

Por eso el art. 456 LECRIM nos dice que el Juez acordará el informe pericial cuando, para conocer o apreciar algún hecho o circunstancia importante en el sumario, fuesen necesarios o convenientes conocimientos científicos o artísticos.

b) El perito

El perito puede ser una persona física o jurídica, titulada o no (art. 457), aunque se prefieren los primeros (art. 458).

Son peritos titulares los que tienen título oficial de una ciencia o arte cuyo ejercicio esté reglamentado por la Administración. Son peritos no titulares los que, careciendo de título oficial, tienen, sin embargo, conocimientos o prácticas especiales en alguna ciencia o arte.

El perito se diferencia del testigo, como regla general, por no haber presenciado los hechos (en caso de que el testigo poseyera esos conocimientos especializadas a que hacíamos referencia, estaríamos ante la figura conocida como «testigo-perito») y, además, porque el perito es elegido y el testigo no, y porque emite un informe o dictamen, por el que cobra, mientras que el testigo, que es indemnizado, relata lo percibido por él que ha sucedido.

El perito debe ser imparcial en la elaboración de su dictamen y en la formulación de sus conclusiones.

El nombramiento de dos o de uno (v. *infra*) se comunica a las peritos oficialmente (arts. 460 y 461), siendo para el perito obligatorio acudir al llamamiento (art. 462), bajo sanción (art. 463).

Por ello, una vez nombrados por el JI, deben ser comunicados sus nombres a las partes (art. 466 LECRIM), que pueden recusarlos si entienden que concurre causa legítima para ello (arts. 219-5° LOPJ, 464 y 468 LECRIM), por el procedimiento establecido en los arts. 469 y 470 LECRIM), y siempre que el objeto de la pericia no pueda reproducirse en el juicio oral (art. 467 LECRIM), dado que entonces en realidad estamos ante prueba pericial anticipada.

La recusación se rige por las siguientes reglas específicas en la fase de procedimiento preliminar del proceso penal español:

a) Son causa de recusación de los peritos según el art. 468 las siguientes:

1.° El parentesco de consanguinidad o de afinidad dentro del cuarto grado con el querellante o con el reo.

2.° El interés directo o indirecto en la causa o en otra semejante.

3.° La amistad íntima o la enemistad manifiesta.

b) Procedimentalmente, la parte que intente recusar al perito o peritos nombrados por el Juez deberá hacerlo por escrito antes de empezar la diligencia pericial, expresando la causa de la recusación y la prueba testifical que ofrezca, y acompañando la documental o designando el lugar en que ésta se halle si no la tuviere a su disposición (art. 469). El Juez, sin levantar mano, examinará los documentos que produzca el recusante y oirá a los testigos que presente en el acto, resolviendo lo que estime justo respecto de la recusación. Si hubiere lugar a ella, suspenderá el acto pericial por el tiempo estrictamente necesario para nombrar el perito que haya de sustituir al recusado, hacérselo saber y constituirse el nombrado en el lugar correspondiente. Si no la admitiere, se procederá como si no se hubiese usado de la facultad de recusar. Cuando el recusante no produjese los documentos, pero designare el archivo o lugar en que se encuentren, se reclamarán por el letrado de la administración de justicia, y el Juez instructor los examinará una vez recibidos sin detener por esto el curso de las actuaciones; y si de ellos resultase justificada la causa de la recusación, anulará el informe pericial que se hubiese dado, mandando que se practique de nuevo esta diligencia (art. 470).

Las partes, tanto el actor particular como el investigado, tienen derecho a nombrar a sus propios peritos, uno por cada parte, y si hay pluralidad de partes se pondrán de acuerdo, y a su costa (art. 471). Manifestarán al juez el nombre y acreditación del perito (art. 472), resolviendo el juez sobre su aceptación en la forma determinada en el artículo 470 para las recusaciones (art. 473).

Una vez nombrado el perito oficial (el que no está propuesto por la parte), y si no ha sido recusado, tiene 3 deberes legales:

1.- Acudir al llamamiento judicial para peritar, es decir, deber de comparecencia, como ya hemos visto *supra* (arts. 462 y 463 LECRIM).

2.- Jurar o prometer todos los peritos (los públicos y los privados), antes de comenzar la diligencia,proceder bien y fielmente en sus operaciones y de no proponerse otro fin más que el de descubrir y declarar la verdad (art. 474).

3.- Deber de peritar (art. 463 LECRIM), es decir, proceder al examen de la persona o del objeto a peritar, conforme a las claras y determinadas instrucciones que habrá cursado el JI, elaborando el informe y las conclusiones correspondientes (art. 475 LECRIM).

Como contraprestación, tiene derecho a honorarios (art. 465 LECRIM)

c) La práctica de la diligencia de informe pericial

La LECRIM establece en cuanto a la ejecución de esta medida las siguientes normas:

a) El informe pericial se solicita por el JI cuando para conocer el hecho criminal, se necesiten conocimientos científicos, técnicos o artísticos, como sabemos (art. 456).

b) El reconocimiento pericial se hace por 2 peritos nombrados por el JI, y, si no es posible, por uno sólo (art. 459). En los procesos abreviados el perito es sólo uno (arts. 785-7ª y 793.5 LECRIM). Pero si el objeto de la pericia no puede reproducirse en el juicio oral (prueba anticipada), cada parte tiene derecho a nombrar a un perito a su costa (art. 471 LECRIM), que trabajará conjuntamente con los designados oficialmente.

c) El acto pericial es presidido por el JI, asistido por el LAJ, aunque para la práctica de la autopsia puede delegar en un miembro de la Policía Judicial (art. 477), pudiendo concurrir las partes, incluido el inculpado, si estamos ante prueba pericial anticipada (art. 476). Nada impide que el perito elabore su informe en su estudio, despacho o clínica particular, y de hecho así se hace en la práctica.

d) La LECRIM establece también una serie de disposiciones por si acaso fueran necesarias operaciones previas a la pericia:

a) Si los peritos tuvieren necesidad de destruir o alterar los objetos que analicen, deberá conservarse, a ser posible, parte de ellos a disposición del Juez, para que, en caso necesario, pueda hacerse nuevo análisis (art. 479).

b) Hecho el reconocimiento, podrán los peritos, si lo pidieren, retirarse por el tiempo absolutamente preciso al sitio que el Juez les señale para deliberar y redactar las conclusiones (art. 481).

c) Si los peritos necesitaren descanso, el Juez o el funcionario que le represente podrá concederles para ello el tiempo necesario. También podrá suspender la diligencia hasta otra hora u otro día, cuando lo exigiere su naturaleza. En este caso, el Juez o quien lo represente adoptará las precauciones convenientes para evitar cualquier alteración en la materia de la diligencia pericial (art. 482).

d) El Juez facilitará a los peritos los medios materiales necesarios para practicar la diligencia que les encomiende, reclamándolos de la Administración pública, o dirigiendo a la Autoridad correspondiente un aviso previo si existieren preparados para tal objeto, salvo lo dispuesto especialmente en el artículo 362 (art. 485).

e) El contenido posible del informe pericial viene fijado en el art. 478 (v. también la Instrucción 6/1988, de 12 de diciembre, de la Fiscalía General del Estado):

1.º Descripción de la persona o cosa que sea objeto del mismo, en el estado o del modo en que se halle.

El letrado de la administración de justicia extenderá esta descripción, dictándola los peritos y suscribiéndola todos los concurrentes.

2.º Relación detallada de todas las operaciones practicadas por los peritos y de su resultado, extendida y autorizada en la misma forma que la anterior.

3.º Las conclusiones que en vista de tales datos formulen los peritos, conforme a los principios y reglas de su ciencia o arte.

f) El JI y las partes pueden preguntar y formular las observaciones que consideren pertinentes,así como pedir las aclaraciones necesarias, constan do en la diligencia, formando parte las contestaciones de los peritos de su informe. (art. 483).

g) Finalmente, en caso de discrepancias entre los peritos, el JI procederá a nombrar otro si su número fuese par, repitiéndose las operaciones si fuera posible (art. 484).

Si no fuere posible la repetición de las operaciones ni la práctica de otras nuevas, la intervención del perito últimamente nombrado se limitará a deliberar con los demás, con vista de las diligencias de reconocimiento practicadas, y a formular luego con quien estuviere conforme, o separadamente si no lo estuviere con ninguno, sus conclusiones motivadas.

d) En especial, periciales complejas

La diligencia de investigación psiquiátrica o psicológica, la del ADN y la de los servicios de inteligencia, presentan características muy relevantes en el proceso penal. La segunda será tratada en la lección siguiente. Nos vamos a detener ahora brevemente en la primera y en la tercera.

Cuando para averiguar determinados hechos que afectan a la personalidad de una parte en el proceso penal, sea el investigado, sea la víctima, se hace necesaria una diligencia psiquiátrica o psicológica, la jurisprudencia, que la admite (v. SSTS núm. 1031/2006, de 31 de octubre (RJ|2006|7119), núm. 1031/2006, de 31 octubre (RJ\2006\7119), y, sobre todo, la núm. 480/2012, de 29 mayo (RJ\2013\2293) y sentencias en ella referidas), manifiesta una cierta prevención hacia ella, incluso aunque haya sido realizado el informe por el médico forense o un psiquiatra o psicólogo público, calificándola como «prueba de corroboración». Como consecuencia de esta jurisprudencia, la práctica judicial española, que como no podría ser de otra manera, también la admite, indiscutiblemente respecto a las víctimas, tiene argumentos para restarle credibilidad, sobre todo si las pruebas de cargo no son todo lo verosímiles que deberían ser, algo débiles o muy difíciles de obtener. Aunque el informe pericial afirme que la víctima dice verdad y que el causante de su daño es el investigado, la práctica puede prescindir de ello sin problema alguno. Lo que no puede hacer es prescindir de ella si existen pruebas de cargo, y por eso se le denomina de corroboración.

Si el psiquiatra o el psicólogo son públicos, la diligencia debería tener un mayor valor y ser prueba principal, y admitirse además en todos los casos en los que los resultados que se obtengan ayuden al esclarecimiento de los hechos.

La prueba del perfil psicológico del autor de delitos de violencia de género, del agresor sexual, del acosador laboral, del maltratador o de quien causa tratos denigrantes y vejatorios, que nada tiene que ver con el Derecho Penal de autor, sino con el hecho punible causado por una persona probablemente con un comportamiento psicológico ya manifestado antes, debe ser por ello admisible siempre, ya que el conocimiento de su historial mental puede ser de una gran ayuda para la decisión final.

En cuanto al informe de los servicios secretos (pericial de inteligencia), por ejemplo, sobre el *modus operandi* de determinados grupos de criminalidad organizada, el TS la considera una prueba pericial periférica, puesto que su fin es ofrecer al juez y a las partes una explicación detallada de la práctica de esas asociaciones de delincuentes, a valorar por el tribunal en la sentencia (S TS 134/2016, de 24 de febrero, RJ\2016\2172, caso Piratas de Somalia).

VI. INSPECCIÓN OCULAR

La inspección ocular es en el proceso penal lo que el reconocimiento judicial es en el proceso civil. Se regula en los arts. 326 a 333 LECRIM.

La diligencia de inspección ocular se practica por el JI. Mediante este acto de investigación, el Juez realiza una comprobación personal del lugar de los hechos, observando lo ocurrido y describiéndolo, además de recoger los vestigios, restos y huellas del delito. Todo ello tiene lugar en principio en la escena del crimen.

La LECRIM establece en cuanto a la ejecución de esta medida las siguientes normas:

a) Si el hecho punible ha dejado huellas, deben recogerse (arts. 326 y 328 LECRIM).

> La ejecución es la siguiente:
>
> 1.- El Juez instructor ordenará que se recojan y conserven las pruebas materiales y los vestigios de la perpetración del delito para el juicio oral si fuere posible, procediendo al efecto a la inspección ocular (de la escena del crimen) y a la descripción de todo aquello que pueda tener relación con la existencia y naturaleza del hecho. A este fin hará consignar en los autos la descripción del lugar del delito, el sitio y estado en que se hallen los objetos que en él se encuentren, los accidentes del terreno o situación de las habitaciones, y todos los demás detalles que puedan utilizarse, tanto para la acusación como para la defensa. Cuando se pusiera de manifiesto la existencia de huellas o vestigios cuyo análisis biológico pudiera contribuir al esclarecimiento del hecho investigado, el Juez de Instrucción adoptará u ordenará a la Policía Judicial o al Médico Forense que adopte las medidas necesarias para que la recogida, custodia y examen de aquellas muestras se verifique en condiciones que garanticen su autenticidad, sin perjuicio de lo establecido en el artículo 282 (art. 326).
>
> 2.- Si se tratare de un robo o de cualquier otro delito cometido con fractura, escalamiento o violencia, el Juez instructor deberá describir los vestigios que haya dejado, y consultará el parecer de peritos sobre la manera, instrumentos, medios o tiempo de la ejecución del delito (art. 328).

b) Si las huellas o vestigios han desaparecido, el JI deberá averiguar el porqué (art. 330 LECRIM).

> Cuando no hayan quedado huellas o vestigios del delito que hubiese dado ocasión al sumario, el Juez instructor averiguará y hará constar, siendo posible, si la desaparición de las pruebas materiales ha ocurrido natural, casual o intencionalmente, y las causas de la misma o los medios que para ello se hubieren empleado, procediendo seguidamente a recoger y consignar en el sumario las pruebas de cualquiera clase que se puedan adquirir acerca de la perpetración del delito.

c) Si el hecho no ha dejado huellas, el JI debe hacer constar por otros medios la ejecución del delito y sus circunstancias (art. 331 LECRIM).

> Cuando el delito fuere de los que no dejan huellas de su perpetración, el Juez instructor procurará hacer constar por declaraciones de testigos y por los medios

de comprobación, la ejecución del delito y sus circunstancias, así como la preexistencia de la cosa cuando el delito hubiese tenido por objeto la sustracción de la misma.

d) En general, el JI deberá describir además todo aquello que pueda tener relación con el hecho (art. 326, II LECRIM), y si es conveniente deberá también dejar constancia gráfica de todo, elaborando un croquis, cuando fuere conveniente para mayor claridad o comprobación de los hechos, consistente en levantar un plano del lugar suficientemente detallado, o en hacer el retrato de las personas que hubiesen sido objeto del delito, o la copia o diseño de los efectos o instrumentos del mismo que se hubiesen hallado (art. 327 LECRIM, muy superado hoy por las nuevas tecnologías, que son las que se aplican).

e) Para ayudar al JI en la interpretación y averiguación de los hechos, éste puede también consultar «in situ» a los testigos del mismo (art. 329 LECRIM), e incluso consultar el parecer de peritos (art. 328 «in fine» LECRIM).

El Juez puede ordenar que no se ausenten durante la diligencia de descripción las personas que hubieren sido halladas en el lugar del delito, y que comparezcan además inmediatamente las que se encontraren en cualquier otro sitio próximo, recibiendo a todas separadamente la oportuna declaración.

f) Derechos del investigado: El art. 333 LECRIM garantiza su derecho de asistencia, conjuntamente con su abogado defensor, si lo desea, pudiendo hacer en el acto las observaciones que estimen pertinentes, las cuales se consignarán por diligencia si no fuesen aceptadas.

De todo lo practicado se levantará acta, firmada por las personas a las que se refiere el art. 332 LECRIM, acta muy importante por las diferentes valoraciones que puede contener, unas de apreciación subjetiva del instructor, otras constataciones objetivas de las que ningún tribunal puede prescindir, a valorar libremente.

Finalmente, la inspección ocular puede significar la reconstrucción del hecho. Esta útil forma de inspección, muy practicada en la realidad judicial penal española, se apoya en el art. 331 LECRIM, pero no se regula específicamente por la Ley. De ahí que cuando se adopte, la reconstrucción debe hacerse tomando las medidas necesarias para que el hecho se reproduzca tal y como se supone que se produjo.

LECTURAS RECOMENDADAS: *Vide* bibliografía en lecciones sobre prueba en este tomo y, además: GÓMEZ COLOMER, J.L., *Estatuto Jurídico de la Víctima del Delito* (2ª ed.), Pamplona 2015; y. ROMERO COLOMA, *Problemática de la prueba testifical en el proceso penal*, Madrid 2000.

Lección Novena

Los actos de investigación garantizados (I)

I. CONSTITUCIÓN E INVESTIGACIÓN DEL CRIMEN

Determinadas diligencias (y pruebas) están protegidas especialmente por la Constitución.
Su función es garantizar un proceso justo, especialmente en lo que al imputado afecta.
Los jueces ordinarios deben ejercer en primer lugar la tutela, en última instancia el TC.
En 2015 se han modernizado y ampliado notablemente los actos de investigación garantizados.

II. DECLARACIONES DEL INVESTIGADO

Relevancia constitucional: derecho a no declarar contra sí mismo y a no confesarse culpable.
Sólo declara si quiere, pero la ley obliga a interrogarlo ya en la detención policial. Puede admitir los hechos (sin consecuencias probatorias), defenderse o callar.

III. DILIGENCIA DE ENTRADA Y REGISTRO EN LUGAR CERRADO

Penetración en determinado recinto aislado del exterior con la finalidad de buscar y recoger fuentes de información y la propia persona del imputado. Dos diligencias en una, unidas inseparablemente.
Se exigen especiales requisitos cuando el lugar cerrado es el domicilio de una persona por la protección constitucional del mismo (derecho fundamental): Auto judicial motivado básicamente, salvo consentimiento del titular o flagrancia.
La práctica de la diligencia se detalla en la LECRIM.

IV. DILIGENCIA DE REGISTRO DE LIBROS Y PAPELES

Se distingue entre libros y papeles en general y libros y papeles contables y notariales.

V. DILIGENCIA DE DETENCIÓN Y APERTURA DE LA CORRESPONDENCIA ESCRITA Y TELEGRÁFICA

Relevancia constitucional dado el secreto de las comunicaciones privadas.
Hay que distinguir entre detención y apertura y examen.

VI. DILIGENCIA DE FILMACIÓN EN LUGARES PÚBLICOS

Pueden ser espacios abiertos o cerrados.
Se regulan por ley especial. La autoridad vigilante debe dar parte inmediatamente a la autoridad judicial si observa la comisión de un delito.

VII. INTERVENCIONES CORPORALES DIRECTAS

Carentes de regulación por regla general, afectan directamente a derechos muy importantes del imputado.
Deben requerir autorización judicial por regla general, siendo necesario que los más agresivos sean practicados por personal especializado.

I. CONSTITUCIÓN E INVESTIGACIÓN DEL CRIMEN

Decíamos en la lección anterior que determinadas diligencias de investigación, así como determinadas pruebas, tienen una protección ulterior establecida por la Constitución. Su esencia radica en que en una democracia el legislador quiere que la lucha entre el Estado, cuya función principal en este punto es perseguir el delito y castigar al delincuente para garantizar la paz social puesta en peligro por él, y el imputado sospechoso de haber cometido ese delito, sea limpia, justa y ecuánime, no estableciendo más limitaciones a sus derechos que las exigidas por la propia naturaleza del Derecho Penal y del proceso penal, y en todo caso autorizadas por un juez. Son las diligencias de investigación que conforman los llamados actos garantizados, a estudiar en esta lección y en la siguiente.

La clave consiste en equilibrar jurídicamente y en la realidad práctica la tremenda lucha que ese campo de tensiones produce, casi siempre en desventaja inicial para el investigado, que es inocente mientras no se demuestre lo contrario.

El juego de la protección es muy parecido: La ley no puede permitir, ni la práctica derivada de ella tampoco, para mantener ese equilibrio, que un derecho fundamental del acusado, o de la víctima (acusación particular), o del actor popular, sea vulnerado por la aplicación de una norma procesal, porque entonces la balanza se desequilibra y gana el Estado ilegítimamente, por quebrar la Constitución. Por tanto, la ley hace depender su extensión y aplicabilidad, y con ello su eficacia, de su propio ajuste constitucional. Si la vulneración se produce, no es válido el acto o trámite procesal realizado, pues la protección constitucional lo convierte en nulo.

El Tribunal Supremo Federal alemán dijo en una conocida sentencia de 14 de junio de 1960, cuando la jurisprudencia de la Corte Suprema de los Estados Unidos de América empezaba a difundirse regularmente por Europa, que «no es un principio de la ley procesal penal que tenga que averiguarse la verdad a cualquier precio».

Ello nos lleva a la prueba prohibida, que no debe estudiarse aquí, sino en las lecciones dedicadas a ella. Ahora deben estudiarse los actos garantizados y cómo ha previsto la ley que se practiquen sin afectar al juicio justo, al proceso con todas las garantías.

Una observación general antes de entrar en ellos. Quizás estemos ante la cuestión más delicada del proceso penal en su fase preliminar hoy, porque los intereses en juego están engordando en forma exagerada las tensiones naturales. La lucha contra la criminalidad organizada, el problema penal más grave de nuestra sociedad hoy (narcotráfico, terrorismo, mafias, trata de mujeres, pornografía infantil, cibercriminalidad, etc.), está desbordando a la Policía, no siempre preparada técnicamente para luchar adecuadamente contra ella. Esto hace que muchas veces se quiera acortar el camino pasando por encima de las garantías constitucionales. Se ha llegado a proponer incluso para estos criminales un Derecho Penal y un proceso penal distinto, menos garantista y más autoritario (Derecho Penal del Enemigo). Si no vigilamos el desarrollo, podríamos regresar a épocas que jamás deben volver.

La clave del éxito no está en recortar los derechos de los imputados, sino en preparar mejor a la policía y especializar a nuestros fiscales y jueces en esta lucha contra el crimen organizado. Una potenciación de la acción particular (la de la víctima), convirtiéndola en una especie de fiscal privado, sobre todo si acaba investigando el fiscal público, no debería tampoco descartarse, ni una acción popular mejorada. También pueden ser admisibles restricciones a los derechos constitucionales en ciertos casos, pero sólo excepcionalmente y por tiempo limitado. Sin embargo, el derecho de defensa nunca debería ser objeto de restricciones.

II. DECLARACIONES DEL INVESTIGADO

a) En general

La declaración o interrogatorio del investigado en el procedimiento preliminar se regula en los arts. 385 a 409 LECRIM.

Las diligencias de declaración del investigado no han de entenderse únicamente como actos de investigación, pues giran en torno al derecho fundamental a no declarar contra sí mismo y al derecho fundamental a no confesarse culpables, reconocidos ambos en el art. 24.2 CE. Por ello, su naturaleza es mixta, puesto que la declaración del investigado es también un acto de defensa.

La declaración del investigado es un acto (de investigación y defensa) necesario del procedimiento preliminar, en el momento conste su persona en la causa, pues es inmediatamente citado para declarar (v. art. 486 a 488 LECRIM, que contemplan al mismo tiempo una medida cautelar, la de citación para ser oído, en la que no entramos aquí).

El Juez, de oficio o a instancia del Ministerio fiscal o del actor particular, hará que los investigados presten cuantas declaraciones considere convenientes para la averiguación de los hechos, sin que ni el acusador privado ni el actor civil puedan estar presentes al interrogatorio, cuando así lo disponga el Juez instructor (art. 385). En la práctica no obstante se cita a todas las partes, con lo que deja de tener sentido ese interrogatorio personalizado que parece que quiere el legislador.

b) Declaración indagatoria

La primera declaración que se toma al imputado, dentro de las 24 horas de haber sido detenido o llamado a comparecencia ante el Juez, independientemente de que haya sido interrogado o no por el MF o por miembros de la Policía Judicial (art. 386 LECRIM), se llama en la práctica por motivos históricos indagatoria. En ella se formulan las preguntas llamadas «generales de la Ley», es decir, las que llevan a su identificación completa, a conocer sus antecedentes penales y a si conoce el motivo de su detención (art. 388 LECRIM):

> A saber: Nombre, apellidos paterno y materno, apodo, si lo tuviere, edad, naturaleza, vecindad, estado, profesión, arte, oficio o modo de vivir, si tiene hijos, si fue procesado anteriormente, por qué delito, ante qué Juez o Tribunal, qué pena se le impuso, si la cumplió, si sabe leer y escribir y si conoce el motivo por que se le ha procesado.

c) Práctica del interrogatorio

Las preguntas que se le hagan en todas las declaraciones que hubiere de prestar se dirigirán a la averiguación de los hechos y a la participación en ellos del imputado y de las demás personas que hubieren contribuido a ejecutarlos o investigado. Las preguntas serán directas, lo que significa que no se le puede interrogar en forma capciosa o sugestiva(art. 389, I y II).

> El art. 387 LECRIM disponía que el investigado no puede ser interrogado bajo juramento, pero este precepto ha sido derogado en 2015 por ser superfluo dadas las disposiciones constitucionales de protección.

La prohibición constitucional específica se manifiesta en que:

1º) Se prohíbe la tortura (art. 15 CE) y cualquier género de coacción, amenaza o reproche (art. 389, II y III).

Hasta tal punto son importantes estas disposiciones, que su violación constituye un caso de prueba prohibida o ilícita al que nos referíamos al principio de esta lección, es decir, inutilizable por el Tribunal,que da lugar además a responsabilidades penales de quienes la practicaron así.

2º) El investigado tiene derecho constitucional a callarse, incluso a mentir, puesto que no incurre en responsabilidad alguna por hacerlo, aunque hablar de derecho a mentir es un concepto que al Estado de Derecho, que regula un proceso penal justo, no puede satisfacer, pero si declara a las preguntas que tengan relación con los hechos (art. 389 LECRIM), su exculpación debe ser recogida por el Juez (arts. 2 y 396 LECRIM). En estos términos:

> Se permite al procesado manifestar cuanto tenga por conveniente para su exculpación o para la explicación de los hechos, evacuándose con urgencia las

> citas que hiciere y las demás diligencias que propusiere, si el Juez las estima conducentes para la comprobación de sus manifestaciones.

El investigado puede declarar todas las veces que el JI quiera, el MF o las partes los soliciten, o incluso él mismo (arts. 385 y 400 LECRIM). Si incurre en contradicciones o se retracta de una declaración anterior, será interrogado sobre el móvil de sus contradicciones y sobre las causas de su retractación (art. 405 LECRIM).

Las llamadas declaraciones libres o espontáneas del investigado detenido ante la Policía no están cubiertas por el derecho a no declarar, pero no constituyen prueba (ni directa, ni de corroboración ni preconstituída), ni pueden ser incorporadas a un atestado con la firma del detenido. Tampoco es válida la citación de los agentes policiales que escucharon como testigos esas declaraciones, aunque si, por contraste con otros medios de prueba, se consideran verdaderas, pueden ser llamados a declarar en el juicio oral (Acuerdo del Pleno no Jurisdiccional de la Sala II del TS de 3 de junio de 2015; STS núm. 739/2018, de 6 de febrero). Su intercambio entre países de la UE puede ser también posible (art. 11 del Segundo Protocolo Adicional al Convenio Europeo de Asistencia Judicial en Materia Penal de Estrasburgo 2001 (BOE del 1 de junio de 2018).

En ningún caso podrán hacerse al investigado cargos ni reconvenciones, ni se le leerá parte alguna del sumario más que sus declaraciones anteriores si lo pidiera, a no ser que el Juez hubiese autorizado la publicidad de aquél en todo o en parte.

> Interesa también atender a las siguientes prescripciones:
>
> Las relaciones que hagan los imputados o respuestas que den serán orales. Sin embargo, el Juez de instrucción, teniendo siempre en cuenta las circunstancias de aquéllos y la naturaleza de la causa, podrá permitirles que redacten a su presencia una contestación escrita sobre puntos difíciles de explicar, o que también consulten a su presencia apuntes o notas (art. 390).
>
> Se pondrán de manifiesto al imputado todos los objetos que constituyen el cuerpo del delito o los que el Juez considere conveniente, a fin de que los reconozca. Se le interrogará sobre la procedencia de dichos objetos, su destino y la razón de haberlos encontrado en su poder, y, en general, será siempre interrogado sobre cualquiera otra circunstancia que conduzca al esclarecimiento de la verdad. El Juez podrá ordenar al procesado, pero sin emplear ningún género de coacción, que escriba a su presencia algunas palabras o frases, cuando esta medida la considere útil para desvanecer las dudas que surjan sobre la legitimidad de un escrito que se le atribuya (art. 391).
>
> Cuando el investigado rehúse contestar o se finja loco, sordo o mudo, el Juez instructor le advertirá que, no obstante su silencio y su simulada enfermedad, se continuará la instrucción del proceso. De estas circunstancias se tomará razón por el LAJ, y el Juez instructor procederá a investigar la verdad de la enfermedad que aparente el procesado, observando a este efecto lo dispuesto en los respectivos artículos de los capítulos II y VII de este mismo título (art. 392).

Cuando el examen del investigado se prolongue mucho tiempo, o el número de preguntas que se le hayan hecho sea tan considerable que hubiese perdido la serenidad de juicio necesaria para contestar a lo demás que deba preguntársele, se suspenderá el examen, concediendo al procesado el tiempo necesario para descansar y recuperar la calma. Siempre se hará constar en la declaración misma el tiempo que se haya invertido en el interrogatorio (art. 393).

El investigado podrá dictar por sí mismo las declaraciones. Si no lo hiciere, lo hará el LAJ procurando, en cuanto fuere posible, consignar las mismas palabras de que aquél se hubiese valido (art. 397).

Si el investigado no supiere el idioma español o fuere sordomudo, se observará lo dispuesto en los artículos 440, 441 y 442 (art. 398).

Cuando el Juez considere conveniente el examen del investigado en el lugar de los hechos acerca de los cuales deba ser examinado o ante las personas o cosas con ellos relacionadas, se observará lo dispuesto en el artículo 438 (art. 399).

En la declaración se consignarán íntegramente las preguntas y las contestaciones (art. 401). El interrogado puede leer la declaración (art. 402), que no podrá contener tachaduras o enmiendas (art. 403), siendo firmada la diligencia por todos los asistentes (art. 404).

d) La «confesión» del investigado

Finalmente, un dato importante: A pesar del texto del art. 406, I LECRIM («La confesión del procesado no dispensará al Juez de instrucción de practicar todas las diligencias necesarias a fin de adquirir el convencimiento de la verdad de la confesión y de la existencia del delito»), en el proceso penal español no existe la confesión (del modo a como se entiende en el proceso civil, o en el lenguaje común), porque aunque «confiese» los hechos, el JI debe continuar con la investigación, sin perjuicio de interrogar inmediatamente al imputado «confeso» para que explique todas las circunstancias del delito y cuanto pueda contribuir a comprobar su confesión, si fue autor o cómplice, y si conoce a algunas personas que fueren testigos o tuvieren conocimiento del hecho (art. 406, II).

Dicho de otra manera: Si la «confesión» del investigado es el único acto de investigación y, luego, la única «prueba», aunque resulte absolutamente creíble, el Tribunal debe absolver, porque en el proceso penal no hay ninguna prueba cuya valoración esté tasada legalmente y porque, en definitiva, significa que el Estado ha fracasado en la investigación, ya que ha sido incapaz de demostrar la culpabilidad del sospechoso por otros medios.

La «confesión» del inculpado no es por tanto una verdadera confesión, sino una admisión de los hechos. Las consecuencias de ello se traducen en una condena (o absolución) pactada y se estudiarán al tratar la conformidad del acusado en la lecc. 14ª.

e) *Casos especiales*

La LECRIM prevé finalmente determinadas particularidades en cuanto a la declaración de los imputados:

1ª) Si está incomunicado, rigen las normas de la prisión incomunicada aplicables, a saber los arts. 506 al 511 (art. 407, aunque no todos esos preceptos resultan aplicables hoy), no leyéndosele los fundamentos del auto de incomunicación cuando fuere notificado (art. 408), se supone que tanto si la incomunicación se ordena judicialmente tras la declaración, como si ya estuviera acordada evitando que se entere de los fundamentos de ella durante la declaración, pues el precepto no es claro.

2ª) Dispone el art. 409 que para recibir declaración al imputado menor de edad no habrá necesidad de nombrarle «curador». Pero esta norma no puede estar vigente, porque los menores de edad no están sujetos a la LECRIM hoy y porque la ley apropiada para ellos hoy sí prevé la asistencia de la representación salvo excepciones (art. 17.2 LRPM).

3º) Cuando se haya procedido a la imputación de una persona jurídica, se tomará declaración al representante especialmente designado por ella, asistido de su Abogado. La declaración irá dirigida a la averiguación de los hechos y a la participación en ellos de la entidad imputada y de las demás personas que hubieran también podido intervenir en su realización. A dicha declaración le será de aplicación lo dispuesto en los preceptos del presente Capítulo en lo que no sea incompatible con su especial naturaleza, incluidos los derechos a guardar silencio, a no declarar contra sí misma y a no confesarse culpable. No obstante, la incomparecencia de la persona especialmente designada por la persona jurídica para su representación determinará que se tenga por celebrado este acto, entendiéndose que se acoge a su derecho a no declarar (art. 409 bis).

4º) No regulado por la LECRIM, pero existente en la realidad, es el uso de modernísimos medios técnicos para comprobar la veracidad de la declaración del investigado o encausado, quien en ocasiones solicita él mismo la utilización de estas técnicas para demostrar que es veraz. Se trata de pruebas periciales científicas que tienen carácter instrumental. La línea jurisprudencial actual tiende a su rechazo.

El método más conocido es el llamado detector de mentiras, máquina de la verdad o «polígrafo», pero también existe el método electroencefalográfico de detección de actividad cerebral, que aplica estímulos externos a las ondas cerebrales para que produzcan respuestas mediante las que se pueda deducir si el sujeto miente o no (conocido como Test P-300). La jurisprudencia niega validez a esta prueba, no sólo por carecer de regulación y por no estar acreditada una alta fiabilidad, sino también porque en absoluto puede sustituir al Juez en su función de valorar la prueba (S TS núm. 833/2010, de 29 de septiembre (RJ\2010\7641), además de estar afectados los derechos constituciones del investigado a no declarar contra sí mismo y a no confesarse culpable.

Pero estas pruebas, sobre todo la segunda por ser más fiable, son admisibles si son aceptadas libremente por el imputado (Auto TSJ Aragón de 21 de julio de 2015)

III. DILIGENCIA DE ENTRADA Y REGISTRO EN LUGAR CERRADO

La diligencia de entrada y registro en lugar cerrado se regula en los arts. 545 a 572 LECRIM. Ninguno de estos preceptos ha sido modificado últimamente, pero se incardinan ahora, con la modificación de rúbricas operada para una mejor reestructuración normativa por la Ley Orgánica 13/2015, de 5 de octubre, de modificación de la Ley de Enjuiciamiento Criminal para el fortalecimiento de las garantías procesales y la regulación de las medidas de investigación tecnológica, en el Capítulo I («De la entrada y registro en lugar cerrado»), del Título VIII («De las medidas de investigación limitativas de los derechos reconocidos en el artículo 18 de la Constitución»).

En general, la entrada y registro en lugar cerrado es el acto de investigación consistente en la penetración en un determinado recinto aislado del exterior, con la finalidad de buscar y recoger fuentes de investigación, o la propia persona del imputado (arts. 546 y 550 LECRIM). Son dos diligencias en una, pero íntimamente unidas, pues se entra en el lugar cerrado para registrarlo. Y cumple dos fines claramente diferenciados: Asegurar pruebas y piezas de convicción (pruebas físicas), para que estén a disposición de las partes (sobre las que previamente habrán preparado su acusación y defensa) y del órgano jurisdiccional el día del juicio oral, y detener al presunto culpable que se sospecha que se encuentra dentro del domicilio.

En un sentido especial (tratándose de domicilios) supone la limitación del derecho constitucional de inviolabilidad de domicilio, justificada por el cumplimiento de determinados fines del proceso penal. El art. 18.2 CE dispone que «el domicilio es inviolable. Ninguna entrada o registro podrá hacerse en él sin consentimiento del titular o resolución judicial, salvo en caso de flagrante delito».

A) Requisitos

Para que el acto de entrada y registro en lugar cerrado se verifique de acuerdo con la ley deben concurrir determinados requisitos. Téngase en cuenta que la entrada y registro sin atenerse a estas condiciones puede constituir delito (arts. 202 a 204 CP).

Se consideran supuestos especiales de entrada y registro los que afectan o tienen lugar en caso de estado de excepción (LO 4/1981, de 1 de junio), de delito flagrante, de delitos de terrorismo, o de entradas y registros efectuados por la Policía sin orden judicial persiguiendo a delincuentes sospechosos de haber cometido delitos muy graves (art. 553 LECRIM).

Como acto de investigación procesal penal la entrada y registro ha de ser precedida por determinados requisitos, que, a su vez, pueden ser generales o especiales, según la cualidad del lugar cerrado en el que haya de entrarse.

a) Presupuestos generales

Son que se tengan indicios de que en el lugar se encuentra el investigado, o de que hay efectos o instrumentos del delito, o libros, papeles u otros objetos que puedan servir para su descubrimiento o comprobación (art. 546 y art. 550 LECRIM, en lo que le afecta de la remisión); y auto del Juez de Instrucción acordando la práctica del acto (arts. 564, II, y 566, I, LECRIM).

El auto es la forma que ha de adoptar la resolución del Juez, pero no siempre resulta necesario, puesto que el registro y previa entrada pueden efectuarse mediando sólo consentimiento o autorización de la persona interesada, como veremos con base en el fundamento constitucional antes indicado.

b) Presupuestos especiales

Hay que distinguir entre edificios o lugares públicos oficiales, no oficiales, religiosos, de particulares y asimilados, o cualificados por normativa internacional. A todos ellos se refiere la LECRIM en sus arts. 547 y ss.

Concretamente, el art. 547 declara edificios o lugares públicos para la observancia de lo dispuesto en este capítulo a los cuatro siguientes:

1.° Los que estuvieren destinados a cualquier servicio oficial, militar o civil del Estado, de la Provincia o del Municipio, aunque habiten allí los encargados de dicho servicio o los de la conservación y custodia del edificio o lugar.

2.° Los que estuvieren destinados a cualquier establecimiento de reunión o recreo, fueren o no lícitos.

3.° Cualesquiera otros edificios o lugares cerrados que no constituyeren domicilio de un particular con arreglo a lo dispuesto en el artículo 554.

4.° Los buques del Estado.

Realmente los importantes son los domicilios de particulares, esto es, el edificio o lugar cerrado, o la parte de él destinada principalmente a la habitación de cualquier español o extranjero residente en España y de su familia.

Para éstos los presupuestos son:

1º) Consentimiento del interesado, conforme se previene en el art. 18.2 CE (art. 550 LECRIM), el cual puede presumirse si no alega derecho a la inviolabilidad del domicilio (art. 551 LECRIM);

2º) Si se niega, sólo puede procederse a la entrada, notificándose en el acto o dentro de las 24 horas siguientes el auto motivado, que deberá contener las circunstancias del art. 558 (arts. 550, in fine, y 566 LECRIM).

Como la persona jurídica ya puede delinquir en nuestro ordenamiento jurídico, también puede ser registrado su domicilio. El problema es que el domicilio se suele predicar de las personas físicas o individuales. La persona moral o jurídica no dispone de una morada en la que pueda hacer lo que desee, es decir, no tiene derecho a la privacidad, derecho que es exclusivo de la persona física. Pero a veces esto puede ser discutible si en el domicilio de la empresa se guardan documentos esenciales para su existencia, por ejemplo, un secreto industrial. El TC ya había entrado en esta materia extendiendo la protección del art. 18.2 CE a las personas jurídicas (STS 137/1985, de 17 de octubre, FJ 3). Por eso el art. 554-4º LECRIM intenta resolver esta cuestión definiendo el domicilio de las personas jurídicas. Antes de ello, la propia jurisprudencia lo ha ampliado indicando que es domicilio a los efectos de la diligencia de entrada y registro, entre otros lugares, las sedes de algunas asociaciones (v.gr., de partidos políticos), los despachos profesionales (v.gr., de abogados), y las sedes de los medios de comunicación (SS TC 144/1987, de 23 de septiembre; 211/1992, de 30 de noviembre; y 171/1997, de 14 de octubre). En el caso específico de los medios de comunicación se fundamenta porque en sus sedes se desarrollan los derechos a la libertad de expresión y a comunicar y recibir libremente información. Se resuelve así jurisprudencialmente un tema conflictivo, pues no era hasta entonces nada claro que la protección se debiera extender también, por ejemplo, a una sociedad anónima.

El presupuesto fundamental, pues, es el de la resolución judicial motivada. De la doctrina constitucional se desprende claramente que en la resolución el Juzgado debe manifestar, escueta o ampliamente, que la decisión adoptada responde a determinados hechos punibles que deben ser investigados en un proceso penal incoado, de manera que el auto debe expresar en base a qué razones considera necesario el Juzgado la entrada y registro en el domicilio (STC 176/1988, de 4 de octubre; y STS de 23 de junio de 1992, RA 5831).

Al tratarse de la limitación de un derecho fundamental, el presupuesto constitucional es el principio de exclusividad jurisdiccional. La limitación del derecho sólo puede acordarse por un Juez y, con fines de investigación penal, ha de existir proceso penal incoado.

La determinación en casos muy particulares, además de lo indicado antes, de lo que deba entenderse por domicilio no siempre está clara y ha dado lugar a una profusa jurisprudencia que ha atendido a las habitaciones de hotel (sí es domicilio), a los vehículos (con distinción entre simples automóviles y caravanas, SS TS de 19 de julio de 1993, RA 6149; de 11 de febrero de 1994, RA 691; de 17 de enero de 1997, RA 56; y de 29 de enero de 2001, RA 405), a los departamentos del tren, a los camarotes de los buques, etc. Vide los razonamientos de la STC 10/2002, de 17 de enero, que declara la inconstitucionalidad del art. 557 LECRIM.

B) Práctica

La LECRIM establece en cuanto a la ejecución de esta medida las siguientes normas:

a) Medidas de aseguramiento del acto

Acordada la entrada y registro, se han de adoptar las medidas adecuadas para que no se frustre el fin del acto, es decir, medidas que tiendan a evitar la fuga de la persona buscada o la sustracción de los objetos que se buscan.

Estas medidas deben adoptarse:

1ª) Antes de que empiece la práctica del acto («medidas del vigilancia», art. 567 LECRIM).

2ª) Cuando se suspenda temporalmente la práctica del acto, de acuerdo con los presupuestos de los arts. 570 y 571 LECRIM (expiración del día y no consentimiento del interesado, salvo en el supuesto de los arts. 546 y 550), las medidas a adoptar consisten en cerrar y sellar el local o los muebles aún no registrados, previniéndose a los que se hallasen en el lugar de que no levanten los sellos ni violenten las cerraduras, bajo la responsabilidad que establece el art. 365 CP (art. 570 LECRIM).

b) Órganos y personas que intervienen en su práctica

1.º) Competente para decretar y realizar la entrada y registro es el Juez, quien puede encomendar determinadas actividades materiales a las autoridades o agentes de la Policía Judicial (art. 563, I LECRIM).

2.º) Según el art. 569 LECRIM, reformado primero por la Ley 10/1992, de 30 de abril, y después por la Ley 22/1995, de 17 de julio, deben presenciar el acto del registro las siguientes personas: 1) El LAJ, que puede ser sustituido si así lo autoriza el Juez, por quien legalmente puede sustituirlo, debiendo documentarse posteriormente el acto (art. 569, IV; STS 29 enero 1991, RA 455); 2) El interesado y, subsidiariamente, la persona que le represente. Si no quisiere concurrir y no nombrase representante, se hará a presencia de un individuo de su familia mayor de edad, y si no la hubiere, a presencia de dos testigos, vecinos del mismo pueblo. Si el interesado es el investigado, y está disponible (v.gr., por estar detenido), debe concurrir igualmente según la jurisprudencia, aunque no su abogado (STS 14 noviembre 1992, RA 9661).

La resistencia de estas personas a presenciar el registro puede dar lugar a la responsabilidad por delito de desobediencia grave a la autoridad (art. 556 LECRIM).

c) Forma de practicar el acto

La forma de practicar la entrada y registro en cada caso concreto es un problema de técnica de investigación, que debe resolverse según las circunstancias del caso, pero la LECRIM da unas normas generales a tener en cuenta:

1.ª) Cumplidos los requisitos previos a la entrada, puede procederse a efectuarla incluso con el auxilio de la fuerza (art. 568 LECRIM).

2.ª) Deben evitarse las inspecciones inútiles, procurando no importunar al interesado más de lo necesario, adoptándose precauciones para no comprometer su reputación, y respetando sus secretos si no interesan a la instrucción (art. 552 LECRIM).

3.ª) El Juez recogerá los instrumentos y efectos del delito, los libros, papeles y demás cosas de interés para el sumario. Los libros y papeles serán foliados, sellados y rubricados por los que hubieran asistido al registro (art. 574 LECRIM).

d) Hora de la diligencia

Influye la circunstancia de ser de día o de noche cuando el registro se practique en edificios públicos o en domicilios:

1.º) Tratándose de edificios o lugares públicos, el registro puede practicarse, indistintamente, durante el día o durante la noche (art. 546 LECRIM).

2.º) Tratándose de domicilios, la entrada se realizará de día y sólo puede efectuarse durante la noche si lo hace necesario la urgencia del caso (arts. 184.1 LOPJ y 550 LECRIM). En los casos normales, si llega la noche antes de la terminación del registro, éste deberá suspenderse, salvo que el interesado o su representante consientan la continuación o la haga necesaria la urgencia (art. 570, I LECRIM). Por último, la circunstancia de que pueda practicarse o continuarse de noche ha de expresarse en el auto (art. 558 LECRIM).

e) Documentación del acto

El letrado de la administración de justicia extenderá diligencia de la entrada y registro en lugar cerrado, la cual contendrá los siguientes extremos: 1) Personas que hubieren practicado el registro; 2) Personas que lo hubieren presenciado; 3) Incidentes ocurridos; 4) Horas en que empezó y terminó; 5) Relación del registro por el orden en que se hizo; y 6) Los resultados obtenidos (art. 572 LECRIM). El acta correspondiente será firmada por todos los concurrentes (art. 569, IV LECRIM).

Si no hubieran aparecido las personas u objetos buscados ni otros indicios sospechosos, se expedirá certificación del acta a la parte interesada si la reclamasc (art. 569, VI, LECRIM).

IV. DILIGENCIA DE REGISTRO DE LIBROS Y PAPELES

La diligencia de registro de libros y papeles se regula en los arts. 573 a 578 LECRIM, tampoco modificados últimamente, aunque al igual que en el caso anterior, la Ley Orgánica 13/2015, de 5 de octubre, de modificación de la Ley de Enjuiciamiento Criminal para el fortalecimiento de las garantías procesales y la regulación de las medidas de investigación tecnológica, ha introducido en el Título VIII («De las medidas de investigación limitativas de los derechos reconocidos en el artículo 18 de la Constitución»), un Capítulo II con esta rúbrica: «Del registro de libros y papeles».

A través de este acto de investigación del procedimiento preliminar se pretende recoger toda aquella documentación que o bien constituya el objeto del delito, o bien sirva para esclarecer los hechos criminales que han dado lugar a la causa, teniendo en cuenta la protección constitucional operada por el art. 18.3 CE.

La LECRIM distingue a estos efectos diferentes clases de libros y papeles.

a) *Libros y papeles en general*: La Ley no da norma alguna especial para el registro de libros y papeles en general, porque entiende que la diligencia de entrada y registro de un lugar cerrado puede tener como finalidad también la de registrar libros, documentos o papeles (v. arts. 574 a 576 LECRIM).

b) *Libros y papeles contables*: El presupuesto de la diligencia es que existan indicios graves de que de ésta resultará el descubrimiento o comprobación de algún hecho o circunstancia importante de la causa (art. 573 LECRIM).

c) *Archivos y documentos consulares*: Tratándose de cónsules honorarios, los archivos y documentos consulares son inviolables, a condición de que, en las oficinas, están separados de los documentos de otra índole (art. 61 Convención de Viena de 1961).

d) *Libros y documentos notariales, y de los Registros de la Propiedad, Civil y Mercantil*: De acuerdo con el art. 578 LECRIM, si el libro que haya de ser objeto del registro fuese el protocolo de un Notario, se procederá con arreglo a lo dispuesto en la Ley del Notariado. Si se tratase de un libro del Registro de la Propiedad, se estará a lo ordenado en la Ley Hipotecaria. Y si se tratase de un libro del Registro civil o mercantil, se estará a lo que se disponga en la Ley y Reglamento relativos a estos servicios. Por consiguiente, el precepto se remite a lo que dispongan esas normas particulares. Lo más destacado es que los libros no pueden ser sacados de la oficina correspondiente, debiendo ser examinados en ella (salvo en algún caso el desglose).

V. DILIGENCIA DE DETENCIÓN Y APERTURA DE LA CORRESPONDENCIA ESCRITA Y TELEGRÁFICA

La diligencia de intervención de las comunicaciones privadas del investigado en forma de correspondencia escrita (por ejemplo, postal) o telegráfica, se regula en los arts. 579 a 588 LECRIM, aunque aquí se ha modificado el art. 579 y se ha introducido el art. 579 bis por la Ley Orgánica 13/2015, de 5 de octubre, de modificación de la Ley de Enjuiciamiento Criminal para el fortalecimiento de las garantías procesales y la regulación de las medidas de investigación tecnológica, que además ha introducido en el Título VIII («De las medidas de investigación limitativas de los derechos reconocidos en el artículo 18 de la Constitución»), un Capítulo III con esta rúbrica: «De la detención y apertura de la correspondencia escrita y telegráfica».

Estamos igualmente ante una limitación al derecho fundamental del art. 18.3 CE: «Se garantiza el secreto de las comunicaciones y, en especial, de las postales, telegráficas y telefónicas, salvo resolución judicial».

El secreto de las comunicaciones, por tanto, es en general un derecho fundamental de las personas. Sin embargo, no es absoluto y puede ser necesaria una actividad judicial encaminada a detener, abrir y examinar la correspondencia privada, si hubiere indicios de obtener por estos medios el descubrimiento o la comprobación de un hecho o circunstancia importantes de la causa (art. 579.1 LECRIM).

> Esa correspondencia es el fax, el burofax, el giro, el telegrama y cualquier forma prevista en el art. 3.3 de la Ley 43/2010, de 30 de diciembre, del servicio postal universal, de los derechos de los usuarios y del mercado postal, que entiende por comunicación «la comunicación materializada en forma escrita sobre un soporte físico de cualquier naturaleza, que se transportará y entregará en la dirección indicada por el remitente sobre el propio envío o sobre su envoltorio, aclarando que la publicidad directa, los libros, catálogos, diarios y publicaciones periódicas no tendrán la consideración de envíos de correspondencia.

En cualquier caso debe tenerse en cuenta que, aun siendo necesario limitar este derecho, la detención y apertura de la correspondencia, sin el cumplimiento de los requisitos que la ley establece, constituye delito (art. 535 CP).

La LECRIM se refiere a la detención y apertura de correspondencia privada postal y telegráfica, pero al final de este apartado deberemos interrogarnos también acerca de la posibilidad de investigar cualquier otro tipo de comunicación. En cualquier caso debe tenerse en cuenta que el derecho fundamental es el secreto mismo de la comunicación, sin referencia a cuál sea su contenido; es decir, no se trata de proteger la intimidad, sino el secreto, y por eso se dice que el derecho tiene contenido formal (STC 70/2002, de 3 de abril y 281/2006, de 9 de octubre; y STS de 20 de febrero de 2007, RA 3181).

Si la correspondencia está abierta o se puede leer sin operación alguna, no tiene lugar la protección constitucional y puede utilizarse en el proceso sin problema alguno, de acuerdo con la jurisprudencia constante del TS.

La apertura de correspondencia escrita y telegráfica no es admisible en cualquier investigación criminal, sino sólo en alguno de los casos previstos taxativamente por el art. 579.1, reformado en 2015, a saber, que se trate de:

1.º Delitos dolosos castigados con pena con límite máximo de, al menos, tres años de prisión.

2.º Delitos cometidos en el seno de un grupo u organización criminal.

3.º Delitos de terrorismo.

La LECRIM establece en cuanto a la ejecución de esta medida las siguientes normas:

A) Presupuestos

Los presupuestos de la detención y apertura de la correspondencia son tres:

1.º) Que se trate de correspondencia privada postal o telegráfica que el investigado remita o reciba.

2.º) Que haya indicios de obtener por estos medios el descubrimiento o comprobación de algún hecho o circunstancia importante de la causa.

3.º) Auto motivado del Juez que determine, por la designación de nombres de remitentes o destinatarios u otras circunstancias concretas, la correspondencia que deba ser detenida y examinada o los telegramas de los que haya que entregar copias (art. 583 LECRIM).

Pero en 2015 se ha reformado de manera importante este requisito formal de la autorización judicial, estableciéndose en el art. 579.2 a 5 LECRIM que:

1.- El plazo será de hasta tres meses, prorrogable por iguales o inferiores períodos hasta un máximo de dieciocho meses,

2.- La restricción constitucional afecta a la observación de las comunicaciones postales y telegráficas del investigado, así como de las comunicaciones de las que se sirva para la realización de sus fines delictivos.

3.- En caso de urgencia y tratándose de lucha contra la criminalidad organizada, la autorización judicial se difiere, siendo competente para adoptarla en primer término, el Ministro del Interior o, en su defecto, el Secretario de Estado de Seguridad, quien la comunicará inmediatamente al Juez para que la ratifique o alce en un plazo máximo de setenta y dos horas desde que fue ordenada la medida.

4.- Sin ese carácter de urgencia, no se requerirá autorización judicial en los siguientes casos:

a) Envíos postales que, por sus propias características externas, no sean usualmente utilizados para contener correspondencia individual sino para servir al transporte y tráfico de mercancías o en cuyo exterior se haga constar su contenido.

b) Aquellas otras formas de envío de la correspondencia bajo el formato legal de comunicación abierta, en las que resulte obligatoria una declaración externa de contenido o que incorporen la indicación expresa de que se autoriza su inspección.

c) Cuando la inspección se lleve a cabo de acuerdo con la normativa aduanera o proceda con arreglo a las normas postales que regulan una determinada clase de envío.

> Se recoge así la casuística jurisprudencial que se ha visto obligada a aclarar en números casos si se está o no ante una exención al requisito del control jurisdiccional previo (v. la propia S TC 281/2006, citada).

5°) La solicitud y las actuaciones posteriores relativas a la medida solicitada se sustanciaran en una pieza separada y secreta, sin necesidad de que se acuerde expresamente el secreto de la causa.

> En caso de estado de excepción, pueden ser intervenidas las comunicaciones «si ello resulta necesario para el esclarecimiento de los hechos presuntamente delictivos o el mantenimiento del orden público» (art. 18.1 LO 4/1981, de 1 de junio), y entonces no se requiere auto alguno, pero la autoridad gubernativa, tras la intervención de la comunicación, deberá comunicar inmediatamente el hecho al Juez en escrito motivado (art. 18.2 LO 4/1981).

B) Detención de la correspondencia

Por detención de correspondencia ha de entenderse la simple retención de la misma para su ulterior examen por las personas que determine la ley (SSTS de 23 de febrero de 1994; y de 8 de febrero de 1999).

La detención de la correspondencia sólo puede decretarla el juez de Instrucción, pero la realización física de la detención puede encomendarse por el órgano jurisdiccional, y así es generalmente por razones de eficacia. En efecto, según el art. 580 LECRIM pueden materialmente detener la correspondencia, previo auto motivado del instructor: a) El Juez de Paz (art. 563, al que se remite el art. 580, I); b) La Policía Judicial (art. 563, al que se remite el art. 580, I); c) El administrador de Correos y Telégrafos o Jefe de la oficina donde la correspondencia pueda hallarse (art. 580, II LECRIM); d) Pero, en caso de estado de excepción, la única autoridad competente es la gubernativa (art. 18.1 LO 4/1981).

La correspondencia detenida y, tratándose de telegramas, las copias de los mismos, deberá ser remitida al Juez de Instrucción (arts. 581 y 582 LECRIM).

C) Apertura y examen de la correspondencia postal

Esta regulación no se aplica a la telegráfica, que, por razones técnicas, es siempre abierta. Con referencia a la postal deben estudiarse los sujetos que intervienen en la apertura y examen, la forma de practicar la diligencia, y la documentación:

1.º) Sujetos, en donde debe distinguirse a su vez: 1) Sujeto facultado para abrirla y examinar el contenido es únicamente el Juez de Instrucción (art. 586, I LECRIM), no cabiendo delegación en la policía; 2) Sujetos que pueden o deben presenciar el acto: a) El investigado, que debe ser citado para presenciar el acto, pudiendo concurrir por sí mismo o nombrar representante, por ejemplo, un abogado (art. 584 LECRIM). Si no quisiera hacerlo o estuviere en rebeldía, se abrirá y examinará igualmente (art. 585 LECRIM); b) El letrado de la administración de justicia, para documentar fehacientemente el acto (art. 588 LECRIM).

2.º) Forma: La forma de practicarse la apertura y el examen viene recogida en los tres párrafos del art. 586 LECRIM. La correspondencia que careciera de interés para la causa será entregada en el acto al investigado o a su representante, o a alguien de su familia mayor de edad si estuviere en rebeldía, y si no hay nadie a quien entregarlo, lo conserva el Juez hasta que aparezca (art. 587 LECRIM).

3.º) Documentación: El LAJ extenderá diligencia de lo que hubiera ocurrido en el acto, que será firmada por él, el Juez y los asistentes (art. 588 LECRIM).

D) Utilización de los resultados probatorios

Dos previsiones contiene el art. 579 bis LECRIM, introducido en 2015 por la LO 13/2015 de 5 de octubre:

a) La primera hace referencia a la utilización de la información obtenida en un procedimiento distinto y descubrimientos casuales, disponiendo que los resultados de la detención y apertura de la correspondencia escrita y telegráfica podrán ser utilizados como medio de investigación o prueba en otro proceso penal distinto a aquél en el que se ordenó la medida. El testimonio de particulares basta para acreditar la legitimidad de la injerencia. Debe informarse si las diligencias continúan declaradas secretas, a los efectos de que tal declaración sea respetada en el otro proceso penal, comunicando el momento en el que dicho secreto se alce.

Se trata de una previsión importante, pues hasta ahora no se sabía muy bien qué hacer al respecto, dado que la jurisprudencia se ha ocupado más de precisar qué debe entenderse por correspondencia, si sólo la postal, incluyendo evidentemente los paquetes postales en ella, o cualquier tipo de comunicación escrita, lo que parece también claro.

> En la actualidad los problemas de la detención de la correspondencia no se refiere propiamente a las cartas, ni a los telegramas, sino a los paquetes postales, y sobre ellos existe una compleja jurisprudencia relativa, primero, a que es paquete postal (no lo es, por ejemplo, el equipaje de un viajero) y, luego, a la distinción entre paquetes propiamente dichos (subdistinguiendo cuando viajan con «etiqueta verde», que no gozan de la protección de la correspondencia, por lo que pueden ser abiertos por la aduana) y mercancías en régimen de contrato de transporte (S TS de 2 de junio de 1997, RA 4551).

b) La segunda, quizás desubicada, hace referencia al descubrimiento casual, con ocasión de la apertura de la correspondencia escrita y telegráfica se supone, de una prueba. En este caso, se requiere autorización judicial para continuar con la investigación a partir de esta prueba evaluando el marco en el que se produjo el hallazgo casual y la imposibilidad de haber solicitado la medida en su momento. Pero nada más añade la ley, lo que deja en el aire muchas cuestiones.

VI. DILIGENCIA DE FILMACIÓN DE LUGARES PÚBLICOS

La LO 4/1997, de 4 de agosto, permite que las Fuerzas y Cuerpos de Seguridad filmen y graben mediante videocámaras lo que ocurre en lugares públicos, como calles o plazas, sean abiertos o cerrados (art. 1.1). Esta posibilidad, indiscutiblemente de carácter preventivo, está directamente pensada para proteger la seguridad ciudadana, erradicar la violencia callejera y garantizar la seguridad pública, incluso en materia de circulación vial, pero puede convertirse en un acto de investigación si, como consecuencia de la filmación, se detecta la comisión de un delito, o coadyuva al descubrimiento de su autor. Están en juego los derechos constitucionales a la intimidad y a la propia imagen (art. 18.1 CE), de manera que no se trata de una medida rutinaria o intrascendente.

Este último aspecto es el que nos interesa. Hasta dicha LO, nada disponían las leyes españolas. Fue la jurisprudencia, y en concreto la del TS, la que sentó las bases de autorización de las filmaciones videográficas y obtención de fotos, particularmente en su importantísima Sentencia de 6 de mayo de 1993 (RA 3854), que distinguió entre filmaciones de lugares públicos y privados.

> Partiendo de la idoneidad del medio para averiguar los hechos criminales, el TS entendió que las filmaciones y fotografías obtenidas por la Policía desde puestos de vigilancia públicos, es decir, situados en la calle o en lugares públicos, en donde se hacía el seguimiento de personas que pudieran estar relacionadas con el hecho que es objeto de la investigación, eran perfectamente ajustadas a derecho, y para nada afectaban al derecho fundamental a la intimidad personal y a la propia imagen de las mismas, ya que éstos no son derechos absolutos o ilimitados, sino que deben ceder ante los intereses públicos de la persecución penal, de mayor importancia en estos casos. El fundamento legal hasta 1997 se encontraría en los arts. 8 de la LO 1/1982, de 5 de mayo, y en el art. 282 LECRIM. V. también la S TC 190/1992, de 16 de noviembre; y las SS TS de 23 de noviembre de 1990 (RA 9148), de 5 de noviembre de 1993 (RA 8279), de 14 de enero de 1994 (RA 12), y de 27 de febrero de 1996 (RA 1394).

La LO 4/1997 ha recogido la jurisprudencia en lo esencial, estableciendo medidas de persecución penal y actuaciones de carácter administrativo, intentando respetar al máximo los derechos fundamentales implicados (art. 2).

La instalación de videocámaras se autoriza, previo informe favorable de una comisión presidida por un Magistrado (art. 3.1), que es vinculante si estima que podrían violarse los criterios de autorización del art. 4 (art. 3.3), por la autoridad administrativa (el Delegado del Gobierno, art. 3.2), mediante resolución motivada (art. 3.4), que es recurrible administrativamente (art. 11).

La importancia práctica de la ley, que afecta directamente a la Policía Judicial, es que por motivos de urgencia máxima, o de imposibilidad de obtener la autorización, ésta puede instalar videocámaras móviles, dando cuenta en el plazo de 72 horas al máximo responsable provincial de las FCS (art. 5.2, III).

La utilización de videocámaras o de cualquier otro aparato análogo (art. 1.2), estará presidida por el principio de proporcionalidad, en su doble versión de idoneidad y de intervención mínima (art. 6).

Si el resultado de la investigación, es decir, la grabación concreta de imagen y sonido, muestra apariencia de delito, hay que dar parte inmediatamente a la autoridad judicial, en todo caso, en el plazo máximo de 3 días, remitiéndole la Policía el correspondiente atestado (escrito o verbal), que incluirá el soporte original íntegro de la filmación (art. 7.1), que aunque nada diga esta LO al respecto tiene indiscutiblemente al menos valor de denuncia, pudiendo convertirse en prueba si en el acto del juicio oral declaran los agentes que la realizaron, y, por tanto, siendo elemento probatorio suficiente para obtener una condena penal.

El tratamiento de la filmación se quiere por la LO que sea absolutamente reservado (art. 7.2 y 3), debiendo ser de conocimiento público su instalación si son videocámaras fijas, aunque sin decir el lugar exacto de su emplazamiento (art. 9.1). El propietario del edificio está obligado a autorizar su colocación si ha sido seleccionado por la Policía (DA 6.ª).

Pero cuando la grabación videográfica pueda afectar al espacio privado de la intimidad de una persona, como sería el caso de su domicilio, sólo puede realizarse si previamente ha sido autorizada por el Juez competente, o consentida por el interesado (art. 6.5).

Las filmaciones no se destruyen mientras sean objeto de investigación o de prueba en un proceso penal (art. 8.1), pudiendo los interesados pedir su visionado o cancelación, bajo determinados presupuestos (art. 9.2).

Téngase en cuenta, y lo tratamos en la lección siguiente, el nuevo art. 588 quinquies a) LECRIM, introducido en 2015, sobre captación de imágenes en lugares o espacios públicos, que complementa ahora estas previsiones.

VII. INTERVENCIONES CORPORALES DIRECTAS

El art. 15 CE reconoce a todos el derecho fundamental a la vida y a la integridad física y moral. Sin embargo, la integridad física puede verse afectada por determinadas medidas de investigación criminal, generalmente además no reguladas por la Ley en forma expresa, por ejemplo, cuando son necesarios reconocimientos corporales para averiguar las circunstancias del delito y la posible responsabilidad de sus autores.

Sorprende de manera muy negativa esta falta de regulación en tema tan importante como delicado, sobre todo teniendo en cuenta la ingente cantidad de reformas procesales que se han producido en 2015.

En estos casos, convendría fijar una serie de presupuestos, acordes con la naturaleza de derecho fundamental, que en todo caso no dejan de ser una opinión personal del autor de estas páginas.

Concretamente, los actos de investigación que significan injerencias a la integridad corporal deberían: 1°) Ser acordados exclusivamente mediante auto del JI, salvo que el titular del derecho preste su consentimiento, en cuyo caso pueden ser acordados por el MF o la Policía Judicial; 2°) Ser practicados por personas expertas o profesionales (v.gr., la Guardia Civil de Tráfico, el Médico Forense u otro médico cualificado, etc.); 3°) En tanto en cuanto puedan reconducirse a actividades periciales, deberán ser de aplicación las normas previstas para este acto de investigación; y 4°) En ningún caso se debe acordar la medida cuando haya peligro grave para la salud.

Dicho esto, las diligencias pueden ser muy variadas:

a) Extracciones de sangre (v.gr., en delitos contra la libertad sexual, arts. 178 y ss. CP).

b) Análisis de líquidos humanos (saliva, semen, orina, etc.), y punciones pulmonares o medulares.

Merece destacarse aquí la toma de muestras para averiguar el ADN de una persona. Esta diligencia o prueba será tratada en varios lugares de este volumen (derecho de defensa, acto de investigación garantizado para inscripción en base de datos policial, etc.).

El ácido desoxirribonucleico (ADN, o DNA en sus siglas en inglés) es una huella o vestigio de naturaleza biológica que permite averiguar un hecho criminal y sus circunstancias, así como su posible autor o autores. Se descubrió en 1953 y se utilizó procesalmente por vez primera en Inglaterra en 1985 (*caso Enderby*). Forma parte de las llamadas pruebas científicas.

Esta prueba afecta a varios derechos constitucionales del investigado (integridad física, intimidad, a no declarar contra sí mismo, defensa). Como puede practicarse solo a efectos meramente identificadores y también de archivo (nunca del ADN codificante) en una base de datos específica, los derechos fundamentales afectados pueden variar.

La LECRIM la regula muy parcialmente en los arts. 326, 363 y 778.3, así como en su DA-3ª. La LO 10/2007, de 8 de octubre ha regulado la base de datos policial sobre identificadores a partir del ADN. La legislación europea sobre el tema es ya muy amplia, destacando el Tratado de Prüm de 2005.

La práctica de la prueba la inicia la Policía científica tomando las muestras, huellas, restos o vestigios biológicos; y se desarrolla por un equipo técnico forense altamente cualificado integrado en un laboratorio oficial. El control de la cadena de custodia juega aquí un papel fundamental. No es una prueba documental como dice la ley, sino pericial, que se valora libremente por el juzgador conforme a los límites jurisprudenciales establecidos para estas pruebas por la jurisprudencia.

Es una prueba que puede ser practicada en algunos casos sin abogado defensor, por ejemplo, cuando esas huellas o vestigios están abandonados o consiente el propio imputado (v. lección 6ª); también puede ejecutarse en contra de la voluntad del imputado mediando autorización judicial.

Téngase en cuenta que según el Acuerdo de Sala General del TS de 24 de septiembre de 2014, párrafo I: «... es válido el contraste de muestras obtenidas en la causa objeto de enjuiciamiento con los datos obrantes en la base de datos policial procedentes de una causa distinta, aunque en la prestación del consentimiento no conste la asistencia de letrado, cuando el acusado no ha cuestionado la licitud y validez de esos datos en fase de instrucción.»

c) Radiografías, electrocardiogramas o encefalogramas.

d) Tactos vaginales o anales (v.gr., en delitos contra la salud pública, arts. 359 y ss. CP; v. Instrucción 6/1988 FGE, en Memoria 1989, pág. 605).

e) Reconocimientos corporales (v.gr., en delitos de aborto, arts. 144 y ss. CP, LO 2/2010, de 3 de marzo).

f) Tests psiquiátricos o psicológicos.

g) Tests de alcoholemia y de estupefacientes en delitos contra la seguridad del tráfico.

Consideración especial merece el llamado test de alcoholemia para comprobar la comisión del delito de conducción de vehículo de motor bajo la influencia de bebidas alcohólicas (art. 379.2 CP), no sólo por su utilización práctica, sino por ser uno de los pocos actos que tienen regulación legal (v. art. 14 del Real Decreto Legislativo 6/2015, de 30 de octubre, por el que se aprueba el texto refundido de la Ley sobre Tráfico, Circulación de Vehículos a Motor y Seguridad Vial —Ltraf—, y arts. 20 a 28 Real Decreto 1428/2003, de 21 de noviembre, BOE del 23, por el que se aprueba el Reglamento General de Circulación —Rto. LTraf—).

Su ejecución corresponde a la Policía Judicial (Guardia Civil de Tráfico y, en ocasiones, Policía Local), conforme a las normas previstas en la LECRIM, la LTtraf y a las técnicas policiales apropiadas. Es muy importante al respecto la Circular FGE 2/1986, de 14 de febrero, sobre la prueba de la alcoholemia como integradora del tipo definido en el art. 340 bis, a) CP (Memoria FGE 1987, págs. 373 y ss.)

El TC, que admite la validez de este medio de investigación (y de prueba), entendiendo que no viola derecho fundamental alguno, ha exigido especiales garantías para que el test pueda en su día convertirse en prueba, y fundamentar de este modo la posible sentencia de condena.

Así, el posible infractor, que está obligado a someterse al test una vez es requerido para ello en el control policial correspondiente, tiene derecho a ser informado de que puede someterse a un segundo examen trascurrido un tiempo, y a análisis de sangre, y, en todo caso tiene derecho de defensa, sobre todo si el control implica detención policial, y a que los miembros de la Policía Judicial que realizaron el test se ratifiquen luego en el juicio oral [v. SSTC 100/1985, 3 octubre; 145/1987, 23 septiembre; 3/1990, 15 enero; y STS núm. 210/2017, de 29 de marzo (RJ 2017\1313) entre otras].

Finalmente, debe quedar fuera de toda duda que en caso de inconsciencia del investigado, la extracción de sangre requiere sin excepción alguna autorización judicial, dada la imposibilidad de prestar su consentimiento el afectado en un sentido o en otro.

LECTURAS RECOMENDADAS: CABEZUDO BAJO, *La inviolabilidad de domicilio y el proceso penal*, Madrid, 2004; DOLZ LAGO, *La prueba penal de ADN a través de la jurisprudencia*, Madrid, 2016; GÓMEZ COLOMER (coord.), *La prueba de ADN en el proceso penal*, Valencia, 2014; MONTERO AROCA, *Detención y apertura de la correspondencia y de los paquetes postales en el proceso penal*, Valencia, 2000: MONTERO AROCA, *La intervención de las comunicaciones telefónicas en el proceso penal*, Valencia, 1999.

Lección Décima

Los actos de investigación garantizados (II) [Modernos medios tecnológicos de investigación]

I. CARACTERÍSTICA GENERAL: LIMITACIÓN DE DERECHOS CONSTITUCIONALES

Al igual que en la lección anterior, pero estos son medios prácticamente novedosos todos ellos en España.

Algunos muy agresivos, su uso ponderado puede resultar complicado en la práctica.

II. DISPOSICIONES COMUNES A LOS MODERNOS ACTOS DE INVESTIGACIÓN TECNOLÓGICO

La legislación distingue entre requisitos de naturaleza constitucional (Exclusividad jurisdiccional, investigación de un delito iniciada (principio de especialidad), necesidad del acto de investigación, principio de proporcionalidad y duración limitada); y de naturaleza ordinaria (secreto, extensión a terceros, utilización de la información obtenida en un procedimiento distinto y descubrimientos casuales y cese de la medida).

Establece finalmente unas medidas de aseguramiento comunes a todos ellos.

III. LA INTERVENCIÓN DE LAS COMUNICACIONES TELEFÓNICAS

Medida muy efectiva para luchar contra la criminalidad organizada.

Ya prevista en nuestra legislación, se ha modernizado considerablemente adaptando la jurisprudencia sobre los requisitos constitucionales y de legalidad ordinaria a la realidad actual, ante las deficiencias del régimen hasta ahora vigente.

No procede por cualquier delito y la ley es muy cuidadosa en las garantías para el imputado.

Se regula con detalle, como en las legislaciones europeas más avanzadas, el régimen legal de los datos electrónicos de tráfico o asociados.

IV. CAPTACIÓN Y GRABACIÓN DE COMUNICACIONES ORALES MEDIANTE LA UTILIZACIÓN DE DISPOSITIVOS ELECTRÓNICOS

Se trata de poder investigar el crimen mediante dispositivos que permitan grabar y oír a personas que están siendo investigadas por un delito hablando entre ellas cara a cara.

La ley regula su autorización, presupuestos y control de manera, sobre el papel, suficientemente garantistas.

V. UTILIZACIÓN DE DISPOSITIVOS TÉCNICOS DE CAPTACIÓN DE LA IMAGEN, DE SEGUIMIENTO Y DE LOCALIZACIÓN

Como en la medida anterior, la ley permite la fijación de dispositivos que permitan realizar el seguimiento, localización y captación de la imagen en la investigación del crimen.

La ley se preocupa igualmente de regular su autorización, duración y utilización de manera, sobre el papel, suficientemente garantistas.

VI. REGISTRO DE DISPOSITIVOS DE ALMACENAMIENTO MASIVO DE INFORMACIÓN

La ley permite registrar los ordenadores que se encuentren con ocasión de un registro domiciliario, siempre que se cumplan los requisitos de autorización judicial, motivación especial y se respeten los límites de acceso.

VII. REGISTROS REMOTOS SOBRE EQUIPOS INFORMÁTICOS

La medida permite que la Policía entre en el ordenador de sospechosos para averiguar sus actividades delictivas (gusanos informáticos).

La ley es muy estricta a la hora de regular sus presupuestos, el contenido del auto, el deber de colaboración y la duración.

VIII. ANÁLISIS DEL ADN EN CASO DE DELITOS GRAVES PARA INSCRIPCIÓN EN UNA BASE DE DATOS POLICIALES

Se permite que a condenados por determinados delitos muy graves pueda tomárseles una muestra para averiguar su ADN e introducirlo en una base de datos.

I. CARACTERÍSTICA GENERAL: LIMITACIÓN DE DERECHOS CONSTITUCIONALES

Como veíamos al principio de la lección anterior, la LECRIM recoge una serie de actos de investigación garantizados, denominados así por estar tutelados expresamente por la Constitución, de forma tal que si no se practican con plenas garantías, sobre todo para el investigado, serán nulos y carecerán de los efectos jurídicos que con su ejecución se pretendían.

La diferencia es que en esta lección, con excepción de dos actos, la interceptación telefónica y el análisis del ADN, vamos a estudiar actos de investigación absolutamente novedosos desde el punto de vista legislativo, pues han sido introducidos por la LO 13/2015, de 5 de octubre, de modificación de la Ley de Enjuiciamiento Criminal para el fortalecimiento de las garantías procesales y la regulación de las medidas de investigación tecnológica. Esa novedad no quiere decir que no se practicaran antes algunos de ellos ya, pero con base jurisprudencial en algún caso incierta y siempre exigente de regulación legal, que por fin nos llega.

La interceptación telefónica también ha sido reformada por esta ley, para adaptarla a la exigente realidad jurídica actual ante los defectos de la regulación hasta ahora vigente.

Tres observaciones previas a su estudio:

1ª) La justificación de su introducción es plausible si se considera la protección de la sociedad frente a la altísima preocupación social que causan las nuevas formas de delincuencia, que utilizan todos los avances tecnológicos para cometer sus horribles crímenes, frente a los que la sociedad está en principio atónita y después indefensa. Como dice la EM de la LO 13/2015: "Los flujos de información generados por los sistemas de comunicación telemática advierten de las posibilidades que se hallan al alcance del delincuente, pero también proporcionan poderosas herramientas de investigación a los poderes públicos". Se trata por tanto de utilizar las mismas herramientas, las que proporciona la alta tecnología de la que disfrutamos en la actualidad, para luchar eficazmente contra esa delincuencia, casi siempre organizada.

2ª) Algunos de los nuevos actos de investigación tecnológicos representan un nivel de agresión en la esfera personal y privada del ciudadano sospechoso de haber cometido el delito tan alto, que parecen hacernos decir que un nuevo Estado marcadamente policial podría estar pergeñándose.

Ante este panorama, al Estado no le ha quedado más remedio, para luchar con eficacia contra la nueva delincuencia tecnológicamente avanzada, que ponerse a su altura con los mismos medios para contrarrestarla, aunque para conseguirlo tenga que afectar a la vida privada de las personas. El problema es que al criminal le da igual vulnerar derechos constitucionales de los ciudadanos, pero al Estado democrático ello no le puede ser indiferente. Y aquí precisamente es donde se encuentra el principal problema de las medidas que vamos a estudiar a continuación.

No debemos exagerar, pero tampoco dejar de estar atentos, pues el garantismo procesal en España ha alcanzado una cota una vez restablecida la democracia, tras décadas de ausencia, que vale la pena mantener en favor del juicio "justo" o con todas las garantías, siendo admisibles matices en donde ese nivel presente fisuras, justificadas bajo estrictos requisitos, que puedan afectar a derechos de la ciudadanía honesta.

Es cierto que todos los países democráticos están reaccionando de la misma manera y todos tienen en alguna forma como actos de investigación los que ahora se han incorporado a la legislación española. La lucha contra la criminalidad organizada (definida por el art. 570 bis.1, II CP) y los horribles crímenes que comete parecen justificar este nivel superior de control policial y judicial que estos actos representan.

3ª) La cuestión jurídica se centra por tanto en hallar el equilibrio exacto entre la exigencia de tutelas específicas por la sociedad en peligro y los derechos del ciudadano investigado o sospechoso de haber cometido un crimen de esa naturaleza, siempre inocente hasta la sentencia de condena.

Es la propia LO 13/2015 la que proporciona lo que a su juicio son instrumentos esenciales de ese equilibrio, a saber, el reconocimiento de unos principios rectores y la exigencia de cumplimiento de unos requisitos garantistas, a tratar en el apartado siguiente, que reafirmen a un tiempo el Estado de Derecho y la eficacia de la persecución de esos delitos.

Si se consigue o no es cuestión de tiempo. La práctica nos lo dirá.

II. DISPOSICIONES COMUNES A LOS MODERNOS ACTOS DE INVESTIGACIÓN TECNOLÓGICOS.

El nuevo Capítulo IV del Título VIII del Libro II, denominado "Disposiciones comunes a la interceptación de las comunicaciones telefónicas y telemáticas, la captación y grabación de comunicaciones orales mediante la utilización de dispositivos electrónicos, la utilización de dispositivos técnicos de seguimiento, localización y captación de la imagen, el registro de dispositivos de almacenamiento masivo de información y los registros remotos sobre equipos informáticos", regula en sus arts. 588 bis a) a 588 bis k) esos principios y garantías a los que hacíamos referencia.

Los principios rectores y garantías constitucionales y ordinarias de los nuevos actos de investigación tecnológicos ahora normativizados, son fruto de la más avanzada jurisprudencia constitucional y ordinaria de nuestros más altos tribunales en los últimos años. Se aplican a todos ellos y tienen como finalidad común determinar primero, y poder controlar después, que la resolución jurisdiccional de limitación de los derechos fundamentales a través de estas medidas es legítima, está fundamentada y es procedente.

Se trata de los siguientes principios (art. 588 bis a):

A) De naturaleza constitucional

El acto de investigación únicamente se puede practicar si se ha autorizado previamente por el Juez Instructor mediante auto. En este sentido, la ley dispone que durante la instrucción de las causas se podrá acordar alguna de las medidas de investigación reguladas en el presente capítulo siempre que medie autorización judicial dictada con plena sujeción a los principios de especialidad, idoneidad, excepcionalidad, necesidad y proporcionalidad de la medida.

1º) Principio de idoneidad:

Servirá para definir el ámbito objetivo y subjetivo y la duración de la medida en virtud de su utilidad.

La LECRIM regula con detalle el requisito de la autorización judicial, por ser sin duda el más importante y el que permite el control de los demás presupuestos:

La solicitud se regula en el art. 588 bis b): El Juez podrá acordar las medidas reguladas en este capítulo de oficio, lo que es novedad, o a instancia del Ministerio Fiscal o de la Policía Judicial. Cuando el Ministerio Fiscal o la Policía Judicial soliciten del Juez de Instrucción una medida de investigación tecnológica, la petición habrá de contener:

1.º La descripción del hecho objeto de investigación y la identidad del investigado o de cualquier otro afectado por la medida, siempre que tales datos resulten conocidos.

2.º La exposición detallada de las razones que justifiquen la necesidad de la medida, así como los indicios de criminalidad que se hayan puesto de manifiesto durante la investigación previa a la solicitud de autorización del acto de injerencia.

3.º Los datos de identificación del investigado o encausado y, en su caso, de los medios de comunicación empleados que permitan la ejecución de la medida.

4.º La extensión de la medida con especificación de su contenido.

5.º La unidad investigadora de la Policía Judicial que se hará cargo de la intervención.

6.º La forma de ejecución de la medida.

7.º La duración de la medida que se solicita.

8.º El sujeto obligado que llevará a cabo la medida, en caso de conocerse.

De acuerdo con el art. 588 bis c), el Juez de Instrucción autorizará o denegará la medida solicitada mediante auto motivado, oído el Ministerio Fiscal. Esta resolución se dictará en el plazo máximo de veinticuatro horas desde que se presente la solicitud. Siempre que resulte necesario para resolver sobre el cumplimiento de alguno de los requisitos expresados en los artículos anteriores, el Juez podrá requerir, con interrupción del plazo a que se refiere el apartado anterior, una ampliación o aclaración de los términos de la solicitud. La resolución judicial que autorice la medida concretará al menos los siguientes extremos:

a) El hecho punible objeto de investigación y su calificación jurídica, con expresión de los indicios racionales en los que funde la medida.

b) La identidad de los investigados y de cualquier otro afectado por la medida, de ser conocido.

c) La extensión de la medida de injerencia, especificando su alcance así como la motivación relativa al cumplimiento de los principios rectores establecidos en el artículo 588 bis a.

d) La unidad investigadora de Policía Judicial que se hará cargo de la intervención.

e) La duración de la medida.

f) La forma y la periodicidad con la que el solicitante informará al Juez sobre los resultados de la medida.

g) La finalidad perseguida con la medida.

h) El sujeto obligado que llevará a cabo la medida, en caso de conocerse, con expresa mención del deber de colaboración y de guardar secreto, cuando proceda, bajo apercibimiento de incurrir en un delito de desobediencia.

El complejo contenido de esta resolución parece buscado de propósito, para que los Jueces abandonen prácticas viciosas de autorizar injerencias en derechos fundamentales de los ciudadanos de manera rutinaria, con carácter genérico o en forma poco motivada.

El acto de investigación acordado está sujeto al control previsto en el art. 588 bis g): La Policía Judicial informará al Juez de Instrucción del desarrollo y los resultados de la medida, en la forma y con la periodicidad que éste determine y, en todo caso, cuando por cualquier causa se ponga fin a la misma.

2°) Investigación ya iniciada de un concreto delito (principio de especialidad):

El principio de especialidad exige que una medida esté relacionada con la investigación de un delito concreto. No podrán autorizarse medidas de investigación tecnológica que tengan por objeto prevenir o descubrir delitos o despejar sospechas sin base objetiva. Con ello se quieren prohibir expresamente las diligencias con carácter prospectivo, es decir, las que sin relación con un caso concreto se adoptan para buscar pruebas por si acaso hubiera algo (una diligencia de «peinado» por ejemplo).

3º) Necesidad del acto de investigación:

Es decir, en aplicación de los principios de excepcionalidad, idoneidad y especialidad sólo podrá acordarse la medida:

a) Cuando no estén a disposición de la investigación, en atención a sus características, otras medidas menos gravosas para los derechos fundamentales del investigado o encausado e igualmente útiles para el esclarecimiento del hecho, o

b) Cuando el descubrimiento o la comprobación del hecho investigado, la determinación de su autor o autores, la averiguación de su paradero, o la localización de los efectos del delito se vea gravemente dificultada sin el recurso a esta medida.

4º) Principio de proporcionalidad:

Las medidas de investigación reguladas en este capítulo solo se reputarán proporcionadas cuando, tomadas en consideración todas las circunstancias del caso, el sacrificio de los derechos e intereses afectados no sea superior al beneficio que de su adopción resulte para el interés público y de terceros. Para la ponderación de los intereses en conflicto, la valoración del interés público se basará en la gravedad del hecho, su trascendencia social o el ámbito tecnológico de producción, la intensidad de los indicios existentes y la relevancia del resultado perseguido con la restricción del derecho.

Obsérvese por tanto que los únicos criterios para decidir si estamos ante una medida proporcionada ya no son la gravedad del hecho ni la trascendencia social del mismo, sino que se aumentan y adaptan mejor a la realidad.

La concurrencia de los principios de exclusividad jurisdiccional, idoneidad, especialidad, necesidad y proporcionalidad, hace que la medida a adoptar sea legítima desde el punto de vista constitucional. Y no menos importante, el respeto a los mismos garantiza que tanto la medida como los resultados obtenidos serán prueba válida y lícita a efectos de la acusación o la defensa.

5º) Duración:

El tiempo de vigencia de la medida se regula en el art. 588 bis e): Las medidas reguladas en el presente capítulo tendrán la duración que se especifique para cada una de ellas y no podrán exceder del tiempo imprescindible para el esclarecimiento de los hechos. La medida podrá ser prorrogada, mediante auto motivado, por el Juez competente, de oficio o previa petición razonada del solicitante, siempre que subsistan las causas que la motivaron. Transcurrido el plazo por el que resultó concedida la medida, sin haberse acordado su prórroga, o, en su caso, finalizada ésta, cesará a todos los efectos.

La solicitud de prórroga, conforme al artículo 588 bis f), se dirigirá por el Ministerio Fiscal o la Policía Judicial al Juez competente con la antelación suficiente a la expiración del plazo concedido. Deberá incluir en todo caso:

a) Un informe detallado del resultado de la medida; y

b) Las razones que justifiquen la continuación de la misma.

En el plazo de los dos días siguientes a la presentación de la solicitud, el Juez resolverá sobre el fin de la medida o su prórroga mediante auto motivado. Antes de dictar la resolución podrá solicitar aclaraciones o mayor información. Concedida la prórroga, su cómputo se iniciará desde la fecha de expiración del plazo de la medida acordada.

B) De naturaleza ordinaria

1°) Secreto:

La solicitud y las actuaciones posteriores relativas a la medida solicitada se sustanciarán en una pieza separada y secreta, sin necesidad de que se acuerde expresamente el secreto de la causa (art. 588 bis d).

Algo obvio, porque si el interceptado sabe que le están grabando no dirá nunca nada que tenga relevancia penal en su contra.

2°) Extensión a terceros:

De acuerdo con el art. 588 bis h), podrán acordarse las medidas de investigación reguladas en los siguientes capítulos aun cuando afecten a terceras personas en los casos y con las condiciones que se regulan en las disposiciones específicas de cada una de ellas.

Esto significa, por poner un ejemplo concreto, que la diligencia de investigación de interceptación no busca intervenir el teléfono del titular o propietario sólo, sino también el de cualquier usuario que sea en estos momentos tercero procesal. Lo importante por tanto es el teléfono o medio de comunicación.

3°) Utilización de la información obtenida en un procedimiento distinto y descubrimientos casuales:

El uso de las informaciones obtenidas en un procedimiento distinto y los descubrimientos casuales se regulan con arreglo a lo dispuesto en el artículo 579 bis (art. 588 bis i).

En cuanto al primer supuesto, frecuente en la práctica, la norma recoge el Acuerdo no jurisdiccional adoptado en Sala General, por el Pleno de la Sala Segunda del Tribunal Supremo de 26 de mayo de 2009, en el sentido de ser prueba utilizable en otro proceso. El descubrimiento casual lo trataremos *infra* en esta misma lección.

4º) Cese de la medida:

El art. 588 bis j) dispone que el Juez acordará el cese de la medida cuando desaparezcan las circunstancias que justificaron su adopción o resulte evidente que a través de la misma no se están obteniendo los resultados pretendidos, y, en todo caso, cuando haya transcurrido el plazo para el que hubiera sido autorizada.

5º) Destrucción de los registros:

Finalmente, es posible la destrucción de los registros originales electrónicos, según el art. 588 bis k), dado el interés legítimo del ciudadano investigado en que no se conserven más allá de lo previsto legalmente: Una vez que se ponga término al procedimiento mediante resolución firme, se ordenará el borrado y eliminación de los registros originales que puedan constar en los sistemas electrónicos e informáticos utilizados en la ejecución de la medida.

Se conservará una copia bajo custodia del Letrado de la Administración de Justicia. Se acordará la destrucción de las copias conservadas cuando hayan transcurrido cinco años desde que la pena se haya ejecutado o cuando el delito o la pena hayan prescrito, o se haya decretado el sobreseimiento libre o haya recaído sentencia absolutoria firme respecto del investigado, siempre que no fuera precisa su conservación a juicio del tribunal. Los tribunales dictarán las órdenes oportunas a la Policía Judicial para que lleve a efecto la destrucción contemplada en los anteriores apartados.

C) Medidas de aseguramiento

Aunque no vienen reguladas en las Disposiciones comunes acabadas de estudiar, creemos que es mejor su estudio ubicándolas sistemáticamente ahora, porque afectan a todas los actos de investigación que vamos a estudiar a continuación y tienen también incidencia constitucional.

Dispone el Capítulo X del Título VIII del Libro II bajo la denominación "Medidas de aseguramiento", art. 588 octies, introducido también por la LO 13/2015, de 5 de octubre, relativo a la orden de conservación de datos, ciertas actuaciones de prevención.

Esencialmente se trata de que el Ministerio Fiscal o la Policía Judicial pueda requerir a cualquier persona física o jurídica la conservación y protección de datos o informaciones concretas incluidas en un sistema informático de almacenamiento que se encuentren a su disposición hasta que se obtenga la autorización judicial correspondiente para su cesión con arreglo a lo dispuesto en los artículos precedentes.

> Los datos se conservarán durante un período máximo de 90 días, prorrogable una sola vez hasta que se autorice la cesión o se cumplan ciento ochenta días;

y el requerido vendrá obligado a prestar su colaboración y a guardar secreto del desarrollo de esta diligencia, quedando sujeto a responsabilidad.

Con ello se evita incurrir en una vulneración constitucional (ejecutar sin orden judicial) y en una pérdida o extravío casi seguro de los datos a efectos de la posible investigación criminal.

III. LA INTERVENCIÓN DE LAS COMUNICACIONES TELEFÓNICAS Y TELEMÁTICAS

La antigüedad de la LECRIM impidió que se previera y regulara la posibilidad de tomar conocimiento, para los fines del proceso penal, de comunicaciones privadas que se efectúan a través de medios distintos al correo y telégrafo, como el teléfono, el télex, el fax, el correo electrónico y cualquier forma de mensajería instantánea a través de la red (Skype, FaceTime, Viber, Twitter, Facebook, SMS, MMS, WhatsApp, Messenger, Telegram, etc.).

Que el Juez de Instrucción pudiese intervenir una conversación telefónica o comunicación por télex, fax, o cualquier otro medio, era indudable ya desde el art. 18.3 CE, pero para actualizar la LECRIM se modificó su art. 579 por LO 4/1988, de 25 de mayo, en donde se reguló la intervención y escucha de conversaciones telefónicas en la fase de investigación del proceso penal. Pero en el fondo la reforma fue muy defectuosa, ya que el supuesto normativo resultó poco preciso y con evidentes lagunas, que han tenido que ir interpretándose y perfeccionándose progresivamente por la doctrina del TC (S 184/2003, de 23 de octubre), y por el TS, cuyo punto de partida es el Auto TS de 18 de junio de 1992 (RA 6102). Por su importancia práctica, consideramos especialmente esta diligencia, debiendo tenerse en cuenta la Circular 1/1999, de 29 de diciembre, de la Fiscalía General del Estado, sobre este tema.

La reforma de la LECRIM ha venido también impuesta por el Tribunal Europeo de Derechos Humanos, que en diversos casos en los que se alegó la vulneración del art. 8 del Convenio (sobre todo *Kruslin c. Francia, Huvig c. Francia,* ambos de 1990, y *Valenzuela Contreras c. España*, de 1998), concluyó que era necesario que la limitación del derecho fundamental estuviera expresamente prevista por la ley y precisamente por una ley que fuera compatible con la preeminencia del derecho. En esta doctrina ha insistido la STEDH de 18 de febrero de 2003 (caso *Prado Bugallo*).

Ante estos antecedentes, la LO 13/2015, ha procedido a reformar profundamente el acto de investigación meritado, que pasa a denominarse "Interceptación de las comunicaciones telefónicas y telemáticas", regulado en el nuevo Capítulo V del Título VIII del Libro II LECRIM, arts. 588 ter a) a 588 ter m). Se trata de un desarrollo específico y muy relevante en el ámbito del proceso penal del derecho al secreto de las comunicaciones consagrado en el art. 18.3 de la Constitución.

La medida afecta a todos los medios de comunicación posibles a través del teléfono o telemáticamente (tanto los conocidos hoy como los que en el futuro puedan incorporarse al mercado). Como puede suponerse fácilmente, todos los ciudadanos, en calidad de usuarios, somos susceptibles de ella ante la utilización masiva de los mismos.

Por interceptación debe entenderse tomar conocimiento la autoridad judicial o la policial por su delegación de comunicaciones telefónicas (verbales), en cualquiera de los medios posibles, o telemáticas (escritas), igualmente sea cual fuere el programa utilizado, mediante el uso de aparatos configurados técnicamente para ello, entre dos o más personas que desconocen la interceptación y que se encuentran separadas entre sí.

Antes de la aprobación de la reforma operada por la LO 13/2015, ya el TS había tenido ocasión de pronunciarse sobre la utilización como prueba de conversaciones usando redes sociales (como Twitter, Facebook, Twenti, etc.) o la utilización de mensajes mediante el medio más utilizado en España, el WhatsApp, admitiendo su validez con cautela y dados ciertos requisitos, tanto mediante aportación directa de los mismos como mediante la llamada coloquialmente técnica del "pantallazo" o foto de pantalla que se incorpora como documento gráfico (SS núm. 850/2014, de 26 de noviembre (RJ 2014\6423); y núm. 300/2015, de 19 de mayo, RJ 2015\1920). Referencia importante también fue la doctrina de inconstitucionalidad de las grabaciones de conversaciones del detenido en sede policial mientras no se reformara profundamente el art. 579 LECRIM, pues con su hoy derogada redacción no daba cobertura legal a las mismas (S TC 145/2014, de 22 de septiembre).

La limitación del derecho formal al secreto de la comunicación exige la concurrencia de unos requisitos, que pueden clasificarse en constitucionales y de legalidad ordinaria, produciendo esta distinción importantes consecuencias.

A) Los requisitos constitucionales

La importancia de atribuir a un requisito naturaleza constitucional radica en que el desconocimiento del mismo supone la aplicación del art. 11.1 de la LOPJ, con lo que no surtirán efecto las pruebas obtenidas, directa o indirectamente, vulnerando el derecho del art. 18.3 CE, además de abrirse la posibilidad del amparo constitucional.

a) Exclusividad jurisdiccional

En nuestro derecho la limitación del derecho al secreto de las comunicaciones sólo puede decretarla un órgano dotado de potestad jurisdiccional; no se admiten limitaciones del derecho que provengan de la autoridad administrativa. Se prevé como sabemos con carácter general en el art. 588 bis c) y así lo confirma para este acto concreto el art. 588 ter d) LECRIM.

b) Resolución judicial

La resolución judicial debe ser motivada y, por tanto, es un auto. Dispone el art. 588 ter d)-1 que, para que sea posible obtener esa autorización deberá solicitarse al Juez previamente por escrito, que deberá contener, además de los requisitos mencionados en el artículo 588 bis b), los siguientes:

a) La identificación del número de abonado, del terminal o de la etiqueta técnica,

b) La identificación de la conexión objeto de la intervención, o

c) Los datos necesarios para identificar el medio de telecomunicación de que se trate.

El apartado 2 de esa norma fija la posible extensión de la medida:

a) El registro y la grabación del contenido de la comunicación, con indicación de la forma o tipo de comunicaciones a las que afecta.

b) El conocimiento de su origen o destino, en el momento en el que la comunicación se realiza.

c) La localización geográfica del origen o destino de la comunicación.

d) El conocimiento de otros datos de tráfico asociados o no asociados pero de valor añadido a la comunicación. En este caso, la solicitud especificará los datos concretos que han de ser obtenidos.

Pero (ap. 3 del precepto), y aquí puede venir uno de los problemas a los que hacíamos referencia al principio de esta lección, en caso de urgencia, cuando las investigaciones se realicen para la averiguación de delitos relacionados con la actuación de bandas armadas o elementos terroristas y existan razones fundadas que hagan imprescindible la medida prevista en los apartados anteriores de este artículo, podrá ordenarla el Ministro del Interior o, en su defecto, el Secretario de Estado de Seguridad. Esta medida se comunicará inmediatamente al Juez competente y, en todo caso, dentro del plazo máximo de veinticuatro horas, haciendo constar las razones que justificaron la adopción de la medida, la actuación realizada, la forma en que se ha efectuado y su resultado. El Juez competente, también de forma motivada, revocará o confirmará tal actuación en un plazo máximo de setenta y dos horas desde que fue ordenada la medida.

En caso de necesidad, la medida puede ser prorrogada según el art. 588 ter h), que es norma especial para esta medida. Para fundamentar la solicitud de la prórroga, la Policía Judicial aportará, en su caso, la transcripción de aquellos pasajes de las conversaciones de las que se deduzcan informaciones relevantes para decidir sobre el mantenimiento de la medida. También el Juez, antes de dictar la resolución, podrá solicitar aclaraciones o mayor información, incluido el contenido íntegro de las conversaciones intervenidas.

De estas normas cabe deducir que:

1.º) No existen autorizaciones: Cuando el art. 18.3 CE dice que por resolución judicial puede limitarse el derecho al secreto de las comunicaciones, no está diciendo que la autoridad judicial pueda autorizar a la Policía para que sea ésta la que limite el derecho, sino que lo dispuesto en la norma es que la limitación queda comprendida en el ámbito estricto de la actuación de los jueces y tribunales.

Cosa distinta es que la autoridad judicial, asumiendo la limitación en exclusiva, encomiende a la autoridad administrativa la realización de determinadas actividades materiales, para las que la primera no cuenta con los medios físicos necesarios, lo cual es posible, aunque debe tenerse siempre en cuenta que la realización de la actividad material no supone autonomía de la autoridad administrativa.

Entre las autoridades administrativas excluidas de la posibilidad de decretar la limitación del secreto de las comunicaciones se encuentra también el Ministerio Fiscal; éste, en sus diligencias, no puede acordar la intervención.

2.º) Proceso penal incoado: La interceptación que restringe el derecho al secreto de la comunicación privada sólo puede decretarse si existe un proceso penal ya abierto, pues la limitación misma sólo puede justificarse en la existencia de indicios de responsabilidad criminal. Esto supone que la práctica judicial de acordar la intervención en las llamadas diligencias indeterminadas carece de respaldo constitucional (a pesar de que el TS ha admitido esa práctica hasta ahora, S TS de 22 de enero de 1998, RA 148), ya que no hay posibilidad de que el ciudadano investigado pueda ejercer su derecho de defensa, ni de que su ejecución pueda ser controlada por nadie externo (v.gr., el MF).

3.º) Competencia: Si la intervención ha de decretarse en proceso penal abierto, la consecuencia es que la competencia corresponde al Juzgado de Instrucción que está realizando el sumario o diligencias previas o urgentes, etc.

Debe añadirse que:

a) El auto es necesario tanto para decretar la intervención como para prorrogarla.

b) Aunque la jurisprudencia ha admitido hasta ahora la utilización de modelos impresos (S TS de 2 de febrero de 1998, RA 414), ello supone la negación misma de lo que es una verdadera motivación. Con la reforma de 2015, es imposible que puedan seguir usándose legalmente.

c) También se ha admitido hasta la fecha jurisprudencialmente la llamada motivación por remisión, esto es, entender que el auto está motivado cuando las razones de la decisión se encuentran en la solicitud de la policía o del Fiscal, a la que se remite el auto (v. STC 49/1999, de 5 de abril). Tras la reforma de 2015 tampoco es posible seguir utilizando esta "comodidad".

d) La verdadera motivación exige que el auto explique los indicios de responsabilidad criminal que justifican una limitación tan grave de un derecho fundamental; se trata de que existan hechos concretos desde los que pueda razonablemente concluirse que se ha cometido un delito (lo que excluye las meras conjeturas y, sobre todo, la pesquisa, es decir, el salir a la búsqueda de un delito, de cualquier delito), que ha de sospecharse razonablemente que ha sido cometido por persona determinada. Por ello es obvio que el auto debe expresar cuál es el número del teléfono a intervenir.

e) La ley impone un deber de colaboración con el Juez, el Fiscal y la Policía a todos los prestadores de servicios de telecomunicaciones, de acceso a una red de telecomunicaciones o de servicios de la sociedad de la información, así como a toda persona que de cualquier modo contribuya a facilitar las comunicaciones a través del teléfono o de cualquier otro medio o sistema de comunicación telemática, lógica o virtual, bajo secreto, para que este acto de investigación se pueda practicar, pudiendo incurrir en delito de desobediencia en caso contrario (art. 588 ter e).

f) Finalmente, la jurisprudencia debe ir matizando los diversos casos que la realidad nos hagan dudar. Por ejemplo, acceder a la agenda del teléfono móvil de una persona exige autorización judicial, salvo que fundadamente se acrediten razones de urgencia (STS núm. 204/2016, de 10 de marzo, RJ\2016\1114).

c) La prohibición del exceso

Con esta expresión se está haciendo referencia jurisprudencialmente a dos requisitos de contenido constitucional:

1.º) Necesidad de la medida: Supone que la intervención telefónica tiene que ser el único medio por el que puede descubrirse la existencia del delito o de sus circunstancias o, por lo menos, el medio por el que se sacrifican menos los derechos fundamentales del investigado (recordemos que es un principio rector, fijado en el art. 588 bis a)-5).

En último caso la necesidad tiene que referirse a que los otros posibles medios de investigación de un determinado delito y de una concreta persona no ofrecen garantías de alcanzar la finalidad perseguida. Por ello es por lo que a veces se habla, no de necesidad, sino de subsidiariedad.

2.º) Proporcionalidad de la misma: El principio viene fijado ahora por el nuevo art. 588 ter a), al disponer que la autorización para la interceptación de las comunicaciones telefónicas y telemáticas solo podrá ser concedida cuando la investigación tenga por objeto alguno de los delitos a que se refiere el artículo 579.1 de esta ley o delitos cometidos a través de instrumentos informáticos o de cualquier otra tecnología de la información o la comunicación o servicio de comunicación.

Recordemos que esos delitos son los siguientes:

1.º Delitos dolosos castigados con pena con límite máximo de, al menos, tres años de prisión.

2.º Delitos cometidos en el seno de un grupo u organización criminal.

3.º Delitos de terrorismo.

Por tanto, se trata de los delitos graves y más graves, siguiendo la tendencia europea a no permitir la interceptación en cualquier caso. Se acaba así con la perturbadora idea de permitir la medida, como ocurría hasta ahora con fundamento jurisprudencial, con base en la naturaleza del delito, tanto por lo que se refería a la pena del mismo, como a su trascendencia social (v. SS TC 166/1999, de 27 de septiembre; y 167/2002, de 18 de septiembre). Ahora el criterio es puramente objetivo, salvo para los delitos dolosos, en los que se opta por el valor cuantitativo de la pena (tres años de prisión), lo que permite que muchos delitos menos graves caigan dentro del requisito.

Pero la SSTJUE (Gran Sala) C-207/16, de 2 de octubre de 2018, que resuelve una cuestión prejudicial planteada por un JI de Tarragona, permite el acceso de la autoridad pública a datos que identifican a los titulares de las tarjetas SIM activadas con un teléfono sustraído en caso de delitos no graves (penalidad inferior a 5 años), en consonancia con lo dispuesto en el art. 15.1 de la Directiva 2002/58/CE, de 15 de julio de 2002, a efectos de prevenir, investigar, descubrir y perseguir delitos en general.

d) Especialidad

Si la medida de intervención telefónica tiene que ser necesaria y si ha de ser proporcionada, es obvio que en el auto decretándola han de especificarse los indicios, el delito que de los mismos se desprende y la persona que aparece como sospechosa de ser la autora del mismo. Por eso la reforma recoge este contenido, entre otros datos, en el nuevo art. 588 bis c).3, configurado como requisito general de todos los actos, a cuyo contenido habrá que añadir el propio de esta medida tratado aquí.

La cuestión más grave que se presenta en la práctica es la del descubrimiento de hechos casuales o "descubrimiento inevitable", esto es, el que al estar investigando un delito y a una persona determinada, se intervenga una conversación por la que se conoce otro delito con autor diferente. La solución jurisprudencial no era clara, pero se admitía que el Juez podía inmediatamente, por medio de auto, bien ampliar el objeto de la investigación en el mismo procedimiento preliminar, bien proceder a incoar nuevo procedimiento. La adquisición de resultados de investigación mediante pruebas ilícitas o ilegalmente obtenidas, que de otra manera lícita o legal se habrían obtenido necesariamente, es constitucionalmente válida según nuestra jurisprudencia (S TS de 8 de febrero de 2000, RA 291), pero esta doctrina debe ser analizada con sumo cuidado por los evidentes peligros que entraña a la vista del nuevo art. 588 bis i), párrafo II, en relación con el art. 579 bis LECRIM.

e) Contradicción

Las partes tendrán acceso a las grabaciones, puesto que a la causa únicamente interesa el contenido directamente relacionado con el hecho criminal investigado, lo que sucederá, de acuerdo con el art. 588 ter i)-1 y 2, una vez alzado el secreto y expirada la vigencia de la medida de intervención. Para ello, se les entregará copia de las grabaciones y de las transcripciones realizadas. Si en la grabación hubiera datos referidos a aspectos de la vida íntima de las personas, solo se entregará la grabación y transcripción de aquellas partes que no se refieran a ellos. La no inclusión de la totalidad de la grabación en la transcripción entregada se hará constar de modo expreso.

Frente a ello las partes pueden, una vez examinada la grabación, solicitar la inclusión en las copias de aquellas comunicaciones que entienda relevantes y hayan sido excluidas. El Juez de Instrucción, oídas o examinadas por sí esas comunicaciones, decidirá sobre su exclusión o incorporación a la causa. No está prevista una audiencia para ello, y es obvio que las partes también pueden pedir la exclusión de contenidos, aunque tampoco esté previsto.

f) Protección de terceros

El art. art. 588 ter i)-3 ordena al Juez notificar a las personas intervinientes en las comunicaciones interceptadas el hecho de la práctica de la injerencia y se les informará de las concretas comunicaciones en las que haya participado que resulten afectadas, salvo que sea imposible, exija un esfuerzo desproporcionado o puedan perjudicar futuras investigaciones. Si la persona notificada lo solicita se le entregará copia de la grabación o transcripción de tales comunicaciones, en la medida que esto no afecte al derecho a la intimidad de otras personas o resulte contrario a los fines del proceso en cuyo marco se hubiere adoptado la medida de injerencia.

g) Duración limitada

A pesar de que el art. 18.3 de la CE no contiene referencia expresa al plazo de duración de la intervención, la prohibición de intervenciones ilimitadas en el tiempo ha de entenderse integrada en el requisito de la proporcionalidad, y por eso era necesario que la ley de desarrollo fijara un plazo de duración.

Eso es lo que hizo el art. 579 de la LECRIM, al establecer el plazo de tres meses, prorrogable por iguales períodos, y es lo que confirma el nuevo art. 588 ter g), con el matiz siguiente: «La duración máxima inicial de la intervención, que se computará desde la fecha de autorización judicial, será de tres meses, prorrogables por períodos sucesivos de igual duración hasta el plazo máximo de dieciocho meses.»

Obsérvese que esta norma altera el régimen general previsto en los arts. 588 bis e) y 588 bis f), que fijan la duración temporal no en concreto, sino en abstracto en función de lo que cada medida en particular necesite, manteniendo la posibilidad de prórroga.

El plazo que fije el Juez ha de entenderse como máximo, por lo que la necesidad de motivación, por un lado, exige que desde los indicios se diga en el auto el porqué de la duración que se acuerda, plazo que ha de fijarse, por otro lado, atendido el requisito de la proporcionalidad. Se trata, por tanto, no ya sólo de que no pueden existir intervenciones telefónicas ilimitadas, algo *contra legem* hoy sin duda alguna, sino de que el límite temporal concreto que se acuerde por el Juez ha de estar motivado y ser proporcional.

B) Los requisitos de legalidad ordinaria

La explicación de los requisitos de legalidad ordinaria requiere distinguir entre aquéllos que afectan a la fase de instrucción y aquellos otros que determinan cómo se practica la prueba en el juicio oral. En la instrucción la medida de intervención telefónica puede ser un acto de investigación, por medio del que se pretende averiguar la perpetración del delito, con todas sus circunstancias, y el autor del mismo, pero la medida ha de realizarse de modo que tienda también a preparar el juicio oral, descubriendo fuentes de prueba y, a veces, preconstituyendo prueba. Lo que nos importa aquí no es tanto el acto de investigación, como la forma de realizar la intervención para que pueda llegar a surtir efectos probatorios en el juicio oral.

a) El llamado control judicial

La exclusividad jurisdiccional supone que la medida es decretada sólo por el Juez de Instrucción y que al mismo corresponde la ejecución de la misma. Razones prácticas, con todo, aconsejan que la actividad física de la escucha y de la grabación se encomiende a la Policía Judicial, si bien debe tenerse en cuenta que ésta actúa en todo caso bajo las órdenes directas del Juez. Consiguientemente no se trata de que el Juez «controle» a la Policía en una actividad propia de ésta, sino de que aquél se auxilie de ésta (v. S TC 9/2011, de 28 de febrero). Ese auxilio supone, entre otras cosas, que el Juez debe dar las instrucciones necesarias sobre cómo se realiza la intervención.

El art. 588 ter f) establece por ello que la Policía Judicial pondrá a disposición del Juez, con la periodicidad que éste determine y en soportes digitales distintos, la transcripción de los pasajes que considere de interés y las grabaciones íntegras realizadas. Se indicará el origen y destino de cada una de ellas y se asegurará, mediante un sistema de sellado o firma electrónica avanzado o sistema de adveración suficientemente fiable, la autenticidad e integridad de la información volcada desde el ordenador central a los soportes digitales en que las comunicaciones hubieran sido grabadas.

b) Selección de las conversaciones

Entregadas todas las cintas en el Juzgado, el Juez debe proceder a seleccionar las conversaciones atinentes a la causa, distinguiendo:

1.º) Exclusión de las grabaciones de conversaciones entre personas no investigadas: Dado que es posible que al intervenir un teléfono se hayan grabado conversaciones entre personas no investigadas, el Juez debe excluir esas conversaciones, con lo que se está respetando el derecho al secreto de las comunicaciones y a la intimidad de esas personas.

Pero hay que tener en cuenta que el art. 588 ter c) dispone que podrá acordarse la intervención judicial de las comunicaciones emitidas desde terminales o medios de comunicación telemática pertenecientes a una tercera persona siempre que:

1.º Exista constancia de que el sujeto investigado se sirve de aquella para transmitir o recibir información, o

2.º El titular colabore con la persona investigada en sus fines ilícitos o se beneficie de su actividad.

También podrá autorizarse dicha intervención cuando el dispositivo objeto de investigación sea utilizado maliciosamente por terceros por vía telemática, sin conocimiento de su titular.

2.º) Exclusión de las conversaciones no atinentes a la causa: Aún en el caso de que las conversaciones grabadas se hayan mantenido por personas investigadas, deben excluirse las conversaciones que no guarden relación los hechos investigados. Esta exclusión debe hacerse con contradicción, esto es, dando oportunidad a las partes de que tomen conocimiento de las conversaciones y de que digan qué afecta a la causa y qué no, aunque habrá de decidir el Juez.

Generalmente la Jurisprudencia insiste en la necesidad de que la transcripción por escrito de las conversaciones se haga bajo la fe del Letrado de la Administración de Justicia y con contradicción, pero debe tenerse en cuenta que lo que va a ser medio de prueba en el juicio oral serán las cintas grabadas y no los escritos, los cuales no pasan de ser medios para la comodidad en el conocimiento. Es más fácil y rápido leer que oír, pero eso no convierte a las transcripciones en medio de prueba.

c) Necesidad de oír en el juicio oral lo grabado

Si la verdadera fuente de prueba son las cintas grabadas de las conversaciones intervenidas, éstas se convertirán en medio de prueba mediante su audición en el juicio oral. La jurisprudencia suele decir que se trata del medio de prueba documental, pero es dudoso que así sea, pues estamos ante un medio de representación de hechos pasados por medio del sonido. Así las cosas, la necesidad de que se oigan las cintas es evidente, pues el único sistema de que el Tribunal, las partes y el público puedan acceder el conocimiento de esos hechos es oír lo que los representan.

Como hemos indicado, la importancia de la distinción entre los requisitos constitucionales o los de legalidad ordinaria radica en los efectos que se derivan de la vulneración de unos y otros. La vulneración de un requisito constitucional implica que se ha producido la intervención con desconocimiento de un derecho fundamental, y la consecuencia es que no podrán llevarse al juicio oral las cintas con las conversaciones intervenidas, pero además que carecen de eficacia probatoria todas las otras fuentes de prueba que se deriven de la intervención, tanto directa como indirectamente. Se trata de la aplicación del art. 11.1 de la LOPJ.

Por el contrario si lo vulnerado es requisito de legalidad ordinaria, la fuente de prueba obtenida será nula (art. 238 LOPJ), pero los hechos conocidos por la intervención podrán ser acreditados por los demás medios de prueba, aparte de que la nulidad no se extiende a las fuentes de prueba obtenidas de modo indirecto de la intervención.

C) Datos electrónicos de tráfico o asociados

Finalmente, deben tenerse en cuenta disposiciones técnicas que facilitan enormemente el acceso, la utilización y archivo de las conversaciones grabadas, en consonancia con el criterio fijado por la Ley 25/2007, de 18 de octubre, de conservación de datos relativos a las comunicaciones electrónicas y a las redes públicas de comunicaciones, en relación con la Ley 9/2014, de 9 de mayo, General de Telecomunicaciones.

La Ley 25/2007 se aprobó para transponer la Directiva 2006/24/CE del Parlamento Europeo y del Consejo, de 15 de marzo de 2006 sobre la conservación de datos generados o tratados en relación con la prestación de servicios de comunicaciones electrónicas de acceso público o de redes públicas de comunicaciones y por la que se modifica la Directiva 2002/58/CE, pero esta Directiva ha sido declarada nula por la S TJUE (Gran Sala) de 8 de abril de 2014 (TJCE 2014\104), resolviendo sendas cuestiones prejudiciales planteadas por el TS de Irlanda y el TC de Austria, por no establecer suficientes garantías de protección y vulnerar el principio de proporcionalidad. El problema es hasta qué punto queda afectada la Ley 25/2007, algo no resuelto todavía ni jurisprudencial, ni doctrinalmente. Me inclino por pensar que la cesión de datos no resulta afectada, porque se requiere autorización judicial, pero sí las normas sobre conservación de los mismos, de contenido demasiado amplio en la legislación española citada

a) Ámbito: El art. 588 ter b) dispone que los terminales o medios de comunicación objeto de intervención han de ser aquellos habitual u ocasionalmente utilizados por el investigado. Y añade que, además de acceder a las comunicaciones a través de esos aparatos, se puede acceder a los datos electrónicos de tráfico o asociados al proceso de comunicación, así como a los que se produzcan con independencia del establecimiento o no de una concreta comunicación, en los que participe el sujeto investigado, ya sea como emisor o como receptor, y podrá afectar a los terminales o los medios de comunicación de los que el investigado sea titular o usuario. También podrán intervenirse los terminales o medios de comunicación de la víctima cuando sea previsible un grave riesgo para su vida o integridad. El apartado 3 del precepto define qué son los datos electrónicos de tráfico o asociados.

Obsérvese que la autorización judicial por tanto no sólo debe referirse a las conversaciones que se produzcan desde un terminal o terminales o desde medios de comunicación concretos, sino también a los datos electrónicos de tráfico o asociados al proceso de comunicación, es decir, que no sólo se graban las conversaciones de un teléfono, por ejemplo, sino que también se puede exigir de la operadora que diga dónde está el teléfono o el usuario investigado en el momento de producirse la interceptación (localización geográfica).

La red utilizada puede ser tanto pública (GSM, WiFi), como privada (por ejemplo, las redes TOR, que favorecen el anonimato de quienes las usan).

La posibilidad de intervenir teléfonos o medios de comunicación de la víctima, no siendo la persona investigada por tanto, es una medida cautelar o de protección, por lo que está fuera de lugar en este acto de investigación.

b) Datos electrónicos de tráfico o asociados en poder del prestador del servicio: De acuerdo con el art. 588 ter j), los datos electrónicos conservados por los prestadores de servicios o personas que faciliten la comunicación en cumplimiento de la legislación sobre retención de datos relativos a las comunicaciones electrónicas o por propia iniciativa por motivos comerciales o de otra índole (se trata de la Ley 25/2007, cit., cuya vigencia parcial hoy se discute conforme a lo explicado), y que se encuentren vinculados a procesos de comunicación, solo podrán ser cedidos para su incorporación al proceso con autorización judicial, mediante el procedimiento fijado en el apartado 2 del precepto.

No es claro qué deba entenderse por dato vinculado a un proceso de comunicación. Será la jurisprudencia la que vaya abriendo o cerrando espacios. El listado de llamadas debe serlo desde luego y por ello ha de estar protegida la entrega de los listados telefónicos de sus clientes por parte de las compañías telefónicas a la Policía. Si no existe el consentimiento de sus titulares, debe requerirse autorización judicial (v. S TC 123/2002, de 20 de mayo; y S TS núm. 7/2014, de 22 de enero, RJ 2014\887).

c) Identificación mediante IP (art. 588 ter k). Cuando en el ejercicio de las funciones de prevención y descubrimiento de los delitos cometidos en Internet, los agentes de la Policía Judicial tuvieran acceso a una dirección IP (uno de los datos a conservar conforme al apartado anterior, porque permite identificar al titular o usuario del terminal) que estuviera siendo utilizada para la comisión algún delito y no constara la identificación y localización del equipo o del dispositivo de conectividad correspondiente ni los datos de identificación personal del usuario, solicitarán del Juez de Instrucción que requiera de los agentes sujetos al deber de colaboración según el artículo 588 ter e), la cesión de los datos que permitan la identificación y localización del terminal o del dispositivo de conectividad y la identificación del sospechoso.

d) La identificación de los terminales mediante captación de códigos de identificación del aparato o de sus componentes, por ejemplo el IMEI, se regula en el art. 588 ter l), cuando en el marco de una investigación no hubiera sido posible obtener un determinado número de abonado y éste resulte indispensable a los fines de la investigación. No requiere autorización judicial, practicando la Policía la identificación mediante el uso de tecnología especial. Tampoco la obtención del PIN de un móvil (STS núm. 551/2016, de 22 de junio, RJ\2016\3527).

e) Finalmente, la identificación de titulares o terminales o dispositivos de conectividad se regula en el art. 588 ter m), cuando el Ministerio Fiscal o la Policía Judicial necesiten conocer la titularidad de un número de teléfono o de cualquier otro medio de comunicación, o, en sentido inverso, precisen el número de teléfono o los datos identificativos de cualquier medio de comunicación.

IV. CAPTACIÓN Y GRABACIÓN DE COMUNICACIONES ORALES MEDIANTE LA UTILIZACIÓN DE DISPOSITIVOS ELECTRÓNICOS

El nuevo Capítulo VI del Título VIII del Libro II regula la "Captación y grabación de comunicaciones orales mediante la utilización de dispositivos electrónicos», arts. 588 quáter a), a 588 quáter e) LECRIM. En realidad va más allá, pues también permite la captación de imágenes. Constituye igualmente un desarrollo específico en el ámbito del proceso penal del derecho al secreto de las comunicaciones del art. 18.3, pero no sólo, pues también está afectado el derecho a la inviolabilidad del domicilio del art. 18.2 y del derecho a la privacidad (intimidad y propia imagen) del art. 18.1 de la Constitución.

La razón para introducir esta medida se funda en la experiencia que ha proporcionado la persecución de determinados delitos hasta ahora, en los que captar lo que están hablando dos personas en un lugar público o abierto con medios técnicos resulta imprescindible para su esclarecimiento.

Como hay un evidente peligro de extralimitación, la LECRIM limita la procedencia del acto de investigación a encuentros concretos que vaya a mantener el investigado, debiéndose identificar con precisión el lugar o dependencias sometidos a vigilancia. En otras palabras, no se legitiman autorizaciones de captación y grabación de conversaciones orales con carácter general o indiscriminadas.

a) Autorización

De acuerdo con el art. 588 quáter a), es posible la grabación de las comunicaciones orales directas en los siguientes términos: Podrá autorizarse la colocación y utilización de dispositivos electrónicos que permitan la captación y grabación de las comunicaciones orales directas que se mantengan por el investigado, en la vía pública o en otro espacio abierto, en su domicilio o en cualesquiera otros lugares cerrados. Los dispositivos de escucha y grabación podrán ser colocados tanto en el exterior como en el interior del domicilio o lugar cerrado.

Pero si fuese necesaria la entrada en el domicilio o en alguno de los espacios destinados al ejercicio de la privacidad para la instalación de los correspondientes dispositivos, la resolución habilitante habrá de extender su motivación a la procedencia del acceso a dichos lugares.

Adicionalmente, la escucha y grabación de las conversaciones privadas se podrá complementar con la obtención de imágenes cuando expresamente lo autorice la resolución judicial que la acuerde. Obsérvese que no se regula la grabación entre particulares (v.gr., con cámara oculta), por lo que habrá que estar a la S TS núm. 793/2013, de 28 de octubre, que en principio admite su validez.

Con ello queda afectado no sólo el investigado sino también todo su entorno familiar.

b) Presupuestos

Son de acuerdo con el art. 588 quáter b) los siguientes:

La utilización de los dispositivos a que se refiere el artículo anterior ha de estar vinculada a comunicaciones que puedan tener lugar en uno o varios encuentros concretos del investigado con otras personas y sobre cuya previsibilidad haya indicios puestos de manifiesto por la investigación. Solo podrá autorizarse cuando concurran los requisitos siguientes:

a) Que los hechos que estén siendo investigados sean constitutivos de alguno de los siguientes delitos:

1.º Delitos dolosos castigados con pena con límite máximo de, al menos, tres años de prisión.

2.º Delitos cometidos en el seno de un grupo u organización criminal.

3.º Delitos de terrorismo.

b) Que pueda racionalmente preverse que la utilización de los dispositivos aportará datos esenciales y de relevancia probatoria para el esclarecimiento de los hechos y la identificación de su autor.

El contenido de la resolución judicial, además de las exigencias reguladas en el artículo 588 bis c), deberá contener una mención concreta al lugar o dependencias, así como a los encuentros del investigado que van a ser sometidos a vigilancia (art. 588 quáter c).

c) Control

En cumplimiento de lo dispuesto en el artículo 588 bis g, la Policía Judicial pondrá a disposición de la autoridad judicial el soporte original o copia electrónica auténtica de las grabaciones e imágenes, que deberá ir acompañado de una transcripción de las conversaciones que considere de interés.

El informe identificará a todos los agentes que hayan participado en la ejecución y seguimiento de la medida (art. 588 quáter d).

d) Consecuencias del cese de la medida

De acuerdo con el art. 588 quáter e), cesada la medida por alguna de las causas previstas en el artículo 588 bis j), la grabación de conversaciones que puedan tener lugar en otros encuentros o la captación de imágenes de tales momentos exigirán una nueva autorización judicial.

V. UTILIZACIÓN DE DISPOSITIVOS TÉCNICOS DE CAPTACIÓN DE LA IMAGEN, DE SEGUIMIENTO Y DE LOCALIZACIÓN

El nuevo Capítulo VII del Título VIII del Libro II LECRIM regula la «Utilización de dispositivos técnicos de captación de la imagen, de seguimiento y de localización», arts. 588 quinquies a) a art. 588 quinquies c). Puesto que se trata de un acto de investigación a practicar en lugares públicos, debe ser puesto en relación con el acto de filmación en lugares públicos estudiado en la lección 9ª. Constituye igualmente otro desarrollo específico en el ámbito del proceso penal del derecho al secreto de las comunicaciones del art. 18.3 de la Constitución, pero también queda afectado el derecho a la privacidad (intimidad y propia imagen) del art. 18.1 de la Constitución.

a) Objeto

La captación de imágenes en lugares o espacios públicos (cámaras callejeras de videovigilancia), y seguimiento o localización de personas (por ejemplo, los sistemas de geolocalización de posicionamiento global o GPS) queda sujeta a los requisitos establecidos en el art. 588 quinquies a): La Policía Judicial podrá obtener y grabar por cualquier medio técnico imágenes de la persona investigada cuando se encuentre en un lugar o espacio público, si ello fuera necesario para facilitar su identificación, para localizar los instrumentos o efectos del delito u obtener datos relevantes para el esclarecimiento de los hechos. La medida podrá ser llevada a cabo aun cuando afecte a personas diferentes del investigado, siempre que de otro modo se reduzca de forma relevante la utilidad de la vigilancia o existan indicios fundados de la relación de dichas personas con el investigado y los hechos objeto de la investigación.

Al amparo de este acto de investigación, vulnera el derecho constitucional a la inviolabilidad del domicilio y el derecho constitucional a la intimidad la utilización de prismáticos, que ciertamente no graban imágenes, por la Policía desde un lugar público para observar lo que ocurre en un domicilio, aunque las ventanas estén abiertas o las cortinas despasadas; al igual que el uso de drones con la misma finalidad de intrusión virtual. En ambos casos, a falta del consentimiento del interesado, se requiere autorización judicial expresa (v. S TS núm. 329/2016, de 20 de abril, RJ 2016\1691, FD 2).

Para las cámaras de vigilancia instaladas en la vía pública es importante la STSJ Cataluña núm. 11/2011, de 5 de mayo.

Igualmente, la STC 25/2019, de 28 de febrero, prohíbe la utilización periodística de la cámara oculta en cuanto que constituye una grave intromisión ilegítima en los derechos fundamentales a la intimidad personal y a la propia imagen, aunque su utilización podrá excepcionalmente ser legítima cuando no existan medios menos intrusivos para obtener la información

b) Autorización

La utilización de dispositivos o medios técnicos de seguimiento y localización requiere autorización judicial, siempre que sea necesaria y proporcionada, autorización que deberá especificar el medio técnico que va a ser utilizado (art. 588 quinquies b).

Los prestadores, agentes y personas a que se refiere el artículo 588 ter e) están obligados a facilitar al Juez, al Ministerio Fiscal y a los agentes de la Policía Judicial designados para la práctica de la medida la asistencia y colaboración precisas para facilitar el cumplimiento de los autos por los que se ordene el seguimiento, bajo apercibimiento de incurrir en delito de desobediencia.

Cuando concurran razones de urgencia que hagan temer razonablemente que, de no colocarse inmediatamente el dispositivo o medio técnico de seguimiento y localización, se frustrará la investigación, la Policía Judicial podrá proceder a su colocación, dando cuenta a la mayor brevedad posible, y en todo caso en el plazo máximo de veinticuatro horas, a la autoridad judicial, quien podrá ratificar la medida adoptada o acordar su inmediato cese en el mismo plazo. En este último supuesto, la información obtenida a partir del dispositivo colocado carecerá de efectos en el proceso.

c) Duración

El art. 588 quinquies c)-1 establece una duración específica, apartándose del criterio del art. 588 bis e): Así, este acto de investigación tendrá una duración máxima de tres meses a partir de la fecha de su autorización. Excepcionalmente, el Juez podrá acordar prórrogas sucesivas por el mismo o inferior plazo hasta un máximo de dieciocho meses, si así estuviera justificado a la vista de los resultados obtenidos con la medida.

d) Utilización

De acuerdo con el art. 588 quinquies c)-2 y 3, la Policía Judicial entregará al Juez los soportes originales o copias electrónicas auténticas que contengan la información recogida cuando éste se lo solicite y, en todo caso, cuando terminen las investigaciones. La información obtenida a través de los dispositivos técnicos de seguimiento y localización a los que se refieren los artículos anteriores deberá ser debidamente custodiada para evitar su utilización indebida.

VI. REGISTRO DE DISPOSITIVOS DE ALMACENAMIENTO MASIVO DE INFORMACIÓN

El nuevo Capítulo VIII del Título VIII del Libro II LECRIM regula el «Registro de dispositivos de almacenamiento masivo de información», arts. 588 sexies a) a art. 588 sexies c). Estamos ante otro desarrollo específico en el ámbito del proceso penal del derecho al secreto de las comunicaciones del art. 18.3 de la Constitución. También quedan afectados indiscutiblemente el derecho a la protección de datos del art. 18.4 y el derecho a la privacidad (intimidad y propia imagen) del art. 18.1 de la Constitución. Ante esta complejidad dogmática se habla modernamente del «derecho al propio entorno virtual» (S TS núm. 342/2013, de 17 de abril (RJ 2013\3296), como derecho de nueva generación integrador de todos los citados en estos supuestos.

Se cubre un vacío legal importante con la aprobación de este acto de investigación. Para la EM de la LO 13/2015, esta reforma descarta cualquier duda acerca de que esos instrumentos de comunicación y, en su caso, almacenamiento de información son algo más que simples piezas de convicción. De ahí que se haya fijado una exigente regulación respecto del acceso a su contenido.

a) Autorización judicial

El largo art. 588 sexies c) dispone que:

1. La resolución del Juez de Instrucción mediante la que se autorice el acceso a la información contenida en los dispositivos a que se refiere la presente sección, fijará los términos y el alcance del registro y podrá autorizar la realización de copias de los datos informáticos. Fijará también las condiciones necesarias para asegurar la integridad de los datos y las garantías de su preservación para hacer posible, en su caso, la práctica de un dictamen pericial.

2. Salvo que constituyan el objeto o instrumento del delito o existan otras razones que lo justifiquen, se evitará la incautación de los soportes físicos que contengan los datos o archivos informáticos, cuando ello pueda causar un grave perjuicio a su titular o propietario y sea posible la obtención de una copia de ellos en condiciones que garanticen la autenticidad e integridad de los datos.

3. Cuando quienes lleven a cabo el registro o tengan acceso al sistema de información o a una parte del mismo conforme a lo dispuesto en este capítulo, tengan razones fundadas para considerar que los datos buscados están almacenados en otro sistema informático o en una parte de él, podrán ampliar el registro, siempre que los datos sean lícitamente accesibles por medio del sistema inicial o estén disponibles para este. Esta ampliación del registro deberá ser autorizada por el Juez, salvo que ya lo hubiera sido en la autorización inicial. En caso de urgencia, la Policía Judicial o el fiscal podrán llevarlo a cabo, informando al juez inmediatamente, y en todo caso dentro del plazo máximo de veinticuatro horas, de la actuación realizada, la forma en que se ha efectuado y su resultado. El Juez competente, también de forma motivada, revocará o confirmará tal actuación en un plazo máximo de setenta y dos horas desde que fue ordenada la interceptación.

4. En los casos de urgencia en que se aprecie un interés constitucional legítimo que haga imprescindible la medida prevista en los apartados anteriores de este artículo, la Policía Judicial podrá llevar a cabo el examen directo de los datos contenidos en el dispositivo incautado, comunicándolo inmediatamente, y en todo caso dentro del plazo máximo de veinticuatro horas, por escrito motivado al Juez competente, haciendo constar las razones que justificaron la adopción de la medida, la actuación realizada, la forma en que se ha efectuado y su resultado. El Juez competente, también de forma motivada, revocará o confirmará tal actuación en un plazo máximo de 72 horas desde que fue ordenada la medida.

5. Las autoridades y agentes encargados de la investigación podrán ordenar a cualquier persona que conozca el funcionamiento del sistema informático o las medidas aplicadas para proteger los datos informáticos contenidos en el mismo que facilite la información que resulte necesaria, siempre que de ello no derive una carga desproporcionada para el afectado, bajo apercibimiento de incurrir en delito de desobediencia.

Esta disposición no será aplicable al investigado o encausado, a las personas que están dispensadas de la obligación de declarar por razón de parentesco y a aquellas que, de conformidad con el artículo 416.2, no pueden declarar en virtud del secreto profesional.

Obsérvese que los sacerdotes de la religión católica, que no pueden ser obligados a declarar por el art. 417-1° LECRIM, no parecen estar incluidos a los efectos del art. 588 sexies c).

b) Motivación especial

Se requiere, según el art. 588 sexies a)-1 para acordar este acto de investigación una motivación individualizada, consistente en que el Juez extienda su razonamiento a la justificación, en su caso, de las razones que legitiman el acceso de los agentes facultados a la información contenida en tales dispositivos.

c) Límites de acceso

Se fijan dos:

1°) La simple incautación de cualquiera de los dispositivos a los que se refiere el apartado anterior, practicada durante el transcurso de la diligencia de registro domiciliario, no legitima el acceso a su contenido, sin perjuicio de que dicho acceso pueda ser autorizado ulteriormente por el Juez competente (art 588 sexies a)-2.

2°) En caso de acceso a la información de dispositivos electrónicos incautados fuera del domicilio del investigado, el art. 588 sexies b) dispone que la exigencia prevista en el apartado 1 del artículo anterior será también aplicable a aquellos casos en los que los ordenadores, instrumentos de comunicación o dispositivos de almacenamiento masivo de datos, o el acceso a repositorios telemáticos de datos, sean aprehendidos con independencia de un registro domiciliario. En tales casos, los agentes pondrán en conocimiento del Juez la incautación de tales efectos. Si éste considera indispensable el acceso a la información albergada en su contenido, otorgará la correspondiente autorización.

VII. REGISTROS REMOTOS SOBRE EQUIPOS INFORMÁTICOS

El también nuevo Capítulo IX del Título VIII del Libro II regula los «Registros remotos sobre equipos informáticos», arts. 588 septies a), a 588 septies c) LECRIM. Es la última de las medidas de investigación tecnológica introducidas en 2015 fundada en el art. 18.3 de la Constitución, sin perjuicio de poder quedar afectados también el derecho a la protección de datos del art. 18.4 y el derecho a la privacidad (intimidad y propia imagen) del art. 18.1 de la Constitución.

Con la aprobación de este acto de investigación se cubre otro vacío legal importante, adaptando nuestra legislación a las más avanzadas en Europa. Se trata de utilizar programas informáticos (*software*) altamente sofisticados que se introducen desde centros de control policial en el ordenador u ordenadores estáticos o portátiles (*laptop*), tabletas, teléfonos móviles, etc., en cuanto aparatos que almacenan datos del investigado, con el fin de extraer cualquier tipo de información que en él se contenga válida a efectos de investigación de un crimen.

Se comprende inmediatamente que estamos ante una medida altamente agresiva, puesto que utilizar la llamada técnica del «gusano informático» para espiar ordenadores ajenos, es en el fondo tener acceso a toda la vida virtual del investigado, quien ciertamente se ampara en el anonimato que proporciona Internet para cometer sus crímenes, por lo que habrá que estar muy atentos a las prevenciones que hicimos al comienzo de esta lección. Por eso el legislador quiere reforzar el ámbito objetivo de la medida, para lo que se han acotado con un listado *numerus clausus* los delitos que la pueden habilitar, y limitar la duración temporal, lo que en estos momentos no sabemos aún si será suficiente.

a) Presupuestos

De acuerdo con el art. 588 septies a)-1, el Juez competente podrá autorizar la utilización de datos de identificación y códigos, así como la instalación de un software, que permitan, de forma remota y telemática, el examen a distancia y sin conocimiento de su titular o usuario del contenido de un ordenador, dispositivo electrónico, sistema informático, instrumento de almacenamiento masivo de datos informáticos o base de datos, siempre que persiga la investigación de alguno de los siguientes delitos:

a) Delitos cometidos en el seno de organizaciones criminales.

b) Delitos de terrorismo.

c) Delitos cometidos contra menores o personas con capacidad modificada judicialmente.

d) Delitos contra la Constitución, de traición y relativos a la defensa nacional.

e) Delitos cometidos a través de instrumentos informáticos o de cualquier otra tecnología de la información o la telecomunicación o servicio de comunicación.

Obsérvese que la ley, una vez autorizado el acceso al dispositivo de almacenamiento de datos, por ejemplo, al ordenador estático que tiene en su casa el investigado, permite rastrear cualquier elemento del sistema, cualquier programa, cualquier dato, cualquier base de datos, cualquier texto, etc., contenido en él. Todo es por tanto objeto de investigación.

Sorprende por ello que se incluyan muchos delitos que ni siquiera podrían llegar a ser menos graves, a la vista del tenor literal de los apartado c) y e) del precepto. Sería de desear por el principio de proporcionalidad una mayor precisión de esos delitos.

b) Contenido del auto

El art. 588 septies a)-2 obliga a que la resolución judicial que autorice el registro especifique:

a) Los ordenadores, dispositivos electrónicos, sistemas informáticos o parte de los mismos, medios informáticos de almacenamiento de datos o bases de datos, datos u otros contenidos digitales objeto de la medida.

b) El alcance de la misma, la forma en la que se procederá al acceso y aprehensión de los datos o archivos informáticos relevantes para la causa y el software mediante el que se ejecutará el control de la información.

c) Los agentes autorizados para la ejecución de la medida.

d) La autorización, en su caso, para la realización y conservación de copias de los datos informáticos.

e) Las medidas precisas para la preservación de la integridad de los datos almacenados, así como para la inaccesibilidad o supresión de dichos datos del sistema informático al que se ha tenido acceso.

Finalmente, (ap. 3), cuando los agentes que lleven a cabo el registro remoto tengan razones para creer que los datos buscados están almacenados en otro sistema informático o en una parte del mismo, pondrán este hecho en conocimiento del Juez, quien podrá autorizar una ampliación de los términos del registro.

c) Deber de colaboración

El art. 588 septies b) obliga a colaborar con la Justicia a los prestadores de servicios y personas señaladas en el artículo 588 ter e), y a los titulares o responsables del sistema informático o base de datos objeto del registro, para la práctica de la medida y el acceso al sistema. Asimismo, están obligados a facilitar la asistencia necesaria para que los datos e información recogidos puedan ser objeto de examen y visualización. Las autoridades y los agentes encargados de la investigación podrán ordenar a cualquier persona que conozca el funcionamiento del sistema informático o las medidas aplicadas para proteger los datos informáticos contenidos en el mismo que facilite la información que resulte necesaria para el buen fin de la diligencia. Deben guardar secreto y están sujetos a responsabilidad.

Esta disposición no será aplicable al investigado o encausado, a las personas que están dispensadas de la obligación de declarar por razón de parentesco, y a aquellas que, de conformidad con el artículo 416.2, no pueden declarar en virtud del secreto profesional (recuérdese lo dicho con relación a los sacerdotes de la religión católica).

d) Duración

La medida tendrá una duración máxima de un mes, prorrogable por iguales períodos hasta un máximo de tres meses (art. 588 septies c).

VIII. ANÁLISIS DEL ADN EN CASO DE DELITOS GRAVES PARA INSCRIPCIÓN EN UNA BASE DE DATOS POLICIALES

En diversos lugares de este manual, la diligencia o prueba del análisis del ADN ha sido o va a ser tratada, porque de acuerdo con su regulación vigente afecta a diversas instituciones procesales. Ahora nos fijamos sólo en la utilización de este medio tecnológicamente tan avanzado para configurar una base de datos de delincuentes ya condenados muy peligrosos.

En este sentido, según el art. 129 bis CP, añadido por la Ley Orgánica 1/2015, de 30 de marzo y, por tanto, mal ubicado porque es una norma procesal, si se trata de condenados por la comisión de un delito grave contra la vida, la integridad de las personas, la libertad, la libertad o indemnidad sexual, de terrorismo, o cualquier otro delito grave que conlleve un riesgo grave para la vida, la salud o la integridad física de las personas, cuando de las circunstancias del hecho, antecedentes, valoración de su personalidad, o de otra información disponible pueda valorarse que existe un peligro relevante de reiteración delictiva, el Juez o Tribunal podrá acordar la toma de muestras biológicas de su persona y la realización de análisis para la obtención de identificadores de ADN e inscripción de los mismos en la base de datos policial. Únicamente podrán llevarse a cabo los análisis necesarios para obtener los identificadores que proporcionen, exclusivamente, información genética reveladora de la identidad de la persona y de su sexo.

Si el afectado se opusiera a la recogida de las muestras, podrá imponerse su ejecución forzosa mediante el recurso a las medidas coactivas mínimas indispensables para su ejecución, que deberán ser en todo caso proporcionadas a las circunstancias del caso y respetuosas con su dignidad.

Se trata por tanto de un acto de investigación, tomar muestras del ADN del ya condenado, que se puede acordar coactivamente tratándose de uno de los delitos fijados en el párrafo primero del precepto, para introducir los identificadores resultantes en una base de datos policial que, en caso de futuros delitos, facilite la identificación correspondiente.

Una medida que no va a dejar de ser objeto de gran discusión, porque en cierta manera recuerda a las medidas de seguridad por peligrosidad pre-delictual, que al reflejar un Derecho Penal de autor, parecían definitivamente abandonadas en nuestro sistema judicial. Pero una parte de la sociedad, las víctimas de delitos sexuales y de violencia de género la verán con buenos ojos por la seguridad del castigo que parece perseguirse. El drama de la Política Criminal y Procesal Penal, nunca convence a todos.

LECTURAS RECOMENDADAS: MARCHENA GÓMEZ et al., *La reforma de la Ley de Enjuiciamiento Criminal en 2015*, Madrid 2015; MOYA FERREIRO, *La intervención de comunicaciones orales directas en el proceso penal,* Valencia 2000; PÉREZ GIL (Coord.), *El proceso penal en la sociedad de la información. Las nuevas tecnologías para investigar y probar el delito*, Madrid 2012.

LIBRO IV
EL PROCESO CAUTELAR

Lección Décimo primera
Las medidas cautelares

I. LAS MEDIDAS CAUTELARES: CONCEPTO Y CARACTERÍSTICAS

Tercera manifestación de la función jurisdiccional: garantía de juzgar y hacer ejecutar. Caracteristicas: instrumentalidad; provisionalidad; temporalidad; variabilidad; jurisdiccionalidad

II. FUNCIÓN Y CLASES DE MEDIDAS

Instrumentos de: 1) efectividad del proceso, 2) aseguramiento de bienes y personas

A) Medida coercitiva: afectan derechos (libertad personal, integridad personal, propiedad, inviolabilidad del domicilio y secreto de comunicación)

B) Medidas precautelares, cautelares, coercitivas e interdictivas como especie

- Precautelares: asegurar efectividad del proceso
- Cautelares; personales sobre el investigado; o patrimoniales sobre bienes
- Preventivas: previenen la comisión o reiteración de delitos; no son cautelares
- Interdictivas: afectan y restringen derechos (suspensión función pública)

III. PRESUPUESTOS

Periculum in mora y fumus boni iuris

IV. LA DETENCIÓN COMO MEDIDA PRECAUTELAR PERSONAL

A) Concepto: medida precautelar personal de privación de libertad limitada

B) Modalidades de detención

a) La detención por particulares: es una facultad

b) La detención policial: es un deber

c) Detención judicial: ex novo o consecuencia de una detención anterior

C) Duración de la detención: medida limitada (arts. 496 LECRIM (24 h); 520.1, II (tiempo estrictamente necesario); 17.2 CE; nunca más de 72 horas)

V. ENTREGA DEL DETENIDO Y ACTUACIONES DEL JUEZ

O puesta en libertad o a disposición del juez para concretar su suerte cautelar

VI. GARANTÍAS Y DERECHOS DEL PRIVADO DE LIBERTAD

A) Derechos del detenido en la LECRIM: privación de forma menos perjudicial; y sin hacer uso de la fuerza; derechos de información (guardar silencio, no declarar contra sí mismo, designar abogado o que se le nombre de oficio, poner en conocimiento de familiar o persona su estado, a ser asistido por intérprete y a ser reconocido por médico forense)

B) Proceso de Habeas Corpus

a) Razón de ser: procedimiento rápido para alcanzar la comprobación judicial de la legalidad y las condiciones de la detención y suficientemente sencillo para que sea accesible a todos los ciudadanos

b) Requisitos: LO 6/1984, de 24 de mayo, de habeas corpus

I. LAS MEDIDAS CAUTELARES: CONCEPTO Y CARACTERÍSTICAS

Las medidas cautelares, en todos los procesos, se justifican siempre en la necesidad de tiempo para la tutela de los derechos de la persona en el caso concreto. Ese factor «tiempo» implica en sí mismo el riesgo de que la sentencia que llegue a dictarse sea inútil, sobre todo si el sujeto pasivo lo ha aprovechado para hacer que la sentencia no pueda ejecutarse. Aparece así la tercera manifestación de la función jurisdiccional, la cautelar, que sirve para asegurar la función de juzgar y la de ejecutar.

Las características de las medidas cautelares son:

1.ª) *Instrumentalidad*: la medida cautelar se justifica sólo con relación a otro proceso, llamado principal, del que tiende a garantizar su resultado.

2.ª) *Provisionalidad*: la medida cautelar no pretende convertirse en definitiva, y es por ello que desaparece cuando deja de ser necesaria en el proceso principal.

3.ª) *Temporalidad*: la duración de la medida cautelar es limitada, dado que, por su propia naturaleza, se extingue al desaparecer las causas que la motivaron, si bien, en cuanto afecten a derechos fundamentales, pueden encontrar una limitación temporal máxima, legalmente establecida, aún cuando subsistieran razones para su mantenimiento.

4.ª) *Variabilidad*: la medida cautelar puede ser modificada, e incluso alzada, cuando se altera la situación de hecho que dio lugar a su adopción.

5.ª) *Jurisdiccionalidad*: La decisión cautelar es sólo posible por el órgano jurisdiccional, quien la motivará, como consecuencia de su naturaleza de acto limitativo de derechos.

II. FUNCIÓN Y CLASES DE MEDIDAS

Las medidas cautelares son instrumentos procesales que sirven para otorgar efectividad al proceso mismo y más específicamente a la sentencia que en su día se dicte; son, en suma, garantía porque: 1º) Comportan un aseguramiento de su desarrollo; 2º) Aseguran las personas y los bienes en aras del cumplimiento de la sentencia condenatoria.

Si bien el fundamento de las medidas cautelares en el proceso penal es el de garantizar el cumplimiento efectivo de la sentencia condenatoria, existen supuestos en los que se está justificando la adopción de medidas que, aún cuando se denominan cautelares, se dirigen a otros fines no cautelares, tales como la satisfacción de un sentimiento colectivo de indignación, venganza o inseguridad (medida de prevención general, en el sentido de pretender dar ejemplo para tranquilizar a la sociedad o amedrentar a los posibles delincuentes) o de prevención de posibles futuros delitos cometidos por el inculpado (prevención especial), o incluso medidas específicas destinadas a proporcionar seguridad, estabilidad y protección jurídica a la persona agredida o a su familia (preventivas personales).

El grave problema deriva de confundir la función coercitiva cautelar de estas medidas con otras funciones coercitivas no cautelares, pues no toda coerción supone función cautelar en el proceso penal. Debe, por ello, distinguirse entre la medida coercitiva como género y las clases como especie.

A) Medida coercitiva como género

Son instrumentos jurídicos que pueden producir una afectación de derechos (a la libertad personal, a la integridad personal, a la propiedad, a la inviolabilidad del domicilio y al secreto de comunicación).

a) *Medidas coercitivas que afectan al derecho de libertad personal:*

1.- Medidas precautelares personales: detención.

2.- Medidas cautelares personales: prisión provisional, arresto domiciliario, obligación de no salir del territorio nacional, obligación de presentarse ante una determinada autoridad, entre otras, cuando se adoptan para garantizar la efectividad del proceso y la efectividad del cumplimiento de la sentencia condenatoria y conforman el régimen de la libertad provisional.

3.- Medidas de carácter preventivo personales: privación provisional del permiso de conducir, orden de alejamiento de la víctima, prisión provisional para evitar la reiteración delictiva, prisión provisional por quebrantamiento de una orden de alejamiento, etc.

4.- Medidas interdictivas: tales como la suspensión provisional de profesión o cargo público, suspensión de la patria potestad, deber de realizar una determinada actividad social, laboral o profesional, aun cuando se exija el consentimiento del sujeto al que se impone.

b) *Medidas coercitivas que afectan a la integridad personal, tales como:*

1.- Los actos de investigación de las intervenciones corporales: extracciones de sangre, pruebas de ADN.

2.- Los actos preventivos personales como el internamiento en un centro médico u hospitalario especializado.

3.- Algunas medidas instrumentales de las cautelares, como la colocación de brazaletes electrónicos que permitan dar debido cumplimiento a la prisión atenuada o al arresto en el propio domicilio.

c) Medidas coercitivas sobre la propiedad, pudiendo configurar:

1.- Verdaderas cautelas que responden a la garantía de la responsabilidad civil derivada del hecho delictivo o a la responsabilidad penal cuando ésta venga exigida por el pago de una multa (fianzas) o

2.- Medidas cautelares aseguratorias de la prueba: secuestro del material incautado.

d) Medidas coercitivas que afectan al derecho de inviolabilidad del domicilio y al secreto de las comunicaciones, incluso al derecho a la libertad de movimiento: las diligencias de investigación de la entrada y registro en lugar cerrado, el registro de libros y papeles, la interceptación de las comunicaciones telefónicas y telemáticas, la captación y grabación de comunicaciones orales mediante la utilización de dispositivos electrónicos, la utilización de dispositivos técnicos de seguimiento, localización y captación de la imagen, el registro de dispositivos de almacenamiento masivo de información y los registros remotos sobre equipo informáticos; todas ellas con finalidades investigadoras, no cautelares.

B) Medidas precautelares, cautelares, preventivas e interdictivas como especie

El legislador viene otorgando el régimen jurídico de las cautelares a medidas que no lo son. Vamos por ello a diferenciarlas.

a) Medidas precautelares: Son aquéllas que, recayendo sobre la persona del investigado, o en su caso del todavía sospechoso, o del que está presuntamente cometiendo un delito *in fraganti*, tienen como fin asegurar la efectividad del proceso que va a iniciarse o ya está incipientemente iniciado, amén de la sentencia que en su día se dicte. El exponente de ellas es la detención.

b) Medidas cautelares: En el desarrollo de la actuación procesal penal pueden adoptarse dos clases de medidas cautelares:

1.ª) Medidas cautelares personales, que recaen sobre la persona del investigado, con el fin de asegurar la efectividad de la sentencia que en su día se dicte. Son las de mayor trascendencia en el proceso penal, en cuanto suponen una afectación del derecho a la libertad y a la presunción de inocencia (arts. 17.1 y 24.2 CE), de ahí la necesidad de justificar su carácter de excepcionalidad, así como el sometimiento al principio de legalidad —que no solo implica que la ley es la que configura y establece el régimen jurídico de la tutela cautelar sino que refleja asimismo la calidad de la norma, a saber, Ley Orgánica— y al principio de proporcionalidad de la misma a los intereses pretendidos —que supone el necesario equilibrio entre la limitación de estos derechos y los fines que con la medida se pretenden alcanzar—.

2.ª) Medidas cautelares patrimoniales, que recaen sobre los bienes o el patrimonio, y pretenden asegurar las responsabilidades pecuniarias que puedan declararse en un proceso penal; responsabilidades pecuniarias que pueden ser de dos tipos:

1) Medidas penales: Las que se derivan de la misma responsabilidad penal, tales como el pago de las costas procesales o la pena de multa, entre otros conceptos, y

2) Medidas civiles: Las que se derivan de la responsabilidad civil derivada de la comisión del hecho delictivo, garantizando la efectividad de la resolución condenatoria civil, que puede consistir en la restitución de la cosa, la reparación del daño o la indemnización de perjuicios.

> Es posible la anotación de cualquier medida cautelar adoptada, especialmente de la prisión provisional, su duración máxima y su cesación. La anotación se efectuará en un Registro Central, de ámbito nacional, del Ministerio de Justicia.

c) Medidas preventivas: La naturaleza no cautelar de éstas se evidencia por la finalidad de prevención a la que se dirigen, ya porque se pretende prevenir la comisión o reiteración de delitos, o ya porque se pretende asegurar el control social, la seguridad ciudadana. No son instrumentales del proceso, sino que cumplen su función sirviéndose del proceso que se halla en marcha y en el que el sujeto pasivo está afectado. Han proliferado en los últimos años y se les ha venido vinculando a la tutela cautelar, aunque no sean cautelares.

d) Medidas interdictivas: Afectan y restringen determinados derechos. En ciertos casos se las ha querido vincular a las cautelares, ya por ser la oferta alternativa frente a la prisión provisional como medida más gravosa, ya convirtiéndose en una medida anticipatoria de la posible futura sentencia condenatoria que en su día se dicte, como la suspensión del ejercicio de una función pública, o ya para ofrecer respuestas protectoras a las víctimas del proceso.

III. PRESUPUESTOS

Las medidas cautelares, las dirigidas a garantizar el cumplimiento efectivo de la sentencia, se asientan en los siguientes fundamentos, a los que la doctrina denomina «presupuestos»:

1ª) *Periculum in mora*, o daño jurídico específico derivado de la duración de la actividad jurisdiccional penal, que puede aprovecharse por el investigado para colocarse en tal situación que frustrare la ulterior efectividad de la sentencia; peligro que puede referirse tanto a la persona como al patrimonio del investigado.

– En las medidas cautelares personales este presupuesto se refleja en el riesgo de fuga del investigado, que se condiciona a la duración del procedimiento y a la gravedad de la pena que comporte el hecho imputado.

– En las medidas patrimoniales, el riesgo de ocultación de la cosa o de insolvencia se hallará implícito.

2ª) *Fumus boni iuris*, que comporta la probabilidad o verosimilitud de la existencia de un hecho criminal imputado (objeto del proceso), esto es, indicios suficientes que permitan mantener la imputación de un hecho delictivo al sujeto afectado por la medida (medidas personales) o la responsabilidad civil del mismo.

Estos fundamentos deben interpretarse desde la proporcionalidad, que exige un juicio de razonabilidad acerca de la finalidad perseguida y de las circunstancias concurrentes, dado que una medida desproporcionada o irrazonable, como ha manifestado reiteradamente el Tribunal Constitucional, no sería propiamente cautelar, sino que tendría un carácter punitivo en cuanto al exceso.

IV. LA DETENCIÓN COMO MEDIDA PRECAUTELAR PERSONAL

Como exponente de las denominadas medidas precautorias se encuentra la detención regulada en los arts. 489 a 501 de la LECRIM.

A) Concepto

La detención es una medida precautelar personal que consiste en la privación breve de libertad, limitada temporalmente, con el fin de poner el sujeto detenido a disposición de la autoridad judicial, quien deberá resolver, atendidas las condiciones legales, acerca de su situación personal: a) manteniendo la privación de libertad por tiempo mayor (prisión provisional); b)adoptando una medida cautelar menos gravosa (libertad provisional con alguna de las obligaciones que configuran el régimen limitativo de la libertad); c)o restableciendo el derecho de libertad en su sentido natural, ante la ausencia de presupuestos.

En todo caso, estamos ante una medida con finalidad precautelar, esto es, en conexión con la previsible comisión de un delito y, por ende, con la existencia o futura existencia de una causa penal y de una medida cautelar. Los elementos que van a servir para fundamentar la detención son:

a) La detención es una *medida precautelar*, con las notas:

1) *Instrumentalidad:* sólo es posible la adopción de la detención en función de una causa penal (aunque sea futurible de forma inminente), de manera que las posibles privaciones o restricciones de libertad que el ordenamiento jurídico ampara y que no se hallan relacionadas con el ejercicio del *ius puniendi* estatal, no son la medida objeto de nuestro estudio;

2) *Provisionalidad*: no es predicable de la detención, dado que ésta alcanza su propio sentido desde el momento de su adopción, sin que pueda ser susceptible de cambio alguno, lo que se justifica perfectamente con la nota de temporalidad o duración breve de tiempo, que es sustancial a la misma, por cuanto o se convierten en medida cautelar o desaparece la privación sin más del derecho de libertad;

3) *Temporalidad:* es una medida con una duración breve de tiempo;

4) *Jurisdiccionalidad*: presenta aquí excepciones, en cuanto se permite a los particulares, a la policía y a autoridad distinta del juez de instrucción competente, practicar la citada medida, siempre con el cumplimiento de los requisitos legalmente establecidos, lo que implica también la posible exigencia de responsabilidad en el supuesto de incumplimiento de la legalidad aplicable, de modo que es posible plantear un proceso de *habeas corpus*, o exigir responsabilidad penal por la comisión de un delito de detención ilegal, o bien plantear una pretensión civil de resarcimiento.

b) Es una medida *personal*, en cuanto incide sobre el derecho de libertad, reconocido constitucionalmente en el art. 17 CE, del sujeto que la padece.

c) Esa medida personal *se fundamenta legalmente* en los arts. 489 a 501 de la LECRIM, sin perjuicio de la referencia a la misma en otros cuerpos legales (*habeas corpus*, extradición, etc.).

d) Determinados sujetos no quedan afectados por el régimen general de la detención, en cuanto gozan de ciertas prerrogativas, quedando condicionada la posibilidad de detención a los supuestos de flagrante delito o por la gravedad del mismo.

Los Diputados y Senadores (art. 71.2 CE), los parlamentarios de las Asambleas legislativas y miembros de los Consejos de Gobierno de las Comunidades Autónomas (según sus Estatutos), el Defensor del Pueblo y sus Adjuntos (art. 6 LO 3/1981, 6 abril), figuras similares a ellos en las Comunidades Autónomas (art. 1.1 Ley 36/1985, 6 noviembre), los magistrados y jueces (art. 398 LOPJ), los miembros de la carrera fiscal (art. 56 EOMF), sólo podrán ser detenidos en caso de flagrante delito o, en su caso, con la autorización previa competente. Régimen especial también se aplica a los Agentes diplomáticos, que no pueden ser detenidos ni arrestados, a los funcionarios consulares, que sólo pueden detenerse cuando se trate de delito grave y con autorización previa, así como a los representantes comunitarios, que gozan de las prerrogativas descritas, salvo que se trate de delito grave o flagrante, o cuando medie autorización previa.

e) No es detención precautelar, sin embargo, la privación de libertad breve para identificación de personas por motivos de seguridad ciudadana (art. 16 de la contestada LO 4/2015, de protección de seguridad ciudadana). No se funda en una posible imputación, sino en la exigencia de identificación del sujeto. Es claramente una medida de seguridad a la que se continúa denominando (como ya se hiciera en la LO 1/1992) «retención policial».

Se han ampliado peligrosamente los supuestos para la posible retención policial para identificación en aras del mantenimiento y restablecimiento de la seguridad ciudadana, junto con otras medidas de seguridad tales como la entrada y registro en domicilio y edificios de organismos oficiales, la restricción del tránsito y controles en las vías públicas, las comprobaciones y registros en lugares públicos, los registros corporales externos, etc., que son todos ellos medidas de seguridad para garantizar la tranquilidad en las calles. El carácter restrictivo, su exigencia de proporcionalidad respeto a la igualdad e identidad en todos sus sentidos y la necesidad de ser informado de modo inmediato y comprensible de las razones de la exigencia de identificación son exigencias legales, amén de la posibilidad de plantear, si se dan las condiciones legales, una demanda de «*habeas corpus*».

B) Modalidades de la detención

La regulación de esta medida en la LECRIM (arts. 490 a 492) configura varias modalidades de detención, básicamente atendiendo a dos criterios: 1) Por un lado, los sujetos que están facultados para detener; y 2) Por otro, el momento en que se realiza la detención.

Son tres las modalidades previstas: la detención por los particulares (arts. 490 y 491), la detención policial (art. 492), y la detención judicial (arts. 487, 420, 494 y 684.3), sin olvidar que puede practicarse en momentos diversos, configurando su carácter precautelar o su carácter de medida ejecutiva. Así, es posible la detención preprocesal, practicada sin que exista causa pendiente contra el detenido (art. 490.1 y 2, y 492.4), la detención procesal, practicada estando pendiente una causa penal (art. 490.6 y 7, 492.2 y 3), e incluso es posible la detención *post sententiam* (art. 490.3, 4, 5 y 7), que tendrá valor de verdadera medida de ejecución. Para determinar los presupuestos exigidos en cada una de estas modalidades, debe distinguirse, atendiendo a los sujetos activos de la detención tres regímenes específicamente determinados en la LECRIM:

a) La detención por particulares

Se trata de una *facultad* que asiste a cualquier persona para privar de libertad a otra, siempre que concurra alguno de los supuestos previstos por el legislador, atendido lo dispuesto en el art. 490 («Cualquier persona puede detener»), con el fin de poner a inmediata disposición de la autoridad judicial o policial al detenido. Cualquier otra que pretendiera ser la finalidad podría configurar un delito de detención ilegal del art. 163.4 CP.

Los supuestos en que puede detenerse por particulares se regulan en los números 1 a 7 del art. 490 LECRIM, pudiendo practicarse en varios momentos: antes de que se incoe causa penal, provocada la detención como consecuencia de la supuesta situación de flagrancia (art. 490, núms. 1 y 2); estando pendiente la causa (art. 490, núms. 6 y 7), y la detención tras la finalización del proceso(art. 490, núms. 3, 4, 5 y 7).

Los presupuestos se regulan en el art. 491, atendiendo al momento de la detención:

1.- Sin causa pendiente: el *fumus boni iuris o fumus delicti commissi* se halla en la flagrancia en la comisión del hecho delictivo (el particular que detiene a quien está atracando una sucursal bancaria). El *periculum in mora* implica riesgo razonable de que la actuación del detenido podría impedir la efectividad de la sentencia por la fuga u ocultación o destrucción de prueba.

2.- Con causa pendiente: *fumus boni iuris o fumus delicti commissi* —motivos suficientes para entender que el detenido se ha fugado con causa pendiente o se halla en rebeldía—, y el *periculum in mora*, por posible incomparecencia (riesgo de fuga). Por ejemplo, cuando el particular conoce de la fuga del que detiene, como consecuencia de la emisión de una orden de búsqueda y captura que lleva a la colocación de carteles con fotos de quienes se han fugado, siendo que el particular procede a su detención cuando considera que está en esa situación.

3.- Detención *post sententiam:* es más una medida de ejecución que precautelar. Sus presupuestos se refieren al posible quebrantamiento de una pena privativa de libertad o a una posible situación de rebeldía del condenado. Son significativas las detenciones que realizan particulares de quienes se han fugado de un centro penitenciario y han salido en los medios de comunicación, encontrándose desaparecido y quebrantando el cumplimiento de la condena en el establecimiento penitenciario.

b) Detención policial

Los elementos configuradores de esta modalidad de detención son:

a) La detención efectuada por la autoridad o agente de la Policía Judicial constituye el ejercicio de un *deber* (art. 492).

b) Este deber de detener ha de cumplirse en los supuestos descritos en el art. 492, sin olvidar el art. 495.

Estos supuestos pueden clasificarse en dos grupos:

I.- Los no específicos: en cuanto se trata de que el detenido se halle en alguno de los siete supuestos del art. 490, que tipifican las situaciones de la detención como «facultad» de los particulares, si bien la intervención policial aquí comportarían un deber, no una facultad. Estos supuestos son:

1) Cuando el detenido intentaba cometer un delito, en el momento en que iba a cometerlo;

2) Cuando se tratare de delincuente *in fraganti*;

3) Cuando el detenido se fugare del establecimiento penal en que se halle extinguiendo condena;

4) Cuando se fugare de la cárcel en que estuviere esperando su traslación al establecimiento penal o lugar en que deba cumplir la condena que se hubiese impuesto por sentencia firme;

5) Cuando se fugare al ser conducido al establecimiento o lugar mencionados en el supuesto anterior;

6) Cuando se fugare estando detenido o preso por causa pendiente;

7) Cuando se tratare de un procesado o condenado que estuviere en rebeldía.

II.- Los específicos —regulados como deber policial de detención—, son:

1) Detención del procesado por delito que lleve aparejada pena superior a tres años;

> El artículo 492 sigue manteniendo de forma inexplicable —muy a pesar de las reformas y reformas de las reformas— la referencia a «prisión correccional»; pena que fue sustituida por prisión menor y ésta, en la Disposición Transitoria 11ª del CP de 1985, como pena de hasta tres años.

2) Detención del procesado por delito a que esté señalada pena inferior, si sus antecedentes o las circunstancias del hecho hicieren presumir que no comparecerá cuando fuere llamado ante la autoridad judicial, salvo que a juicio de la citada autoridad, preste en el acto fianza bastante para presumir que comparecerá;

3) Aún cuando el delito lleve aparejada pena inferior a tres años, si concurren las circunstancias siguientes: motivos racionalmente bastantes para creer en la existencia de un hecho delictivo, y que la persona a quien se intenta detener tuvo participación en el mismo;

4) Se suscita la cuestión de si es posible una detención en los supuestos de delitos leves. Y esa duda se genera tras la DA2ª CP (tras la LO 1/2015, de 30 de marzo), que considera que la instrucción y el enjuiciamiento de los delitos leves cometidos tras la entrada en vigor del CP se sustanciarán por el anterior juicio de faltas y las menciones contenidas en leyes procesales a las faltas, se entenderán referidas a los delitos leves.

La interpretación del artículo 495 LECRIM, en consecuencia, debe ser la de la imposibilidad de detener cuando de delitos leves se trate. No solo es producto de la conversión de falta por delito leve, sino del propio significado de la detención como medida precautelar que es y su injerencia en la esfera jurídica de la persona —privación corta de libertad, desproporcionada cuando se trata de delitos leves—. No obstante, es posible la detención de un sujeto presunto autor de un delito leve, cuando no tuviese domicilio conocido ni prestase fianza bastante (art. 495).

c) La detención puede producirse en tres momentos: no existiendo causa penal pendiente contra el sujeto detenido (art. 492 núm. 1 en relación con el 490 núms. 1 y 2; y 492 núm. 4); pendiente una causa (art. 492 núm. 1 en relación con el 490 núms. 6 y 7, y el 492 núms. 2 y 3); y finalizada la causa (art. 492 núm. 1 en relación con el 490 núms. 3, 4, 5 y 7).

d) El objeto material de esta modalidad de detención es más amplio que en la detención por particulares, en cuanto se pretende practicar determinadas diligencias de investigación (reconocimiento en rueda, interrogatorio, entre otras), para o bien ponerlo posteriormente en libertad, o bien a presencia de la autoridad judicial. La detención policial que incumpliera lo previsto legalmente podrá dar lugar a la exigencia de responsabilidad penal del funcionario por detención ilegal del art. 167 CP.

e) Los presupuestos pueden analizarse partiendo de tres momentos en la adopción:

1°) Detención sin causa pendiente, al amparo de lo que dispone el art. 492 núm. 1 en relación con el 490: deben tenerse en cuenta los presupuestos expuestos en la detención por particulares.

2°) Detención pendiente causa penal, en cuyo caso los presupuestos que confluyen son:

1) *Fumus boni iuris o fumus delicti commissi*: responde a la presencia de una imputación (por procesamiento o por la existencia de motivos racionalmente bastantes para creer en la existencia del hecho que presenta caracteres de delito y en la participación del detenido en el mismo);

2) *Periculum in mora:* Se refleja en el peligro de fuga. En algunos supuestos (art. 492 núm. 2) la gravedad de la pena (superior a la pena de prisión de seis meses a tres años) es elemento que presume este peligro; mientras en otros, el riesgo de incomparecencia (art. 492 núm. 3), en ponderación con las circunstancias concurrentes atendida la gravedad de la pena (art. 492 núm. 4). En supuestos de delitos leves (antes faltas, art. 495) este requisito quedará delimitado por la ausencia de domicilio conocido del detenido y por la no prestación de fianza exigida, lo que no es sino dos elementos que justifican el posible peligro de fuga.

3°) En las detenciones policiales *post sententiam* no nos hallamos propiamente ante una medida cautelar sino de ejecución, cuyos presupuestos van referidos al quebrantamiento por el condenado de una pena privativa de libertad y a su posible situación de rebeldía.

c) Detención judicial

Las notas que sirven para configurar este tipo de detención son:

a) Esta modalidad de detención, acordada por el juez, consiste en ordenar la privación de libertad de una persona en el curso de una causa penal.

b) Puede decretarse *ex novo* por el órgano jurisdiccional (en la incomparecencia sin causa legítima a la citación «cautelar», art. 487, o en la imputación a persona determinada, art. 494, o incluso en los supuestos de detención consecuencia del ejercicio de policía de estrados, art. 684.3) o bien ser la prolongación de una detención realizada por los particulares o por la policía.

c) Los presupuestos que se exigen son:

1º.- El *fumus boni iuris,* que comporta la probable responsabilidad penal del sujeto detenido (en el supuesto de la citación derivada de la pretensión de declaración del sujeto para desechar o confirmar una imputación; en el supuesto de la prolongación, para ratificarla), y

2º.- El *periculum in mora*, riesgo de fuga (incomparecencia sin causa legítima a la citación cautelar) o peligro de indisponibilidad del detenido en los supuestos de prolongación de la detención (peligro de fuga).

d) Detención acordada por el Fiscal

Conforme el art. 5.2 Estatuto M.F. podrá ordenar la detención en los supuestos, en que pueda practicar diligencias de investigación.

C) Duración de la detención

Aun cuando se establece que la detención durará el tiempo estrictamente necesario para la realización de las averiguaciones tendentes al esclarecimiento de los hechos (arts. 17.2 CE y 520.1, II LECRIM), la privación de libertad cautelar constitucional y legalmente viene condicionada a unos tiempos de duración.

El art. 496 de LECRIM prevé un límite de veinticuatro horas; el art. 520.1 II, LECRIM, establece que no podrá durar más del tiempo estrictamente necesario y, en todo caso, nunca de duración superior a setenta y dos horas; y el art. 17.2 CE fija el límite máximo en setenta y dos horas. Asumiendo que a la detención por particulares no se le aplica estos plazos, en cuanto deben poner de inmediato a disposición del juez a la persona detenida, en la detención policial debe tenerse en cuenta:

a) El límite de veinticuatro horas del art. 496 supuso originariamente un elemento de difícil integración con los códigos penales y las Constituciones aprobadas a lo largo del siglo XX, dado que en éstos se hacía referencia al límite máximo de setenta y dos horas, tanto para delimitar lindes constitucionales como para fijar los elementos del tipo penal de detenciones ilegales.

b) El art. 17.2 CE mantuvo lo que venía siendo una constante en los textos anteriores, dejando claro que este precepto supone la fijación temporal máxima constitucional de la detención, de manera que el legislador ordinario no podría rebasarlo, si bien podría determinar un plazo legal ordinario menor.

Fuera del marco de legalidad ordinaria es posible encontrar situaciones que pueden suponer una extralimitación de los parámetros constitucionales. Tal es el caso del art. 520 bis 1, que, si bien parte del límite de setenta y dos horas de detención, permite la prolongación de la misma «el tiempo necesario para los fines investigadores, hasta un límite máximo de cuarenta y ocho horas», con el cumplimiento de las condiciones marcadas por ley. Se trata de la detención de sujetos pertenecientes a bandas armadas o de elementos terroristas o rebeldes, que se ampara constitucionalmente en el art. 55.2 CE, y que podría justificar una detención de hasta 5 días en aras de la investigación correspondiente a la actuación de estas bandas o elementos terroristas.

Supuesto también extraordinario es el que se establece en los arts. 16 y 32 de la LO 4/1981, de 1 de junio, sobre estados de alarma, excepción y sitio, que autorizan detenciones de hasta diez días de aquellas personas sobre las que existan sospechas fundadas de que van a alterar el orden público; LO que se ampara en el art. 55.1 CE.

c) La pluralidad de interpretaciones todavía hoy están presentes. Hay autores que defienden que el límite legal ordinario es el que marca la LECRIM en el art. 496 (veinticuatro horas), si bien otros utilizan el tenor literal del art. 520.1.II, para dar viabilidad a dos posiciones diferentes: «dentro de los plazos establecidos en la presente ley» permitiría argumentar en favor de la pervivencia del plazo de veinticuatro horas del art. 496; por otro lado, el tenor literal de «...y, en todo caso, en el plazo máximo de setenta y dos horas» podría, incluso integrándolo con fundamentos históricos, apoyar la derogación del plazo de veinticuatro horas; opinión ésta última que compartimos, atendida la jurisprudencia del TS, que ha entendido que debe prevalecer el texto constitucional, si bien interpretada desde la doctrina del TC, que insiste en que la detención no debe durar más tiempo del estrictamente necesario, lo que comporta que este plazo es máximo, y como tal debe ser utilizado, evitándose las dilaciones injustificadas.

d) En el supuesto de detención de delincuentes fugados o rebeldes, el art. 500 LECRIM establece que «el Juez a quien se entregue o que haya acordado la detención, dispondrá que inmediatamente sea remitido al establecimiento o lugar donde debiera cumplir su condena». Se trata de una detención no cautelar sino medida de garantía de la ejecución.

V. ENTREGA DEL DETENIDO Y ACTUACIONES DEL JUEZ

Detenida una persona, dándose los requisitos y presupuestos expuestos, deberá bien ponérsele en libertad o bien entregarla a la autoridad judicial. De ahí que se afirme que la detención es precautelar, es un cauce instrumental previo a la decisión cautelar que pueda adoptarse y que incide en la esfera personal del sujeto pasivo. Deben tenerse en cuenta, sin embargo, diversas situaciones:

a) Si la detención se produjo *antes de que se iniciare proceso alguno*, el detenido se lleva a presencia del juez más próximo al lugar en que se hubiere practicado la detención (art. 496); en caso de pluralidad de jueces, habrá que efectuar la entrega al de guardia. El Juez de Instrucción practicará las primeras diligencias y decidirá sobre la situación personal del detenido: libertad natural, libertad provisional con o sin régimen de obligaciones, o prisión provisional, en el plazo de setenta y dos horas, a contar desde que el detenido le hubiese sido entregado o, si se considerare incompetente, remitirá las diligencias acordadas al respecto y al detenido al órgano que sea competente (art. 499).

b) Si la detención se produce *en el desarrollo de un procedimiento* habrá que distinguir dos posibles situaciones:

1) Que se trate del órgano que está conociendo de la causa: convocará la audiencia a que se refiere el art. 505, a celebrar en el plazo más breve posible dentro de las setenta y dos horas siguientes a la puesta del detenido a disposición judicial, debiendo mediar petición de parte acusadora para poder decretar la medida cautelar;

2) Que hubiere sido entregado a órgano distinto del que conoce o hubiere de conocer de la causa, y el detenido no pudiere ser puesto a disposición de este último en el plazo de setenta y dos horas, procederá el primero de acuerdo con lo que prevé el art. 505. No obstante, una vez que el Juez o Tribunal de la causa reciba las diligencias, oirá al investigado, asistido de su abogado, tan pronto como le sea posible, y dictará la resolución que proceda.

c) Finalmente, en aquellos supuestos de detención *post sententiam*, en cuanto nos hallamos ante una medida de ejecución, el juez a quien se entregue o que haya acordado la detención, dispondrá que de inmediato sea remitido el detenido al establecimiento o lugar donde debiere cumplir su condena (art. 500).

VI. GARANTÍAS Y DERECHOS DEL PRIVADO DE LIBERTAD

La persona privada de libertad goza de determinadas garantías, que vienen amparadas fundamentalmente en los arts. 17 CE y 520 LECRIM.

También en el marco europeo han ido desarrollándose medidas legislativas armonizadoras relativas al derecho a la interpretación y a la traducción, al derecho a la información de personas investigadas, al derecho de asesoramiento jurídico y justicia gratuita, al derecho de las personas detenidas a comunicarse con sus familiares, con su empleador y con las autoridades consulares, y a las salvaguardas especiales para determinados investigados que fueren especialmente vulnerables. A pesar de que la normativa española contenía muchos de los derechos expuestos por el legislador europeo, se modificaron en 2015 algunos aspectos de la LECRIM, dando lugar a una nueva redacción. Especial referencia merece el art. 50 de la Ley 23/2014, de 20 noviembre, que fue modificada por la Ley 3/2018, de 11 de junio, referida a la Orden Europea de Investigación.

Desde el punto de vista constitucional se establecen tres grupos de derechos: 1) A ser informado de sus derechos el detenido y de las razones de su detención; 2) A la asistencia de abogado en las diligencias policiales y judiciales; y 3) Al procedimiento de *habeas corpus* para producir la inmediata puesta a disposición judicial de toda persona detenida ilegalmente. Se regulan en los arts. 520 y 527 LECRIM, que delimita el tratamiento no sólo de los detenidos sino también de los presos preventivos, así como a través de la LO 16/1984, de 24 de mayo, reguladora del proceso de *habeas corpus*.

A) Derechos del detenido en la LECRIM

Los arts. 520 a 527 LECRIM —y en sede europea, art. 50 de la Ley 23/2014 de reconocimiento de resoluciones penales— establecen el régimen del ejercicio del derecho de defensa, la asistencia de Abogado y del tratamiento de los detenidos y presos preventivos. De los mismos es posible tener en cuenta los siguientes derechos reconocidos a quienes se hallan privados de libertad cautelarmente:

a) Derecho a que la privación de libertad (detención o prisión) se practique en la forma que menos perjudique al detenido o preso en su persona, reputación y patrimonio, adoptándose medidas para asegurar el respeto a sus derechos constitucionales al honor, intimidad e imagen en el momento de practicarse, así como en los traslados ulteriores.

Deberá practicarse sin hacerse uso de la fuerza salvo que sea indispensable, como consecuencia de la resistencia del sujeto y atendida la gravedad del hecho;

entendiéndose prohibida la tortura y los tratos inhumanos y degradantes (art. 3 CEDH). E incluso, en relación con los presos preventivos, deberá mantenerse la debida separación entre los preventivos y los penados, con el fin de evitar las consecuencias que podrían derivar de la vida en común de ambos (art. 521).

b) Derechos de información. Atendido el tenor literal del art. 520.2 LECRIM, del 17.3 CE, e incluso los arts. 5 y 6 CEDH, la regla general obligatoria es la de que el detenido, en el momento de la detención, de forma inmediata, y en lenguaje comprensible y accesible al destinatario (adaptado a su edad, grado de madurez, discapacidad o cualquier otra circunstancia personal de la que pueda derivar una limitación de la capacidad para entender el alcance de la información que se le facilita, art. 520.2, bis) tiene derecho a ser informado de los hechos que se le imputan; las razones motivadoras de su detención; del plazo máximo legal de duración de la detención hasta la entrega a autoridad judicial y del procedimiento por el que puede impugnar la legalidad de su detención; y los derechos que le asisten —pudiendo conservar en su poder la declaración escrita de derechos durante todo el tiempo de la detención—, que son:

1. Derecho a guardar silencio, no declarando si no quiere; a no contestar alguna o algunas de las preguntas que le formulen o a manifestar que sólo declarará ante el juez.

2. Derecho a no declarar contra sí mismo y a no confesarse culpable.

3. Derecho a designar abogado, sin perjuicio de designación de oficio en caso de incomunicación (art. 527.1, a)), y a ser asistido por él sin demora injustificada (Vid. Lección 4.ª).

4. Derecho a acceder a los elementos de las actuaciones que sean esenciales para impugnar la legalidad de la detención o privación de libertad.

5. Derecho a que se ponga en conocimiento del familiar o persona que desee, sin demora injustificada, su privación de libertad y el lugar de custodia en que se halle en cada momento. Los extranjeros tendrán derecho a que las circunstancias anteriores se comuniquen a la Oficina Consular de su país, pudiendo, en caso de estar en posesión de dos o más nacionalidades, elegir a qué autoridades consulares debe informarse de que se encuentra privado de libertad y con quién desea comunicarse.

Si el extranjero fuere menor se notificará de oficio al Cónsul del país; y si se tratare de un menor de edad o incapacitado, no extranjero, será puesto a disposición de las Secciones de Menores de la Fiscalía y se comunicará el hecho y el lugar de custodia a quienes ejerzan la patria potestad, la tutela o la guarda de hecho del mismo. En caso de conflicto de intereses con quienes ejerzan la patria potestad, la tutela o la guarda de hecho del menor, se le nombrará un defensor judicial a quien se pondrá en conocimiento del hecho y del lugar de detención.

Si el detenido tuviere la capacidad modificada judicialmente, la comunicación se efectuará a quienes ejerzan la tutela o guarda de hecho del mismo, dando cuenta al Ministerio Fiscal. Si es extranjero, se comunica el hecho, de oficio, al Cónsul de su país.

6. Derecho a comunicarse telefónicamente, sin demora injustificada, con un tercero de su elección, en presencia de un funcionario, sin perjuicio de lo que dispone el artículo 527.

7. Derecho a ser visitado por las autoridades consulares de su país, a comunicarse y a mantener correspondencia con ellas.

8. Derecho a ser asistido gratuitamente por un intérprete, cuando no comprenda o no hable castellano o la lengua oficial de actuación, o de personas sordas o con discapacidad auditiva, así como de otras personas con dificultades del lenguaje.

9. Derecho a ser reconocido por el médico forense o su sustituto legal y, en su defecto, por el de la institución en que se encuentre, o por cualquier otro dependiente del Estado o de otras Administraciones Públicas.

10. Derecho a solicitar asistencia jurídica gratuita, procedimiento para hacerlo y condiciones para obtenerla.

El reconocimiento de estos derechos encuentra un límite y afectación en los supuestos de incomunicación (art. 527), dado que el legislador ha establecido que podrá ser privado o limitado de estos derechos, el detenido o preso que de acuerdo con lo dispuesto en el artículo 509 LECRIM se halle incomunicado siempre por resolución motivada y bajo control judicial de las condiciones en que la incomunicación se lleva a cabo. En esta situación podrán quedar privados de los siguientes derechos: a) Designar un abogado de confianza; b) Comunicarse con todas o algunas de las personas con las que tenga derecho a hacerlo, salvo con autoridad judicial, fiscal o forense; c) Entrevistarse reservadamente con su abogado; y d) Acceder él o su abogado a las actuaciones, salvo a los elementos esenciales para poder impugnar la legalidad de la detención.

En el supuesto de detención en espacios marinos, por la presunta comisión de delitos contemplados en el art. 23.4, d) LOPJ, les serán aplicados los derechos expuestos en cuanto resulten compatibles con los medios personales y materiales existentes a bordo del buque o aeronave que practique la detención, debiendo ser puestos en libertad o a disposición de la autoridad judicial competente tan pronto como sea posible, sin que pueda exceder del plazo máximo de 72 horas. La puesta a disposición judicial podrá realizarse por los medios telemáticos de los que disponga el buque o aeronave, cuando por razón de la distancia o su situación de aislamiento no sea posible llevar a los detenidos a presencia física de la autoridad judicial dentro del indicado plazo (art. 520 ter LECRIM).

Los reconocimientos médicos al detenido o preso a quien se le restrinja el derecho a comunicarse con todas o alguna de las personas con las que tenga derecho a hacerlo se realizarán con una frecuencia de al menos dos reconocimientos cada veinticuatro horas, según criterio facultativo (art. 527.3).

B) Proceso de *Habeas Corpus*

El art. 17.4 CE preveía esta institución de *habeas corpus,* condicionando al legislador a regular su desarrollo, configurándola como una vía de tutela jurisdiccional eficaz y rápida frente a los eventuales supuestos de detenciones no justificados legalmente, o que transcurren en condiciones ilegales.

a) Razón de ser

Nos hallamos ante una institución que consiste en una comparecencia del detenido ante el Juez, que permite al ciudadano, privado de libertad, exponer sus alegaciones contra las causas de la detención o las condiciones de la misma, con el fin de que el juez se pronuncie acerca de la conformidad a derecho de la detención.

Es una institución de origen anglosajón, con antecedentes en el Derecho histórico español, el denominado «recurso de manifestación de personas» del Reino de Aragón y las posibles remisiones sobre supuestos de detenciones ilegales del Fuero de Vizcaya y otros ordenamientos forales, así como las Constituciones de 1869 y 1876, que, si bien regulaban esta forma de tutela, no le atribuían denominación específica alguna. En estos orígenes respondían a un sistema particularmente idóneo para salvaguardar la libertad personal ante las posibles arbitrariedades de los agentes del poder público.

El cumplimiento del mandato constitucional se llevó a cabo mediante LO 6/1984, de 24 de mayo, reguladora del procedimiento de «*habeas corpus*», que responde fundamentalmente a la necesidad de articular un procedimiento lo suficientemente rápido como para alcanzar la inmediata comprobación judicial de la legalidad y de las condiciones de la detención y suficientemente sencillo como para que sea accesible a todos los ciudadanos. Los principios que configuran este procedimiento (véase la Exposición de Motivos) son:

1°) Principio de agilidad, que lo convierte en un procedimiento extraordinariamente rápido, hasta el punto de que debe finalizar en veinticuatro horas.

2°) Sencillez y carencia de formalismos: Comparecencia verbal; no necesidad de Abogado y Procurador.

3°) Generalidad: Significativa es la pluralidad de sujetos que están legitimados en el mismo, así como el que ningún particular o agente de la autoridad pueda sustraerse al control judicial de la legalidad de la detención de las personas.

4°) Universalidad: Cualquier privación de libertad, no sólo las ejecutadas en el marco de un proceso penal puede someterse a este control, salvando las privaciones de libertad controladas judicialmente, dado que en este supuesto los mecanismos de control no son este proceso, sino los medios de impugnación, e incluso el amparo constitucional. La universalidad provoca que esta tutela pueda solicitarse no sólo en los supuestos de detención ilegal sino también en aquélla que, siendo legal, se prolonga ilegalmente o tiene lugar en condiciones ilegales. A estos efectos el art. 1 LO 6/1984 establece que se entiende por personas ilegalmente detenidas.

b) Requisitos

Los requisitos que sirven para configurar el mismo son:

1º) *Competencia:* Es competente el Juez de Instrucción del lugar en que se encuentre la persona privada de libertad, el del lugar en que se produzca la detención, o el del lugar donde se hubieren tenido las últimas noticias del paradero del detenido (art. 2).

2º) *Legitimación*: Lo están el privado de libertad, su cónyuge o persona unida por análoga relación de afectividad, descendientes, ascendientes, hermanos, representantes legales de los menores o personas con la capacidad modificada judicialmente; el Ministerio Fiscal; el Defensor del Pueblo; y cabe la incoación de oficio por el órgano jurisdiccional competente (art. 3).

3º) *Procedimiento*: Se inicia mediante escrito o comparecencia (art. 4), salvo en los supuestos de iniciación de oficio, con indicación del motivo de solicitud de esta tutela; examinada por el juez la concurrencia de los requisitos que deben concurrir para su tramitación, se da traslado al Ministerio Fiscal, acordándose, en su caso, auto de incoación del procedimiento (o su denegación), contra el que no cabe recurso alguno (art. 6).

En el auto de incoación ordenará la manifestación del sujeto pasivo, y tras oír a ambas partes, con posibilidad de admitir las pruebas pertinentes que puedan practicarse en el acto, dictará en el plazo de veinticuatro horas, a contar desde que se dictó el auto de incoación, la resolución que proceda.

4º) *Resolución*: Reviste la forma de auto, cuyo contenido (art. 8) puede ser:

a) Archivo de las actuaciones, en los supuestos de privación de libertad conforme a derecho;

b) Estimatoria de la petición, acordándose bien su puesta en libertad si la privación fue ilegal, bien que continúe la misma bajo las condiciones legales aplicables, bien el traslado inmediato a disposición judicial (en el supuesto de transcurso del plazo). Si bien no existe disposición que permita la recurribilidad del auto, podría entenderse que cabe plantear queja sin plazo (al tratarse de auto no apelable de juez de instrucción).

LECTURAS RECOMENDADAS: Sobre conceptos generales: BARONA VILAR, S., *¿Una nueva concepción expansiva de las medidas cautelares personales en el proceso penal?,* Revista Poder Judicial, nº especial XIX, 2006, págs. 237-265; BANACLOCHE PALAO, J., *La libertad personal y sus limitaciones. Detenciones y retenciones en el Derecho español*, McGrawHill, 1996.
Sobre *habeas corpus*: GONZÁLEZ MALABIA, S., *Reflexiones sobre los aciertos y desaciertos de la ley orgánica reguladora del procedimiento de habeas corpus*, en Actualidad Penal, nº 14, 2001.

Lección Décimo segunda

Medidas cautelares específicas

I. PRISIÓN PROVISIONAL

Medida cautelar más gravosa: privación de libertad

A) Características: medida cautelar instrumental, provisional, variable, temporal y jurisdiccional, de naturaleza personal, excepcional y proporcionada
B) Presupuestos: *Fumus boni iuris* y *periculum* in mora
C) Modalidades de prisión provisional
   a) Comunicada
   b) Incomunicada
c) Atenuada: en el domicilio, con medidas de vigilancia, y a través de tratamiento de desintoxicación o deshabituación a sustancias estupefacientes
D) Duración: se fijan plazos en atención a la gravedad
E) Indemnización por prisión provisional (sentencia absolutoria o auto sobreseimiento libre)
F) Abono: a efectos de condena

II. LIBERTAD PROVISIONAL

Estado normal del ciudadano, aun con restricciones o limitaciones a la libertad

A) Características: medida cautelar, personal, instrumental, provisional, variable, temporal y jurisdiccional
B) Presupuestos: *Fumus boni iuris* y *periculum in mora*
C) Obligaciones que comportan el régimen de libertad provisional

III. MEDIDAS EN LOS SUPUESTOS DE VIOLENCIA DE GÉNERO

No son medidas cautelares. Son preventivo-represivas o interdictivas
De oficio o a instancia de parte
Especial referencia: orden de protección-estatuto de protección de la víctima
Presupuestos

IV. PROCEDIMIENTO DE ADOPCIÓN DE LA LIBERTAD Y LA PRISIÓN PROVISIONAL

Petición de parte, formulada en audiencia, con posibles alegaciones y prueba, decisión motivada, contra el auto cabe recurso.

V. MEDIDAS CAUTELARES PATRIMONIALES

A) Clases: fianza, embargo, anotación preventiva, pensión provisional, intervención inmediata del vehículo, medidas en orden protección violencia a las víctimas de violencia doméstica, medidas contra las personas jurídicas
B) Presupuestos y procedimiento: *fumus boni iuris* y *periculum in mora*

I. PRISIÓN PROVISIONAL

La prisión provisional es la medida cautelar personal más gravosa del ordenamiento jurídico, por suponer una privación de libertad del sujeto que la padece, siendo su función la de evitar el riesgo de fuga del encausado y con él, la efectividad del desarrollo del proceso y la ejecución de la sentencia.

A) Características

Regulada en el Capítulo III del Título VI del Libro II de la LECRIM, las notas características que pueden predicarse de la misma son:

a) Es una *medida cautelar* en la que concurren:

1ª) *Instrumentalidad*, pues su adopción depende de la concurrencia de una posible imputación; su finalidad es garantizar la persona del encausado en el proceso y en la ejecución;

2ª) *Provisionalidad y variabilidad*: es revisable en cualquier momento del procedimiento, y nace con vocación de su extinción;

3ª) *Temporalidad:* su duración viene condicionada al cumplimiento de los plazos legales;

4ª) *Jurisdiccionalidad*: es competencia exclusiva del juez, aunque se requiera la petición de las partes acusadoras para su adopción.

b) Es una medida cautelar *personal*, dado que, afectando al derecho a la libertad, (art. 17) y al principio de presunción de inocencia (art. 24), incide sobre la persona que la padece, evitándose con ello el riesgo de fuga.

En ocasiones los fines que mueven la prisión provisional son impedir la ocultación o alteración de las fuentes o medios de prueba, o funciones de prevención, desdibujando su verdadera naturaleza, asemejándose a una pena anticipada, o a una medida de seguridad, con quiebra de los más elementales principios constitucionales, en aras a la satisfacción de la opinión pública. El propio TC inexplicablemente está asumiendo como fin constitucionalmente legítimo el de evitar el riesgo de reiteración delictiva, función preventiva innegable.

c) El *régimen jurídico* de la prisión provisional, se desarrolla legalmente en los arts. 502 a 519 LECRIM, sin olvidar el tratamiento de los presos preventivos, arts. 520 a 527 LECRIM, que se analiza juntamente con el de los detenidos.

Existe la obligatoriedad de anotar en un Registro Central, de ámbito nacional, ubicado en el Ministerio de Justicia la adopción de la prisión provisional de los encausados, su duración máxima y su cesación, con el debido respeto a la confidencialidad. De este modo la posible adopción de la medida, su variabilidad, su alzamiento, quedan registrados.

d) Se trata de una medida *excepcional*, frente a la situación normal de esperar el juicio en estado de libertad, de manera que la ley fijará de forma taxativa los supuestos de prisión provisional. Así, el art. 502.2 establece que la prisión provisional sólo se adoptará cuando no existan otras medidas menos gravosas para el derecho a la libertad a través de las cuales puedan alcanzarse los mismos fines que con aquélla.

e) Debe respetar *el principio de proporcionalidad*, referida éste a la adecuación de la prisión provisional a los fines constitucionalmente legítimos (asegurar el normal desarrollo del proceso y la ejecución del fallo, así como evitar el riesgo de reiteración delictiva), y asimismo a que el sacrificio que a la libertad de la persona se impone sea razonable en comparación con la importancia del fin de la medida. De este modo, se entiende desproporcionada a los fines pretendidos adoptar una prisión provisional en la persecución de hechos delictivos castigados con penas privativas de derechos (inhabilitaciones, suspensiones), o con la pena de multa.

B) Presupuestos

El art. 503 LECRIM, delimita los presupuestos necesarios para adoptar las medidas cautelares, cuales son:

a) Fumus boni iuris: «Que conste en la causa la existencia de uno o varios hechos que presenten caracteres de delito» (art. 503.1, 1°), y la exigencia de probable responsabilidad criminal («motivos bastantes para creer responsable criminalmente del delito a la persona contra quien se haya de dictar el auto de prisión», art. 503.1, 2°).

La regulación del artículo 503.1, 1° al referirse a «delitos» suponía la exclusión de las faltas, si bien la desaparición de las faltas y su conversión, en su mayoría, a delitos leves en la LO 1/2015, de 30 de marzo, por la que se modifica el CP, no implica por razones de literalidad del precepto que se excluya la prisión provisional en las causas por delitos leves. Debe entenderse, empero, excluida en estos casos por la misma naturaleza y gravedad de la medida de prisión provisional, teniendo en cuenta la aplicación de los presupuestos para su adopción, y especialmente por la desproporcionalidad de esta medida cuando de delitos leves se trate.

b) *Periculum in mora*: Este presupuesto fundamentalmente y en abstracto debe venir referido, de acuerdo con la naturaleza cautelar de la prisión provisional, al riesgo de fuga, de manera que esta medida debe servir para asegurar la presencia del encausado en el proceso. Reformulados en 2003 los presupuestos de la prisión provisional, se introdujeron en el art. 503 los fines legítimos que justifican la misma y sobre los que se había pronunciado el TC. Así, se entiende que ésta ha de conjurar en cada caso concreto uno de los siguientes riesgos: el riesgo de fuga, el riesgo de ocultación, alteración o destrucción de pruebas, el riesgo de reincidencia, o el riesgo de desprotección de las víctimas.

La concurrencia de estos peligros viene delimitada por la existencia de ciertos elementos objetivos a valorar, que implican la inclinación de la balanza a favor de la seguridad ciudadana o el mantenimiento del orden social frente a una posición garantista del encausado.

1°) *Riesgo de fuga.* Para valorar la existencia de este peligro deberán tenerse en cuenta conjuntamente:

1') La naturaleza del hecho y la gravedad de la pena que pudiere imponerse al encausado, que se valorará: a) Cuando el hecho o los hechos que presenten caracteres de delito lleven aparejada una pena cuyo máximo sea igual o superior a dos años de prisión; b) Cuando lleven aparejada una pena privativa de libertad de duración inferior si el encausado tuviere antecedentes penales no cancelados ni susceptibles de cancelación, derivados de condena por delito doloso (art. 503.1, 1°).

Los límites de pena a que se refiere el art. 503.1, 1° no se aplican cuando, a la vista de los antecedentes que resulten de las actuaciones, hubieran sido dictadas al menos dos requisitorias para su llamamiento y busca por cualquier órgano judicial en los dos años anteriores, dado que en este supuesto procederá acordar la prisión provisional al considerar concurrente el riesgo de fuga (art. 503.1, 3.°, a), III LECRIM).

2') La situación familiar, laboral y económica del encausado.

Si bien motivos familiares (único sustento de la unidad familiar), o laborales (estabilidad laboral como presunción de no fuga) son elementos objetivos que justifican su introducción como parámetros para ponderar una decisión cautelar que comporte una prisión provisional, no así parece tan razonable la situación económica del encausado, en cuanto supone desigualdad de trato y un derecho procesal penal para ricos y otro, para pobres.

3') La inminencia de la celebración del juicio oral, en particular en los juicios rápidos.

2°) *Riesgo de ocultación, alteración o destrucción de las fuentes de prueba.* Para valorar la existencia de este peligro deberá tenerse en cuenta:

1') La capacidad del encausado para acceder por sí o a través de terceros a las fuentes de prueba o para influir sobre otros encausados, testigos o peritos o quienes pudieran serlo (art. 503.1, 3°, b), III).

2') No puede tratarse de un posible riesgo sin más, sino que se exige un peligro fundado y concreto (art. 503.1, 3°, b), I).

3') No puede inferirse dicho peligro únicamente del ejercicio del derecho de defensa o de falta de colaboración del encausado en el curso de la investigación (art. 503.1, 3°, b), II).

3º) *Riesgo de reiteración delictiva*: podrá acordarse la prisión provisional para evitar el riesgo de que el encausado cometa otros hechos delictivos.

La referencia legislativa, pese a la asunción de la misma por el TC, de que fin de la prisión provisional sea el de conjurar el riesgo de que el encausado cometa otros hechos, está desnaturalizando la prisión provisional, al ponerla al servicio de fines no cautelares, esto es, convirtiéndola en una medida de prevención, amén de convertirse en un fin altamente peligroso en cuanto a su valoración y concreción por el órgano jurisdiccional, dado que las circunstancias del hecho y la gravedad de los delitos, o el carácter doloso de los mismos, solo limita en parte la arbitrariedad, pero no la excluye en absoluto.

Para valorar la existencia de este riesgo, habrá que tener en cuenta:

1') Las circunstancias del hecho así como la gravedad de los delitos que se pudieran cometer.

2') Sólo es posible acordar la prisión provisional cuando el hecho delictivo encausado sea doloso.

3') Situación especial es aquella que permite, con fundamento en este fin, decretar la prisión provisional, aun cuando el hecho no comporte una pena que se encuadre en los límites generales del art. 503.1, 1º LECRIM, siempre que de los antecedentes del encausado y demás datos o circunstancias que aporte la Policía Judicial o resulten de las actuaciones, pueda racionalmente inferirse que el encausado viene actuando concertadamente con otra u otras personas de forma organizada para la comisión de hechos delictivos o realiza sus actividades delictivas con habitualidad (art. 503.2, III).

4º) *Riesgo de agresión contra los bienes jurídicos de la víctima*, permitiéndose la adopción de la prisión provisional en cumplimiento de este fin: a) Cuando una de las víctimas sea alguna de las personas a que se refiere el art. 173.2 CP (cónyuge, ex cónyuge, persona ligada afectivamente, hijos, pupilos, ascendientes, incapaces dependientes del encausado); y b) Sin necesidad de que se den los límites que respecto de la pena establece el art. 503.1, 1º.

La introducción de este fin de la prisión provisional en el que se hace referencia a la protección de las víctimas fue consecuencia de la aprobación de la Ley 27/2003, de 31 de julio, reguladora de la orden de protección de las víctimas de la violencia doméstica, que vino a completarse con la LO 1/2004, de 28 de diciembre, de protección integral contra la violencia de género. Conceptos tales como la seguridad, la estabilidad y la protección jurídica a la persona agredida y a su familia han dado pie a la adopción de una serie de medidas preventivas o asegurativas, incluso a la posibilidad de la prisión provisional, aún cuando no se respete el límite fenológico que fija el artículo 503.1, 1º LECRIM. Repárese que no se trata una prisión provisional consecuencia de incumplimiento de una orden de protección —que posible es—, sino de medida que directamente puede adoptarse también ante la concurrencia de estos riesgos. No es una medida cautelar propiamente dicha, sino una medida preventiva personal.

C) Modalidades de la prisión provisional

La LECRIM regula tres modalidades de cumplimiento de la prisión provisional: comunicada, incomunicada y atenuada.

a) Comunicada

Es la regla general, y supone la necesidad de que la prisión provisional se practique de forma que menos perjudique al encausado (art. 520), restringiéndose lo menos posible sus derechos. De este modo, a todos los presos preventivos deben garantizárseles los derechos de comunicación en sus diversas manifestaciones (arts. 523 a 526), esto es, el régimen de comunicación oral, mediante el sistema de visitas; la comunicación escrita, a través del respeto a la correspondencia y sus limitaciones; y la comunicación efectuada a través de las vías telefónicas.

b) Incomunicada

Si bien la situación del preso preventivo debe ser, como norma general, al igual que la del detenido, la de la comunicación, puede suceder que dicha situación no sea en sí suficiente para garantizar el éxito de la investigación penal. En consecuencia, atendiendo lo que prescribe el art. 509, redactado conforme lo dispuesto en la LO 13/2015, de 5 de octubre, de modificación de la LECRIM para el fortalecimiento de las garantías procesales y la regulación de las medidas de investigación tecnológica, el régimen de la incomunicación se regirá por las normas siguientes:

1°) Podrá acordarse la incomunicación cuando concurran alguna de las siguientes circunstancias:

a) Necesidad urgente de evitar graves consecuencias que puedan poner en peligro la vida, la libertad o la integridad física de una persona, o

b) Necesidad urgente de una actuación inmediata de los jueces de instrucción para evitar comprometer de modo grave el proceso penal (peligro de frustración de la investigación penal).

2°) La incomunicación durará el tiempo estrictamente necesario para practicar con urgencia diligencias tendentes a evitar los peligros antes expuestos. La incomunicación no podrá extenderse, más allá de cinco días.

Excepcionalmente, cuando la prisión provisional se acuerda por alguno de los delitos a que se refiere el art. 384 bis u otros delitos cometidos concertadamente y de forma organizada por dos o más personas, podrá procederse a la prórroga de la incomunicación por otro plazo no superior a cinco días (art. 509.2).

La desaparición de una posterior incomunicación en estos casos, tras un tiempo comunicado, deja resuelta la cuestión, en cuanto se limitan las posibilidades de incomunicación, evitándose con ello la indeterminación de la norma anterior que dejaba abierta la puerta a una segunda y sucesivas incomunicaciones cuando la causa ofreciere méritos para ello, que quedaban a la discrecional interpretación del juzgador.

3º) En todo caso, la resolución judicial que adopte la incomunicación, o en su caso la prórroga, deberá ser auto motivado que deberá recoger los motivos de esta decisión (art. 509.1 y 3). Igualmente, el juez deberá resolver, en un plazo de 24 horas, acerca de la adopción de las medidas de privación de derecho durante esa incomunicación; resolución que deberá revestir la forma de auto y éste deberá motivar las mismas así como, en su caso, la pertinencia de acordar el secreto de las actuaciones (art. 527.2 LECRIM).

4º) Podrán adoptarse, siempre por resolución motivada y bajo control judicial de las condiciones en que la incomunicación se lleva a cabo, las siguientes medidas durante la incomunicación: a) Que su abogado sea designado de oficio; b) Que no tenga derecho a entrevistarse reservadamente con su abogado; c) Que no se comunique con todas o algunas de las personas que tenga derecho a hacerlo, salvo con la autoridad judicial, el Ministerio Fiscal y el Médico Forense, ni reciba comunicación alguna; d) Que ni él ni su abogado tengan acceso a las actuaciones; e) Que pueda asistir con precauciones a diligencias, si su presencia no desvirtúa el objeto de la incomunicación f) Que mantenga sus efectos si no perturban la incomunicación; g) Que se le reconozca por un segundo médico forense designado por el Juez competente para conocer de los hechos (arts. 527 y 510 LECRIM).

Los reconocimientos médicos al detenido o preso a quien se le restrinja el derecho a comunicarse con todas o alguna de las personas con las que tenga derecho a hacerlo se realizarán con una frecuencia de al menos dos reconocimientos cada veinticuatro horas, según criterio facultativo (art. 527.3).

c) Prisión provisional atenuada

El art. 508 LECRIM regula dos modalidades posibles de cumplimiento de la prisión provisional atenuada: la que permite que la misma se verifique en su domicilio, con las medidas de vigilancia que resulten necesarias (art. 508.1), y la que puede cumplirse por quienes se hallan sometidos a tratamiento de desintoxicación o deshabituación a sustancias estupefacientes (art. 508.2).

Hasta 1980 no se introdujo de manera expresa la atenuación de la prisión provisional en nuestra ley. Con anterioridad, la ley de 10 de septiembre de 1931 incorporó a la LECRIM dos preceptos del Código de Justicia Militar, vigente entonces, si bien lo hizo de forma atípica, por cuanto no incorporó a ningún precepto concreto de nuestra LECRIM esta modalidad. Por la Ley de 22 de abril de 1980 se introduce el art. 505.II, permitiéndose la adopción de la prisión provisional atenuada cuando por razón de enfermedad del inculpado el internamiento entrañe grave peligro para su salud, restringiéndose con ello las posibilidades de esta atenuación, dado que la Ley de 1931 no limitaba esta posibilidad al estado grave de salud del encausado, sino que se dejaba al criterio razonado del órgano jurisdiccional instructor, atenuar las condiciones de cumplimiento de la prisión provisional, convirtiéndola en arresto domiciliario.

I.- Las notas características de la *primera modalidad —arresto domiciliario—* son:

1°) Estamos ante una modalidad de cumplimiento de la prisión provisional.

Denominada en otros sistemas como arresto domiciliario y configurado como medida cautelar alternativa a la prisión provisional, en España se sigue manteniendo como modalidad de cumplimiento de aquélla, como se deriva de su ubicación en la regulación de la prisión provisional y de lo referente al presupuesto de adopción de la misma.

2°) *Presupuesto*: la concurrencia de grave peligro para la salud del encausado por razón de enfermedad (art. 508), amén de los presupuestos del art. 503 para que pudiera decretarse la prisión provisional.

3°) En cuanto a la puesta en *práctica* de esta modalidad, se establece: a) Se acordará con la vigilancia que resulte necesaria, sin especificar quien deberá materializar la misma y, con ello, sufragar su gasto (policía, familiar, servicio de vigilancia privado, etc.); y b) El juez o tribunal podrá autorizar que el encausado salga de su domicilio durante las horas necesarias para el tratamiento de su enfermedad, siempre con la vigilancia que se estime oportuna, planteándose, al respecto, la misma cuestión que con anterioridad.

II.- Las notas de la *segunda modalidad prisión provisional atenuada* son:

1°) Que el encausado se hallare sometido a tratamiento de desintoxicación o deshabituación a sustancias estupefacientes.

2°) Que el ingreso en prisión pudiera frustrar el resultado de su tratamiento.

3°) Que los hechos objeto del procedimiento fueren anteriores al inicio del tratamiento, justificando con ello la posible eficiencia de dicho tratamiento.

4º) Práctica: a) Ingresen un centro oficial o en una organización legalmente reconocida para continuar el tratamiento; y b) No saldrá del centro sin la autorización del Juez o Tribunal que hubiere acordado la medida.

D) Duración

La gravedad de la prisión provisional ha generado una necesaria conciencia de protección del derecho de libertad del aún no condenado, de modo que se hace indispensable fijar unos máximos legales de duración de la misma. En tal sentido el art. 17.4º CE, proclamaba que «por ley se determinará el plazo máximo de duración de la prisión provisional». En esta misma línea ha contribuido notablemente, en gran medida provocada por su excesiva duración consecuencia de la dilación indebida de los procesos penales, la jurisprudencia del TEDH, insistiendo en la necesidad de que la prisión provisional deberá tener una «duración razonable», razonabilidad que no puede valorarse sino en cada caso concreto, a tenor de las diversas circunstancias que concurran (gravedad del hecho, riesgo de fuga, entre otras).

El desarrollo ordinario del mandato constituyente culminó con el establecimiento de unos plazos máximos de duración de la prisión provisional, que se han ido modificando legalmente. En todo caso, debe entenderse que estamos ante unos plazos máximos, que deberán aplicarse desde la debida razonabilidad y adecuación de los plazos a las concretas circunstancias del caso.

Estos plazos máximos guardan relación directa con las penas que llevan aparejados los hechos delictivos, atendiéndose con ello a la proporcionalidad de la duración en función de la gravedad. Así:

1º) Cuando el hecho lleve aparejada una pena privativa de libertad igual o inferior a tres años, y la prisión provisional se hubiera decretado en virtud de lo previsto en el art. 503.1, 3º, a) y c) (riesgo de fuga y riesgo contra los bienes jurídicos de la víctima) o en el art. 503.2 (riesgo de reiteración delictiva), su duración no podrá exceder de *un año*.

2º) Cuando el delito lleve aparejado una pena privativa de libertad superior a tres años, y la prisión provisional se hubiera decretado en virtud de lo previsto en el art. 503.1, 3º, a) y c) o en el art. 503.2 LECRIM, su duración no podrá exceder de *dos años*.

3º) Es posible la *prórroga* de hasta dos años cuando el delito llevare aparejada una pena privativa de libertad superior a tres años. También es posible la prórroga de hasta seis meses cuando el delito tiene señalada pena igual o inferior a tres años. Se trata en ambos supuestos de una sola prórroga.

4º) Cuando la prisión provisional se hubiere acordado para evitar la ocultación, alteración o destrucción de pruebas relevantes, su duración no podrá exceder de seis meses (art. 504.3, I), si bien cuando se hubiere decretado la prisión incomunicada o el secreto del sumario, si antes del plazo de seis meses se levanta la incomunicación o el secreto, el juez o tribunal deberá motivar la subsistencia del presupuesto de la prisión provisional, en este caso, el de la concurrencia del peligro de ocultación, alteración o destrucción de pruebas (art. 504.3, II).

5º) En el supuesto de que fuere condenado el encausado, la prisión provisional podrá (no significa, por ello, obligatoriamente) prorrogarse hasta el límite de la mitad de la pena efectivamente impuesta en la sentencia, cuando ésta hubiere sido recurrida.

En este supuesto podría plantearse la paradoja de que se tratare de los delitos a los que el CP, tras la reforma por la LO 1/2015, de 30 de marzo, atribuye la prisión permanente revisable —asesinatos especialmente graves, homicidio del Jefe del estado o de su heredero, de Jefes de Estado extranjeros y en los supuestos más graves de genocidio o de crímenes de lesa humanidad, especialmente en arts. 33.2 y 35 CP—, lo que lleva a una imprecisión temporal de la prisión provisional absolutamente indefinida, con peligroso olvido los derechos fundamentales de la persona.

Para el cómputo de estos plazos habrá que tener en cuenta:

1º) El tiempo que el encausado hubiere estado detenido o sometido a prisión provisional por la misma causa deberá ser tenido en cuenta a efectos del cómputo de los plazos de prisión provisional (art. 504.5, I).

2º) Se excluye del cómputo el tiempo en que la causa hubiere sufrido dilaciones indebidas no imputables a la Administración de Justicia (art. 504.5, II).

3º) La anotación de todo el *iter* en estado de prisión provisional queda reflejado en el Registro Central de medidas cautelares (Disp. Adic. Segunda).

La fijación de estos plazos supone que, transcurridos los mismos, el encausado deberá ser puesto en libertad. Surge la duda de qué sucedería si, excarcelado el encausado por el transcurso del tiempo en prisión provisional, se decretare alguna de las medidas alternativas como la obligación de comparecencia en el régimen de libertad provisional, y dejare de comparecer, sin motivo legítimo, a cualquier llamamiento del juez o tribunal (art. 504.4). No tiene sentido considerar que cabría decretar de nuevo la prisión preventiva, dado que el plazo que establece el legislador lo es para una privación de libertad durante el proceso. Podría, en su caso, endurecerse la tutela cautelar mediante otras medidas, pero no con la prisión provisional.

Se atribuye carácter de tramitación preferente al procedimiento en el que el encausado se halle en prisión provisional, habiendo transcurrido en dicho estado las dos terceras partes de su duración máxima (art. 504.6). En tal caso, el juez o tribunal que conoce de la causa y el Ministerio Fiscal comunicarán respectivamente al Presidente de la Sala de Gobierno y al Fiscal-Jefe del tribunal correspondiente, esta situación, adoptándose las medidas precisas para imprimir a las actuaciones la máxima celeridad.

E) Indemnización por prisión provisional

La declaración programática de la responsabilidad patrimonial del Estado-juez por el art. 121 CE, por los daños causados con ocasión del ejercicio de la jurisdicción, no hacía expresa referencia a la prisión provisional, si bien la LOPJ incorporó, junto al derecho a una indemnización a cargo del Estado, como consecuencia de error judicial o por daños causados por funcionamiento anormal de la Administración de Justicia (arts. 292 a 297), el supuesto específico de indemnización en materia de prisión provisional, dado que el art. 294.1 LOPJ establece que «tendrán derecho a indemnización quienes, después de haber sufrido prisión preventiva, sean absueltos por inexistencia del hecho encausado o por esta misma causa haya sido dictado auto de sobreseimiento libre, siempre que se le hayan irrogado perjuicios».

El art. 294 solo admite la indemnización por sentencia absolutoria o auto de sobreseimiento libre por inexistencia del hecho encausado, dejando al margen situaciones injustas de prisión provisional tales como hecho no constitutivo de delito, el preso preventivo exento de responsabilidad criminal (art. 637.2 y 3), que sea condenado a pena no privativa de libertad, o condenado a pena privativa de libertad de menor duración, entre otras. Se trata de supuestos no cubiertos por la norma, que en la jurisprudencia se venían equiparando a la inexistencia objetiva del hecho. Sin embargo esta interpretación ha sido puesta en cuestión por el STEDH (asunto Puig Panella c/España, S. 25 abril de 2006; y posteriormente en la S. 13 julio de 2010 asunto Tendam c/España), al considerar que el 294 LOPJ solo está permitiendo la pretensión indemnizatoria en los supuestos de adopción de prisión provisional cuando la resolución penal de absolución o sobreseimiento lo sea por inexistencia del hecho encausado y no de manera genérica en todo caso, dado que es necesario tal pronunciamiento; y en el sentido de inexistencia de hecho delictivo, como ausencia de toda imputación. Ello no significa desprotección de otras situaciones de prisión provisional seguidas de sentencia absolutoria o sobreseimiento libre, dado que cabría plantearlas por la vía general prevista en el art. 293 LOPJ (S. 23 noviembre 2010).

F) Abono

El tiempo pasado cautelarmente en prisión provisional debe computarse a los efectos de la condena, cuando finaliza el proceso y se dicta una sentencia condenatoria, atendiendo para ello a los arts. 58 y 59 del CP. Así:

1°) Como premisa inicial, el tiempo de privación de libertad sufrido provisionalmente, será abonado en su totalidad por el Juez o Tribunal sentenciador para el cumplimiento de la pena o penas impuestas en la causa en que dicha privación fue acordada (art. 58.1), salvo en cuanto haya coincidido con cualquier privación de libertad impuesta al penado en otra causa, que le haya sido abonada o le sea abonable en ella. En ningún caso un mismo periodo de privación de libertad podrá ser abonado en más de una causa, eliminándose la discusión generada en relación con delitos cometidos por bandas armadas o grupos organizados en los que, en muchos casos, concurren diversas causas contra la o las mismas personas.

> El problema surgió esencialmente de la interpretación del cómputo de la prisión provisional realizada por la STC Sentencia 57/2008, de 28 abril, que consideró que había que computar el tiempo de prisión preventiva en todas las causas en las que estuviera implicado el encausado aunque estuviera cumpliendo condena por otra, lo que llevó, especialmente en el ámbito de delitos de bandas organizadas a generar una interpretación dispar entre la AN (que celebró un Pleno para efectuar una interpretación de la doctrina del Constitucional en el sentido de que el doble cómputo de la prisión preventiva debía de aplicarse a la totalidad de la condena y no al máximo de cumplimiento efectivo) y el TS (que consideró que la interpretación anterior era perjudicial para los reos, ordenando que se cumpliera en los términos del TC). La modificación del art. 58.1 CP ha resuelto esta cuestión, aplicándose la misma respecto de condenas posteriores a diciembre de 2010.

2°) Si se impone una pena no privativa de libertad, cabe abonarla también, siendo de criterio del juzgador la manera y la configuración en que la pena impuesta deba ser compensada (art. 59).

3°) En todo caso, se abonará en su totalidad, para el cumplimiento de la pena impuesta, las privaciones de derechos acordadas cautelarmente (art. 58.4).

La naturaleza de esta medida lleva a sostener una interpretación amplia del significado del abono del tiempo en el que una persona ve cercenada su libertad. Es conveniente, por ello, que se compute no sólo el tiempo de prisión provisional, sino también el tiempo que se ha sufrido anteriormente como consecuencia de una detención o de un arresto domiciliario.

II. LIBERTAD PROVISIONAL

Si se asume que la libertad no debe restringirse sino en los límites absolutamente indispensables para asegurar la persona e impedir las comunicaciones que puedan perjudicar la instrucción de la causa, debe proclamarse la excepcionalidad de la prisión provisional, y con ella, la afirmación de que el *status* de libertad debe ser el normal del investigado. A pesar de ello, puede ser necesario constreñir la libertad del inculpado sin que ello comporte una privación, siendo entonces adoptada la medida cautelar de la libertad provisional.

A) Características

La libertad provisional supone una situación intermedia entre la prisión provisional y el normal estado de libertad ciudadana del no inculpado. Y, en todo caso, constituye la alternativa de la prisión provisional a lo largo de todo el proceso, de tal modo que su regulación se ha construido en gran parte con remisiones a la prisión provisional. Sus notas características son:

a) Es una *medida cautelar* en la que concurren:

1ª) *Instrumentalidad*, en cuanto está vinculada a una causa penal;

2ª) *Provisionalidad y variabilidad*: es revisable en cualquier momento del procedimiento;

3ª) *Temporalidad*: se extingue cuando cambian los presupuestos que la provocaron;

4ª) *Jurisdiccionalidad*: la decisión sobre la medida cautelar es competencia exclusiva del órgano jurisdiccional.

b) Es una medida cautelar *personal*, que pretende asegurar el proceso y su normal desarrollo así como la ejecución de la posible sentencia que, en su día, se dicte.

c) El *régimen jurídico* de la libertad provisional se desarrolla legalmente en los arts. 528 a 544 LECRIM, sin olvidar las remisiones a los preceptos reguladores de la prisión provisional.

d) Se trata de una medida que comporta el *estado normal* frente a la prisión provisional; es por ello que la regla general debe ser la de esperar el juicio en estado de libertad.

e) Finalmente, como en toda medida cautelar, debe mantenerse el debido respeto al *principio de proporcionalidad*.

B) Presupuestos

Los presupuestos de adopción de la libertad provisional vienen configurados de manera complementaria a los de la prisión provisional, de modo que el art. 529 está determinando que en aquellos supuestos en que, concurriendo el *fumus boni iuris*, no se haya acordado la prisión provisional, se decretará la libertad provisional.

La interpretación integradora del art. 529 lleva a mantener esta solución, si bien de la literalidad del precepto pudiera incluso pensarse que en toda causa en la que no se adopta la prisión provisional, se decreta la libertad provisional como estado del encausado frente a la situación de estar en situación de libertad natural. Ello no implica mantener la necesaria afección cautelar personal en todo proceso, si bien la realidad forense pone claramente de manifiesto que cuando se procede a la imputación de una persona, la afectación cautelar (sea en la persona o sea en su patrimonio) suelen ir claramente imbricadas, si bien no sería óbice a que en algunos procesos no se decrete medida cautelar alguna y se deje al sujeto sospechoso o encausado en situación de libertad natural.

a) *Fumus boni iuris*: que conste en la causa uno o varios hechos con caracteres de delito y que aparezcan en la causa motivos bastantes para creer responsable criminalmente del delito a la persona contra quien se haya de dictar el auto cautelar.

b) *Periculum in mora*: El riesgo de afectación del normal desarrollo de la investigación así como el peligro de fuga del encausado, menos intenso que en la prisión provisional. La remisión que efectúa el art. 539 implícitamente al art. 503 en cuanto se decreta la libertad provisional «cuando no se hubiere acordado la prisión provisional del encausado...», lleva a considerarla pena-gravedad (pena privativa de libertad de duración inferior a dos años), matizada con el cumplimiento de los fines a que se refiere el art. 503.1, 3º y 503.2, que permiten decretar, en cada caso, prisión o libertad provisional.

A título de ejemplo, la situación de estabilidad económica, familiar y laboral puede favorecer la libertad provisional; o cuando el hecho delictivo no sea doloso, aun pudiendo concurrir el riesgo de reiteración delictiva; o cuando, aún concurriendo el riesgo de ocultación, alteración o destrucción de fuentes de prueba relevantes para el enjuiciamiento (art. 503.1, 3º, b), el mismo se pretenda inferir por el ejercicio único del derecho de defensa o de la falta de colaboración del encausado en el curso de la investigación.

Por ello, de los arts. 539 y 503, en relación con el art. 502.2, debe concluirse que la regla general debe ser la libertad provisional y la excepcionalidad, la prisión provisional.

C) Obligaciones que comporta el régimen de la libertad provisional

A diferencia de otros países, España se vino caracterizando históricamente por el establecimiento de un régimen poco «alternativo» a la prisión provisional, al establecerse un parco elenco de obligaciones que comportan el régimen de la libertad provisional.

En la actualidad son ya diversas las obligaciones que comportan el régimen de la libertad provisional, y son:

a) *Fianza:* Responde de la comparecencia del inculpado cuando fuere llamado por el juez que conociere de la causa (art. 530).Su naturaleza y régimen jurídico es el mismo que las fianzas establecidas para asegurar las responsabilidades civiles (arts. 591 a 596). En el auto en el que se acuerda la prestación de fianza, se determinará ésta cualitativa y cuantitativamente (art. 529.2), desde la debida proporcionalidad. Habrá que conjugarse la naturaleza del delito, el estado social y los antecedentes y las demás circunstancias que pudieran influir en el mayor o menor interés de éste para ponerse fuera del alcance de la autoridad judicial (art. 531). Puede ser personal (la fianza en su sentido más puro), pignoraticia o hipotecaria (art. 533 en relación con el 591), recayendo sobre los bienes del inculpado o incluso sobre los de un tercero; e incluso es posible la prestación de garantía personal por entidades bancarias o por compañías aseguradoras (art. 784.5).

Son los arts. 534 a 538 los que regulan lo relativo a la efectividad y realización de las fianzas. Si no comparece el inculpado, habrá que estar al tipo de fianza para hacerla efectiva, mediante la vía de apremio, declarándose adjudicada al Estado, con la deducción oportuna de las costas.

La cancelación de la fianza puede producirse: 1) cuando el fiador lo pidiere, presentando al inculpado; 2) cuando éste fuere reducido a prisión; 3) cuando se dictare auto firme de sobreseimiento o sentencia firme absolutoria, presentándose el reo para cumplir condena; 4) por muerte del inculpado (art. 541).

b) *Obligación de comparecencia periódica*, que se realiza fundamentalmente ante la Secretaría del Juzgado o Tribunal correspondiente o bien, mediante exhorto, ante aquélla donde tenga el domicilio el encausado, ante las dificultades que podría ocasionarse en caso contrario al mismo. La mayor o menor frecuencia con que deba presentarse es decisión del órgano jurisdiccional, condicionada a la finalidad pretendida de mantener noticias con cierta frecuencia del paradero del que se halla en libertad provisional.

c) *Anotación preventiva de embargo preventivo o de prohibición de disponer de los bienes*, cuando a juicio del juez o tribunal existan indicios racionales de que el verdadero titular de los mismos es el encausado, haciendo constar así el mandamiento (art. 20, 7° Ley Hipotecaria).

d) *Retención del pasaporte* (art. 530). Es medida complementaria de la obligación de comparecencia periódica. Se incorpora documentalmente al juicio y se le comunica al organismo expedidor.

e) *Privación provisional de usar el permiso de conducir* (art. 529 bis). Aun cuando es una medida coactiva preventiva, permite integrar el *status* cautelar en libertad en los supuestos de comisión de delitos con vehículos de motor.

f) *Prohibición de residencia, acercamiento o comunicación con determinadas personas —orden de alejamiento—* (arts. 544 bis I a III). Son todas ellas medidas de protección a la víctima de homicidio, aborto, lesiones, delitos contra la libertad, de torturas y contra la integridad moral, la libertad e indemnidad sexuales, la intimidad, el derecho a la propia imagen y la inviolabilidad del domicilio, el honor, el patrimonio y el orden socioeconómico (art. 57 CP).

No son, sin embargo, verdaderas medidas cautelares, dado que se dirigen a proteger a la víctima de futuras agresiones, de modo que si bien concurre el presupuesto del *fumus boni iuris*, no así respecto del *periculum in mora*; de este modo, participan de una finalidad preventiva.

Para su adopción se tendrá en cuenta la situación económica del inculpado y los requerimientos de su salud, situación familiar y actividad laboral (art. 544 bis, III). Su incumplimiento puede dar lugar, previa audiencia a que se refiere el art. 505, a la adopción de la orden de protección o medida más gravosa, incluida la prisión provisional, teniendo en cuenta la incidencia del incumplimiento, sus motivos, gravedad y circunstancias, sin perjuicio de las posibles responsabilidades que del incumplimiento pudieran resultar.

g) En relación con las *personas jurídicas* es posible adoptar: la clausura temporal de los locales o establecimientos, la suspensión de actividades sociales y la intervención judicial (art. 33.7 in fine CP) así como consecuencias del art. 129 CP. No se establece duración de las mismas, si bien la proporcionalidad debe llevar a que no duren más del tiempo que se impondrían, si fueras penas, caso de declarar responsable a la persona jurídica.

III. MEDIDAS DE PROTECCIÓN Y SEGURIDAD DE LAS VÍCTIMAS DE VIOLENCIA DE GÉNERO

La Ley 27/2003, de 31 de julio, reguladora de la Orden de protección de las víctimas de violencia doméstica (art. 544 ter LECRIM), y posteriormente la LO 1/2004, de 28 de diciembre, de protección integral contra la violencia de género (arts. 61 a 69) introdujeron una serie de medidas, de diversa naturaleza, que responden a un fin de protección de la víctima. No son medidas cautelares, aún cuando se ha incurrido en ciertos casos en su confusión, sino que se trata —en la mayor parte de los casos— de medidas preventivo-represivas o incluso interdictivas en ciertos supuestos.

El enfrentamiento entre necesidad social de medidas (administrativas y policiales, a la postre) y garantías constitucionales en el proceso es indudable. Destacan:

a) Estas medidas podrán adoptarse de oficio o a instancia de la víctima, sus hijos o personas que convivan con ella, del Ministerio Fiscal o de la Administración especializada. En todo caso, serán adoptadas mediante auto motivado, que justifique la proporcionalidad y necesidad, en un proceso en el que intervenga el Ministerio Fiscal y en el que se respeten los principios de contradicción, audiencia y defensa. Su mantenimiento podrá extenderse tras la sentencia definitiva, durante la pendencia de recursos, debiendo hacerse constar en la sentencia misma la necesidad de su mantenimiento.

b) Especial referencia merece la denominada *orden de protección*, que confiere a la víctima un estatuto integral de protección. Este estatuto comprenderá una serie de medidas penales, civiles, asistenciales, de protección social, etc. La naturaleza de todas ellas es diversa: cautelares, preventivas, de aseguramiento, pudiendo convivir conjuntamente bajo el estatuto alcanzado de «persona protegida». Esta orden se inscribe en el Registro Central para la protección de las Víctimas de la Violencia de Doméstica, y supone el deber de mantener informada a la víctima de la situación procesal y, en su caso, penitenciaria del agresor.

c) Medidas que pueden adoptarse para proteger especialmente a las víctimas son muy variadas.

1°) Prisión provisional cuando concurran los presupuestos del art. 503 LECRIM. En su caso, cabe decretar la libertad provisional a tenor de lo que prevé el art. 529 LECRIM. En ambos supuestos los peligros generales se combinarán con el específico de la situación de desprotección de la víctima.

2°) Salida obligatoria del domicilio, prohibición de vuelta al mismo, prohibición de acercamiento o comunicación a las víctimas, o si se quiere medida de alejamiento, prohibición de toda clase de comunicación, entre otras.

Estas medidas podrán acordarse acumulada o separadamente. La fijación de una distancia mínima entre el inculpado y la persona protegida (en metros o kms.) por el juez, exigida por el art. 64.3 LO 1/2004, reclama medios tecnológicos tales como las pulseras electromagnéticas, los chips intracutáneos, etc. todavía no generalizados.

3°) Medidas de naturaleza civil, incluibles en la orden de protección, tales como la atribución de la vivienda, la suspensión de la patria potestad, la guarda y custodia de los menores, suspensión del régimen de visitas, prestación de alimentos, etc.

4º) Otras medidas: destinadas a la protección de datos y limitaciones a la publicidad, o la medida de suspensión del derecho a la tenencia, porte y uso de armas.

d) *Presupuestos* para la adopción de estas medidas son: la existencia de indicios fundados en la comisión de un delito de violencia de género, inclusive en los delitos leves, que sea víctima de un delito de violencia de género, y que resulte una situación objetiva de riesgo para la víctima que requiera la adopción de alguna medida de protección.

e) *Procedimiento*: se adoptarán las medidas tras una audiencia, que será urgente cuando se desarrolle ante el Juzgado de Guardia, si bien el Juez de Instrucción podrá adoptar en cualquier momento de la tramitación de la causa medidas del art. 544 bis (art. 544 ter, 4 LECRIM).

IV. PROCEDIMIENTO DE ADOPCIÓN DE LA LIBERTAD Y PRISIÓN PROVISIONAL

La regulación del procedimiento para la adopción de la libertad y de la prisión provisional se efectúa en los arts. 505 a 507 y 539. De la citada regulación se desprende:

a) Para adoptar una medida cautelar se necesita, atendidas las circunstancias del caso y la posible concurrencia de los presupuestos, petición de alguno de los concurrentes, de modo que si ninguna de las partes la instare, acordará necesariamente la inmediata puesta en libertad del encausado que estuviere detenido (art. 505.4 y art. 539.3).

b) La petición se formulará en una audiencia, regulada en el art. 505 y a la que se remite el art. 539, cuyas características esenciales son:

1º) Deberá celebrarse en el plazo más breve posible dentro de las setenta y dos horas siguientes a la puesta a disposición del detenido ante el juez.

> Este plazo puede plantear dificultades, dado que cuando el detenido se lleva a presencia judicial como consecuencia de requisitoria es probable que no se trate del juez competente. Se resolverá por el no competente *ad cautelam*, y una vez el Juez o Tribunal de la causa reciba las diligencias, oirá al encausado, asistido de su abogado, tan pronto como le fuera posible y dictará la resolución que estime oportuna (art. 505).

2º) Es un trámite necesario para adoptar la medida cautelar, salvo que el juez considere que debe decretarse la libertad provisional sin fianza (art. 539.1). Si está en marcha la tramitación del procedimiento cualquier cambio cautelar exigirá asimismo la celebración previa de la audiencia, salvo que se pretenda adoptar libertad provisional sin fianza (art. 539 III).

3º) A esta audiencia deberán asistir el MF, el encausado y su letrado (elegido libremente o designado de oficio); también podrán asistir cuantos se hubieren personado en la causa (art. 505.2).

4º) En el trámite de la audiencia podrán realizarse alegaciones y proponerse los medios de prueba que pueden practicarse en el acto o, como máximo, dentro de las setenta y dos horas antes indicadas (art. 505.3). El Abogado del imputado tendrá en todo caso, acceso a los elementos de las actuaciones que resulten esenciales para impugnar la privación de libertad del investigado o encausado (art. 505.3, II).

La prueba se practicará previa solicitud de parte, que se efectúa bien en el inicio de la audiencia o con anterioridad; la decisión sobre su admisión es competencia del juez, que se lleva a cabo en el acto, verbal y motivadamente, y documentándose debidamente en el acta de la audiencia; la negativa podrá atacarse, si bien conjuntamente con el medio de impugnación que se plantee contra el auto de libertad o de prisión. En todo caso, la imposibilidad de practicar prueba no produce la suspensión de la audiencia.

5º) Si por cualquier razón la audiencia no pudiera celebrarse, excepcionalmente el juez o tribunal podrá acordar la prisión provisional, siempre que concurran los presupuestos del art. 503, o la libertad provisional con fianza. La decisión quedará, sin embargo, condicionada a que dentro de las setenta y dos horas siguientes, deba convocarse nuevamente la audiencia, con el fin de confirmar o modificar la citada decisión.

c) La competencia para decretar la medida cautelar dependerá del momento procedimental en que ésta se adopte:

1º) Cuando no existe aún causa penal: si el detenido es puesto a disposición de un juez no competente, éste practicará las primeras diligencias (art. 499) decidiendo sobre la situación cautelar del detenido, dentro de las setenta y dos horas máximo, sin perjuicio de la posterior inhibición en favor del competente.

2º) Si la causa se halla en la fase de procedimiento preliminar, será competente el Juez o Magistrado instructor o el que forme las primeras diligencias (art. 502).

3º) En el juicio oral, la adopción de la medida podrá decretarla el juez o tribunal competente que conozca de la causa (art. 502), si bien cabría abrir una sumaria instrucción suplementaria (art. 746.6), remitiendo las actuaciones al instructor, quien decidiría la suerte cautelar del encausado.

4º) Si se hallare pendiente del recurso de apelación o de casación, será competente el órgano que conoció de la instancia, como se deriva del art. 861 bis a LECRIM.

d) La decisión que se adopte sobre la situación personal del encausado adoptará la forma de auto, cuyas características serán:

1°) Deberá ser motivada, refiriendo la motivación a las razones por las que la medida se considera necesaria y proporcionada respecto de los fines que justifican su adopción (art. 506.1).

2°) Excepcionalmente, cuando la causa ha sido declarada secreta, en el auto de prisión se expresarán los particulares del mismo que, para preservar la finalidad del secreto, hayan de ser omitidos de la copia que haya de notificarse; no obstante, en ningún caso se omitirá en la notificación una sucinta descripción del hecho encausado y de cuál o cuáles de los fines se pretende conseguir. Una vez alzado el secreto, se notificará inmediatamente el auto en toda su integridad al encausado (art. 506.2).

3°) Se pondrá en conocimiento este auto a los directamente ofendidos y perjudicados por el delito cuya seguridad pudiera verse afectada por la resolución (art. 506.3).

4°) Contra los autos que decreten, prorroguen o denieguen la prisión provisional o acuerden la libertad del encausado podrá ejercitarse recurso de apelación en los términos previstos en el art. 766, que gozará de tramitación preferente (art. 544 quáter.2, en relación con personas jurídicas). El recurso deberá resolverse en un plazo máximo de treinta días (art. 507.1).

Situación excepcional en materia de recursos es la que se provoca cuando no se hubiere notificado inicialmente el auto de manera íntegra, en cuanto el recurso podrá interponerse contra el auto íntegro a partir del momento en que éste le sea notificado (art. 507.2).

V. MEDIDAS CAUTELARES PATRIMONIALES

Las medidas cautelares patrimoniales recaen sobre los bienes del encausado, y pretenden asegurar fundamentalmente las responsabilidades pecuniarias «que puedan declararse en el proceso penal» (art. 589 LECRIM). Esas responsabilidades pecuniarias, sin embargo, pueden ser de dos tipos, penales y civiles, en cuanto deriven de la responsabilidad penal (las costas procesales, la pena de multa, entre otros conceptos) o de la responsabilidad civil derivada de la comisión del hecho delictivo, garantizándose con ello la efectividad de las obligaciones civiles contenidas en la resolución condenatoria civil (consistentes en la restitución de la cosa, la reparación del daño o la indemnización de perjuicios). Igualmente y aun cuando se trata de un procedimiento de decomiso autónomo, que se rige por las normas del juicio verbal (LEC), referido a la solicitud del decomiso de bienes, efectos o ganancias (art. 803 ter e) y siguientes LECRIM), se permite la solicitud de medidas cautelares que garanticen la efectividad del decomiso (art. 803 ter l., 1°.h), 2° y 3° LECRIM).

Debe tenerse presente, sin embargo, que no toda medida que recae sobre bienes con finalidad de aseguramiento es cautelar, como sucede, por ejemplo, con la aprehensión de cosas y bienes (arts. 334, 574, entre otros), que es una medida de aseguramiento de la prueba o del cuerpo del delito, de manera que su régimen jurídico es divergente respecto del de las medidas cautelares, lo que no impide que en alguna ocasión alguna de estas medidas pueda llegar a convertirse en cautelar, cuando se pretende garantizar la efectividad de la condena civil acumulada a la penal, consistente en dar determinada cosa.

A) Clases de medidas

Atendido el objeto de estas medidas, se distinguen según se trate de garantizar la condena a restituir (dar) o la condena a una obligación pecuniaria. Entre las primeras se halla *el secuestro u ocupación de bienes o cosas* (arts. 619, 620), que pretende garantizar la restitución de la cosa (arts. 110 y 111 CP), como posible manifestación de la condena civil. Entre las segundas, más comúnmente utilizadas en cuanto garantizan la responsabilidad pecuniaria, pueden citarse la fianza, el embargo, la pensión provisional y la intervención inmediata del vehículo. Igualmente es posible hacer referencia a medidas patrimoniales, que garantizan y protegen a las víctimas.

a) Fianza

Puede servir la fianza para eludir el embargo. Se decretan ambas en el auto pero alternativamente; si no se presta fianza bastante para asegurar las responsabilidades pecuniarias, se procederá al embargo de bienes suficientes para cubrirlas (art. 589.I).

Esta fianza es una medida cautelar patrimonial diferente, en todo caso, a la fianza como obligación a cumplir en el régimen de la libertad provisional. Y las consecuencias de la no prestación de fianza en ambos casos son diversas: en el caso de la libertad provisional, da lugar a su conversión en prisión provisional, mientras que en la fianza aseguratoria de responsabilidades pecuniarias, se convierte en embargo.

Para determinar su cuantía debe estarse a la posible multa que lleve aparejada el hecho delictivo, el importe probable de las costas y la responsabilidad civil que se derive del delito. Solo podrá hacerse efectiva cuando la sentencia devenga firme, siendo el procedimiento adecuado para ello, la vía de apremio. Y, en todo caso, se exige un auto del juez que determine la suficiencia de la misma (arts. 596).

La fianza podrá ser personal, pignoraticia o hipotecaria o mediante caución, que podrá constituirse en dinero efectivo, mediante aval solidario de duración indefinida y pagadero a primer requerimiento emitido por entidad de crédito o sociedad de garantía recíproca o por cualquier medio aceptado por el tribunal que garantice la disponibilidad de la cantidad correspondiente (art. 591 LECRIM). Cabe que sea el obligado o un tercero, directo o subsidiario, el que la preste.

b) Embargo

Es medida subsidiaria de la fianza, en cuanto si en el día siguiente al de la notificación del auto en el que se establece la necesidad de prestación de fianza bastante para asegurar las responsabilidades pecuniarias (art. 589) no se prestase, se procederá al embargo de bienes, requiriéndole para que señale los suficientes a cubrir la cantidad que se hubiese fijado para las responsabilidades pecuniarias (art. 597). Se regula, de manera incompleta, en los arts. 597 a 614 LECRIM, entendiéndose aplicable supletoriamente la LEC (art. 614).

La aprobación de la LO 5/2006, de 5 de junio, complementaria de la ley para la eficacia en la Unión Europea de las resoluciones de embargo y de aseguramiento de pruebas en procedimientos penales, modificó el art. 87.1 LOPJ atribuyendo a los juzgados de instrucción del lugar donde se encuentren los bienes embargados o los elementos de prueba, la competencia para el cumplimiento de la solicitud de embargo.

c) Anotación preventiva

Se permite la anotación preventiva de la acción civil acumulada a la penal, cuando la estimación de la misma en la sentencia comporte la nulidad, anulabilidad y rescisión de negocios jurídicos relativos a derechos reales inscritos en el Registro de la Propiedad.

d) Pensión provisional

Esta medida cautelar se regula tan sólo para aquellos procesos por hechos derivados del uso y circulación de vehículos a motor. Su finalidad es cubrir la responsabilidad pecuniaria por la comisión del hecho, derivada de la necesaria atención a la víctima y a las personas que estuviere a su cargo (art. 765.1).

El pago de esta pensión se debe realizar anticipadamente; se exige a la compañía aseguradora, pareciendo excluir, de manera inexplicable, la posibilidad de exigir esta pensión cautelar al responsable penal. Así, debe cubrirse por el asegurador, si existiere, hasta el límite del seguro obligatorio, o bien con cargo a la fianza o al Consorcio de Compensación de Seguros, en los supuestos de responsabilidad del mismo. Igual medida podrá acordarse cuando la responsabilidad civil derivada del hecho esté garantizada con cualquier seguro obligatorio. La interposición del recurso no suspenderá esta obligación.

e) Intervención inmediata del vehículo

El art. 764.4 prevé la posibilidad de adoptar la intervención inmediata del vehículo en aquellas causas incoadas por hechos derivados del uso y circulación de vehículos a motor, cuando fuere necesaria para «asegurar las responsabilidades pecuniarias, en tanto no conste acreditada la solvencia del inculpado o del tercero responsable civil».

También podrá adoptarse la retención del permiso de circulación del vehículo e incluso la intervención del permiso de circulación, con finalidad preventiva (art. 764.4°, II y III), exigiéndose la comunicación a los organismos administrativos correspondientes.

f) Medidas de desarrollo de la orden de protección a las víctimas de violencia doméstica

El art. 544 ter en la LECRIM permite adoptar medidas no cautelares pero que son de protección de la víctima de violencia doméstica y, en su caso, a los familiares. Entre ellas: atribución del uso y disfrute de la vivienda familiar, determinación del régimen de custodia, visitas, comunicación y estancia con los hijos, prestación de alimentos, etc. (art. 544 ter).

g) Orden de retirada de contenidos o servicios ilícitos en los delitos de enaltecimiento de terrorismo

El art. 578.5 CP incorpora esta orden, así como subsidiariamente la orden a los prestadores de servicios de alojamiento que retiren los contenidos ilícitos en internet, a los motores de búsqueda que supriman los enlaces y a los proveedores de servicios de comunicación electrónicas, que impidan el acceso a los contenidos o servicios ilícitos. Aun cuando el CP atribuye posible naturaleza cautelar, no lo es, sino que es medida preventiva-asegurativa.

h) Medidas contra personas jurídicas

Tanto el artículo 33.7 in fine, referido a las personas jurídicas como el art. 129, en relación con las empresas, organizaciones, grupos u otras entidades sin personalidad jurídica, ambas del CP, se refieren a diversas medidas cautelares a adoptar contra la persona jurídica, como la cláusula temporal de locales o establecimientos, la suspensión de las actividades sociales y la intervención judicial.

B) Presupuestos y procedimiento

Los presupuestos para adoptar estas medidas cautelares vendrán matizados atendida la consideración de medida cautelar penal o medida cautelar civil. Así:

a) Fumus boni iuris: Si son medidas cautelares penales se exige la concurrencia de indicios de criminalidad del encausado; si son civiles, se entiende implícito este presupuesto, siempre que no se haya reservado o renunciado la acción civil. Cuando se trata de adoptar medidas civiles sobre terceros se exige que «aparezca indicada la existencia de la responsabilidad civil» (art. 615).

b) Periculum in mora: Se trata de aquellos riegos derivados del posible incumplimiento de la condena, sea penal o sea civil.

En suma, si bien referido solo al procedimiento abreviado (art. 764.2), las normas sobre contenido, presupuestos y caución sustitutoria que se aplican son las de la LEC, creándose dos sistemas diferentes: uno para el ordinario, aplicando LECRIM, y otro, para el abreviado y los demás procesos, que se remiten a la LEC.

Concurre contradicción en la regulación procedimental de las mismas en relación con la iniciativa para su adopción. Si se aplica la LEC, se exige a instancia de parte; si se aplican los arts. 505 y 539 LECRIM es posible adoptarlas de oficio, con vulneración del principio de contradicción. En todo caso, se tramitará en pieza separada (art. 590), y se resolverá mediante auto (art. 764.1, para el abreviado), teniendo presente que si durante el curso del juicio sobrevinieren motivos bastantes para creer que las responsabilidades pecuniarias que pueden exigirse exceden de la cantidad prefijada para asegurarlas, se mandará por auto ampliar la fianza o el embargo (art. 611), o, en su caso, reducirla (art. 612).

LECTURAS RECOMENDADAS: BARONA VILAR, S., *Prisión provisional y medidas alternativas*, Barcelona, 1988; Idem, *¿Una nueva concepción expansiva de las medidas cautelares personales en el proceso penal?* RPJudicial nº especial XIX, 2006, págs. 237-265; GUTIÉRREZ DE CABIEDES, P., *La prisión provisional,* 2004; ARANGÜENA FANEGO, C., *Teoría general de las medidas cautelares reales en el proceso penal español*, Barcelona, 1991; MARTÍNEZ GARCÍA, E., *La tutela judicial de la violencia de género,* Iustel, 2008; FARALDO CABANA, P., *Las prohibiciones de residencia, aproximación y comunicación en el Derecho Penal,* Tirant lo Blanch, 2008.

LIBRO V
EL JUICIO ORAL Y SUS EFECTOS

CAPÍTULO I

LA CONFORMACIÓN GENERAL DEL JUICIO ORAL

Lección Décimo tercera

El juicio oral (I)

I. ESTRUCTURA Y PRINCIPIOS INFORMADORES

El juicio oral es la fase más importante del proceso penal porque en ella tiene lugar el enjuiciamiento.

Comienza con el acto de apertura y termina con la declaración de concluso el proceso.

Principios: Contradicción, igualdad, acusatorio, oralidad, inmediación y publicidad.

II. LA ALTERNATIVA SOBRE EL ENJUICIAMIENTO

Las partes tienen que pedir expresamente que se abra el juicio oral y si no, deben pedir el sobreseimiento.

Si se pide la apertura del juicio oral es para acusar, no tiene sentido separar ambas peticiones.

El tribunal está obligado a abrir el juicio oral, a no ser que considere que los hechos no son constitutivos de delito.

III. EL SOBRESEIMIENTO

En ciertos casos se adelanta la absolución porque el juicio oral no puede celebrarse, o se archiva provisionalmente la causa a la espera de nuevas pruebas.

Clases: Libre y provisional.

El libre se dicta por inexistencia del hecho, inexistencia de hecho punible o falta de indicios de responsabilidad criminal, y equivale a sentencia absolutoria.

El provisional se dicta por ser dudosa la existencia de los hechos y por falta de pruebas para la imputación, e implica archivo y paralización del proceso.

IV. LOS PRESUPUESTOS PROCESALES

Su tratamiento procesal es complejo por la antigüedad de la LECRIM, aunque en las reformas del proceso abreviado se ha intentado mejorar este tema.

En la redacción originaria de la LECRIM algunos presupuestos procesales se tratan como artículos de previo pronunciamiento.

Se proponen por la defensa antes de calificar los hechos.

En los procesos abreviados hay una audiencia saneadora al comienzo del juicio oral para resolver las alegaciones sobre falta de presupuestos procesales.

I. EL JUICIO ORAL: ESTRUCTURA Y PRINCIPIOS INFORMADORES

Entramos a partir de esta lección en el juicio oral penal. Antes de considerar, sin embargo, los diferentes actos que lo componen, es necesario apuntar primero, de un lado, la estructura de esta fase del proceso penal, y de otro, sus principios informadores característicos, tomando como modelo, al igual que hemos hecho en el estudio del procedimiento preliminar, el juicio ordinario por delitos más graves, con anotaciones de los demás procesos.

La denominación «juicio oral» del Libro III LECRIM no es realmente acertada, entre otras razones, porque en sentido también legal, pero más estricto, juicio oral es la subfase de la vista de esta parte del proceso penal, comprendiéndose antes actuaciones que sirven para prepararlo y que son escritas, y porque hay juicios orales que no son penales.

Si a la primera fase la hemos denominado «procedimiento preliminar», a ésta, como ocurre en el proceso penal de la República Federal de Alemania, habría que llamarla «procedimiento principal», ya que es en ella donde se van a proporcionar los materiales con base en los cuales el tribunal dictará la sentencia (art. 741, I LECRIM). Parece, no obstante, aconsejable, por acomodarse la práctica a la terminología de la LECRIM, el seguir hablando de juicio oral.

a) Estructura

La fase de juicio oral se inicia con el auto de apertura del juicio oral, dictado por el órgano jurisdiccional competente, a partir del cual todos los actos son públicos (art. 649 LECRIM), y termina con la declaración formal de conclusión de la vista (art. 740 LECRIM), previa a la sentencia.

Entre ambos actos se incardinan los artículos de previo pronunciamiento, la acusación y la defensa, los actos de preparación de la vista, y los que la componen, articulados esquemáticamente del siguiente modo, teniendo en cuenta como dijimos que nos fijamos principalmente en el proceso por delitos más graves, y que algunos de ellos han sido reformados en 2009 con el fin de adaptarlos a las nuevas facultades del LAJ (antiguo secretario judicial, recordemos) y de propiciar el uso de las nuevas tecnologías.

Los actos procesales más relevantes de esta fase son:

1) *Artículos de previo pronunciamiento:* Al auto de apertura del juicio oral puede seguir, en su caso, la proposición de artículos de previo pronunciamiento (arts. 666 y 667 LECRIM), que, como veremos en esta misma lección, significan la paralización del procedimiento hasta que se resuelva sobre ellos. En caso de no proponerse, o de desestimarse, se entra en la siguiente subfase.

2) *Calificaciones provisionales:* A cargo de todas las partes acusadoras y acusadas (arts. 649 a 653 LECRIM). El acusado puede manifestar, principalmente en el proceso abreviado, su conformidad con la calificación.

3) *Actos preparatorios de la vista:* Son los siguientes:

a) En los mismos escritos de calificación provisional, la acusación y la defensa han de proponer los medios de prueba que deseen para demostrar la verdad de sus afirmaciones, conforme a las formalidades establecidas por los arts. 656 y 657, I y II LECRIM.

b) El órgano jurisdiccional competente examinará a continuación y resolverá sobre la admisión de los medios de prueba propuestos (arts. 658 y 659, I a IV LECRIM).

c) En su caso, se puede proponer ahora incidente de recusación de peritos (arts. 662 y 663 LECRIM).

d) En el escrito de calificación provisional, la acusación y la defensa pueden pedir también la práctica anticipada de determinados medios de prueba, a realizar si se aprueba conforme a las formalidades previstas en los arts. 657, III, 718, 719, 720, 725 y 727 LECRIM).

e) En el auto sobre admisión de las pruebas, debe señalar el juez día para la vista o juicio oral en sentido estricto, «teniendo en consideración la prioridad de otras causas y el tiempo que fuere preciso para las citaciones y comparecencias de los peritos y testigos» (art. 659, V LECRIM). Qué duda cabe que tendrá que atender igualmente a la propia complejidad de la causa y dificultades probatorias inherentes a ella.

En dicho auto ordenará también: 1.º) La citación de los peritos y de los testigos (arts. 660 y 661 LECRIM); 2.º) La citación de las partes (v. por su importancia, respecto al acusado, el art. 664 LECRIM, cuyo párrafo segundo sanciona la infracción con el recurso de casación); y 3.º) La conducción forzosa del acusado preso al lugar del juicio (art. 664, I LECRIM). Un aspecto relevante desde 2015 es la notificación a la víctima, sea o no parte, de este auto, entre otras resoluciones importantes de esta fase procesal.

f) La fecha señalada para la apertura de la vista puede sufrir un aplazamiento en el caso de que «las partes, por motivos independientes de su voluntad, no tuvieran preparadas las pruebas ofrecidas en sus respectivos escritos» (art. 745 LECRIM). Dada la vigencia del principio de aportación de pruebas de oficio (v. art. 729-2º LECRIM y lección 13ª), esta suspensión puede ser acordada por propia iniciativa del tribunal.

g) A la vista de los escritos de calificación y de las pruebas propuestas en ellos, el presidente del órgano jurisdiccional puede constituir la sede del tribunal en determinada localidad para celebrar el juicio, poniéndolo en conocimiento del Ministerio de Justicia (art. 665 LECRIM). La norma pretende garantizar el principio de inmediación, pero su utilización práctica es casi nula y menos tras los desarrollos que han constituido la LOPJ y la LDPJ. Hoy, en todo caso, debería ponerse en conocimiento también del Consejo General del Poder Judicial.

4) *Vista:* La vista o juicio oral en sentido estricto, en donde tiene lugar el debate jurídico, compuesto por una o más sesiones, consta de los siguientes actos:

a) Comienza el día y horas señalados con la declaración formal de apertura de la misma por el presidente del Tribunal (art. 688, I LECRIM).

b) En este momento, o en cualquier otro posterior si se dan las circunstancias para ello, es posible, de oficio o a instancia de parte, la declaración del secreto de la vista, a acordar mediante auto (arts. 680 y 682 LECRIM, con las reformas introducidas en 2015 para proteger mejor a la víctima del delito).

c) Es posible ahora también, si el proceso es abreviado, o si se trata de un juicio rápido, una nueva conformidad del acusado (art. 688, III a 700 LECRIM).

d) A continuación, el letrado de la administración de justicia da cuenta del hecho y de la instrucción (art. 701, I a III LECRIM).

e) Sigue la práctica de las pruebas admitidas, conforme al orden legal determinado en el art. 701, IV y V LECRIM, que es susceptible de ser alterado por el presidente si ello fuera conveniente «para el mayor esclarecimiento de los hechos o para el más seguro descubrimiento de la verdad» (art. 701, VI LECRIM).

f) Una vez practicada la prueba, las partes elevan en su caso a definitivas sus calificaciones provisionales (art. 732 LECRIM).

g) En caso de darse los presupuestos exigidos por el art. 733 LECRIM, el presidente puede proponer una nueva tesis jurídica, llamada de desvinculación, haciendo uso de la facultad contenida en ese precepto.

h) Siguen los informes de la acusación y defensa (arts. 734 y 737 LECRIM).

i) A continuación se concederá la última palabra al acusado (art. 739 LECRIM), manifestación genuina del derecho de autodefensa.

j) Por último, el presidente declarará formalmente concluso el juicio para sentencia (art. 740 LECRIM).

b) Principios

Hemos analizado ya, con carácter general, los principios del proceso y los del procedimiento. Se trata ahora de concretarlos en esta fase del juicio penal, que es en donde mayor plenitud alcanzan. Recordemos:

1) *Principios relativos a las partes:* Nada hay que añadir en lo relativo al principio de dualidad de posiciones.

Por lo que hace referencia al principio de contradicción, se garantiza en la ley por la presencia de todas las partes en esta fase, lo que permite ser oídas antes de ser condenadas o absueltas.

El principio de igualdad reviste, en esta fase, su mayor esplendor, pues tanto la acusación como la defensa disponen, considerando cada posición jurídica, de idénticas posibilidades para alegar hechos y proponer pruebas, para atacar y para defenderse (principio de igualdad de armas). Por eso la LECRIM siempre se refiere a las partes, sin distinguir.

2) *Principio acusatorio:* Es calificado como el principio fundamental del proceso penal, exclusivamente propio de él, porque el sistema de enjuiciamiento criminal español se basa en los principios caracterizadores del proceso acusatorio formal o mixto, de origen francés. Pero si atendemos a su verdadero sentido, el verdadero proceso penal sólo puede ser acusatorio, con lo que ya no juega un papel tan relevante estructuralmente. Es más decisivo en cuanto al objeto del proceso y a la división de funciones acusatorias y juzgadoras. En el sistema anglosajón, que lo desconoce, realiza en parte sus cometidos el llamado principio del «debido proceso legal».

3) *Otros principios del proceso:* Del resto de los principios del proceso derivados del de necesidad, el troncal del proceso penal, sólo hay que referirse ahora a los relativos a la prueba, concretamente al de investigación oficial y al de libre apreciación de la prueba.

Que en el proceso penal, en el que se debe tender a la averiguación y fijación de la verdad material o real (v. arts. 701, VI y 726 LECRIM), con el matiz de no estar permitido hallarla a cualquier precio y, en todo caso, respetando los principios y las garantías fundamentales fijadas en la Constitución (el principio del proceso debido legal, proceso justo o proceso equitativo, en otros ordenamientos), debe estar posibilitado al tribunal investigar de oficio los hechos y aportar la prueba que considere conveniente, sin estar ni vinculado ni limitado respecto a lo que las partes digan al respecto, está fuera de toda duda razonable. De ahí el art. 729-2.º LECRIM, aunque la jurisprudencia interprete, como veremos, esta norma inadecuadamente.

Por otro lado, esos mismos fines exigen que no exista en el proceso penal ninguna prueba cuyo valor esté tasado previamente por la ley. Esta conquista del sistema acusatorio formal llamada libre apreciación de la prueba, consagrada en los arts. 717 y 741 LECRIM, merece por su importancia un tratamiento particularizado en la lección correspondiente, a la que nos remitimos.

4) *Principios del procedimiento:* El principio básico es el de oralidad, de naturaleza constitucional (v. art. 120.2 CE, que se refiere especialmente a los juicios criminales, y los arts. 186, 229.1 y 232 LOPJ). Sus principios derivados se dan igualmente con toda su amplitud (inmediación, concentración y publicidad) Han sido reformados en parte en 2015 para facilitar un mejor cumplimiento con relación a la víctima del delito.

II. LA ALTERNATIVA SOBRE EL ENJUICIAMIENTO

Para que se abra el juicio oral, la parte acusadora tiene que pedirlo expresamente en nuestro sistema. En caso contrario, debe solicitar el sobreseimiento. Esta alternativa sobre si procede el enjuiciamiento o no, es decir, sobre si debe abrirse el juicio oral o por contra impedirse, viene regulada por la LECRIM, por lo que hace referencia al proceso ordinario por delitos más graves, en un trámite procedimental complejo, y, en parte, superfluo.

En efecto, el proceso ordinario por delitos más graves ha sido articulado de manera que el cumplimiento del principio acusatorio con relación a la apertura del juicio oral, se hace depender de dos actos procesales distintos, que en realidad no pueden separarse. Sabemos a este respecto que el principio acusatorio exige fundamentalmente que una persona distinta de quien tiene la potestad de juzgar formule una acusación contra otra persona («nemo iudex sine actore», «ne procedat iudex ex officio»). La LECRIM hace requisito previo para la formulación de esa acusación que esa misma persona, el acusador, pida la apertura del juicio oral contra la persona que en el procedimiento preliminar aparece como sospechosa de haber cometido el hecho punible. Y, sin embargo, quien pide la apertura del juicio oral es porque está convencido de que va a acusar. ¿Por qué separar entonces ambos actos? ¿No se podría pedir en el mismo escrito de acusación formalmente la apertura del juicio oral?

Esta solución, que es la que correctamente se ha establecido para los procesos abreviados (arts. 780.1, 781.1 y 795.4 LECRIM), no es la que rige para el proceso por delitos más graves, en donde la situación procedimental resulta difícil de entender (ni tampoco en los juicios rápidos, art. 800.1 y 2 LECRIM; ni en los juicios sobre delito leve, aunque aquí la situación es estructuralmente diversa, arts. 963.2 y 969.1).

Así es. Recordemos, una vez el procedimiento preparatorio o preliminar, con revocación o sin ella, ha sido declarado formalmente concluso y aprobado por el tribunal, oídas todas las partes (v. arts. 622 y ss.), la acusación debe solicitar necesariamente la apertura del juicio oral o el sobreseimiento (arts. 627 y 632 LECRIM).

Esta alternativa significa, si la parte acusadora pide la apertura del juicio oral, en estricto entendimiento del principio acusatorio, que el tribunal debe acordarla (art. 645 LECRIM), con la única excepción en el proceso ordinario por delitos más graves de que el hecho no sea constitutivo de delito (art. 637-2.º LECRIM), y también en los abreviados y rápidos que no existan indicios racionales de criminalidad contra el acusado (art. 783.1 LECRIM), en cuyo caso procede el sobreseimiento (v. *infra),* alteración del principio suficientemente tutelada por otra parte en caso de que ello ocurra, pues el auto denegatorio correspondiente es resolución recurrible en casación (v. arts. 848, II y 636 LECRIM). Con ello, se asegura la ley de que habrá alguien distinto del juzgador que acusará.

Acto seguido, el tribunal dictará auto de apertura del juicio oral, que es irrecurrible (v., para los procesos abreviados, el art. 783.3 LECRIM, salvo en lo relativo a la situación personal del acusado y el derecho de las partes a reproducir la petición en el juicio oral).

Este auto tiene los siguientes efectos particulares:

1.º) En él se ordenará que la causa pase a las partes para su calificación provisional (v. arts. 633 y 649, I LECRIM y lección siguiente);

2.º) A partir de este momento rige el principio de publicidad para los actos procesales (art. 649, II LECRIM);

3.º) Marca el momento preclusivo para que el ofendido o perjudicado por el delito pueda mostrarse parte acusadora particular en la causa, ejerciendo acciones penales y civiles (art. 110, I LECRIM, no afectado en este punto por la reforma de 2015);

4.º) Particularmente en los procesos abreviados, además de los efectos anteriores, hay que añadir que el auto debe resolver sobre el mantenimiento, revocación o modificación de las medidas cautelares, personales y reales, adoptadas o pedidas (art. 783.2 LECRIM), e indicar a las partes, en su caso, el órgano competente para el conocimiento y fallo de la causa.

Una explicación razonable desde un punto de vista práctico sobre la separación entre apertura del juicio oral y calificación podría ser, quizás, que la ley no quiere que se formule la calificación hasta que no se sepa seguro si el juicio se abre o no. Pero es más fuerte el argumento que considera que quien pide la apertura del juicio es porque ya ha calificado el delito, es decir, que no va a inclinarse por la alternativa del sobreseimiento, lo que hace inútil la separación. La inconveniencia de esta separación se demuestra por el hecho de que, conforme a la ley, quien ha pedido la apertura del juicio oral puede luego perfectamente pedir la absolución.

La otra vertiente de la alternativa consiste en que la parte pida el sobreseimiento, por los motivos y conforme al procedimiento que veremos inmediatamente.

III. EL SOBRESEIMIENTO

A) Concepto

El proceso penal puede terminar sin necesidad de celebrar el juicio, o paralizarse en su tramitación, en caso de que falte algún requisito esencial para que pueda abrirse esta fase o para que continúe adelante la causa. El conjunto de condiciones que pueden dar lugar a ello se agrupan en la institución conocida bajo la denominación «sobreseimiento», pero la ley, que nos obliga pedagógicamente a tratarlo conjuntamente, regula dos cosas muy distintas bajo ese término.

En efecto, la propia justicia y los fines que exige para el proceso penal obligan a poner fin al proceso cuando carece de sentido continuar con él, a saber, cuando no hay comisión de hecho punible o el sospechoso es, sin duda, inocente. Esto es, en esencia, el sobreseimiento. Pero el proceso debe quedar paralizado cuando no se pueda continuar de momento, a saber, cuando siendo razonable pensar que podría haber delito falten pruebas determinantes sobre el mismo o sobre la autoría, en tanto se buscan y se hallan. A esta institución deberíamos llamarla «archivo» provisional, porque es un supuesto de paralización por suspensión del proceso, que nada tiene que ver con el sobreseimiento.

Pues bien, la ley agrupa todas las causas bajo la denominación común de sobreseimiento, clasificándolo en libre, si el proceso queda impedido en definitiva; y en provisional, si tan sólo se produce la paralización, teniendo en ambos casos como efecto el archivo de la causa.

En este sentido, el sobreseimiento libre es la resolución judicial que pone fin al proceso, una vez concluido el procedimiento preliminar, y antes de abrirse el juicio oral, con efectos de cosa juzgada, equivaliendo a sentencia absolutoria, por no ser posible una acusación fundada, bien por inexistencia del hecho, bien por no ser el hecho punible, bien, finalmente, por no ser responsable criminalmente quien hasta esos momentos aparecía como presunto autor, en cualquiera de sus grados.

El sobreseimiento (archivo) provisional, por contra, es la resolución judicial que paraliza momentáneamente el proceso, no permitiendo la apertura del juicio oral, por faltar elementos fácticos suficientes para formular la acusación contra determinada persona, o no estar a disposición del tribunal el investigado, levantándose la suspensión cuando consten en la causa, o sea habido.

Ante la importancia, pues, de la resolución a tomar, la LECRIM quiso originariamente que en ambos casos fuera competencia funcional del órgano jurisdiccional colegiado que iba a conocer del juicio oral y dictar la sentencia, es decir, de la Audiencia Provincial (art. 632 LECRIM). Así sigue establecido respecto al proceso por delitos más graves. Pero en el proceso abreviado y en el proceso especial para el enjuiciamiento rápido de determinados delitos, la decisión no corresponde a quien va a conocer del juicio oral, sino al propio JI (arts. 779.1-1ª, 782, 783.1 y 800 LECRIM), al igual que en el nuevo juicio sobre delitos leves (art. 964.2, a) LECRIM).

Finalmente, la resolución en la que se dicta el sobreseimiento, en cualquiera de sus modalidades, es un auto (arts. 142, III, 636 y 779.1 LECRIM).

B) Clases

La ley distingue atendiendo a los sujetos implicados entre sobreseimiento total y parcial, además de entre sobreseimiento libre y provisional (art. 634, I LECRIM).

En efecto, si consideramos los investigados que pueden verse implicados por la resolución, el sobreseimiento puede ser *total* si afecta a todos los investigados en la causa, en cuyo caso se archiva ésta, con las piezas de convicción que no tuvieren dueño conocido, pues si lo tienen hay que estar a lo dispuesto en el art. 635, una vez se hayan practicado las diligencias necesarias para la ejecución de lo mandado (art. 634, III LECRIM); o *parcial,* si no afecta a todos los investigados, lo que significa la apertura del juicio oral contra los no favorecidos por el auto de sobreseimiento (art. 634, II LECRIM).

Pero considerando los motivos y efectos respectivos, el sobreseimiento es *libre* cuando se pone fin al proceso definitivamente por alguna de las causas del art. 637 LECRIM; y *provisional* cuando se paraliza temporalmente el proceso al concurrir alguno de los motivos del art. 641 LECRIM. Esta última clasificación es la más importante y a ella vamos a dedicar nuestra atención a partir de ahora. Por lo dicho *supra,* al sobreseimiento libre, es decir, al verdadero sobreseimiento, vamos a denominarlo simplemente como tal, mientras que al provisional le llamaremos archivo.

C) Presupuestos del sobreseimiento libre

El auto de sobreseimiento libre, en tanto significa la terminación del proceso penal sin necesidad de llegar al juicio oral, exige la concurrencia de unos presupuestos muy concretos, sobre los cuales el órgano jurisdiccional debe tener certeza absoluta de su existencia, o, si se prefiere, el mismo grado de convicción que al dictar sentencia debería tener para absolver. Dichos requisitos se regulan en el art. 637 LECRIM y son:

a) *Inexistencia del hecho:* Procede el sobreseimiento libre «cuando no existan indicios racionales de haberse perpetrado el hecho que hubiere dado motivo a la formación de la causa» (art. 637-1°).

Este motivo atiende a la absoluta convicción del órgano jurisdiccional de que el hecho material que dio origen a la formación de la causa nunca ha existido en realidad.

> Ejemplo típico: Se incoa sumario por delito de homicidio y el «muerto» aparece vivo con posterioridad sin haber sido ofendido por ningún delito contra su persona, o se llega a la conclusión de la imposibilidad de que pueda aparecer el «cadáver» porque no puede haber ninguno.

Obsérvese que aquí el juez realiza un juicio exclusivamente fáctico, y razona sin ninguna duda que el hecho (la muerte de una persona) no ha existido.

b) *Inexistencia de hecho punible:* También procede el sobreseimiento libre «cuando el hecho no sea constitutivo de delito» (art. 637-2°).

A diferencia del caso anterior, aquí el hecho existe, pero no es punible, es decir, es atípico, y sobre ello el órgano jurisdiccional tiene igualmente certeza absoluta. La diferencia estriba en que la valoración tiene que ser tanto fáctica como jurídica.

> Ejemplo típico: Incoación de procedimiento preliminar por presunta estafa, que tras la investigación resulta ser una mera deuda civil. Por este número habría que sobreseer la causa respecto a aquéllos que, en el momento de despenalizarse un hecho punible, sean imputados por él (como ocurrió respecto a los delitos de adulterio, amancebamiento o aborto, en el momento de aprobarse las respectivas leyes de supresión o mitigación, o ahora con la supresión de las faltas cuyos hechos típicos dejan de ser sancionables).

El motivo de no ser los hechos constitutivos de delito, como dice la ley, no es siempre causa de sobreseimiento, pues, dependiendo de cuándo se acredite este extremo en el proceso tiene una diferente resolución, no siempre rodeada de las mismas garantías, sobre todo por lo que puede significar respecto al derecho de acción del ofendido (v. S TC 148/1987, de 28 de septiembre): Así, si los hechos no son constitutivos de «delito» en el momento de formular la denuncia, la autoridad no la admite a trámite (art. 269 LECRIM); si es en el momento de la querella, el juez también la inadmite (art. 313, I LECRIM y S TC 148/1987, anteriormente citada, que se refiere especialmente a la querella); si es en el momento de dictar sentencia, procede la absolución (v. art. 742, I LECRIM); si resulta la atipicidad con posterioridad, sólo cabría la revisión de la condena con base en el art. 40.1 LOTC, o de la propia ley penal reformadora.

Pero la importancia máxima de esta causa reside en que, como hemos visto *supra*, permite al órgano jurisdiccional en el proceso por delitos más graves, en los procesos abreviados y en los juicios rápidos, desvincularse de la petición de apertura del juicio oral, pudiendo acordar el sobreseimiento de oficio (arts. 645, I, 783.1 y 798.2-1°LECRIM), siendo el auto dictado por este motivo en el proceso por delitos más graves el único de los de sobreseimiento que la LECRIM permite acceder a la casación, aunque eso es muy discutible (v. art. 848, II). En los procesos abreviados y en los juicios rápidos cabe apelación (v. art. 766.1 y 795.4).

c) *Falta de indicios de responsabilidad criminal:* Finalmente, procede el sobreseimiento libre también «cuando aparezcan exentos de responsabilidad criminal los encausados como autores, cómplices o encubridores» (art. 637-3°).

La redacción del motivo ha quedado hoy superada, porque de lo que se trata en realidad es de la certeza absoluta del órgano jurisdiccional de que faltan indicios racionales de responsabilidad criminal en la persona investigada. La valoración a efectuar, por tanto, además de afectar a los hechos se refiere también, como en el motivo anterior, al derecho.

Pero la cuestión no es nada sencilla cuando se trata de concretar este motivo, ya que en muchos casos la falta de indicios es algo únicamente demostrable tras la práctica de la prueba en el juicio oral y no antes, razón por la que la jurisprudencia ha tenido siempre prevenciones respecto a este motivo, prefiriendo no acogerse a la posibilidad de sobreseimiento y despejar las dudas en el acto de la vista.

En principio, habría que sobreseer por esta causa cuando el investigado no haya participado en el hecho, cuando sea inimputable, cuando falte la culpabilidad o cuando quede excluida la antijuridicidad o la punibilidad de la acción.

Pero el ejemplo típico que habría que citar aquí pone de relieve precisamente las cuitas jurisprudenciales: Si el informe psiquiátrico demuestra, sin lugar a dudas, que el investigado cometió el hecho punible en estado de trastorno mental, al existir certeza sobre la inimputabilidad, no debería hacer falta esperar a la sentencia para absolver e imponer una de las medidas de seguridad del art.

20.1.º CP (v. gr., el internamiento en hospital psiquiátrico penitenciario), como se suele hacer en la práctica, con base en el argumento de permitir así un mejor cumplimiento del principio de contradicción en el juicio oral, sino que se podría decretar el sobreseimiento libre al amparo de este número e imponer en el auto dichas medidas. Este modo de proceder, que pensamos que es el más correcto, es para el TS, sin embargo, «un enérgico remedio que sólo con suma cautela se aplica por esta Sala en casos de insólita excepción» (SS 5 de noviembre de 1979, RA 3814; y 20 de octubre de 1982, RA 5663).

No está de más advertir que el cauce procedimental de un motivo que signifique en definitiva falta de responsabilidad criminal, no es el propio del sobreseimiento si está previsto expresamente otro. Por ejemplo, si deja de existir responsabilidad criminal por indulto, hay que estar al procedimiento de los artículos de previo pronunciamiento (v. arts. 130-3º CP y 666-4.ª LECRIM, además de lo que decimos *infra)*. Lo cual revela al fin y a la postre una grave deficiencia de la ley, pues a idéntica naturaleza de la causa, el procedimiento debe ser el mismo.

Pero no es la única falla, porque, para terminar, y en los procesos abreviados únicamente, este motivo permite también al juez de instrucción desvincularse respecto a la petición de apertura del juicio oral, pudiendo decretar el sobreseimiento libre (art. 783.1, I LECRIM), cabiendo contra esta decisión recurso de apelación (v. art. 766.1 LECRIM). Esta perturbadora diferencia de tratamiento respecto al proceso por delitos más graves no tiene justificación alguna en cuestión tan importante, ya que, aunque se pretenda acelerar el procedimiento, la jurisprudencia sigue siendo contraria a absolver sin juicio oral, como ocurría con el anterior motivo. Además, en nuestra opinión se pone en peligro el principio de igualdad y el derecho a la tutela judicial efectiva (arts. 14 y 24.1 CE) desde el punto de vista del acusador, sobre todo de la acusación particular (la víctima).

D) Presupuestos del archivo provisional

A diferencia del sobreseimiento libre, el sobreseimiento o archivo provisional exige la concurrencia de sus presupuestos sin ese grado de certeza absoluta, bastando únicamente la duda razonable para poder ser acordado. Aquí los motivos afectan únicamente a cuestiones fácticas y probatorias, no a temas jurídicos, produciéndose la paralización por suspensión del procedimiento hasta que sea despejada aquella incerteza. Las causas se regulan en el art. 641 LECRIM:

a) *Dudosa existencia del hecho:* Procede el archivo provisional «cuando no resulte debidamente justificada la perpetración del delito que haya dado motivo a la formación de la causa» (art. 641-1º).

Si se compara con la primera causa de sobreseimiento libre (inexistencia del hecho), el paralelismo y las diferencias son evidentes: Concurre duda razonable, no certeza absoluta, sobre si el hecho ha existido realmente o no.

Esta es la resolución que hay que tomar, por ejemplo, cuando parece que por las circunstancias se ha podido cometer un crimen, el presunto fallecido ha desaparecido sin dejar rastro, pero el cadáver no se encuentra.

b) *Falta de pruebas para la imputación:* Es procedente igualmente el archivo provisional «cuando resulte del sumario haberse cometido un delito y no haya motivos suficientes para acusar a determinada o determinadas personas como autores, cómplices o encubridores» (art. 641-2.º).

El paralelismo y las diferencias con la causa tercera de sobreseimiento libre (falta de indicios de criminalidad) son también evidentes, dudándose aquí sobre la participación de los investigados en los hechos o, incluso, no existiendo a disposición judicial un investigado.

Por eso ésta es la resolución que hay que tomar cuando, descubierto el crimen y llegado al final de la investigación, no ha podido ser hallado el presunto autor, o se ignora totalmente quién haya podido ser.

En este sentido, y para los procesos abreviados y juicios rápidos, procede el archivo provisional «si, aun estimando que el hecho puede ser constitutivo de delito, no hubiere autor conocido» (art. 779.1-1ª «in fine» y 798.2-1° LECRIM). Debe ser claro que también procede por el motivo del art. 641-1.° LECRIM.

Obsérvese, de un lado, que el archivo provisional se decreta cuando existe duda, no cuando existe certeza, pues en este caso procede el sobreseimiento libre, sobre los hechos y la participación de los presuntos responsables. Por este mismo factor psicológico, el archivo debe acordarse siempre que se piense que la práctica de la prueba en el juicio oral no aclarará tan fundamentales dudas, porque lo que falta es precisamente la prueba, o es notoriamente insuficiente y hay que esperar a que se produzca y se traiga a la causa. En caso contrario, si persisten las dudas pero la investigación se ha completado y los elementos probatorios constan ya en la causa, lo que procede es dictar auto de apertura del juicio oral, según sabia máxima fijada por la doctrina del Tribunal Supremo. Al fin y a la postre, para abrir éste tampoco se requiere certeza absoluta ni en cuanto a la condena ni en cuanto a la absolución del acusado, ya que la prueba, a practicar en el acto de la vista, está destinada a despejar estas dudas.

Pero de otro, el archivo o sobreseimiento provisional no es institución pensada para discutir cuestiones jurídicas, sino fácticas, lo que significa que las dudas deben referirse exclusivamente a hechos para acordarlo. En caso de dudas jurídicas, hay que abrir necesariamente el juicio oral, para que tras la práctica de la prueba se despejen definitivamente en la correspondiente sentencia.

En la práctica se cometen sin embargo errores inadmisibles al dictar autos de sobreseimiento provisional porque, aunque los hechos existen y hay investigado en la causa, el Juez cree que no se ha acreditado una circunstancia característica que califica el delito, v.gr., la gravedad en el acoso laboral, o la continuidad de una acción cuando la ley lo exija. Mucho peor si existen dudas sobre dicha circunstancia. Porque lo que debe hacerse, dado que estamos ante una cuestión jurídica, so pena de vulnerar el derecho a la prueba y a la tutela judicial efectiva de la acusación, es abrir el juicio oral y despejar en él con la práctica de la prueba esas dudas.

Tras la exposición de los motivos respectivos, se observan claras *diferencias* entre el sobreseimiento libre y el archivo provisional: 1.ª) Las causas de sobreseimiento o archivo provisional son meramente temporales, basadas en dudas, mientras que las de sobreseimiento libre son definitivas, al estar fundadas en la certeza; 2.ª) El archivo provisional es un simple aplazamiento del proceso, en tanto no prescriba el delito (v. art. 132.2 CP, reformado en 2015), mientras que el sobreseimiento libre significa la terminación definitiva del proceso; y 3.º) El archivo provisional se funda en motivos de hecho exclusivamente, mientras que el sobreseimiento libre se basa en motivos fácticos y jurídicos.

E) Efectos respectivos

La LECRIM distingue los efectos del sobreseimiento según sea libre o provisional, total o parcial. Se puede hablar, no obstante, de efectos comunes y especiales del sobreseimiento, conforme a la mejor doctrina.

1.º) *Efectos comunes:* Según el sobreseimiento haya sido total o parcial, son los siguientes:

a) *Sobreseimiento total:* Se producen los efectos de archivo de la causa (art. 634, III LECRIM), y se ordena el destino de las piezas de convicción, según tengan dueño conocido (art. 635, IV LECRIM), o no (art. 634, III LECRIM).

Está prevista la pertenencia de la cosa a un tercero, quien puede reclamarla (art. 635, I LECRIM). En caso de decomiso, hay que estar a lo que se explica en las lecciones 7ª y 18ª. También se produce el efecto de cancelación de la prisión provisional y demás medidas cautelares personales o reales (las fianzas y embargos decretados), como lo demuestran, para los procesos abreviados, los arts. 782.1, II y 783.2 LECRIM, ante el silencio de la LECRIM para el proceso por delitos más graves (Memoria FTS de 15 de septiembre de 1902).

Respecto a la conservación y destino de las piezas de convicción hay que estar a lo dispuesto en el RD 2783/1976, de 15 de octubre (BOE del 8 de diciembre), y en la RO de 14 de julio de 1983 (BOE del 21), en la medida que no estén afectados por el art. 338 y concordantes LECRIM.

En los procesos abreviados hay una disposición particular importante, pues el archivo de la causa no se produce para que se pueda establecer qué medida de seguridad se impone, y qué pretensión civil se interpone, continuando el juicio penal, cuando el sobreseimiento se haya acordado apreciando las causas eximentes primera, segunda, tercera, quinta y sexta del art. 20 CP, supuesto en el que se procederá a la calificación a los efectos de lo dispuesto en esa norma y en el art. 118 CP (art. 782.1, I, extensible por el art. 798.2-1° LECRIM a los juicios rápidos).

b) *Sobreseimiento parcial:* El juicio oral debe abrirse respecto a aquellos investigados a los que no favorezca la declaración (art. 634, II LECRIM). Esto significa que la causa no se archiva y que las piezas de convicción permanecen en poder del tribunal. Pero nada obsta a la cancelación de medidas cautelares respecto a los que afecte el sobreseimiento.

2.°) *Efectos especiales:* La clasificación que entra en juego ahora afecta al sobreseimiento libre y al archivo provisional.

a) *Sobreseimiento libre:* Los efectos despliegan su eficacia con relación a la acusación, a la persona acusada y al propio proceso.

1) En cuanto al acusador, el investigado puede pedir al tribunal que reserve, al declarar el sobreseimiento, el derecho de éste para perseguirlo por calumnia (art. 638, II LECRIM), lo cual puede hacer de oficio también el propio órgano jurisdiccional (art. 638, III LECRIM). Pero los delitos presumiblemente cometidos pueden ser los de denuncia y acusación falsas (arts. 456, reformado en 2015, y 464 CP), además del propio de calumnia (arts. 205 y ss.).

2) Respecto a la persona acusada, si el sobreseimiento es por el motivo primero o segundo del art. 637, podrá declararse en el auto que la formación de la causa no perjudica a la reputación del investigado (art. 638, I LECRIM). En el caso de que se aprecie el motivo tercero de dicho precepto, hay que estar a lo que dispone el art. 640 LECRIM.

3) El efecto más importante del sobreseimiento libre es el de que sus autos gozan de la cosa juzgada material. La LECRIM no dice nada al respecto, pero desde la Memoria FTS de 15 de septiembre de 1908, la jurisprudencia admite sin vacilaciones la producción de la cosa juzgada, como si de una sentencia absolutoria se tratara. Por ello, quien se vea favorecido por el sobreseimiento libre, no podrá volver a ser enjuiciado por los mismos hechos.

Al suprimirse las faltas en 2015, el art. 639 LECRIM carece de sentido.

b) *Sobreseimiento o archivo provisional:* No se produce el efecto de cosa juzgada material, por no ser una resolución de fondo definitiva. Sí se da clarísimamente la paralización por suspensión de la causa penal (y consiguiente archivo provisional de las actuaciones).

Respecto a otros posibles efectos, existe discusión doctrinal ante el silencio de la ley. En nuestra opinión, es igualmente diáfano que hay que resolver la situación personal del investigado, por lo que se deben cancelar al menos las medidas cautelares personales decretadas en su contra, y también, si se sospecha una tardía solución, las cautelares reales. Las piezas de convicción con dueño conocido deben devolverse igualmente, permaneciendo las demás en poder del órgano jurisdiccional.

F) Procedimiento

La petición de sobreseimiento debe realizarla la parte acusadora, tanto en el proceso por delitos más graves como en los procesos abreviados y juicios rápidos, en el escrito en que muestran su acuerdo con el auto de conclusión del sumario o de las diligencias previas o urgentes dictado por el juez de instrucción (v. arts. 622 y ss. LECRIM), alternativamente a su petición de apertura del juicio oral (arts. 627, IV, 780.1 y 798.1 LECRIM).

La ley no dice nada respecto a la petición de sobreseimiento del investigado. En la práctica se admite irregularmente que se pueda solicitar incluso antes del momento previsto para que lo pueda hacer la acusación, por tanto, durante la fase de procedimiento preliminar, y se admite, en clara interpretación *contra legem*, que el JI pueda dictar auto de sobreseimiento libre antes de que concluya el sumario o las diligencias previas o urgentes.

Pero la jurisprudencia sí se ha pronunciado cuando la única parte que pide la apertura del juicio oral en contra del Ministerio Fiscal y de la acusación particular si se hubiera personado (que piden el sobreseimiento), es la acusación popular. Tras el desarrollo de las llamada doctrina Botín (S TS 1045/2007, de 17 de diciembre, RJ 2007\8844) y de la doctrina Atutxa (S TS 54/2008, de 8 de abril, RJ 2008\1325), que la matiza en forma relevante, pero ambas polémicas porque no se corresponden con el tenor literal de la ley, hoy rige el criterio de que si no existe un interés colectivo protegido por el delito objeto del proceso penal, por afectar a un bien de titularidad colectiva, de naturaleza difusa o de carácter metaindividual, como la seguridad del tráfico jurídico, sin perjuicio de que también pueda existir un perjuicio individual, la petición la acusación popular solicitando la apertura del juicio oral no puede ser aceptada por el Tribunal. Una restricción muy importante que podría poner en cuestión el derecho constitucional de acción (tutela judicial efectiva) del no ofendido por el delito, además de un ataque frontal a la institución de la acción popular

La tramitación posterior prevista por la ley difiere según el sobreseimiento lo pidan todas las partes personadas, o, distintamente, se pida la apertura del juicio oral sólo por alguna de ellas. La petición de sobreseimiento realizada por la parte investigada (posibilidad garantizada por la S TC 186/1990, de 15 de noviembre), carece de relevancia jurídica, salvo en lo que pueda contribuir a formar la convicción del órgano jurisdiccional.

1.ª) *Petición del sobreseimiento por todas las partes acusadoras personadas:* Si el MF, el acusador particular y el acusador popular, es decir, todas las partes acusadoras posibles, o todas las que estén personadas (generalmente sólo el MF), piden el sobreseimiento, como consecuencia del principio acusatorio, el órgano jurisdiccional queda inicialmente vinculado, tanto si se ha solicitado el libre como el provisional (arts. 642, II y 643, II LECRIM).

Pero otros principios igualmente importantes despliegan sus efectos sobre el proceso penal, como es el de legalidad, que obliga a la persecución penal del hecho punible. Por ello, si el tribunal considera que la petición no es ajustada a derecho, por entender que los hechos sí han existido, sí son típicos o las personas investigadas sí son responsables, y el MF es el único acusador personado, tiene dos posibilidades para eludir el auto de sobreseimiento:

a) Salir en busca del ofendido por el delito y ofrecerle la «acción» penal (art. 642, I LECRIM), es decir, indicarle que si no se persona y acusa, tendrá que sobreseer (art. 642, II LECRIM), utilizando los actos de comunicación previstos en el art. 643 LECRIM; o

b) Si, a pesar de ese ofrecimiento, el ofendido no quiere ejercer su derecho de acción y acusar, el tribunal puede acudir todavía ello no obstante al superior jerárquico del Ministerio fiscal (es decir, al Fiscal de la AP, del TSJ o del TS, en su caso), con el fin de que resuelva sobre si procede o no formular la acusación, comunicando la decisión al tribunal, con devolución de la causa (art. 644 LECRIM).

Si ambas actuaciones, que en la práctica lógicamente se siguen por ese orden sucesivo aunque nada diga la ley al respecto, dan resultado infructuoso, el sobreseimiento es inevitable (arts. 642, II y 643, II LECRIM). Si la respuesta es positiva, se procede como se indica en el apartado siguiente.

En los procesos abreviados el juez puede ofrecer también acciones al ofendido no personado, cuando el MF haya solicitado el sobreseimiento, o, en caso de negativa, acudir, si se discrepa de la petición de la acusación, al superior jerárquico del MF en la Audiencia respectiva, para que decida si procede o no sostener la acusación (art. 782.2 LECRIM). Contestando negativamente al superior, el instructor debe sobreseer.

2.ª) *Petición de apertura del juicio oral por alguna parte acusadora personada:* En este supuesto, también como consecuencia del principio acusatorio, sabemos por lo indicado *supra* que el tribunal está obligado a abrir el juicio oral, con la única excepción de que considere que los hechos son atípicos, supuesto en el que puede decretar el sobreseimiento libre (art. 645, I LECRIM), o, además, en los procesos abreviados, si el instructor considera que no existen indicios de criminalidad (art. 783.1 LECRIM). En todos los demás casos de sobreseimiento, libre o provisional, la apertura del juicio es insoslayable (art. 645, II LECRIM).

La primera norma es de difícil interpretación porque supone una posibilidad de desvinculación claramente enfrentada a los postulados del principio acusatorio, difícilmente explicable con base en cualquier otra máxima, aunque se ha intentado relacionarlo con el principio de correlación entre acusación y sentencia. Esto puede significar, en realidad, que los motivos de sobreseimiento de los arts. 637 y 641 no son presupuestos del propio sobreseimiento, sino de la petición del mismo por los acusadores, siendo sus destinatarios los acusadores y no el tribunal, salvo, precisamente, el art. 645, I LECRIM, por lo que el órgano jurisdiccional puede actuar así sin más. Hay también una razón práctica a nuestro juicio: ¿Para qué seguir con el proceso si el tribunal, sabedor ya en grado de certeza absoluta que los hechos son atípicos, va a absolver en la sentencia?

G) Medios de impugnación

La recurribilidad de los autos de sobreseimiento presenta un diferente tratamiento según las clases, los motivos y el proceso ordinario en que se acuerden. Esta complejidad viene motivada fundamentalmente por el desarrollo particular que hace la ley, después de decirnos que «contra los autos de sobreseimiento sólo procederá, en su caso, el recurso de casación» (art. 636, I LECRIM). La expresión «en su caso» hay que interpretarla así:

1.ª) Los *autos de sobreseimiento libre,* que impidan la interposición de la pretensión porque niegan fundamento a la acusación, no están sometidos al mismo régimen impugnatorio, ni en atención a la causa, ni en atención al proceso en que se dicten:

a) En efecto, en el proceso por delitos más graves, únicamente es recurrible, y en casación sólo (el art. 636 suprime cualquier otra posibilidad impugnatoria), el auto que sobresea por ser los hechos atípicos o, como dice la ley, no ser constitutivos de delito, es decir, el dictado al amparo de la causa segunda del art. 637 LECRIM, y ahora también el auto que sobresea por no existir indicios racionales de responsabilidad criminal (art. 637 3° LECRIM), de acuerdo con la nueva redacción del art. 848 LECRIM dada por la Ley 41/2015, de 5 de octubre, siempre que la causa se haya dirigido contra el encausado mediante una resolución judicial que suponga una imputación fundada.

Antes de esta reforma existían dudas sobre si este último motivo era recurrible en casación porque es evidente que se ha aplicado una norma jurídica material, y sin embargo no se concedía el recurso. La doctrina se inclinaba por la admisibilidad del recurso en este caso también (y la solución dada para los procesos abreviados así lo confirma, como veremos inmediatamente), porque el sobreseimiento niega aquí la posibilidad de interponer la pretensión penal, es decir, de formular la acusación, y, por tanto, podía afectar al derecho de acción del art. 24.1 CE. Ahora el tema ya está legalmente resuelto a favor de la admisibilidad del recurso.

Pero la exclusión de la casación cuando el sobreseimiento se ha dictado por inexistencia del hecho (art. 637-1.° LECRIM) debe seguir siendo evidente, pues entonces no se ha aplicado ninguna norma jurídica, sino que se ha efectuado sólo una valoración fáctica, según dijimos *supra,* y carece de sentido el control en casación, el recurso nomofiláctico por excelencia.

b) En cambio, por lo que afecta a los procesos abreviados, tanto la resolución que acuerde el sobreseimiento por la causa segunda, como por la causa tercera del art. 637 LECRIM, deben ser recurribles en apelación ante la AP por aplicación del art. 766.1 LECRIM, pues no hay norma expresa. Pero si el sobreseimiento libre es acordado *ex novo* en apelación por la AP, cabe también casación contra el auto correspondiente, sólo por infracción de ley (STS núm. 202/2018, de 12 de abril).

2.ª) No ocurre lo mismo respecto al *auto de sobreseimiento o archivo provisional,* pues contra el dictado en el proceso por delitos más graves no se da recurso alguno, ni el de casación, ni siquiera el de súplica, por no ser resoluciones definitivas y no concederse en la ley expresamente algún recurso contra ellas (art. 848, en relación con el art. 636 LECRIM).

La paradoja reside en la diferencia de tratamiento respecto a los procesos abreviados, en los que sí debe caber recurso de apelación, aunque el sobreseimiento sea provisional, no sólo por quedar comprendido en la declaración general del art. 766.1 LECRIM, sino también, y además, porque en realidad es resolución denegatoria de la apertura del juicio oral (art. 783.3 LECRIM, a contrario).

De acuerdo con la reforma del Estatuto de la Víctima del Delito de 2015 efectuada en los art. 636, II a VI, y 779.1-1ª, II a VI LECRIM, en todos los casos se comunicará a las víctimas del delito el auto de sobreseimiento, y, en los casos de muerte o desaparición ocasionada por un delito, el auto de sobreseimiento será comunicado de igual forma a las personas a las que se refiere el párrafo segundo del apartado 1 del artículo 109 bis. Excepcionalmente, en el caso de ciudadanos residentes fuera de la Unión Europea, si no se dispusiera de una dirección de correo electrónico o postal en la que realizar la comunicación, se remitirá a la oficina diplomática o consular española en el país de residencia para que la publique. El plazo para recurrir el sobreseimiento empieza transcurridos cinco días desde la comunicación. Las víctimas podrán recurrir el auto de sobreseimiento dentro del plazo de veinte días aunque no se hubieran mostrado como parte en la causa.

IV. LOS PRESUPUESTOS PROCESALES

A) Concepto y tratamiento

En la legislación procesal penal, al igual que en la civil, no existe un tratamiento específico de todos los presupuestos procesales, y el que hay es muy deficiente, distinguiéndose según estemos en el proceso penal ordinario por delitos más graves», o en los abreviados.

a) En el proceso por delitos más graves

En efecto, en el proceso por delitos más graves, la LECRIM ha agrupado algunos de ellos en un acto procesal posterior a la apertura del juicio oral, pero previo a la calificación provisional, dándoles el nombre de *artículos de previo pronunciamiento* (art. 666 y ss.). Estos artículos, o «cuestiones previas», como también se les conoce jurisprudencial y doctrinalmente, recogen algunos presupuestos procesales puros y mixtos, con diferentes consecuencias según su naturaleza.

Los presupuestos procesales que se regulan como artículos de previo pronunciamiento en el art. 666 LECRIM son: 1.º) Declinatoria de jurisdicción; 2.º) Cosa juzgada; 3.º) Prescripción del delito; 4.º) Amnistía e indulto; y 5.º) Falta de autorización administrativa para procesar a funcionarios. A su estudio particularizado dedicamos la parte final de esta lección, correspondiendo aquí analizar el procedimiento, decisión y efectos.

La antigua denominación legal «artículo de previo pronunciamiento» requiere una breve explicación. En efecto, por «artículo» hay que entender un tema distinto, separado e independiente del de fondo, y por «previo pronunciamiento», a resolver antes de entrar en él, porque de ser estimados impiden precisamente dictar la sentencia. Pero ni todos son artículos en ese sentido, ni todos excluyen definitivamente la sentencia.

Todos los demás presupuestos no previstos como artículos de previo pronunciamiento, deben ser articulados y resueltos conforme a sus propias normas particulares.

Por ejemplo, si a la parte investigada le falta la capacidad procesal por trastorno mental sobrevenido, y no puede, consiguientemente, ser juzgada por carecer de las condiciones psíquicas de aptitud necesaria, o sea, para participar conscientemente en el juicio, el defensor debe plantearlo en el momento se produzca la enfermedad, si no lo acuerda de oficio el órgano jurisdiccional, y éste ordenar la correspondiente diligencia psiquiátrica y, de ser positivo el resultado y su convicción, suspender el proceso hasta que sane (v. arts. 380 a 383 LECRIM).

Precisamente estos casos en los que no está previsto que se tramiten como artículos de previo pronunciamiento (e incluso en este último supuesto, dada la disposición del art. 678 LECRIM), planteaban un problema de resolución concreto cuando se apreciaba su falta una vez abierto el juicio oral y en el momento de dictar sentencia, ya que entonces únicamente procedía la sentencia de fondo, absolutoria o condenatoria (art. 742, I LECRIM), con base en el art. 144 LECRIM, que prohíbe las sentencias procesales o de absolución de la instancia. Esto podía significar tener que absolver injustamente.

Pues bien, ahora el tema ha quedado perfectamente resuelto, pues, el art. 245.1, b) LOPJ, asumiendo la jurisprudencia anterior respecto a esta cuestión, que se inclinaba por un auto declarando la nulidad de actuaciones, nos dice que habrá que dictar un auto, ya que se decide un presupuesto procesal.

Resta por considerar en el tratamiento procesal de los que la ley llama artículos de previo pronunciamiento el procedimiento y, lo que es más importante, los efectos de la decisión.

Procedimentalmente se proponen dentro del plazo de tres días, a contar desde el de la entrega de los autos para la calificación de los hechos (art. 667 LECRIM), significando la propuesta en forma (escrito más documentos) la suspensión del procedimiento (art. 670, II LECRIM, «a contrario sensu»).

Tienen todos ellos un procedimiento común, muy sencillo, pues se proponen todas las cuestiones previas que se estime que concurren en un escrito, al que se acompañará la prueba documental correspondiente, o le pedirá que se reclame (arts. 668 y 670 LECRIM), comunicándolo a las demás partes, que contestarán acompañando los correspondientes documentos también (art. 669 LECRIM). Si el órgano jurisdiccional accede a la reclamación de documentos, se recibe a prueba la cuestión (arts. 670 y 671 LECRIM). Parece, pues, que solamente es admisible la prueba documental (el art. 672, II LECRIM prohíbe expresamente la testifical).

Transcurrido el término de prueba, el órgano jurisdiccional señala día para la vista, en donde las partes informarán si lo desean (art. 673 LECRIM), dictando auto resolviendo la cuestión al día siguiente (art. 674, I LECRIM).

La *decisión* de los artículos de previo pronunciamiento tiene efectos muy importantes en caso de que se estimen los de naturaleza mixta. Pero veamos las dos posibilidades:

a) Si se *desestima* el artículo, la LECRIM distingue a su vez según se haya interpuesto la declinatoria de jurisdicción o no:

1") Desestimada la declinatoria, el órgano jurisdiccional confirmará su competencia, aunque el auto es susceptible de recurso de apelación (v. art. 676, I y III LECRIM). De haberse interpuesto más cuestiones previas, entrará en conocimiento de ellas.

2") No interpuesta la declinatoria, desestimándose cualquiera de las otras, el procedimiento sigue su curso (arts. 676, II, y 677, III LECRIM), dándose un plazo de tres días a la parte para que formule la calificación provisional (art. 679 LECRIM). El auto es irrecurrible (arts. 676, III «in fine» y 677, III LECRIM), pero las partes pueden, como medio de defensa, volver a plantearlas en el juicio oral, excepto las que afecten a la competencia y si estamos ante una causa de la que conoce el Jurado (art. 678 LECRIM).

b) En cambio, la *estimación* del artículo produce efectos muy importantes, dependiendo también de la naturaleza del interpuesto. Sobre ello, hay que estar a las siguientes normas:

1") Si se ha propuesto la declinatoria además de otros artículos, el tribunal resolverá primero sobre ella (art. 674, II LECRIM), como es lógico, pues si se estima incompetente, no puede entrar a resolver las demás él, sino el competente, a quien enviará la causa (art. 674, III LECRIM). Si se estima competente, entonces entrará a conocer de las demás (art. 676, I LECRIM).

2") Si estima la cosa juzgada, prescripción del delito, amnistía o indulto, la resolución equivale a un auto de sobreseimiento libre, poniéndose en libertad al investigado preso si ésta es la única causa en su contra (art. 675 LECRIM).

3") Dado que, como veremos *infra*, la falta de autorización administrativa para procesar a un funcionario carece hoy de contenido, atendida su explicación histórica, el art. 677 LECRIM sería únicamente aplicable en caso de falta de concesión de suplicatorio para proceder contra un parlamentario (autorización que es más legislativa que administrativa).

En todos los casos en que se estime el artículo de previo pronunciamiento cabe, tras la reforma efectuada por la Ley del Jurado de 1995, recurso de apelación (v. art. 676, III primera frase LECRIM). Pero el órgano competente para conocer de la apelación es distinto, pues si estamos ante el proceso abreviado competencia del JPe, conoce la AP de la apelación (art. 766.1, aunque el art. 786 no prevé este recurso, ni ningún otro, expresamente, pero debe admitirse ante la importancia de la resolución, por aplicación precisamente y con carácter supletorio, del art. 676, III). Pero si del proceso abreviado conoce la AP, o estamos en el proceso penal ordinario por delitos más graves, al haber sido dictado el auto por la propia AP, la apelación es competencia del TSJ (v. el art. 846 bis a), II LECRIM), que es el órgano intermedio entre aquélla y el TS.

b) En los procesos abreviados, en los juicios rápidos y en los juicios sobre delitos leves

En estos procesos ordinarios la situación es mejor, pues el art. 786.2 LECRIM prevé una *audiencia saneadora,* a celebrar al inicio del acto de la vista, una vez el letrado de la administración de justicia ha dado lectura a los escritos de acusación y de defensa. Ello es aplicable a los juicios rápidos en virtud del art. 802.1 LECRIM, y debería serlo también en lo juicios sobre delitos leves por la remisión general contenida en el art. 969.1 LECRIM a la observancia de «las prescripciones de esta ley en cuanto sean aplicables».

En dicha audiencia, las partes pueden «exponer lo que estimen oportuno acerca de la competencia del órgano judicial, vulneración de algún derecho fundamental, existencia de artículos de previo pronunciamiento, causas de suspensión del juicio oral, nulidad de actuaciones, así como sobre el contenido y finalidad de las pruebas propuestas o que se propongan para practicarse en el acto».

De modo que todos los presupuestos procesales relativos al órgano jurisdiccional, a las partes, al procedimiento, a los actos de iniciación y a los efectos del proceso, de carácter puro o mixto, sean o no a efectos legales artículos de previo pronunciamiento, que puedan tener cabida en esas expresiones normativas, por afectar a la competencia, a los derechos fundamentales de las partes, a la prueba, o ser susceptibles de provocar la suspensión del juicio oral, y que no concurran o lo hagan defectuosamente, tienen que ser puestos de manifiesto en esta audiencia saneadora y depurarse, pues de lo contrario no se podrá seguir con el juicio adelante.

Que ese precepto diga que la audiencia sólo puede tener lugar a instancia de parte carece de importancia, pues todos los presupuestos procesales lo son porque pueden y deben ser apreciados de oficio. El art. 786.2 LECRIM debe interpretarse en el sentido de no excluir la actividad de control por las partes, pero sin sujetar ni limitar la del JP o AP.

La resolución en caso de estimarse la falta de algún presupuesto procesal, igual que en el proceso por delitos más graves, debería ser un auto (v. art. 245.1, b) LOPJ), a dictar al final de la audiencia (art. 786.2, «in fine»), con los mismos efectos estudiados anteriormente si se tratara de artículos de previo pronunciamiento.

B) Consideración particular de los artículos de previo pronunciamiento

En concreto hay que decir sobre ellos lo siguiente:

a) Declinatoria de jurisdicción

La declinatoria, como instrumento de las partes para plantear una cuestión de competencia territorial (arts. 26 y 45 LECRIM), no es en sentido técnico un artículo de previo pronunciamiento, sino que la LECRIM aprovecha la tramitación procedimental de éstos.

Sin duda por ello la jurisprudencia y la doctrina han extendido el ámbito del artículo, entendiendo que bajo la expresión «declinatoria de jurisdicción» se pueden denunciar también:

1.º) La falta del presupuesto de jurisdicción de los tribunales españoles.

2.º) La falta del presupuesto de competencia penal genérica.

3.º) La falta de competencia objetiva «ratione personae», por estar aforado el investigado. Al haberse suprimido las faltas en 2015, la previsión de los arts. 624, 625 y 798.2-1° *in fine* LECRIM carece de objeto y ya no puede fundar, por tanto, la declinatoria.

4.º) La falta de competencia funcional.

5.º) Y la falta de competencia territorial, que es en lo que pensó fundamentalmente el legislador.

> No puede plantearse, al amparo del art. 666-1ª LECRIM, cuestión prejudicial alguna, porque en ellas no se introduce ninguna discusión sobre presupuestos procesales. De no haberse resuelto en la etapa sumarial, habrá que plantearlas en el acto de la vista, y resolverlas el órgano conforme al art. 10 LOPJ.

b) Cosa juzgada

La cosa juzgada, en tanto efecto principal del proceso, será tratada monográficamente en este mismo tomo (v. lección 21ª). Tan sólo decir ahora que al amparo del art. 666-2.º LECRIM puede denunciarse también, dada su naturaleza idéntica, la falta de existencia del presupuesto de litispendencia, en los casos raros en que pueda darse la misma en lo penal.

c) Prescripción del delito

Los plazos de prescripción del delito, o mejor, de la prescripción del derecho de persecución del delito, se regulan en los arts. 131 y 132 CP, tras reputarla su art. 130, 6.° causa de extinción de la responsabilidad criminal (todos ellos reformados en 2010 y en 2015). Esta naturaleza configura a la prescripción como un presupuesto penal (material), pero también procesal porque el proceso no se ha realizado y sin embargo ha transcurrido el plazo para poder ser enjuiciado el investigado por el hecho punible cometido, es decir, porque impide la celebración del juicio. No prescriben nunca los delitos mencionados en el art. 131.3 CP (lesa humanidad, genocidio, delitos contra las personas y bienes protegidos en caso de conflicto armado y terrorismo con resultado muerte, básicamente). A pesar de ser artículo de previo pronunciamiento, la prescripción se puede alegar en cualquier fase del proceso (STC 11/2004, de 9 de febrero).

Sobre la determinación del momento exacto para su cómputo inicial, que es en donde está el verdadero problema a resolver, la jurisprudencia del TS ha sido en los últimos tiempos demasiado vacilante, con severos correctivos impuestos por el TC (v. el estado de la cuestión en STC 25/2018, de 5 de marzo, y STS 226/2017, de 31 de marzo, RJ 2017\1653).

> La reforma del CP efectuada por la LO 5/2010 quiso terminar con estos dislates. La reforma operada por la LO 1/2015, de 30 de marzo, se ha limitado básicamente a adaptar el precepto a la supresión de las faltas.

El art. 132.2 dispone que la prescripción se interrumpe cuando el procedimiento se dirija contra la persona indiciariamente responsable del delito, especificando a continuación que ello sucede cuando el instructor dicta auto, en el procedimiento preliminar o fase de investigación, en el que atribuye la participación de una persona en un hecho delictivo. Si en el proceso no existe auto de procesamiento, esta norma hace necesario a efectos de prescripción un auto específico de imputación o una disposición expresa en alguno de los autos que se dictan en esta etapa, v.gr., el de prisión provisional. Por eso la prescripción de la pena (arts. 130-7.°, 133 y 134 CP), no es presupuesto procesal, porque el proceso ya ha finalizado por sentencia firme. Que se abra otra causa por los delitos de quebrantamiento de condena o de evasión de presos (arts. 468 a 471 CP), es completamente indiferente a estos efectos, además de ser un problema distinto.

> La reforma, debido a los dislates interpretativos producidos, establece extrañamente un plazo de caducidad previo a la interrupción de la prescripción con el fin de evitar legalismos formales que desnaturalicen la institución: La admisión judicial de una querella o denuncia suspende por 6 meses en caso de delito el cómputo de la prescripción, tras lo que pueden suceder tres cosas:
>
> 1ª) Si en esos meses se dicta auto de procesamiento o de imputación contra el denunciado, el querellado o una tercera persona, en el que se ordene la interrupción de la prescripción, se interrumpe la prescripción retroactivamente desde el

momento de la fecha de presentación de la querella o denuncia (no de la fecha de admisión judicial);

2ª) Si en esos meses se inadmite a trámite la querella o denuncia, continúa el cómputo del término de prescripción; y

3ª) Si en esos meses el juez instructor no dicta ninguna resolución en el sentido aquí considerado, continúa el cómputo del plazo de prescripción.

Por tanto, para interrumpir la prescripción (hoy fijada como mínimo por regla general en 5 años), se requiere indubitadamente una resolución judicial motivada de imputación, autónoma o formando parte de otra decisión judicial, que así lo acuerde. Cualquier otra resolución o actuación procesal de la fase de instrucción, no es suficiente para interrumpir la prescripción.

d) Amnistía e indulto

Estos dos artículos de previo pronunciamiento son también presupuestos mixtos, materiales y procesales, por las mismas razones expresadas anteriormente para la prescripción. En lo material, estamos ante motivos personales de liberación o suspensión de la pena por extinción de la responsabilidad criminal (art. 130-3.° CP, que ya no prevé la amnistía, a diferencia del art. 112-3.° CP de 1973, sino la remisión definitiva de la pena conforme al art. 87.1 y 2, porque es dudoso que quepa en nuestro Ordenamiento Jurídico después de la aprobación de la CE, al prohibir los indultos generales su art. 62, i). Ambos son manifestaciones del derecho de gracia.

La amnistía, en efecto, borra tanto el delito como la pena, con todos sus efectos salvo los relativos a la responsabilidad civil, haya sido juzgado o no el beneficiado por ella.

El indulto, en cambio, únicamente borra la pena impuesta o por imponer, regulándose en el art. 62, i) CE, y en la Ley de 18 de junio de 1870 (modificada en 1988 y 2015), así como en el Decreto de 22 de abril de 1938. Supuestos particulares a tener en cuenta, a iniciativa del órgano jurisdiccional o de las autoridades penitenciarias, se regulan en los arts. 4.3 y 4.4 CP, así como en el art. 206 Rto. LGP de 1996.

e) Falta de autorización administrativa para procesar a un funcionario

Este artículo de previo pronunciamiento se previó en la Constitución de 1876, que no fue luego desarrollada en este punto, ni ha sido recogido por la Constitución de 1978 ni por ninguna otra norma, por lo que carece de aplicación en la actualidad, salvo que por esta vía pueda aducirse la falta de suplicatorio del parlamentario (v. lección 25ª en este mismo tomo).

LECTURAS RECOMENDADAS: GÓMEZ COLOMER, *Constitución y proceso penal,* Madrid 1996; MONTERO AROCA, *Principios del proceso penal. Una explicación basada en la razón,* Valencia, 1997; ORMAZÁBAL SÁNCHEZ, *El período intermedio del proceso penal,* Madrid, 1997; ROMERO PRADAS, *El sobreseimiento*, Valencia 2002; SIGÜENZA LÓPEZ, *El sobreseimiento libre,* Cizur Menor (Navarra) 2002; y VILLAMARÍN LÓPEZ,*El sobreseimiento provisional en el proceso penal,* Madrid 2003.

Lección Décimo cuarta

El juicio oral (II)

I. LA ACUSACIÓN

- A) Concepto y naturaleza
- B) Actos acusatorios
  - a) La calificación provisional
    - 1) Procedimiento
    - 2) Contenido
  - b) La calificación definitiva

II. LA DEFENSA

Es la otra cara de la acusación, consecuencia del principio de contradicción.

Autodefensa (poco practicada) y defensa técnica (a cargo de un abogado), con relevancia constitucional.

Es escrita y su contenido es correlativo de contrario al de la acusación.

III. LOS INFORMES FINALES

Se producen al término de la práctica de las pruebas.

Las partes exponen los hechos que a su juicio han quedado probados y valoran críticamente la prueba practicada.

IV. LA CONFORMIDAD DEL ACUSADO

Es expresión del principio de oportunidad (Justicia negociada).

En el proceso penal ordinario por delitos más graves hay dos clases: En la calificación de la defensa y en el juicio oral.

En el proceso abreviado se ha añadido el reconocimiento de hechos como primera opción.

También hay conformidad en los procesos rápidos y en el proceso ante el Jurado.

Para que sea posible se establece como regla general que la conformidad sea con la pena más grave pedida por las acusaciones no superior a 6 años, pero hay excepciones y en la práctica no se respeta.

V. LA TESIS DE DESVINCULACIÓN DEL ÓRGANO JURISDICCIONAL

Posibilidad legal de evitar la impunidad parcial, hoy únicamente utilizable por el tribunal si el MF o la acusación particular o popular lo admiten.

Se funda en el principio acusatorio y en el derecho de defensa.

En los procesos abreviados el trámite es más complejo.

I. LA ACUSACIÓN

A) Concepto y naturaleza

La culminación del principio acusatorio tiene lugar cuando llega el momento en el que hay que proceder a formular la acusación por parte de las personas que, distintamente al juez, puedan realizarla en nuestro Ordenamiento, fundamentalmente por el órgano obligado a su presentación.

Ello ocurre en la fase de juicio oral, como acabamos de ver en la lección anterior, una vez la investigación (procedimiento preliminar) ha cumplido uno de sus fines principales, es decir, preparar el juicio (arts. 299 y 777.1 LECRIM), y no existe ninguna causa que lleve al sobreseimiento, o falte algún presupuesto procesal material. Siguiéndose adelante, y habiendo persona investigada, hay que abrir el juicio oral y acusar en un escrito, llamado de calificaciones provisionales en el proceso ordinario por delitos más graves, y propiamente de acusación en los procesos abreviados y juicios rápidos (para la Exposición de Motivos de la LECRIM, «acta de acusación», v. su párrafo XXVI).

El significado de la acusación adquiere así sus cotas más altas. A partir de ahora, el órgano jurisdiccional va a saber exactamente qué opina la parte acusadora sobre los hechos punibles que se han cometido, en qué extensión, con qué consecuencias jurídicas penales y civiles, y quién piensa que es su autor. El encausado, ya acusado, tiene a partir de ahora perfectamente definidos los límites con base en los cuales va a tener que mover su defensa.

La acusación significa también jurídicamente, aunque la Exposición de Motivos de la LECRIM (v. párrafo XIX), la comparó con la demanda civil, lo que no es del todo exacto, la interposición de la pretensión procesal penal, consistente en una petición fundada dirigida al órgano jurisdiccional, para que imponga una pena (u otra consecuencia jurídica del delito, es decir, o una medida de seguridad o una consecuencia accesoria) a una persona por un hecho punible que se afirma que ha cometido. Ello, obviamente, si se admite que la pretensión cabe en el proceso penal, lo que sabemos por el tomo I de esta obra que es discutible. La interposición tiene dos momentos, como corresponde a todo juicio oral, pues se efectúa provisionalmente antes de la práctica de las pruebas, en el escrito de calificación provisional o de acusación, y definitivamente después de practicadas.

La LECRIM no se refiere expresamente en el proceso ordinario por delitos más graves a la pretensión, pero como veremos a continuación, tampoco hace falta.

Mientras no sea posible formular una acusación, en el sentido expresado, carece de base jurídica sostener que la pretensión se interpone conjuntamente con el ejercicio del derecho de acción en la querella, pues es imposible acusar sin investigar antes (por eso el art. 277 LECRIM no contiene ningún elemento de donde se pueda deducir la interposición de la pretensión).

B) Actos acusatorios

La acusación se articula en nuestra LECRIM en dos actos procesales distintos. El primero, llamado como se ha dicho calificación provisional en el proceso ordinario por delitos más graves, y simplemente escrito de acusación en los abreviados y rápidos, nada más abierto el juicio; y el segundo, después de practicada la prueba en el juicio oral, en el que las partes deben calificar definitivamente.

a) La calificación provisional

1. Procedimiento: Aunque son varios los procesos que hay que considerar, las diferencias son escasas:

1.º) En el *proceso por delitos más graves,* y una vez acordada la apertura del juicio por el tribunal, éste ordena la entrega de los autos a las partes sucesivamente, para que, en el plazo, que no es común, de cinco días, formulen la calificación provisional (art. 649, I, LECRIM). Son posibles ampliaciones de plazos en función de la complejidad de la causa. En caso de formularse artículo de previo pronunciamiento, y desestimarse, el plazo es de tres días (art. 679 LECRIM).

El orden de entrega de los autos viene fijado legalmente: Primero el fiscal o, en su caso, el acusador privado (art. 649, I, LECRIM), luego el acusador particular si ha concurrido (art. 651, I LECRIM, que hay que extender al acusador popular, en un caso), después el actor civil si lo hubiera (art. 651, II, LECRIM), y, finalmente, el acusado y los responsables civiles (art. 652, I, LECRIM). Con los autos, se permite examinar también las piezas de convicción (art. 654 LECRIM).

2.º) En los *procesos abreviados y juicios rápidos,* si el juez de instrucción considera que el hecho punible debe ser enjuiciado por los trámites del proceso abreviado, en la misma resolución ordenará que se dé traslado de las diligencias previas o urgentes, originales o mediante fotocopia, al Ministerio fiscal y a las acusaciones personadas, para que en el plazo de 10 días, que aquí sí es común, soliciten la apertura del juicio oral formulando escrito de acusación (art. 780.1 LECRIM. V. además la S TC 186/1990, de 15 de noviembre). En los juicios rápidos la acusación se puede formular oralmente si no hay víctima que acuse (art. 800.2 LECRIM).

2. *Contenido:* La acusación provisional comprende un conjunto de actos procesales de diferente naturaleza, relativos a la calificación jurídico-penal de los hechos, a la proposición de prueba (anticipada o no), y, en caso de acumulación, a la pretensión civil. Aquí no vamos a considerar la proposición de prueba, por tratarse específicamente en otra lección.

1.º) *La calificación jurídico-penal de los hechos:* La acusación consiste, en primer lugar y fundamentalmente, en la calificación jurídica de los hechos desde el punto de vista del Derecho Penal. El escrito de acusación, o de calificaciones provisionales, cumple con esta exigencia desglosando los diversos componentes. Por ello la parte acusadora, conforme a los arts. 650, I, y 781.1 LECRIM, se limitará a determinar en conclusiones precisas y numeradas:

1") Los hechos punibles que resulten del sumario.

> Aquí hay que comprender no sólo los hechos punibles que sean los más importantes (delito principal), sino también los hechos punibles (delitos) conexos, en su caso (v., por correlación, el art. 142.4.ª-5º LECRIM, y, para los procesos abreviados y juicios rápidos, el art. 781.1 LECRIM, preceptos en los que las faltas incidentales, al haber desaparecido las faltas en 2015, ya no pueden tomarse en consideración).

2") La calificación legal de los mismos hechos, determinando el delito que constituyan.

> En relación con lo anterior, la calificación jurídico-penal debe extenderse a los hechos que constituyen el delito principal, y a los que conforman los delitos conexos.

3") La participación que en ellos hubieren tenido el procesado o procesados (ahora acusados), si fueren varios (autores, cómplices).

> Ello incluye, naturalmente, la identificación de esas personas en tanto son sujetos pasivos de la acusación, como lo demuestra la referencia del art. 781.1 LECRIM, frase inicial, para los procesos abreviados (y juicios rápidos), de tanta importancia a la hora de delimitar subjetivamente el objeto del proceso.

4") Los hechos que resulten del sumario (procedimiento preliminar) y que constituyan circunstancias atenuantes o agravantes del delito o eximentes de responsabilidad criminal.

> Hay que estar a los arts. 20 (circunstancias eximentes), 21 (circunstancias atenuantes) y 22 (circunstancias agravantes) CP, así como en su caso a la circunstancia mixta del art. 23 CP.

5") Las penas en que hayan incurrido el procesado o procesados (ahora acusados), si fueren varios, por razón de su respectiva participación en el delito.

> La complementación del contenido de la pretensión procesal penal: Se pide en concreto una pena o medida de seguridad contra el acusado.

Recuérdese que el escrito de acusación en los procesos abreviados y juicios rápidos contiene, además y previamente, la petición de apertura del juicio oral ante el órgano que estime competente (art. 781.1 LECRIM, frase inicial).

Las partes acusadoras pueden presentar sobre cada uno de estos puntos dos o más conclusiones alternativas, con el fin de que, si no se admite la primera, pueda serlo alguna de las otras (arts. 653 LECRIM).

Finalmente, no se olvide que el escrito de acusación del Ministerio fiscal debe recoger, por imperativo legal, todas las circunstancias que puedan favorecer a los acusados, en tanto es defensor de la legalidad (arts. 2 y 773 LECRIM, 3.4 y 5 EOMF).

2.º) *Actos respecto a la pretensión civil:* En caso de haberse acumulado al proceso penal uno civil, el escrito de acusación también debe contener conclusiones relativas a la pretensión civil, consistentes en expresar, según los arts. 650, II y 781.1 LECRIM, en relación con los arts. 109 y ss. y concordantes CP:

1") La cantidad en que aprecien los daños y perjuicios causados por el delito, o la cosa que haya de ser restituida.

> En los procesos abreviados y juicios rápidos, si no es posible determinar la cuantía exacta de la indemnización, habrá que sentar las bases para ello en esta conclusión (art. 781.1, I, en relación con el art. 794.1ª LECRIM).

2") La persona o personas que aparezcan responsables de los daños y perjuicios o de la restitución de la cosa, y el hecho en virtud del cual hubieren contraído esa responsabilidad.

> En los procesos abreviados y juicios rápidos se añade la exigencia de concluir igualmente en lo relativo a los pronunciamientos sobre entrega y destino de las cosas y efectos, por un lado, y respecto a la imposición de costas procesales, por otro (arts. 781.1 «in fine» LECRIM).

La pretensión a reflejar aquí, pues, es o la de restitución de la cosa o la de indemnización de daños y perjuicios (o ambas), conforme a lo estudiado en el lugar citado *supra*.

Es de destacar la especial importancia que se atribuye al Ministerio fiscal en este tema en los procesos abreviados y en los juicios rápidos, por el que se ventilan la mayor parte de los delitos cometidos en España, pues debe velar por la protección de los derechos de la víctima y de los perjudicados por el delito interponiendo la pretensión civil (arts. 773.1 «in fine», en relación con los arts. 108 y concordantes LECRIM, teniendo en cuenta la reforma de 2015 y la Ley 35/1995, de 11 de diciembre, de ayudas y asistencia a las víctimas de delitos violentos y contra la libertad sexual y su Reglamento aprobado por RD 738/1997, de 23 de mayo).

3. *Efectos:* Además de su significado para el principio acusatorio, es decir, formulación de acusación con petición de pena (y/o medida de se-

guridad), la acusación provisional despliega sus efectos más importantes con relación al objeto del proceso en el sentido siguiente: Formulada la calificación provisional, no existe posibilidad de variar los hechos esenciales que la fundamentan, ni dirigirse después contra persona distinta de la que se considera partícipe en el hecho criminal. A este efecto se halla particularmente vinculado el órgano jurisdiccional (v. STS 25 mayo 1973, RA 2421).

Este efecto de vinculación, prohibiéndose las variaciones sustanciales, puede decirse que se da también respecto a las identidades objetiva y subjetiva deducidas del procedimiento preliminar, a la hora de formular el acusador particular su calificación provisional, porque ese procedimiento constituye la base del posterior acto acusatorio (v. SSTC 134/1986, de 29 de octubre, 20/1987, de 19 febrero; y SSTS 23 de noviembre de 1983, RA 5686; y 16 de junio de 1987, RA 4953).

Sin embargo, en el proceso ordinario por delitos más graves y concurriendo ciertos requisitos, el tribunal tiene la posibilidad de desvincularse de esa petición, considerado su aspecto objetivo, es decir, el hecho criminal (nunca el subjetivo, ya que la persona acusada tiene que ser siempre la misma), utilizando el art. 733 LECRIM (v. *infra*).

Fuera de ello, es decir, respetando los hechos esenciales y la persona del acusado, la parte acusadora puede modificar después de la prueba en las calificaciones definitivas la cantidad de pena solicitada, incluso la calidad, si considera que el delito es otro (v. art. 732, I LECRIM).

b) La calificación definitiva

El segundo acto procesal acusatorio es la calificación definitiva (arts. 732, 788.3 y 4 y 802.1 LECRIM). Constituye, además, el segundo momento de interposición de la pretensión penal, y en sentido técnico puro, el último, aunque en la práctica los informes finales también se aprovechan para acusar.

Puede ser un acto escrito u oral, según, como veremos enseguida, si se han modificado las calificaciones provisionales o no (art. 732, II LECRIM).

De formularse por escrito, el contenido formal es el mismo que el estudiado para las calificaciones provisionales, incluso en la posibilidad alternativa (v. art. 732, III, LECRIM).

La LECRIM no previó cómo proceder si la parte modificaba las conclusiones, por lo que en la práctica, y así se entiende para el proceso ordinario por delitos más graves, se suspende la vista durante el tiempo necesario para su redacción. Con ello queda garantizado el principio de contradicción y, por tanto, el respeto al derecho de defensa.

En los procesos abreviados, y por extensión en los juicios rápidos, sí que se ha contemplado esta posibilidad garantizadora de esos principios, disponiéndose expresamente un aplazamiento de la sesión, hasta el límite de diez días, a petición de la defensa, con el fin de que pueda aportar los elementos de descargo y probatorios que considere convenientes, conforme al art. 788.4 LECRIM. Esta norma no permite la suspensión en todo caso, sino únicamente cuando el cambio resulte más perjudicial para el acusado, es decir, cuando la acusación modifique en conclusiones definitivas la tipificación penal de los hechos, se aprecie un mayor grado de participación o de ejecución, o circunstancias de agravación de la pena. A la actitud de la defensa, puede seguir a su vez un ulterior cambio de conclusiones de la acusación (art. 788.4 «in fine» LECRIM).

1. *Procedimiento:* Tanto en el proceso por delitos más graves como en los procesos abreviados y juicios rápidos, las calificaciones definitivas se formulan una vez practicadas las diferentes pruebas admitidas, en el acto de la vista (arts. 732, I, y 788.3 LECRIM).

2. *Contenido:* Las partes acusadoras pueden optar por una de estas tres posibilidades:

1.º) *Confirmación de la calificación,* elevando a definitivas las calificaciones provisionales. Normalmente se actúa así, lo que suele significar que de poco o nada ha servido la práctica de la prueba (teniendo el acusador la «idea fija» desde la primera calificación, y, quizás, desde los momentos iniciales del procedimiento preliminar), aunque también es la opción a tomar en caso de que la prueba confirme íntegramente los hechos reflejados en la calificación provisional.

2.º) *Retirada de la acusación,* que técnicamente significa pedir el MF o el acusador en su calificación definitiva la absolución del acusado. El problema que se plantea entonces es si, a pesar de ello, el tribunal puede condenar (v. *infra,* en los efectos).

3.º) *Modificación de la calificación provisional:* Esta tercera posibilidad presenta una mayor problemática, porque el objeto del proceso tiene ya unos límites conformados, que no pueden traspasarse tampoco en lo esencial.

Esto significa, además del reconocimiento de que la práctica de la prueba ha servido de algo, que las partes pueden variar todas las conclusiones jurídicas formuladas provisionalmente (v. gr., homicidio por asesinato), así como los hechos no fundamentales, que dependen del caso concreto. Nunca pueden variar lo esencial de los hechos criminales acusados, ni la persona del acusado [v. STS 709/2017, de 27 de octubre (RJ 2017\4819)].

3. *Efectos:* Difieren según pidan las partes acusadoras la condena o la absolución:

1.°) *Petición de pena:* En principio, el juez o tribunal están vinculados por la calificación definitiva de la parte acusadora, no pudiendo condenar por delito que lleve aparejada una pena más grave que la pena fijada en la ley penal para el delito que las partes acusadoras hayan calificado, pues de lo contrario cabría recurso de casación (artículo 851-4.° LECRIM).

Únicamente es posible condenar por delito más grave si el tribunal utiliza, bajo ciertos presupuestos, la tesis de desvinculación del art. 733 LECRIM (v. *infra*).

En cuanto a tipificaciones delictivas distintas, grados de participación y de ejecución, circunstancias modificativas de la responsabilidad criminal, o cualquier otro elemento que pueda influir en la determinación de la concreta duración de la pena, de acuerdo con las disposiciones del CP, no existe, en principio, ninguna vinculación para el órgano jurisdiccional si éste quiere optar por una condena menos grave o la absolución, pero no puede condenar a pena más grave si no somete antes su opinión a la consideración de la acusación, y ésta la acepta.

En los procesos abreviados, y por extensión en los juicios rápidos, la petición de pena puede conllevar un efecto paralizador ulterior, si la calificación del delito obliga a todas las partes acusadoras a pedir una pena que exceda de la competencia objetiva del JPe, pues en este caso, el órgano jurisdiccional se declarará incompetente, dará por terminado el juicio y se remitirán las actuaciones a la Audiencia competente (art. 788.5 LECRIM). Dos observaciones al respecto: 1.ª) La resolución es un auto, porque se resuelve el presupuesto procesal de la competencia (art. 245.1, b) LOPJ); y 2.ª) El principio de inmediación obliga a realizar el acto de la vista completamente ante la AP.

2.°) *Petición de absolución:* Conforme a lo indicado *supra* la única duda que surge es, pidiendo todas las partes acusadoras la absolución, si ello no obstante el tribunal puede desvincularse utilizando la facultad del art. 733 para condenar. Antes de la CE la mejor doctrina entendía que sí, de acuerdo con lo que sucede en países modelo para nosotros, como Alemania o Estados Unidos, básicamente por no poder sustituir la acusación la actividad de juzgar del órgano jurisdiccional, y porque el tribunal puede condenar *a fortiori*, por la función atribuida al art. 733 en la Exposición de Motivos de la LECRIM (v. párrafo XXVII), dado que si procede la utilización de esa facultad para evitar impunidad parcial (a título más grave), con mayor razón para evitar la total impunidad. Pero tras la Constitución y, sobre todo, el cambio jurisprudencial producido en torno al significado de la tesis de desvinculación, la polémica deja de tener sentido. El órgano jurisdiccional puede someter a debate que en su opinión, por las razones que indique, procede la condena y no la absolución. Pero únicamente podrá proceder efectivamente a condenar, si la acusación reconsidera su postura y asume la tesis judicial.

II. LA DEFENSA

A) Concepto

La defensa es la otra cara de la acusación, exigida por el principio de contradicción (art. 24 CE), y una de las garantías más importantes del proceso penal propio de un Estado de Derecho, desde el punto de vista del investigado.

Tiene dos manifestaciones:

1.º) La *autodefensa,* es decir, la que ejerce directamente el propio investigado, participando en los actos procesales, presentando escritos o utilizando medios impugnatorios y aportando las afirmaciones y pruebas de descargo que rebatan las tesis de la acusación. La autodefensa únicamente es admisible en los casos permitidos por la Ley. Fuera de éstos, la defensa es técnica y, por tanto, el propio acusado no puede defenderse a sí mismo (SS TC 29/1995, de 6 de febrero; y 11/1997, de 27 de enero), además de no ser conveniente en absoluto para sus intereses. Ni siquiera puede cambiar de Letrado sin restricciones (v. S TS de 10 de noviembre de 2000, RA 9291).

Podemos citar como ejemplos: a) El investigado puede proponer él mismo la recusación del juez estando incomunicado (art. 58 LECRIM); b) Puede pedir él mismo la reposición del auto que eleva la detención a prisión (art. 501 LECRIM); c) Puede proponer diligencias cuando se le reciba declaración en el sumario (art. 396, I LECRIM); y d) Tiene derecho a la «última palabra», al final de la vista del juicio (art. 739 LECRIM).

2.º) La *defensa técnica,* a realizar por un abogado en ejercicio sobre las cuestiones jurídicas materiales y procesales a tratar en el proceso penal, en funciones de consejo y asesoramiento, que ya hemos considerado. Nuestro sistema de enjuiciamiento criminal obliga a la defensa técnica, al ser un derecho (y también una garantía) fundamental reconocido por la CE (arts. 17.3 y 24.2), traduciéndose en la necesidad de designar a un abogado de confianza, o, en su defecto, nombrado de oficio, siendo la defensa técnica necesaria desde el primer acto de imputación (arts. 118, 118 bis, 520, 520 ter y 527 LECRIM, reformados profundamente en cuanto a la extensión, pero no respecto a su contenido esencial, en 2015; v. con detalle este punto en las lecciones 4ª y 6ª), y por toda la duración del proceso penal, incluida la ejecución (aunque en la práctica respecto a situaciones de defensa de oficio, no se entienda exactamente así, lo cual es, en nuestra opinión, inconstitucional, v. S TC 196/1987, de 11 de diciembre). Para los procesos abreviados, los juicios rápidos y los juicios por delitos leves, v. arts. 767, 768, 796.1-2ª y 962.2 LECRIM.

No debemos olvidar tampoco las mejoras que se han introducido en 2015 en nuestra LECRIM para garantizar el derecho de traducción e interpretación de los investigados o acusados que no hablen español, uno de los contenidos esenciales del derecho de defensa, a la par que un inconveniente frecuente en nuestra estadística judicial (arts. 118 y 520, entre otros; v. igualmente lección 4ª).

La defensa de la persona jurídica se articula específicamente en el art. 786 bis LECRIM, que le permite además de estar defendida por su abogado, estar representada por su procurador y la persona que especialmente designe.

Ya en la primera sentencia del Tribunal Supremo sobre responsabilidad de las personas jurídicas, dictada por el Pleno de la Sala II, con 7 votos particulares sobre 15 (S TS núm. 154/2016, de 29 de febrero, RJ 2016\600), se han puesto de manifiesto las complejidades que esta confluencia de representaciones y defensas puede conllevar, ya que la aparición de conflictos procesales es inevitable, lo que significará una conculcación del derecho de defensa sin duda alguna.

Aquí se trata de explicar a continuación el contenido y efectos de la defensa frente a los diferentes actos acusatorios acabados de considerar.

B) Contenido y efectos

El contenido y los efectos de los actos de defensa están en función, pues, de si estamos ante la calificación provisional o la calificación definitiva de la acusación:

1.°) *Calificación provisional de la defensa:* Formalmente el escrito de calificación provisional de la defensa es idéntico al de la acusación. Hay que estar, por tanto, al art. 650 (v. art. 652, I, LECRIM) para el proceso por delitos más graves, al art. 784 LECRIM para los procesos abreviados, y a lo indicado *supra*.

Sobre las limitaciones probatorias que parecen establecerse en ese precepto, al permitir sólo las pruebas documental, pericial y testifical, y no, por ejemplo, la de inspección ocular, con los problemas de constitucionalidad que ello conlleva, v. las lecciones dedicadas a la prueba en este mismo tomo.

Pero en cuanto a las actitudes posibles de la defensa, lo que ocurre es que procesalmente su respuesta, una vez se le trasladan los autos para calificación, puede tener otras finalidades, dado que las posibilidades son tres en realidad.

1") Proponer artículos de previo pronunciamiento, tanto en el proceso por delitos más graves, como en los procesos abreviados y juicios rápidos (v. arts. 667, 786.2 y 802.1 LECRIM). La formulación de un artículo, independientemente de que una parte acusadora también lo haya hecho valer, excluye momentáneamente la calificación, con el matiz de la audiencia saneadora en los procesos abreviados y rápidos.

2") En los procesos abreviados y juicios rápidos, conformarse (segunda posibilidad) con la pena más grave solicitada por la acusación, acto llamado de conformidad con el escrito de acusación (v. arts. 784, 787, 800.2, I y 801 LECRIM).

3") En todos los procesos, presentar la calificación provisional, cuyo contenido material puede ser, a su vez, triple:

a) Negar sin mayor explicación los hechos que fundamentan la acusación («negamos las conclusiones primera al final del Ministerio fiscal»). Esta actitud, por desgracia práctica usual, es indudablemente un fraude al cliente defendido de oficio, la mínima expresión del trabajo técnico, y, además, una forma de actuar de probada ineficacia, pues el órgano jurisdiccional conoce perfectamente los límites de la acusación, pero ignora entre qué líneas se mueve la defensa. Además, se pueden negar así cosas absurdas (nombre y apellidos, edad, y los hechos que pueden favorecerle).

b) Formular una versión de los hechos distinta, naturalmente orientada al descargo, a la futura absolución o a su condena inferior.

c) Admitir los hechos, pero negando su carácter delictivo con base en una distinta calificación jurídica. En cualquier caso, no estamos ante un proceso civil, por lo que el hecho admitido puede y debe ser sometido a prueba.

La presentación del escrito de defensa por parte del acusado en los procesos abreviados, tiene el efecto de tener que remitir el juez de instrucción todo lo actuado al órgano jurisdiccional competente para el enjuiciamiento, notificándolo a las partes, salvo que se esté ante un caso de JPe volante, en cuyo caso las actuaciones permanecen en el juzgado (art. 784.5 LECRIM).

Es importante destacar que la calificación jurídica de la defensa no plantea ningún problema de vinculación al órgano jurisdiccional, como es lógico, por lo que el juez o el tribunal es absolutamente libre de condenar o absolver cuando la defensa pida la absolución, sin que amenace ni tesis de desvinculación ni recurso alguno por este motivo.

Para los procesos abreviados y juicios rápidos, v. art. 784.1, II y 800.6 LECRIM, conforme al cual, si la defensa no presenta su escrito en el plazo señalado para ello no hace falta que lo haga ya, entendiéndose que se opone a la acusación y continuando el procedimiento, pudiendo practicarse la prueba que proponga en el acto del juicio sin posibilidad de suspensión. La pregunta respecto a esto último es qué hechos va a probar si no los ha podido alegar al no presentar el escrito de defensa.

Una vez más, el deseo de juicios rápidos causa verdadera indefensión, porque en el proceso penal español, no así en otros países, el escrito de defensa es necesario siempre, y de hecho en la práctica no pasaba nada si se incumplían los plazos, ante el valor muy superior del art. 24.2 CE. El propio legislador es consciente de esto, porque, y en realidad es absurdo desde el punto de vista técnico, permite alegar a pesar de todo indefensión (art. 784.1, III «in fine» LECRIM).

2.º) *Calificación definitiva de la defensa:* Formalmente puede ser por escrito u oral también, según se modifiquen tras la práctica de la prueba por la defensa o no (arts. 732 y 788.3 LECRIM). Qué duda cabe que la defensa tiene más difícil obtener la suspensión del juicio para redactar las nuevas conclusiones tras su modificación, pues entra en juego el principio de prohibición de dilaciones indebidas.

Jurídicamente, tampoco vincula al órgano jurisdiccional, en ningún caso, la petición de absolución que hace el acusado, o de una condena menor. Incluso aunque no lo pida, puede verse favorecido en estos sentidos por la sentencia.

3.º) *Calificación del responsable civil:* Formalmente el escrito es igual que el del actor civil. Tan sólo hay que recordar que estamos ante un proceso civil acumulado al penal, por lo que el responsable es aquí el demandado que opone su resistencia (v. art. 652, I LECRIM). Dada la vigencia del principio de oportunidad y los que de él se derivan, caben, con efectos jurídicos plenos de cara a la sentencia, tanto el allanamiento como el reconocimiento o admisión de hechos.

III. LOS INFORMES FINALES

Los informes finales se regulan en los arts. 734 a 740 para el proceso ordinario por delitos más graves, en el art. 788.3 para los procesos abreviados, extensible a los juicios rápidos por el art. 802.1 LECRIM, y para los juicios sobre delitos leves en el art. 969.1, todos ellos de la LECRIM. Demasiada normativa para un acto procesal de tan restringido significado al lado de los propios de la acusación y defensa.

Primero informa el Ministerio fiscal, luego el resto de acusadores (art. 734, I LECRIM), después el actor civil (art. 735 LECRIM), para finalizar con los defensores de las partes acusada y responsable civil, si la hubiere (art. 736 LECRIM).

Su contenido, salvadas las distancias, puede compararse con las conclusiones del proceso civil (art. 433 LEC), dependiendo, lógicamente, de la posición de la parte.

En los informes, que son siempre orales, las partes expondrán los hechos que consideren probados en la vista, su calificación legal, la participación que en ellos hayan tenido los acusados y la responsabilidad civil que hayan contraído los mismos u otras personas, así como las cosas que sean objeto, o la cantidad en que deban ser reguladas cuando los informantes o sus representantes hayan interpuesto también la pretensión civil (art. 734, II LECRIM), acomodándose a las conclusiones que hayan formulado en definitiva y, en su caso, a la propuesta del juez o del presidente del tribunal con arreglo a lo dispuesto en el art. 733 (art. 737 LECRIM). Claro es que el contenido concreto dependerá de la posición de acusación o de defensa que se ocupe.

En la práctica, sin embargo, se añade un elemento más, puesto que desde el punto de vista de la parte acusadora, se aprovecha el acto como última oportunidad para reiterar la acusación, es decir, «de facto» es un acto no sólo de crítica de las pruebas practicadas en el juicio y análisis y recapitulación de las tesis jurídicas mantenidas, sino también de acusación.

Una cierta fundamentación legal para ello podía encontrarse antes de 1988 en el art. 738 LECRIM, porque si ya no es posible modificar ningún hecho o concepto con posterioridad a los informes, salvo rectificaciones (v. gr., numéricas), por extensión nada impide la confirmación de la petición de pena por un delito concreto. Pero la finalidad del art. 738 es, en sentido estricto, cerrar la posibilidad precisamente de que errores puramente materiales o numéricos fuercen una aclaración de sentencias posterior, y nada más, con el fin de que el juez tenga absolutamente todos los datos que son necesarios para enjuiciar.

El art. 788.3, II LECRIM, aplicable en los procesos abreviados, ha elevado a norma aquella práctica, porque terminada la fase probatoria, el órgano jurisdiccional pregunta a las partes si ratifican sus conclusiones, y las requiere para que expongan oralmente cuando estimen procedente sobre la valoración de la prueba de los hechos. El informe final es en este proceso, consiguientemente, también la última oportunidad acusatoria del proceso penal, si bien en forma únicamente oral y sin que se pueda modificar la calificación definitiva.

Una vez presentados los informes oralmente, el juez o el presidente del tribunal da al acusado oportunidad de expresar su opinión («última palabra»: art. 739 LECRIM), que debe utilizar en su caso, conforme a ese mismo precepto, con educación y respeto. Es la manifestación más genuina del derecho de autodefensa, última oportunidad que tiene el acusado de convencer al tribunal de su inocencia, mediante su declaración sincera (en algunos casos, problemática, v. *infra)*. No conceder este derecho no siempre es causa de nulidad (STS 583/2017, de 19 de julio, RJ 2017\4864).

Acto seguido, el órgano jurisdiccional declara concluso el acto del juicio oral («visto para sentencia»: art. 740 LECRIM), siendo el siguiente acto procesal la sentencia (art. 741 LECRIM).

IV. LA CONFORMIDAD DEL ACUSADO

A) Concepto y naturaleza

La llamada conformidad del acusado en el proceso penal es una institución de naturaleza compleja, en virtud de la cual, en esencia, la parte pasiva, es decir, tanto el acusado como su defensor técnico, aceptan con ciertos límites la pena solicitada por la acusación, o la más grave de las solicitadas si hubiera varios acusadores, procediéndose a dictar sentencia inmediatamente, al hacerse innecesaria la vista.

Es un instituto propio, muy antiguo, pero que hoy se ha ampliado notablemente formando una parte esencial de lo que se llama Justicia negociada. En otros ordenamientos, y naturalmente salvadas todas las distancias posibles, sería llamada, por ejemplo, *plea bargaining* (negociación sobre la declaración), *guilty plea* (declaración de culpabilidad), *Absprache* (acuerdos), *patteggiamenti* (convenios), etc. Sobre la negociación acerca de la declaración de culpabilidad en Europa, v. STEDH de 29 de abril de 2014, caso *Natsvlishvili and Togonidze* v. Georgia (apartados 59 y ss.).

Aunque la conformidad española, a enmarcar internacionalmente en la negociación sobre la pena y la culpabilidad, sólo sería posible en principio en los procesos penales ordinarios por delitos más graves cuando, no obstante la penalidad fijada en abstracto para el delito, se rebajara la calificación por la acusación hasta los límites legales permitidos para que aquélla pudiera tener lugar, y así lo admitió alguna jurisprudencia aislada, parece prudente sostener en la actualidad que es un instituto pensado para el enjuiciamiento de la mediana e ínfima criminalidad, esto es, para el proceso abreviado, para el proceso penal especial para el enjuiciamiento rápido de determinados delitos y para los juicios sobre delitos leves, aunque sobre esto veremos matices de importancia, como se demuestra históricamente por la fijación del límite de la conformidad en los 6 años de prisión correccional, luego prisión menor, del proceso originario por delitos.

En cuanto a la *naturaleza jurídica* de la conformidad del acusado estamos tanto ante un acto dispositivo material y procesal, consecuencia del principio de oportunidad, porque se fija el límite máximo de la pena a imponer, como ante un procedimiento especial que acelera trámites, dado que producida se pasa directamente a dictar sentencia.

Precisamente por ser acto dispositivo, el acusado o investigado no tiene derecho a una sentencia de conformidad, sino sólo una facultad o expectativa (el TS lo corrobora, con explicación muy escueta, en su S de 14 de septiembre de 2001, RA 7704).

B) Clases, régimen jurídico y efectos respectivos

El sistema originario de la LECRIM previó dos clases de conformidad, según se produjera en la calificación provisional de la defensa (llamada por esto «conformidad en la calificación» o, ahora, «conformidad con el escrito de acusación», art. 655), o en el inicio de la vista («conformidad en el acto del juicio oral», arts. 688 y ss. LECRIM). La gran reforma que introdujo el proceso abreviado en 1988 mantuvo estas dos conformidades, pero añadió una tercera, que puede ser anterior en el tiempo a estas dos, llamada «reconocimiento de hechos». Las no menos grandes reformas operadas por la Ley 38/2002, de 24 de octubre, y por la LO 8/2002, de 24 de octubre, han mantenido todas ellas, sin modificar los preceptos originarios de la LECRIM, pero no han contribuido en nada a simplificar las cosas, más bien las han complicado innecesariamente, como demostramos a continuación.

Si bien estamos por naturaleza ante el mismo instituto, la LECRIM no ha establecido el mismo régimen legal y efectos para cada una de las modalidades de conformidad.

a) Conformidad prestada en el procedimiento preliminar (reconocimiento de hechos en el proceso abreviado que desemboca en diligencias urgentes de juicio rápido)

El investigado, por iniciativa propia tomada durante el desarrollo de la fase de diligencias previas en el proceso abreviado, puede reconocer los hechos que le han sido imputados, siempre que se trate de un hecho punible castigado con pena incluida dentro de los límites previstos en el art. 801 (3 años, art. 779.1-5ª LECRIM).

El delito sin embargo no debe haber dado lugar al proceso penal especial para el enjuiciamiento rápido de determinados delitos, sino al abreviado. Es la pena, considerada en abstracto para ese delito por el CP y siempre dentro de los límites fijados por el art. 801.1-2° y 3° LECRIM, lo único que coincide.

Un primer matiz diferenciador importante aparece de inmediato: Aun siendo «conformidad», el legislador excluye que pueda tener lugar en esta primera modalidad cuando los hechos punibles caigan bajo la competencia objetiva de la Audiencia, porque por el límite de pena es competente el JPe (arts. 14-4° y 795 LECRIM).

Para que este reconocimiento sea eficaz se requiere, según el propio art. 779.1-5ª, que el investigado esté asistido de su abogado, por tanto, que éste se muestre de acuerdo también. Como consecuencia de ello, se convoca por el JI inmediatamente a una vista al Ministerio Fiscal y demás partes personadas, a fin de que manifiesten si formulan escrito de acusación con la conformidad del acusado. Estando de acuerdo, unánimemente parece según el tenor del art. 779.1-5ª si además del Fiscal existe acusador particular y/o acusador popular, la consecuencia es que el procedimiento abreviado se transforma en procedimiento para el enjuiciamiento rápido de determinados delitos, aplicándose, en lo que sea procedente aunque no lo diga la Ley, los arts. 800 y 801 LECRIM.

La reforma de 2002 ha garantizado expresamente el principio de contradicción para las partes acusadoras que no son el Ministerio Fiscal, a diferencia de la situación anterior, pero es un error exigir como parece unanimidad de criterio en la acusación, porque puede ser una traba importante a esta clase de conformidad en la práctica, ya que en definitiva va a depender de la voluntad del acusador particular es decir, de la víctima.

El *régimen jurídico* y los *efectos* de este reconocimiento de hechos son los siguientes:

1.º) El reconocimiento afecta únicamente a los hechos criminales imputados, y no significa en absoluto aceptación de la pena, entre otras razones porque todavía no se ha podido solicitar ninguna, mientras que en las demás clases de conformidad, ésta sí que afecta a las consecuencias jurídicas del delito. Por ello y en teoría, el JPe podría imponer en nuestra opinión pena menor que la que debería solicitarse posteriormente de seguir el proceso su curso normal, o incluso absolver, pero nunca imponer pena mayor, con el límite de no poder alterar lo esencial de los hechos criminales reconocidos. Sin embargo ello no es así, puesto que por aplicación del art. 801.2 el JPe está constreñido legalmente a:

1") Reducir la pena privativa de libertad solicitada en un tercio y a continuación ordenar la suspensión de su ejecución o su sustitución por una pena no privativa de libertad, si procede;

2") Imponer la pena solicitada reducida en un tercio si no es privativa de libertad.

Que el Juez, titular único de la potestad jurisdiccional, no sea libre para imponer pena menor o incluso absolver constituye un error de sistema importante, producto de un mal entendimiento evidente, otro más, del principio acusatorio (v. *infra*).

2.º) El reconocimiento, aunque se da en el proceso abreviado, únicamente es posible si:

1") El hecho punible cae dentro del procedimiento adecuado correspondiente al proceso abreviado, de acuerdo con las reformas producidas en 2002. Pero la calificación de la acusación debe ser por delito castigado en abstracto con pena de hasta 3 años de prisión, o con otra pena de distinta naturaleza, cualquiera que sea su cuantía o duración, teniendo en cuenta que la pena efectivamente pedida no debe superar los 3 años de prisión, o si hay varias, reducidas todas en un tercio no deben superar los 3 años (art. 801.1-2º y 3º LECRIM); y

2") Que se den las demás circunstancias previstas específicamente en el art. 801 LECRIM, salvo, por aplicación expresa del art. 779.1-5º, la consignada en el art. 801.1-1º, ya que es perfectamente posible que existan acusador particular (lo que da por supuesto certeramente el art. 801.4, en contradicción con lo que acaba de prever antes) y popular (no mencionado por la LECRIM) que traen su origen del proceso abreviado.

3.º) Se da lugar a un cambio de procedimiento, pasándose directamente del abreviado al especial para el enjuiciamiento rápido de determinados delitos, aplicándose los arts. 800 y 801 según dispone el art. 779.1-5ª.

4.º) Siendo varios los imputados, el reconocimiento de hechos debe producirse por parte de todos ellos, conforme al régimen ordinario previsto originariamente por la LECRIM (v. art. 655, IV). En caso negativo, se debe entender que no se ha producido el reconocimiento, a efectos de no dividir el objeto penal del proceso.

5.º) No reconociéndose la responsabilidad civil (allanamiento), sobre lo que nada dice el art. 779.1-5ª LECRIM, el cambio al proceso penal especial para el enjuiciamiento rápido de determinados delitos debe comprender también la formulación de la pretensión civil, asimilándose al régimen ordinario previsto por la LECRIM.

b) Conformidad con el escrito de acusación

La segunda variedad de conformidad está relacionada con el escrito de acusación, teniendo dos regímenes jurídicos distintos según estemos en el proceso abreviado o en el proceso especial para el enjuiciamiento rápido de determinados delitos.

a") En el proceso abreviado

La segunda posibilidad para que el investigado manifieste su conformidad se produce una vez abierto el juicio oral y formulada la calificación provisional o escrito de acusación (arts. 655 y 781 LECRIM). Se trata lógicamente de un acto que no puede afectar únicamente a los hechos, puesto que ya hay presentada una acusación y, por tanto, de carácter más complejo que la anterior modalidad.

Presenta, a su vez, dos variantes: 1) El acusado se conforma en su escrito de defensa; 2) Posteriormente a la presentación del escrito de defensa pero antes de que comience el juicio oral, el acusado acude a la Fiscalía y manifiesta su conformidad, redactando todas las partes acusadoras, el acusado y su Letrado un nuevo escrito de calificación, que no podrá referirse a hecho distinto ni contener calificación más grave que la primera acusación presentada (art. 784.3, II, en relación con el art. 787.1 LECRIM).

La posibilidad de conformidad en el escrito de calificación provisional de la defensa (escrito de defensa), es la clásica recogida en el art. 655 LECRIM. La conformidad ante el Ministerio público confirma la intencionalidad manifestada en 1988 de introducir en nuestro Ordenamiento una tímida posibilidad de la institución anglosajona del *plea bargaining*, consecuencia del llamado «principio del consenso» por la Circular 1/1989 de la FGE.

El *régimen jurídico* y los *efectos* de ambas posibilidades de conformidad en el escrito de acusación son los siguientes:

1.º) La conformidad tiene lugar ante el Juez Instructor, sea competente para el juicio oral el JPe, sea la Audiencia, ya que los escritos de acusación y de defensa se presentan ante él en el proceso abreviado (arts. 781 y 784.5 LECRIM).

2.º) La iniciativa la toma el abogado defensor del acusado, aunque con su aquiescencia (arts. 655, I y 784.3, I, en su inicio). Se requieren, pues, además del escrito de defensa correspondiente, que el acusado se ratifique expresamente sobre lo manifestado por su defensor técnico, declaración que debe comprobar el Juez que ha sido prestada libremente y con conocimiento de sus consecuencias (por aplicación supletoria del art. 787.2 LECRIM). Lo que significa que, si no se ratifica el acusado, debe procederse a suspender la tramitación para que designe, o se nombre de oficio, un nuevo abogado, que proceda a redactar el escrito de defensa.

3.º) La conformidad es con la pena solicitada por la acusación, o con la más grave de las solicitadas en caso de haber varias, con el límite de no exceder la pena efectivamente pedida de 9 años de prisión, límite objetivo de los delitos a tramitar por el proceso abreviado, ya que la distinción temporal prevista en el art. 787.1 LECRIM no afecta al límite sino al contenido de la sentencia (v. Circular FGE núm. 1/89, y el poco claro texto al respecto de la Circular FGE núm. 1/2003).

4.º) Si el JI está de acuerdo con la conformidad, se eliminan todos los trámites posteriores y se pasa directamente a dictar sentencia por el órgano competente para el enjuiciamiento (art. 655, II), quien ello no obstante debería examinar los requisitos de la conformidad y evitar así el posible recurso.

No es claro que la sentencia en esta modalidad de conformidad deba tener el mismo contenido que la sentencia como consecuencia de conformidad prestada en el juicio oral, porque la remisión del art. 784.3, II al art. 787.1 LECRIM parece que se refiera al contenido del segundo escrito de acusación conjunto.

Pero dado que la defectuosa redacción de la norma podría hacer aplicable íntegramente el art. 787 LECRIM, en esta clase de conformidad, a causa de sucesivas remisiones, conviene al menos reflejar el problema de que si es así, habrá dos posibles contenidos:

1″) Si la pena efectivamente pedida es inferior a 6 años, el órgano jurisdiccional no es libre de imponer la pena que desee, con el límite de no sobrepasar la conformada, ni tampoco de absolver, sino que tendrá que dictar sentencia de conformidad con la pena conformada por la defensa; o

2″) Si es superior a 6 años, el JPe o la Audiencia es libre de hacer lo que quiera, respetando el límite máximo.

El primer contenido es inadmisible, porque por un error conceptual de lo que el principio acusatorio realmente debe ser (v. apartado dedicado a la tesis de desvinculación en esta misma lección), que se arrastra desde hace prácticamente tres décadas, se ataca a la propia potestad jurisdiccional, convirtiendo al Juez en un autómata, imposibilitándole cumplir con su función exclusiva de medir e individualizar la pena y evitar castigos desproporcionados. Lo correcto es que el órgano jurisdiccional pueda imponer entonces la pena que considere procedente, siempre que no exceda de la cantidad conformada, y ello por imposición legal, por tanto, que pueda imponer pena igual a la conformada o inferior, pero también la absolución según la jurisprudencia, en consonancia con el principio que afirma que el tribunal puede absolver siempre (v. SS TS 22 abril 1966; 20 junio 1966, RJ 3210; 7 febrero 1994, RJ 717; y Memoria Fiscalía TS de 1899).

5.º) Es posible que la conformidad prestada carezca de valor, ordenándose la continuación del juicio, en estos casos:

1") Si el JI considera que el acusador no ha formulado la calificación procedente, por error, por negligencia o por cualquier otra causa, y cree que los hechos criminales constituyen jurídicamente un título de acusación que conlleve pena de mayor gravedad, o de diferente naturaleza, o que la pena solicitada no es la que legalmente procede (arts. 655, III y 787.3), debe requerir a la parte que presentó el escrito de calificación más grave para que manifieste si se ratifica o no en él. Si la acusación cambia de opinión y el acusado se conforma de nuevo, se pasa al trámite de dictar sentencia de conformidad el órgano competente para el enjuiciamiento, ordenando la continuación del juicio en caso contrario (art. 787.3);

2") El juicio continúa también cuando el JI cree que la conformidad del acusado no ha sido prestada libremente o sin conocimiento de sus consecuencias (art. 787.4); y

3") Finalmente, también ordenará la continuación del juicio cuando el Abogado defensor lo considere necesario y el JI estime fundada su petición.

6.º) Igual que en la primera clase de conformidad, la disconformidad de uno de los acusados, siendo varios, obliga a continuar el juicio para todos ellos, incluidos aquellos que se conformaron (art. 655, IV LECRIM), salvo, como se indicó supra, que pueda dividirse el objeto siendo varios los acusados por diversos delitos.

7.º) Si no hay conformidad en la responsabilidad civil (allanamiento), pero sí en la criminal, el juicio continúa para discutir únicamente el objeto civil del proceso acumulado (art. 655, V LECRIM), rigiendo los principios propios de este proceso, y partiendo de la admisión de la responsabilidad criminal.

b") En el proceso penal especial para el enjuiciamiento rápido de determinados delitos

Este proceso penal, especial según su ley introductoria de 2002, regula también la conformidad con el escrito de acusación prestada ante el Juzgado de Guardia en los arts. 800.2 y 801 LECRIM.

Las particularidades más llamativas son las siguientes:

1.ª) A pesar de que del tenor literal del art. 801.1 pueda deducirse lo contrario, la conformidad prestada por el acusado debe contar con la aquiescencia de su Abogado, que en estos momentos ya debe estar designado o nombrado de oficio, por aplicación supletoria del art. 779.1-5ª de acuerdo con el art. 795.2 LECRIM.

2.ª) La conformidad se presta ante el Juez de Guardia, órgano competente para la instrucción y para la preparación del juicio oral de este proceso especial (falla el JPe, art. 800.3, I LECRIM). Las actuaciones realizadas por la Policía Judicial y contenidas en el atestado, así como las diligencias urgentes practicadas por el propio Juez con la participación activa del Fiscal, tienen que estar ya concluidas, porque es necesario que se haya abierto el juicio oral y presentado la acusación formal por el Ministerio Fiscal y, en su caso, demás acusadores, dada la ubicación sistemática del precepto.

3.ª) Los requisitos de la conformidad en este proceso especial son más estrictos que en el abreviado, cuando debería ser al revés, ya que lo que se pretende ante todo es un juicio rápido, y nada más rápido que evitar que suceda el juicio oral. Afectan a los siguientes extremos recogidos en el art. 801.1:

1") No debe existir más acusación que la del Fiscal, presentada en tiempo y forma (pero el art. 801 permite después en su núm. 5 que haya acusación particular, lo cual es una clara contradicción en nuestra opinión, a resolver a favor de permitir la participación de todos los acusadores de acuerdo con el art. 125 CE);

2") Los hechos deben haber sido calificados como delito castigado con pena de prisión de hasta 3 años, con pena de multa cualquiera que sea su cuantía, o con otra pena de distinta naturaleza, cuya duración no exceda de 10 años;

3") Si se pidió pena de prisión, la pena efectivamente solicitada no debe exceder de 3 años, y si se pidieron varias, tampoco debe ser la petición superior a 3 años sumadas todas ellas, para que con la reducción del tercio se queden en 2 años, de acuerdo en parte con el modelo italiano; y

Obsérvese en consecuencia que la operatividad práctica de la conformidad en este proceso se reduce a menos de la mitad de los supuestos temporales posibles (sobre cinco años de prisión límite objetivo, sólo procede si el delito está castigado con hasta 3 años y únicamente, además, si efectivamente se piden tres o menos), mientras que en el abreviado es posible por su límite máximo (9 años). ¿Por qué? No lo sabemos, quizás para que entren dentro del límite los delitos más comunes y frecuentes, v. gr. robos y alcoholemia, se aplique la suspensión de la pena y no vayan a la cárcel sus autores. Que no proceda la conformidad si hay acusador particular, además de la contradicción legal que hemos indicado, es absurdo, pues en todas las demás modalidades no se produce esta limitación, sin perjuicio de ser poco respetuosa con la víctima, quizás más abierta a la conformidad que el propio Fiscal por lo que le puede suponer de ventaja en cuanto a la responsabilidad civil.

4.ª) El Juez de Guardia controla la conformidad de acuerdo con lo previsto en el art. 787 (v. inmediatamente) y en el art. 801.3, en su caso, y si es ajustada a la Ley, dicta sentencia de conformidad, que puede dictar oralmente con este posible contenido, de acuerdo con el art. 801.2:

1") Si la pena solicitada fue privativa de libertad, la impone reducida en un tercio, resolviendo a continuación lo procedente sobre su suspensión o sustitución (v. arts. 81, 87 y 88 CP, reformados en 2015). Se exige, algo ingenuamente, el compromiso del acusado de satisfacer la responsabilidad civil a la víctima en el plazo que se le fije (se haya o no allanado a ella), y además, en su caso, el compromiso de que obtendrá el certificado de estar deshabituado o sometido a tratamiento para tal fin (art. 801.3). La reducción debe realizarse aun cuando en definitiva la pena impuesta sea inferior al límite mínimo fijado por el CP;

2") Hay que entender por otra parte, a pesar de que el texto legal nada diga, que si la pena conformada no es privativa de libertad, la impondrá, pero reducida igualmente en un tercio; y

3") Una vez dictada sentencia de conformidad, el Juez Instructor de Guardia debe resolver sobre la situación personal del condenado, remitiendo si procede la causa al Juez de lo Penal para su ejecución (art. 801.4).

Este es uno de los dos casos en nuestro Ordenamiento Jurídico en el que un Juez Instructor (en funciones de guardia además) puede dictar una sentencia penal por delito. Para ello ha sido necesario reformar también el art. 87, a), II LOPJ. El otro se da en el juicio sobre delitos leves

5.ª) En caso de incumplimiento de los anteriores compromisos, se estará a lo dispuesto en los arts. 84, 85 y 87.5 CP, reformados en 2015.

c") En los juicios sobre delitos leves

La peculiar estructura del juicio sobre delitos leves, introducido en 2015 siguiendo el modelo del antiguo juicio de faltas, no justifica que el legislador haya omitido cualquier referencia a la posibilidad de conformidad en él, pero debe ser posible, al menos la modalidad de conformidad en el acto del juicio oral (a estudiar inmediatamente), por razones de fondo y de forma. De forma, por aplicación supletoria de las normas del proceso abreviado o del proceso especial para el enjuiciamiento rápido de determinados delitos en virtud de la autorización del art. 969.1; y de fondo, porque la conformidad contribuye a que el juicio sobre delitos leves no tenga lugar, lo que acelera todavía más si cabe el procedimiento.

c) Conformidad prestada en el acto del juicio oral

La última posibilidad de conformidad se produce al principio del acto de la vista o juicio oral en sentido estricto (arts. 688 a 700, y 787 LECRIM).

Existen dos posibilidades, según estemos por un lado en el proceso abreviado o en el proceso especial para el enjuiciamiento rápido de determinados delitos, cuya regulación es la misma, o, por otro, en el proceso penal especial ante el Tribunal del Jurado.

a") En el proceso abreviado y en el proceso especial para el enjuiciamiento rápido de determinados delitos

El *régimen jurídico* y los *efectos* de esta última modalidad de conformidad son los siguientes, de acuerdo con los arts. 787 y 801.1 LECRIM:

1.º) La conformidad se solicita al órgano competente para el enjuiciamiento, pues ya se están celebrando las sesiones del juicio oral (Juez de lo Penal o Audiencia, por tanto, en función de los casos y de los procesos);

2.º) La iniciativa la tiene el Abogado defensor con la aquiescencia del acusado, quien debe expresar que se conforma antes de iniciarse la práctica de la prueba, pidiendo al juez que dicte sentencia de conformidad con el escrito de la acusación que contenga pena de mayor gravedad (art. 787.1, primera frase). La Ley no prohíbe que la iniciativa la tenga el acusado, pero formalmente la petición debe hacerla la defensa. Por otra parte y en nuestra opinión, al no haberse declarado expresamente la no aplicación del art. 688, II LECRIM, la iniciativa puede tomarla igualmente el órgano jurisdiccional, preguntando al acusado si se conforma. El letrado de la administración de justicia debe informar al acusado sobre las consecuencias que tiene haberse conformado (art. 787.4, I LECRIM).

Añade esa norma que también es posible manifestar la conformidad con el escrito «que se presentara en ese acto, que no podrá referirse a hecho distinto, ni contener calificación más grave que la del escrito de acusación anterior». Ese segundo escrito de acusación es el resultado de la negociación entre la defensa y el MF, que rebaja la penalidad de la calificación provisional de la acusación. Aquí es donde más clara se ve la influencia americana de la «bargaining», porque ante la calificación desfavorable, la defensa acude a la fiscalía para obtener una rebaja a cambio de la conformidad. Nada que objetar, salvo la forma solapada de regular la negociación, pero también nos obliga a pensar si en realidad lo que sale reforzada es la posición del MF, porque, de no obtener la conformidad, ¿no puede amenazar a la defensa con pedir una pena mayor en la calificación definitiva?

3.º) El límite de pena es en el proceso abreviado el que se corresponde con su tope máximo (9 años), mientras que en el proceso para el enjuiciamiento rápido de determinados delitos es de 3 años de prisión. En cuanto a las demás penas no hay límite ni de duración ni de cuantía (arts. 787.1 y 801.1 y 2), salvo el tope de 10 años para los juicios rápidos (art. 795).

Al menos las reformas de 2002 han contribuido a despejar las serias dudas que las diferentes clases de conformidad suscitaban a este respecto en el proceso abreviado. El límite de la competencia objetiva y el límite de la conformidad coinciden ahora: 9 años. Otra cosa es su utilidad, pues es difícil pensar en que alguien se quiera conformar a una pena de prisión de 9 años. Con relación al proceso penal especial para el enjuiciamiento rápido de determinados delitos ese límite no coincide, con lo cual estamos ante un tratamiento desigual que desvirtúa la naturaleza del instituto, al presentar regímenes distintos según sus diversas modalidades.

Pero en el abreviado se establece otro límite que influye en el contenido de la sentencia, de este modo:

1”) Que la pena solicitada no exceda de 6 años: En este caso, si el órgano jurisdiccional está de acuerdo con la conformidad, porque entiende que la calificación jurídica es conforme a Derecho y que la pena según dicha calificación es la procedente, dicta de inmediato sentencia de conformidad, que desde finales de 2003 puede hacer oralmente (art. 787.1 y 2, en relación con los arts. 694 y 655, II LECRIM).

El problema es igualmente qué extensión tendrá el fallo de esa sentencia. En el sistema originario de la LECRIM, el tribunal podía imponer entonces la pena que considerase procedente, siempre que no excediera de la cantidad conformada, por imposición legal, es decir, que podía imponer pena igual a la conformada o inferior, pero también era procedente según la jurisprudencia la absolución.

Sin embargo, el órgano jurisdiccional, para ciertos casos de conformidad, está constreñido, según dicción literal del art. 787.1 LECRIM, a dictar «sentencia de conformidad con la manifestada por la defensa».

Se ha eliminado con la reforma de 2002 el término «de estricta» conformidad del anterior art. 793.3, I «in fine»), que fue interpretado por el TS en su S de 17 de junio de 1991 (RJ 4728), en el sentido de que a pesar de este tenor literal, el órgano jurisdiccional podía imponer pena inferior, pues de lo contrario no gozaría de la discrecionalidad suficiente para evitar penas desproporcionadas a los hechos aceptados por el acusado, competencia que es inexcusable e indelegable del juez para poder individualizar correctamente la pena. Así «estricta conformidad» se refería al contenido de los hechos y no a las penas.

Esta interpretación fue claramente «contra legem», pero nos sigue ayudando de manera importante para interpretar la actual redacción, porque su esencia permanece: El órgano jurisdiccional podrá siempre imponer pena inferior o absolver (v. A TS de 21 de marzo de 2001, RJ 1670).

Por otra parte, nada se dice ahora (a diferencia también de lo que disponía el anterior art. 793.3, II LECRIM) sobre el hecho de que el Juez pueda dictar sentencia absolutoria o condenatoria a pena inferior a la conformada, previa audiencia de las partes realizada en el acto, si estimase que, partiendo de la descripción del hecho aceptado por todas las partes, es atípico, o resulta manifiesta la concurrencia de cualquier circunstancia eximente o atenuante,

Esta importante salvedad, que demuestra la confirmación del principio que afirma que el tribunal puede siempre absolver, y también que es posible utilizar la tesis de desvinculación (v. la explicación sobre el art. 733 LECRIM, v. *infra*), sin previa práctica de la prueba y no para agravar la condena, no se aplica en caso de que el JPe estime que concurre una agravante, o en caso de que para él el hecho punible merezca una distinta calificación con distinta pena, casos en los que queda totalmente vinculado.

Finalmente, por expresa declaración del art. 787.5 LECRIM, no vinculan al órgano jurisdiccional, en ningún supuesto, las conformidades mostradas en el acto del juicio oral sobre las medidas de seguridad («medidas protectoras en los casos de limitación de la responsabilidad penal»). La razón parece justificable: La medida de seguridad tiene fines correctores y de prevención especial, por lo que, aunque el acusado se muestre conforme con su imposición, el órgano jurisdiccional puede prescindir de la medida si considera que ello sería superfluo respecto a aquellas finalidades (Circular 1/1989 de la FGE).

2”) Si la pena excede de 6 años la Ley no dice nada, por lo que hay que interpretar que el órgano jurisdiccional no está vinculado a la cantidad de pena pedida y puede imponer pena inferior o incluso absolver, de acuerdo con la jurisprudencia que ya conocemos. Naturalmente, en ningún caso puede imponer pena superior.

4.º) Es posible también en esta modalidad que la conformidad prestada carezca de valor, ordenándose la continuación del juicio, porque la «bargaining» no puede justificar nunca actuaciones «contra legem». Sucede en estos casos:

1”) Si el órgano jurisdiccional considera que el acusador no ha formulado la calificación procedente, por error por negligencia o por cualquier otra causa, y cree que los hechos criminales constituyen jurídicamente un título de acusación que conlleve pena de mayor gravedad, o aunque sea de igual o menor gravedad, que conlleve mutación sustancial del bien jurídico, o que la pena solicitada no es la que legalmente procede (arts. 655, III y 787.3), debe tomar la disposición de requerir a la parte que presentó el escrito de calificación más grave para que manifieste si se ratifica o no en él. Si se modifica la acusación y el acusado se conforma de nuevo, se pasa al trámite de dictar sentencia de conformidad, ordenando la continuación del juicio en caso contrario (art. 787.3);

2") El juicio continúa también cuando el órgano jurisdiccional cree que la conformidad del acusado no ha sido prestada libremente o sin conocimiento de sus consecuencias (art. 787.4, I); y

3") También ordenará la continuación del juicio cuando el Abogado defensor lo considere necesario y el JI estime fundada su petición (art. 787.4, II).

5.º) La disconformidad siendo varios los acusados, o entre el acusado y su defensor tiene consecuencias importantes, en el siguiente triple sentido: 1) Si el acusado se conforma, pero su defensor cree necesaria la continuación del juicio, carece de relevancia la conformidad y la vista se celebra normalmente si el Juez lo considera fundado, como sabemos (arts. 696 y 787.4, II LECRIM); 2) Si hay varios acusados y alguno no se conforma, sigue el juicio para todos (art. 697, II LECRIM), aunque sea la prueba muy simplificada; y 3) Si el acusado o acusados se niegan a responder a la pregunta del órgano jurisdiccional en el sentido de si se conforman o no con la pena pedida, continúa el juicio (art. 698 LECRIM). En ambos casos hay que recordar que la conformidad puede tener lugar para unos acusados y para otros no, si es posible dividir el objeto del proceso penal, al enjuiciarse varios delitos distintos contra varios acusados.

El juicio continúa también cuando el acusado quiera amparase en la conformidad, al haberse pedido pena más ventajosa por no haber aparecido el cuerpo del delito todavía (art. 699 LECRIM).

6.º) Finalmente, en cuanto a la pretensión civil, si el acusado se conforma en lo atinente a la pena, pero no en lo relativo a la responsabilidad civil, la vista se celebra, pero la práctica de la prueba afectará exclusivamente al objeto civil (arts. 695, 697, III y 700 LECRIM).

b") En el proceso ante el Tribunal del Jurado

La LJ regula, dentro de una de las formas de disolución del Jurado, la conformidad con la acusación, se entiende provisional, más grave, es decir, con la que solicite pena de mayor gravedad (art. 50.1), pero a realizar dentro de la fase de juicio oral competencia del TJ, bien en el escrito de defensa, bien en un escrito autónomo que presentan las partes en la vista (en la práctica se hace entre el escrito de defensa y la vista, para evitar que se constituya el Jurado).

La LECRIM contempla varias clases de conformidad como acabamos de ver, en el proceso penal por delitos más graves, en el proceso penal abreviado y en el proceso especial para el enjuiciamiento rápido de determinados delitos (y por extensión, en el proceso penal o juicio sobre delitos leves). La cuestión es si todas ellas son aplicables en el proceso penal especial ante el TJ. Con las reformas de 2002, la respuesta debe ser positiva, teniendo en cuenta que tanto el reconocimiento de hechos como la conformidad con la calificación se producirían ante el JI y no ante el Magistrado-Presidente. El problema es que la LJ sólo ha regulado la conformidad en el juicio oral, cuando podría haber hecho una remisión específica al menos a las normas del proceso abreviado, pues aplicar supletoriamente aquí el art. 24.2 LJ puede ser problemático. Pero su admisión debe favorecer que el juicio ante el Jurado no tenga lugar, por tanto, estamos también ante un instrumento de rapidez y eficacia, finalidades claras de la reforma.

Ciñéndonos a la conformidad regulada por la LJ, ésta se puede producir de tres maneras distintas: Primero por manifestarlo así la defensa en su escrito (por aplicación del art. 655 LECRIM, o del art. 784.3, I LECRIM, ante el silencio de la LJ), que debe exigir en todo caso ratificación oral en la audiencia preliminar del art. 30 LJ; segundo por responder a una pregunta en este sentido del Magistrado-Presidente afirmativamente (por aplicación del art. 688, II LECRIM, ante el silencio también de la LJ), y tercero, por presentar un escrito específicamente con ese contenido en este acto ante el TJ (que sí prevé expresamente el art. 50.1 LJ).

Pero los límites de la conformidad no coinciden ni con los del proceso abreviado (9 años), ni con los del proceso especial para el enjuiciamiento rápido de determinados delitos (3 años), lo cual no es justificable, pues se dice claramente que no es posible la conformidad a pena superior a seis años de privación de libertad, sola o conjuntamente con las de multa y privación de derechos (art. 50.1 «in fine» LJ).

En cuanto a su régimen jurídico, la conformidad debe ser aprobada por todas las partes (art. 50.1 LJ), y sólo afecta a los hechos acusados objeto del juicio (art. 50.1 LJ), pero si el Magistrado-Presidente entiende que el hecho no ha existido, o que no es constitutivo de delito, o que, existiendo, no ha sido cometido por el acusado, o que, existiendo, el acusado está exento de responsabilidad criminal o concurre una atenuante, no disuelve el Jurado y, previa audiencia de las partes, le somete por escrito el objeto del veredicto sin solución de continuidad (art. 50.2 y 3 LJ).

C) ¿En caso de delito de violencia de género?

La LVG toma una decisión discutible. Admite la conformidad en los juicios penales y hace competente al JVM para dictar sentencia de conformidad en los casos del art. 801 LECRIM (art. 14.3, I *in fine* LECRIM y art. 87 ter.1, e) LOPJ).

El problema que se plantea es que el art. 87 ter.5 LOPJ prohíbe la mediación en los casos de violencia de género. Esos casos son, además de los civiles, los penales, pues esa norma está dentro del precepto dedicado a la competencia del JVM, fuera del núm. 1, dedicado a la competencia penal, y del núm. 2, dedicado a la competencia civil, por tanto, abarcando todas las competencias. Desde un punto de vista estrictamente terminológico y sistemático, la mediación debe referirse pues, independientemente del acierto en la elección del sustantivo, a ambos procesos, civil y penal.

La mediación estaba expresamente prohibida en lo penal (art. 2.2 RD-Ley 5/2012, de 5 de marzo, de mediación en asuntos civiles y mercantiles), pero el Estatuto de la Víctima del Delito de 2015 (art. 15) abre la puerta a la mediación penal en general, aunque no para los casos de violencia de género. Ni siquiera existe aún el llamado principio de oportunidad reglada, que podría permitir una cierta posibilidad de arreglo (el proceso penal de menores, en donde sí existe, es ahora irrelevante).

Solamente tenemos a mano el principio del consenso, que se manifiesta en nuestra vieja institución de la conformidad, en cualquiera de sus diferentes modalidades acabadas de estudiar, aplicable a cualquier proceso penal dados los requisitos legales. Tengamos en cuenta que la conformidad afecta al autor del delito, al investigado o acusado, pero que es necesario oír a la víctima, en nuestro caso la mujer y de ahí la importancia de esta cuestión, y en algunos casos, de haber reparado civilmente el daño.

El problema sigue sin resolverse, no obstante, porque ahora interpretando la ley literalmente deberíamos llegar a la conclusión de que en los casos de violencia de género la conformidad está permitida y la mediación prohibida, se supone que porque la primera es controlada por un juez y la segunda no. Pero en el fondo, estar de acuerdo la víctima con la conformidad manifestada por su ofensor, por tanto, habiendo de por medio un acto de violencia de género, sería dar carta de asentamiento a un acuerdo viciado con dicha conformidad, no expresaría una voluntad libre, y por tanto sería nulo, porque sería imposible demostrar que no ha sido logrado a la fuerza, o si se prefiere, sería imposible demostrar que se ha llegado a un acuerdo libre entre ambas partes, dados los antecedentes existentes. Lo mejor sería prohibir cualquier posibilidad de acuerdo en ambos procesos, civil y penal, o admitirlo también en los dos. Por ello, mi opinión es a favor de la no permisividad en ninguno por la fuerza del art. 87 ter.5 LOPJ, a pesar del art. 87 ter.1, e) LOPJ, por la contradicción insalvable entre ellos.

D) Recurribilidad

Tratándose de sentencias de conformidad el TS mantenía la doctrina (v. SS de 27 de abril de 1999, RA 3326; y de 11 de abril de 2000, RA 2445, entre otras muchas), su irrecurribilidad, argumentando que conformarse con el aval del defensor comporta una renuncia implícita a replantear ante el TS las cuestiones fácticas y jurídicas aceptadas libremente y sin oposición, procediendo el recurso sólo en caso de incumplimiento de los requisitos formales, materiales y subjetivos de la conformidad, así como que no se hubieran respetado los términos del acuerdo entre las partes (STS núm. 422/2017, de 13 de junio).

Pues bien, el art. 787.7 LECRIM, aplicable en nuestra opinión a todos los casos de conformidad y no sólo a la que tiene lugar en el juicio oral, recoge ahora esa doctrina y reconoce la recurribilidad expresa de las sentencias de conformidad, legitimando a todas las partes, cuando no se hayan respetado los requisitos o términos de la conformidad. El acusado sufre la limitación de no poder impugnar por razones de fondo su conformidad libremente prestada. Qué recurso cabe depende del proceso ordinario o especial en que haya tenido lugar la conformidad.

V. LA TESIS DE DESVINCULACIÓN DEL ÓRGANO JURISDICCIONAL

A) Concepto y naturaleza

El sistema de enjuiciamiento criminal español permite al órgano jurisdiccional sentenciador discutir la tesis jurídica de la acusación, si considera que ha calificado los hechos con manifiesto error y concurren los demás presupuestos exigidos. Esta posibilidad, denominada doctrinalmente «tesis de desvinculación», se reconoce en el art. 733 LECRIM, específicamente para el proceso por delitos más graves.

En nuestra opinión, la tesis de desvinculación es acogida también en el proceso abreviado, aunque implícitamente, en los arts. 788.3, II, 788.4 y 789.3 LECRIM, que establecen particularidades diferenciadoras.

Este instituto, cuya finalidad aparece plenamente justificada, ha sufrido una profunda transformación después de la CE, debido a una reinterpretación jurisprudencial de sus fundamentos (explicados en la Exposición de Motivos de la LECRIM, párrafos XXVI a XXIX, con profusión). Trata de resolver el problema, por poner un ejemplo claro, de que calificados los hechos por el Ministerio fiscal y los demás acusadores como un delito de homicidio, el tribunal, si entiende que al contrario son constitutivos de un delito de asesinato, pueda hacérselo saber para que reconsideren el título de acusación.

El *fundamento* de la tesis de desvinculación no es pacífico. En principio, se afirma que la tesis de desvinculación es un acto inquisitivo del órgano jurisdiccional y, por tanto, una alteración del principio acusatorio. Pero también, y al mismo tiempo, una concreción del principio de contradicción.

Explicados así los pilares, la relación de la tesis con los principios constitucionales acusatorio y de contradicción (derecho de defensa) del art. 24.2 CE, es innegable (v. SS TC 104/1986, de 17 de julio y 17/1988, de 16 de febrero; y S TS 4 de noviembre de 1986, RA 6241).

a) De un lado, se dice que el principio acusatorio no puede tolerar que el efecto de cosa juzgada material, que impide un nuevo enjuiciamiento por los mismos hechos criminales imputados, prevalezca sin excepciones, porque en este caso permanecerían inmodificables calificaciones erróneas. Dicho con otras palabras, pasaría a cosa juzgada una impunidad parcial, al no poderse acusar del mismo hecho posteriormente, una vez descubierto el error, como delito de asesinato cuando se condenó por homicidio,

En este sentido se dice que el art. 733 constituye una excepción al principio acusatorio, porque éste exige la correlación entre acusación y sentencia. Por tanto, el órgano jurisdiccional no puede en la sentencia calificar el delito de forma tal que imponga una pena más grave a la que legalmente corresponda según la tipificación efectuada por la acusación.

Pero la doctrina más solvente entiende que la norma no es una excepción, sino una corroboración del principio acusatorio, porque la tesis del tribunal es sobre «el hecho justiciable» o elemento esencial del objeto del proceso, que en ningún caso puede modificarlo o variarlo. Por tanto, el tribunal tiene siempre como límite los hechos esenciales.

b) La CE de 1978 ha hecho cambiar las opiniones al respecto de la jurisprudencia, que ya no era hasta entonces muy favorable a la aplicación de la tesis, reinterpretando precisamente los principios acusatorio y de contradicción (de defensa), en el siguiente sentido: Partiendo siempre del principio que prohíbe la variabilidad de los hechos criminales imputados que tengan carácter de esenciales, la no aceptación por la acusación de la nueva tesis más grave planteada por el órgano jurisdiccional convierte a éste en juez y parte, infringiendo el principio acusatorio, si condena con base en el título propuesto por él y no por aquélla. En consecuencia, si no asume la tesis el MF, o cualquier otro acusador, el órgano jurisdiccional no puede hacer prevalecer su opinión y debe ceñirse a las peticiones de los acusadores (SS TS 16 de junio de 1987, RA 4953; y de 1 de diciembre de 1987, RA 9515). Esta interpretación del principio acusatorio es dogmáticamente incorrecta, pues nada tiene que ver con él, porque lo verdaderamente importante es que no se alteren los hechos esenciales. El Tribunal, respetándolos, es el único autorizado legalmente para calificarlos (principios de legalidad y *iura novit curia)*, de ahí que en los países más avanzados jurídicamente que el nuestro, pueda conceptuarlos como entienda más ajustado a Derecho e imponer la pena que considere más apropiada (v., por todos, §§ 260, 264 y 265 StPO alemana; por su parte el Tribunal Supremo español ha perdido una magnífica oportunidad de acertar en este importante tema en su STS 1319/2007, de 12 de enero (RA 323), al confundir principio acusatorio con derecho de defensa).

El Tribunal Constitucional español ha seguido el contenido clásico del principio acusatorio, sin que haya admitido nunca expresamente la doctrina del Tribunal Supremo de ser necesaria la aceptación por el Fiscal de la tesis más grave propuesta por el tribunal para condenar (v. las SS TC 54/1985, de 18 de abril; 84/1985, de 8 de julio; 104/1986, de 17 de julio; 134/1986, de 29 de octubre; 17/1988, de 16 de febrero; 186/1990, de 15 de noviembre; 43/1997, de 10 de marzo; 59/2000, de 2 de marzo).

c) En donde no existe ninguna dificultad es en admitir que la norma supone también una concreción del principio de contradicción (derecho de defensa), y la jurisprudencia citada fundamenta ello, además de en el art. 24.2 CE, en todas las normas internacionales aplicables (arts. 10 y 11.1 de la Declaración Universal de Derechos Humanos; y art. 14 del Pacto Internacional de Derechos Civiles y Políticos), porque el legislador quiere que la tesis jurídica del tribunal, nueva para la acusación, se someta a debate, e incluso si las partes no están preparadas para ello, incluyendo la defensa (la más interesada ante la agravación que supone), que se suspenda la vista para un mejor estudio. Esto es así porque un correcto entendimiento del principio de contradicción significa la necesidad de poner a debate todo dato jurídico o fáctico, susceptible de influir en la sentencia.

La tesis se puede utilizar por el órgano jurisdiccional, tanto en el proceso por delitos más graves, como en los procesos abreviados y en los juicios rápidos (y por extensión también en los juicios sobre delitos leves), una vez las partes acusadoras han formulado sus conclusiones definitivas, bien nuevas, bien confirmando las provisionales, en el acto de la vista, antes de los informes finales. Sin embargo dado que en esos informes finales puede producirse teóricamente alguna alteración, o, sobre todo, que en la última palabra el acusado puede introducir algún hecho esencial nuevo (v. gr., «confesar» otro delito, o dar una versión distinta que altera sustancialmente los hechos criminales imputados), habría parecido más lógico que la tesis de desvinculación fuera el último acto posible antes de la sentencia.

B) Presupuestos

Los presupuestos fijados en el art. 733 LECRIM para que pueda utilizarse la tesis de desvinculación son los dos siguientes:

1.°) Que se trate de procesos incoados por delito público o semipúblico, ya que el art. 733, III excluye a los procesos por delito privado.

La razón por la que en los delitos privados no se puede utilizar la tesis es, posiblemente, porque en éstos la parte acusadora sí dispone de la acción penal.

2.º) Que a la vista de la prueba practicada, el hecho criminal haya sido calificado con manifiesto error, por una de estas dos razones: a) Por no haberlo incluido en determinado tipo del CP; o b) Porque no se haya apreciado la concurrencia de una eximente.

Este presupuesto tiene un alcance muy concreto, aunque avanzamos que el error por no apreciación de eximente carece de relevancia hoy. Dicho requisito significa:

a) Que todos los demás errores de la calificación que no alteren ni agraven el título de acusación, puede subsanarlos directamente el órgano jurisdiccional en la sentencia, sin utilizar la tesis de desvinculación y sin incurrir en incongruencia.

b) Por la misma razón, conforme a la jurisprudencia citada antes y a las razones indicadas, el órgano jurisdiccional debe utilizar la tesis cuando aprecie la concurrencia de una circunstancia agravante, no pudiendo tenerla en cuenta en caso de no ser asumida por la acusación. Se puede afirmar que, en este punto, la CE ha derogado tácitamente el art. 733, III LECRIM (v. S TS 21 de abril de 1987, RA 2586).

c) Que la cantidad de pena carece de relevancia si la tesis del órgano jurisdiccional es asumida por la acusación, y

d) Que en lo relativo a la pretensión civil el tribunal no puede decir absolutamente nada si se ha calificado con manifiesto error, porque se trata de un proceso civil, y, por tanto, rigen los principios propios de este proceso (oportunidad, dispositivo, aportación de parte y congruencia). Con otras palabras, el tribunal en la sentencia no puede conceder más de lo pedido (v. S TS 24 de marzo de 1984, RA 1857).

C) Efectos

Los efectos de la utilización de la tesis afectan al propio procedimiento y a la sentencia:

1.º) Procedimentalmente, puede producirse una paralización por suspensión de la vista, en el caso de que las partes pidan el aplazamiento de 24 horas previsto en los arts. 733, IV y 788.4 LECRIM, con el fin de estudiar la propuesta del tribunal.

La LECRIM garantiza así escrupulosamente el principio de contradicción, puesto que se somete a debate y estudio una cuestión que puede tener influencia decisiva en el fallo.

2.º) En cuanto a la sentencia, el planteamiento de la tesis permite al órgano jurisdiccional, si es aceptada y, por tanto, sostenida por la acusación, condenar por el título más grave por él sometido a debate (en el ejemplo puesto, por asesinato). La sentencia no por ello dejará de ser congruente.

Prueba evidente de este efecto es que el art. 851-4.° LECRIM concede recurso de casación por quebrantamiento de forma «cuando se pene un delito más grave que el que haya sido objeto de la acusación, si el tribunal no hubiere procedido previamente como determina el artículo 733» Es decir, no hay recurso cuando se pena por delito más grave utilizándose previamente y aceptándose por la acusación la tesis de desvinculación.

Antes apuntada esta cuestión, el propio art. 851-4°, en relación con el art. 733 LECRIM, hace inútil el planteamiento de la tesis cuando el tribunal considere que debe absolver por apreciar una eximente no alegada por la acusación, ya que la tutela jurídica en casación únicamente se da en caso de condena por delito más grave sin haber hecho uso de la tesis. En consecuencia, si el tribunal absuelve por apreciar una eximente, sin desvincularse previamente, la sentencia es formalmente válida y congruente. Hay que llegar a la conclusión, pues, de que el legislador ha cometido un olvido o error, aunque quede confirmado el principio «el tribunal puede absolver siempre».

D) Particularidades en los demás procesos

La introducción en 1988 del proceso abreviado no resolvió de manera clara, ante la falta de norma correlativa al art. 733 LECRIM, si en él era posible también la utilización de la tesis de desvinculación por el órgano jurisdiccional ante una calificación errónea de la acusación, pero en esencia la doctrina entendió que la respuesta debía ser afirmativa, porque negar esta posibilidad habría sido tanto como afirmar que en este proceso no rigen ni el principio acusatorio, ni la cosa juzgada material, ni el principio de contradicción, ni el principio «iura novit curia», en la misma medida que en el proceso por delitos más graves, lo cual es absurdo. Como también lo habría sido afirmar que en el proceso abreviado se permite la impunidad parcial, que se trata de evitar precisamente utilizando la tesis de desvinculación.

La reforma de 2002 confirmó estas opiniones, ampliándolas a los demás procesos ordinarios (primero al juicio de faltas, y luego a su sustituto el juicio sobre delitos leves) y especiales (básicamente el previsto para el enjuiciamiento rápido de determinados delitos y el que tiene lugar ante el Tribunal del Jurado).

De entrada diremos que el legislador pretendió y sigue pretendiendo mejorar técnicamente el art. 733, intentando aclarar las dudas que más de cien años de práctica han puesto de relieve, incorporando los avances de la jurisprudencia. Y ha querido efectuar la correspondiente reforma estableciendo tres normas distintas que, aun afectando a otras materias, tienen relación con la tesis de desvinculación. Así:

1.°) Ante la calificación definitiva del Fiscal o de los demás acusadores, el órgano jurisdiccional puede requerirles para que aclaren hechos concretos de la prueba, o la valoración jurídica de los hechos efectuada, sometiéndoles a debate una o varias preguntas sobre puntos determinados (art. 788.3, II LECRIM).

Qué duda cabe que ese requerimiento puede consistir precisamente en el sometimiento por parte del órgano jurisdiccional de su tesis desvinculadora. De hecho, la Circular 1/1989 FGE dijo que la facultad contenida en esta norma ha venido a sustituir a la del art. 733.

2.º) Bien por propia iniciativa de la acusación, bien ante las aclaraciones solicitadas por el órgano jurisdiccional conforme a lo indicado en el punto anterior, si se cambian las calificaciones definitivas respecto a las provisionales, o, y esto es lo importante, respecto a las que se consideraban definitivas pero antes de la aclaración, en el sentido de modificar la tipificación penal de los hechos, o apreciación de un mayor grado de participación o de ejecución o circunstancias de agravación de la pena, en garantía del principio de contradicción, el juez puede considerar un aplazamiento del debate para que la defensa pueda prepararse ante el cambio producido, formulando alegaciones y aportando los elementos probatorios de descargo que estime convenientes (art. 788.4 LECRIM).

3.º) Una vez sometidas a debate las nuevas cuestiones, y en todo caso si no ha habido ningún cambio, la sentencia, manteniendo el título de acusación, bien el propuesto por el órgano jurisdiccional que haya sido asumido por la acusación, bien el propuesto por la acusación que ha rechazado el planteado por el órgano jurisdiccional, no puede imponer pena que exceda de la más grave de las acusaciones (art. 789.3, primer inciso, LECRIM), porque ahora no hay posibilidad alguna de derogar el principio de correlación entre la acusación y la sentencia y, por tanto, se confirma la vigencia del principio acusatorio. Absolver puede siempre el órgano jurisdiccional.

Antes de la reforma de 2002 había que observar, en relación con la jurisprudencia más moderna y su nuevo entendimiento del principio de la correlación entre la acusación y sentencia a la luz de los principios acusatorios y de defensa, que si no se había utilizado la tesis, se confirmaba la tradición jurídica de nuestro sistema criminal, quedando vinculado el órgano por el título de acusación y pena solicitada; pero si se había utilizado, el tribunal sólo podía condenar por título más grave en caso de que hubiera sido aceptada y asumida por la acusación, aunque sin exceder de la pena que en concreto hubiera sido solicitada por ella o, en caso de que ésta no la hubiera asumido, de la que hubiera pedido en concreto. Ahora el art. 789.3 recoge esta jurisprudencia expresamente, permitiendo la condena más grave si alguna de las acusaciones ha asumido «el planteamiento previamente expuesto por el Juez o Tribunal dentro del trámite previsto en el párrafo segundo del artículo 788.3».

La aplicación de estos preceptos en el proceso penal especial para el enjuiciamiento rápido de determinados delitos es indudable, por mor del art. 802, para los juicios por delitos leves igualmente por el art. 969.1 LECRIM y, en cuanto al proceso penal especial ante el Tribunal del Jurado también, porque la referencia del art. 48.2 LJ al art. 793.6 y 7 LECRIM, debe entenderse hoy hecha al art. 788.3 y 4, sin perjuicio de la aplicación supletoria del art. 789.3 por el art. 24.2 LJ.

LECTURAS RECOMENDADAS: BARONA VILAR, *La conformidad en el proceso penal,* Valencia, 1994; Idem *Seguridad, celeridad y justicia penal,* Valencia, 2004; DÍAZ PITA, *Conformidad, reconocimiento de hechos y pluralidad de imputados en el procedimiento abreviado*, Valencia 2006; GONZÁLEZ NAVARRO, *Acusación y defensa en el proceso penal*, Barcelona 2004; GUERRERO PALMARES, *El principio acusatorio,* Cizur Menor 2005; PLANCHADELL GARGALLO, *El derecho fundamental a ser informado de la acusación,* Valencia, 1999.

CAPÍTULO II
LA PRUEBA

Lección Décimo quinta
La prueba (I)

I. CONCEPTO Y OBJETO

Actividad probatoria =acto de parte, esencialmente acusadora

Cabe también práctica de medios de prueba de oficio

Objeto de la prueba: hechos imputados o que afecten a la responsabilidad, culpabilidad, participación etc; y también máximas de experiencia

II. ELEMENTOS TÍPICOS DE LA PRUEBA PENAL

A) La presunción de inocencia: garantía procesal sobre culpabilidad-inocencia y máxima procesal que determina contenido de la sentencia: absolución si no se prueba la culpabilidad
   - a) Prueba con todas las garantías y practicada en juicio oral
   - b) Existencia de prueba de cargo: incriminatoria
   - c) Prueba suficiente: idoneidad

B) Carga de la prueba: sobre quién recaer las consecuencias negativas de la insuficiencia probatoria. Valor de la duda y del in dubio pro reo

C) Valoración libre o «en conciencia»de la prueba=apreciación lógica de prueba

III. PROCEDIMIENTO PROBATORIO

A) Proposición

B) Admisión

C) Práctica

IV. PRUEBA CON VIOLACIÓN DE DERECHOS FUNDAMENTALES

A) Derechos que se protegen: derechos y libertades fundamentales reconocidos constitucionalmente

B) Ineficacia: consecuencia procesal de ilicitud en la obtención de la prueba

I. CONCEPTO Y OBJETO

La prueba puede definirse como la actividad procesal, de las partes (de demostración) y del juez (de verificación), por la que se pretende lograr el convencimiento psicológico del juzgador acerca de la verdad de los datos allegados al proceso.

En la configuración de la prueba deben deslindarse los elementos subjetivos que pueden intervenir en la actividad probatoria y los que delimitan objetivamente la misma.

1.º) La actividad probatoria es fundamentalmente un acto de parte, en concreto de parte acusadora, salvo aquellos supuestos de aportación fáctica de los acusados que requiere prueba por éstos. Como regla general, por tanto, el acusado no necesita probar nada, de manera que la falta de prueba de los hechos y de la responsabilidad imputada por la acusación comporta una sentencia absolutoria, ante la imposibilidad de declaración de culpabilidad del acusado, funcionando en este caso el principio de presunción de inocencia.

2.º) La anterior manifestación no supone imposibilitar la prueba de oficio. Si bien el órgano jurisdiccional que ha de dictar sentencia no puede convertirse en investigador, incorporando el resultado de sus investigaciones —hechos distintos de los que son objeto de la acusación— al proceso, esto no es incompatible con la posibilidad de que el juzgador acuerde de oficio la práctica de medios concretos de prueba (art. 729.1 y 2; art. 726 LECRIM, etc.).

Si los datos sobre los que versa la prueba penal han sido aportados al proceso y el juez ha tenido conocimiento de los mismos, y siendo que del mismo proceso pueden surgir fuentes de prueba que se hallen directa o indirectamente relacionadas con estos datos, no existe impedimento legal alguno a la utilización por el juzgador de los medios de prueba pertinentes para otorgar eficacia procesal a las fuentes. No se trata con ello de introducir de oficio hechos nuevos, dado que si así se pretendiere, debería suspenderse el juicio oral y abrir una sumaria instrucción complementaria (art. 746.6.ª y 749.2.º), sino de alcanzar la verdad de los datos incorporados por los acusadores.

Desde el punto de vista del *objeto* de la prueba, éste viene referido a las realidades que, en general, pueden ser probadas en el proceso penal, realidades fundamentalmente fácticas. En el proceso penal lo que pueden probarse son:

1.º) Los hechos entendidos como acontecimientos de la vida individual y colectiva. Estos hechos son fundamentalmente y en primer lugar, aunque no sólo, los que constituyen el objeto del proceso: los hechos imputados, delimitados por los acusadores en sus calificaciones provisionales (art. 649.1.º y 4.º), si bien en algunos supuestos, como en el procedimiento abreviado se permiten cambios respecto de la tipificación penal de los hechos o por apreciación de mayor grado de participación o de ejecución o circunstancias de agravación de la pena, concediéndose hasta diez días de aplazamiento de la sesión para aportar elementos probatorios y de descargo que estime convenientes la defensa (art. 788.4°). En segundo lugar, también puede ser objeto de prueba cualquier otro hecho expuesto en las calificaciones (art. 729.2°) referente al grado de participación, a la culpabilidad, a la responsabilidad en cuanto van a incluir en los elementos de la antijuricidad, tipicidad, culpabilidad y pena.

En todo caso, frecuentemente la comprobación directa de cualquiera de los hechos objeto de prueba al amparo del art. 729.2ª no es posible, debiéndose acudir a otras diversas circunstancias fácticas que indirectamente van a servir para determinar la existencia o inexistencia del hecho fundamental. De ahí que se hable de la prueba directa o de la prueba indirecta y en esta segunda modalidad que se haga referencia a las presunciones y su valor como método de prueba en el proceso penal.

> La comprobación directa del hecho criminal imputado podría alcanzarse en el supuesto de la prueba testifical de quienes presenciaron el homicidio. La comprobación indirecta implicaría alcanzar la certeza de qué hacía el investigado y con quién se encontraba en el momento de cometerse el homicidio, a qué hora del día, de qué color era la camisa que llevaba puesta, si llovía, etc.; todos ellos pueden ser datos que indirectamente determinen la participación del investigado en la comisión del hecho e incluso la posible concurrencia de circunstancias que pudieran determinar la irresponsabilidad del mismo o que, en su caso, la atenuaran o agravaran.

Los hechos que se refieren al sujeto pasivo (edad, cicatriz, pelo largo o corto, color ojos, complexión física, cojera, trastornos psicológicos o fobias (xenofobia, agarafobia, misoginia...) son hechos referidos a las circunstancias personales o a problemas psicológicos que pueden ser objeto de prueba, pero no es prueba el sujeto.

Son hechos los que constituyen el objeto de la prueba, pero son alegados por sujetos, en los que concurren enormes dosis de subjetividad en la narración fáctica, por lo que puede esa dosis de subjetividad ser tratada en la prueba a través de «prueba complementaria» o «prueba sobre prueba» o a través de las máximas de la experiencia.

2.°) Así, también en un proceso penal las máximas de la experiencia pueden ser objeto de la prueba, siempre naturalmente que sean pertinentes en relación con la materia del proceso y relevantes en la posible decisión judicial. Son máximas de la experiencia, por ejemplo, los efectos de la fuerza de la gravedad, la natural influencia de la relación de amistad en la posible sinceridad o falsedad del testimonio del testigo, etc.

Si el objeto de la prueba responde a la cuestión de qué puede probarse en sentido abstracto y general, cuando se habla de *tema* de la prueba se está haciendo referencia a qué debe probarse en un proceso determinado y concreto, cuestión ésta que no puede abordarse sino desde el prisma de la singularidad de cada caso.

Prima facie no se exige la prueba de la norma jurídica en el proceso penal. Si llegara a convertirse en necesaria la prueba de la norma jurídica extranjera, no se probaría en fase de juicio oral, sino en fase instrucción o como cuestión previa o artículo previo pronunciamiento.

II. ELEMENTOS TÍPICOS DE LA PRUEBA PENAL

La estructura de los principios del proceso penal y sus diferencias con un proceso dispositivo se extienden también al ámbito probatorio, de manera que para establecer los elementos típicos de la prueba en el proceso penal deben tenerse en cuenta: 1º) La presunción de inocencia, principio conformador de todo el proceso; 2º) La no obligación de declarar; 3º) La posible práctica de prueba de oficio, ya expuesta; y 4º) Valoración libre de la prueba.

A) La presunción de inocencia

La afirmación de que toda persona acusada de un delito tiene derecho a que se presuma su inocencia mientras no se pruebe su culpabilidad en un proceso se consagra en el art. 24.2 CE, así como en los convenios internacionales de derechos humanos (art. 11.1 DUDH de 1948, art. 6.2 CEDH y LF de 1950, art. 14.2 PIDCP de 1966), y en la Directiva UE 2016/343, por lo que se refuerzan determinados aspectos de la presunción de inocencia y el derecho a estar presente en el propio juicio en los procesos penales.

Si bien la intención del legislador constituyente parecía ser la de referir el art. 24.2 CE al proceso penal, el TC, sin embargo, ha ido atribuyendo aplicación del mismo a otros órdenes jurisdiccionales, fundamentalmente y en lo que a la presunción de inocencia se refiere, rige en aquellos supuestos en que la resolución comporte resultado sancionatorio o limitativo de derechos.

El juzgador debe alcanzar la certeza de la culpabilidad del acusado para dictar sentencia condenatoria, y esa certeza debe ser resultado de las pruebas practicadas. La falta de pruebas o la insuficiencia de las mismas conlleva la absolución del acusado, siendo el principio de presunción de inocencia el que condiciona este resultado desde el punto de vista constitucional, de manera que se trata de un verdadero principio del proceso penal, cuyos elementos definidores son:

a) Se trata de una garantía procesal que produce efectos en la culpabilidad-inocencia del acusado, sin repercusión sobre la calificación de los hechos o sobre la responsabilidad penal del acusado y vinculada estrechamente al derecho a guardar silencio y al derecho a no autoinculparse (Directiva UE 2016/343).

b) Si bien entendida como máxima procesal, determina el contenido del pronunciamiento de la sentencia, condicionando la absolución cuando no ha quedado demostrada la culpabilidad del acusado.

c) Pese a su denominación por la jurisprudencia como «presunción» *iuris tantum*, «verdad interina de inculpabilidad», se trata de una manera poco adecuada de afirmar que el acusado es inocente mientras no se demuestre lo contrario.

> La presunción exige un hecho base o indicio, del que se desprende la existencia del segundo, el hecho presumido, con el nexo lógico entre ellos que es la presunción, operación que consiste en entender existente el hecho presumido por la existencia y prueba del hecho base o indicio.

El efecto de este principio es la innecesariedad de prueba por el acusado. Corresponde a los acusadores la prueba de cargo, de manera que la falta o insuficiencia de prueba conduce a la absolución, repercutiendo en la carga de la prueba, sin perjuicio de que, liberar al acusado de la necesidad de prueba, no le impide la misma.

Para que el efecto de la presunción de inocencia pueda quedar desvirtuado es necesario: 1) Que exista actividad probatoria, de acuerdo con todas las garantías; 2) Que esa actividad tenga la consideración de prueba de cargo; 3) Que la prueba de cargo pueda considerarse como suficiente para fundamentar un pronunciamiento de condena.

a) Prueba con todas las garantías

La presunción de inocencia requiere para ser enervada que un tribunal independiente, imparcial y preestablecido por la ley declare la culpabilidad del acusado sobre la base de la actividad probatoria, que deduzca la participación inequívoca del encausado en los hechos, tras un proceso celebrado con todas las garantías (inmediación, contradicción, publicidad y oralidad esencialmente). La regla general es que se entiende como prueba, en la que el juez pueda fundar su convicción acerca de los hechos, la practicada en la fase de juicio oral. El marco constitucional que da cobertura a la actividad probatoria se integra, por un lado, por los principios procesales constitucionalizados y, por otro, por los límites más concretos que afectan a determinados medios de prueba en cuanto pueden existir violaciones de derechos fundamentales del investigado.

b) Existencia de prueba de cargo

Para que sea posible la condena no basta con la mera existencia de prueba, sino que se precisa que ésta sea de cargo. Ello significa 1) Que la prueba debe tener un contenido objetivamente incriminatorio, es decir, de su interpretación, que no valoración, resulte su culpabilidad, derivada de la comprobación de los hechos subsumidos en el supuesto normativo delictivo, así como de la certeza de la participación del encausado en los mismos; y 2) Que dicho resultado responda a la verdad, referido este aspecto a la valoración de la prueba.

c) Prueba suficiente

La suficiencia no se refiere a la cantidad de pruebas incriminatorias, sino a la entidad y cualidad que deben revestir los medios de prueba que se practiquen, lo que conecta con el requisito de la idoneidad de la prueba de cargo para fundamentar la incriminación del inculpado. Es por ello necesario configurar qué se entiende, como señala la jurisprudencia del TS y del TC, como «mínima actividad probatoria» o prueba suficiente, a los efectos de desvirtuar la presunción de inocencia del encausado. Así:

1.º) Prueba en la fase de juicio oral

Con carácter general, debe entenderse como prueba suficiente e idónea para desvirtuar la presunción de inocencia la practicada en el juicio oral (art. 741), celebrado con todas las garantías constitucionales y legales previstas en el ordenamiento jurídico —contradicción, oralidad, inmediación y publicidad— y con el debido respeto a los derechos fundamentales del acusado a no declarar contra sí mismo y a no confesarse culpable (art. 24.2 CE), alcanzándose la convicción del tribunal sobre los hechos por el contacto directo con los medios aportados al debate contradictorio.

La *contradicción*, o audiencia, supone que el acusado debe estar presente y participar en toda la actividad probatoria, evitándose en todo caso la indefensión, y comporta el derecho de defensa, con la obligada intervención del abogado en las actuaciones probatorias, de manera que en aquellos supuestos excepcionales en que se permite el desarrollo del proceso en ausencia del acusado, arts. 786 y 970 y 971, la presencia de su abogado es una exigencia.

La participación del acusado en la práctica de la prueba ha llevado incluso a que el art. 14.3 PIDCP y el art. 6.3 d) CEDH exijan que toda persona acusada de un delito tenga derecho a interrogar o hacer interrogar a los testigos de cargo y obtener la comparecencia de los testigos de descargo, siendo éstos interrogados en las mismas condiciones que los anteriores. Al sistema de interrogatorio cruzado por las partes se refiere el art. 708 LECRIM, y también en relación con la prueba pericial es significativo el art. 724, en el que se establece que los peritos respondan a las preguntas y repreguntas que las partes les dirijan. La ausencia del investigado en la prueba, salvo los supuestos excepcionales previstos, comporta la nulidad de la actividad probatoria.

La *oralidad* y la *inmediación* en la prueba quedan limitados en algunos supuestos (art. 726, en relación con las piezas de convicción), teniendo conocimiento el juzgador de determinadas actuaciones a través de la documentación llevada al proceso en los supuestos de actos irrepetibles. En algunos casos, como recogida de piezas de convicción descritas en diligencia (art. 334) se ordena al tribunal que las examine de forma directa, sin que pueda sustituirse esta actividad por la lectura de la diligencia sumarial, salvo supuestos de destrucción de alguna de aquéllas o cuando se trata de productos perecederos (art. 338). También la inmediación se verá afectada por los supuestos de prueba anticipada (arts. 718, 727, entre otros).

La posibilidad de que se intervenga a través de videoconferencia u otro sistema similar que permita la comunicación bidireccional y simultánea de la imagen y el sonido no afecta a la exigencia de la contradicción ni a la exigencia de la oralidad e inmediación, y puede ser acordada por razones de seguridad, utilidad u orden público por el tribunal, de oficio o a instancia de parte (art. 731 bis LECRIM, así como el art. 325).

La *publicidad*, manifestación del art. 24.2 y del art. 120.1 CE, se limita cuando bien todo o bien parte del proceso debe realizarse a puerta cerrada (sin audiencia pública), en interés de la seguridad, del orden público o por necesidades de justicia o protección de derechos y libertades; e incluso queda afectada cuando se practica determinada actividad probatoria fuera del local del juicio. La manera de paliar la exigencia constitucional de la misma podría ser la lectura del acta de inspección ocular o del acta de declaración testifical que se hubiere practicado en estos términos.

La exigencia de práctica de la prueba en el juicio oral tiene sus excepciones, tanto cuando se pueda proceder a anticipar la prueba, con las mismas garantías legales y constitucionales que la prueba en el juicio oral e igualmente cuando se concede valor probatorio a las diligencias de investigación.

2.º) *Las diligencias de investigación*

La práctica de las diligencias de investigación no nace con vocación probatoria. Su función es averiguar e investigar hechos para, en su caso, permitir fundamentar una acusación por la comisión de los hechos delictivos. No obstante, estas diligencias pueden alcanzar valor probatorio en determinados supuestos, convirtiéndose en prueba preconstituida.

La falta de claridad legal y el dispar tratamiento del posible valor probatorio que puede atribuirse a estas actuaciones, atendiendo a la calidad del acto y, sobre todo, al procedimiento de que se trate, ha provocado un gran número de pronunciamientos tanto del TC como de TS, al resolver los recursos planteados por vulneración de la presunción de inocencia.

a) Como *principio general*, las diligencias de investigación no sirven para fundamentar la convicción del juez sobre la culpabilidad del acusado; no son prueba. Ello no implica que no puedan convertirse en prueba, sino que el resultado de las mismas no es por naturaleza probatorio. Su conversión en verdadera prueba se da cuando se reproducen en el juicio oral, con garantías. Incluso es posible que la práctica de unas diligencias como la detención y apertura de correspondencia escrita y telegráfica practicada en el marco de la investigación de un proceso pueda arrojar un resultado que sea utilizado como medio de prueba no solo en ese proceso, sino en otro proceso penal (los denominados descubrimientos casuales que darían lugar a otro proceso y en el que podrían adquirir valor probatorio en el juicio oral del segundo, tal como se desprende del art. 579 bis).

Aun cuando el tratamiento de los «hallazgos casuales» se regula en el art. 579 bis y en relación a la medida de detención y apertura de correspondencia, debe entenderse que esta previsión, siempre que se dicte un nuevo auto que convalide la situación, será de aplicación a las restantes medidas de investigación tecnológica, dada la naturaleza del precepto citado.

El TC ha conformado los requisitos requeridos para que estas actuaciones puedan alcanzar valor probatorio:

1) Debe tratarse, en principio, de actuaciones no reproducibles en el juicio oral, dado que de otro lado perderían su razón de ser como actos de investigación, pasando a convertirse en medios de prueba; o de aquéllas declaraciones que según art. 448 se reciban en la fase de investigación a las víctimas menores de edad y a las víctimas con discapacidad.

2) Intervenidas por la autoridad judicial, garantía para las partes y para el sistema;

3) Con garantía de contradicción, guía fundamental en la atribución del valor probatorio;

4) Repetidas en el juicio oral mediante la lectura efectiva de los documentos que acreditan su contenido. Pueden plantearse, sin embargo, dos situaciones diferentes: 1) Imposibilidad de reproducción; y 2) Reproducidas en el juicio oral, existan contradicciones entre las diligencias de investigación y los actos de prueba practicados en el juicio oral.

b) En los supuestos de *imposibilidad de reproducción de las diligencias* practicadas en el sumario es posible su lectura, al amparo del art. 730 LECRIM. Esta imposibilidad puede ser de dos tipos:

1) Previsible, en cuyo caso, para la pretendida eficacia probatoria, la práctica de la diligencia debe realizarse con contradicción (ejemplo lo hallaríamos en el análisis con destrucción posterior); e

2) Imprevisible (muerte de un testigo), en cuyo caso debe atribuírsele eficacia probatoria, aún sin contradicción, siempre que sea solicitada la lectura de la diligencia por alguna de las partes, si bien el art. 729.2 ampara la decisión de la lectura de oficio.

Por su parte, el atestado policial no constituye prueba en sí mismo, sino que tiene valor de denuncia (art. 297). Para que puedan tener valor probatorio deberán reproducirse en el juicio oral con contradicción y debate de las partes y con presencia de los agentes policiales, como sucede con informes o dictámenes prestados por gabinetes policiales. No se exige esta reproducción en los juicios rápidos, al considerar que es improcedente cuando hubieren intervenido en el atestado y su declaración está en éste, salvo que por resolución motivada se considere imprescindible su nueva declaración (art. 797,8ª); y en el mismo sentido habrá que considerarlo en los procesos por aceptación de decreto, que precisamente se basan probatoriamente en los medios de prueba pre constituidos, dada la naturaleza del proceso y de los hechos que se imputan a través del mismo. Debe tenerse en cuenta, por ello, con carácter general:

1.º) Si se trata de actuaciones irrepetibles (test de alcoholemia), la jurisprudencia viene exigiendo que los agentes de la policía presten declaración en el juicio oral, con las garantías del procedimiento probatorio, en cuanto las declaraciones testificales se refieran a hechos de conocimiento propio.

2.º) Para los supuestos de imposibilidad de practicar actividad probatoria inmediata se considera la intervención del agente policial como testigo de referencia, en los supuestos en que su declaración versa sobre manifestaciones o actuaciones participadas por otras personas a los citados funcionarios (como sucede con el atestado en el supuesto de accidente de circulación).

No existe norma que regule específicamente el posible valor probatorio de ciertos informes periciales que proceden de organismos oficiales, (médicos forenses, gabinetes policiales especializados, de los órganos dependientes del Ministerio del Interior) emitidos durante la investigación, por ejemplo para acreditar un resultado positivo en un análisis de sustancia estupefaciente o psicotrópica en una causa por delito contra la salud pública. La ausencia de norma permite la doble interpretación: con valor probatorio —que no es acertado si se integra en la solución legal de las diligencias investigadoras— o con valor probatorio si pueden reproducirse, estableciendo con ello una condición, máxime si se considera el tratamiento otorgado a diligencias de investigación de otros funcionarios.

c) Por último, si son diligencias repetibles en el juicio oral, deberá considerarse:

1.º) Que su repetición implica otorgar a la misma eficacia probatoria.

2.º) Que en caso de contradicción entre las diligencias de investigación y los actos de prueba, inclusive tras el oportuno debate en el juicio oral, pueden valorarse como prueba las diligencias de investigación a los efectos de enervar la presunción de inocencia. Aun cuando el art. 714 LECRIM así lo considera respecto de la declaración testifical, la jurisprudencia ha hecho extensiva esta doctrina a otras como la declaración del encausado o declaraciones de culpabilidad de los investigados, a los informes periciales, pudiendo el tribunal, en los supuestos de contradicción, otorgar mayor credibilidad a las prestadas en la fase de investigación que a las que se vierten, de forma rectificada, en el juicio oral.

La cuestión, sin embargo, no queda resuelta en aquellos supuestos en que la declaración del testigo o del coimputado en la fase de instrucción es la única prueba de cargo, repetida y rectificada en el juicio oral. Debe negársele eficacia probatoria que permita fundamentar una decisión de culpabilidad, dado que, como se ha sostenido por el TC es una prueba «sospechosa» al no tener obligación de decir verdad.

3º) La importancia de garantizar la conservación de los resultados alcanzados por las diligencias de investigación exige que se habiliten medios para preservar bien bajo custodia de dependencias judiciales o bien para evitar la alteración o contaminación efectuada en la cadena de manipulación por los técnicos o peritos que puedan intervenir, lleva a que se incorpore el artículo 588 octies LECRIM referido a la conservación de datos exigida a cualquier persona física o jurídica, quedando responsable de colaboración y de guardar secreto del desarrollo de la diligencia.

B) Carga de la prueba

Desde el punto de vista de un proceso oportuno, dispositivo, en el que rige la aportación de parte, es perfectamente asumible la configuración formal de que la carga de la prueba recae, como regla general, sobre el que alega, de manera que si la parte no prueba lo que en el reparto le corresponde, ha de asumir las consecuencias desfavorables que la falta de prueba comporta.

Por su parte, en el proceso penal no es posible hablar de la carga de prueba en sentido de reparto de papeles probatorios entre las partes, lo que no es óbice a asumir un cierto reparto de la carga probatoria cuando la defensa alega hechos impeditivos o extintivos. Así, la prueba del hecho criminal imputado y de la participación en él del acusado es carga probatoria de los acusadores, y los hechos o extremos que eliminen la antijuridicidad, la culpabilidad o cualquier otro elemento excluyente de la responsabilidad por los hechos típicos que se probaren como por él cometidos corresponden al encausado produciéndose el desplazamiento del «bonus probandi», esto es, la carga de la prueba sobre los hechos constitutivos de la acusación penal, sin que sea exigible a la defensa prueba diabólica de los hechos constitutivos.

Sin embargo, la carga de la prueba comporta una segunda manifestación, consistente en determinar sobre quienes deben recaer las consecuencias negativas de la insuficiencia de la prueba. Cuestión ésta que no puede responderse como en los procesos dispositivos; de este modo, debe partirse de los siguientes elementos:

1.º) Debe existir certeza de los hechos criminales imputados y de la responsabilidad del acusado en el mismo, para que se dicte una sentencia condenatoria.

2.º) La certeza solo puede alcanzarse mediante medios de prueba suficientes para desvirtuar la presunción de inocencia.

3.º) Probados los anteriores conceptos, para que pudiera dictarse una sentencia absolutoria, sería necesaria la prueba de los hechos impeditivos o extintivos (por ejemplo la concurrencia de legítima defensa, enajenación mental, indulto, amnistía) por la defensa.

4.º) En todo caso, el problema fundamental que conlleva la necesidad de analizar la carga de la prueba es el de determinar la consecuencia de la «duda», que no supone, en ningún caso, el reparto de las consecuencias negativas entre las partes, sino que debe fijarse sobre quién recaerá la misma.

> No es posible dejar abierta la causa como consecuencia de la falta de prueba o de la prueba insuficiente que pudiera provocar la duda de la culpabilidad o inocencia del encausado. Tan es así que ni es posible dictar una sentencia de absolución en la instancia o meramente procesal (art. 144) ni sobreseer la causa (art. 742), de modo que, llegado el momento de repercutir las consecuencias materiales derivadas de la carga de la prueba en el proceso penal, sólo le queda al juzgado una alternativa: o dictar sentencia condenatoria o dictar sentencia absolutoria. La presencia de la duda sobre la condena llevaría a la segunda opción.

La solución ante la duda se salva mediante la aplicación del principio *in dubio pro reo*, de manera que en la valoración que hace el juez de la prueba este principio comportaría que, en caso de duda, dicta sentencia absolutoria, resolviéndose la duda a favor del encausado.

Durante algún tiempo la jurisprudencia interpretaba que la promulgación de la CE, y con ella el reconocimiento del derecho fundamental a la presunción de inocencia (art. 24.2), suponía la sustitución del principio *in dubio pro reo*. Posteriormente rectificó, manteniendo que ambos tienen repercusiones en la prueba, por cuanto:

a) La presunción de inocencia es derecho fundamental de toda persona a ser considerada inocente mientras no se demuestre lo contrario (necesidad de existencia de actividad probatoria de cargo). Naturalmente, y pese al posible argumento de que aquí se habla de un derecho fundamental y en el principio *in dubio pro reo* se trata de una «regla del juicio», la presunción de inocencia juega asimismo como tal regla procesal, en cuanto su aplicación lleva a la declaración de la inocencia del encausado cuando no exista actividad probatoria y ésta lo sea de cargo (pruebas que fundamenten la culpabilidad del encausado).

b) El principio de *in dubio pro reo* afecta a la valoración de la prueba, en cuanto supone que ha habido prueba, pero no ha sido suficiente para despejar la duda o incerteza del juzgador, en el trámite de valoración de la prueba, acerca de los hechos criminales imputados y de la responsabilidad del acusado.

Derivado de los elementos anteriores, debe tenerse en cuenta que la presunción de inocencia es algo objetivo, mientras que el principio de *in dubio pro reo* es subjetivo, del ánimo del juez. Y estos elementos se manifiestan en el hecho de que en ambos casos la consecuencia en la sentencia será la de que el juzgador deberá absolver si no ha adquirido certeza de los hechos imputados, sea objetivamente por falta de prueba (presunción de inocencia) o sea porque la prueba desde el punto de vista subjetivo del juez no ha destruido la duda de la culpabilidad o inocencia del encausado (*in dubio pro reo*).

c) Finalmente, la presunción de inocencia es controlable mediante el recurso de casación y mediante el amparo constitucional. El principio *in dubio pro reo* (valoración subjetiva que realiza el juez) no es controlable por ninguno de los dos cauces anteriores. En consecuencia erróneo es pensar que por medio del control del derecho a la presunción de inocencia, se abre una vía de fiscalización de la valoración de la prueba.

C) Valoración libre de la prueba

El sistema procesal penal español consagra el sistema de libre valoración de la prueba. El art. 741 LECRIM dispone que «el tribunal, apreciando, según su conciencia, las pruebas practicadas en el juicio»; y el art. 717 hace referencia, si bien referido a la prueba testifical, a las «reglas del criterio racional».

> El origen de este principio «según conciencia» se introduce a través del *Códe d'instruction criminelle* francés de 1808, extendiéndose a los ordenamientos procesales penales inspirados en el sistema napoleónico, produciéndose con ello la sustitución del sistema de valoración legal de la prueba por el de la valoración libre. La razón de ser de este cambio obedecía al deseo de preservar un poder ilimitado del Jurado, a quien la ley solo ordena «interrogarse a sí mismos en el silencio y en el recogimiento, y buscar, en la sinceridad de su conciencia, qué impresión han producido sobre su razón las pruebas aportadas contra el encausado y los medios de su defensa» (art. 342 CIC francés). La legislación revolucionaria

francesa entendía la íntima convicción como declaración de voluntad, que no de razón, y como falta de motivación de la declaración.

Durante muchos años la jurisprudencia del TS español venía amparando en el proceso penal una ilimitada libertad del juez en la decisión sobre los hechos enjuiciados, de manera que, sin justificar qué es lo que influía en su decisión, la culpabilidad del encausado dependía del «convencimiento en conciencia» del juzgador, convirtiéndose esta expresión «según conciencia» en una facultad soberana, libérrima y omnímoda del juzgador en la configuración de su convicción, atendiendo a los dictados de su razón analítica «y a una intención que se presume siempre recta e imparcial». La situación, sin embargo, cambió con la STC 31/1981, de 28 de julio, en la que se pronunció sobre el sentido de la «apreciación en conciencia» por el juzgador, así como sobre las consecuencias derivadas de esta configuración. Así:

a) Toda condena debe venir precedida de una mínima actividad probatoria de cargo, practicada con todas las garantías, lo que obliga a motivar la sentencia con la valoración de la prueba realizada por el tribunal.

b) «En conciencia» no significa, como ha defendido el TS, «criterio personal e íntimo del juzgador», sino que debe comportar una necesaria «apreciación lógica de la prueba, no exenta de pautas o directrices de rango objetivo». Por ello, si en la valoración de la prueba se formula un silogismo en el que la premisa menor es la fuente-medio de prueba, la mayor es una máxima de la experiencia (que en la valoración legal es impuesta por el legislador), y la conclusión es la afirmación por el juzgador de la existencia o inexistencia de los hechos enjuiciados, debe tenerse presente:

1) Que en el sistema de valoración libre las máximas de la experiencia deben determinarse por el juzgador desde parámetros objetivos, no legales; y

2) Que, ante la ausencia de la premisa menor, pruebas válidamente practicadas, la absolución es obligada, aún cuando el juzgador tuviere la convicción de la culpabilidad del encausado.

c) La configuración de este sistema supone una posible fiscalización de la racionalidad y conformidad con las máximas de la experiencia de la valoración de la prueba que realiza el juzgador. Y a ello contribuye la motivación de las sentencias, que cumple dos finalidades complementarias: dar publicidad a las razones del fallo acordado y asumir la posible facultad de fiscalización de esta actividad por medio de los recursos.

La motivación de las sentencias, vinculada directamente con la presunción de inocencia, comporta, por tanto, la necesidad de relacionar los distintos medios de prueba practicados con los hechos considerados como probados en la sentencia, de manera que todo pronunciamiento del juez esté directamente relacionado con el medio de prueba en concreto que se haya practicado. (Véase lección 16ª).

Así, el art. 120.3 CE debe conectarse con el art. 24.2 CE, sobre todo en materia de prueba indiciaria o por presunciones, supuesto en el que debe quedar de manifiesto la correlación y razonabilidad de la inferencia, del nexo causal entre el indicio y el hecho presumido, dado que de lo contrario no existe prueba.

III. PROCEDIMIENTO PROBATORIO

Sin perjuicio de las características específicas que se predican de cada uno de los medios de prueba en cuanto a los trámites procedimentales se refiere, puede estructurarse el procedimiento probatorio en tres fases: la de proposición, la de admisión y la de práctica de los medios de prueba.

A) Proposición

En el proceso penal la existencia de período probatorio no requiere petición alguna de parte, por cuanto es posible también la prueba practicada de oficio.

La única salvedad a la posible práctica de la prueba de oficio sería la del intento del juez de utilizar sus conocimientos privados de los hechos y de las fuentes de prueba, dado que nos hallaríamos ante la utilización de la ciencia privada y con ella ante la fusión de la figura del testigo y la del juez, afectando ello no a la imparcialidad, sino a la incompatibilidad de las funciones que deben ejercer ambos: la de testificar y la de juzgar.

La primera fase del procedimiento probatorio será, por tanto, la de la proposición de los distintos medios de prueba, que se produce con carácter general con la presentación de los escritos de calificación provisional (art. 656, en el proceso ordinario) o de acusación y defensa (arts. 781.1, II y III, y 784.1 y 2, en el abreviado), mientras que en los delitos leves la proposición se efectúa en el mismo trámite del juicio (art. 969).

Esta regla general, sin embargo, no es absoluta, sino que se han establecido diversas excepciones a la misma, diferentes según el procedimiento de que se trate. Así:

a) Tanto en el procedimiento ordinario como en el abreviado el rigor preclusivo de proposición se ve mermado en la práctica de careos, en las pruebas de oficio, e incluso en la admisión de pruebas en el acto del juicio oral ofrecidas por las partes, cuando las considere admisibles el juzgador y siempre que puedan servir a los efectos de acreditar alguna circunstancia influyente en el valor probatorio de la declaración de un testigo (supuestos del art. 729). Excepción también se halla cuando aparecen nuevos hechos o nuevos elementos de prueba que requieren la suspensión de la vista y la apertura de una sumaria instrucción complementaria (art. 746.6). Finalmente, la petición en la vista de la lectura de la documentación de las diligencias de investigación que ampara el art. 730 también comportaría una excepción a la preclusión de la proposición de pruebas.

b) Con carácter específico, en el procedimiento abreviado, es posible, al inicio de la vista, solicitar la práctica de cualquier medio de prueba que se propongan para practicarse en el acto (art. 786.2). Es posible también que se solicite nueva prueba por la defensa en los supuestos de cambio de tipificación penal de los hechos o apreciación de mayor grado de participación o de ejecución de circunstancias de agravación de la pena, en las conclusiones definitivas (art. 788.4).

B) Admisión

Es el acto del juez por el que, previo examen de los requisitos necesarios, determina los medios de prueba que deben practicarse (arts. 658, 659, 785, 800.7 LECRIM y 37.d) LOTJ). Este acto de admisión debe fundarse en la observancia de los requisitos exigidos, bien con carácter específico en relación con cada medio de prueba en concreto o bien aquellos de carácter general. De este modo, en relación con estos últimos:

1°) Sólo podrán admitirse los medios de prueba previstos legalmente;

2°) Sólo deberían admitirse los medios de prueba que comporten licitud en el procedimiento de obtención de las fuentes de prueba, si bien en este momento inicial es prácticamente imposible conocer si la fuente de prueba que pretende introducirse en el proceso a través del medio propuesto se obtuvo o no de forma lícita; y

3°) La admisibilidad se condiciona a los requisitos de pertinencia y utilidad, si bien en algunas ocasiones es difícil apreciar su concurrencia, dado que no está delimitado definitivamente el objeto de lo que se pretende probar.

El auto que resuelve la admisión de pruebas no es susceptible de recurso (art. 659.III); en los supuestos de inadmisión cabe el recurso de casación en el procedimiento ordinario (arts. 659, IV y 850.1), mientras que en el procedimiento abreviado y en el juicio rápido contra los actos de admisión o inadmisión de pruebas no cabe recurso alguno sin perjuicio de que la parte a la que se denegó, pueda reproducir su petición al inicio de las sesiones del juicio oral (art. 785.1, II). Por su parte, en el juicio por Jurado no cabe recurso contra la admisión de pruebas pero si cabe oposición a efectos de ulterior recurso, en el supuesto de denegación (art. 37, d).

C) Práctica

Aun cuando existen reglas específicas en los diferentes medios de prueba, vamos a determinar aquí las normas generales aplicables a la práctica de la misma. Así, en primer lugar, la práctica de la prueba exige el debido respeto a la contradicción, oralidad, inmediación, concentración y publicidad, garantías que presiden el juicio oral. En segundo lugar, debe tenerse en cuenta:

a) La prueba se practica, por regla general, en el local del órgano jurisdiccional. Excepcionalmente en lugar donde deba practicarse la misma (arts. 718, 727, entre otros).

b) El orden en que se practicará la prueba será el de su proposición por las partes en las calificaciones (en primer lugar las del Ministerio Fiscal, posteriormente, las propuestas por los demás acusadores, y, finalmente, las de los encausados, art. 701, IV), si bien cabe la posibilidad de alterar este orden, ya sea a instancia de parte o de oficio, «cuando así lo considere conveniente para el mayor esclarecimiento de los hechos o para el más seguro descubrimiento de la verdad» (art. 701, VI).

c) En cuanto al tiempo, la regla general es que se practiquen en el juicio oral; una de las excepciones a la misma es la *anticipación de la prueba*, que admite la práctica antes del inicio de las sesiones del juicio oral, si bien con todas las garantías.

Los caracteres que significan esta excepción son:

1) El fundamento de la prueba anticipada se halla bien en el temor de imposibilidad de práctica de la misma en el juicio oral o bien en la necesaria suspensión que comportaría (art. 657.III, en el ordinario, y arts. 777.2 y 781.1, III y 784.2, en el abreviado, así como art. 797.2 en juicios rápidos).

2) Debe realizarse ante un órgano jurisdiccional.

3) Pese a la ausencia de norma que establezca la forma procedimental de insertar la documentación de la misma en el juicio oral, debe asumirse que la contradicción, la oralidad y la publicidad exigen su difusión oral a las partes en el juicio.

4) La LECRIM prevé supuestos de práctica anticipada de la prueba testifical (arts. 448 y 449), pericial (467), inspección ocular y cuerpo del delito (arts. 333 y 336).

5) No debe confundirse la prueba anticipada con la pre-constituida, siendo esta última la que viene identificándose con las diligencias de investigación irreproducibles o de muy difícil reproducción en el juicio, a las que nos referimos anteriormente, y que adquieren una importancia mayor en procesos como los juicios rápidos, los delitos leves o el proceso por aceptación de decreto.

IV. PRUEBA OBTENIDA CON VULNERACIÓN DE DERECHOS FUNDAMENTALES

El último elemento que conecta con la presunción de inocencia es la ilicitud de prueba, que afecta directamente a la fuente de prueba.

Cuestión distinta es la ilegalidad del medio de prueba. Podría, por ejemplo, intentarse la práctica de un medio de prueba de manera ilegal cuando se pretendiera que fuera admitida como prueba testifical la declaración de un testigo documentada en un acta notarial, siendo que la misma debe prestarse en el juicio oral y con plena contradicción. Si llegara a admitirse el documento notarial como prueba testifical, se estaría ante una nulidad procesal (arts. 238 y siguientes LOPJ). La ilegalidad se refiere, pues, a los medios de prueba.

La cuestión de la ilicitud de la prueba atiende a cómo se ha obtenido la fuente que pretende aportarse al proceso por alguno de los medios. Si la prueba se ha obtenido de modo ilícito se estará ante la aplicación del art. 11.1 LOPJ, según el cual «no surtirán efecto en juicio las pruebas obtenidas, directa o indirectamente, violentando derechos o libertades fundamentales».

A) Derechos que se protegen

Los derechos a que se refiere el art. 11.1 LOPJ sólo son los derechos y libertades fundamentales así reconocidos constitucionalmente. A las fuentes obtenidas ilícitamente pero que no afectan a estos derechos y libertades fundamentales no puede predicárseles este carácter de ineficaces desde el punto de vista probatorio, lo que no impide la correspondiente responsabilidad del autor de la actividad de obtención.

La STC 114/1984, de 29 de noviembre, si bien referida al proceso laboral (se presentó como fuente de prueba una cinta magnetofónica en la que se grababa de manera oculta una conversación entre dos personas que luego se utilizó como medio de prueba para establecer los hechos que fundamentaban la decisión de despido), fue la que provocó la necesidad de dar cobertura legal a esta situación. En esta sentencia se insistía en dos aspectos: a) La referencia a los derechos fundamentales se entiende a los constitucionalizados en el art. 24.2 CE; y b) Proclamada la situación preferente de los derechos fundamentales en nuestro ordenamiento (art. 10.1 CE), todo acto que comporte violación de los mismos, debe considerarse nulo. Se trataba, en suma, de acoger la teoría anglosajona denominada «fruto del árbol envenenado» (*fruit of the poisonous tree doctrine*), que durante décadas, desde 1920, presidió las decisiones de la jurisprudencia americana, asentada en el postulado fundamental de que es inadmisible todo lo obtenido, directa o indirectamente, mediante procedimientos policiales ilícitos.

Dentro del capítulo de los derechos y libertades fundamentales es posible distinguir entre aquellos que tienen carácter absoluto —derecho a la vida y a la integridad física— y los derechos relativos, de carácter limitativo. Y, a su vez, debe distinguirse entre actividad probatoria por iniciativa unilateral o la que se realiza en el proceso, por decisión judicial. Así:

1.º) Los derechos absolutos no pueden ser limitados ni por los particulares, ni por la policía y ni siquiera por el juez unilateralmente (vida, integridad personal).

Cabe que cuando una injerencia no afecte al núcleo esencial del derecho sea posible una pequeña limitación, pero tan sólo mediante decisión judicial y con el cumplimiento de los requisitos y formalidades legalmente establecidos (análisis de sangre, por ejemplo).

2.º) Los derechos relativos no podrán ser limitados unilateralmente por nadie que no sea el juez, dado que mediante resolución judicial y con el cumplimiento de los requisitos constitucionales y legales es posible llevar a cabo una restricción o limitación de estos derechos para obtener fuentes de prueba. Así, el derecho a la inviolabilidad del domicilio puede limitarse mediante la orden del juez de la entrada y registro en el domicilio; el derecho al secreto de las comunicaciones, por el control judicial de las mismas (correo, teléfono, comunicaciones telemáticas, registros informáticos, grabación de comunicaciones orales, etc.), derecho a la libertad de movimiento o derecho a la intimidad por control del juez (utilización de dispositivos técnicos de seguimiento, localización y captación de la imagen, entre otras). Y puede suceder que de esas limitaciones se deriven informaciones que puedan considerarse tanto como medio de investigación o como medio de prueba en otro proceso penal incluso, tal como se incorpora en el artículo 579 bis LECRIM —al que se remite el art. 588 bis i— (los denominados «*descubrimientos casuales*»).

B) Ineficacia

La consecuencia procesal de la ilicitud en la obtención de la prueba es su ineficacia. En principio esa ineficacia debería producirse con la inadmisión del medio de prueba, si bien las dificultades en este momento son evidentes, ante la ausencia de conocimiento del modo de obtención de las fuentes. Las soluciones dependerán del procedimiento.

En el procedimiento abreviado es posible, al comienzo del juicio oral, abrir un turno de intervenciones para que las partes puedan exponer lo que estimen oportuno, entre otras cosas, acerca de la vulneración de algún derecho fundamental, así como sobre el contenido y la finalidad de las pruebas propuestas (art. 786.2), momento procesal en que puede cuestionarse la licitud en la obtención de la prueba.

En cualquier caso, no habiéndolo planteado anteriormente, el juez, en el momento de dictar sentencia, puede tener por no admitida ni practicada la prueba, sin contradicción previa. Obviamente, existiría la posible contradicción diferida mediante la interposición del recurso contra la decisión judicial. Y todo ello, sin olvidar que el Ministerio Fiscal tiene reconocida legitimación en todo proceso penal para denunciar la vulneración de un derecho fundamental, incluso en caso de absolución injusta, cuando se haya declarado la nulidad de la prueba por ilicitud y no esté de acuerdo.

En el proceso ante el Tribunal del Jurado, en el art. 36.1, b), se regula este trámite de control con recurso de apelación, no pudiendo posteriormente pronunciarse en la sentencia el Magistrado-Presidente. Cabría, en su caso, la declaración de nulidad del juicio oral.

Y, por su parte, en el proceso con implicación de menores, es al Fiscal al que corresponde de oficio proceder por este motivo a impugnar las pruebas, si bien no existe un trámite específico.

Si el momento procesal en que debe hacerse valer esa ineficacia resulta complejo, mayor es la complejidad de la extensión de la ineficacia probatoria de los medios que incorporan al proceso fuentes ilícitamente obtenidas, esto es, cuestiona el posible efecto expansivo o reflejo de las pruebas que se obtienen de manera indirecta de las que se obtuvieron ilícitamente. De este modo, es posible considerar que los efectos de la prueba prohibida pueden extenderse de forma directa —lo que se denomina «efecto directo»—, de modo que sus efectos se circunscribirían a la prueba específica que provocó la violación del derecho, o hacerlo de forma indirecta o con efecto reflejo, en cuyo caso la prohibición se extiende a cuantas pruebas se deriven de la obtenida ilícitamente, extendiendo, por ello, la ineficacia de forma más amplia.

En este punto hemos de considerar que de nuevo la jurisprudencia española se ha visto influenciada por la norteamericana y su evolución en las dos últimas décadas se está exteriorizando en los últimos años en nuestro país. Así, frente a la opinión inicial de que era inadmisible todo lo obtenido, directa o indirectamente, mediante procedimientos policiales ilícitos (la prohibición comprendía también los frutos del árbol envenenado), se ha ido otorgando eficacia a la fuente de prueba —restringiéndose con ello la ilicitud— cuando pueda concurrir alguno de los siguientes criterios:

a) Buena fe o descubrimientos inevitables, entendiéndose por tales los que previsiblemente se habrían descubierto en todo caso, aún sin la fuente obtenida ilícitamente (por ejemplo, la desarticulación de una banda de traficantes de droga, controlada ya por la policía, deteniéndose a los jefes de la misma, siendo que la citada detención se consiguió mediante la información derivada de unas escuchas telefónicas ilícitas);

b) La teoría sobre la fuente independiente (no existe nexo causal); de acuerdo con ella el efecto indirecto de la vulneración no se predica cuando se puede establecer una desconexión causal entre las pruebas ilegítimamente obtenidas y las demás que obran en la misma causa.

c) La teoría del nexo causal atenuado (que existe nexo entre la procedencia de las pruebas, pero la mancha o *Stain* se encuentra atenuada por diferentes razones ya objetivadas por el TS federal); en este supuesto la prueba válida no deriva de «fuente independiente» sino de prueba ilícita, si bien el nexo causal que existe entre ellas está francamente debilitado, de manera que se produce una atenuación de la ilicitud.

d) Posteriormente se produjo el desmantelamiento de la regla de la exclusión, con el caso *Hudson vs Michigan* (2006), donde se afirmaba que la persuasión policial es el único fin protector de la regla de la exclusión y si excluir la prueba no les persuade, no tiene sentido alguno («la exclusión de la prueba es nuestro único recurso, no nuestro primer impulso en estos casos»).

En España se fueron poco a poco incorporando las distintas excepciones que inicialmente surgieron en EEUU, siendo destacables las iniciales como la STS de 4 marzo de 1997 (RA 2215, FM 2), que hacía referencia a la teoría de la fuente independiente; la STS de 26 mayo de 1997, que recogía el supuesto del hallazgo inevitable; y la STS de 21 de enero de 1997 (RA 109), que se refería al nexo causal atenuado, sin olvidar la más significativa por constituir el punto de inflexión en la evolución de la garantía de inadmisión de las pruebas ilícitas, que es la STC 81/98, 2 abril.

Si bien con carácter general nuestra jurisprudencia se vino inclinando por la ineficacia probatoria de los medios de prueba directamente obtenidos de fuentes ilícitas, tanto el TS como el TC han aceptado la extensión de la ineficacia a los datos obtenidos de por ejemplo unas escuchas telefónicas ilegales, si bien la extensión refleja de esa ineficacia —se considera— debe efectuarse también de manera restringida, no olvidando que la consagración de la teoría de los efectos reflejos de la prueba ilícita supone una limitación del derecho fundamental a la prueba consagrado en el art. 24.2 CE. En suma, para determinar si una prueba directa o refleja puede ser constitucionalmente legítima habrá que tener en cuenta, entre otros, la existencia o no de una conexión de antijuridicidad entre la prueba directa y la indirecta u otros elementos como la buena fe concurrente, etc. Con esta teoría de la conexión de antijuridicidad el Tribunal Constitucional se posicionó a favor de las diversas tesis que suavizaban la ineficacia de los actos con vocación probatoria que se hubieren realizado con vulneración de derechos fundamentales, o, en otras palabras, considera que la exclusión de las pruebas ilícitas no es ni tan automática ni debe ser tan absoluta.

Significativa fue la STC 81/1998, que entendía la necesidad de analizar la índole y características de la vulneración del derecho afectado por la prueba originaria, así como su resultado, con el fin de determinar si su inconstitucionalidad se transmite o no a la prueba obtenida por derivación de aquélla; y asimismo considerar las necesidades esenciales de tutela que la realidad y efectividad del derecho exige. Con ello se introduce un criterio generalista, un juicio de ponderación no objetivizado, que crea inseguridad jurídica pues resuelve *ad hoc* caso por caso y hace depender del *resultado* obtenido tras la violación de las garantías procesales exigibles en la restricción de un derecho fundamental, la consideración de otro derecho fundamental, como es el proceso celebrado con todas las garantías, que queda condicionado por el resultado negativo producido por el comportamiento antijurídico de la policía o de los jueces, menguándose, a la postre, el alcance del derecho a un proceso con todas las garantías (STS 1/2006, de 9 de enero).

LECTURAS RECOMENDADAS: Sobre prueba en general, GÓMEZ COLOMER, J. L. (y otros), *Prueba y proceso penal,* 2ª ed., Tirant lo Blanch, 2008; y FERNÁNDEZ LÓPEZ, M., *Prueba y presunción de inocencia,* Iustel, 2005. NIEVA FENOLL, J., *La duda en el proceso penal*, 2013. VVAA, «La prueba», Tomo II. «La prueba en el proceso penal» (Dir. GONZÁLEZ CANO, I.), Valencia, Tirant Tratados, 2017.
Sobre prueba ilícita, MARTÍNEZ GARCÍA, E., *Eficacia de la prueba ilícita en el proceso penal,* Valencia, Tirant lo Blanch, 2003; Idem, *Actos de investigación e ilicitud de la prueba,* Valencia, Tirant lo Blanch, 2009. ARMENTA DEU, T., *La prueba* ilícita, Pons, 2011; PLANCHADELL GARGALLO, A., *La prueba prohibida: evolución jurisprudencial (Comentario a las sentencias que marcan el camino)*, Thomson Reuters-Aranzadi, 2014.

Lección Décimo sexta

La prueba (II)

I. CONSIDERACIONES PREVIAS

a) Fuente de prueba. Existe con independencia del proceso

b) Medio de prueba. Existe en cuanto hay proceso

II. DECLARACIÓN DEL ACUSADO

- Posibles conductas del acusado en la declaración:
  a) Contestación exculpatoria: derecho reconocido en el art. 24.2 CE.
  b) Negativa a contestar a las preguntas formuladas, manifestación del d° a no declarar contra sí mismo (art. 24 CE). Garantía de d° genérico de defensa
  c) Aceptación de responsabilidad: no es conformidad. Es simple admisión de hechos sin consecuencias. Valoración libre por el juez.

Declaración del co-acusado. Prueba constitucionalmente legítima, insuficiente para enervar la presunción de inocencia por sí sola. Requiere concurrencia de elementos para corroborar la veracidad de las declaraciones.

III. PRUEBA DE TESTIGOS

Terceros ajenos al proceso que aportan datos sobre hechos y responsabilidad.

Pueden concurrir circunstancias que eximan de la obligación de declarar/secreto profesional, parentesco...

Cabe testigo-víctima y también testigo-agentes encubiertos.

Valoración especial testigos de referencia (no conocen los hechos directamente)

Régimen de protección de testigos previsto en la LO de 23/12/1994

IV. CAREO

Denominado «cara a cara», es un medio de prueba subsidiario, en contradicción de testigos o encausados

No es recomendable en supuestos de personas vulnerables (menores, personas sometidas a violencia...)

V. PRUEBA PERICIAL

Tercero persona con conocimientos científicos o artísticos.

Puede proponerse ex novo en juicio, puede reiterarse la ya practicada como investigación pericial o puede, cuando no es posible su reproducción en juicio oral, convertirse en «pre-constituida».

Cabe recusar a los peritos ante dudas de fiabilidad

Deberes de comparecer y deber de observar e informar, y derecho a indemnización por el trabajo realizado

Exigencia de decir verdad (con juramento o promesa)

VI. PRUEBA DOCUMENTAL

Piezas de convicción y documentos=objetos inanimados que pudieran servir para representar la realidad de un hecho y se han incorporado a la causa uniéndose materialmente a ella o conservándose a disposición del tribunal.

Definición de art.26 CP.

Valoración libre

VII. PRUEBA DE INSPECCIÓN OCULAR

Excepcional y subsidiaria, debido a la esencia del desarrollo del juicio oral

VIII. INDICIOS

No es un medio de prueba sino un método de prueba.

Proceso lógico entre hecho indiciario y hecho consecuencia.

I. CONSIDERACIONES PREVIAS

El estudio de los medios de prueba en el proceso penal debe efectuarse atendiendo a la diferencia entre las fuentes y los medios de prueba (Sentís Melendo).

La fuente de prueba es un concepto extrajurídico, y viene referido a aquellos elementos —objetos o personas— que existen en la realidad independientemente del proceso. Se considera como el elemento material o sustantivo que ha experimentado una enorme profusión debido a las tecnologías y el desarrollo de la ciencia. Es fuente el testigo y su conocimiento de los hechos; el documento; el análisis de ADN; las palabras, imágenes y sonidos captados mediante instrumentos de filmación, grabación y otros semejantes; la persona que es parte, etc.

El medio de prueba es un concepto jurídico, que solo existe en cuanto se incorpora al proceso. Los medios serán aquellas actividades que será necesario desplegar para incorporar la fuente al proceso, de ahí que exista solo si hay proceso en el que se desarrolle, de acuerdo con las normas establecidas en el mismo. El medio es lo formal, lo procesal. Es medio la testifical; la documental (con sus múltiples variaciones); la pericial, etc., y se convierte en la vía para incorporar las fuentes al proceso.

Si bien en un proceso civil dispositivo no se regula la actividad de búsqueda de fuentes de prueba, en el proceso penal esta actividad sí que se halla regulada, garantizando de este modo la investigación como etapa de obtención de material que permita en su caso la apertura, o no, del juicio oral. Esos materiales serán los que podrán, de acuerdo con lo regulado, convertirse en fuentes de prueba a incorporar al proceso a través de los medios de prueba, que quedan configurados como: declaración del encausado, prueba de testigos, careo, prueba pericial, prueba documental, inspección ocular y los indicios.

II. DECLARACIÓN DEL ACUSADO

Hablar de la declaración del acusado implica hacer referencia a diversas actuaciones en las que éste va a poder intervenir manifestando lo que estime conveniente, aportando datos, defendiéndose, negando los hechos, manteniendo silencio o conformándose, además de poseer el derecho a la última palabra en el juicio.

En unos casos esta declaración es diligencia de investigación, ofreciendo datos directos sobre los hechos y sobre su posible participación en los mismos y, con ello, puede fijar, o no, su responsabilidad. Cuando interviene en el juicio oral su intervención puede alcanzar valor probatorio o bien ser un verdadero medio de defensa (basta para esto último considerar la declaración del acusado en el último momento del proceso, a través del derecho a la última palabra).

La eficacia que alcance una u otra declaración es evidentemente diversa, si bien, aun no regulado como tal en la LECRIM, se ha venido considerando en la doctrina y en la jurisprudencia como medio de prueba, pese a su directa implicación como una vía potencial de obtener la conformidad.

a) Reglas para la declaración del acusado

Abierto el juicio oral se pregunta al acusado —obviamente de forma oral— si se confiesa culpable del delito que se le imputa. Esta actuación no es confesión, sino intento de conformidad, de ahí que se afirme que su intervención en este acto no es medio de prueba, aunque pueda tener eficacia probatoria.

Si no hay conformidad, se inicia el interrogatorio del acusado propiamente dicho, en primer lugar por el Ministerio Fiscal, seguido por las partes acusadoras que pudieren concurrir, la defensa y finalmente el Tribunal, si así lo estima pertinente. Será considerada la primera de las «pruebas» a desarrollar. Su práctica se realizará bajo las condiciones establecidas como diligencia de investigación, destacando especialmente:

1°) Las preguntas serán directas, comenzando en primer lugar con las personales, así como si se declara culpable o no. Se exige rigurosidad en las contestaciones y, en su caso, aclaraciones cuando concurra contradicción con lo declarado en investigación.

2°) Habitualmente el lugar en el que se desarrolla es en la sala de vistas y con su presencia física. Hay determinadas circunstancias, no obstante, que podrían impedir la presencia personal y favorecer, por ello, el empleo de la videoconferencia o sistema electrónico similar, garantizando en todo caso la presencia «virtual» del acusado así como su relación directa con el abogado (entre otros, así lo permite el art. 731 bis por razones de utilidad, seguridad y orden público). No se debe acudir a estos medios por razones económicas o por complejidad de desplazamientos, sino excepcionalmente, lo que exige rigurosidad en su posible empleo, garantizando sus derechos.

3°) Existe polémica en torno al posible empleo de medios científicos para la obtención de la verdad: el polígrafo o «detector de mentiras», o la aplicación de pentotal sódico, privenal, methedrina, etc., denominados como «suero de la verdad».

Su valor científico ha sido muy cuestionado (v. lección 9ª), amén de poder provocar en algunos casos efectos nocivos en la salud física y mental de aquel a quien se le aplica. Su empleo se ha denegado en el sistema español cuando ha sido solicitado por el posible confesante, con base en esa cuestionada falta de rigor científico en los resultados alcanzados, e incluso en posible efecto perverso de deformación de lo realizado respecto de la posible volición inconsciente.

4º) El acusado podrá asumir alguna de estas conductas: contestación exculpatoria de responsabilidad, negativa a contestar, aceptación de los hechos y de los cargos que se le acusan.

b) Conductas del acusado en la declaración

1.- Contestación exculpatoria de responsabilidad

El acusado puede contestar exculpándose, inclusive con afirmaciones que puedan ser contradictorias respecto de las que se sostuvieron en la diligencia de investigación, o falsas también. Es manifestación del derecho recogido en el art. 24.2 CE. Puede desmentir o contradecir lo expuesto en investigación, surgiendo la cuestión del valor que debe otorgarse a lo expuesto en fase de investigación y lo que se manifiesta en el juicio oral.

Aun cuando la convicción judicial debe entenderse alcanzada en el juicio oral por los resultados arrojados de la práctica de la prueba, no comporta necesariamente, como ha señalado la jurisprudencia, que prevalezca la declaración en juicio oral cuando pudieren existir declaraciones contradictorias, dado que las circunstancias concurrentes y la proximidad de los hechos puede llevar a considerar, siempre bajo las garantías exigibles de contradicción en la fase de investigación, una mayor verosimilitud y por ello prevalencia de lo declarado en el momento inicial en el que prestó declaración que en un momento posterior —juicio oral—.

2.- Negativa a contestar a las preguntas que se formulen y derecho a guardar silencio

Son manifestaciones del art. 24.2 CE que permite «no declarar contra sí mismo», así como el derecho a guardar silencio; son garantía del derecho de defensa. E igualmente se halla vinculado a la presunción de inocencia, en cuanto esta negativa no puede servir para fundar la condena.

Ahora bien, existen supuestos en la jurisprudencia en que la negativa a contestar, concurriendo medios de prueba de entidad suficiente para incriminar al acusado, más que ser «neutral», puede favorecer la condena. Dicho de otro modo, considerar que el silencio o la negativa a declarar es elemento suficiente para condenar implicaría vulneración de la presunción de inocencia, pero si existen medios de prueba de cargo no cuestionados ni contradichos por la declaración, el silencio y la negativa a contestar no ayudan sino que permiten confirmar la quiebra de la presunción de inocencia y una condena del mismo.

Tanto en el supuesto de contestación exculpatoria como en el de la negativa a contestar o derecho a guardar silencio, el juicio oral continuará, previa constancia en el acta de esta conducta.

3.- Contestación con aceptación de la culpabilidad

Implica la simple admisión de los hechos, sin que ello derive en la finalización del proceso. El juicio oral continuará con las restantes actuaciones, practicándose los diversos medios de prueba propuestos y admitidos.

Aun cuando pudieran existir similitudes con la conformidad, en el caso de la aceptación de la culpabilidad se está contestando afirmativamente acerca de aquellas preguntas formuladas en el interrogatorio, que se valorarán juntamente con los restantes medios de prueba, amén de su posible consideración como circunstancia atenuante de la pena (art. 21.4 CP). En la conformidad se produce, sin embargo, una terminación anticipada del proceso, al asumir el acusado los hechos y las responsabilidades derivadas con la pena que se solicita, siempre que se efectúe según las condiciones legalmente establecidas, y así lo decida el juzgador.

c) Declaración del co-acusado

La declaración realizada por quienes participan de la misma posición procesal, más allá de considerarse como medio de defensa —que lo será evidentemente en cuanto verse sobre hechos referidos a su participación— puede afectar igualmente a la participación y responsabilidad de otros investigados (en investigación) o co-acusados (en juicio oral), al no limitarse a la estricta participación personal en los hechos, produciendo efectos incriminatorios de los mismos.

Precisamente, esa doble función que puede generar la declaración del co-acusado (medio de defensa personal y medio de incriminación de los «otros») ha llevado a una prolija jurisprudencia del TS y también del TC, que configura las esenciales características de este medio de prueba y de su eficacia. Así:

1º) Discutida su viabilidad como prueba de cargo, se ha concluido por ambos Tribunales que, aun cuando este medio es admisible y no se encuentra excluido en la LECRIM, habrá que valorarla de forma sumamente cuidadosa, teniendo presente las circunstancias e intereses que pudieren concurrir en quienes prestan esta declaración.

2º) Igualmente discutida su naturaleza jurídica, y asumida esa consideración multifuncional que provoca su complejidad, el TS la ha calificado con denominaciones, tales como «testimonio impropio», «testigo de excepción», «confesión del partícipe», un medio *cuasi-tertium genus* entre la declaración del acusado y la prueba de testigos. Obviamente no es una cuestión baladí, no se trata de una mera disquisición teórica, dado que el régimen jurídico aplicable deberá hallarse o en el seno de la declaración del acusado, o en el seno de la prueba testifical.

El TS no se muestra partidario de aplicar el régimen de la testifical, pese a su denominación; no en vano en la testifical el tercero (testigo) es ajeno a los acusados y está obligado a decir la verdad, mientras que en la declaración del co-acusado no concurre esa «ajeneidad», amén de que tiene derecho a guardar silencio, contestar con evasivas y, por supuesto, mentir. Es más razonable considerar que se aplica el régimen jurídico de la declaración del acusado.

3°) ¿Qué valor debe otorgarse? El TS y el TC han querido ser extremadamente cautos, entendiendo que estamos ante una prueba «intrínsecamente sospechosa», en la que pueden concurrir intereses ocultos de quienes las hacen. Asumida la valoración libre de la prueba, ésta vendrá condicionada por la concurrencia de una serie de elementos:

1. Punto de partida: siendo prueba constitucionalmente legítima, por sí sola es insuficiente para enervar la presunción de inocencia, dado que si fuera la única prueba existente, como ha señalado reiteradamente el TS, no concurrirían datos, hechos, circunstancias, o indicios externos que de forma siquiera fuera genérica sustentara la veracidad de la declaración incriminatoria y su valoración favorable. No se trata de exigir otras pruebas de cargo, sino elementos objetivos y externos que permitan contrastar la declaración.

2. La jurisprudencia del TS ha pergeñado esos elementos que debe ponderar el juzgador para otorgar o no valor probatorio, esto es, atribuir credibilidad a lo declarado:

a) Las circunstancias personales del delincuente: antecedentes penales, formación y actividad profesional, edad, buena conducta, etc. Son elementos para valorar la credibilidad de la persona declarante, su estado psíquico, su tendencia hacia la invención o confabulación.

b) Las relaciones que pudieren concurrir entre los posibles copartícipes: amistad, enemistad, parentesco, relación laboral, sumisión u obediencia, etc., para detectar si actúa movido por razones de odio, venganza, búsqueda de ventajas propias y ajenas, etc. Son, en suma, móviles que pudieren condicionar la declaración y su posible menor credibilidad.

c) La forma de llevar a cabo la declaración, con una narración coherente, descripción de los hechos, extensión en la misma, detalles contrastables con otros componentes externos, etc., son algunos de los elementos para valorar el grado de credibilidad de las declaraciones.

d) Las declaraciones de los co-acusados realizadas en la vista oral sean las sostenidas en el procedimiento preliminar, lo que favorece la credibilidad de lo declarado.

III. PRUEBA DE TESTIGOS

a) *Punto de partida. Concepto*

Tras la declaración de los acusados se procederá a la continuación del juicio oral con la práctica de los diversos medios de prueba, siendo una de ellas la testifical, un medio de naturaleza personal que consiste en la declaración oral de conocimiento de un tercero llamado testigo que pueda formar la convicción del juzgador acerca de los hechos relevantes y las responsabilidades derivadas de los mismos, esto es, aquello que ha presenciado, visto u oído.

Ha sido un medio de prueba muy habitual en sede penal, aun cuando la relativa fiabilidad de sus resultados era palmaria. Sin embargo, en los últimos tiempos, y debido esencialmente al desarrollo científico, técnico y tecnológico de las técnicas de investigación criminal, es la prueba pericial y también la documental las que han ganado mucho terreno a esta prueba, especialmente por el grado de fiabilidad o de corroborabilidad.

Para otorgar mayor fiabilidad a la prueba testifical, el legislador establece requisitos, tanto para determinar quién o quiénes deben ser testigos, como para garantizar el desarrollo del procedimiento y sus garantías exigibles —deberes del testigo— así como su posible protección.

Si se ha practicado en el procedimiento preliminar deberá reiterarse en el juicio oral con todas las garantías. Sin embargo, el art. 730 permite la lectura de los testimonios prestados durante la instrucción, solo cuando la testifical sea imposible practicarla en el juicio oral (por fallecimiento, ausencia en el extranjero, o en ignorado paradero).

b) *¿Quién puede ser testigo?*

Asumido que el testigo es el tercero que presta su declaración de conocimiento sobre los hechos considerados de relevancia para determinar la existencia o no de delito y la posible responsabilidad del sujeto pasivo, así como sobre cualesquiera circunstancia que pueda afectar a la culpabilidad del mismo, debe entenderse que su incorporación al proceso lo es en calidad de tercero, no de parte. Su consideración y *status* de «testigo» comporta deberes y derechos, así como posibles responsabilidades en el ejercicio de su función en el proceso.

Para adquirir esta condición de testigo deberán tenerse en consideración:

1°) Es generalmente ajeno y por ello tercero desde el punto de vista procesal, lo que no es óbice a la situación especial de la declaración de la víctima u ofendido como testigo, al que nos referiremos *supra*. Ese tercero «testigo» aporta su conocimiento (generalmente visual o auditivo) directo de los hechos.

Ahora bien, no necesariamente implica que quienes intervinieron presentando testimonio en el procedimiento preliminar deban ser los mismos que lo hacen en el juicio oral. Pueden ser idénticos testigos o ser personas diversas las que intervengan, por razón de las circunstancias concretas que llevan a testimoniar en la fase de investigación o en el juicio oral.

2°) Pueden ser testigos las autoridades y funcionarios de la policía judicial en relación con hechos de los que hubieran tenido conocimiento en el transcurso de sus actuaciones (art. 717). Igualmente esta condición de testigo puede hacerse extensiva a los infiltrados y agentes encubiertos, en relación con aquellos hechos que por las razones que llevaron a su actuación, puedan ser esclarecedores del por qué y del resultado de su actuación en aras del proceso penal en el que se inserten.

3°) Pese a la condición de testigo directo de los hechos —son los que prestan habitualmente testimonio por haber sido los que presenciaron los hechos—, puede aceptarse el denominado *testigo de referencia*, esto es, aquellos que aportan datos recibidos por un tercero que no comparece para deponer sobre ellos (a ellos se refiere el art. 710 LECRIM). La jurisprudencia establece determinadas condiciones para permitir estos testigos de referencia, a saber:

– Se admitirán cuando los testigos directos no puedan declarar (muerte, enfermedad grave o paradero desconocido del testigo directo). Y en algún supuesto de abusos sexuales se ha permitido la declaración del psicólogo en lugar de la víctima para garantizar intereses de personas especialmente vulnerables, dado que su declaración podría generarle una doble victimización.

– Sus declaraciones *per se* no pueden enervar la presunción de inocencia, aunque su valoración, juntamente con otros medios, sí puede alcanzar aquel efecto. Existe una cierta jurisprudencia reticente frente a la atribución de valor a estos medios, más allá de ser ese complemento excepcional en casos en que no es posible contar con quien directamente presenció los hechos.

– Se excluye el testigo de referencia en las causas por calumnias e injurias verbales (art. 813).

4°) El TC ha considerado que el testigo anónimo tiene valor complementario de las pruebas de cargo, dada la dificultad de controlar por la defensa la credibilidad del testimonio.

c) Supuesto especial de testigo, la víctima

Hay numerosas situaciones en las que la víctima, ofendido o perjudicado por el hecho delictivo interviene en el proceso únicamente en calidad de testigo. Su testimonio se justifica en ciertos casos por el hecho de ser la persona que directamente ha presenciado la comisión de los hechos y quien los ha sufrido; hay otros supuestos en que no los ha presenciado pero puede otorgar testimonio de la situación *post delictum*. Su testimonio es en ciertos delitos verdaderamente importante para desvirtuar la presunción de inocencia, lo que no implica que se le atribuya valor de testimonio privilegiado. De este testimonio de la víctima debe tenerse en cuenta:

– Su intervención lo es como testigo, independientemente de que pueda o no asumir en el proceso penal la posición de acusado. Esto ha servido para generar cierta polémica doctrinal dado que si la condición de testigo se representa por la idea de «*ajeneidad*», es complicado mantener que una víctima, ofendido o perjudicado sea ajeno, dado que no lo es, y menos si formalmente asume la posición de parte en el proceso. Se salva esta situación por las exigencias, como testigo, de comparecer, prestar juramento y decir verdad, lo que es propio del testigo, todo y que su declaración falsa no se podrá perseguir por falsedad de testimonio, sino como acusación falsa. De ahí la paradoja y el debate doctrinal y jurisprudencial al respecto.

– Se valora el testimonio de la víctima en cuanto actividad probatoria de cargo a través del sistema de valoración libre, exigiéndose para desvirtuar la presunción de inocencia: ausencia de móviles subjetivos que alteren la fiabilidad de lo participado (deseo de venganza, resentimiento, intereses oscuros) o ausencia de patologías mentales que puedan alterar el grado de verosimilitud de lo expuesto, inclusive solicitándose en ocasiones informes psiquiátricos o psicológicos que permitan testar el grado de discernimiento, de comprensión, de la víctima, y con ello, el grado de credibilidad de su testimonio.

d) Deberes y derechos de los testigos

La LECRIM consagra dos deberes fundamentales: a) el deber de comparecer; y b) el deber de declarar. Estos deberes no alcanzan al rey, la reina, sus respectivos consortes, Príncipe o Princesa heredera y los Regentes (art. 411.1).

1. Deber de comparecer

Llamado el testigo al juicio oral, éste tiene que comparecer de forma obligatoria, salvo que se encontrara en situación que impidiera su cumplimiento. En el supuesto de impedimento físico el tribunal se constituirá en su domicilio para efectuar el interrogatorio. No exime de este cumplimiento la edad (los menores pueden ser llamados a declarar), los defectos físicos solo eximirían en caso de carencias perceptivas propias del sentido afectado, y en caso de deficiencia psíquica dependerá del grado, dado que si bien *a priori* tienen su capacidad intelectiva afectada, cuando ésta es limitada y pueden aportar datos, habitualmente concurrentes con otros, pueden ser llamados al juicio como testigos.

Existen, junto a la regla general, unas excepciones al deber de comparecer por concurrencia de circunstancias que eximen del mismo, coincidentes con las reguladas en el procedimiento preliminar: parentesco, relación afectiva, secreto profesional (art. 707, al que se remiten los arts. 416 a 418).

Abundante jurisprudencia y doctrina no pacífica se ha pronunciado sobre el derecho a la dispensa en caso de víctimas de violencia de género, proponiéndose la reforma del art. 416 LECRIM.

No están obligados a comparecer el Presidente y los demás miembros del Gobierno, los Presidentes del Congreso y Senado, el Presidente del TC, el Presidente del CGPJ, el Fiscal General del Estado y los Presidentes de las CCAA, cuando hubieran tenido conocimiento de los hechos por razón de sus cargos, en cuyo caso pueden informar por escrito (art. 412.2), del que se dará lectura inmediata antes de proceder al examen de los demás testigos.

Tampoco tienen deber de comparecer los diplomáticos y agentes consulares en los casos que se prevén en los Tratados internacionales, lo que no es óbice a su posible declaración por escrito y vía diplomática (art. 415).

En cualquier caso, las excepciones no implican que no se declare. Es una dispensa para declarar, pero no impedimento para hacerlo.

2. *Deber de declarar*

Junto al deber de comparecer, el testigo tiene el deber fundamental de declarar. Su negativa causará imposición de multa y, si persiste, responsabilidad por delito de desobediencia a la autoridad (art. 716 LECRIM y 557 CP).

Son diversas las situaciones que pueden dar lugar a la exención de declarar: por tratarse de personas con discapacidad física o psíquica necesitada de especial protección (art. 417), teniendo en cuenta siempre el grado de discapacidad; para evitar la propia inculpación (art. 24.2 CE); por razones de parentesco; y finalmente, por secreto profesional. En todas ellas la exención no es prohibición, dado que si se quiere, puede declarar como testigo en el juicio, del mismo modo que es posible que quien prestó declaración como testigo en el procedimiento preliminar, concurriendo alguna de estas circunstancias, se acoja al derecho de no hacerlo en el juicio oral, procediéndose a la lectura de su testimonio con todas las garantías en el juicio oral (art. 730).

3. *Derecho a indemnización*

El testigo podrá solicitar una indemnización por su actuación. La cuantía se determinará por decreto del letrado de la administración de justicia, sobre la base de los gastos de viaje y jornales perdidos (art. 722).

e) Protección de testigos

Con el fin de ofrecer protección ante determinadas circunstancias que pudieren generar peligro para el testigo o para su familiares o personas más próximas, o para sus bienes, se aprobó la LO 19/1994, de 23 de diciembre, de protección de testigos y peritos en causas criminales. De esta regulación esencialmente debe tenerse en cuenta:

1. Puede adoptarse de oficio o a instancia de parte, siempre que se estime concurra un peligro racional grave para la persona o bienes del testigo o persona unida por afectividad o parentesco a él.

2. Puede haberse adoptado por el juez de instrucción o ser decisión del tribunal en juicio oral, siendo que éste puede adoptar *ex novo*, mantener o modificar las medidas adoptadas para la protección.

3. La decisión consistirá en adoptar las medidas pertinentes y proporcionadas al peligro concurrente; decisión que deberá motivarse, y contra la cual es posible plantear reforma o súplica. Estas medidas son:

a) Enmascarar la identidad del testigo, o su localización, incluso otorgarle nueva identidad, y medios para cambio de residencia o domicilio.

b) Proporcionarle protección policial permanente, incluso después de finalizado el proceso, siempre que permanezca el peligro grave. Y evitar, en su caso, fotografías, de modo que de tomarse, puede ordenarse la retirada de las mismas.

c) Ser conducido con protección a las dependencias judiciales, si lo solicita el testigo, y que se facilite un local reservado mientras permanece en dichas dependencias.

4. La identidad del testigo deberá desvelarse si las partes lo solicitan motivadamente en sus escritos de calificación —acusación y defensa—, en el mismo auto en que se acuerde la pertenencia de sus declaraciones, a los efectos de proponer prueba para su desvirtuación.

5. En el supuesto de testigo protegido que hubiere declarado en el procedimiento preliminar pero no lo haga en el juicio oral por no ser localizado, su testimonio no podrá sin más leerse para alcanzar valor probatorio, dado que vulneraría el derecho del acusado a interrogarlo, salvo los supuestos en que la ley así lo permita y bajo condiciones. La fuerza probatoria de su testimonio exige ratificación en juicio oral.

f) Procedimiento para su práctica

En el desarrollo de la práctica de la prueba testifical habrá que respetar las siguientes reglas:

1. Citación. Se efectuará de forma ordinaria, mediante cédula (arts. 175, 661 y 762.3). En supuestos especiales, como en caso de altos cargos, se llevará a cabo sin perturbación del ejercicio de sus funciones (art. 703).

2. Lugar. Se llevarán a cabo las declaraciones de los testigos en sede judicial, donde se celebra el juicio, salvo casos de imposibilidad del testigo que lleven a constituir el tribunal en su residencia, con el fin de efectuar las preguntas oportunas (art. 718).

3. Garantía. Los testigos que han de declarar, y hasta el momento en que son llamados, permanecerán sin mantener contacto con quienes ya hubieren testimoniado, ni con otras personas (art. 704).

4. Idioma. Idioma oficial del Estado o el de la Comunidad Autónoma, pudiendo habilitar intérprete si no los conoce. Los sordomudos declararán a través de intérprete de signos adecuado (art. 711 y 442).

5. Forma de practicarla:

– Llamamiento uno por uno; en primer lugar los propuestos por el Ministerio Fiscal; luego, las demás acusaciones, y finalmente, los de la defensa (arts. 705 en relación con el 701).

– Se recibirá juramento o promesa de decir verdad antes del interrogatorio. Se le preguntarán sus datos personales identificativos; posibles relaciones con el encausado y las partes y si pesa sobre él alguna condena penal (art. 708 en relación con 436).

– Se inicia el interrogatorio por la parte proponente, seguida de las restantes partes, pudiendo solicitarle que reconozca instrumentos, efectos del delito o cualquier otra pieza de convicción (art. 712). Igualmente, el Presidente del tribunal podrá dirigir al testigo las preguntas aclaratorias que estime pertinentes (art. 708).

– Las respuestas serán orales, no permitiéndose preguntas capciosas —inductoras de engaño o error—, sugestivas —dirijan la contestación en un determinado sentido— o impertinentes —no aporten aclaración—. Contra esta decisión judicial podrá interponerse recurso de casación, si se hubiere hecho constar la pertinente protesta y conste en acta la misma.

– Excepcionalmente, el testimonio se prestará *por escrito* en los supuestos del deber de comparecer expuestos (arts. 702 y 703). E igualmente, y debido a los avances tecnológicos y a las reformas legales que los han incorporado, es posible la prestación de declaraciones testificales mediante *videoconferencia*. La formulación de las preguntas y la contestación se efectúa oralmente a través de una emisión videográfica. Se planteó si este medio altera la esencia del juicio oral, al practicarse una prueba sin la presencia física, aunque virtual, de algún testigo. No obstante, el empleo de la misma, amén de permitir la práctica de la testifical en supuestos, favorece la protección de personas especialmente vulnerables como menores o como personas sometidas a violencia de género, evitándose la confrontación visual con el acusado. En cualquier caso, para atribuir valor a la práctica de la prueba testifical por videoconferencia se exige la percepción directa por el juzgador de las declaraciones testificales, con objeto de apreciar actitudes, posiciones dubitativas, firmes, etc., respecto de las respuestas, y se garantiza la contradicción, dado que pueden las partes formular al testigo las preguntas que consideren pertinentes y convenientes.

IV. CAREOS

Se considera como un medio complementario de otros medios de prueba, especialmente empleado en los supuestos de contradicción, desacuerdo o discrepancia entre quienes han intervenido en calidad de testigos o de encausados. Y tiene carácter subsidiario, practicándose solo cuando no exista forma diversa de comprobar la veracidad de los hechos. Es por ello que la práctica del careo consiste en la confrontación oral o el «cara a cara» entre ellos, dirigido a esclarecer algún hecho o circunstancias de importancia en el proceso, sobre los que pesa la contradicción o discordancia.

Características de este medio de prueba y reglas a seguir son:

1. Se regula de forma escueta en los arts. 451 a 455 en relación con el procedimiento preliminar, con referencias en los arts. 713 y 729.
2. Puede acordarse de oficio o a petición de parte, aunque la celebración del mismo queda a criterio judicial —es potestativa su práctica—.
3. En principio solo podrá celebrarse entre dos personas a la vez, aun cuando excepcionalmente puede considerarse conveniente la intervención de varias personas, a criterio del juzgador.
4. No se practicarán con testigos menores de edad, salvo que fuere imprescindible y no lesivo para el interés del testigo, previo informe pericial.
5. Presupuestos para su práctica: a) Existencia previa de declaraciones; b) En las declaraciones concurran contradicciones, discrepancias o desacuerdos.
6. En todo caso, en la práctica se procurará evitar amenazas, insultos entre los careados, limitándose a las observaciones, reproches o desacuerdos y a posicionarse en sus afirmaciones o matizarlas, en su caso.

V. PRUEBA PERICIAL

a) Punto de partida. Concepto

A través de la prueba pericial se presenta un informe, ante la autoridad judicial, sobre datos basados en los conocimientos profesionales o prácticos específicos —de los que el juez carece— de personas ajenas al proceso, a las que se conoce como peritos.

En el procedimiento preliminar los dictámenes periciales son ordenados por el instructor como diligencia de investigación, si bien deben incorporarse al juicio oral por petición de las partes para convertirse en prueba. La incorporación de diligencias de investigación en la LECRIM, impulsadas por el avance y desarrollo de la ciencia y la tecnología, hacen prever que la pericial crezca exponencialmente en el ámbito del proceso penal, reproduciéndose en el juicio oral, cuando es posible; y convirtiéndose en prueba pre-constituida con las garantías legalmente establecidas, cuando no es factible. Igualmente sucederá con la prueba documental, en cuanto algunos de los informes o resultados electrónicos (palabras, imágenes y sonidos captados mediante instrumentos de filmación, grabación y otros semejantes) pueden convertirse en verdaderos documentos a incorporar en el juicio oral como tal medio de prueba.

Igualmente, debe tenerse en cuenta que si las partes hubieren aceptado estos informes en sus calificaciones, aun cuando no los proponen como prueba, se considera aceptación tácita de las partes y deber del juzgador de considerarlos. Si manifiestan discrepancia con la pericia o con los resultados que ésta arroja deberán citarse a la vista oral a los peritos, para cumplir con la debida contradicción, incluso pudiendo llamar al proceso a peritos diversos para poder contrarrestar los resultados u opiniones.

b) ¿Quién es perito?

Perito es la persona que posee conocimientos específicos sobre materias científicas o artísticas, bien por razones profesionales, al desempeñar una profesión u oficio avalado con un título oficial, o bien por desarrollar una actividad para la que no se precisa de aquel; conocimientos de los que carece el juzgador (arts. 457 y 458).

Dada la función que van a desempeñar en el proceso, se trata de personas que no guardan relación alguna ni con las partes ni con el objeto del proceso. Es por ello que en caso de duda de parcialidad, pueden ser recusados. Esta recusación podrá efectuarse en fase de instrucción (y tiene especial sentido cuando se trata de informes evacuados en ese momento de carácter irrepetible) o en el juicio oral (formulada por escrito y que deberá sustanciarse antes del comienzo de las sesiones del juicio oral, expresando el motivo y ofreciendo medios de prueba del mismo como documental o testifical, arts. 469 y 723). Los motivos de recusación son los que se recogen en el art. 468. Si se estima la recusación, se procederá a nombrar sustituto.

La prueba pericial se practicará por dos peritos en el procedimiento ordinario (art. 459.1), mientras que en el abreviado el informe pericial puede ser presentado por un solo perito cuando el Juez lo considere suficiente (arts. 778.1 y 788.2).

c) Deberes y derechos del perito

El perito tendrá deber de comparecer y de formular el informe pericial. Quedará exento de este deber aquel que en el momento de la citación se hallare impedido para ello, poniéndolo en conocimiento de la autoridad judicial al recibir el nombramiento, o bien en aquellos supuestos en que alega excusa fundada a tenor del órgano judicial (art. 462).

En caso de incumplimiento de este deber se aplicarán las mismas sanciones que para el supuesto de incumplimiento de los testigos (art. 463).

No solo tienen deber de comparecer sino también de prestar el debido reconocimiento de lo que debe ser objeto de pericia y formular el informe pericial correspondiente, incurriendo en sanción (las mismas que los testigos) cuando no cumpla con este deber (art. 463).

Igualmente, los peritos tienen derecho a ser remunerados por el informe que emiten.

d) Protección de los peritos

La LO 19/1994, de 23 de diciembre, extiende la protección no solo a los testigos sino también a los peritos, de modo que lo expuesto en el apartado *supra* es extrapolable a la regulación de la protección de peritos en caso de peligro para su vida o sus bienes o los de sus allegados.

e) Procedimiento y reglas para su práctica

La pericia puede ser el resultado de una actividad pericial en el procedimiento preliminar, o bien ser prueba solicitada *ex novo* en el juicio oral. Para su desarrollo en el juicio deberá tenerse en cuenta:

– Citación: deberán ser oportunamente citados al juicio para comparecer y presentar informe.

– Garantías: Comparecidos en sede judicial, prestarán juramento o promesa de proceder bien y fielmente en sus operaciones y no de proponerse otro fin más que el de descubrir y declarar la verdad (art. 474).

– Práctica: hay varias conductas que pueden solicitarse al perito: 1) esclarecer hechos sin solicitud de informe escrito, presentando las piezas de convicción y contestando a preguntas y repreguntas que se le formulen (art. 724 y 46.1 LOTJ); 2) que además de lo anterior, formule informe, a ser posible en el acto de la vista, y de no serlo, se procedería a la suspensión por el tiempo necesario, lo que no es óbice a la práctica de otros medios de prueba que puedan practicarse. Suspensión que también se producirá cuando el objeto de pericia no se halle en sede judicial y haya que desplazarse.

– Forma. Si bien lo que ha venido siendo normal ha sido la comparecencia física del perito en sede judicial, puede considerarse el empleo de la videoconferencia o sistema similar para su práctica (art. 731 bis LECRIM y 229.3 LOPJ).

VI. PRUEBA DOCUMENTAL

En la LECRIM la regulación de los documentos y la prueba documental ha resultado desde siempre algo ambigua, en lo que a la específica regulación probatoria se refiere, pero no por ello se fue negando su valor probatorio y la existencia como tal de este medio de prueba. Los desarrollos técnicos y tecnológicos y su reciente incorporación a la LECRIM en el marco de la investigación convierten la documental en una prueba con mucha mayor presencia en el proceso penal, al incorporarse, a través del art. 726, como prueba pre constituida, lo que exige que el órgano sentenciador deba proceder al examen directo de «libros, documentos, papeles y demás piezas de convicción» que puedan proporcionar datos esclarecedores de los hechos.

Muy probablemente la razón de esta no incorporación explícita de los documentos en el proceso penal se debió al significado del concepto de documento mismo en el Siglo XIX, esto es, elemento vinculado al campo del derecho privado y con menor o cuasi-nula importancia en aquel momento en sede penal. Ello no ha sido óbice a la incorporación posterior de numerosos preceptos en la LECRIM en los que sí se hace alusión al «documento» (en el art 726 en el juicio oral, en el art. 46.2 LOTJ, en los arts. 567 y siguientes en los que se vincula el documento con las piezas de convicción u objeto de aprehensión en los registros practicados a efectos instructorios). Y esa evolución ha seguido imparable, haciéndose extensiva a las nuevas incorporaciones técnicas y tecnológicas actuales.

En cualquier caso, esa equívoca referencia en la LECRIM a los documentos no supuso negativa de los tribunales a aceptar como fuente de prueba y posteriormente como medio de prueba los documentos y la prueba documental.

Es por ello que asumida la existencia de este medio de prueba, debemos, sin embargo, referirnos a algunas cuestiones que la caracterizan:

1°) Piezas de convicción-documentos. La primera cuestión es si son lo mismo. En la LECRIM existe confusión, dado que en unos casos se confunden varios términos (libros, papeles y demás piezas de convicción) y en otros parece quererse dar un significado diverso.

La jurisprudencia ha considerado piezas de convicción todos aquellos objetos inanimados que pudieran servir para representar la realidad de un hecho y que se hayan incorporado a la causa uniéndose materialmente a ella o conservándose a disposición del tribunal (pistola, pañuelo, email, «whats», etc.), si bien en la LECRIM es posible diferenciar entre «cuerpo del delito» (arts. 348 y 391); «efectos o instrumentos» de aquel (art. 620), o incluso pruebas documentadas.

Por su parte, el art. 26 CP considera «documento» todo soporte material que exprese o incorpore datos, hechos o narraciones con eficacia «probatoria», lo que abre las puertas a tantas fuentes de prueba que se incorporan por las nuevas tecnologías, la ciencia y la técnica (videos, documentos electrónicos, historiales clínicos, registros informáticos, certificaciones electrónicas). Su incorporación al proceso se hace a través de la prueba documental.

2°) ¿Cómo alcanzar valor probatorio? Si fueron incorporados en el procedimiento preliminar, se deben dar por reproducidos, con lectura íntegra en la vista. Las partes pueden, sin embargo, incorporar otros documentos, siempre que sean admitidos por el tribunal, hasta el momento del juicio oral (arts. 784.2 y 785.1, II). Igualmente, aquellas diligencias que por su carácter es imposible su reiteración en juicio, se incorporan a éste cuando las partes así lo soliciten o bien por el propio Tribunal, como prueba documental que deberá leerse en la vista (art. 730).

A partir de esta incorporación documental, será el tribunal el que valorará libremente, y bajo el principio de inmediación, por observación las piezas de convicción o el documento, tras un evidente debate que garantice la contradicción de las partes (art. 726). La reforma de la LECRIM ha permitido incorporar medidas de aseguramiento de estas fuentes (piezas de convicción y documentos) para evitar, en su caso, la desaparición o alteración de las mismas.

VII. PRUEBA DE INSPECCIÓN OCULAR

Regulada en el art. 727, permite que el Tribunal se constituya en el lugar correspondiente fuera de la sede del mismo, con las partes. La realización de la inspección ocular se lleva a cabo en los mismos términos que en el procedimiento preliminar, al que nos remitimos, sin embargo, existe una enorme reticencia en la práctica respecto de esta prueba por varias razones: en primer lugar, por la inconveniencia de realizarla en la vista oral, quebrando el hilo conductor y la naturaleza de la misma; y, por otro, por la eficacia de sus resultados. Es por ello que se la considera prueba excepcional y, si cabe, residual.

VIII. INDICIOS

Además de la actividad probatoria directa es posible, en determinados supuestos y bajo condiciones, incorporar al proceso actividad probatoria indirecta, a través de los indicios, que, no siendo propiamente un medio de prueba, se presentan como una manera de valorar determinados hechos o circunstancias que sí han sido acreditados en el proceso —indicios— para deducir otros —hechos consecuencia— derivados de un procedimiento logístico. Obviamente, por sus características, debe mantenerse ciertas cautelas, especialmente evitando la mera presunción de los hechos delictivos, porque ello vulneraría la presunción de inocencia.

Con el fin de otorgar valor probatorio a este medio de prueba indirecto, y por ello que permita desvirtuar la presunción de inocencia, se exige que concurran los siguientes requisitos:

1) No debe tratarse de un único indicio, sino de varios relacionados, lo que no es óbice a situaciones excepcionales en que uno sólo implique una especial fuerza incriminatoria.

2) Los hechos indiciarios han de estar absolutamente probados.

3) Debe existir nexo concreto y determinado entre el hecho indiciario y el hecho consecuencia.

4) Debe quedar motivada suficientemente la convicción judicial derivada de los anteriores, especialmente el enlace entre hecho base y hecho consecuencia, mediante un juicio racional, coherente y lógico, no arbitrario y excluyente de todo subjetivismo.

LECTURAS RECOMENDADAS: VVAA, «La prueba». Tomo II. «La prueba en el proceso penal» (Dir. GONZÁLEZ CANO, I.), Valencia, Tirant Tratados, 2017; DÍAZ PITA, M. P: *El coimputado*, Valencia, 2000; PARDO IRANZO, V: *La prueba documental en el proceso penal*, Valencia, 2008; ROMERO COLOMA, A.M: *El interrogatorio del imputado y la prueba de confesión*, Madrid, 2009; MONTESINOS GARCÍA, A: *La videoconferencia como instrumento probatorio en el proceso penal*, Madrid, 2009.

CAPÍTULO III
VISTA Y TERMINACIÓN

Lección Décimo séptima

La vista oral

I. LA VISTA ORAL DELIMITACIÓN

Inicio del verdadero proceso= debates, sesiones orales y prueba. Garantías

II. SEÑALAMIENTO Y CITACIÓN A LA VISTA ORAL

A) Señalamiento. Fijación del lugar, día y hora

B) Citaciones: garantía de defensa. Medidas posibles que favorezcan la presencia de las partes

III. PUBLICIDAD DE LAS SESIONES. REGLA GENERAL Y EXCEPCIONES

Garantía del proceso y derecho: arts. 120.1 y 24.2 CE

Fundamento: participación y control de la justicia por la sociedad

Regla general: sesiones orales, concentradas y públicas

Excepciones: a puerta cerrada (decidido antes de celebrarla o comenzada; de oficio o a instancia de parte; fundada en moralidad, orden público y debido respeto ofendido; si es órgano colegiado, decisión tras consulta al tribunal)

IV. CONCENTRACIÓN DE LAS SESIONES. EXCEPCIÓN: SUSPENSIÓN DE LA VISTA

Regla general: Vista concentrada (art. 744)

Excepción: Paralización. Tipos: a) Interrupción; b) Suspensión

1.- Interrupción: por determinadas causas, duración incierta o excesiva; produce anulación de todo lo actuado

2.- Suspensión: provisional, condicionada a la desaparición de sus causas

A) Requisitos generales: exige resolución fundada en una causa y por periodo de tiempo; a petición de parte o de oficio

B) Causas: art. 746

C) Regla general: continúa el proceso tras la desaparición de la causa, salvo excepciones

V. DESARROLLO DEL ACTO DE LA VISTA ORAL

A) Orden de las actuaciones en la vista: apertura; concesión de palabras; turno de intervenciones; práctica prueba, etc.

B) Dirección de la vista. Por Presidente del Tribunal o magistrado (unipersonal). Facultad conductiva y medidas para impedir discusiones impertinentes o innecesarias, amén de facultad sancionadora.

VI. DOCUMENTACIÓN Y CONSTANCIA DE LA VISTA ORAL

A) Garantía

B) Función del letrado de la administración de justicia. Art. 743

C) Dos vías: 1) Registro audiovisual (soporte adecuado de reproducción del sonido e imagen); y 2) Acta escrita: subsidiaria.

I. LA VISTA ORAL. DELIMITACIÓN

La fase decisora del proceso penal, el juicio oral, que se inicia con el auto de apertura, dictado por el juez o tribunal competente y termina con la declaración formal de conclusión de la vista, previa a la sentencia, comporta lo que se ha venido denominando como el «verdadero proceso». En esta fase se produce, por un lado, el verdadero debate procesal con la práctica de la actividad probatoria de cargo y de descargo, a través de sesiones orales, concentradas y públicas; y, por otro, los jueces forman su convicción para dictar sentencia, tras la valoración según la sana crítica (art. 741), de las pruebas pertinentes y necesarias practicadas, bajo el principio de inmediación.

A la sesión o sesiones públicas, orales y concentradas en las que se desarrolla el juicio oral se les denomina «vista oral». En ella se deben respetar los principios esenciales del proceso penal, en relación a las partes y al proceso mismo, siendo algunos de ellos garantías del proceso y elevados a derechos fundamentales en la constitución y en los textos internacionales; e igualmente los principios del procedimiento penal, oralidad, inmediación, concentración y publicidad.

La vista oral puede necesitar varias sesiones, que deberán realizarse de la forma más concentrada posible en el tiempo, pudiendo concurrir —como analizaremos *infra*— causas que pueden dar lugar a la suspensión de la misma.

Estos aspectos esenciales en el desarrollo de la vista oral así como otros formales referidos al señalamiento, citación, ordenación de los actos, la policía de sala, o la constancia de cuanto se ha realizado en esas sesiones, entre otras, serán objeto de estudio en esta lección.

II. SEÑALAMIENTO Y CITACIÓN A LA VISTA ORAL

La naturaleza de la vista oral exige de una serie de actuaciones previas, que garanticen su inicio, desarrollo y conclusión. Se trata de aquellas actuaciones preparatorias que van desde el señalamiento, con fijación de lugar, día y hora de comienzo de la celebración del mismo, a la citación de aquellas personas que van a tener que estar e intervenir en el mismo, ya sean las partes o ya testigos o cualesquiera otras que puedan intervenir en la actividad probatoria desarrollada en la vista oral.

a) Señalamiento

El lugar, día y hora para la celebración de la vista los fija el letrado de la administración de justicia. Para este señalamiento se tendrá en cuenta la agenda del tribunal y las citaciones que en su caso deba efectuarse para el juicio en atención a la admisión de las pruebas que se hubieren propuesto y que habrá que practicar en la sesión oral. Esta regla está matizada en atención al procedimiento:

– En el procedimiento abreviado y en el ordinario: se efectúa, con sujeción a los criterios generales del art. 182 LEC y algunos específicos establecidos en los arts. 659 y 785 LECRIM (situación de prisión o libertad del encausado; prioridad de otras causas; complejidad de la prueba, etc), una vez dictado el auto de admisión o inadmisión de pruebas.

– En el juicio rápido: se efectúa en la fecha más próxima, dentro de los 15 días siguientes al auto de apertura de juicio oral (art. 800.2 y 3). Si existe imposibilidad de celebración por razones justificadas, se fijará día más inmediato posible, dentro de los 15 días siguientes.

– En el juicio por delitos leves: la vista se celebra de forma inmediata tras la recepción del atestado —con citación a los afectados o interesados— o de la denuncia ante el propio Juzgado, si concurren las circunstancias de los arts. 962 a 964, salvo que concurra causa justificada, posponiéndose al día más inmediato dentro de los 7 siguientes (art. 968).

En cuanto al lugar: la citación se efectuará con carácter general a la sede judicial, salvo que concurran circunstancias que permitan, con autorización legal o del CGPJ, dentro del ámbito territorial de su circunscripción, su desarrollo en otro lugar (arts. 269 LOPJ, 665 LECRIM).

b) Citaciones

Una de las actuaciones preparatorias fundamentales para garantizar la vista oral es la citación. Es un acto de comunicación complejo, en cuanto consiste: a) en la puesta en conocimiento; y b) en la intimación para realizar algo determinado.

A través de la misma se intima al encausado —y su defensor— y a los acusadores, así como a quienes, en su caso, sea necesario llamar al juicio por su conocimiento de los hechos —testigos— o por sus conocimientos científicos o artísticos —peritos— que pueden aportar datos significativos, para que comparezcan en el día, hora y lugar para realizar la tarea que en su caso se les requiera en el proceso penal (art. 149.3° LEC).

1°) Citación al encausado

La citación no es un mero acto formal, sino de la vía que garantiza el ejercicio del derecho de defensa y de no indefensión (art. 24 CE). El principio de contradicción exige del mismo modo que el juicio se desarrolle con la presencia del encausado en todo caso, de manera que se debería suspender el proceso cuando éste no se halle presente (art. 841) y solo bajo causas específicas, legalmente establecidas, sería posible seguir la vista en su ausencia, obviamente salvo los supuestos de expulsión de la Sala por el tribunal si hubiere incurrido en alteración del orden, y siempre que hubiere sido advertido de tales consecuencias (art. 687).

La citación al encausado se desarrollará según lo previsto en los arts 175 y siguientes, así como 270 a 272 LOPJ. Entre otras, podrán tenerse en cuenta las siguientes previsiones:

– Se adoptarán las medidas necesarias para garantizar su presencia en el acto del juicio cuando se halla en prisión —traslado desde donde se encuentre— o libertad provisional —incluso por fuerza pública— (art. 664 y 731).

– Se le solicitará, en su caso, que designen domicilio o persona para notificaciones y comunicaciones o dirección de correo electrónico y número de teléfono a través de los que pudieren realizarse (art. 786.1 respecto abreviado y 962.1 respecto delitos leves).

– La falta de citación es motivo de recurso de casación, salvo que se den por citados compareciendo en tiempo al acto de la vista (arts. 664.2 y 850.2), pudiendo dar lugar al amparo constitucional, salvo que la insuficiencia o error en los datos y falta de citación se hubiere producido por causa propia —indebida diligencia o cuando teniendo conocimiento del proceso no comparece permitiéndose en tal caso la subsanación de la posible infracción judicial—.

2°) Citación a las partes acusadoras y responsable civil

Con los mismos matices en atención al proceso de que se trate igualmente hay que efectuar la citación de las partes acusadoras y, en su caso, del responsable civil. E igualmente se les solicitará, en su caso, que designen domicilio o persona para notificaciones y comunicaciones o dirección de correo electrónico y número de teléfono a través de los que pudieren realizarse (art. 786.1 respecto abreviado y 962.1 respecto delitos leves, teniendo en cuenta las especialidades propias del proceso por decreto en el art. 803 bis).

La falta de citación es motivo de recurso de casación, salvo que se den por citados compareciendo en tiempo al acto de la vista (arts. 664.2 y 850.2).

3°) Citación de testigos y peritos

Habrá que citar a testigos y peritos que hubieren sido propuestos y admitidos para su comparecencia en la vista oral. Para ello se efectuará libramiento de los correspondientes mandamientos y exhortos, de oficio o por entrega a las partes para su diligenciamiento (art. 660).

En la citación se les previene de las consecuencias de no comparecer sin justa causa (multa, art. 175); así como de la posibilidad de incurrir en delito de obstrucción a la justicia (arts. 661 LECRIM, 463 CP y 967 para delitos leves).

4°) Citación a los ofendidos, perjudicados o víctimas

En aquellos supuestos en que la víctima, perjudicado u ofendido por el delito no sea parte en el proceso ni deba intervenir (en calidad de testigo), el letrado de la administración de justicia informará por escrito a la víctima de la fecha y lugar del juicio (arts. 659 in fine y 785, 3). En el juicio por delitos leves se le cita ante el Juzgado de Guardia (art. 962.1), dado que deben comparecer, en su caso, con los medios de prueba de que intenten valerse en el juicio oral, amén de informarles de sus derechos en los términos previstos en los arts. 109, 110 y 967. La falta de citación de cualquiera de estos interesados, a salvo de que se dieren por comparecidos en el acto en tiempo, es motivo de recurso de casación (arts. 664.4 y 850.2).

III. PUBLICIDAD DE LAS SESIONES. REGLA GENERAL Y EXCEPCIONES

La publicidad se halla consagrada como garantía y como derecho tanto en los arts. 120.1 como 24.2 CE (derecho a un proceso público), así como internacionalmente en el art. 14.1 del PIDCP, art. 10.2 DUDH, art. 6.1 CDH y LF.

El art. 680 LECRIM (así como el art. 232.1 LOPJ) impone la obligatoriedad de la publicidad del juicio oral, bajo pena de nulidad. Y no es sino la consecuencia lógica de que lo que es oral debe ser público, o dicho de otro modo, sin oralidad no hay publicidad. Y su justificación se halla en el hecho de que sólo un proceso oral y concentrado permite la publicidad real y con ella la fiscalización popular del funcionamiento de la justicia. El proceso penal pertenece a «lo público» y es por ello que la publicidad se convierte en herramienta de garantía de los que están y participan en el proceso, amén del público en general, de la sociedad, y por supuesto es derecho de los encausados.

Su fundamento se halla en la idea de participación y control de la justicia por la sociedad, de absoluta trascendencia si se entiende que en un proceso penal se están reprochando conductas que son las más gravosas para la sociedad en su conjunto. La publicidad permite ese control de la fase en la que se producen las pruebas y se formulan alegaciones y peticiones definitivas de acusación y defensa. Ese control social, con un significado político innegable, se imbrica con su significado de derecho del encausado, en cuanto se le protege de una justicia arbitraria, oscura y secreta. Derecho que permite, caso de vulneración, ser protegido a través del amparo.

a) Regla general

1.- El juicio oral debe desarrollarse mediante sesiones orales, concentradas y públicas.

2.- Su aplicación al proceso penal se deriva de los arts. 680 a 682 LECRIM, donde se establece la regla general obligatoria de la publicidad y los supuestos en los que la misma puede excepcionarse.

3.- Esta publicidad se extiende al acceso de los medios de comunicación gráfica a las sesiones de la vista oral, que ha planteado debate en torno al empleo de cámaras de captación de imágenes y sonido.

b) Excepciones

Este derecho no es absoluto. Puede acordarse la celebración de las sesiones a puerta cerrada, lo que no es óbice al mantenimiento del principio de contradicción referido a las partes, que estarán presentes, así como sus defensores, garantizándoles el derecho de defensa, así como a las personas lesionadas por el delito.

La celebración de las sesiones a puerta cerrada deberá respetar las siguientes condiciones:

1°) Fundamento: se halla en el orden público y la protección de los derechos y libertades (art. 232.2 LOPJ), o, en términos del art. 681.II, por «razones de seguridad u orden público o la adecuada protección de los derechos fundamentales de los intervinientes, en particular, el derecho a la intimidad de la víctima, el respeto debido a la misma o a su familia, o resulte necesario para evitar a las víctimas perjuicios relevantes que, de otro modo, podrían derivar del desarrollo ordinario del proceso».

2°) Se puede solicitar y resolver antes de la celebración de la vista —por escrito—, o habiendo dado comienzo, de oficio o a instancia de parte acusadora —oral— (art. 681). Deberá estar fundada en alguno de los motivos expuestos.

3°) La decisión se adopta por el magistrado, si es órgano unipersonal, y si es colegiado, el Presidente deberá consultar al tribunal, y al jurado si éste interviniera (art. 43 LOTJ), y previa deliberación en secreto, acordará lo oportuno mediante auto motivado en las razones que lo fundamenten, siendo irrecurrible. La decisión se hará pública a cuantos se hallan en el lugar en que se celebra la vista.

4°) Podrán acordarse medidas para la protección de la intimidad de la víctima o sus familias tales como prohibir la divulgación o publicación de información sobre identidad, datos, circunstancias personales, o prohibir la obtención, divulgación o publicación de imágenes de aquéllos. En todo caso esta prohibición se aplica cuando se trata de víctimas menores de edad o con discapacidad (art. 681.2 y 3).

5º) Como dispone el art. 232.2 LOPJ, la limitación de la publicidad puede no ser total sino parcial y en relación solo con determinadas actuaciones.

6º) Podrá restringirse asimismo la presencia de los medios de comunicación audiovisuales o impedir que se graben algunas sesiones para preservar derechos fundamentales de partes e intervinientes así como de las víctimas o sus familiares (art. 682).

7º) El acuerdo se hará efectivo de forma inmediata, inclusive recabando ayuda de la fuerza pública, si fuere necesario. Obviamente, la decisión no se hace extensiva a las partes ni a sus defensores, salvo que deban ser expulsados de la Sala por su conducta alterando el orden (arts. 687).

IV. CONCENTRACIÓN DE LAS SESIONES. EXCEPCIÓN: SUSPENSIÓN DE LA VISTA

El juicio oral se desarrolla en sus sesiones de forma oral, pública y concentrada; esto significa, a ser posible, en una única sesión o, en cuantas sean necesarias pero próximas temporalmente entre sí. El objetivo no es sino que las manifestaciones y actuaciones que se realizan oral y públicamente ante el tribunal y las pruebas que se practiquen permanezcan lo más fielmente posible en la memoria del órgano sentenciador.

a) Concentración como esencia de la vista oral

Frente a la escritura, que comporta la dispersión de los actos, la oralidad de la vista arrastra la necesidad de la concentración. La vista oral es concentrada, tal como se deriva del art. 744: «*abierto el juicio oral, continuará durante todas las sesiones consecutivas que sean necesarias hasta su conclusión*». Esta afirmación no es óbice a la posible excepción (art. 746).

b) Excepción de la concentración: la paralización del proceso

La concurrencia de determinadas circunstancias permite legalmente que la actividad de la vista oral se paralice. Esta paralización puede realizarse en diversos momentos y generar, a su vez, distintos efectos. Es por ello que la paralización nos lleva a distinguir entre la interrupción y la suspensión. Y en todo caso, estas «crisis» que pueden provocarse en el proceso penal y generar paralización pueden producirse antes de la apertura de las sesiones o ya dentro de la vista, centrando atención en estos momentos en las que se producen en la vista oral.

Si determinada la fecha para la vista oral, por causas ajenas a su voluntad, las partes manifestaren imposibilidad de preparar las pruebas, podría posponerse la fecha de la vista oral, si así se solicita y lo acuerda el Presidente del tribunal, hasta que pudiera disponerse de aquellas (art. 795.1). Podría asimismo plantearse una cuestión prejudicial que exija resolución previa, conforme lo que prevén los arts. 4 y 5, paralizándose igualmente en este caso.

a") Interrupción

Como una de las dos formas de paralización del proceso, podemos considerar como notas de la misma:

1°) Se da la interrupción cuando concurren determinadas circunstancias que llevan a paralizar el proceso, siendo que éstas —las causas que la provocan— presentan una duración incierta o excesiva (ejem, un aviso de bomba en la sede del tribunal, un apagón de electricidad debido a una avería grave, incendio en la sede del tribunal).

2°) Efecto: anulan todo lo actuado hasta el momento, provocando la necesidad de reiniciar el proceso no desde el momento en que se produjo la causa, sino al principio del período procesal en que tuvo lugar. Habrá nueva citación a la vista, señalando fecha para ello (art. 748).

b") Suspensión

La segunda modalidad de paralización es la suspensión, condicionada a la concurrencia de circunstancias de duración previsible, por lo que desaparecida la causa, puede dar lugar a la continuación de la vista. Es, igualmente, un supuesto de «crisis» o situación de anormalidad procesal, que afecta a la regla general de que, abierta la sesión del juicio oral, esta fase deberá continuar durante las sesiones concentradas necesarias hasta su conclusión (art. 744 y 788.1).

En el régimen de la suspensión hemos de tener en cuenta:

1°) La suspensión se adopta por auto motivado, fundado en las causas específicas que la provocan, y en esta resolución deberá fijarse el período de duración de la suspensión y lo procedente sobre la continuación de la vista. Esta resolución es irrecurrible.

2.°) La suspensión puede responder a petición de parte o a criterio del órgano sentenciador.

La suspensión de oficio podrá adoptarse si concurren: a) Circunstancias de índole procesal que exijan un pronunciamiento sobre cuestiones incidentales que no puedan decidirse en el acto, dando lugar a las cuestiones suspensivas; b) Ausencia de alguno de los miembros del tribunal, los defensores, el fiscal o el encausado por enfermedad; c) Por tenerse que realizar diligencias fuera del lugar de las sesiones que exijan la presencia de alguno de sus miembros, como podría serlo la declaración testifical de quienes se hallan imposibilitados para comparecer —art. 718— (art. 747).

3.º) En el abreviado se establecen determinadas reglas a considerar:

– Previo el inicio de la vista, y a instancia de parte, puede alegarse la concurrencia de ciertas causas que pueden provocar la suspensión, sobre cuya procedencia habrá de pronunciarse el juez o tribunal en el acto, antes de proseguir con su desarrollo ordinario (art. 786.2).

– La duración de la suspensión no será superior a 30 días. Si excede de 30 días, se dejaría sin efecto lo actuado y se obligaría a reinicializar las sesiones (art. 788). *A contrario sensu*, se mantiene la validez de lo actuado cuando la suspensión sea no superior a 30 días.

4º) En relación con el procedimiento ordinario:

– No se prevé plazo máximo para la suspensión.

– Se mantendría la validez de las actuaciones, a salvo de que se tratare de un tiempo excesivamente largo o de prolongación indefinida que llevare, por ejemplo, por enfermedad de alguno de los sujetos que intervienen en el proceso o por instrucción complementaria a la pérdida del significado mismo del acto concentrado —art. 749—.

5º) Causas de suspensión:

Hemos de diferenciar entre: a) Causa de suspensión de la apertura de las sesiones de la vista oral; y b) Causas de suspensión de la vista cuando ésta ya ha comenzado.

El primer supuesto se encuentra regulado en el art. 745 y afecta al inicio de la vista. Se podrá dar esta situación cuando por motivos independientes a su voluntad, las partes no tuvieren preparadas las pruebas ofrecidas en sus respectivos escritos.

El segundo supuesto se regula en el art. 746, en el que se recogen los motivos que pueden dar lugar a la suspensión de la vista, cuando ésta ya se ha iniciado. Los motivos son:

1.- Por la necesidad de resolver el Tribunal durante los debates alguna cuestión incidental que, por cualquier causa fundada, no pueda decidirse en el acto.

2.- Por la práctica de alguna diligencia fuera del lugar de las sesiones y no pudiere verificarse en el tiempo intermedio entre una y otra sesión. Se incluye no solo las actuaciones de inspección ocular del art. 727, sino también la posible solicitud de aportación de piezas de convicción que no estuvieren presentes en el acto de la vista (art. 688), o la verificación de circunstancias o datos referidos a las víctimas en el supuesto de lesiones que en el ordinario podría provocar la suspensión y en el abreviado, sin embargo, tan sólo esta última suspendería si tales datos se consideraren imprescindibles para la calificación de los hechos.

3.- Por incomparecencia de testigos de cargo y de descargo ofrecidos por las partes, siendo considerada necesaria su declaración por el Tribunal. Obviamente, se excluyen las ausencias de testigos por imposibilidad (física, psíquica...) que lleva a constituirse el mismo tribunal en el domicilio o residencia de éste o a emplear exhorto o mandamiento si se halla en lugar desde el que pueda prestar declaración (arts. 717 y ss.).

La prolija jurisprudencia existente en torno a esta causa de suspensión permite establecer las condiciones que deben cumplirse para su eficacia suspensiva: 1) La solicitud de suspensión deberá plantearse por la parte; 2) La suspensión se condiciona al criterio del órgano sentenciador sobre la necesidad de tales declaraciones, siempre que su negativa no sea causante de indefensión; o ante la imposible concurrencia del testigo (por ej. en paradero desconocido) una vez agotadas razonablemente las posibilidades para lograr su comparecencia; 3) La suspensión puede acordarse solo respecto a este medio de prueba y, una vez practicados los restantes hasta que, en su caso, comparezcan los testigos ausentes; 4) La decisión es del Tribunal, que, en atención a las circunstancias concurrentes —esencialidad del testimonio, número de testigos, existencia o no de otras pruebas, testimonio existente en el procedimiento preliminar, etc.— decidirá sobre la suspensión de la vista; decisión que, en su caso, deberá ser protestada formalmente con constancia en acta, si se pretende recurrir, incluso podrá acordar la continuación del juicio y la práctica de las demás pruebas, y después que se hayan hecho, suspenderlo hasta que comparezcan los testigos ausentes.

Se ha considerado en ciertos casos que igualmente podría acordarse la suspensión cuando se trate de peritos,sólo si su ausencia causara indefensión (ejemplo podría ser el psicólogo en los supuestos de violencia de género), dado que un perito puede ser sustituido por otro, lo que no es posible con un testigo dada la naturaleza estrictamente personal de su conocimiento sobre los hechos.

4.- Por enfermedad repentina de algún individuo del Tribunal, del Fiscal o del defensor de cualquiera de las partes, hasta el punto de que no pueda continuar tomando parte en la vista ni pueda ser reemplazado —como en el caso del defensor de la parte— sin grave inconveniente para la defensa del interesado; así como por enfermedad del encausado o los encausados.

Cuando el encausado sea una persona jurídica, ésta estará representada por quien designe, considerando el art. 786 bis que la incomparecencia de ésta no impedirá la celebración de la vista, con la presencia del Abogado y el Procurador de aquélla. Las razones de esta norma especial obedecen a la propia naturaleza de la persona jurídica y a mayor facilidad de variabilidad de la persona que la representa.

La regulación de este motivo de suspensión encuentra ciertos matices según el procedimiento:

– En el procedimiento ordinario: la ausencia por enfermedad «repentina» será constatada por el órgano del enjuiciamiento, procediendo, en su caso, a la suspensión por el tiempo que se estime necesario. En caso del miembro del tribunal, debe impedirle su presencia en la vista; en caso del defensor o Fiscal, imposibilidad o dificultad de reemplazarlo afectando al derecho de defensa; y si es el encausado, debe tratarse de uno solo para suspender, dado que si fueren varios, la vista continuará para los demás cuando el tribunal considere que puede juzgarse de forma independiente, se diere audiencia a las partes para comunicarles la decisión y se haga constar en el acta las razones del acuerdo (art. 746.6 in fine).

– En el abreviado, se mantienen las normas sobre suspensión por ausencia del juzgador o defensores o Fiscal. La ausencia del encausado único producirá suspensión si su ausencia está debidamente justificada (enfermedad, por ej.), e incluso,no estando justificada, la causa se sigue por delito con pena privativa de libertad no superior a dos años, o de seis, si es de distinta naturaleza; la citación se hubiera efectuado «en forma»; se ha solicitado por cualquiera de los acusadores, dándose audiencia de ello a la defensa y concurren elementos suficientes para enjuiciar al encausado (art. 786.1, II). Si son varios encausados, la situación es la descrita *supra.*

– En los delitos leves, como regla general y a diferencia de los anteriores, la ausencia del encausado no incide sobre su desarrollo siempre que su citación a juicio (en forma) se haya efectuado cumplimentando los requisitos generales y los más específicos de los arts. 962.1 y 964; y que el juez, de oficio o a petición de parte, no considere necesarias sus declaraciones (art. 971).

5.- Por revelaciones o retractaciones inesperadas que produzcan alteraciones sustanciales en los juicios, haciendo necesarios nuevos elementos de prueba o alguna sumaria instrucción complementaria. Por ejemplo, permite, a instancia de la defensa del encausado, suspender la vista para aportar pruebas de descargo y sobre cuyos resultados la acusación podría modificar nuevamente sus conclusiones.

V. DESARROLLO DEL ACTO DE LA VISTA ORAL

La LECRIM regula de forma escasa el desarrollo de las actuaciones tras el comienzo de los debates en la vista oral, debido a la mayor flexibilidad que comporta la oralidad, amén de la atribución al Presidente o Magistrado de las funciones de dirección de la sesión o sesiones de la vista oral. Ello no es óbice al establecimiento de un orden de actuaciones en la sesión o sesiones.

a) Orden de las actuaciones en las sesiones

El desarrollo de la vista se llevará a cabo de acuerdo con el orden que a continuación se expone:

1.- Declaración de apertura de las sesiones y colocación en la sede de las piezas de convicción siempre que existan, se hayan recogido y están a disposición del tribunal, dado que en este supuesto es preceptiva su presencia aunque no se hubieren solicitado por las partes.

2.- Decisión acerca de vista pública o a puerta cerrada, lo que no es óbice a la posible decisión posterior, una vez esté desarrollándose la misma (arts. 680, 686 y 969).

3.- Concesión de la palabra al encausado a efectos de declararse o no culpable de los hechos y las responsabilidades de que se le acusan (art. 688). En el abreviado comienza con la lectura de los escritos de acusación y defensa.

4.- Tras la anterior lectura, en el abreviado y en el juicio rápido se produce la apertura del turno de intervenciones para plantear cuestiones: en relación con la competencia, con la posible infracción de derechos fundamentales, planteamiento de artículos de previo pronunciamiento, la posible suspensión de la vista, la petición de nulidad, incluso la proposición de nuevas pruebas (art. 786.2, abreviado; y 802, juicio rápido).

5.- Fijación del orden de práctica de las pruebas propuestas (art. 701, in fine). Y en la práctica de algunas de ellas se fijan igualmente cuestiones tales como el orden de intervención de los testigos y peritos, la toma de su juramento o promesa, así como el interrogatorio de «las generales de la ley» y aquellas cuestiones procedentes (arts. 705, 706, 708, 708 y 969).

6.- Modificación o Ratificación de conclusiones (arts. 732 y 788.3).

7.- Posible planteamiento de la tesis de desvinculación (arts. 733 y 788.3, II), con los efectos jurídicos establecidos legalmente.

8.- Conceder la palabra a los defensores de las partes para efectuar el informe (arts. 734, 738, 788.3, 969) y al encausado, para que pueda ejercitar el derecho a la última palabra.

9.- Conclusión del acto, quedando el juicio visto para sentencia (art. 740).

b) Dirección de vista

La necesidad de mantener unas reglas de comportamiento en las actuaciones de la vista exige que sea el Presidente del Tribunal o el Magistrado quien asuma esa dirección, con el debido respeto al tribunal y a los presentes, e impidiendo que se altere la serenidad de ánimo que exige el desarrollo de la función jurisdiccional.

Para el ejercicio de estas funciones hay una serie de normas de naturaleza conductiva de las sesiones que son atribuidas al Presidente que dirige los debates: impide discusiones impertinentes o poco esclarecedoras (art. 683), prohíbe muestras reprobadoras o desaprobadoras (art. 686), o controla las reglas formales como que toda persona interrogada a la que se dirige el Tribunal, debe hablar de pie (art. 685).

El Presidente del Tribunal —o el Juez— posee distintas prerrogativas y autoridad sancionadora. Por ej. acordar la celebración de las sesiones a puerta cerrada, de temerse o producirse alteraciones en su orden además de por otros motivos, tal como veíamos antes (art. 680.1); llamar la atención; multar y expulsar de la Sala a cualquiera que lo alterase, incluso al propio encausado, por cierto tiempo o por todas las sesiones (art. 684.2 y 697; 192 LOPJ); detener a quien incurra en conductas estimadas punibles con puesta a disposición del juzgado correspondiente (arts. 684.3 y 4 y 195 LOPJ); sancionar las muestras de aprobación o desaprobación, con advertencia o con las sanciones expresadas, de suponer alteración del orden (art. 686).

Se harán constar en el acta las sanciones y su motivación. Contra el acuerdo sancionatorio podrá interponerse —por 3 días— recurso de audiencia en justicia ante el propio juez o tribunal, que resolverá en el siguiente día siendo su resolución recurrible en alzada ante la Sala de Gobierno correspondiente. Ésta resolverá en su primera sesión, previo informe del sancionador (la alzada podría plantearse directamente contra el acuerdo de sanción, quedando la audiencia como meramente potestativa, art. 194 LOPJ).

VI. DOCUMENTACIÓN Y CONSTANCIA DE LA VISTA ORAL

El régimen de documentación y de constancia de las sesiones del juicio oral es competencia del letrado de la administración de justicia, quien está presente en la sesión o sesiones en las que se desarrolle (art. 743), teniendo en cuenta que habrá dos posibilidades, con sus matices, para que quede constancia formal de las sesiones (arts. 788.8, 815 y 972): 1) El registro audiovisual; 2) El acta escrita.

a) Registro audiovisual (art. 230 LOPJ). Es el medio preferente y consiste en la incorporación en un soporte adecuado para la reproducción del sonido y la imagen. Su autenticidad se asegura por el letrado de la administración de justicia: 1) A través de firma electrónica garantizada u otro sistema de seguridad equivalente, caso de disponerse de estos medios; 2) A través de acta escrita complementaria del registro magnético, en la que se consignará al menos: el número y clase de procedimiento; lugar, fecha y tiempo de duración; asistentes al acto y sus peticiones y propuestas; prueba admitida y orden de su práctica; resoluciones del Tribunal y todas aquellas circunstancias que no puedan constar en el soporte audiovisual. Este documento electrónico quedará bajo la custodia del letrado de la administración de justicia, pudiendo las partes solicitar, a su costa, copias del original.

El acta electrónica permite la ausencia del letrado de la administración de justicia al juicio, al quedar registrado automáticamente, salvo que las partes soliciten su presencia (al menos dos días antes de su fecha) o porque el mismo letrado de la administración de justicia considere necesaria su presencia por la complejidad del asunto, naturaleza y complejidad de las pruebas o de los intervinientes o cualquier otra circunstancia excepcional. De darse esta situación, el letrado de la administración de justicia extenderá acta escrita complementaria, con el contenido que hemos visto antes.

b) Acta escrita. Es subsidiaria del registro magnético. En ella se hace constar, con extensión y detalle necesario, el contenido esencial de las pruebas practicadas, así como todas las posibles incidencias, reclamaciones y resoluciones.

La forma de transcripción del acta es a través de medios informáticos si se dispone de ellos. De otro modo, se llevará a cabo por manuscrito. Su contenido lo leerá el letrado de la administración de justicia, haciendo las rectificaciones que se propongan, de estimarse pertinentes, y se firmará por el Presidente y miembros del Tribunal, Fiscal y defensores de las partes.

La documentación en el acta, cualquiera que sea su formato, permite:

1°) Reflejar cuanto en materia probatoria sea esencial para constatar la mínima actividad probatoria suficiente para desvirtuar, en su caso, la presunción de inocencia y justificar una sentencia condenatoria; y

2°)Esta constancia se convierte en elemento suficiente para servir de base a un recurso de casación por quebrantamiento de forma, al recoger datos y circunstancias que ofrezcan la justificación de la concurrencia de alguno de sus motivos.

LECTURAS RECOMENDADAS: 1. Generalidades de la vista: MORENO VERDEJO y otros: *Juicio oral en el proceso penal (Con especial referencia al procedimiento abreviado),* Pamplona, 1995.
2. Publicidad: DEL MORAL GARCÍA; SANTOS VIJANDE: *Publicidad y secreto en el proceso penal,* Granada, 1996.
3. Suspensión: BARONA VILAR, S.: *La incomparecencia de testigos como causa de suspensión de la vista,* en Justicia,84, N° 4, pág. 907; GARCÍA DE LA PUERTA LÓPEZ, M.I.: *La suspensión del proceso por información suplementaria,* Córdoba, 1987.
4. Acta del juicio oral: SÁEZ GONZÁLEZ, J.: *El acta del juicio oral en el proceso penal,* Barcelona, 1996.

Lección Décimo octava

La terminación del proceso penal

I. LA TERMINACIÓN DEL PROCESO PENAL

Llegados a este punto el proceso acaba sólo por sentencia.

II. LA SENTENCIA PENAL

En el proceso penal, una vez celebrado el juicio oral, solamente puede terminar por sentencia, condenatoria o absolutoria.

En la sentencia se declara el ejercicio de la potestad punitiva del Estado. Se ejerce la función jurisdiccional.

La sentencia absolutoria es siempre de fondo (no está permitida la absolución de la instancia).

La sentencia condenatoria impone o una pena, o una medida de seguridad, o ambas. Es el título ejecutivo penal, siendo pura, determinada y líquida.

La sentencia está sujeta a un procedimiento de formación lógico.

Requisitos internos:

1. Motivación: relevancia constitucional, muy importante con relación a la prueba (antecedente de hechos probados).
2. Correlación entre acusación y defensa y sentencia (es la congruencia, y también tiene relevancia constitucional).

La ley establece criterios particulares para algunas sentencias: Manifestaciones del arbitrio judicial, sanciones no penales, en caso de violencia de género, petición de creación o supresión de tipos, o solicitud de indulto.

III. LAS CUESTIONES PREJUDICIALES

Concepto ya estudiado en el proceso civil.

La cuestión central es el valor de la sentencia civil en el proceso penal.

Clases: Devolutivas y no devolutivas.

Tratamiento procesal

Casos específicos.

I. LA TERMINACIÓN DEL PROCESO PENAL

El proceso penal español, llegado a la fase de juicio oral, sólo puede terminar por sentencia, que ha de ser condenatoria o absolutoria.

Atendidos los principios de legalidad penal sustantivo y de necesidad procesal, es excepcional la terminación del proceso por auto, una vez que se ha abierto el juicio oral o que se ha celebrado éste. Ello puede ocurrir, con todo, sólo cuando se resuelvan cuestiones que afecten a presupuestos procesales [v.gr., a la competencia, arts. 245.1, b) LOPJ y 786.2 LECRIM, aunque éste no se refiere a auto sino a resolución oral], o cuando deba procederse a la declaración de nulidad de actuaciones (conforme al art. 240 LOPJ), o finalmente cuando el proceso pierda su sentido (v.gr., por muerte del acusado, art. 130.1-1º CP). Naturalmente, el sobreseimiento libre, que ya conocemos, se plasma en un auto equivalente a sentencia absolutoria, pero ello impide la celebración del juicio oral.

El proceso, pues, acaba como regla general por medio de sentencia. Advirtiendo que también los recursos terminan normalmente por sentencia, aquí vamos a referirnos a la sentencia que pone fin al juicio de la primera o única instancia [en el sentido de los arts. 245.1, c) LOPJ y 141, IV, LECRIM], por tanto a la sentencia regulada en el art. 741, I, LECRIM, en la que el Tribunal, apreciando según su conciencia las pruebas practicadas en el juicio, las razones expuestas por la acusación y la defensa, y lo manifestado por los mismos acusados, les absuelve o condena.

Hasta el Estatuto Jurídico de la Víctima del Delito de 2015 (art. 15) había que decir que la ausencia normalmente de facultades dispositivas en el proceso penal hacía que no cupieran ni la transacción, ni la renuncia, ni el allanamiento, en el sentido que conocemos del proceso civil, como modos de terminación del proceso, aunque hemos de decir que sí sería posible alguno de los anteriores actos de disposición en los procesos penales por delito privado, y hemos de admitir que la conformidad o negociación, que ya hemos estudiado, revelan un cierto espíritu transaccional. Con dicho Estatuto, y para ciertos delitos, cabrá la mediación penal y por tanto la terminación del proceso obedecerá también a condicionantes de Justicia transaccional y restaurativa.

II. LA SENTENCIA PENAL

Dado que la sentencia es una resolución judicial, es decir, un acto procesal del Juez, nos remitimos en cuanto a los aspectos formales y sus requisitos externos al tomo I de esta obra. Aquí estudiaremos su concepto y clases, su formación y sus requisitos internos, aplicados al proceso penal, para recoger finalmente determinados contenidos particulares de carácter procesal impuestos por el CP.

A) Concepto y clases

La sentencia es la resolución del órgano jurisdiccional que pone fin al proceso penal, en la que se declara el ejercicio de la potestad punitiva del Estado, condenando o absolviendo a una persona. Se funda, por tanto, en el ejercicio de la potestad y de la función jurisdiccional (el «juzgar» del art. 117.3 CE). Debido al sistema procesal español, la sentencia, además de su pronunciamiento penal, también contiene un pronunciamiento civil, en el caso normal de acumulación de la pretensión civil a la penal. Ahora, sin embargo, insistiremos más en el aspecto penal, al haber tratado ya las cuestiones civiles en lecciones anteriores.

Es ya suficientemente conocido que las penas sólo pueden ser impuestas por sentencia de un órgano jurisdiccional (arts. 24.2, 25.1 y 117.3 CE), que ha de pertenecer además al orden jurisdiccional penal (art. 9.3 LOPJ), de modo que el derecho de penar del Estado únicamente puede materializarse en la sentencia que ponga fin a un proceso penal.

Existen diferentes clasificaciones de las sentencias. Fijándonos en la más importante, podemos distinguir:

a) Sentencias absolutorias

Las sentencias penales son absolutorias si desestiman la pretensión de condena formulada por las partes acusadoras. Únicamente pueden ser absolutorias de fondo, bien por inexistencia del hecho, bien por ser inocente el acusado, bien por falta de pruebas o dudas razonables sobre los hechos, bien por falta de responsabilidad criminal. Aunque después aparezcan nuevas pruebas, ya no habrá posibilidad de reabrir el proceso por el efecto de cosa juzgada (v. lección 19ª).

Nuestro Derecho no permite la absolución de la instancia (art. 144 LECRIM y art. 24.2 CE, principio de la presunción de inocencia), verdadera «espada de Damocles» en tiempos pasados, porque se absolvía provisionalmente al acusado al no existir pruebas, permitiendo reabrir la causa cuando se encontraran.

b) Sentencias condenatorias

Son las que estiman la pretensión de condena formulada por los acusadores, imponiendo una pena o medida de seguridad al acusado, o ambas, y abriendo la ejecución al ser título ejecutivo (arts. 3 CP, 1 y 988 LECRIM). Las sentencias de condena en España son puras, es decir, no sometidas a ninguna condición de cumplimiento de la condena (con el matiz de los procesos abreviados y de los juicios rápidos para la suspensión de la ejecución de la pena, arts. 789.2 y 802.3 LECRIM, en relación con los arts. 80 a 87 CP, modificados en 2015, pero que se decreta en resolución posterior autónoma); determinadas, porque fijan exactamente la pena a que se condena a una persona (pero sí existen, sin embargo, medidas de seguridad indeterminadas, v. art. 97 CP); y líquidas, es decir, con fijación exacta de la clase de pena que se impone, aunque luego deba liquidarse exactamente la pena a cumplir, indicando su duración desde el día de comienzo hasta el día que finalizan, o cantidad.

Otra clasificación trascendente en el proceso penal es la que diferencia a las sentencias según sean *escritas*, que es el supuesto normal, u *orales*. Respecto a estas últimas, denominadas sentencias *in voce*, se producen en los procesos abreviados y en los juicios rápidos (arts. 245.2 LOPJ, 789.2 y 802.3 LECRIM), en los juicios sobre delitos leves (art. 973 LECRIM), y parece que también en las causas ante el Tribunal del Jurado (art. 67 LJ), adelantándose el fallo, lo que está particularmente indicado cuando sea absolutorio, que deviene firme si las partes en ese momento anuncian que no lo recurrirán, dejando la redacción por escrito de la sentencia para un momento posterior.

B) Formación

Los Jueces realizan determinadas operaciones mentales a la hora de redactar las sentencias. Esto se conoce como formación lógica de la sentencia, que tiene un aspecto externo o formal, que no consideraremos al haberlo estudiado ya en el tomo I de esta obra, que incluye también el estudio, la deliberación y discusión, la votación, el modo de dirimir las discordias, la redacción y firma, en caso de tratarse de un órgano colegiado, y el estudio, la redacción y firma sólo si se trata de un órgano unipersonal, y un aspecto interno, consistente en una serie de razonamientos complejos de todo tipo que llevan al Juez a valorar lo actuado, particularmente la práctica de las pruebas y los resultados probatorios obtenidos, y a interpretar y aplicar las normas penales y procesales penales correspondientes a los hechos punibles enjuiciados, que le permiten llegar a la conclusión adecuada (fallo), que debe ser justa y correspondiente con los principios propios del proceso penal de un Estado de Derecho.

La explicación que da la doctrina de este fenómeno se articula en torno a un silogismo, cuya premisa mayor estaría integrada por las normas jurídicas penales y procesales, una premisa menor, es decir, los hechos alegados o investigados y probados, y una conclusión, relacionando y subsumiendo el hecho en la norma, dictando el fallo correspondiente. Pero en realidad las cosas no son tan sencillas, porque además de la lógica intervienen otros factores en la formación interna de la sentencia nada desdeñables como, por ejemplo, el análisis histórico de los hechos, o los propios juicios valorativos del juzgador. Lo que sí es claro es que toda esta génesis interna debe deducirse de la propia motivación de la sentencia, porque así lo dispone el art. 120.3 CE, y porque las sentencias deben ser en todo caso fundadas, violándose en otro caso el derecho fundamental a la tutela judicial efectiva del art. 24.1 CE.

C) Requisitos internos

La sentencia penal debe ser motivada, clara, no contradictoria, terminante, exhaustiva y congruente. Destacan, por su importancia, los requisitos de la motivación, a caballo entre su carácter externo o formal y el interno, y, sobre todo, el de la congruencia, denominada en lo penal «correlación entre acusación y defensa y sentencia».

a) Motivación

Motivar una resolución es explicar el porqué de su contenido y del sentido de la decisión que en ella se toma. Por ello, las sentencias deben exponer las razones que justifican el contenido absolutorio o condenatorio del fallo, y hasta tal punto es requisito de la sentencia que la CE ha constitucionalizado esta obligación de los Jueces en su art. 120.3, infringiéndose en caso contrario el derecho fundamental a la tutela judicial efectiva del art. 24.1 CE, porque dicha tutela implica a su vez el derecho a obtener una resolución fundada dictada en el proceso iniciado; y también el derecho a la presunción de inocencia, pues aunque exista prueba de cargo practicada el Juez debe exponer los elementos de convicción que le han llevado a tomarla en consideración para su decisión (SS TC 55/1987, de 13 de mayo; y 143/1997, de 15 de septiembre).

La motivación del fallo es fáctica y jurídica:

a) La motivación fáctica se contiene en la sentencia penal en el antecedente de hechos probados (arts. 248.3 LOPJ y 142, 2ª LECRIM, que tiene un origen muy concreto, pues siendo la casación, al menos en su antecedente francés, un recurso nomofiláctico, el Tribunal Supremo no podía variar los hechos declarados probados so pena de vaciar de contenido al recurso). En él deja constancia expresa el órgano jurisdiccional de qué hechos considera jurídicamente de importancia para su decisión.

La motivación fáctica debe abarcar indubitadamente la probatoria, pues es imprescindible, si el término motivación se utiliza en toda su profundidad y no desde un punto de vista meramente formal, que básicamente el condenado y demás partes (pero también la sociedad en general) sepan, no sólo por qué hechos se le impone una pena o medida de seguridad, o ambas, sino también qué pruebas han inclinado la balanza en su contra y qué elementos de convicción se han derivado de ellas.

La motivación es un aspecto muy importante del veredicto y sentencia del proceso penal español ante el Tribunal del Jurado [art. 61.1, d) LJ], de ahí que nos remitamos a la lección 26.ª en este mismo tomo.

La jurisprudencia no exige una descripción prolija de la motivación, ni puede exigirla, porque con ello no haría sino aumentar la dilación en la tramitación de los procesos. Ello no quiere decir que cuando sea necesaria una prolija descripción de los hechos no deba realizarse, pero debe bastar con que la descripción fáctica del antecedente de hechos probados explicite:

1.º) De manera clara, contundente, terminante y no contradictoria, los que han quedado probados, siempre que los mismos tengan trascendencia jurídica para el fallo;

2.º) En caso de duda, razonar por qué el órgano jurisdiccional no está seguro de los hechos o duda sobre su producción (v. más adelante).

3.º) Ha de excluir cualquier tipo de valoración jurídica o de predeterminación del posterior fallo, y no puede expresar ni mucho menos calificaciones jurídicas de los mismos.

4.º) La prueba debe ser valorada concretamente, pues es necesario que el acusado y demás partes sepan de dónde ha extraído el órgano jurisdiccional sus elementos de convicción, si bien no hay declaración legal expresa en este sentido (se podría apoyar en alguno de los motivos de casación por infracción de ley y por quebrantamiento de forma, v.gr., arts. 849-2º, y 851-2º LECRIM, ya que para impedir estas posibilidades hay que explicar los resultados probatorios obtenidos en el proceso).

5.º) Finalmente, es de suma importancia la motivación fáctica cuando estemos ante un caso de prueba obtenida vulnerando, directa o indirectamente, los derechos y libertades fundamentales (art. 11.1 LOPJ).

b) La motivación jurídica son los fundamentos de Derecho de la sentencia (arts. 248.3 LOPJ y 142, 4.ª LECRIM), en donde el órgano jurisdiccional aplica el Derecho Penal a los hechos declarados probados, dentro de los límites sustantivamente fijados.

El tribunal, consecuentemente, valora jurídicamente el antecedente de hechos probados, aplicando el Derecho Penal sustantivo y el Derecho Procesal Penal, en su caso, para llegar a la consecuencia final, fallo o parte dispositiva de la sentencia. Aquí se realiza la labor de interpretación doctrinal y jurisprudencial, explicando el Derecho que fundamenta la resolución.

Por ello deben citarse y explicarse los preceptos legales que afectan a (art. 142-4ª LECRIM): 1º) La calificación de los hechos probados; 2º) La participación en los mismos de los acusados; y 3º) Las circunstancias agravantes, atenuantes y eximentes, en su caso.

Tres observaciones finales respecto a la motivación de las sentencias penales, en parte como concreción de reflexiones ya expuestas:

1.ª) Todo ello se traduce en una redacción de ambas partes de la sentencia, clara y no contradictoria, terminante, sencilla y expresiva, pues de lo contrario cabría el recurso de casación por quebrantamiento de forma (v. el art. 851-1° LECRIM).

2.ª) Las sentencias absolutorias por falta de hechos probados, o aquéllas en que se absuelva por aplicación del principio de la presunción de inocencia del art. 24.2 CE, no contienen declaración de hechos probados, pero sí deben ser motivadas para justificar la absolución.

3.ª) La motivación afecta no sólo al Derecho Procesal, sino también y muy principalmente al Derecho Penal sustantivo, pues su ausencia es causa de nulidad, ya que es la calificación jurídico-penal del hecho, por tanto, la explicación de por qué unos concretos hechos constituyen un determinado delito previsto en un artículo del CP, y no otro, debiendo incluso explicarse cualquier variación interpretativa de la línea jurisprudencial que se pueda producir.

c) El fallo o parte dispositiva de la sentencia, el único apartado que gozará en su momento de los efectos de cosa juzgada, debe ser congruente con dicha motivación, en los términos fijados legalmente, que comentamos a continuación. En él se condenará o absolverá no sólo por el delito principal, sino también por los delitos a él conexos que hubieran sido enjuiciadas en la causa (art. 142.4ª-5° LECRIM).

b) Correlación entre acusación y defensa y sentencia

Las sentencias deben también ser congruentes, es decir, deben ser correlativas o adecuadas a las peticiones formuladas por todas las partes acusadoras y acusadas (arts. 142.4ª-5° y 742 LECRIM). En otro caso, se infringe el derecho a la tutela judicial efectiva del art. 24.1 CE, que implica a su vez el derecho a obtener una resolución sobre el fondo en el asunto penal planteado (SS TC 138/1985, de 18 de octubre; 78/1986, de 13 de junio; 170/1997, de 14 de octubre; y 172/1997, de 14 de octubre).

La correlación se expresa en el fallo de la sentencia, conforme a esos preceptos, y recoge las posiciones jurídicas de las partes acusadoras y de las acusadas. En consecuencia, la correlación de la sentencia no es sólo con la acusación, sino también con la defensa, aunque la posición jurídica de la defensa no sea vinculante para el órgano jurisdiccional, ni siquiera en caso de conformidad (v. lección 12ª).

En sentido estricto la congruencia se deriva del poder de disposición que las partes tienen sobre el objeto del proceso, y por eso la congruencia tiene pleno sentido en el proceso civil. Cuando se trata del proceso penal, sobre cuyo objeto las partes no tienen disposición, no se habla propiamente de congruencia, sino de correlación, que se asienta de modo principal en el principio de contradicción.

Las infracciones a este requisito pueden ser por defecto (al no pronunciarse sobre todas las peticiones de las partes), en cuyo caso se dice que las sentencias deben ser exhaustivas (con fundamento directo en el art. 24.1 CE, según la jurisprudencia antes citada), o por exceso, por ejemplo, imponiéndose, sin utilizar la facultad prevista en el art. 733 LECRIM dentro de los límites jurisprudenciales que hemos estudiado, pena mayor a la solicitada o por delito distinto (art. 788.3 y 802.1 LECRIM, para los procesos abreviados y los juicios rápidos), cabiendo en ambos casos recurso de casación (art. 851-4.º LECRIM), o de apelación.

Hablar de correlación significa comparar. Pues bien, para saber si la sentencia penal es congruente, si se adecua a lo pedido por las partes y lo obtenido en la sentencia, hay que analizar, desde el punto de vista de la acusación, las calificaciones definitivas (o las provisionales si no se han modificado), porque en ellas se fija el hecho criminal imputado a una persona, que constituye el objeto de ese proceso penal, con las peticiones correspondientes a estas cuestiones objetivas y subjetivas pertinentes; desde el punto de vista de la defensa, también sus calificaciones definitivas, o, en su caso, provisionales; y, desde el punto de vista del propio escrito de sentencia, su fallo o parte dispositiva, interpretado conforme a la motivación sentada en el antecedente de hechos probados y en la fundamentación jurídica. Y ello, tanto en lo que afecta a las peticiones y a los pronunciamientos penales de la sentencia penal, como a los civiles.

Motivación y correlación presentan lugares comunes de importancia, pues comparar la sentencia no quiere decir leer atentamente su parte dispositiva, sino toda ella, lo que significa en concreto atender a sus fundamentos fácticos y jurídicos. Este tema incide directamente en el objeto del proceso penal, visto en una de las primeras lecciones de este tomo. En este sentido, de ese análisis deduciremos:

1.º) Si la persona acusada es la persona absuelta o condenada, pues en caso contrario estaríamos ante una sentencia nula de pleno Derecho (art. 238-3º LOPJ), además de ante una de las injusticias mayores que puedan cometerse, sobre todo si se condena al no acusado, vulnerándose las garantías personales esenciales del art. 24 CE.

2.º) Si el hecho criminal imputado ha permanecido a lo largo de la causa sin variación esencial, pronunciándose sobre él la sentencia. En otro caso, se vulnerarían el principio acusatorio, el derecho a ser informado de la acusación, y se causaría indefensión (v., entre otras muchas, STC 20/1987, de 19 de febrero). Las variaciones en cuanto a los hechos accesorios no plantean, en principio, ningún problema constitucional ni ordinario.

Otras cuestiones de incidencia en esta materia, como la relación de la conformidad del acusado con la correlación, o la resolución del objeto civil del proceso penal, ya han sido apuntadas y estudiadas en las lecciones correspondientes.

D) Contenidos particulares

El CP contiene muchas normas que significan contenidos particulares de la sentencia penal de absolución o de condena, repercutiendo más allá de lo estrictamente material. Afectan por un lado al arbitrio judicial en el momento de sentenciar (adquiriendo quizás ahora más sentido el art. 741, II LECRIM, a pesar de su pretendido valor reglamentario por mor del Decreto de 31 de mayo de 1931), y a la imposición de sanciones penales y no penales. También haremos una referencia a la petición de supresión de tipos o de indulto. Veámoslos agrupadamente:

a) Manifestaciones del arbitrio judicial

Las leyes penales suelen contener numerosas normas que otorgan al órgano jurisdiccional sentenciador poderes discrecionales o facultades de arbitrio. Sin duda la fundamental es la que le permite recorrer la amplitud de la pena, hoy todavía más con prácticamente una única pena de prisión, en la extensión que estime adecuada, que debe fundamentar en la sentencia de acuerdo con las reglas de los arts. 61 y ss., salvo que la Ley imponga un tramo concreto (v.gr., tramo superior), en cuyo caso sigue existiendo arbitrio, si bien más reducido.

También es de citar la facultad que se concede al órgano jurisdiccional de rebajar en uno o dos grados la pena, cuando el Código penaliza los actos preparatorios. Ejemplos típicos, de los varios que pueden citarse, serían el delito de homicidio (art. 141 CP), y los delitos contra la comunidad internacional (art. 615 CP).

Pero además de estos casos, que podríamos denominar generales, el CP recoge determinadas posibilidades concretas en donde el arbitrio judicial aparece expresamente autorizado, generalmente para rebajar la pena o para imponer la pena de inhabilitación especial, al estar regulando conductas típicas que permiten o aconsejan su utilización, e incluso para aumentar en algunos casos la pena.

b) Sanciones no penales

El órgano jurisdiccional competente debe imponer en la sentencia condenatoria una o las dos consecuencias jurídicas del delito, a saber, la pena y la medida de seguridad, de acuerdo con reglas de aplicación respectivas fijadas por el CP (arts. 66 a 108, parcialmente modificados en 2015).

Dentro de la pena, puede imponer una pena privativa de libertad, una pena privativa de derechos, sola o conjuntamente con la anterior, una pena pecuniaria, sola o conjunta con las demás, y una pena accesoria a la pena privativa de libertad, de acuerdo con los arts. 32 a 60 CP.

Pero además puede imponer consecuencias accesorias cuando el delito se haya cometido dolosamente. Estas consecuencias accesorias son las que van a ser objeto de nuestra atención ahora, porque las anteriores consideraciones afectan a todo el Derecho Penal en general.

No es clara la naturaleza de las consecuencias accesorias. La doctrina penal está dividida, pues un sector entiende que estamos ante penas accesorias, otro ante medidas de seguridad, un tercero ante otro tipo de sanciones, de carácter mixto o complejo, e incluso hay quienes piensan que es una institución totalmente autónoma. Desde luego, desde un punto de vista procesal, estas consecuencias accesorias sirven inicialmente para entender que la clásica afirmación que las únicas consecuencias jurídicas del delito son la pena y la medida de seguridad es al menos incompleta, pues si entre las consecuencias como veremos enseguida están algunas (que son verdaderas penas) que implican la muerte civil de la persona jurídica, rodeadas además de amplias posibilidades de arbitrio judicial, la sanción es gravísima, y por tanto es admisible considerarlas, en nuestra modesta opinión, y siempre teniendo en cuenta el aspecto procesal, como un «tertium genus» derivado del hecho punible, en donde están presentes tanto los efectos de la pena (clausura definitiva, disolución, etc.), como los de las medidas de seguridad (evitar o prevenir la continuidad delictiva), pero en todo caso con carácter autónomo frente a la propia pena y a la propia medida de seguridad. Piénsese que con ello pretendemos evitar lo que los penalistas llaman «fraude de etiquetas», pues en caso contrario podemos estar disfrazando con otro nombre auténticas penas o auténticas medidas de seguridad, y si no son ni lo uno ni lo otro, es preciso encontrarles un acomodo en cuanto a su naturaleza. En este sentido, pensamos que estamos ante un tercer tipo de consecuencias jurídicas del delito.

El CP prevé dos tipos de consecuencias accesorias, ambas reformadas profundamente en 2010 y en 2015: El decomiso, que es verdaderamente una consecuencia accesoria (aunque en un caso no se exija condena), y las medidas del art. 129 respecto a las personas jurídicas, que hoy son más penas que consecuencias accesorias, pero existen también disposiciones particulares dispersas a lo largo del articulado, algunas de las cuales deben citarse aquí.

1°) El decomiso (que no comiso) es la pérdida de los efectos del delito doloso, y en ciertos casos culposo, y de los bienes, medios o instrumentos con que se haya preparado o ejecutado, así como de las ganancias provenientes del mismo.

Se prevé con carácter general en los arts. 127 a 127 octies y 128, habiendo sufrido una profunda modificación en 2015 para conseguir una mayor eficacia en la lucha contra el delito, especialmente contra la criminalidad organizada, de manera que se puedan recuperar todos los activos procedentes del delito y gestionar más eficazmente los mismos. Se basa, aunque va más allá, en la Directiva 2014/42/UE, del Parlamento Europeo y del Consejo, de 3 de abril, sobre embargo y decomiso de los instrumentos y productos del delito en la Unión Europea. Estas reformas hacen que el decomiso sea una consecuencia jurídica generalizada y no únicamente aplicable a determinados delitos.

Se consideran cinco modalidades de decomiso:

a) Decomiso por condena previa (art. 127): Es el impuesto general y principal. Prevé el decomiso de los efectos, bienes, medios, instrumentos, y ganancias relacionados con el delito y su autor, sean o no de su propiedad, y, si ello no es posible o se ha producido una depreciación de los mismos, el decomiso de bienes sustitutivos o por un valor equivalente. Con tan amplia regulación se pretende que de ninguna manera el autor del delito pueda resultar beneficiado económicamente por su actividad criminal, impidiendo cualquier enriquecimiento patrimonial injusto.

b) Decomiso ampliado (art. 127 bis): Introducido en 2010 para luchar eficazmente contra la criminalidad organizada, ahora en 2015 se generaliza a muchos más delitos. Consiste en el decomiso de los efectos, bienes, medios, instrumentos y ganancias de un condenado por alguno de los delitos graves enumerados en el precepto, entre los que están terrorismo y corrupción, pero que sean de él o se sospeche mediante los indicios que el art. 127 bis.2 enumera que provienen de una actividad delictiva y no se acredite su origen lícito. Se llama ampliado porque afecta a todo el patrimonio del condenado aunque los efectos, bienes, medios instrumentos y ganancias no se hayan utilizado o provengan del delito enjuiciado. En definitiva, si estamos ante un delito de la criminalidad organizada, por ejemplo, al admitirse el decomiso de bienes de ese grupo u organización, se trata de asfixiarlo económicamente para impedir cualquier financiación de posibles actos delictivos posteriores.

c) Decomiso por actividades delictivas continuadas (arts. 127 quinquies y 127 sexties): Esta variedad es novedad de la reforma de 2015. Parece un decomiso ampliado, o una de las modalidades del mismo, porque afecta a la actividad delictiva previa del condenado, siempre que se cumplan determinados requisitos, se den ciertos indicios relevantes y se constaten ciertas presunciones, todos ellos recogidos en la norma. Es evidente que se ha introducido para luchar más eficazmente contra los autores de delitos patrimoniales (beneficios superiores a 6000 euros).

d) Decomiso de bienes, efectos o ganancias de terceros a quienes les han sido transferidos por los delincuentes (art. 127 quáter): Este decomiso permite el decomiso por un valor equivalente, y también el decomiso de otros bienes que nada tengan que ver con esa transmisión, de manera tal que todos los posibles enriquecimientos injustos queden cubiertos. El art. 127 quáter.2, en relación con el art. 6.2 Directiva 2014/42/UE, permite llegar a la conclusión de que el decomiso no es posible, como antes se decía expresamente en el art. 127.1 *in fine*, si los bienes, efectos o ganancias pertenecen a un tercero de buena fe no responsable del delito, que los haya adquirido legalmente.

e) Decomiso sin sentencia de condena (art. 127 ter): Finalmente, con el fin de evitar cualquier enriquecimiento injusto, es posible el decomiso aunque se declare al acusado (o imputado) exento de responsabilidad criminal, haya fallecido, o sufra una enfermedad que impida su enjuiciamiento o se encuentre en rebeldía, siempre que quede demostrada la situación patrimonial ilícita. Esta es la excepción a la que nos referíamos del tratamiento del decomiso como pena, ya que no hay condena.

Los bienes pueden ser decomisados cautelarmente mediante depósito o embargo (art. 127 octies.1). Si la ejecución del decomiso no puede llevarse a cabo, se pueden decomisar otros bienes por valor equivalente, incluso de origen lícito (art. 127 septies). Pueden ser realizados anticipadamente o utilizados provisionalmente si el juez así lo acuerda (v. arts. 127 octies.2 CP y 367 ter a 367 septies LECRIM, introducidos por la misma reforma de 2015, que crea la Oficina de Recuperación y Gestión de Activos a tal fin).

Cuando la resolución es firme, los bienes decomisados se adjudican al Estado, salvo que deban ser destinados al pago de indemnizaciones a las víctimas (art. 127 octies.3).

El destino de estos bienes se encomienda a la Oficina de Recuperación y Gestión de Activos, órgano administrativo creado para localizar, recuperar, conservar, administrar y realizar los efectos procedentes de actividades delictivas (DA-5ª LECRIM, introducida por la Ley 41/2015, de 5 de octubre). Si son de lícito comercio, pueden venderse de acuerdo con los arts. 367 a 367 sexies LECRIM, reformados en 2015.

Para el decomiso europeo hay que estar al Reglamento (UE) 2018/1805, del Parlamento Europeo y del Consejo, de 14 de noviembre de 2018, sobre el reconocimiento mutuo de las resoluciones de embargo y decomiso.

Ténganse en cuenta, finalmente, la intervención de un tercero al que afecte el decomiso y el proceso por decomiso autónomo (arts. 803 ter a) a 803 ter u) LECRIM, introducidos por la Ley 41/2015, de 5 de octubre), a tratar en lección 23ª, cuando por el decomiso pudiera resultar afectado un tercero propietario del bien o cuando, sencillamente, el autor del delito haya fallecido o no pueda ser enjuiciado.

Otras normas particulares del CP establecen específicamente el decomiso de bienes. Así podemos citar:1) Decomiso de los instrumentos del delito contra la salud pública (art. 374, y desarrollado por el art. 5 Ley 17/2003, de 29 de mayo, por la que se regula el Fondo de bienes decomisados por tráfico ilícito de drogas y otros delitos relacionados, y reformado en 2015); y 2) Decomiso del vehículo de motor o ciclomotor propios por delito de conducción temeraria (art. 385 bis).

Fuera del CP, para los delitos de contrabando hay que estar a su legislación propia (art. 5 LO 12/1995, reformada en 2011).

2.º) El art. 129 CP previó con la reforma de 2003 otra serie de consecuencias accesorias, pero que en realidad después de la reforma de 2010 por su gravedad y naturaleza son verdaderas penas, dada su correspondencia con otras sanciones idénticas para personas jurídicas, de gran importancia práctica y trascendencia económica, porque afectan a personas jurídicas mercantiles (sociedades anónimas, sociedades de responsabilidad limitada y sociedades cooperativas, principalmente), que no están jurídicamente constituidas en forma válida, es decir, que son personas jurídicas irregulares, sin personalidad jurídica en suma, y siempre que el CP lo prevea así expresamente. Si son personas válidamente constituidas se les aplican los arts. 31 bis a 31 quinquies CP, reformados en 2015.

Algunas de las medidas se pueden imponer también cautelarmente (art. 129.3), pero entonces su naturaleza es de medida cautelar y no de pena, y por tanto sujetas al régimen jurídico de la tutela preventiva.

Las penas que se pueden imponer a las personas jurídicas sin personalidad jurídica son las del art. 33.7, letras c) a g) CP:

1) Suspensión de sus actividades por un plazo que no podrá exceder de cinco años.

2) Clausura de sus locales y establecimientos por un plazo que no podrá exceder de cinco años.

3) Prohibición de realizar en el futuro las actividades en cuyo ejercicio se haya cometido, favorecido o encubierto el delito. Esta prohibición podrá ser temporal o definitiva. Si fuere temporal, el plazo no podrá exceder de quince años.

4) Inhabilitación para obtener subvenciones y ayudas públicas, para contratar con el sector público y para gozar de beneficios e incentivos fiscales o de la Seguridad Social, por un plazo que no podrá exceder de quince años.

5) Intervención judicial para salvaguardar los derechos de los trabajadores o de los acreedores por el tiempo que se estime necesario, que no podrá exceder de cinco años.

Al lado de esas consecuencias accesorias, el CP establece en determinados preceptos medidas concretas.

Así, por poner algunos ejemplos, podemos citar: 1. Clausura definitiva de burdeles y casas de lenocinio (art. 194); 2. Clausura temporal o definitiva del local o establecimiento por delito de receptación o conducta afín (art. 298.2); 3. Demolición de la obra a cargo del autor del hecho, en los delitos sobre la ordenación del territorio (art. 319.3); 4. Clausura o intervención de la empresa en los delitos contra los recursos naturales y el medio ambiente (art. 328); etc.

c) Condenas por actos de violencia de género

Una previsión muy importante se establece en la Disposición Adicional 1ª LVG, pues en caso de que el órgano jurisdiccional dicte sentencia condenatoria de un varón en un proceso penal por delito de violencia de género, debe fijar en ella una serie de disposiciones relativas a pensiones y ayudas, que serían sanciones no penales especiales. En esencia, el condenado perderá la condición de beneficiado por la pensión de viudedad que le pudiera corresponder, no tendrá derecho en su caso al abono de la pensión de orfandad, ni tampoco tendrá la condición de beneficiario a los efectos de la Ley 35/1995, de 11 de diciembre, de Ayudas y Asistencia a las Víctimas de Delitos Violentos y contra la Libertad Sexual.

d) Petición de creación o supresión de tipos, o solicitud de indulto

Finalmente, el órgano jurisdiccional competente puede por razones de equidad, al entender que una aplicación literal del principio de legalidad criminal o penal puede conllevar una situación materialmente injusta, o al entender que la no tipificación de una conducta también puede llevar a idénticos resultados, en la línea tradicional mantenida por nuestros Códigos Penales, suavizar o eliminar el rigor legal, o intentar la criminalización, mediante una de estas tres vías:

1.ª) Si estima que la condena es elevada puede pedir el indulto particular en la sentencia (art. 4.3 y 4 CP, para las causas ante el Tribunal del Jurado, v. arts. 52.2 y 61.1, c), II LJ);

2.ª) Si estima que el tipo penal debe ser descriminalizado, ha de solicitarlo al Gobierno mediante exposición razonada, sin perjuicio de la condena y su ejecución (art. 4.3 CP); y

3.ª) Si estima que determinada acción u omisión no penada debe serlo, se abstendrá de todo procedimiento sobre ella, por aplicación del principio de legalidad criminal, y dirigirá al Gobierno exposición razonada pidiendo la tipificación correspondiente (art. 4.2 CP).

III. LAS CUESTIONES PREJUDICIALES

Las cuestiones prejudiciales en el proceso penal se regulan, defectuosamente, en los arts. 3 a 7 LECRIM, que las consideraron por primera vez en nuestro Derecho, y con carácter general, en el art. 10 LOPJ.

A) Concepto

Recordemos, pues las cuestiones prejudiciales con relación al proceso civil han sido tratadas ya en el tomo II de esta obra (arts. 40 a 43 LEC), que cuestión prejudicial es aquel tema que teniendo conexión con un proceso penal, podría ser objeto de resolución en otro proceso de distinto orden jurisdiccional, por ejemplo, civil, administrativo, laboral o constitucional, o incluso comunitario, de manera que la decisión a tomar en estos órdenes influye en la propia sentencia penal.

La cuestión que realmente se plantea aquí no es otra que fijar el valor que en el proceso penal pueda gozar una sentencia civil, o de otro orden jurisdiccional, si lo tiene. En opinión de doctrina y jurisprudencia, la sentencia civil tiene el valor de hecho si se ha de utilizar en procesos de distinta naturaleza, por ejemplo penal. Su eficacia no es, pues, vinculante, razón por la que los tribunales apreciarán libremente el contenido de la misma. No obstante, la extinción de la acción penal lleva consigo la de la civil si se declara la inexistencia objetiva del hecho (art. 116, I LECRIM).

Las leyes penales contienen muchas normas integradas por conceptos no penales. Por ejemplo, «cosa mueble» o «ajenidad», que son conceptos de Derecho Civil, en los delitos contra la propiedad; o «funcionario», que es un concepto de Derecho Administrativo, en los delitos que únicamente pueden cometer los funcionarios públicos.

La mayor parte de estos conceptos son aplicados sin discusión alguna por los órganos jurisdiccionales penales, bien porque el descriptor es absolutamente claro por sí mismo (a nadie se le ocurre objetar, por ejemplo, que unas llaves no son cosa mueble), bien porque la subsunción en la norma penal del sustantivo civil es igualmente pacífica (quien roba un televisor en un piso ajeno, está apropiándose por la fuerza de una cosa mueble). Pero en algunos casos judicialmente todavía no finalizados puede ser problemática esa utilización, dependiendo la solución del tema del criterio que se adopte para la solución del tema, pues no es lo mismo que resuelva el juez penal internamente, a que tenga que esperar a que se pronuncie el juez civil. Entonces es cuando se plantea la cuestión prejudicial con toda su fuerza, que aquí abordamos ahora.

B) Clases

Tradicionalmente se ha afirmado que hay dos tipos de cuestiones prejudiciales, según sea el propio órgano jurisdiccional quien resuelva la cuestión, u otro de distinto orden.

a) Las cuestiones prejudiciales no devolutivas

Se llaman así porque, en determinados casos, la LECRIM permite que la resolución de estas cuestiones prejudiciales las haga el propio órgano jurisdiccional penal (art. 3 LECRIM, en relación con el art. 10.1 LOPJ). Así, para apreciar si ha habido delito de hurto o no (art. 234 CP), el tribunal penal resuelve él mismo si la cosa es «mueble», y si es «ajena».

La razón por la que la cuestión prejudicial no se devuelve para su resolución al tribunal competente del orden jurisdiccional afectado, puede ser doble:

1.ª) Porque ambas cuestiones, la penal y la de otra naturaleza, no puedan separarse racionalmente del hecho punible por ir íntimamente ligadas a él (art. 3 LECRIM), lo que es decir bien poco, pues se supone esa ligazón ya que en otro caso difícilmente habría prejudicialidad, debiendo atemperarse el tribunal penal en su resolución a las reglas propias del Derecho sustantivo a aplicar (art. 7 LECRIM).

2.ª) Porque estemos ante una cuestión que afecta al derecho de propiedad sobre un bien inmueble o a cualquier otro derecho real, siempre que tales derechos aparezcan fundados en un título auténtico o en actos indubitados de posesión (art. 6 LECRIM).

Naturalmente, la resolución de la cuestión prejudicial únicamente producirá efectos en el orden jurisdiccional penal, y exclusivamente en el caso en donde haya sido aplicada. Como dicen las leyes, se resuelven «a los solos efectos prejudiciales», o de la «represión» (arts. 10.1 LOPJ y 3 LECRIM). Constituyen los supuestos más numerosos en la práctica, sin duda alguna.

b) Las cuestiones prejudiciales devolutivas

En otros supuestos, en cambio, el tribunal penal no puede resolver la cuestión prejudicial, y tiene que suspender el proceso penal hasta que el órgano jurisdiccional que tenga la competencia genérica para hacerlo decida. En unos casos esa remisión es potestativa, de ahí que se hable de cuestiones prejudiciales devolutivas relativas; en otros es forzosa, de ahí que la doctrina se refiera a cuestiones prejudiciales devolutivas absolutas. Concretamente:

1.º) Estamos ante cuestiones prejudiciales devolutivas relativas cuando la cuestión sea determinante de la culpabilidad o inocencia del acusado, aunque el tribunal penal puede resolver la cuestión, de ahí el carácter relativo, si transcurre el plazo máximo de dos meses de suspensión del proceso penal fijado para acreditar que se ha acudido ante el órgano jurisdiccional de orden distinto, proceso en el que será parte el Ministerio Fiscal (art. 4 LECRIM), tema que podría afectar al derecho a la tutela judicial efectiva, v. SS TC 30/1996, de 26 de febrero; y 102/1996, de 11 de junio; entre otras).

2.º) En la categoría de cuestiones prejudiciales devolutivas absolutas entran las tres siguientes:

1") Cuando la prejudicialidad se refiera a una de estas dos cuestiones de estado: O a la validez (nulidad) de un matrimonio (arts. 73 y ss. CC), o al delito de supresión del estado civil (que no existe con tal nombre en el CP de 1995, de ahí que estemos ante una cuestión de filiación, cuando de ella dependa la fijación de un elemento de la supresión del estado civil, v. gr., el art. 220 CP), pues la remisión al juez civil es obligatoria siempre, y su decisión sirve de base al órgano jurisdiccional penal (art. 5 LECRIM).

Estamos ante el único supuesto en el que la cosa juzgada civil se extiende al proceso penal, en todos los demás no hay vinculación alguna, pues se trataría como se explicó antes de un mero hecho. No obstante, el art. 5 LECRIM tiene una escasísima utilidad práctica.

2") Cuando se plantee una cuestión de inconstitucionalidad por el órgano jurisdiccional penal ante el TC (arts. 35 y ss. LOTC).

3") O cuando se plantee una cuestión de Derecho comunitario que influya en la sentencia penal, siempre que se hayan agotado los recursos en la vía interna, es decir, el proceso penal español (art. 267 TFUE de 2010).

C) Tratamiento procesal

Es uno de los aspectos peor tratados por la LECRIM, pues tan sólo se determina, y no para todos los casos, la competencia genérica, y por aproximación la competencia objetiva, en el art. 3. Ciertamente, las cuestiones prejudiciales, como sabemos, muchas veces no tienen ni que plantearse, ya que surgen naturalmente por sí mismas, pero cuando deban serlo positivamente, ha de ser admisible tanto la solicitud de parte, bien del Ministerio fiscal, bien del acusador particular o popular, bien del propio acusado (petición a la que la LECRIM parece referirse exclusivamente con la expresión «propuestas» de aquel precepto), como la actuación de oficio del órgano jurisdiccional, pues estamos ante un elemento esencial que integra el acto procesal de la sentencia, ya que de su concurrencia o no puede depender la declaración de existencia o inexistencia del delito acusado.

El momento procesal oportuno para plantearla debería ser cuando constara en autos la existencia de la cuestión. Pero se suscita la duda de si el límite para hacerlo debe ser la finalización del procedimiento preliminar (sumario, diligencias previas o diligencias urgentes), o su planteamiento es válido también durante el juicio oral. El tema no está resuelto ni doctrinal ni jurisprudencialmente, pero en principio deben ser admisibles ambas posturas, en función de cuándo surja realmente la cuestión. La jurisprudencia parece inclinarse porque se planteen como artículos de previo pronunciamiento (S TS de 30 de octubre de 1983, RA 4697), lo que implica haber surgido en la fase de investigación. Si se suscita en el procedimiento preliminar y se acuerda su planteamiento, la posibilidad de suspensión, cuando proceda, es más factible, ya que en el juicio oral podría implicar su reiteración total. Pero no debe descartarse, por aquella razón, que pueda ser admisible incluso en fase de recursos.

Finalmente, tratándose de cuestión prejudicial devolutiva, la suspensión del proceso penal es la regla general (v., por ejemplo, los arts. 4 y 5 LECRIM; y las SS TS de 5 de julio de 1994, RA 6247; y de 20 de enero de 1996, RA 46).

D) Casos específicos

El CP contiene algunas disposiciones a enmarcar dentro de las cuestiones prejudiciales. Debemos destacar la regulación de los delitos de insolvencias punibles, y en concreto dos casos, uno de ellos muy claro.

a) En efecto, en cuanto al primero, que no plantea ningún problema específico de interpretación procesal, de acuerdo con el art. 257.5 CP, los delitos de alzamiento de bienes o de impedimento de la eficacia del embargo, o de un juicio ejecutivo, son perseguidos aun cuando tras su comisión se iniciara un proceso concursal, lo que implica que ni el proceso civil ni el proceso penal se interfieren suspendiéndose uno u otro, en alteración de la regla prevista en el art. 10.2 LOPJ, y en el art. 114 LECRIM, que establecen la paralización del proceso civil existiendo una cuestión prejudicial penal decisiva en cuanto al fondo del primer proceso, lo que haría imposible el inicio o continuación del proceso concursal.

Igualmente, el concurso fraudulento puede perseguirse penalmente sin necesidad de esperar a la conclusión del proceso civil y sin perjuicio a la continuación de éste (art. 259.5 CP, reformado en 2015).

Principio general en esta materia es que la calificación del concurso en el proceso civil no vincula nunca al órgano jurisdiccional penal, expresado exactamente así en el art. 259.6 CP, reformado en 2015.

b) En cuanto al segundo, más complejo, se regula en el art. 257.2 CP (reformado en 2015 también), precepto que también tiene influencia en materia de responsabilidad civil, en el que se establece un delito de alzamiento de bienes específico, en virtud del cual quien en perjuicio de su acreedores y con la finalidad de eludir el cumplimiento de las responsabilidades civiles dimanantes de un delito que hubiere cometido o del que debiera responder, «realizare actos de disposición, contrajere obligaciones que disminuyan su patrimonio u oculte por cualquier medio elementos de su patrimonio sobre los que la ejecución podría hacerse efectiva...». Esta norma esta prevista, por ejemplo, para que el acusado de estafa no pueda eludir su responsabilidad civil ocultando sus bienes, o más claro, para que el condenado por un homicidio imprudente tampoco pueda ocultar sus bienes. El que haya habido un delito previo plantea, entre otras cuestiones en las que no entramos por no ser procesales, el problema que sólo si una persona es declarada responsable del primer delito (la estafa, el homicidio) podrá ser condenada por el segundo (el alzamiento), con lo que estaríamos ante una cuestión prejudicial penal en un proceso penal posterior.

En nuestra opinión, el principio de legalidad y el principio de la presunción de inocencia (arts. 25.1 y 24.2 CE) obligan a interpretar el texto legal en sentido muy estricto, para que no se llegue a condenar por alzamiento a un presunto estafador o a un presunto homicida. Con lo cual la condena por estafa o la condena por homicidio imprudente, por seguir con los ejemplos, es presupuesto (prejudicial) del delito del art. 257.2, lo que implica la necesidad de desarrollar las actuaciones del segundo proceso hasta el punto de que la persecución del mismo no sea inoperante en la práctica, sobre lo que vemos ciertos riesgos evidentes, y, a continuación, suspenderlo hasta que se dicte sentencia en el primero, lo que implica otra alteración de la regla general de paralización antes vista.

Claro es que habrá que preguntarse entonces si las medidas cautelares reales (y personales en tanto en cuanto impiden la libertad de movimientos para facilitar la comisión, siempre que se den naturalmente los presupuestos generales exigidos) en el proceso por estafa son suficientes para impedir el posterior alzamiento, o, por lo que nos inclinamos, si en el proceso por alzamiento habrá que reforzar esas medidas cautelares.

c) Finalmente, un caso de prejudicialidad específico se contiene también en el art. 3 de la Ley 12/2003, de 21 de mayo: Los tribunales penales resuelven el bloqueo de la financiación del terrorismo adoptando las medidas cautelares pertinentes, aun en el caso de que esté en marcha un proceso administrativo sobre el mismo hecho, con el mismo fundamento y tratándose de las mismas personas.

LECTURAS RECOMENDADAS: GÓMEZ COLOMER, *Constitución y proceso penal*, Madrid, 1996, pág. 179; SENÉS MOTILLA, *Las cuestiones prejudiciales en el sistema procesal español*, Madrid, 1996; VALBUENA GONZÁLEZ, F., *Las cuestiones prejudiciales en el proceso penal,* Valladolid, 2004; VIDALES/PLANCHADELL, *Decomiso*, Miami, 2019.

CAPÍTULO IV
LOS MEDIOS DE IMPUGNACIÓN

Lección Decimonovena

Los recursos (I)

I. LOS MEDIOS DE IMPUGNACIÓN

- A) Nociones generales: reacción ante posibles errores.
- B) El derecho al recurso en el proceso penal: frente a resoluciones definitivas es un derecho fundamental (compromisos internacionales)
- C) Restricciones al derecho al recurso: contra resoluciones del Tribunal Supremo, sentencias por conformidad y por aceptación de decreto del Ministerio Fiscal.
- D) La *reformatio in peius*: el recurso no puede agravar al recurrente.
- E) Efectos de los recursos.
  - a) Efecto devolutivo: el recurso lo resuelve el órgano superior.
  - b) Efecto suspensivo: la resolución recurrida no se ejecuta.
  - c) Efecto extensivo: lo resuelto favorece a los no recurrentes.
- F) Clases de recursos: devolutivos y no; ordinarios y extraordinarios; procesales y materiales.

II. LOS RECURSOS NO DEVOLUTIVOS

- A) Recurso de reposición: resoluciones del LAJ.
- B) Recurso de reforma: resoluciones de Juzgados (órganos unipersonales).
- C) Recurso de súplica: resoluciones de Audiencias y Tribunales (colegiados).

III. LOS RECURSOS DEVOLUTIVOS ORDINARIOS

- A) Recurso de revisión: decretos del LAJ.
- B) Recurso de apelación.
  - a) Notas caracterizadoras: el recurso por excelencia.
  - b) Apelación contra resoluciones interlocutorias: en los casos previstos —ordinario— o no exceptuados —abreviado—.
  - c) Apelación contra resoluciones definitivas (autos).
  - d) Apelación contra resoluciones definitivas (sentencias): generalización de la apelación.
  - e) Apelación contra sentencias en el procedimiento abreviado: el modelo a seguir.
  - f) Apelación contra sentencias en el procedimiento por delito leve.
  - g) Apelación contra sentencias en los juicios rápidos.
- C) Recurso de queja.
  - a) Recurso de queja contra resoluciones interlocutorias en sustitución de la apelación.
  - b) Recurso de queja por inadmisión a trámite de otro recurso.

I. LOS MEDIOS DE IMPUGNACIÓN

El proceso, también el penal, avanza y concluye definitivamente mediante la adopción, a lo largo de su tramitación, de resoluciones ya sea por parte de los titulares de los órganos judiciales, ya sea por parte de los Letrados de la Administración de Justicia de los mismos. Evidentemente sin garantía alguna de que dichas resoluciones se encuentren exentas de un posible error o resulten satisfactorias para las partes en el proceso.

A) Nociones esenciales

Por la razón indicada, el ordenamiento jurídico pone a disposición de las partes una serie de instrumentos legales, los medios de impugnación, con el objeto de que aquéllas puedan instar la modificación o anulación de lo resuelto.

En sentido amplio suelen incluirse entre los medios de impugnación los instrumentos jurídicos que permiten atacar sentencias dictadas en un proceso una vez han adquirido firmeza. A esta categoría pertenecen el mal denominado «recurso» de revisión (arts. 954-961 LECRIM) y el recurso de anulación del procedimiento abreviado contra sentencias firmes de condena dictadas contra el acusado ausente (art. 793 LECRIM).

En sentido estricto, los medios de impugnación se circunscriben a las resoluciones que todavía no causan el efecto de cosa juzgada formal al no haber adquirido firmeza. A través de tales instrumentos, el sujeto activo del recurso solicita en el marco de un proceso aún pendiente que el mismo órgano jurisdiccional que adoptó la resolución, u otro de superior grado, vuelva a examinar lo resuelto para que modifique aquélla o la anule. Son los verdaderos recursos y a ellos dedicaremos las siguientes páginas.

La afirmación anterior de que son las partes procesales las legitimadas para impugnar las resoluciones ha de ser matizada. La Ley 4/2015, del Estatuto de la víctima del delito, atribuye legitimación a las víctimas para recurrir una serie de resoluciones judiciales aunque no se hubieran personado como parte en el correspondiente proceso. Así ocurre, por ejemplo, con las resoluciones en que se acuerde el sobreseimiento (arts. 636 y 779.1.1ª LECRIM). También el «tercero afectado por el decomiso» (que no sea el investigado o encausado) que no hubiera comparecido en el proceso está legitimado para interponer los recursos previstos en la LECRIM contra la sentencia que acuerda dicho decomiso (art. 803 ter c LECRIM).

El sistema español de recursos en materia penal se ha caracterizado hasta hace bien poco por la ausencia de uniformidad en cuanto a las decisiones sobre el fondo del asunto. Nos encontrábamos, así, con procedimientos en los que se garantizaba la doble instancia, pero sin posibilidad de casación (anterior juicio de faltas y abreviado cuando la competencia objetiva corresponda a los Jueces de lo Penal o Centrales de lo Penal); procedimientos de instancia única con posibilidad de casación (ordinario por delitos graves y abreviado con competencia atribuida a las Audiencias); un procedimiento con una segunda instancia más limitada que lo habitual y con posibilidad de casación (procedimiento ante el Tribunal del Jurado) y un procedimiento con doble instancia y, además, con posibilidad de casación aunque limitada —casación para unificación de doctrina— (procedimiento para exigir responsabilidad penal a los menores). Esta situación se ha paliado de forma considerable con las reformas de 2015.

B) El derecho al recurso en el proceso penal

Al tratar en la Parte General (Lección undécima) el derecho a la tutela judicial efectiva hemos concluido que no existe un derecho general al recurso, sino solamente al recurso legalmente previsto. Sólo en este caso cabría considerar incorporado tal derecho en el contenido del art. 24.1 CE. Lo dicho resulta plenamente válido en el proceso penal cuando lo que se pretende sea impugnar resoluciones interlocutorias del órgano jurisdiccional o resoluciones dictadas por los Letrados de la Administración de Justicia.

El tratamiento de la cuestión presenta, sin embargo, perfiles propios en el caso de las resoluciones sobre el fondo, como consecuencia de la ratificación por parte del Estado español de sendos textos internacionales. El Pacto Internacional de Derechos Civiles y Políticos (PIDCP), de 16 de diciembre de 1966, dispone en su art. 14.5 que «Toda persona declarada culpable de un delito tendrá derecho a que el fallo condenatorio y la pena que se le haya impuesto sean sometidos a un tribunal superior, conforme a lo previsto por la ley». De contenido muy similar es el art. 2.1 del Protocolo Nº 7 al Convenio Europeo de los Derechos Humanos y Libertades Fundamentales (CEDH), de 22 de noviembre de 1984 (ratificado por España el 28 de agosto de 2009).

La obligación internacional asumida por el Estado español de garantizar que la declaración de culpabilidad y/o la condena sean examinadas por un tribunal superior supone que, en virtud del art. 10.2 CE, haya de considerarse que el derecho al recurso en el sentido indicado forma parte del contenido del derecho fundamental a la tutela judicial efectiva (art. 24.1 CE) y también constituye una de las garantías del proceso penal a que se refiere el art. 24.2 CE, tal como afirmó muy tempranamente el Tribunal Constitucional (STC 42/1982, de 5 de julio).

Lo anterior ha generado no pocos quebraderos de cabeza, pues no todas las resoluciones judiciales sobre el fondo del asunto eran apelables. No lo eran las sentencias pronunciadas por las Audiencias en única instancia, sólo recurribles en casación. Pero el propio Tribunal Supremo se encargaba de recordarnos que el recurso de casación no constituye una nueva instancia y que aquél tiene vedado proceder mediante este recurso a un nuevo análisis crítico de la prueba. En cualquier caso, el Tribunal Constitucional había conformado un cuerpo de doctrina con arreglo al cual existe una «asimilación funcional» entre el recurso de casación y el derecho a la revisión por un tribunal superior de la declaración de culpabilidad y la pena proclamado en el art. 14.5 PIDCP. Siempre, claro está, que se interprete este último como el derecho a que un tribunal superior controle la corrección del juicio realizado en primera instancia, revisando la correcta aplicación de las reglas que han permitido la declaración de culpabilidad y la imposición de la pena (Vid. SSTC 70/2002, de 3 de abril; 116/2006, de 24 de abril; 136/2006, de 8 de mayo; 16/2014, de 30 de enero).

El Comité de Derechos Humanos de las Naciones Unidas no ha sido del mismo parecer y ha estimado, desde el Dictamen emitido al respecto el 20 de julio de 2000, numerosas denuncias presentadas por ciudadanos condenados en España por lesión del art. 14.5 PIDCP al entender que la casación española no había garantizado en los casos sometidos una revisión íntegra del fallo y de la pena impuesta.

Esta cuestión fue abordada en el Pacto de Estado para la Reforma de la Justicia (2001) y fruto del mismo la LO 19/2003, de 23 de diciembre, se propuso la generalización de la segunda instancia penal que se residenciaría en la Sala de lo Civil y Penal de los Tribunales Superiores de Justicia de las CC.AA. en el caso de ser recurridas las resoluciones dictadas por las Audiencias Provinciales en primera instancia (art. 73.3.c LOPJ) y en la Sala de Apelación de la Audiencia Nacional, de necesaria nueva creación, si lo que se pretende recurrir son resoluciones de la Sala de lo Penal de la Audiencia Nacional (art. 64 bis.1 LOIPJ). Finalmente aquella generalización de la doble instancia se ha hecho efectiva mediante la Ley 41/2015, de 5 de octubre.

C) Restricciones al derecho al recurso

En determinadas circunstancias el ejercicio del derecho al recurso experimenta ciertas restricciones. Las causas cuyo conocimiento corresponde a la Sala Segunda del Tribunal Supremo (art. 57.1 LOPJ) son buena muestra de ello. El hecho de ser el órgano jurisdiccional superior impide, por ejemplo, el doble grado de jurisdicción. El Tribunal Constitucional ha considerado que esta restricción del derecho a recurrir se compensa con las garantías que rodean las prerrogativas de los aforados en las causas seguidas contra ellos. Incluso estaría justificada la restricción en el caso de enjuiciamiento por el Tribunal Supremo de personas no aforadas por existir conexión delictiva en los procesos contra estas últimas (SSTC 64/2001; 65/2001, ambas de 17 de marzo).

Resulta igualmente factible que sentencias, en principio susceptibles de recurso, dejen de serlo al resultar del acuerdo alcanzado entre las partes mediante el instituto de la conformidad. Las razones que justifican en este supuesto la restricción de la doble instancia o el recurso de casación, en su caso, giran en torno al principio de que nadie puede ir contra sus propios actos —impugnando lo libremente aceptado—, al principio de seguridad jurídica o a la necesidad de evitar comportamientos fraudulentos de las partes que pretendan aprovecharse de la posible rebaja de las pretensiones de la contraria al pactar. Esta exclusión no puede ser absoluta, sino condicionada a que se hayan observado los presupuestos para la conformidad previstos en la norma procesal y a que en la sentencia de conformidad se haya recogido correctamente el contenido de lo acordado.

Aunque de naturaleza similar a la conformidad, en el proceso por aceptación del decreto dictado por el Ministerio Fiscal, una vez autorizado inicialmente mediante auto por el Juez de Instrucción y aceptada por el encausado la propuesta de aquél en una comparecencia posterior en dicho Juzgado asistido de letrado, el Juez de Instrucción dictará una sentencia condenatoria que no es susceptible de recurso alguno (art. 803 bis i LECRIM).

El Protocolo Nº 7 al CEDH prevé otras posibles excepciones al derecho al doble grado de jurisdicción, además de la indicada para el enjuiciamiento por un tribunal superior: que se trate de infracciones de menor gravedad o que la declaración de culpabilidad y la condena sean consecuencia de un recurso contra una previa resolución absolutoria (art. 2.2).

En todo caso, la admisibilidad del recurso puede condicionarse a la satisfacción de determinados requisitos materiales o formales. El mayor o menor rigor de tales requisitos dependerá, en gran medida, de la naturaleza del recurso, pero tendría vedado el legislador al regularlos o el órgano jurisdiccional al interpretarlos, hacerlo de tal manera que dificulte o impida, al legitimado para ello, la interposición del recurso. En caso contrario, resultaría menoscabado el derecho a la tutela judicial efectiva (art. 24.1 CE).

D) La *reformatio in peius*

Resulta consustancial al derecho a recurrir la prohibición de la *reformatio in peius* o reforma peyorativa. Esto es, la situación en la que se encuentra el interesado que en virtud de su propio recurso ve empeorada o agravada la creada o declarada en la resolución impugnada. Si el fundamento de la legitimación para recurrir es la existencia de un gravamen, el resultado de admitirse la reforma peyorativa sería el contrario al perseguido por el recurrente: eliminar o aminorar el gravamen sufrido con la resolución impugnada. La prohibición de la *reformatio in peius* se encuentra expresamente recogida en nuestro ordenamiento para el recurso de casación (art. 902 LECRIM) pero ha de tener vigencia general al encontrar amparo constitucional en los derechos a la tutela judicial efectiva, al proceso con todas las garantías y a la defensa del art. 24 CE (SSTC 9/1998, de 13 de enero; 126/2010, de 29 de noviembre; 157/2013, de 23 de septiembre). No existe reforma peyorativa cuando se recurre la resolución desde ambas posiciones procesales por entender, desde cada una de ellas, que existe un gravamen para su pretensión inicial.

E) Efectos de los recursos

La mera interposición de un recurso, siempre que se haga correctamente, trae como consecuencia, en todo caso, excluir la firmeza de la resolución recurrida. Si esta última se pronuncia sobre el objeto del proceso, el recurso impedirá igualmente que se produzca el efecto de cosa juzgada material. Además, y dependiendo de la naturaleza del recurso, éste puede producir los siguientes efectos:

a) Efecto devolutivo

Este efecto está vinculado con la competencia funcional del órgano que ha de resolver el recurso interpuesto. Si el recurso ha de ser resuelto por el mismo órgano jurisdiccional o por el mismo Letrado de la Administración de Justicia que dictó la resolución recurrida, carece de efecto devolutivo. Si el recurso, por el contrario, ha de ser resuelto por un órgano jurisdiccional distinto y superior (*ad quem*) al que pronunció la resolución recurrida (*a quo*), se produce tal efecto devolutivo.

b) Efecto suspensivo

El efecto suspensivo del recurso tiene lugar cuando su interposición impide que la resolución recurrida despliegue su eficacia, esto es, se ejecute, en tanto en cuanto aquél no sea resuelto definitivamente. Si la interposición del recurso no paraliza la ejecución de la resolución impugnada, carece de tal efecto suspensivo.

Los recursos procedentes contra resoluciones interlocutorias carecen por regla general de efectos suspensivos. De no ser así, los procesos se dilatarían más de lo que ya acontece en la actualidad. Así, carecen de este efecto la reforma, la súplica y los recursos contra resoluciones del Letrado de la Administración de Justicia, esto es, la reposición y la revisión. El recurso de apelación, cuando proceda contra resoluciones interlocutorias despliega eficacia suspensiva sólo cuando la ley así lo prevea expresamente (arts. 217 y 766.1 LECRIM). Cuando la LECRIM dispone que la admisión de un recurso tiene lugar en «ambos efectos» (arts. 217 y 224 LECRIM) quiere decir que al efecto devolutivo se le añade el suspensivo; cuando el recurso es admitido «en un único efecto», el legislador se refiere exclusivamente al devolutivo.

Tratándose de la impugnación de resoluciones definitivas, el efecto suspensivo del recurso dependerá del sentido del pronunciamiento reflejado en ellas. Si la sentencia es absolutoria, la interposición del recurso no suspende su ejecución y si el acusado se encuentra preso, será puesto en libertad inmediatamente, alzándose también las restantes medidas cautelares adoptadas [arts. 861. bis a) *in fine* y 983 LECRIM]. Por el contrario, si la sentencia es de condena, la interposición del recurso paraliza su ejecución hasta que se resuelva y devenga firme. Por disposición del art. 3 CP, «no podrá ejecutarse pena ni medida de seguridad sino en virtud de sentencia firme». Los pronunciamientos sobre la responsabilidad civil sí son, en cambio, susceptibles de ejecución provisional pese a ser recurridos, conforme a lo dispuesto en la LEC (art. 989 LECRIM).

c) Efecto extensivo

Con este efecto se hace referencia a la posibilidad de extender las consecuencias favorables derivadas de la resolución del recurso, no sólo a la parte que lo hubiera interpuesto, sino también a quienes sin haberlo hecho se hallaren en idéntica situación. Esta extensión no se produce en el caso de que el resultado del recurso sea desfavorable. Esta posibilidad se encuentra expresamente reconocida en nuestro ordenamiento sólo para el recurso de casación al disponer el art. 903 LECRIM que «cuando sea recurrente uno de los procesados, la nueva sentencia aprovechará a los demás en lo que les resulte favorable, siempre que se encuentren en la misma situación que el recurrente y les sean aplicables los motivos alegados por los que se declare la casación de la sentencia. Nunca les perjudicará en lo que les fuere adverso».

La jurisprudencia ha admitido, como no podía ser de otra manera, que este efecto extensivo de los recursos en lo favorable resulta de aplicación igualmente para el recurso de apelación, tanto en el procedimiento abreviado, como en el del Tribunal del Jurado e, incluso, en el desaparecido juicio de faltas.

F) Clases de recursos

Los recursos en el orden jurisdiccional penal pueden clasificarse conforme a distintos criterios:

a) Atendiendo al órgano competente para conocer de los recursos, éstos pueden ser *devolutivos* y *no devolutivos*. En el caso de los recursos devolutivos, la competencia funcional para su resolución corresponde a un órgano jurisdiccional distinto y superior jerárquicamente —por lo general colegiados— (*iudex ad quem*) al que dictó la resolución impugnada. Los recursos no devolutivos son resueltos, en cambio, por el mismo órgano jurisdiccional del que emana la resolución recurrida (*iudex a quo*). Las resoluciones adoptadas por el Letrado de la Administración de Justicia son también impugnables mediante recursos devolutivos y no devolutivos.

Entre los recursos devolutivos se encuentran la revisión (contra resoluciones del Letrado de la Administración de Justicia), la apelación, la casación y la queja. Entre los no devolutivos la reposición (contra resoluciones del Letrado de la Administración de Justicia), la reforma y la súplica.

b) Atendiendo a los motivos o causas que pueden fundamentar el recurso y determinar aquello sobre lo que ha de pronunciarse el órgano llamado a resolverlo, pueden clasificarse en *ordinarios* y *extraordinarios*. En el primer caso, la ley no establece un número tasado de motivos que fundamenten la admisión del recurso, siendo suficiente la alegación de un gravamen causado por la resolución impugnada. Por ello, el órgano que ha de resolver el recurso se encuentra en idéntica situación que el que emitió la decisión recurrida al emitir el nuevo juicio. Pertenecen a esta categoría los recursos de reposición, revisión, reforma, súplica, apelación y el recurso de queja cuando se utiliza en sustitución del de apelación.

En los recursos extraordinarios, por el contrario, el legislador condiciona su admisibilidad a la alegación de los motivos que taxativamente vienen determinados por la ley. De esta manera, el órgano competente para resolverlos deja de estar en las mismas condiciones que en las que se encuentra el órgano recurrido, limitando su conocimiento a la concurrencia del motivo alegado por el recurrente. El recurso extraordinario por excelencia es el de casación, aunque en la actualidad merece también la misma consideración el recurso de apelación previsto en el art. 846 bis c) LECRIM para el procedimiento ante el Tribunal de Jurado.

c) Por último, tomando en consideración el carácter o naturaleza de la resolución recurrida, los recursos pueden clasificarse en *procesales* y *materiales*. Los primeros se interponen contra las resoluciones interlocutorias, esto es, contra providencias y autos no definitivos que, por consiguiente, tienen carácter procesal. La reposición, la revisión, la reforma y la súplica tienen indudablemente este carácter. La apelación u otros recursos cuando se alega la infracción de normas o garantías procesales han de incluirse también en esta categoría. Los recursos materiales, por su parte, proceden contra resoluciones que contienen pronunciamientos sobre el fondo del asunto al aplicar las normas de carácter material (autos y sentencias).

II. LOS RECURSOS NO DEVOLUTIVOS

Pertenecen a esta categoría los recursos de reposición, de reforma y de súplica. Todos ellos presentan unas notas comunes: a) la competencia para resolverlos corresponde al mismo órgano que dictó la resolución recurrida; b) son recursos ordinarios, siendo suficiente con invocar la causación de un perjuicio o gravamen; y c) se trata de recursos que proceden contra resoluciones interlocutorias, por lo que carecen ordinariamente de efecto suspensivo, salvo que la ley disponga otra cosa.

A) Recurso de reposición

En el orden penal recibe esta denominación el recurso contra determinadas resoluciones del Letrado de la Administración de Justicia.

Son recurribles en reposición todas las diligencias de ordenación dictadas por el Letrado de la Administración de Justicia (art. 238 bis I LECRIM). Las diligencias de ordenación tienen por objeto dar a los autos el curso que corresponda (art. 144 bis LECRIM). También son recurribles en reposición los decretos de los Letrados de la Administración de Justicia, salvo que la ley prevea expresamente que procede la interposición directa del recurso de revisión (art. 238 bis II LECRIM).

El recurso se ha de interponer ante el mismo Letrado de la Administración de Justicia en el plazo de los tres días siguientes a su notificación a los que sean parte en el proceso, mediante escrito firmado por letrado y al que se acompañarán tantas copias del mismo cuantas sean las demás partes. En dicho escrito se expresará la infracción que se estima cometida. Este recurso en ningún caso tendrá efectos suspensivos.

Admitido a trámite el recurso, el Ministerio Fiscal y las demás partes podrán presentar por escrito sus alegaciones en el plazo común de dos días, transcurrido el cual resolverá el mismo Letrado de la Administración de Justicia mediante decreto sin más trámite. Este decreto es irrecurrible (arts. 211 y 238 bis LECRIM). La exclusión de recurso judicial en estos casos lesionaría el derecho a la tutela judicial efectiva (art. 24.1 CE) si nos atenemos a la doctrina sentada por el Pleno de nuestro Tribunal Constitucional en relación con supuestos similares previstos en la jurisdicción contencioso-administrativa (STC 58/2016, de 17 de marzo).

B) Recurso de reforma

Son recurribles en reforma las resoluciones interlocutorias de los órganos judiciales unipersonales que no estén exceptuados de recurso (arts. 217 y 766.1 LECRIM y DA 5ª.1 LOPJ).

Están exceptuados de este recurso, por ejemplo, el auto de admisión o inadmisión de pruebas (arts. 659 y 785.1 LECRIM), el auto que acuerda la apertura del juicio oral, excepto en lo relativo a la situación personal (arts. 783.3 y 800.1 LECRIM) o el auto del Juez de guardia (juicio rápido) estimando suficientes las diligencias practicadas hasta entonces (art. 798.2.1º LECRIM).

Aunque no se diga expresamente, junto a los autos son igualmente recurribles en reforma las providencias. Lo contrario carecería de sentido, siendo recurribles las diligencias de ordenación del Letrado de la Administración de Justicia. El Tribunal Constitucional también lo ha entendido así si no se quiere vulnerar el derecho de acceso a los recursos reconocido en el art. 24.1 CE (STC 349/1999, de 22 de noviembre). Además, no cabe duda de tal posibilidad tras la modificación del art. 141.III LECRIM por la Ley 13/2009, pues en adelante, se denominarán autos los que decidan los recursos contra «providencias o decretos».

El recurso de reforma interviene como requisito de admisibilidad del recurso de apelación contra resoluciones interlocutorias, de modo que hay que agotar aquél para poder interponer éste. Así lo dispone el art. 222.I LECRIM: «el recurso de apelación no podrá interponerse sino después de haberse ejercitado el de reforma». Aunque el mismo precepto permita interponer ambos en un mismo escrito, de modo que el de apelación se propone subsidiariamente por si fuere desestimado el de reforma.

Esto es válido para el procedimiento ordinario, pues para el abreviado la interposición del recurso de reforma previo al de apelación es potestativa. De ser esa la opción del recurrente, podrán también interponerse ambos recursos de forma subsidiaria o por separado (art. 766.2 LECRIM). Este régimen ha de ser de aplicación, a nuestro juicio, a los juicios rápidos, considerando que las normas relativas al procedimiento abreviado son de aplicación supletoria (art. 795.4 LECRIM).

En cuanto a la tramitación, el de reforma se interpone ante el mismo Juez que dictó la resolución recurrida, que será el competente para resolverlo (arts. 219 y 220 LECRIM). El plazo para ello, al igual que en el resto de recursos no devolutivos, es el de los tres días siguientes a la notificación de la resolución, presentando un escrito autorizado con la firma de Letrado al que se acompañarán tantas copias cuantas sean las demás partes a las que se les dará traslado, para que de ese modo puedan presentar sus alegaciones. En todo caso, el Juez resolverá el recurso en el segundo día de entregadas dichas copias, hayan presentado o no su escrito las restantes partes (arts. 211, 221 y 222 LECRIM). La resolución del recurso de reforma se hará por medio de auto (arts. 141.III y 766.3 LECRIM).

C) Recurso de súplica

El recurso de súplica puede ser considerado el equivalente de la reforma, pero para los supuestos en que la resolución recurrida procede de un órgano colegiado. Participa, pues, de la naturaleza y características del recurso de reforma y tiene en común, además, su tramitación. En efecto, se dispone al respecto que el recurso de súplica «se sustanciará por el procedimiento señalado para el recurso de reforma» (art. 238 LECRIM).

Son recurribles mediante súplica, pues, las resoluciones interlocutorias (autos y providencias) de los órganos colegiados. Se excluyen sólo aquéllos supuestos en que por Ley se prevea expresamente otro recurso (art. 237 LECRIM).

Según constante jurisprudencia, los autos de los órganos colegiados son recurribles en súplica cuando fueron dictados en primera y única instancia, no cuando resuelvan, a su vez, otros recursos en segunda instancia.

III. LOS RECURSOS DEVOLUTIVOS ORDINARIOS

Son devolutivos los recursos resueltos por un órgano judicial jerárquicamente superior al que dictó la resolución recurrida y ordinarios aquellos que no exigen otra motivación que la mera causación de un gravamen o perjuicio a la parte que lo interpone.

A) Recurso de revisión

Son recurribles en revisión directa —sin reposición previa— los decretos del Letrado de la Administración de Justicia cuando así lo prevea expresamente la Ley (art. 238 bis II LECRIM). Por regla general, se encuentran en esta situación los decretos en los que se declaran desiertos los recursos por no comparecer los recurrentes en el término en que han sido emplazados.

Este recurso se interpone directamente ante el Juez o Tribunal con competencia funcional en la fase del proceso en la que ha recaído el decreto del Letrado de la Administración de Justicia que se impugna, quien, por otra parte, lo resolverá. La interposición se hace en el plazo de tres días desde la notificación (art. 211.II LECRIM) por medio de escrito autorizado con firma de letrado y con cita de la infracción que se entiende cometida. Junto al escrito se presentarán tantas copias como sean las demás partes personadas. Admitido a trámite el recurso, se concederá al Fiscal y a las demás partes personadas un plazo común de dos días para que presenten sus alegaciones por escrito, transcurrido el cual el Juez o Tribunal resolverá sin más trámite. Contra el auto resolutorio del recurso de revisión no cabrá interponer recurso alguno (art. 238 ter LECRIM).

B) Recurso de apelación

a) *Notas caracterizadoras*

Suele designarse al de apelación como el ejemplo más significativo de lo que ha de entenderse por recurso, pues concurren en él las notas caracterizadoras de ser devolutivo y ordinario. Sin embargo, el recurso de apelación presenta en la actualidad notas identificadoras distintas dependiendo de la naturaleza de la resolución impugnada (interlocutoria o definitiva) o del tipo de procedimiento en el que cabe interponerlo.

Pese a que continuamos utilizando la expresión de segunda instancia o doble grado de jurisdicción para referirnos a la apelación, no cabe duda de que este recurso se corresponde con lo que se denomina *apelación limitada,* pues el órgano superior o *ad quem* se limita a examinar y decidir el objeto sometido a examen «revisando» los elementos fácticos y jurídicos del juez de la primera instancia (*revisio prioris instantie*). Lejos, pues, de lo que se conoce como *apelación plena* en la que el órgano *ad quem* vuelve a examinar y decidir el objeto del proceso en su totalidad, ya sea considerando los elementos de hecho y de prueba aportados en la primera instancia, ya sea extendiendo el conocimiento a nuevos hechos o nuevas pruebas, siempre que no se altere el objeto del proceso (*novum iudicium*).

b) *Apelación contra resoluciones interlocutorias*

1°) Resoluciones recurribles.

La respuesta es diversa dependiendo del procedimiento a seguir. En el procedimiento ordinario común, son apelables las resoluciones del Juez de Instrucción «únicamente en los casos determinados en la Ley» (art. 217 LECRIM).

En el procedimiento abreviado (y en el de enjuiciamiento rápido de determinados delitos, por remisión), en cambio, cabe la apelación contra las resoluciones del Juez de Instrucción y del Juez de lo Penal «que no estén exceptuados de recurso» (art. 766.1 LECRIM).

En el procedimiento de menores (LO 5/2000) la deficiente redacción sobre el tema (art. 41) ha de interpretarse en el sentido de que los autos que dictan el Juez de Menores y el Juez Central Menores son susceptibles de apelación.

2°) Efectos del recurso.

El recurso de apelación es el recurso devolutivo por excelencia. Su decisión corresponderá al órgano judicial jerárquicamente superior al que adoptó la resolución recurrida. En el procedimiento ordinario común corresponde la resolución del recurso al tribunal competente para el conocimiento del juicio oral —competencia objetiva— (art. 220.II LECRIM).

Esta regla, sin embargo, no es trasladable en su integridad al procedimiento abreviado o a los que este último sirva de referencia por remisión (juicios rápidos). En efecto, correspondiendo en determinados casos el conocimiento del juicio oral al Juez de lo Penal (o Central de lo Penal), éste nunca resolverá la apelación interpuesta contra resoluciones de los Jueces de Instrucción (o Centrales de Instrucción). Será siempre la Audiencia respectiva o la Audiencia Nacional la competente para conocer de los recursos de apelación (art. 766.2 LECRIM).

Tampoco resulta de aplicación aquella regla al procedimiento del menor. En el mismo, pese a corresponder al Ministerio Fiscal la instrucción de la causa, no deja por ello el Juez de Menores (o Central de Menores) de adoptar importantes resoluciones antes y después de conocer el juicio oral que a él mismo le corresponde. En este caso se aplica la regla de la competencia del superior jerárquico —Audiencia Provincial y Sala de lo Penal de la Audiencia Nacional respectivamente— (art. 41 LO 5/2000).

Junto al efecto devolutivo, el recurso de apelación puede tener un efecto suspensivo. Pero mientras que el primero de los efectos se produce siempre en la apelación, el efecto suspensivo está condicionado a que el mismo se disponga de forma expresa por la Ley. En esto coinciden la regulación del procedimiento ordinario común (art. 217 LECRIM) y la del procedimiento abreviado (art. 766.1 LECRIM).

3º) Tramitación.

Aquí las diferencias entre uno u otro procedimiento son más destacables.

1º) Interposición. Para comenzar, la interposición del recurso de apelación está condicionada en el procedimiento ordinario común a que se haya intentado previamente (y desestimado) el recurso de reforma. Pudiéndose hacer de forma sucesiva y separada o de forma subsidiaria en un único escrito (art. 222.I LECRIM). En el procedimiento abreviado, en cambio, la interposición previa de la reforma es potestativa, pero, en su caso, podrá hacerse la interposición de la apelación de forma separada o subsidiaria (766.2 LECRIM).

La interposición de ambos recursos de forma subsidiaria en un único escrito no significa que el apelante haya de fundamentar el de apelación en ese momento. En el procedimiento ordinario, el apelante podrá formular sus alegaciones ante el Tribunal superior competente para resolverlo, una vez que se haya personado. Incluso en el acto de la vista, preceptiva en el ordinario antes de resolver el recurso, podrán las partes informar lo que estimen conveniente (arts. 229 y 230 LECRIM). Este trámite de alegaciones está previsto también para el procedimiento abreviado, una vez que se le notifique la resolución por la que se desestima total o parcialmente la reforma, si bien habrá de formularlas y acompañar los documentos justificativos, en su caso, ante el Juzgado que dictó la resolución (art. 766.4 LECRIM).

El plazo de interposición en ambos procedimientos es idéntico: cinco días a partir de la notificación de la resolución recurrida, que puede ser la resolución primitiva que origina los recursos o puede ser la resolución que resuelve la reforma, dependiendo de si ésta es o no potestativa y de si se hace uso o no de ella (arts. 212 y 766.3 LECRIM).

La interposición del recurso se hará en ambos casos mediante escrito autorizado con firma de letrado. En el procedimiento ordinario no es precisa la fundamentación del recurso en el momento de su interposición, pues para ello se cuenta con el trámite preceptivo de la vista. En el abreviado, en cambio, el escrito de interposición ha de reflejar los motivos que lo fundamentan y ha de ir acompañado, en su caso, de los documentos justificativos de las peticiones formuladas. En este mismo escrito se indicarán los particulares que hayan de testimoniarse para el caso de que la apelación no produzca efectos suspensivos (art. 766.3 LECRIM).

2") Admisión. Corresponde al órgano judicial que dictó la resolución recurrida, que es ante quien se interpone el recurso. La admisión del recurso puede ser en un efecto, sólo el devolutivo, o en ambos efectos, devolutivo acompañado del suspensivo, según sea lo procedente (arts. 223 y 766. 3 LECRIM).

3") Sustanciación del recurso en el procedimiento ordinario. A partir de la admisión del recurso se agudizan las diferencias en los trámites a seguir hasta su resolución. En el procedimiento ordinario, la sustanciación del recurso se lleva a cabo en su mayor parte ante el Tribunal *ad quem*. Salvo lo que viene a denominarse testimonio de particulares. En el abreviado, en cambio, el órgano *ad quem* se limita por lo general a resolver el recurso.

Si el recurso de apelación se admite en ambos efectos, el Letrado de la Administración de Justicia del Juzgado que emitió la resolución recurrida se limita, sin más, a remitir los autos originales al Tribunal competente para conocer del recurso y a emplazar a las partes para que se personen ante el mismo en el término de quince días si fuera el Tribunal Supremo o de diez si fuera el Tribunal Superior de Justicia o la Audiencia (art. 224 LECRIM).

Si el recurso se admite en un solo efecto (devolutivo, pero no suspensivo), los autos originales han de permanecer en el Juzgado de origen para proceder a la ejecución o cumplimiento de la resolución recurrida. Pero ha de remitirse al Tribunal *ad quem* copia fehaciente (testimonio) de los puntos y cuestiones que constan en los autos y que resultan precisos para la instrucción de las partes y la resolución del recurso.

En el libramiento de testimonios que se remitirán al órgano *ad quem* participan el Juez recurrido y las partes (aunque la Ley mencione expresamente sólo al Fiscal y al apelante), todo ello en un plazo máximo de quince días. El primero mandará sacar testimonio del primer auto recurrido, de los escritos relativos al recurso de reforma, del auto resolutorio de la reforma y de otros particulares que considere necesario incluir. Posteriormente se dará traslado a las partes para que pidan a su vez al Juez la inclusión en el testimonio de los particulares que crean procedente, resolviendo el Juez en el día siguiente. Las partes, salvo el Fiscal, no pueden aprovechar este trámite para acceder a la parte de los autos que tenga carácter reservado (arts. 225 y 226 LECRIM).

Recibidos por el Tribunal *ad quem* los autos originales o el testimonio, según el efecto suspensivo o no del recurso, se da vista de los mismos por término de tres días para su instrucción en primer lugar al apelante, a continuación a las demás partes personadas y por último al Fiscal, salvo que por la naturaleza del delito no intervenga en el proceso. Si el apelante no se persona en los términos indicados, el Letrado de la Administración de Justicia declarará de oficio y mediante decreto desierto el recurso de apelación (arts. 228 y 229 LECRIM).

En el procedimiento ordinario la celebración de una vista antes de la resolución del recurso es preceptiva. En esta vista, a la que el Fiscal ha de asistir obligatoriamente, podrá éste y los defensores de las demás partes informar lo que estimen conveniente para su derecho bajo la inmediación del órgano *ad quem* que ha de resolver. Ello no significa que puedan practicarse pruebas de toda clase, pues sólo resultan admisibles los documentos que para justificar sus pretensiones las partes presenten hasta ese momento (arts. 230 y 231 LECRIM).

4°) Sustanciación del recurso en el procedimiento abreviado. Se desarrolla básicamente ante el Juzgado que emitió la resolución recurrida. En efecto, admitido el recurso por el Juez, se da traslado del mismo a las demás partes personadas para que en un plazo de cinco días, en este caso común, aleguen por escrito lo que estimen conveniente y presenten los documentos justificativos de sus pretensiones, así como para que señalen los particulares que deban ser testimoniados. En los dos días siguientes a la finalización del plazo se remitirá a la Audiencia respectiva el testimonio de los particulares y, aunque no se diga de forma expresa, las alegaciones de las partes con sus documentos justificativos para que aquélla resuelva «sin más trámites» dentro de los cinco días siguientes (art. 766.3 LECRIM).

El legislador ha querido prescindir por razones de celeridad de la celebración de la vista (preceptiva en el procedimiento ordinario). Por su trascendencia, los únicos supuestos en los que puede tener lugar su celebración están vinculados a la adopción de medidas cautelares. Así, el órgano *ad quem* estará obligado a convocar la vista si el auto recurrido en apelación acordare la prisión provisional y el apelante solicitare en el escrito de interposición su celebración. Si el auto recurrido contiene otros pronunciamientos distintos sobre medidas cautelares, la Audiencia podrá acordar la celebración de la vista si lo estima conveniente (art. 766.3 LECRIM).

4°) Resolución. El recurso de apelación se resuelve en forma de auto y una vez firme, el Letrado de la Administración de Justicia del Tribunal *ad quem* lo comunicará al Juez que dictó la resolución recurrida para su cumplimiento (art. 232 LECRIM).

c) Apelación contra resoluciones definitivas (autos)

Junto a la sentencia, determinados autos ponen fin al proceso e impiden su continuación y, una vez firmes, despliegan la eficacia de la cosa juzgada. El ejemplo más significativo es el auto de sobreseimiento libre. En otros supuestos, sin producir el efecto de cosa juzgada material, determinadas resoluciones impiden la continuación del proceso concreto ante un tribunal determinado por falta de jurisdicción o competencia.

Así, son recurribles en apelación, ante la Audiencia Provincial y la Sala de lo Penal de la Audiencia Nacional respectivamente, los autos de sobreseimiento libre del Juez de Instrucción y del Juez Central de Instrucción en el procedimiento abreviado. La tramitación de la apelación se ajustará en este caso a lo indicado en el apartado anterior para la impugnación de resoluciones interlocutorias en este procedimiento (arts. 766.1 y 783 LECRIM).

Son también apelables, ante la Sala de lo Civil y Penal de los Tribunales Superiores de Justicia y ante la Sala de Apelación de la Audiencia Nacional, los autos que dispongan la finalización del proceso por falta de jurisdicción o por sobreseimiento libre dictados por las Audiencias Provinciales o Sala de lo Penal de la Audiencia Nacional, respectivamente (art. 846 ter.1 LECRIM), pese a que de la literalidad del art. 636.I LECRIM pueda deducirse otra cosa. Los recursos de apelación interpuestos contra los autos definitivos mencionados se tramitarán por los cauces del recurso de apelación contra sentencias en el procedimiento abreviado. Además, las Salas de lo Civil y Penal de los Tribunales Superiores de Justicia y la Sala de Apelaciones de la Audiencia Nacional se constituirán con tres magistrados para el conocimiento de este recurso de apelación (art. 846 ter 2 y 3 LECRIM). Que es la regla general para la formación de las Salas (art. 196 LOPJ).

Son igualmente apelables ante la Sala de lo Civil y Penal del Tribunal Superior de Justicia los autos dictados por el Magistrado-Presidente del Tribunal del Jurado resolviendo las cuestiones a que se refiere el art. 36 de la LO 5/1995 y en los casos del art. 676 LECRIM [art. 846 bis a) I LECRIM]. Esto es, los autos que supongan la finalización del proceso por falta de jurisdicción o por sobreseimiento libre. Este recurso se sustancia por los mismos trámites que los establecidos para el recurso de apelación contra sentencias emitidas por el Magistrado-Presidente del Tribunal del Jurado [arts. 846 bis b) a 846 bis f) LECRIM].

d) Apelación contra resoluciones definitivas (sentencias)

1°) La generalización de la doble instancia.

Hemos expuesto más arriba la polémica surgida en el ordenamiento procesal español como consecuencia de la ratificación por España del PIDCP y del Protocolo n° 7 al CEDH que reconocen lo que en términos poco precisos se llama la segunda instancia o doble grado de jurisdicción.

El esquema original en materia de recursos de la LECRIM 1882 era claro: en el procedimiento por delitos se excluía la apelación contra las sentencias de la Audiencia de lo Criminal; en el procedimiento por faltas se permitía en cambio tal recurso. La explicación es bien sencilla: se estimaba que la segunda instancia pugnaba con los principios de oralidad e inmediación que habían de informar el nuevo proceso penal frente al inquisitivo que se pretendía superar. Mientras que en el juicio de faltas la apelación se explicaba por la desconfianza que generaba un juez unipersonal, lego y con un gran componente político (justicia municipal)

Este esquema inicial comienza a quebrar con el procedimiento de urgencia de 1967 y con el procedimiento de enjuiciamiento oral de delitos dolosos, menos graves y flagrantes de 1980. La instauración de una segunda instancia limitada en estos dos procedimientos serviría para compensar la acumulación de funciones incompatibles (instrucción y enjuiciamiento) en el mismo órgano judicial (Juez de Instrucción).

Con la LO 7/1988, de 28 de diciembre, se regula un nuevo procedimiento denominado abreviado y se incorpora a la LOPJ un nuevo órgano judicial unipersonal que va a conocer de los delitos menos graves: el Juez de lo Penal y el Juez Central de lo Penal. De este modo, se instaura en el procedimiento abreviado la segunda instancia permitiendo la apelación contra sentencias de estos órganos unipersonales ante las Audiencias Provinciales o ante la Sala de lo Penal de la Audiencia Nacional.

La generalización de la segunda instancia, permitiendo la apelación, se ha hecho realidad con la Ley 41/2015, de 5 de octubre. Faltaban las sentencias dictadas por las Audiencias Provinciales y por la Sala de lo Penal de la Audiencia Nacional en primera instancia, que en adelante también serán apelables. En el primer caso, la competencia funcional para resolver el recurso de apelación corresponderá a las Salas de lo Civil y de lo Penal de los Tribunales Superiores de Justicia de la correspondiente Comunidad Autónoma. En el segundo, ante la Sala de Apelación de la Audiencia Nacional (art. 846 ter 1 LECRIM), que se incorporó en la LOPJ mediante la LO 19/2003.

2º) La apelación en el procedimiento abreviado: el modelo a seguir.

Además, el modelo a seguir en la tramitación de esta segunda instancia —recurso de apelación— es el establecido para el procedimiento abreviado:

1") En el nuevo juicio sobre delitos leves las sentencias dictadas por el Juez Instructor o por el Juez de Violencia sobre la Mujer son apelables conforme al art. 976 LECRIM que hace una remisión al procedimiento abreviado y a la tramitación en él del recurso de apelación.

2") En el procedimiento de menores se hace una remisión a la LECRIM en materia de práctica de prueba en apelación cuando, propuesta y admitida «en la instancia», no se hubiera practicado (art. 41.1 LO 5/2000). Esta remisión a la LECRIM ha de entenderse, sin duda, realizada a lo dispuesto para el procedimiento abreviado pues era el único que contemplaba en ese momento la segunda instancia y la prueba en ella.

3") En el procedimiento para el enjuiciamiento rápido de determinados delitos se prevé igualmente la apelación contra las sentencias dictadas por el Juez de lo Penal y se prevé también una remisión a lo previsto para el procedimiento abreviado (arts. 790 a 792 LECRIM) con una serie de especialidades (art. 803 LECRIM).

4") Contamos, evidentemente, con la regulación del recurso de apelación contra sentencias dictadas en el procedimiento abreviado por el Juez de lo Penal ante la Audiencia Provincial respectiva y contra sentencias dictadas por el Juez Central de lo Penal ante la Sala de lo Penal de la Audiencia Provincial (arts. 790 y ss. LECRIM).

5") Son también actualmente apelables las sentencias dictadas en primera instancia por las Audiencias Provinciales y por la Sala de lo Penal de la Audiencia Nacional. Estas sentencias pueden ser dictadas, bien en el procedimiento abreviado, cuando la pena exceda de los límites competenciales del Juez de lo Penal o Central de lo Penal (art. 14.3 LECRIM), bien en el procedimiento ordinario por delitos graves. En ambos casos, la tramitación a seguir en la apelación será la prevista en el procedimiento abreviado para las sentencias dictadas por el Juez de lo Penal o el Juez Central de lo Penal (art. 846 ter 3 LECRIM).

3º) Limitación de las facultades revisoras del órgano *ad quem*.

Si bien la regulación prevista para el recurso de apelación en el procedimiento abreviado sirve de modelo a la segunda instancia generalizada, hay que precisar que la misma ha sido objeto de reforma. Sobre todo, en relación con las facultades revisoras del órgano judicial *ad quem* (concretamente respecto del error en la apreciación de las pruebas y la posibilidad de una nueva valoración de las mismas en apelación).

El punto de inflexión fue motivado por la STC 167/2002, de 18 de septiembre, que vino a sentar el criterio, posteriormente consolidado y concretado en posteriores resoluciones, de que en la segunda instancia, el Tribunal *ad quem* no podía revocar la sentencia absolutoria de la primera e imponer una condena con fundamento en una nueva valoración de las pruebas de carácter personal, por falta de la necesaria inmediación.

Como consecuencia de esta doctrina constitucional, se dispone actualmente que la sentencia de apelación «no podrá condenar al encausado que resultó absuelto en primera instancia ni agravar la sentencia condenatoria que le hubiera sido impuesta por error en la apreciación de las pruebas» (art. 792.2.I LECRIM). Ahora bien, ¿significa esto que en el futuro se priva a la acusación de la posibilidad de impugnar la sentencia absolutoria por ser errónea en su opinión la valoración de la prueba?

Ésta bien hubiera podido ser una opción. De hecho, los estudiosos del art. 14.5 PIDCP consideran que el legitimado para solicitar la revisión del fallo condenatorio y de la pena es exclusivamente el declarado culpable, pero no la acusación. Se ajustaría esta interpretación al derecho vigente en los países de corte anglosajón (en aplicación del principio que prohíbe la doble incriminación o *double jeopardy*). La diferencia es radical con el Protocolo nº 7 al CEDH, en el que tras reconocer de forma similar al PIDCP el derecho a la segunda instancia del declarado culpable (art. 2.1), permite sin embargo exceptuar este derecho cuando la declaración de culpabilidad y la condena sean resultado de un recurso contra su absolución (art. 2.2).

La solución por la que se ha optado es la de, por un lado, permitir a la parte acusadora la apelación de la sentencia absolutoria o de la condenatoria si le interesa un agravamiento de la misma —asegurando así el principio de igualdad procesal entre las partes— (art. 790.2.III LECRIM), pero, por otro lado, si el tribunal *ad quem* aprecia error en la valoración de la prueba a instancia de la acusación, no procederá a una nueva valoración de la misma, sino que anulará la sentencia y ordenará que se devuelvan las actuaciones al órgano que dictó la resolución recurrida —garantizando la inmediación en la práctica de las pruebas— (art. 792.2 LECRIM).

Se trata de una solución forzada por las exigencias derivadas de la garantía de la doble instancia (PIDCP y Protocolo nº 7 CEDH), de la debida inmediación en la práctica de las pruebas personales (STC 167/2002, de 18 de septiembre) y, por último, de la igualdad entre las partes procesales (acusación y defensa).

e) Apelación contra sentencias en el procedimiento abreviado

1°) Notas caracterizadoras. Hemos afirmado más arriba, al referirnos a las clases de recursos y a la apelación contra resoluciones interlocutorias y definitivas, que el de apelación es el ejemplo más significativo de recurso ordinario y devolutivo.

La segunda de las notas caracterizadoras es indiscutible, por cuanto será el órgano superior jerárquico el competente para resolverlo. En cuanto a su condición de recurso ordinario existen motivos para matizar este rasgo distintivo al exigir el legislador que en el escrito de formalización del recurso se expongan «ordenadamente, las alegaciones sobre quebrantamiento de las normas y garantías procesales, error en la apreciación de las pruebas o infracción de normas del ordenamiento jurídico en las que se base la impugnación» (art. 790.2 LECRIM). Estos motivos están formulados, sin embargo, en un sentido tan amplio que es difícil sostener que pierda por esta razón su carácter ordinario.

A estos reparos acerca de su carácter ordinario contribuye la doctrina constitucional, derivada de la STC 167/2002, limitando las facultades de revisión del órgano *ad quem* al valorar las pruebas personales si la sentencia recurrida es absolutoria.

2°) Sentencias recurribles y competencia funcional. Actualmente, todas las sentencias dictadas en el procedimientos abreviado son apelables. Las sentencias dictadas por el Juez de lo Penal y el Juez Central de lo Penal y las sentencias dictadas en primera instancia por las Audiencias Provinciales y la Sala de lo Penal de la Audiencia Nacional. La competencia funcional para resolver estos recursos de apelación corresponde, por su orden correlativo, a las Audiencias Provinciales, a la Sala de lo Penal de la Audiencia Nacional, a las Salas de lo Civil y de lo Penal de los Tribunales Superiores de Justicia y a la Sala de Apelación de la Audiencia Nacional (arts. 790.1 y 792.2 LECRIM).

3°) Interposición del recurso. El recurso se ha interponer mediante escrito ante el órgano judicial que dictó la resolución que se impugna (*a quo*) dentro de los diez días siguientes a aquél en que se notifica la sentencia (art. 790.1 y 2 LECRIM).

En el escrito en el que se formaliza el recurso se han de exponer los motivos en los que se fundamenta la impugnación, no siendo suficiente, por lo tanto, con la mera alegación de un gravamen o perjuicio. La Ley menciona expresamente los motivos que pueden fundamentar dicho recurso (art. 790.2 LECRIM):

1") Quebrantamiento de las normas y garantías procesales. Alegado este motivo y si se pidiera la declaración de nulidad del juicio por haberle causado indefensión al recurrente, en términos tales que no pueda ser subsanada en la segunda instancia, habrán de citarse las normas legales o constitucionales que se consideran infringidas y expresar las razones de la indefensión. Además, deberá acreditarse que se ha pedido la subsanación de la infracción en la primera instancia, salvo que por el momento en que se ha producido ésta no fuera posible (art. 790.2 LECRIM).

Para que la infracción procesal sea causante de indefensión con relevancia constitucional, es preciso que la misma sea real y tenga una incidencia efectiva en el resultado del proceso. No es suficiente, pues, con la mera alegación de una irregularidad procesal. También se exige que la indefensión esté causada por el actuar (o por la omisión) imputable al órgano judicial, careciendo de relevancia a estos efectos cuando aquélla es consecuencia de la pasividad o negligencia achacables a las partes o a quienes les defienden y representan (STC 5/2004, de 16 de enero).

2") Error en la apreciación de la prueba. Mediante este motivo, se pretende que el órgano *ad quem* realice un nuevo examen y valoración de la prueba practicada en la primera instancia y poder así obtener un pronunciamiento distinto sobre los hechos probados. Este motivo ha visto alterado notablemente su sentido originario como consecuencia de la STC 167/2002, de 18 de septiembre.

Si el apelante es el condenado en la primera instancia, no hay óbice según el intérprete constitucional para que el tribunal competente para resolver el recurso haga una nueva valoración —incluso sin inmediación— de las pruebas practicadas en la primera instancia y pueda concluir que la declaración de culpabilidad no era correcta.

Si es la acusación la que alega error en la valoración de la prueba con la pretensión de pedir la anulación de la sentencia absolutoria o el agravamiento de la condenatoria, se le exige que justifique: la insuficiencia o la falta de racionalidad en la motivación fáctica; el apartamiento manifiesto de las máximas de experiencia; o la omisión de todo razonamiento sobre alguna o algunas de las pruebas practicadas que pudieran tener relevancia o cuya nulidad haya sido improcedentemente declarada (art. 790.2.III LECRIM).

3") Infracción de las normas del ordenamiento jurídico. Se ha de entender que se refiere a la infracción de las normas de carácter sustantivo, esto es, cuando los hechos declarados probados no han sido subsumidos correctamente en la norma correspondiente o la aplicación o interpretación de ésta no es la correcta.

4°) Proposición de prueba en apelación. En el modelo de apelación limitada, al que responde el nuestro, el órgano *ad quem* se encuentra en idéntica posición al órgano recurrido respecto de los hechos y de las pruebas. Pero, excepcionalmente, se admite en el procedimiento abreviado la proposición y práctica de pruebas no llevadas a cabo en la primera instancia.

Esta proposición de prueba se ha de pedir en el mismo escrito en el que se formaliza el recurso por el apelante. Los supuestos previstos son: por un lado, que se trate de diligencias de prueba que no pudieron proponerse en la primera instancia; por otro lado, que se trate de pruebas propuestas oportunamente, pero que fueron indebidamente denegadas —resulta preciso en este caso que se hubiera formulado en su momento la oportuna protesta—; y por último, las pruebas propuestas y admitidas que no fueron practicadas por casusas no imputables al proponente (art. 790.3 LECRIM).

5°) Admisión del recurso y traslado a las restantes partes. Recibido el escrito en el que se formaliza el recurso, el Juez o Tribunal (*a quo*) lo admitirá siempre que reúna los requisitos exigidos.

Si apreciare la concurrencia de algún defecto subsanable —no indicar un domicilio para notificaciones en el lugar donde tenga su sede el órgano *ad quem*, por ejemplo—, concederá al recurrente un plazo no superior a tres días para ello (art. 790.4 LECRIM). Si no fuera subsanable —recurso interpuesto fuera de plazo o ante órgano no competente por no haber dictado la resolución recurrida, por ejemplo— inadmitirá el recurso.

Admitido, en su caso, a trámite el recurso, procederá el Letrado de la Administración de Justicia a dar traslado del escrito de formalización del mismo a las restantes partes, quienes en un plazo común de diez días presentarán sus alegaciones y solicitarán las pruebas de que intenten valerse en la segunda instancia, conforme a lo dicho respecto del apelante. Presentados los escritos de alegaciones o precluido el plazo para hacerlo, el Letrado de la Administración de Justicia dará traslado de cada uno de ellos a las restantes partes (art. 790. 5 y 6 LECRIM).

6°) Sustanciación del recurso ante el órgano *ad quem*. La sustanciación del recurso ante este órgano no requiere, en principio, de la celebración de vista. Pero la misma tendrá lugar, necesariamente, si los escritos de formalización del recurso y de alegaciones contienen proposición de prueba o de reproducción de la grabada, y el Tribunal en los tres días siguientes acuerda su admisión. También, potestativamente, cuando de oficio o a petición de parte, el Tribunal estime necesaria la celebración de vista para la correcta formación de una convicción fundada (art. 791.1 LECRIM).

Si no se dan estos supuestos y no tiene lugar la celebración de vista, el Tribunal *ad quem* dictará sin más sentencia dentro de los diez días siguientes a la recepción de las actuaciones (art. 792.1 LECRIM).

En el caso de que se haya de celebrar la vista, el Letrado de la Administración de Justicia hace el señalamiento de la misma dentro de los quince días siguientes al en que así se acuerde por el órgano *ad quem*. Todas las partes serán citadas a la misma y las víctimas deberán ser informadas aunque no se hayan mostrado parte ni sea necesaria su intervención. La vista comenzará con la práctica de la prueba o la reproducción de la grabada y, a continuación, las partes resumirán oralmente el resultado de la misma y el fundamento de sus pretensiones (art. 791.2 LECRIM). Pese al silencio al respecto, la posibilidad de práctica de prueba y de exposición oral de los fundamentos de sus pretensiones, exigen que la vista se celebre conforme a los principios que informan el juicio oral. El órgano competente para resolver el recurso lo hará mediante sentencia que dictará dentro de los cinco días siguientes (art. 792.1 LECRIM).

7°) La sentencia de apelación. Los efectos y contenido de la sentencia de apelación son distintos dependiendo de cuál sea el motivo alegado y, en su caso, estimado.

1") Si se estima el motivo de quebrantamiento de una forma esencial del procedimiento, la sentencia dictada por el tribunal *a quo* será anulada y el tribunal *ad quem*, sin entrar en el fondo del fallo, ordenará que se reponga el procedimiento al estado en que se encontraba en el momento de cometerse la falta, sin perjuicio de que conserven su validez todos aquellos actos cuyo contenido sería idéntico a pesar de la falta cometida (art. 792.3 LECRIM).

2") Si se estima el motivo de infracción de la norma material (legal o constitucional) aplicable al fondo del asunto, el tribunal *ad quem* revocará la sentencia dictada en primera instancia y dictará otra en su lugar aplicando e interpretando, en su caso, la norma que corresponda.

3") Si se estima el motivo de error en la apreciación de la prueba alegado por el acusado perjudicado (condenado o absuelto de responsabilidad penal pero sometido a medidas de seguridad o condenado a la responsabilidad civil), el tribunal *ad quem* revocará igualmente la sentencia de primera instancia y dictará, en su caso, otra que le resulte favorable.

4") Si se estima el motivo de error en la apreciación de la prueba alegado por el acusador contra la sentencia absolutoria o contra la condenatoria porque solicita un agravamiento de la condena impuesta en la primera instancia, no podrá el tribunal *ad quem* revocar la sentencia de primera instancia e imponer la condena o agravamiento solicitados, por impedirlo la doctrina derivada de la STC 167/2002, de 18 de septiembre, y concordantes. En estos casos, el tribunal *ad quem* anulará la sentencia absolutoria o condenatoria (porque pretende un agravamiento) y devolverá las actuaciones al órgano que dictó la resolución recurrida (art. 792.2. II LECRIM).

Así se soluciona la falta de inmediación en la segunda instancia para condenar o para agravar la condena. Sin embargo, las objeciones puestas por la STC 167/2002 a la falta de inmediación se limitaban a las pruebas de naturaleza personal. Pero, al no haber hecho el legislador ningún tipo de distinción, habrá de procederse también a la devolución de las actuaciones al órgano que dictó la sentencia recurrida cuando el error en la apreciación se fundamenta en pruebas no personales.

¿En qué términos se tiene que devolver la causa a la primera instancia? Se dispone al respecto que la sentencia de apelación concretará si la nulidad ha de extenderse al juicio oral y si el principio de imparcialidad exige una nueva composición del órgano de primera instancia en orden al nuevo enjuiciamiento de la causa (art. 792.2.II LECRIM).

Si la sentencia de apelación impone repetir nuevamente el juicio oral con una nueva composición del tribunal, ello obligaría a repetir las pruebas practicadas anteriormente en la primera instancia (al menos las personales). Esta solución presenta el inconveniente, por un lado, de que, efectivamente, resulte materialmente posible o no la repetición de ciertas pruebas. Por otro lado, las partes podrían variar su estrategia procesal en vista del resultado de la prueba, del sentido de la sentencia de primera instancia y de la sentencia de apelación. Además, somos de la opinión de que en esta nueva celebración del juicio en primera instancia se han de incluir las pruebas practicadas en la apelación y que no se practicaron en aquélla. Por un lado, porque son pruebas que pueden haber servido para declarar en apelación la errónea valoración de las pruebas en primera instancia. Además, el sentido literal de la reforma se refiere a un «nuevo enjuiciamiento de la causa», no a una mera repetición de las pruebas en el nuevo juicio oral.

Si la sentencia de apelación anula la sentencia recurrida, pero no extiende la nulidad al juicio oral, puede darse la paradoja de que el tribunal *ad quem*, sin inmediación en la apreciación de las pruebas (sobre todo de las personales), considere que el órgano *a quo* ha valorado erróneamente las mismas. Con lo cual, no se está limitando a anular la sentencia de primera instancia, sino que también está aportando criterios al órgano *a quo* acerca de cómo ha de valorar las pruebas practicadas o, al menos, de cómo no ha de hacerlo, con notable merma del principio de libre valoración de las mismas.

Además, entendemos que en este supuesto (anulación de sentencia, pero no del juicio oral) se impone igualmente una nueva composición del tribunal *a quo* para garantizar la imparcialidad. Ha de tenerse en cuenta que el órgano de la primera instancia ha de volver a considerar las pruebas que ya presenció y que valoró erróneamente en aquella ocasión, pero ahora condicionado por lo dispuesto en la sentencia de apelación. El problema radica en que el cambio de composición del órgano *a quo*, obliga a repetir las pruebas.

Por otra parte, hubiera sido deseable que el legislador incorporase algún límite a las posibilidades de anular la sentencia por este motivo y devolverla al órgano *a quo*. En estos supuestos se está volviendo nuevamente a la primera instancia, por lo que la sentencia que se pueda dictar en este momento es susceptible de ser recurrida nuevamente en los términos que venimos señalando de forma ilimitada, con lo cual se está concediendo a la parte acusadora una absurda posición de ventaja frente a la acusada. Además, se plantearía el problema de la debida imparcialidad, no sólo del órgano *a quo* al devolver el asunto a la primera instancia, sino también la del propio órgano *ad quem* en el caso de que se vuelva a recurrir en apelación la nueva sentencia que sustituye a la anulada.

La sentencia dictada en apelación ha de ser notificada a los ofendidos y perjudicados por el delito, aunque no se hayan mostrado parte en la causa (art. 792.5 LECRIM).

f) Apelación contra sentencias en el procedimiento por delitos leves

Desaparecidas las faltas y el juicio de faltas nominalmente, se mantiene, sin embargo, este último casi en su integridad para el enjuiciamiento de la nueva categoría de delitos leves. Por lo tanto, son apelables las sentencias dictadas en primera instancia en este procedimiento de enjuiciamiento de delitos leves, al igual que lo eran las sentencias dictadas en el juicio de faltas (art. 976.1 LECRIM en ambos casos). Se hace una remisión a lo que se dispone para la apelación en el procedimiento abreviado en cuanto al modo en que se ha de formalizar y tramitar el recurso (art. 976.2 LECRIM). Nos remitimos, pues, a lo dicho en el epígrafe anterior con las siguientes particularidades:

1°) Las sentencias apelables serán ahora exclusivamente las dictadas por el Juez de Instrucción y, en su caso, por el Juez de Violencia sobre la Mujer, al haberse visto el Juez de Paz despojado de su limitada competencia objetiva en relación a las faltas (art. 14.1 LECRIM).

2°) La competencia funcional para resolver el recurso de apelación corresponderá siempre a la Audiencia Provincial al ser el superior jerárquico de aquéllos. Sigue siendo aplicable lo dispuesto acerca de la composición de la Audiencia Provincial para conocer de la apelación, esto es, bastará con un solo Magistrado (art. 82.1.2° LOPJ).

3°) La sentencia dictada en primera instancia en el procedimiento para los delitos leves es apelable en el plazo de los cinco días siguientes a su notificación (frente a los diez días del abreviado).

g) Apelación contra sentencias en los juicios rápidos

Son apelables las sentencias dictadas en primera instancia por el Juez de lo Penal (art. 803.1 LECRIM). La sustanciación de este recurso se hará conforme a lo previsto para el procedimiento abreviado (art. 803.2 LECRIM), por lo que la competencia funcional para resolverlo corresponderá a la Audiencia Provincial respectiva. Se prevén las siguientes especialidades:

1°) La tramitación y resolución de estos recursos tendrá carácter preferente.

2º) El plazo para presentar el escrito de formalización será de cinco días (diez en el abreviado).

3º) El plazo de las demás partes para presentar sus escritos de alegaciones también será de cinco días (también diez en el abreviado).

4º) La sentencia de apelación deberá dictarse dentro de los tres días (frente a los cinco del abreviado) siguientes a la celebración de la vista, o de los cinco días (diez en el abreviado) siguientes a la recepción de las actuaciones, si no se celebrase vista.

C) Recurso de queja

Existen con la misma denominación de recurso de queja dos modalidades de recurso devolutivo con finalidades muy diversas.

a) Recurso de queja contra resoluciones interlocutorias en sustitución de la apelación

Al tratar de la apelación contra resoluciones interlocutorias hemos visto que el régimen relativo a la procedencia de este recurso difiere en el ordinario y en el abreviado. En este último, contra los autos del Juez de Instrucción y del Juez de lo Penal «que no estén exceptuados de recurso» podrán ejercitarse el de reforma y el de apelación (art. 766.1 LECRIM). Por lo tanto, se ha de dar una exclusión expresa para que no proceda en el abreviado ni la apelación, ni ningún otro recurso (tampoco el de queja).

En el procedimiento ordinario común, en cambio, no se admite con idéntico carácter general la apelación contra resoluciones interlocutorias, sino «únicamente en los casos determinados por la Ley» (art. 217 LECRIM). Fuera de estos supuestos resulta procedente el recurso de queja, pues «podrá interponerse contra todos los autos no apelables del Juez» (art. 218 LECRIM).

En cuanto a la sustanciación de la queja, siendo un recurso devolutivo, su interposición, a diferencia de otros de la misma naturaleza, se hace directamente ante el Tribunal superior competente mediante escrito autorizado por Letrado, siendo el mismo órgano *ad quem* quien lo resuelve (arts. 219. II, 220 y 221 y LECRIM).

La tramitación es muy sencilla: el Tribunal *ad quem* se limitará a solicitar al Juez que dictó la resolución recurrida que informe «en el corto término que al efecto le señale», posteriormente se solicita un dictamen escrito al Fiscal que lo emitirá en el término de tres días y sólo si se trata de una causa en que tenga que intervenir; por último, recabados el informe del Juez y, en su caso, el dictamen del Fiscal, resolverá el Tribunal lo que estime justo (arts. 233-235 LECRIM). No obstante, el Tribunal Constitucional ha considerado que a la luz del derecho a la defensa (art. 24 CE), la parte no recurrente ha de tener también la posibilidad de hacerse oír frente al recurso (STC 178/2001, de 17 de septiembre).

Los efectos de este recurso de queja sustitutivo de la apelación son distintos dependiendo de si se interpone en el término previsto para este último o no. En el primer caso, los efectos serán los del propio recurso de apelación que sustituye. En el segundo caso, esto es, el de la «queja sin plazo», el auto que se dicte resolviéndolo no podrá afectar al estado que tuviese la causa cuando se haya interpuesto el recurso, sin perjuicio de lo que el Tribunal acuerde cuando llegue a conocer de aquélla (art. 235 LECRIM).

b) *Recurso de queja por inadmisión a trámite de otro recurso*

Salvo el de queja y el de revisión frente a decretos de los Letrados de la Administración de Justicia, los recursos devolutivos comienzan su tramitación ante el Juzgado o Tribunal que dictó la resolución que se recurre, a quien corresponde un primer juicio sobre la procedencia o no de dar trámite al recurso que se interpone o se pretende interponer. Si en este momento se aprecia algún motivo que se oponga a dar trámite al recurso, se está impidiendo que el mismo siga su curso hasta el órgano que resulta funcionalmente competente.

El ordenamiento español recoge dos supuestos en los que la queja presenta este carácter instrumental de la efectividad de otro recurso devolutivo no tramitado. Uno, para el caso del recurso de apelación y, el otro, para el recurso de casación.

1°) En relación al primero, el recurso de queja podrá interponerse «contra las resoluciones en que se denegare la admisión de un recurso de apelación» (art. 218 LECRIM). Esta queja es aplicable a todos los supuestos en los que las resoluciones interlocutorias son apelables, pues se trata de un instrumento que se pone a disposición del recurrente en apelación para los casos en los que el Juez que dictó la resolución recurrida «obstaculiza» su tramitación. La sustanciación del recurso de queja en este caso se hará conforme a lo dicho anteriormente (queja sustitutiva de la apelación).

2°) El segundo supuesto es el previsto para el recurso de casación. En este caso, la «preparación» del recurso comienza ante el Tribunal que dictó la resolución, a quien se le pide un testimonio de la misma (art. 855 LECRIM). Éste, si la resolución es recurrible y se dan los requisitos exigidos para ello (escrito autorizado por firma de Letrado, manifestación de la clase o clases de recurso que pretende utilizar, promesa de depósito, etc.) tendrá por preparada la casación y en caso contrario lo denegará mediante auto motivado (art. 858 LECRIM). Este auto denegatorio impide el inicio de la tramitación de la casación y para salvar dicho obstáculo cuenta la parte interesada con el recurso de queja.

Para ello, debe comunicarlo al propio Tribunal sentenciador dentro de los dos días siguientes a la notificación del auto denegatorio a los efectos de que remita copia certificada del mismo a la Sala Segunda del Tribunal Supremo —competente para resolver la queja— y emplace a las partes para que comparezcan ante la misma. Si el recurrente no comparece en los términos del emplazamiento, el Letrado de la Administración de Justicia lo declarará desierto quedando firme el auto denegatorio (arts. 862-863 y 866 LECRIM).

Si el recurrente comparece en tiempo, formulará en escrito firmado por Abogado y Procurador los fundamentos de la queja, acompañando tantas copias del mismo y del auto denegatorio como sean las restantes partes personadas. Se entregará una copia del escrito y del auto al Fiscal para que exponga lo que estime conveniente sobre la procedencia o improcedencia de la queja y otras tantas a las partes emplazadas que comparezcan efectivamente, quienes podrán impugnarlo en el mismo plazo que el concedido al Fiscal, esto es, tres días (arts. 867 y 867 bis LECRIM).

En vista de todos los escritos e informes indicados, resolverá la Sala de lo Penal del Tribunal Supremo sin más trámite lo que proceda. Si el Tribunal Supremo estima fundada la queja, revocará el auto denegatorio y mandará al Tribunal sentenciador que expida certificación de la resolución reclamada y tenga por preparado el recurso de casación. Si no se estima procedente la queja lo comunicará igualmente al Tribunal sentenciador (arts. 869 y 870 LECRIM). La resolución del Tribunal Supremo sobre la queja no es recurrible (art. 871 LECRIM).

LECTURAS RECOMENDADAS: MONTERO AROCA, *Proceso penal y libertad. Ensayo polémico sobre el nuevo proceso penal*, Madrid, 2008; CALDERÓN CUADRADO, *La segunda instancia penal*, Cizur Menor, 2005; TAPIA FERNÁNDEZ, *La implantación generalizada de la segunda instancia en el proceso penal. Presente y futuro*, Cizur Menor, 2011.

Lección Vigésima

Los recursos (II)

I. EL RECURSO DE CASACIÓN.
- A) Concepto, funciones y características.
- B) Legitimación.

II. RESOLUCIONES RECURRIBLES EN CASACIÓN.
- A) Autos recurribles en casación.
- B) Sentencias recurribles en casación.
  - a) Sentencias recurribles en casación por infracción de Ley y quebrantamiento de forma.
  - b) Sentencias recurribles en casación por infracción de Ley.
  - c) Sentencias recurribles en casación para unificación de doctrina.
  - d) Sentencias no recurribles en casación.

III. MOTIVOS DE CASACIÓN.
- A) Casación por infracción de Ley.
  - a) Precepto penal u otras normas de carácter sustantivo.
  - b) Error en la apreciación de la prueba basada en documentos.
- B) Casación por quebrantamiento de forma.
  - a) Quebrantamiento de forma por defectos en el procedimiento.
  - b) Quebrantamiento de forma por defectos en la sentencia.
- C) Casación por infracción de precepto constitucional.

IV. CASACIÓN PARA LA UNIFICACIÓN DE DOCTRINA.
- A) En materia de menores.
- B) En materia penitenciaria.

V. PROCEDIMIENTO.
- A) Fase de preparación.
- B) Fase de interposición.
- C) Fase de sustanciación.
- D) Fase de decisión.

I. EL RECURSO DE CASACIÓN

El recurso de casación es aquel medio de impugnación extraordinario por el cual se somete al superior órgano jurisdiccional —el Tribunal Supremo— el conocimiento de una serie de cuestiones basadas en motivos tasados en la ley, y de interpretación restrictiva, oponiéndose a determinadas resoluciones —una relación limitada de autos y sentencias—. Dependiendo del motivo de la casación, se puede solicitar del Tribunal Supremo que anule la sentencia y dicte otra en su lugar, o que declare la nulidad del proceso o de la sentencia y que ordene reponer el mismo al momento en que se produjo el motivo de nulidad.

A) Concepto, funciones y características

En principio, y en su origen, el recurso de casación civil y el recurso de casación penal respondieron a una misma finalidad. Suele hacerse referencia, por ejemplo, a la función nomofiláctica que refleja la preocupación de los revolucionarios franceses por la primacía de la ley como expresión de la voluntad ciudadana, frente a la creación jurisprudencial por parte de los tribunales. Ésta sería la razón de ser del motivo de casación fundado en la infracción de la ley, esto es la protección del *ius constitutionis* o salvaguarda del Derecho objetivo.

No cabe duda, sin embargo, que la casación española actual, tal como la conocemos, es fruto de una larga evolución histórica en la que han incidido causas de la más diversa índole. Así, ante la desconfianza de los revolucionarios franceses frente a la creación jurisprudencial, resulta hoy innegable que la fijación por el órgano jurisdiccional de mayor rango de una serie de criterios en orden a interpretar y aplicar de forma uniforme aquella ley que se quiere tutelar, sirve a su vez para garantizar la efectiva igualdad de los ciudadanos ante la misma. Hasta el punto de que en la jurisdicción civil, la existencia de interés casacional concurre cuando se produce una oposición con la doctrina jurisprudencial del Tribunal Supremo o cuando sobre determinadas cuestiones exista jurisprudencia contradictoria de las Audiencias Provinciales (art. 477.3 LEC).

Esta última función de la casación nos da paso a referirnos a otra de las funciones que satisface, al menos en nuestro ordenamiento, este recurso, que no es otro que el de servir de instrumento de tutela de los derechos e intereses de los que intervienen en el proceso (*ius litigatoris*). La resolución del recurso de casación tiene una incidencia directa en un proceso aún sin concluir, con repercusión inmediata en las pretensiones y derechos de las partes en discusión. Sin olvidar nunca que en el proceso penal se actúa el *ius puniendi* del Estado y que el Ministerio Fiscal está legitimado, precisamente por ese componente público, para interponer el recurso de casación e intervenir en su sustanciación.

Además, en la medida en que el recurso de casación puede fundarse en infracción de precepto constitucional y que la Norma suprema reconoce un amplio abanico de derechos —algunos fundamentales— de índole material y procesal, puede afirmarse que esta última función del recurso de casación (tutela del *ius litigatoris*) ha adquirido un notable protagonismo. Hasta el punto de que el legislador reconoce en el Preámbulo de la Ley 41/2015 que se ha pretendido en determinados casos compensar las deficiencias de nuestro ordenamiento —ausencia de la segunda instancia— flexibilizando el entendimiento de los motivos del recurso de casación, pero ello «desvirtúa la función del Tribunal Supremo como máximo intérprete de la ley penal». A pesar de esta rotunda afirmación, el legislador no ha aprovechado la reforma para reforzar la función a la que se refiere: aunque es cierto que en adelante son recurribles en casación por infracción de ley sentencias por delitos menos graves que antes no lo eran, lo cual refuerza su función unificadora de la doctrina penal, mantiene, sin embargo, el *statu quo* vigente en el resto de supuestos, lo cual contribuye a desdibujar aquello que pretende fortalecer.

En cuanto a las características del recurso de casación debemos precisar:

1°) Se trata de un recurso devolutivo. La competencia funcional para su conocimiento corresponde al órgano jurisdiccional de superior rango, esto es, a la Sala de lo Penal del Tribunal Supremo (arts. 57.1.1° LOPJ; 869 LECRIM).

2°) Es un recurso extraordinario pues los motivos para fundamentarlo vienen tasados en la ley procesal.

3°) Además, los motivos han de ser objeto de interpretación restrictiva, y

4°) Naturalmente, el ámbito de conocimiento del Tribunal Supremo queda limitado a lo que las partes le sometan en la formalización del recurso.

El efecto suspensivo se hace depender de quién recurre y del sentido de la sentencia recurrida. No se produce el efecto suspensivo si la sentencia recurrida es absolutoria y el condenado estuviese preso preventivamente, pues será puesto en libertad [art. 861 bis a) *in fine* LECRIM]. Sí se produce si la sentencia es condenatoria, pues no podrá ejecutarse pena ni medida de seguridad «sino en virtud de sentencia firme» (art. 3.1 CP). Si el recurso de casación se prepara por uno o varios de los procesados, pero no por todos, la sentencia podrá llevarse a efecto respecto de los demás [art. 861 bis b) LECRIM], si bien éstos podrán beneficiarse de la nueva sentencia en lo que les resulte favorable si se encuentran en la misma situación que el recurrente y les son aplicables los motivos alegados —efecto extensivo— (art. 903 LECRIM).

B) Legitimación

Están legitimados para interponer el recurso de casación el Ministerio Fiscal, los que hayan sido parte en el proceso, los que sin haberlo sido resulten condenados en la sentencia y los herederos de unos y otros. Los actores civiles tienen limitada su legitimación a cuanto pueda afectar a las restituciones, reparaciones e indemnizaciones reclamadas (art. 854 LECRIM).

La referencia a la legitimación de quien es condenada sin ser parte en el proceso ha de entenderse hecha a las entidades responsables del seguro obligatorio (responsables civiles), pues el legislador les excluye de la posibilidad de ser parte del proceso en tal concepto (art. 764.3 LECRIM).

La legitimación de los herederos puede entenderse sobre todo desde la perspectiva de la responsabilidad civil, pues dispone el art. 115 LECRIM que la acción penal se extingue por la muerte del culpable; pero, incluso en estos casos, se da la paradoja de que el mismo precepto establece que la acción civil contra los herederos y causahabientes se ejercitará ante la jurisdicción civil. La legitimación recobra su sentido cuando ya ha recaído una sentencia condenatoria y con el objeto de reparar el buen nombre del fallecido.

Aunque el legislador no les atribuya la condición de parte procesal, ha de entenderse que los terceros afectados por el decomiso y que intervienen en el proceso penal, están legitimados para recurrir en casación, al disponerse con carácter general que podrá interponer contra la sentencia «los recursos previstos en esta ley», aunque de admitirse esta interpretación, habrá de circunscribir su recurso a los pronunciamientos que afecten directamente a sus bienes, derechos o situación jurídica (art. 803 ter c. LECRIM).

II. RESOLUCIONES RECURRIBLES EN CASACIÓN

Son recurribles en casación determinados autos y sentencias.

A) Autos recurribles en casación

Podrán ser recurridos en casación, únicamente por infracción de ley (art. 848 LECRIM):

a) Los autos para los que la ley autorice dicho recurso de modo expreso.

La enumeración de los autos recurribles sería extensa, sin olvidar que la jurisprudencia del Tribunal Supremo ha extendido la recurribilidad a autos para los que no está previsto de forma expresa. Entre los primeros se encuentran, por ejemplo, los autos dictados en materia de competencia (arts. 23, 35, 40 y 43 LECRIM), entre los segundos, el Tribunal Supremo ha incluido, por ejemplo, los autos de inhibición de la Audiencia a favor del Juez de lo Penal en un procedimiento abreviado.

b) Los autos definitivos dictados en primera instancia y en apelación por las Audiencias Provinciales o por la Sala de lo Penal de la Audiencia Nacional cuando supongan la finalización del proceso por falta de jurisdicción o sobreseimiento libre y la causa se haya dirigido contra el encausado mediante una resolución judicial que suponga una imputación fundada.

Genera ciertas dudas la interpretación acerca de que son casables los «autos definitivos dictados en primera instancia». Si se refiere a los dictados por las Audiencias Provinciales y Sala de lo Penal de la Audiencia Nacional, hay que tener en cuenta que los mismos son previamente recurribles en apelación ante las Salas de lo Civil y de lo Penal de los Tribunales Superiores de Justicia y la Sala de Apelación de la Audiencia Nacional, respectivamente (art. 846 ter 1 LECRIM).

B) Sentencias recurribles en casación

En la actualidad, son recurribles en casación todas las sentencias dictadas en procesos por delitos, ya sea en apelación, ya en única instancia. Con la única salvedad de las causas seguidas conforme a la nueva categoría de delitos leves (antes faltas contra las personas y el patrimonio) o cuando conozca directamente del asunto la propia Sala de lo Penal del Tribunal Supremo por aforamiento. En todo caso, hay que diferenciar los motivos en que se puede fundamentar el recurso de casación, pues el legislador ha optado por limitar el abanico de motivos a medida que se reduce la gravedad de las infracciones punibles:

a) Sentencias recurribles en casación por infracción de ley y por quebrantamiento de forma

Son recurribles por ambos motivos, a los que nos referiremos más adelante, las siguientes sentencias [art. 847.1.a) LECRIM]:

1) *Las sentencias dictadas en única instancia por la Sala de lo Civil y Penal de los Tribunales Superiores de Justicia.* Se trata de los supuestos en los que estas Salas tienen atribuida la competencia objetiva para juzgar a

personas aforadas conforme a los respectivos Estatutos de Autonomía o por tratarse de miembros de las carreras judicial y fiscal por delitos cometidos en el ejercicio de sus cargos en la Comunidad Autónoma, salvo que la misma corresponda al Tribunal Supremo [art. 73.3 a) y b) LOPJ].

2) *Las sentencias dictadas en apelación por la Sala de lo Civil y Penal de los Tribunales Superiores de Justicia.* Se incluyen en esta posibilidad las sentencias dictadas en apelación frente a las dictadas en primera instancia por el Magistrado-Presidente del Tribunal del Jurado y las sentencias dictadas también en apelación por el Tribunal Superior de Justicia frente a las sentencias dictadas en primera instancia por las Audiencias Provinciales, esto es, tanto en el procedimiento ordinario, como en el abreviado cuando se exceda la competencia del Juez de lo Penal.

3) *Las sentencias dictadas en apelación por la Sala de Apelación de la Audiencia Nacional.* Se trata de sentencias procedentes en primera instancia de la Sala de lo Penal de la Audiencia Nacional, esto es, dictadas en el procedimiento ordinario y en el abreviado cuando la causa no sea de la competencia del Juez Central de lo Penal y que han sido recurridas posteriormente ante la Sala de Apelación de la Audiencia Nacional.

b) Sentencias recurribles en casación por infracción de ley

Hemos dicho anteriormente que en la actualidad todas las causas por delitos, salvo los leves y las de competencia objetiva directa del Tribunal Supremo, son susceptibles de casación. También lo son ahora las sentencias dictadas en apelación por las Audiencias Provinciales y por la Sala de lo Penal de la Audiencia Nacional (art. 846 ter. 1 LECRIM). Esto es, las que proceden en primera instancia de los Juzgados de lo Penal y de los Juzgados Centrales de lo Penal en las causas por delitos menos graves (art. 14.3 LECRIM).

El legislador ha optado en estos supuestos, que con anterioridad no eran susceptibles de casación, por limitar los motivos que pueden ser alegados. Si con carácter general el recurso de casación se puede motivar en la infracción de ley y en el quebrantamiento de forma (como ocurre en el apartado 1), en este caso las sentencias indicadas son susceptibles de casación sólo por infracción de ley y, además, sólo por el motivo previsto en el número 1° del art. 849 LECRIM. Es decir, por infracción de Derecho sustantivo, ya sea penal, ya sea de otro orden cuando deba ser observado en la aplicación de la Ley penal. De esta forma volvemos, en este concreto supuesto de delitos menos graves, al origen revolucionario de la casación, esto es, su función nomofiláctica o de protección de la ley.

Según el Acuerdo del Pleno no jurisdiccional de la Sala 2ª del TS, de 9 de junio de 2016, no procede fundar la casación en la infracción de precepto constitucional (art. 852 LECRIM).

c) Sentencias recurribles en casación para unificación de doctrina

Las sentencias dictadas en apelación por las Audiencias Provinciales y por la Sala de lo Penal de la Audiencia Nacional en materia de menores, esto es, frente a sentencias dictas en primera instancia por los Juzgados de Menores y por el Juzgado Central de Menores, son recurribles en casación ante el Tribunal Supremo en determinados supuestos (dependiendo de la medida impuesta al menor). Este recurso de casación tiene por objeto la unificación de doctrina (art. 42 LO 5/2000). Nos referiremos al respecto al analizar los motivos de casación.

d) Sentencias no recurribles en casación

En la actualidad, las únicas sentencias no recurribles en casación son aquellas en las que el Tribunal Supremo conoce directamente por aforamiento (art. 57.1.1° y 2° LOPJ) y los supuestos más leves de delitos. En relación a estos últimos, la competencia objetiva corresponde siempre (excluido el Juez de Paz) al Juez de Instrucción o al Juez de Violencia sobre la Mujer, y la sentencia de apelación la dictará la Audiencia Provincial. Esto es, ateniéndonos a lo dispuesto por el nuevo art. 847.1.b) LECRIM sería susceptible de casación por infracción de ley exclusivamente. Sin embargo, frente a esta disposición de carácter general ha de primar la que establece de forma específica para el enjuiciamiento de los delitos leves que «contra la sentencia que se dicte en segunda instancia no habrá lugar a recurso alguno» (art. 977 LECRIM).

Junto a las anteriores, ha de contemplarse la exclusión relativa a las sentencias en las que en apelación, el Tribunal *ad quem* se limita a declarar la nulidad de las sentencias recaídas en primera instancia sin entrar en el fondo del asunto (art. 847.2 LECRIM).

> Dentro de esta última exclusión se comprenden dos supuestos: a') cuando se estima la apelación por quebrantamiento de una forma esencial del procedimiento, pues en este caso el tribunal *ad quem* se limita a ordenar que se reponga el procedimiento al estado en que se encontraba al cometerse la falta (art. 792.3 LECRIM); b') cuando la sentencia de apelación estima el motivo alegado por la acusación basado en el error en la valoración de la prueba y acuerda la anulación de la sentencia absolutoria o de la condenatoria por interesar un agravamiento de la condena; el tribunal *ad quem* se limita también en este caso a devolver las actuaciones al órgano que dictó la resolución recurrida (art. 792.2 LECRIM).

III. MOTIVOS DE CASACIÓN

A lo largo de las líneas precedentes, hemos caracterizado el recurso de casación como extraordinario, en el sentido de que no es suficiente la mera alegación de un gravamen o perjuicio, sino que el mismo se ha de fundamentar necesariamente en motivos tasados legalmente previstos. También hemos mencionado, por encima, cuáles son tales motivos. En concreto serían, la infracción de ley y el quebrantamiento de forma, con modalidades distintas dentro de cada categoría, y la infracción de precepto constitucional. Hemos dicho igualmente que en el procedimiento penal de menores (también en materia penitenciaria) la casación tiene la finalidad de unificar la doctrina jurisprudencial, asegurando la uniformidad necesaria en la interpretación y aplicación de la ley.

A) Casación por infracción de ley

La LECRIM incluye, a su vez, dentro de esta categoría dos motivos (art. 849 LECRIM), el primero se corresponde con el significado propio y característico de la infracción de ley, mientras que el segundo se fundamenta en el error en la apreciación de la prueba documental que consta en autos. Este segundo motivo es algo propio del ordenamiento español y ni siquiera estaba previsto en la redacción original de la LECRIM.

a) Infracción de precepto penal de carácter sustantivo u otra norma jurídica del mismo carácter que deba ser observada en la aplicación de la ley penal (art. 849.1º LECRIM)

Conforme a esta primera modalidad de infracción de ley se cuestiona ante el Tribunal Supremo la corrección en la aplicación de la misma por el órgano de instancia partiendo de un determinado relato fáctico. Es decir, se parte de que los hechos declarados probados quedan definitivamente fijados y se trata sólo de si la subsunción de estos hechos en la norma sustantiva (penal o no) es o no correcta.

Por precepto penal de carácter sustantivo ha de entenderse el comprendido, generalmente, en el Código Penal o en leyes penales especiales. Otras normas del mismo carácter son aquéllas que es preciso atender para integrar la norma penal. Por ejemplo, las normas que regulan el concepto civil de matrimonio, el administrativo de funcionario público o los conceptos fiscales y tributarios que se utilizan para definir los distintos tipos penales.

Excepcionalmente pueden tener cabida en este motivo los supuestos de infracción de norma procesal si afectan a la correcta aplicación de la penal sustantiva. Por ejemplo, cuando la infracción se refiere al entendimiento de la cosa juzgada o la amnistía o indulto a que se refiere el art. 666 LECRIM como artículos de previo pronunciamiento. Además, la nueva redacción dada al art. 848 LECRIM por la Ley 41/2015 permite la casación contra autos que pongan fin al proceso en determinados supuestos —falta de jurisdicción, sobreseimiento libre—, pero en todo caso siempre «(únicamente) por infracción de ley».

b) Error en la apreciación de la prueba, basado en documentos que obren en los autos, y que demuestren la equivocación del juzgador sin resultar contradichos por otros elementos de prueba (art. 849.2º LECRIM)

Mientras que en el supuesto anterior el error se comete al aplicar la norma sustantiva pero sin cuestionar los hechos probados, en este caso se impugna precisamente el relato fáctico que consta en la sentencia recurrida al existir error en la apreciación de la prueba por el tribunal de instancia. La jurisprudencia ha sido rigurosa en la exigencia de los presupuestos que han de concurrir considerando la excepcionalidad de que el Tribunal Supremo asuma funciones de revisión de la prueba que, en principio, corresponderían al tribunal de apelación. Podríamos resumirlos de la siguiente manera:

1) El concepto de documento a los efectos que nos interesa y los requisitos que ha de satisfacer el mismo han provocado mucho debate. Es lógica la limitación a la prueba documental en este caso, pues las pruebas se han practicado con inmediación sólo ante el tribunal de instancia y no ante el Tribunal Supremo.

> Ha de tratarse de documentos en sentido estricto. Aunque no necesariamente limitados al soporte papel. El Código Penal se refiere a «todo soporte material que exprese o incorpore datos, hechos o narraciones» (art. 26 CP). No tienen esta naturaleza las pruebas personales o de otra naturaleza —declaraciones de testigos, del encausado, de peritos, diligencia de entrada y registro, etc.— cuyo resultado ha quedado «documentado» en un acta. Tampoco son documentos a efectos casacionales la grabación de las sesiones del juicio oral. La jurisprudencia exige en ocasiones que se trate de documentos extrínsecos a la causa y posteriormente incorporados a la misma.

Excepcionalmente se acepta que los informes periciales —pruebas personales— sirvan de fundamento a este motivo. Por ejemplo, cuando existiendo un solo dictamen o varios absolutamente coincidentes, el tribunal de instancia los considera como base única de la declaración de hechos probados, pero incorporándolos a dicha declaración de modo incompleto, mutilado o contradictorio, alterando su sentido originario (STS de 6 de marzo de 2014).

2) El documento ha de ser literosuficiente o autosuficiente, en el sentido de que por sí mismo sea demostrativo del error que se denuncia cometido.

Error que debe aparecer de forma clara y patente del examen del documento, sin necesidad de acudir a otras pruebas. Por ello, han de designarse con precisión los documentos y aquellos de sus particulares de donde se deduzca inequívocamente el error.

3) Lo reflejado en el documento no ha de resultar contradicho por otros elementos probatorios. En el proceso penal la prueba documental carece de un valor probatorio superior al del resto de medios de prueba. Por lo tanto, es posible que el relato de hechos probados no se adecúe al contenido del documento o documentos que obran en autos, pero sí sean consecuencia de una lógica y racional apreciación del resto de las pruebas practicadas conforme al principio de libre valoración de las mismas.

4) El error acreditado gracias a los documentos que obran en los autos ha de ser relevante, es decir, ha de tener virtualidad para modificar los pronunciamientos del fallo.

5) En cuanto a las consecuencias de la estimación del motivo, no se ha cuestionado la facultad del Tribunal Supremo para dictar, separadamente, la sentencia que proceda conforme a derecho, una vez casada y anulada la resolución recurrida (arts. 901 y 902 LECRIM).

Sin embargo, por influencia del TEDH (en concreto el asunto Lacadena Calero c. España, de 22 de noviembre de 2011), el Tribunal Supremo está aceptando que en casación no pueda en este supuesto dictarse una sentencia condenatoria «ex novo», sino que tendría que declarar la nulidad de la sentencia y retrotraer las actuaciones al momento anterior a dictarla, sobre todo si hay pruebas personales que valorar (STS 548/2014, de 27 de junio).

B) Casación por quebrantamiento de forma

Así como en la infracción de Ley se atiende a la incorrección en la aplicación de las normas de carácter sustantivo, en el quebrantamiento de forma la infracción lo es de las normas de carácter procesal. Ahora bien, esta infracción puede tener lugar en momentos procesales distintos: los vicios pueden haberse cometido en el desarrollo del procedimiento, o bien, puede ser correcto el desenvolvimiento del procedimiento y cometerse la infracción en la sentencia que pone término al mismo. Partiendo de esta doble realidad, el legislador distingue entre:

a) Quebrantamiento de forma por defectos en el procedimiento (art. 850 LECRIM)

Los errores o vicios que pueden cometerse con anterioridad a la sentencia están recogidos en la Ley pormenorizadamente. Sin embargo, tras la incorporación con la LOPJ de 1985 de la infracción de precepto constitucional como motivo de casación, la mayoría de los motivos que se recogen en el art. 850 LECRIM podrían encontrar acomodo también en enunciados más genéricos de derechos constitucionalmente tutelados (derecho a la defensa, derecho a utilizar los medios de prueba pertinentes, etc.). En concreto son los siguientes:

1) Denegación de alguna diligencia de prueba que, propuesta en tiempo y forma por las partes, se considere pertinente

Antes que nada conviene subrayar la estrecha vinculación de este motivo con el derecho fundamental a utilizar los medios de prueba pertinentes (art. 24.2 CE). Este derecho no se configura con carácter absoluto en el sentido de poder servirse de todas las pruebas propuestas, sino sólo de las pertinentes. Juicio de pertinencia que corresponde formular al órgano judicial de instancia.

La estimación de este motivo casacional está condicionado al cumplimiento, según consolidada jurisprudencia, de una serie de requisitos formales y de presupuestos que pueden calificarse de fondo:

1") Entre los primeros se encuentran: a') que la prueba haya sido propuesta en tiempo y forma, pues el derecho a la prueba es un derecho de configuración legal y corresponde al legislador concretar las condiciones de su ejercicio; b') que se haya denegado la prueba en el momento de su proposición o que haya sido admitida pero denegada la suspensión del juicio oral solicitada por la parte recurrente ante la imposibilidad de su práctica; c') que se haya formulado la oportuna protesta ante el tribunal *a quo* en el momento de la denegación (arts. 659 y 790.3 LECRIM); d') que tratándose de prueba testifical, el recurrente haya hecho constar las preguntas que pretendía formular al testigo con el fin de valorar la relevancia de su testimonio.

2") Entre los presupuestos de fondo destacan: a') que la prueba denegada o no practicada sea pertinente, esto es, que tenga relación directa con la causa; b') que sea necesaria, en el doble sentido de relevante y no redundante; c') que sea posible, es decir, que se pueda practicar en términos de racionalidad, sin tener que superar dificultades extraordinarias; y d') que la falta de realización ocasione indefensión a la parte que propuso la prueba.

2) Cuando se haya omitido la citación del procesado, la del responsable civil subsidiario, la de la parte acusadora o la del actor civil para su comparecencia en el acto del juicio oral, a no ser que estas partes hubiesen comparecido en tiempo, dándose por citadas

La falta de la oportuna citación a las partes o la no practicada con arreglo a la ley vulneraría el principio de contradicción y el derecho a la defensa de aquéllas. Este defecto es subsanable si las partes se dan por citadas y comparecen (*vid.* igualmente el art. 180 LECRIM). Conviene tener presente, como se ha visto en su momento, que en el proceso penal la citación no es suficiente para garantizar la contradicción, al menos del sujeto pasivo. Ésta ha de ser efectiva y corresponde al órgano jurisdiccional proceder de oficio y activamente en el llamamiento y búsqueda del investigado citado que no comparece.

3) *Cuando el Presidente del Tribunal se niegue a que un testigo conteste, ya en audiencia pública, ya en alguna diligencia que se practique fuera de ella a la pregunta o preguntas que se le dirijan siendo pertinentes y de manifiesta influencia en la causa*

Este supuesto y el primero (denegación de prueba) coinciden prácticamente en el fondo, de ahí que la jurisprudencia considere con toda lógica que los presupuestos exigibles también deben coincidir. La manifiesta influencia en la causa ha de ser entendida en el sentido de que la respuesta esperable del testigo puede cambiar el sentido de la sentencia.

4) *Cuando se desestime cualquier pregunta por capciosa, sugestiva o impertinente, no siéndolo en realidad, siempre que tuviera verdadera importancia para el resultado del juicio*

Pregunta capciosa es la que puede conducir a engaño; sugestiva es la pregunta en la que está implícita ya una respuesta; e impertinente es la que no guarda relación con el tema debatido. Aunque el supuesto legal se refiere exclusivamente a los testigos, la jurisprudencia hace extensible el supuesto a las preguntas dirigidas a sujetos distintos, es decir, también a los peritos o a los propios encausados. Por lo demás, nos remitimos en cuanto a los requisitos a lo indicado para el número anterior.

5) *Cuando el Tribunal haya decidido no suspender el juicio para los procesados comparecidos, en el caso de no haber concurrido algún acusado, siempre que hubiere causa fundada que se oponga a juzgarles con independencia y no haya recaído declaración de rebeldía*

En principio, la incomparecencia de alguno de los procesados citados correctamente no suspenderá el juicio, siempre que el Tribunal estime, previa audiencia de las partes, que existen elementos suficientes para juzgarles con independencia (art. 746 *in fine* LECRIM). Para que se estime este motivo han de concurrir los tres requisitos mencionados y, además, se ha de producir y acreditar la indefensión.

b) Quebrantamiento de forma por defectos en la sentencia

Las infracciones de carácter procesal pueden ocasionarse durante la sustanciación del proceso y, además, también a la hora de dictar la sentencia (vicios *in iudicando*). Los primeros han sido analizados en el epígrafe anterior, los segundos serían los siguientes motivos (art. 851 LECRIM):

1) Cuando en la sentencia no se exprese clara y terminantemente cuáles son los hechos que se consideren probados, o resulte manifiesta contradicción entre ellos, o se consignen como hechos probados conceptos que, por su carácter jurídico, impliquen la predeterminación del fallo

En realidad, se pueden distinguir en este motivo tres diferentes:

1") El primero haría referencia a la «falta de claridad y terminancia de los hechos probados». A efectos casacionales, lo determinante es que la ininteligibilidad proceda del propio relato de hechos probados (de los términos utilizados, de la construcción semántica, gramatical o lógica de lo descrito, etc.). Además, las consecuencias que se derivan son tan radicales, que el defecto ha de ser de tal entidad que determine una absoluta incomprensión de lo que se quiere decir y proclamar como probado, de modo que impida la adecuada calificación jurídico penal de lo narrado.

2") El segundo motivo hace referencia a la existencia de contradicciones entre los hechos probados. Según la jurisprudencia del Tribunal Supremo, consiste la contradicción en el empleo en el relato de hechos probados de términos o frases que, por ser antitéticos, resultan incompatibles entre sí, produciendo un vacío en la fijación del relato fáctico. Además, ha de ser insubsanable, esto es, imposible de ser superada armonizando la contradicción a través de otros pasajes del relato. Por último, ha de ser relevante para la calificación jurídica o fallo.

3") En tercer lugar, el vicio puede consistir en el empleo de conceptos jurídicos que predeterminan el fallo. La descripción de la verdad histórica en el relato de hechos probados se ha de realizar de forma neutral, utilizando expresiones propias del lenguaje común, esto es, sin que los términos empleados en la narración formen parte del tipo penal como técnico jurídicos.

2) Cuando en la sentencia sólo se exprese que los hechos alegados por las acusaciones no se han probado, sin hacer expresa relación de los que resultaren probados

En relación con este motivo, se entiende que, si bien el juzgador no tiene obligación de transcribir en sus fallos la totalidad de los hechos aducidos por las partes, sí ha de hacer constar los hechos que se estimen enlazados con las cuestiones que hayan de resolverse en el fallo.

3) Cuando no se resuelvan en la sentencia todos los puntos que hayan sido objeto de la acusación y defensa

En la sentencia se han de resolver todas las cuestiones que hayan sido objeto del juicio (art. 742 LECRIM). En caso contrario nos hallaríamos antes una sentencia que incurre en incongruencia omisiva o falta de exhaustividad. La estimación del motivo exige: a') que se trate de omisiones sobre cuestiones jurídicas, y no sobre cuestiones de hecho; b') que se trate de pretensiones en sentido propio, y no meras alegaciones que las apoyan; c') que las pretensiones ignoradas se hayan formulado claramente y en momento procesal oportuno; d') que no encuentren respuesta, ni de forma expresa, ni de modo implícito o indirecto.

4) Cuando se pene un delito más grave que el que haya sido objeto de la acusación, si el Tribunal no hubiera procedido previamente como determina el art. 733 LECRIM

Se trata de la falta de correlación entre la acusación y la sentencia, lo que incide negativamente en el principio acusatorio y en el derecho a la defensa y, en general, en el derecho a un proceso con todas las garantías. La estimación del motivo no se daría sólo en el caso de condena por delito más grave, también por delito distinto o por estimación de una agravante no solicitada o por apreciar un grado de perfección o participación más grave, sin haber sido pedido por la acusación. Salvo que se trate de delitos homogéneos en sentido procesal, esto es, cuando los elementos que los integran hayan sido susceptibles de discusión excluyendo toda posible indefensión.

En relación a la pena concreta, la jurisprudencia había venido admitiendo la posibilidad de imponer una pena más grave que la solicitada por la acusación, pero siempre dentro de los márgenes máximos previstos en abstracto por el tipo penal. Sin embargo, el Acuerdo del Pleno no jurisdiccional de la Sala Segunda del Tribunal Supremo de 20 de diciembre de 2006 estableció que cualquiera que sea el procedimiento por el que se sustancie la causa, «el Tribunal sentenciador no puede imponer pena superior a la más grave de las pedidas en concreto por las acusaciones». Este cambio de criterio también ha sido seguido por el Tribunal Constitucional a partir de su STC 155/2009, de 25 de junio, con fundamento en la vulneración del principio acusatorio y también en la garantía de imparcialidad del órgano sentenciador.

5) Cuando la sentencia haya sido dictada por menor número de Magistrados que el señalado en la Ley o sin la concurrencia de votos conformes que por la misma se exige

Salvo que legalmente se prevea otra cosa de forma expresa, bastarán tres Magistrados para formar Sala (art. 196 LOPJ). Aunque sea una reiteración superflua, también para dictar la sentencia de apelación en las Salas de lo Civil y Penal de los Tribunales Superiores de Justicia y en la Sala de Apelación de la Audiencia Nacional (art. 846 ter. 2 LECRIM). En cuanto al número de votos conformes que ha de concurrir, la regla general, salvo disposición legal expresa que señale una mayor proporción, es la mayoría absoluta de votos (arts. 255 LOPJ y 153 LECRIM).

6) Cuando haya concurrido a dictar sentencia algún Magistrado cuya recusación, intentada en tiempo y forma, y fundada en causa legal, se hubiese rechazado

Superando las estrecheces de la literalidad del motivo, la jurisprudencia ha entendido que el mismo comprende los supuestos en los que concurre a dictar sentencia algún Magistrado cuya recusación hubiera sido estimada; o bien cuando la recusación, intentada en tiempo y forma, hubiera sido desestimada siendo procedente; también cuando la pieza de recusación, intentada en tiempo y en forma, no se hubiera sustanciado o se hubiera hecho sin respetar los trámites legales. Con la recusación se pretende garantizar la imparcialidad del Magistrado que ha de resolver.

C) Casación por infracción de precepto constitucional

Además de los motivos hasta ahora mencionados, una vez que se aprueba la LOPJ (1985) y siempre que resulte procedente según la ley el recurso de casación, «será suficiente para fundamentarlo la infracción de precepto constitucional» (art. 5.4 LOPJ). Aunque no era precisa la redundancia, la LEC 1/2000 incorpora este motivo en el art. 852 LECRIM. Como se ha podido comprobar del análisis de los motivos de casación «clásicos» mencionados, la mayor parte de ellos tienen reflejo en algún principio, garantía o derecho constitucionalmente reconocidos. De ahí la frecuencia con la que se invoca la infracción de precepto constitucional. Estos preceptos pueden ser de carácter procesal (art. 24 CE, por ejemplo) o material (derechos fundamentales afectados en la obtención de fuentes de prueba —inviolabilidad del domicilio en las entradas y registros, por ejemplo—).

Sin embargo, en el marco de este motivo adquiere particular protagonismo el derecho a la presunción de inocencia. Invocando su vulneración, el Tribunal Supremo ha podido adentrarse en terrenos tradicionalmente vedados a su función y que se vinculan con el espinoso tema de la revisión de la valoración probatoria. En efecto, entre los parámetros que se consideran para determinar su respeto o no, se encuentran los siguientes: a') que exista un mínima o suficiente actividad probatoria; b') que dicha actividad probatoria sea incriminatoria o de cargo, en el sentido de que comprenda los elementos que integran el tipo penal o las circunstancias agravantes de la responsabilidad penal; c') que la prueba de cargo se haya obtenido y practicado con todas las garantías constitucionales —respetuosa con los derechos fundamentales, practicada conforme a los principios de oralidad, publicidad, inmediación y concentración, etc.—; d') que la valoración de las pruebas obtenidas y practicadas conforme a lo dicho se ajuste a las reglas de la lógica, la razón y la experiencia.

IV. CASACIÓN PARA LA UNIFICACIÓN DE DOCTRINA

Al referirnos a las funciones del recurso de casación hemos mencionado la uniformización de la jurisprudencia. La casación para la unificación de doctrina comprende de forma expresa esta función. De este modo se refuerza el principio de seguridad jurídica y el derecho a la igualdad de todos ante la ley. Está prevista expresamente en materia de menores y en materia penitenciaria.

A) Recurso de casación para unificación de doctrina en materia de menores (art. 42 LO 5/2000)

Son recurribles en casación conforme a este motivo las sentencias dictadas en apelación, tanto por las Audiencias Provinciales, como por la Sala de lo Penal de la Audiencia Nacional. La necesidad de unificar doctrina se aprecia en la exigencia de que las sentencias dictadas en apelación sean contradictorias entre sí, o con sentencias del Tribunal Supremo, cuando, siendo los hechos y valoraciones de las circunstancias del menor sustancialmente iguales, hayan dado lugar a pronunciamientos distintos.

Su carácter extraordinario deriva, no sólo de la limitación del motivo del recurso en sí, sino también de la limitación por los supuestos tasados que comprende: sólo procede respecto de las medidas contenidas en el art. 10 (graves por su contenido —internamiento en régimen cerrado— y por su duración).

Este recurso se interpone ante la Sala de lo Penal del Tribunal Supremo y tanto al respecto, como acerca de su sustanciación y resolución, se considerará lo dispuesto en la LECRIM en cuanto resulte de aplicación. Ha de entenderse hecha esta remisión al recurso de casación en general, por cuanto no existe regulación expresa sobre un recurso de la naturaleza que nos ocupa.

La preparación del recurso comienza ante la Audiencia que dictó la sentencia de apelación. La legitimación corresponde al Ministerio Fiscal y a las partes, quienes presentarán un escrito dirigido a aquélla dentro de los diez días siguientes a la notificación de la sentencia. El escrito deberá contener una relación precisa y circunstanciada de la contradicción alegada, designando las sentencias aludidas y los informes en que se funde el interés del menor valorado en la sentencia. Si la Audiencia respectiva estima acreditados los requisitos indicados, el Letrado de la Administración de Justicia requerirá testimonio de las sentencias citadas a los Tribunales que las dictaron y, en el plazo de diez días, remitirá toda esta documentación al Tribunal Supremo emplazando al recurrente y al Fiscal ante dicha Sala.

Lo que no aclara el precepto en cuestión es la eficacia que la sentencia del Tribunal Supremo resolviendo el recurso ha de desplegar en las sentencias contradictorias entre sí o con las del Tribunal Supremo. Los pronunciamientos de la sentencia de casación en ningún caso alcanzarán a las situaciones jurídicas creadas por resoluciones precedentes a la recurrida. Sin embargo, en relación a la sentencia recurrida, el Acuerdo del Pleno no Jurisdiccional del Tribunal Supremo, de 13 de marzo de 2013, ha venido a aclarar que sin perjuicio del valor de la doctrina plasmada para supuestos futuros, la estimación de un recurso de casación para unificación de doctrina en materia de menores «sólo incidirá en la situación concreta decidida por la sentencia recurrida si es favorable al menor».

B) Recurso de casación para unificación de doctrina en materia penitenciaria

El segundo supuesto de recurso de casación con la función que nos ocupa está previsto en el punto 8 de la Disposición Adicional Quinta de la LOPJ. En el mismo se dispone que procederá este recurso contra los autos de las Audiencias Provinciales y, en su caso, de la Audiencia Nacional resolviendo recursos de apelación, cuando no sean susceptibles de la casación ordinaria.

La legitimación para interponer el recurso corresponde al Ministerio Fiscal, como no podía ser otra manera en esta clase de recurso, y al penado y la competencia funcional para resolverlo a la Sala de lo Penal del Tribunal Supremo. La sustanciación del recurso se hará conforme a lo prevenido para el recurso de casación ordinario, «con las particularidades que de su finalidad se deriven».

La parquedad en la regulación y la consecuente necesidad de unificar criterios ha sido resuelta en parte por el Acuerdo del Pleno no Jurisdiccional de la Sala de lo Penal de 22 de julio de 2004. En el mismo se clarifican, por un lado, los requisitos vinculados a la unificación de doctrina, esto es: a') la identidad del supuesto legal de hecho; b') la identidad de la norma jurídica aplicada; c') la contradicción entre las diversas interpretaciones de dicha norma; y d') la relevancia de la contradicción para la decisión de la resolución recurrida.

En el mismo Acuerdo, y ya en relación con la sustanciación del recurso de casación, se especifica que en el escrito de preparación se ha de hacer constar la igualdad del supuesto de hecho y la desigualdad en la interpretación y aplicación de la correspondiente norma jurídica y que el recurrente ha de aportar las resoluciones de contraste o precisarlas. Como consecuencia de la remisión a lo prevenido para la casación ordinaria, esta preparación se hará ante el Tribunal *a quo* que examinará si concurren tales requisitos y, en caso afirmativo, tendrá por preparado el recurso.

La formalización del recurso se hará ante la Sala de lo Penal del Tribunal Supremo que decidirá sin celebración de vista y por una Sala compuesta por cinco Magistrados. Lo que sí dispone de forma expresa la Disposición Adicional Quinta de la LOPJ es que los pronunciamientos del Tribunal Supremo «en ningún caso afectarán a las situaciones jurídicas creadas por las sentencias precedentes a la impugnada».

V. PROCEDIMIENTO

Se distinguen en la tramitación del recurso de casación las siguientes fases: preparación, interposición, sustanciación y decisión.

A) Fase de preparación

La preparación del recurso de casación debe hacerse ante el Tribunal que haya dictado la resolución que se pretende impugnar mediante un escrito autorizado por Abogado y Procurador dentro de los cinco días siguientes al de la última notificación de aquélla. En este escrito, quien se proponga interponer el recurso pedirá al Tribunal *a quo* un testimonio de la resolución a impugnar y manifestará la clase de recurso que trate de utilizar (infracción de ley, quebrantamiento de forma, infracción de precepto constitucional o una combinación de todas ellas). Si el motivo es el previsto en el art. 849.2° LECRIM, designará los particulares del documento que muestren el error. Si pretende utilizar el quebrantamiento de forma indicará la falta o faltas que se supongan cometidas y, en su caso, la reclamación practicada para subsanarlas. No se precisa razonamiento alguno (arts. 855-856 LECRIM).

En el mismo escrito, consignará aquél la promesa de constituir el depósito a que se refiere el art. 875 LECRIM en el momento de la interposición del recurso.

Si el recurrente es insolvente o goza del beneficio de justicia gratuita solicitará que se haga constar esta circunstancia, comprometiéndose a responder del importe del depósito si viniere a mejor fortuna. En este caso, y ante la probable falta de disponibilidad de Abogado y Procurador, el recurrente puede solicitar del Tribunal sentenciador que remita directamente a la Sala Segunda del Tribunal Supremo el testimonio necesario para interponer el recurso o, en su caso, la certificación del auto denegatorio del mismo (arts. 857 y 860 LECRIM)

Tal y como hemos afirmado al analizar el recurso de queja, corresponde al Tribunal *a quo* examinar inicialmente si la resolución impugnada es recurrible en casación y si se han cumplido todos los requisitos mencionados al efecto. Para ello, cuenta con tres días, transcurridos los cuales adoptará, sin oír a las partes, alguna de estas decisiones:

a') Tener por preparado el recurso de casación si se dan los presupuestos indicados, ordenando al Letrado para la Administración de Justicia que expida (en el plazo de tres días) testimonio de la resolución, quien a continuación emplazará a las partes para que comparezcan ante el Tribunal Supremo. El término de emplazamiento es diferente, dependiendo de si el Tribunal *a quo* tiene su sede en la Península (15 días), en la Comunidad Autónoma balcar (20 días) o en la Comunidad Autónoma canaria o en las ciudades autónomas de Ceuta o Melilla (30 días).

b') Denegar mediante auto motivado la preparación del recurso si la resolución no es recurrible o no se satisfacen los requisitos formales del escrito. En este segundo caso cabe interponer directamente el recurso de queja ante el Tribunal Supremo.

Si se adopta la primera decisión, el Tribunal *a quo* dispondrá igualmente que se notifique a los que han sido parte en la causa la entrega o remisión del testimonio, emplazándoles para que comparezcan, en su caso, ante el Tribunal Supremo en los términos indicados y puedan hacer valer su derecho. La parte que no haya preparado el recurso podrá adherirse a él en el término del emplazamiento, o al instruirse del formulado por la otra parte —una vez interpuesto—, alegando los motivos que le convengan (art. 861 LECRIM).

La jurisprudencia ha entendido que la adhesión no puede consistir en un nuevo recurso sin relación con el preparado, sino que debe referirse a éste, aun cuando se apoye en motivos diferentes («asociarse y unirse al recurso complementando los esfuerzos en pos de un común objetivo»). De no ser así, y si se permitiese ejercitar pretensiones contradictorias, más que adhesión se formalizaría un nuevo recurso cuando el derecho para ello ha caducado.

B) Fase de interposición

Preparado el recurso de casación ante el Tribunal que dictó la resolución recurrida, la interposición del mismo tiene ya lugar ante la Sala de lo Penal del Tribunal Supremo en los plazos señalados anteriormente. Transcurridos los mismos sin interponerlo, el Letrado de la Administración de Justicia lo declarará desierto mediante decreto con imposición de costas al recurrente, quedando firme la resolución (arts. 873 y 878 LECRIM). La interposición del recurso se ha de hacer por medio de escrito, firmado por Abogado y Procurador autorizado con poder bastante. En el mismo se consignarán en párrafos numerados: a') los fundamentos doctrinales y legales aducidos como motivos de casación; b') el artículo de la LECRIM que autorice cada motivo de casación; c') la reclamación practicada para subsanar el quebrantamiento de forma que se suponga cometido y su fecha, en su caso.

Junto con el escrito se presentará el testimonio de la resolución si le fue entregada al recurrente y copia del mismo y del recurso para cada una de las demás partes emplazadas. También habrá de acompañarse el documento acreditativo de haber formalizado el depósito legalmente exigido (arts. 874 y 875 LECRIM).

C) Fase de sustanciación

Esta fase, que también se desarrolla ante el Tribunal Supremo, tiene por objeto, por un lado, garantizar la contradicción de las restantes partes y, por otro, resolver sobre la admisión o inadmisión del recurso. En este trámite, el Tribunal Supremo no resuelve todavía sobre el fondo, sino que realiza un filtro previo de los asuntos sobre los que se pronunciará más adelante.

Para cumplimentar lo indicado, el Letrado de la Administración de Justicia, una vez interpuesto el recurso y transcurrido el plazo del emplazamiento, designará al Magistrado Ponente que por turno corresponda y entregará a las otras partes las copias del recurso. Si el acusado no fuera el recurrente ni hubiera comparecido, se procederá al nombramiento de Abogado y Procurador para su defensa. Tras una breve instrucción de diez días, el Fiscal y las partes comparecidas, podrán adherirse al recurso o impugnar su admisión o la adhesión al mismo. De los escritos de impugnación se acompañarán copias para las restantes partes a las que se les dará traslado para que expongan lo que estimen pertinente en el plazo de tres días (arts. 880 a 882 LECRIM).

En relación con el trámite de admisión o inadmisión del recurso, podemos distinguir entre la inadmisión por razones de índole formal y por razones de carácter material:

1º) Entre las primeras se encuentran (art. 884 LECRIM): que se trate de resoluciones no susceptibles de casación; que los motivos de la interposición no sean los previstos en los arts. 849 a 851 LECRIM; que no se respeten los hechos que la sentencia declare probados; que no se hayan observado los requisitos legales para su preparación e interposición; que no se haya reclamado en su momento la subsanación de los defectos procesales; que los documentos a que se refiere el motivo del art. 849.2º LECRIM no figuren en el proceso o no se hayan concretado los particulares de los mismos de los que resulta el error.

2º) Las razones de carácter material o de fondo para inadmitir el recurso son (art. 885 LECRIM): por un lado, que el mismo carezca manifiestamente de fundamento; y, por otro, que el Tribunal Supremo haya desestimado en el fondo otros recursos sustancialmente iguales. Tratándose de la casación contra sentencias dictadas en apelación, bien por las Audiencias Provinciales, bien por la Sala de lo Penal de la Audiencia Nacional, la inadmisión puede fundarse en «carencia de interés casacional» (art. 889. II LECRIM).

Aunque el texto de la Ley no lo aclare, el Preámbulo de la Ley 41/2015 atribuye a la expresión «interés casacional» el mismo significado que el previsto para la casación civil (art. 477.3 LEC), es decir, cuando la sentencia recurrida se oponga a doctrina jurisprudencial del Tribunal Supremo, resuelva cuestiones sobre las que exista jurisprudencia contradictoria de las Audiencias Provinciales o aplique normas con menos de cinco años en vigor, salvo que, en este último caso, exista doctrina jurisprudencial del Tribunal Supremo relativa a normas anteriores de igual o similar contenido.

La denegación de la admisión se hará mediante auto y requiere la unanimidad de los componentes de la Sala, salvo en el caso de la limitada casación contra sentencias de las Audiencias dictadas en apelación, pues en este supuesto el acuerdo puede adoptarse mediante providencia sucintamente motivada y por unanimidad. Contra esta resolución y la que admite a trámite el recurso, no cabe ningún otro (arts. 888, 889 y 892 LECRIM).

D) Fase de decisión

La Sala de lo Penal del Tribunal Supremo decidirá sobre el fondo del recurso de casación con previa celebración de vista o sin ella.

La celebración de la vista será preceptiva: cuando las partes lo solicitaren en sus escritos de interposición, adhesión o impugnación y si la pena impuesta o que puede imponerse fuere superior a seis años; también cuando las circunstancias concurrentes o la trascendencia del asunto hagan aconsejable la publicidad de los debates; y, por último, cuando, cualquiera que sea la pena, se trate de delitos comprendidos en los títulos relativos al homicidio, al aborto, a las lesiones al feto y a las torturas y otros delitos contra la integridad. Será facultativa cuando el Tribunal, de oficio o a instancia de parte, la estime necesaria [art. 893 bis a) LECRIM].

Si se acuerda celebrar la vista, ésta tendrá lugar en audiencia pública, con asistencia del Ministerio Fiscal y los defensores de las partes, sin que la incomparecencia de estos últimos sea motivo de suspensión. En dicha vista informarán, por este orden, el Abogado del recurrente, el de la parte que se adhiere al recurso y el de la parte que lo impugna. El Presidente podrá solicitar del Ministerio Fiscal y de los letrados un mayor esclarecimiento de la cuestión debatida. Incluso, si lo estima necesaria, puede la Sala para una mejor comprensión de los hechos reclamar del Tribunal *a quo* la remisión de los autos, con suspensión del término para resolver (arts. 894 a 899 LECRIM).

Si no se celebra la vista, la Sala señalará, sin más, día para la deliberación y fallo. Una vez finalizada ésta o la audiencia pública si se celebró vista, el Tribunal Supremo resolverá dentro de los diez días siguientes. Si la Sala estima cualquiera de los motivos de casación alegados, declarará haber lugar al recurso y casará y anulará la resolución recurrida, mandando devolver el depósito al que lo hubiera constituido y declarando de oficio las costas. Si se desestiman, declarará no haber lugar al recurso y condenará al recurrente a las costas y a la pérdida del depósito (arts. 899 y 901 LECRIM).

Sin embargo, las consecuencias jurídicas de que se estime la casación y se anule la resolución recurrida son radicalmente distintas según cuál sea el motivo en cuestión.

1°) Si se anula la sentencia por estimarse cometido el quebrantamiento de forma, el Tribunal Supremo ordenará que se devuelva la causa al Tribunal del que procede para que la vuelva a sustanciar reponiéndola al estado en que se cometió la falta.

2°) Por el contrario, si se estima el recurso fundado en infracción de Ley, será el propio Tribunal Supremo quien dicte a continuación, pero separadamente, la sentencia que proceda conforme a derecho, sin más limitación que la prohibición de la *reformatio in peius*. La lógica de las cosas obliga, por consiguiente, a que siendo varios los motivos de impugnación alegados, se examinen y resuelvan en primer lugar los relativos al quebrantamiento de forma y sólo si no son estimados se proceda al análisis y resolución de los motivos vinculados a la infracción de ley [arts. 901 bis a) a 902 LECRIM].

En todo caso, hay que tener presente que el Tribunal Supremo tiene vedado condenar en casación a quien previamente haya resultado absuelto en la instancia o en apelación. Salvo que la cuestión a resolver fuera estrictamente jurídica, el Tribunal Supremo estaría obligado a dar audiencia a la persona previamente absuelta si pretendiera condenarla. Sin embargo, el Pleno no Jurisdiccional del propio Tribunal Supremo adoptó un acuerdo de fecha 19 de diciembre de 2012 en el que consideró que dicha audiencia «ni es compatible con la naturaleza de la casación, ni está prevista en la Ley». Incluso la determinación de si la cuestión a resolver es estrictamente jurídica o incide en lo fáctico no es sencilla. A tales efectos, una consolidada jurisprudencia del TEDH en asuntos referidos a España considera que la concurrencia de los elementos subjetivos del delito —dolo— forma parte de los hechos (entre otras la sentencia de 13 de junio de 2017, asunto Jon Mandiola y otros contra España) y que no procede una alteración del pronunciamiento absolutorio del Tribunal de instancia en relación a aquellos elementos subjetivos del delito sin la audiencia de la persona concernida. Jurisprudencia que ha hecho suya el Tribunal Supremo (STS 582/2017, de 19 de julio).

LECTURAS RECOMENDADAS: MONTÓN GARCÍA, L.: *La admisión y práctica de la prueba en el proceso penal. Su control en casación. Análisis desde la jurisprudencia*, Madrid, 1999; NIEVA FENOLL, J.: *El hecho y el derecho en la casación penal*, Barcelona, 2000; LUZÓN CUESTA, J.M.: *El recurso de casación penal*, Madrid, 2015.

CAPÍTULO V
LOS EFECTOS DEL PROCESO

Lección Vigésima primera

Los efectos del proceso

I. LOS EFECTOS DEL PROCESO

Son dos, la cosa juzgada, en donde debe tratarse el importante tema de su impugnación, y las costas procesales.

II. LA COSA JUZGADA

El estado de incertidumbre exige que el proceso termine un día y para siempre. Esa terminación se produce cuando se dicta una resolución con efectos de cosa juzgada.

Es el valor que el Ordenamiento Jurídico da al producto de la actividad jurisdiccional, consistente en la subordinación a los resultados del proceso, por convertirse en irrevocable la decisión del órgano judicial.

Clases:

A) Firmeza: Es la preclusión de los medios de impugnación (lo mismo que en lo civil). Irrevocabilidad y ejecutabilidad.

B) Cosa juzgada material: Es la vinculación que produce en otro proceso penal la resolución de fondo firme. Sólo la tienen las sentencias y los autos de sobreseimiento libre. En lo penal excluyen únicamente el segundo juicio (*non bis in idem*), pues no se da el efecto positivo o prejudicial.

Límites subjetivos: La persona del acusado.

Límites objetivos: Los hechos criminales tal y como aparecen descritos en la sentencia.

III. IMPUGNACIÓN DE LA COSA JUZGADA

A) Juicio de revisión:

Medio de impugnación en sentido amplio. Se ataca la cosa juzgada, no sujeto a límite temporal alguno.

Sólo son revisables las sentencias de condena por delito.

Los motivos están tasados legalmente.

Es competencia de la Sala II del Tribunal Supremo.

Juicio rescindente y juicio rescisorio.

B) Recurso de anulación:

En los procesos abreviados y rápidos, contra sentencia dictada condenando a imputado ausente (hasta 2 años).

El ausente debe comparecer.

IV. LAS COSTAS

Se integran por los mismos conceptos que estudiamos en lo civil.

Se imponen con criterios distintos.

Tasación e impugnabilidad.

I. LOS EFECTOS DEL PROCESO

Dentro de los efectos del proceso deben considerarse la cosa juzgada, por un lado, incluyendo los medios de ataque a la misma, y, por otro, los llamados efectos económicos, pero sólo las costas, al estudiarse ahora conjuntamente, desde la aprobación de la LAJG, el beneficio de asistencia jurídica gratuita en el tomo I de esta obra. Al ser los conceptos a tratar ahora los mismos que los vistos en el proceso civil, debemos reflejar aquí únicamente las especialidades que concurren en el proceso penal. Ello no obstante, en el tema de la cosa juzgada y su impugnación, las similitudes no dejan de ser meramente conceptuales, por lo que se harán unas consideraciones más detenidas.

II. LA COSA JUZGADA

En efecto, el estado de incertidumbre, reflejado al hablar de la cosa juzgada en el proceso civil, está presente también en el proceso penal, pues el acusador no sabe si su petición será estimada, en la misma medida que el actor tampoco conoce el destino final de su demanda. Es la seguridad jurídica la que exige, consiguientemente, que se despeje esa duda, lo que se obtendrá con la firmeza de la resolución final.

La cosa juzgada es la institución que sirve para que esa resolución y, sobre todo, el proceso como un todo, alcance el grado de certeza necesarios, primero, haciéndola irrevocable en el proceso en que se ha dictado; segundo, dotándole de una impronta especial frente a cualquier otro proceso presente o futuro.

En ese sentido, la cosa juzgada es el valor que el ordenamiento jurídico da al producto de la actividad jurisdiccional, consistente en la subordinación a los resultados del proceso, por convertirse en irrevocable la decisión del órgano judicial.

Partiendo de ello, también en el proceso penal cabe hablar, por tanto, de cosa juzgada formal o firmeza, y de cosa juzgada material.

A) Firmeza (cosa juzgada formal)

La firmeza, denominación más acertada que la de cosa juzgada formal, es la preclusión de los medios de impugnación respecto a una resolución procesal penal (arts. 245.3 LOPJ y 141, V LECRIM). Se produce, efectivamente, respecto a las resoluciones penales, por las mismas causas vistas para el proceso civil.

Sin embargo, en la fase del procedimiento preliminar, es decir, en la instrucción penal, la cosa juzgada formal presenta el problema de que hay resoluciones que se dictan en ella, que son impugnables en definitiva mediante el recurso de queja simple o sin plazo (arts. 218 y concordantes LECRIM). Este matiz no significa negar su existencia en la instrucción, pero tiene ciertamente un carácter especial.

Otra cosa es la invariabilidad de las resoluciones, particularmente en dicha fase, porque todas las resoluciones sumariales son modificables si varían los presupuestos que fundamentaron su aprobación.

Finalmente, sólo resta indicar que en lo penal, sin que se confundan tampoco ejecutabilidad y firmeza, únicamente pueden ejecutarse las sentencias firmes (art. 985 LECRIM, en relación con los arts. 117.3 CE, y 9, 861 bis a) y 794, entre otros LECRIM). No existe, pues, ninguna posibilidad de ejecución provisional de los pronunciamientos penales de la sentencia (iría además contra el principio de la presunción de inocencia, del art. 24.2 CE).

Que el contenido civil de la sentencia penal permita ser ejecutado provisionalmente (art. 989 LECRIM), o, incluso, que para un proceso ordinario, el abreviado, se contemple la posibilidad de un incidente de liquidación del mismo (art. 794.1.ª LECRIM), nada tiene que ver con el tema.

La firmeza es presupuesto de la producción de la cosa juzgada material, que es la verdadera cosa juzgada, según se afirma doctrinalmente.

B) La cosa juzgada material

a) Concepto

La cosa juzgada material es la vinculación que produce en otro proceso penal la resolución de fondo firme. Se trata de un instituto procesal, consistente en un vínculo, de naturaleza jurídico-pública, que obliga a los jueces a no juzgar de nuevo lo ya decidido y, derivadamente, a no admitir controversias de las partes acerca de ello.

En el proceso penal únicamente gozan de la cosa juzgada material estos dos tipos de resoluciones:

1.ª) Las sentencias, siempre de fondo en este proceso, tanto las absolutorias como las condenatorias.

2.ª) Los autos de sobreseimiento libre, tanto por haberse dictado al amparo de cualquiera de los números del art. 637 LECRIM, como por estimación de artículo de previo pronunciamiento en los casos fijados por el art. 675 LECRIM (que se remite a los números 2.º, 3.º y 4.º de su art. 666).

Una diferencia importante respecto al proceso civil presenta la cosa juzgada material penal. Consiste en que ésta únicamente tiene el efecto negativo, preclusivo o excluyente, no gozando del efecto positivo o prejudicial (v. STS de 17 de noviembre de 1997, RA 8050, entre otras). Ello significa, particularmente, que:

a) Excluye, por ser presupuesto procesal, tratado en la LECRIM como artículo de previo pronunciamiento, un segundo juicio (art. 666-2º LECRIM), y, en su caso, la posible condena al permitirse su reproducción en el acto del juicio en el supuesto de haberse desestimado (art. 678 LECRIM).

Este efecto, que no es sino el principio «non» o «ne bis in idem», tiene en lo penal una importancia muy elevada, porque significa la plasmación del principio de la prohibición de la doble incriminación, garantía constitucional propia de los países democráticos (por ejemplo, la prohibición de la *double jeopardy* por la Enmienda V Constitución USA; art. 7 CEDH; art. 4.1 del Protocolo 7 del CEDH de 22 de noviembre de 1984; art. 103, ap. (3) Constitución alemana). A este contenido se refiere la doctrina penal como «ne bis in idem» procesal.

Nuestro Tribunal Constitucional ha tenido varias ocasiones de pronunciarse sobre ello. Aunque no existe un reconocimiento constitucional expreso, lo ha basado en el art. 25.1 CE, principio de legalidad penal (v., por ejemplo, las SSTC 152/2001, de 2 de julio; y 2/2003, de 16 de enero, ésta última con cambios doctrinales importantes; también 229/2003, de 18 de diciembre, caso Gómez de Liaño).

b) En caso de existir más de un acusado, el fallo es para cada uno de ellos independiente del de los demás, porque no hay vinculación prejudicial del contenido de la primera sentencia respecto a las otras partes, ni respecto de otro acusado por el mismo hecho, ni del mismo acusado por un hecho distinto, aun conexo del hecho juzgado o condicionado por él.

b) Resoluciones susceptibles de ella

Prohibidas en el proceso penal las sentencias procesales por falta de pruebas (art. 144 LECRIM), se plantea el problema, en parecidos términos a lo que vimos en el proceso civil, de si, estando claro que las sentencias y los autos de sobreseimiento libre producen los efectos de cosa juzgada, también son susceptibles de ella otras resoluciones que en el proceso penal se pueden dictar, concretamente las resoluciones procesales, las resoluciones cautelares y determinados autos:

1. Resoluciones procesales: Sabemos ya que antes de la LOPJ de 1985 han sido admitidas excepcionalmente por la jurisprudencia en lo penal, cuando llegado el momento de dictar la sentencia se constataba la existencia de un defecto procesal que impedía entrar en el fondo de la causa (v. gr., los del art. 666 LECRIM, o cualquier otro). Pues bien, en estos casos había que llegar a la conclusión de que se producía la cosa juzgada material si no existía posibilidad de subsanar el defecto procesal. Hoy no es posible ya la existencia de sentencias procesales, pero sí de autos.

2. *Resoluciones cautelares:* Se ha negado a este tipo de resoluciones la cosa juzgada material, porque establecen medidas variables según se modifiquen sus presupuestos. Pero aquí la cuestión es otra distinta, pues lo que ocurre en verdad es que por el principio «rebus sic stantibus», permaneciendo las circunstancias tenidas en cuenta para adoptar la medida, ésta debe quedar inalterable, modificándose si varían.

Esta es la razón por la que la LECRIM permite modificar las medidas coercitivas si varían los presupuestos, aunque como hemos visto, no tiene las mismas consecuencias la variabilidad del «fumus boni iuris», que la del «periculum in mora» (v. lección 11ª).

c) Límites

Los límites de la cosa juzgada material penal son muy distintos a los de la civil, porque sus contenidos son sustancialmente diversos en función de los respectivos objetos del proceso. Esto hacía inaplicables sin matices los arts. 1251, II y 1252 CC (derogados por la LEC de 2000), a pesar de que la jurisprudencia lo haya intentado (y hace inaplicable hoy el art. 222 de la nueva LEC). Dejando a un lado los límites temporales, que no tienen duda, debe estarse a los límites subjetivos y a los objetivos, residiendo la dificultad en estos últimos.

1. *Límites subjetivos:* La cosa juzgada penal despliega sus efectos en el aspecto subjetivo únicamente sobre la persona del acusado, de modo que quien haya sido juzgado (condenado o absuelto), no puede volver a serlo, dada la identidad objetiva también, que veremos a continuación.

La persona del acusador (público, particular, popular o privado), no juega ningún papel en la identidad subjetiva, sin duda porque la acusación en el sistema español puede estar a cargo de esas varias personas, lo que significa que carece de importancia cuál de ellas efectivamente la formule.

2. *Límites objetivos:* Son precisos, pero de una gran dificultad en cuanto al contenido, porque los límites objetivos de la cosa juzgada material en el proceso penal son los hechos criminales, tal y como aparecen descritos en la sentencia.

Ni la calificación jurídica de ese hecho punible (v. gr., si es delito de homicidio), ni sus consecuencias jurídico-penales (la pena de 10 a 15 años), tienen repercusión alguna en cuanto a la delimitación objetiva. La doctrina más autorizada basa esta afirmación en un recto entendimiento del principio acusatorio, puesto que en su virtud se exige que el hecho por el que se absuelve o condene a una persona sea el mismo que fue objeto de la acusación, dándose los caracteres esenciales que lo identifican. Por ello, no se puede proceder de nuevo por el mismo hecho contra la misma persona que ya hubiera sido juzgada por él.

III. LA IMPUGNACIÓN DE LA COSA JUZGADA

Hasta 1988 únicamente existía en el proceso penal un medio de impugnación de la cosa juzgada, el proceso de revisión. No cabía, como en el proceso civil, ni audiencia al rebelde, ni oposición de tercero. Pero en ese año se introdujo un recurso nuevo, llamado de anulación (v. art. 793), precisamente para los casos de ausencia, lo que asemeja más el tratamiento entre ambos procesos, pudiéndose atacar la cosa juzgada, dados los presupuestos exigidos, tanto mediante el proceso de revisión como mediante el recurso de anulación.

No debe olvidarse que en determinados casos, dependiendo de su objeto, la estimación del amparo constitucional puede tener efectos sobre un proceso penal ya terminado con efectos de cosa juzgada, ni tampoco los efectos que puede tener en el proceso penal la presentación del escrito solicitando la nulidad de actuaciones fundada en defectos de forma que hubieran causado indefensión, de conformidad con los requisitos establecidos por el art. 240.2, estudiado con carácter general en el tomo II de esta obra entre los medios de impugnación de la cosa juzgada.

A) El juicio de revisión

a) Concepto y naturaleza

Valga lo dicho en la correspondiente lección dedicada a este medio de impugnación en sentido amplio en el proceso civil, pues estamos exactamente ante la misma institución, que es un «proceso», al menos en sentido formal, pues no es un verdadero proceso entre partes, y no un «recurso», por el que se ataca la cosa juzgada material de una sentencia penal firme, que es injusta con base en determinados motivos, en particular por causa de hechos falsos o hechos nuevos. Los antecedentes son también los mismos. En lo penal se regula fundamentalmente en los arts. 954 a 961 LECRIM.

La única matización a efectuar aquí es, quizás, que la revisión de una sentencia penal tiene por fuerza un alcance diferente al civil. En efecto, si uno de los fines del proceso penal es hallar la verdad material, no puede admitirse que la firmeza de la sentencia impida definitivamente su búsqueda, que prevalezca contra esa verdad el efecto preclusivo de la sentencia. Por ello, no hay sujeción a plazo alguno, pudiendo intentarse incluso después de fallecida la persona legitimada (proceso de rehabilitación: Art. 955 LECRIM).

b) Objeto

Se pide la anulación, y por tanto, es revisable toda sentencia firme y condenatoria a una pena de cualquier índole, dictada en proceso ordinario o especial por delito del que haya conocido un tribunal español (arts. 954 y 792.3 LECRIM).

Son, en consecuencia, requisitos de la sentencia:

a) El haber sido dictada en un proceso por delito (lo que hoy resulta obvio, pero no antes de 2015 cuando existían las faltas);

b) El haber sido dictada por órgano jurisdiccional español, no extranjero, incluido el Tribunal del Jurado;

c) El que sea definitiva, en el sentido de los arts. 245.1, c) LOPJ y 141, IV LECRIM, es decir, que ponga fin a un proceso resolviendo definitivamente su objeto;

d) Que sea firme, invariable para el juez o tribunal, e inimpugnable para las partes; y

e) Que condene a una pena, no a una medida de seguridad.

> Nuestro Ordenamiento Jurídico no permite revisar sentencias absolutorias, con base en el argumento fundamental de estar totalmente descompensada la absolución de un culpable al lado de la condena de un inocente. Sin embargo, como hace el Derecho alemán, debería recogerse la posibilidad de revisar una sentencia absolutoria, en el único caso de que el absuelto confesara libremente el delito en forma convincente y creíble (v. § 362, Nr. 4 StPO alemana), pues así la Justicia no quedaría resentida al hallarse en definitiva la verdad material. Claro es que el reconocimiento de este motivo obligaría a callar a los verdaderos culpables para hacer inviable la revisión.

c) Motivos

La revisión penal es posible en nueve casos, taxativamente fijados. Siete de ellos se encuentran en la LECRIM, uno en la LPM (discutible), y el noveno en la Ley Orgánica del Tribunal Constitucional. Los motivos recogidos en la LECRIM han sido modificados por la Ley 41/2015, de 5 de octubre, con la finalidad de mejorar los motivos y añadir como motivo la estimación de la sentencia ante el TEDH.

a) *Condena por falsedad u otro delito*: Según el art. 954.1, a) LECRIM, procede la revisión «Cuando haya sido condenada una persona en sentencia penal firme que haya valorado como prueba un documento o testimonio declarados después falsos, la confesión del encausado arrancada por violencia o coacción o cualquier otro hecho punible ejecutado por un tercero, siempre que tales extremos resulten declarados por sentencia firme en procedimiento penal seguido al efecto.»

Según el mismo precepto, no será exigible la sentencia condenatoria cuando el proceso penal iniciado a tal fin sea archivado por prescripción, rebeldía, fallecimiento del encausado u otra causa que no suponga una valoración de fondo.

Esta causa clásica de revisión aparece plenamente justificada, porque la sentencia de condena ha sido obtenida mediando delito, lo que significaría la absolución del condenado en el juicio rescisorio.

b) *Condena de un magistrado por prevaricación*: Según el art. 954.1, b) LECRIM, procede la revisión «cuando haya recaído sentencia penal firme condenando por el delito de prevaricación a alguno de los magistrados o jueces intervinientes en virtud de alguna resolución recaída en el proceso en el que recayera la sentencia cuya revisión se pretende, sin la que el fallo hubiera sido distinto.»

Este motivo no es nuevo en nuestro Derecho, aunque sí en el proceso penal común. Trata de mantener a toda costa lo que en el Derecho anglosajón se conoce como «principio de la integridad del tribunal», permitiendo la revisión cuando la resolución en la que se comete el delito de prevaricación, de no existir, habría permitido un fallo penal distinto. Pero ya el art. 328-4.º LPM previó como motivo haber sido dictada la sentencia o una resolución esencial de influencia notoria del proceso penal militar en el que resultó condenado el penado, por juez o magistrado del tribunal condenado posteriormente por prevaricación.

c) *Duplicidad de sentencias*: De acuerdo con el art. 954.1, c) procede la revisión «cuando sobre el mismo hecho y encausado hayan recaído dos sentencias firmes.

Debe entenderse, de acuerdo con la jurisprudencia del TS (v. STS 124/2004, de 28 de enero, RJ 2004\634), que éste es el motivo a aplicar cuando, con flagrante infracción del principio «non bis in idem», una misma persona es condenada dos veces.

d) *Nuevos hechos o pruebas:* Permite el art. 954.1, d) LECRIM la revisión «cuando después de la sentencia sobrevenga el conocimiento de hechos o elementos de prueba, que, de haber sido aportados, hubieran determinado la absolución o una condena menos grave.»

Este motivo, de particular relevancia e incidencia práctica en lo penal, ya que es el más alegado, significa que los hechos o medios de prueba que fundan la revisión tienen que haber sobrevenido o revelarse después de la sentencia de condena (no deben haber sido aportados), siendo como consecuencia de ello evidente la inocencia del condenado o una condena menos grave (ejemplo típico: la retractación de un testigo).

Debe entenderse, basándonos en el art. 328-6° LPM que en este motivo tendría cabida el conocimiento de pruebas indubitadas suficientes para evidenciar el error del fallo por ignorancia de las mismas, después de dictada sentencia condenatoria.

e) *Por prejudicialidad contradictoria*: El art. 954.1, c) LECRIM permite la revisión «cuando, resuelta una cuestión prejudicial por un tribunal penal, se dicte con posterioridad sentencia firme por el tribunal no penal competente para la resolución de la cuestión que resulte contradictoria con la sentencia penal.»

Motivo nuevo en nuestro Derecho que aparenta una gran complejidad. Habrá que esperar a la práctica jurisprudencial para entender su exacto significado, ya que se prevé una revisión penal frente a una decisión de un tribunal no penal.

> De momento, habrá que pensar en los tipos penales en blanco, es decir, aquéllos que necesitan de otras ramas del ordenamiento jurídico para configurar el tipo, por poner uno sólo de los muchos ejemplos que podrían citarse, el Derecho Administrativo en los delitos medioambientales. Cuando la contradicción entre la sentencia penal (condena por delito) y la contencioso-administrativa (legalidad del acto administrativo) sea insalvable, cabrá la revisión por este motivo.

f) *Contradictoriedad de hechos en caso de decomiso*: El art. 954.2 LECRIM dice que «Será motivo de revisión de la sentencia firme de decomiso autónomo la contradicción entre los hechos declarados probados en la misma y los declarados probados en la sentencia firme penal que, en su caso, se dicte.»

Resulta curioso que no se recoja ahora expresamente el motivo de contradictoriedad de sentencias, y sí el de contradictoriedad de hechos probados y sólo en caso de decomiso autónomo.

> El derogado art. 954-1.° LECRIM, previó la revisión «cuando estén sufriendo condena dos o más personas, en virtud de sentencias contradictorias, por un mismo delito que no haya podido ser cometido más que por una sola». Ahora esta causa ya no existe, aunque sí queda en el art. 328-1° LPM.

g) *Declaración por el TEDH de una violación de derecho fundamental:* Se pueden revisar en España las sentencias penales firmes como consecuencia de la declaración por el TEDH de una violación de derecho fundamental: De acuerdo con el art. 954.3 LECRIM, se podrá solicitar la revisión de una resolución judicial firme cuando el Tribunal Europeo de Derechos Humanos haya declarado que dicha resolución fue dictada en violación de alguno de los derechos reconocidos en el Convenio Europeo para la Protección de los Derechos Humanos y Libertades Fundamentales y sus Protocolos, siempre que la violación, por su naturaleza y gravedad, entrañe efectos que persistan y no puedan cesar de ningún otro modo que no sea mediante esta revisión.

En este supuesto, la revisión sólo podrá ser solicitada por quien, estando legitimado para interponer este recurso, hubiera sido demandante ante el Tribunal Europeo de Derechos Humanos. La solicitud deberá formularse en el plazo de un año desde que adquiera firmeza la sentencia del referido Tribunal.

Esta causa de revisión fue sugerida al legislador por el TC en su S 245/1991, 16 de diciembre, sin éxito alguno hasta 2014, en que el TS, adoptó en Pleno no Jurisdiccional de la Sala de 21 de Octubre de 2014 plasmado en el ATS de 5 de noviembre de 2014 (consecuencia sin duda alguno de la condena de nuestro país en el caso Del Río Prada contra España, sentenciado por la Gran Sala del TEDH con fecha 21 de octubre de 2013 (TEDH 2013\73), lo siguiente: «... En tanto no exista en el Ordenamiento Jurídico una expresa previsión legal para la efectividad de las sentencias dictadas por el TEDH que aprecien la violación de derechos fundamentales de un condenado por los Tribunales Españoles, el recurso de revisión del art. 95.4 LECr cumple este cometido...». Ahora, mediante Auto de 10 de marzo de 2015 (caso Vilanova, alcalde Villarreal) ha dicho que: «El artículo 954.4º de la LECRIM exige que los nuevos elementos de prueba evidencien la inocencia del condenado. La posibilidad de reconocer los efectos que sean procedentes a las sentencias del TEDH que establecen que la condena se ha producido con vulneración de uno de los derechos reconocidos en el Convenio, ha sido reconocida últimamente por esta Sala y concretamente en relación con este mismo asunto, aunque en relación con otro coacusado, también condenado en casación tras su absolución en la instancia, en el Auto de 5 de noviembre de 2014, cuyo contenido se reitera y se da por reproducido.» Hasta 2015 el motivo se subsumía en el anterior art. 954.4º.

h) *Duplicación de sentencias:* El art. 328-5.º LPM permite acudir igualmente a la revisión penal, «cuando sobre los propios hechos hayan recaído dos sentencias firmes y dispares dictadas por la misma o por distintas jurisdicciones».

Respecto al inciso final (el primero recoge el «non bis in idem»), y dado que el art. 334 LPM, en relación con el art. 61 LOPJ, atribuye la revisión a la Sala Especial del TS cuando las sentencias hubieran sido dictadas por un órgano del orden penal y otro del militar, parece necesario conceder la revisión cuando las sentencias firmes dictadas por ambos jueces sean por el mismo delito.

Pero la reforma de la LECRIM deja en el aire muchas cuestiones, entre ellas la de si los motivos de la LPM, como éste, que aun habiendo sido reformados por la Ley 7/2015, de 21 de julio, no coinciden con los del art. 954 LECRIM, siguen en vigor y pueden seguir aplicándose en la jurisdicción común.

i) *Inconstitucionalidad de la ley penal:* Conforme al art. 40.1 LOTC, la sentencia que declare la inconstitucionalidad de una ley penal permite revisar las sentencias penales firmes y condenatorias fundadas en dicha norma, tanto para obtener una reducción de la pena, como una exclusión, excepción o limitación de la responsabilidad.

A pesar de que nada haya dicho la reforma de la LECRIM al respecto, debe seguir siendo motivo de revisión.

Ha desaparecido de manera ilógica como motivo de revisión *La supervivencia de la víctima en un* homicidio, prevista en el derogado art. 954—2° LECRIM, en cuya virtud procedía la revisión «cuando estén sufriendo condena alguno como autor, cómplice o encubridor del homicidio de una persona cuya existencia se acredite después de la condena». Pero dado que se recoge en el art. 328-2° LPM expresamente, debería ser admisible también en la legislación común. La no reforma del art. 958 LECRIM nos da pie para ello (y en caso de no admitirse la suplencia de la LPM habría que tratarlo como nueva prueba (la supervivencia) para que esta causa sea, desde cualquier punto lógico, admisible)

Hasta ahora la doctrina estaba de acuerdo en considerar que la condena debía haber sido por homicidio en grado de consumación (delito hoy competencia del Jurado). La ley presume entonces que para condenar a una persona por ese delito, habrá sido determinante en el proceso la desaparición de la supuesta víctima, que aparece viva y demuestra la injusticia de la resolución.

Dos problemas se planteaban aquí: El primero, si se extiende el supuesto a los demás delitos de muerte (asesinato, por ejemplo). La respuesta debe ser afirmativa, por evidente, y así se comprueba acudiendo a su paralelo en lo militar (art. 328-2.° LPM: «Responsable por la muerte de una persona»). El segundo problema es si se pone en libertad directamente al condenado al anular, conforme al art. 958, II LECRIM, la sentencia, o al contrario, si se puede iniciar un proceso en su contra por acusación de tentativa de homicidio o asesinato, o por cualquier otro delito contra la misma persona. Aquí la respuesta es más compleja. El art. 335, II LPM lo permite en el proceso militar, pero el hecho esencial enjuiciado es el mismo, y a él se extiende la cosa juzgada material, por lo que en teoría habría que poner en libertad al injustamente condenado que ha ganado la revisión. Qué duda cabe, ello no obstante, que en la mayor parte de los casos el abono del tiempo pasado en prisión ayudará decisivamente a resolver este problema.

d) Competencia

Para el juicio rescindente, que es aquél en el que se analiza si se admite la revisión, la tiene la Sala II del TS (o su Sala Especial en el caso visto de duplicación de sentencias), según los arts. 57-1° LOPJ y 957 LECRIM. Para el juicio rescisorio, en el que se dicta la sentencia ajustada a derecho tras la autorización de la revisión, el órgano jurisdiccional que dictó la sentencia anulada (art. 958, I, III y IV LECRIM).

Sorprendentemente ninguno de estos preceptos citados de la LECRIM han sido adaptados a los nuevos motivos de revisión reformados en 2015, lo que supone una técnica legislativa absolutamente defectuosa que obligará a la jurisprudencia a descubrir, cuando no a inventar, vías legales de aplicación.

e) Partes

Se requieren abogado y procurador. Para un mejor acomodo a la Constitución se modificaron los preceptos relativos a las partes en 1992, dando nueva redacción a los arts. 955, 957 y 961 LECRIM. Los supuestos son tres:

1.º) Para la promoción de la revisión, tanto si el condenado está vivo, como si ha fallecido (en cuyo caso a la revisión se la llama «rehabilitación de la memoria del difunto»), están legitimadas las personas enumeradas en el art. 955 LECRIM.

2.º) Para la autorización de la revisión únicamente es competente la Sala II del TS (y ya no el Ministerio de Justicia, lo que era claramente inconstitucional por negar el derecho de acceso a la Justicia del art. 24.1 CE), conforme a los requisitos exigidos en el art. 957 LECRIM (STC 123/2004, de julio).

3.º) Para la interposición, están legitimadas las personas enumeradas en el art. 955 si lo ha autorizado el TS, y directamente el FGE (quien puede actuar también a instancias del Gobierno: art. 956 LECRIM), dados los presupuestos del art. 961 LECRIM.

f) Procedimiento

Ante todo, no existe posibilidad de ejecución provisional, por lo que no se da la suspensión de la condena.

En lo demás, la regulación es deficiente: Se oye por una sola vez al MF y a los penados, y después se tramita como si se tratara de un recurso de casación (art. 959 LECRIM).

g) Resoluciones y efectos

Hay que distinguir entre la sentencia rescindente y la rescisoria. En el primer caso, los efectos son distintos según el motivo de revisión estimado:

1.º) Sentencia rescindente:

1) En caso de contradictoriedad de sentencias, se anulan las dos sentencias y se remite la causa de nuevo al órgano jurisdiccional competente (art. 958, I LECRIM).

2) Habiéndose demostrado la supervivencia de la víctima del homicidio, se anula la sentencia (art. 958, II LECRIM), poniéndose en libertad al penado. No es claro, según lo indicado *supra,* que no sea necesario en todo caso un juicio rescisorio posterior.

3) En el supuesto de condena por falsedad u otro delito, se anula la sentencia y se remite al órgano jurisdiccional competente para que se instruya de nuevo la causa (art. 958, III LECRIM).

4) Tratándose del motivo de nuevos hechos o nuevas pruebas, se instruye una información supletoria, y si se evidencia la inocencia, se anula la sentencia y se ordena instruir de nuevo la causa a quien corresponda (art. 958, IV LECRIM).

5) Habiéndose duplicado las sentencias, se anulará la sentencia que se considere injusta o se dictará otra (art. 335, IV LPM).

6) Declarándose la revisión por inconstitucionalidad de la ley penal, se procederá directamente por el TS a anular la condena o a efectuar una nueva liquidación (art. 40.1 LOTC).

7) En caso de sentencia del TEDH, se procederá conforme al caso de nuevos hechos o nuevas pruebas, de acuerdo con la jurisprudencia citada.

Recordemos que estos preceptos deberán adaptarse a los nuevos motivos de revisión.

2.º) Sentencia rescisoria:

En el caso de que haya procedido un nuevo juicio, el rescisorio, la sentencia que se dicte produce efectos muy concretos. Se distingue entre si es condenatoria o absolutoria:

1) La sentencia condenatoria a pena privativa de libertad obliga a abonar el tiempo de prisión que se haya cumplido ya, en caso de estar ejecutándose otra de esta naturaleza (art. 960, I LECRIM). Hemos tratado ampliamente este tema en la lección 12ª, a la que nos remitimos.

2) La sentencia absolutoria concede derecho de indemnización al legitimado o a sus herederos, sin perjuicio de la responsabilidad en que haya podido incurrir el órgano jurisdiccional u otra persona, exigible frente al Estado (art. 960, II LECRIM). Nos remitimos igualmente a la lección 12ª para un tratamiento más detenido de esta cuestión.

B) El «recurso» de anulación

a) Concepto, naturaleza y objeto

Percibir la indemnización concreta puede ser otro calvario para el absuelto que recupera sus derechos en revisión, porque si no está de acuerdo con la cantidad fijada por el Ministerio de Justicia (v. tomo I de esta obra), la vía jurisdiccional administrativa es inevitable, con lo cual le esperan todavía unos años para poder decir que realmente ha ganado.

En 1988 se introdujo un nuevo recurso penal, llamado de anulación, previsto específicamente para el proceso abreviado (art. 793), hoy extensible al proceso penal especial para el enjuiciamiento rápido de determinados delitos por mor del art. 803.2 LECRIM, y a los juicios por delitos leves (con base en el art. 973.2 LECRIM).

Es un medio de impugnación de la cosa juzgada, que cabe únicamente contra la sentencia de condena dictada, en primera instancia o en apelación, frente a un imputado ausente.

Las sentencias en ausencia, que no constituyen novedad en nuestro derecho, pero que sí van en cierta medida contra el régimen establecido originariamente por la LECRIM para el proceso por delitos (v. art. 840), son posibles si la pena solicitada (no la impuesta definitivamente en la sentencia) no excede de dos años de privación de libertad o, siendo de distinta naturaleza, si no excede de seis años de duración, dándose además los requisitos de notificación y contradicción establecidos en el art. 786.1, II LECRIM.

Presupuesto esencial es que el condenado en ausencia comparezca o sea hallado, en cuyo caso se le notifica la sentencia dictada en la primera instancia o en apelación del proceso abreviado correspondiente, o del especial rápido, a efectos de cumplimiento de la pena que todavía no haya prescrito (art. 793.1 LECRIM). Contra esa sentencia es procedente el recurso de anulación.

Es fácil colegir que su fundamento no puede ser otro que la necesidad de respetar al máximo, particularmente en el proceso penal, el principio de contradicción, en sus vertientes de derecho de defensa y derecho a no ser condenado sin ser oído previamente (art. 24 CE). Pero siendo ello verdad, una interpretación más rigurosa de dichos principios debería llevar necesariamente a prohibir en todo caso la posibilidad de sentencias penales dictadas en rebeldía.

El recurso de anulación penal recuerda, consiguientemente, al recurso de audiencia al rebelde previsto para el proceso civil (v. tomo II de esta obra). De la misma forma que allí, no es nada claro ni que estemos ante un verdadero recurso, ni ante un verdadero proceso. El legislador, extraordinariamente parco en esta institución, no ha previsto, ni se puede distinguir por tanto, un juicio rescindente de un juicio rescisorio, con lo cual la pretensión, de haberla, sería pedir la anulación de la sentencia por haber sido dictada sin quedar garantizado el principio de contradicción en el primer juicio, y en el segundo la correspondiente a su posición jurídica, es decir, la absolución. Por ello, más bien cabe hablar de medio para reabrir un proceso viciado de nulidad, que sirve para que la parte pasiva se pueda defender frente a la acusación.

b) Motivos

El «recurso» solamente procede en un único caso, a saber, cuando una persona haya sido condenada en rebeldía a pena privativa de libertad (hoy pena de prisión) inferior a dos años, o a pena de distinta naturaleza inferior a seis años. Por tanto, el motivo es la posible nulidad de la sentencia al haber sido dictada sin atender al principio de contradicción, infringiendo el derecho de defensa o el derecho a ser oído previamente a la condena. Hay que poner en relación, pues, el art. 793.1 LECRIM, con el art. 24 CE y también, ya que es su concreción en este caso, con el art. 238-3° LOPJ.

A estos efectos, da exactamente igual que la sentencia pretendidamente nula haya sido la firmada en primera instancia del proceso penal abreviado por el JPe, o la dictada en apelación por la Audiencia (v. art. 793.2 LECRIM).

c) Competencia

Dado que por la pena solicitada únicamente será competente para el juicio y fallo el JPe, la competencia funcional para conocer de este «recurso» corresponderá siempre a la AP (AN, en su caso), ya que se equipara al recurso de apelación (aplicándose, pues, los arts. 790.1 LECRIM y 82.1-2.° LOPJ).

El art. 793.1 «in fine» LECRIM afirma, ello no obstante, que se debe indicar a la parte comparecida o habida ante qué órgano puede interponer el recurso, sin que le pueda perjudicar en absoluto un error en la instrucción.

d) Partes

Siendo equiparable al recurso de apelación, se requiere abogado y procurador también en el de anulación (art. 221 LECRIM). Pero la ley no nos indica más que la legitimación del recurrente, es decir, el que fue condenado en ausencia. La legitimación pasiva debe corresponder a quienes fueron partes acusadoras, fundamentalmente el MF.

e) Procedimientos y plazos

El art. 793.2 se limita a decir que se aplicarán los requisitos y efectos establecidos para el recurso de apelación previsto en el proceso abreviado ante la Audiencia. A sus actos, contenido y trámites procedimentales, debemos consecuentemente remitirnos.

No obstante, partiendo de la no fijación de un plazo para intentar la anulación, como en la revisión penal anteriormente vista, por lo que procede en cualquier tiempo (v. art. 793.1 LECRIM), se limita relativamente el plazo de interposición, una vez comparecido o habido y notificada en forma la sentencia, a los diez días previstos para interponer la apelación en el art. 790.1 LECRIM (art. 797.2 LECRIM). Sobre este plazo debe ser igualmente instruido (art. 793.1 «in fine» LECRIM).

f) Resolución y efectos

Nada se dice en la ley sobre esta importante cuestión, no distinguiéndose, por tanto, entre juicio rescindente y juicio rescisorio. Pensamos que el juicio rescindente debería ser propiamente el «recurso» de anulación, pidiendo a la Audiencia la anulación de la sentencia. A continuación, de ser obtenida esta declaración, el condenado tendría derecho a la reapertura de la causa (juicio rescisorio), ante el mismo órgano que conoció de la primera instancia, con el fin de obtener un nuevo enjuiciamiento, garantizado previamente su derecho a ser oído y defenderse. Ello debe significar la no necesidad de incoar una causa nueva completamente desde el principio, sino tan sólo desde el momento en que debe entrar, o debió entrar en juego el derecho fundamental del ausente.

La razón por la que equiparamos la resolución y efectos a los del proceso de casación penal radica en la propia naturaleza de la infracción cometida: Si no se respetó el principio de contradicción, hay que retrotraer la causa, previo reenvío de la misma, al punto de la infracción, en la instrucción o en el juicio oral, continuando después el procedimiento una vez subsanada aquélla (compárese, buscando apoyo interpretativo en el proceso civil, con la impugnación que asiste al rebelde).

Esta deficiente regulación, en una institución que por su propia naturaleza debe ser compleja, hace pensar si no sería más rentable desde el punto de vista procesal el suprimirla, no permitiendo condenar en ausencia a nadie. ¿Cabe alguna duda sobre su no utilización cuando se informe al comparecido o habido condenado en ausencia de su existencia? Es mejor no seguir adelante cuando se constate jurídicamente la rebeldía.

IV. LAS COSTAS

La aprobación de la Ley de Asistencia Jurídica Gratuita (LAJG) de 1996 (v. tomo I de esta obra), y del Código Penal de 1995, han producido una alteración en los conceptos que integran las costas y en la prelación del pago en el proceso penal, pero los arts. 239 a 246 LECRIM no han sido modificados por estas normas. Valen también los temas relativos a la definición, fundamento, naturaleza jurídica y determinación de los conceptos que forman las costas procesales penales, tratados en el tomo II, con relación al proceso civil.

Forman las costas, recordemos, precisando la declaración genérica del art. 124 CP, los siguientes conceptos:

1.º) Los gastos de la asistencia extrajudicial (art. 6.1 LAJG).

2.º) Los honorarios de la asistencia del Abogado al detenido o preso (art. 6.2 LAJG, en relación con los arts. 520 y 520 bis LECRIM, con fundamento directo en el art. 17.3 CE).

3.º) Los honorarios del Abogado para el proceso penal (art. 6.3 LAJG, y art. 241-2.º y 3.º LECRIM). Con ello, sin necesidad del art. 124 CP de 1995, quedan incluidos también los de la acusación particular.

4.º) Los aranceles del Procurador (art. 6.3 LAJG, y art. 241-2.º y 3.º LECRIM).

5.º) Los honorarios del perito oficial o privado en su caso (art. 6.6 LAJG, 241-3.º y 465 LECRIM).

Ha desaparecido con la LAJG la referencia a las indemnizaciones de los testigos que declaren a instancia de la parte, que tenía un punto de apoyo legal importante en los arts. 138, 241-4.º y 722 LECRIM, el primero hoy derogado por la LAJG. Pensamos, al ser indiscutiblemente también costas, por tratarse de gastos que tienen su fundamento en el proceso penal, que deben quedar implícitamente incluidos estos conceptos entre las mismas.

6.º) Gastos por inserción de anuncios o edictos, en el curso del proceso, que preceptivamente deban publicarse en periódicos oficiales (art. 6.4 LAJG).

7.º) Gastos por pago de depósitos necesarios para la interposición de recursos (art. 6.5 LAJG, teniendo en cuenta para la acusación popular los depósitos para recurrir regulados en la DA-15ª LOPJ).

8.º) Gastos por obtención de copias, testimonios, instrumentos y actas notariales, en los términos previstos en el art. 130 del Reglamento Notarial (art. 6.7 LAJG), en caso de que sean necesarios en el proceso penal.

9.º) Gastos por derechos arancelarios, en caso de ser necesarios en el proceso penal, que correspondan (art. 6.8 y 9 LAJG):

a) Por el otorgamiento de escrituras públicas y por la obtención de copias y testimonios notariales no contemplados en el art. 6.7 LAJG.

b) Por la obtención de notas, certificaciones, anotaciones, asientos e inscripciones en los registros de la Propiedad y Mercantil.

La tasa judicial no se impone en el proceso penal (art. 1 Ley 10/2012, de 20 de noviembre, y RD-Ley 3/2013, de 22 de febrero), por lo que no forma parte de las costas. Si la víctima decidiera ejercer la acción civil separadamente, tampoco pagaría la tasa si es persona física (art. 4.2 Ley 10/2012, reformado en 2015).

A) Imposición

La LECRIM adopta para la imposición de las costas el criterio objetivo o del vencimiento, y el subjetivo de la temeridad o mala fe, pero distinguiendo según las partes y casos especiales. En primer lugar, dada la naturaleza del proceso penal, se considera la imposición de oficio.

Todos los autos o sentencias que pongan término a la causa o a cualquiera de los incidentes, deberán resolver sobre el pago de las costas procesales (art. 239 LECRIM). A partir de este precepto, siempre y cuando no se goce del beneficio de asistencia jurídica gratuita, las reglas son:

1. *Imposición de oficio:* No entrando en juego otra previsión expresa, o cuando el tribunal no lo considere procedente, corre a cargo de las costas el Estado (art. 240-1.° LECRIM), aunque las partes deben pagar en este caso, a pesar de ello y salvo que gocen del beneficio de justicia gratuita, a los abogados y procuradores que les hayan defendido y representado, y a los testigos y peritos que hayan declarado a su instancia, quienes tienen derecho a su exacción por vía de apremio en caso de impago voluntario (art. 242 LECRIM, cuyo primer párrafo carece de objeto al haberse suprimido el reintegro del papel sellado por la Ley 25/1986, de 24 de diciembre).

La imposición de oficio no debe confundirse con la imposición a las partes públicas (Ministerio fiscal), pues éstas quedan fuera de la posibilidad de ser condenadas. Para el supuesto de absolución esta norma es injusta, como veremos inmediatamente.

Cuando el acusado resulte absuelto, nunca se le pueden imponer las costas (art. 240-2.°, II LECRIM, en relación con el art. 123 CP), pero sólo en lo que afecta al pago de los derechos arancelarios, porque al tener que imponerse de oficio, el art. 242, I LECRIM sólo exime de los gastos antedichos. Ello significa que el absuelto, salvo que haya obtenido el beneficio de justicia gratuita, tendrá que pagar a su abogado, a su procurador, a los peritos y a los testigos que hubiesen dictaminado o declarado a su instancia, y demás gastos (art. 242, II LECRIM).

Esta disposición ha sido justamente criticada por la mejor doctrina, porque el acusado absuelto, o que tenga a su favor un auto de sobreseimiento libre, no debería pagar ninguno de los conceptos que integran las costas, ni las declarables de oficio, ni las no declarables de oficio, independientemente de su posición económica. Piénsese que cuando el tribunal absuelve al acusado, niega el fundamento de la misma acusación y, por lo tanto, debería recaer la condena sobre las partes acusadoras públicas o privadas, pero como las costas no pueden ser impuestas al MF, es de equidad que el Estado corra a cargo de todos los gastos. No se trata de que el Estado no pueda dispensar del pago de honorarios que no le corresponde percibir, sino de que el Estado sufrague los gastos ocasionados por la defensa del acusado absuelto. Con la Ley 25/1986, cit., se acepta en realidad, aunque parcialmente, esta crítica.

2. *Condena al acusado:* El acusado que venga condenado en la causa tiene que pagar, sólo por este motivo objetivo, las costas, y si son varios, la parte proporcional (art. 240-2.° LECRIM). Se consagra así el criterio del vencimiento puro, establecido además en el CP, cuando en su art. 123 (reformado en 2015 al suprimirse las faltas) se dispone que «las costas procesales se entienden impuestas por la Ley a los criminalmente responsables de todo delito».

3. *Condena a las partes acusadoras:* El acusador particular y el acusador privado pueden ser condenados también al pago de las costas, al igual que el actor civil (art. 240-3.º LECRIM), pero con base en el sistema subjetivo de la temeridad o mala fe (art. 240-3.º, II LECRIM, y S TS de 10 de diciembre de 1997, RA 8746).

Es discutible que el acusador popular pueda ser condenado en costas, pues el art. 20.3 LOPJ afirma textualmente que el ejercicio de la acción popular será siempre gratuito, pero en nuestra opinión habría que admitirlo para evitar posibles justificaciones de querellas realmente temerarias.

A diferencia del proceso civil, en el que la doctrina mayoritaria y alguna jurisprudencia, con cierto fundamento legal, así lo admiten, el MF no puede ser condenado en costas en el proceso penal, con base en el argumento que proporcionan los arts. 70, II y 901, III LECRIM.

4. *Supuestos particulares:* Deben recogerse en lo penal los dos siguientes:

a) *Incidentes:* Las costas causadas en los incidentes que puedan promoverse durante la sustanciación de un proceso penal debe imponerse a aquél que los haya iniciado, siempre que se deniegue lo pedido. Así:

1) En la recusación: Art. 70, I LECRIM. No obstante, cabe la no imposición si se aprecian circunstancias excepcionales que justifiquen otro pronunciamiento (art. 227.1 LOPJ). También se imponen las costas a quien pierda el recurso de apelación en esta materia, en el caso previsto en el art. 82 LECRIM; así como en la recusación del personal auxiliar (art. 89 LECRIM).

2) En las cuestiones de competencia, sólo se condenará al que la haya promovido cuando proponga la declinatoria habiendo utilizado antes la inhibitoria (art. 33, II LECRIM). Los demás supuestos vienen recogidos en el art. 44 LECRIM, en cuyo párrafo I se determina la posibilidad de que el tribunal pueda condenar al pago de las costas causadas en la inhibitoria a las partes que la hubiesen sostenido o impugnado con notoria temeridad, imponiéndose de oficio, según el párrafo II si no hay especial mención en cuanto a las costas.

b) *Recurso de casación:* Se imponen las costas al recurrente cuando la Sala II del TS declare no haber lugar al recurso (art. 901, II LECRIM). La estimación supone la imposición de oficio de las mismas (art. 901, I LECRIM).

5. *Prelación para el pago:* El condenado en costas, o aquél a quien se le hayan impuesto, está obligado a pagar la cantidad fijada. En el caso de que no proceda a ello voluntariamente, o que no tenga bienes bastantes para satisfacerla después de ejecutada la vía de apremio (v. enseguida), la ley fija una prelación para determinar quiénes van a cobrar antes. El art. 246 LECRIM se remite hoy (por tradición, no porque se trate de un tema de naturaleza material), al art. 126 CP, que distingue según el proceso sea por delito perseguible de oficio, o por delito perseguible a instancia de parte:

a) *De oficio:* Si no hay bienes bastantes, se satisfacen por el orden siguiente (art. 126.1 CP): 1.°) La reparación del daño causado y la indemnización de los perjuicios a la víctima; 2.°) La indemnización al Estado por los gastos que se hubieran hecho por su cuenta en la causa; 3.°) Las costas del acusador particular o privado (es dudoso que se incluyan las del popular por lo indicado); 4.°) Las demás costas procesales, incluso las de la defensa del acusado, sin preferencia entre los interesados; y 5.°) La multa (se refiere a sanciones económicas, no a la pena pecuniaria).

b) *A instancia de parte:* En este caso, se satisfarán las costas del actor privado con preferencia a la indemnización al Estado (art. 126.2 CP).

B) Tasación

Tasar las costas es calcular a cuánto ascienden los gastos procesales que deben pagarse por las partes. Deben distinguirse el procedimiento de reclamación, su cálculo y su posible impugnación:

1. *Procedimiento:* En lo que afecta a los honorarios del abogado y a los derechos del procurador, así como a los peritos y testigos, éstos pueden reclamarlos directamente a la parte, salvo que goce del beneficio de asistencia jurídica gratuita, y si no los satisface, exigir su pago reclamándolos ante el juez o tribunal que haya conocido de la causa, debiendo incluirlos en la tasación el letrado de la administración de justicia en este caso (v. el art. 242, II LECRIM, con la salvedad para los procuradores de lo dispuesto en el art. 121, III LECRIM, no reformado en este aspecto por la LAJG). El acreditamiento se hará en su caso por medio de minuta. Las indemnizaciones de los testigos se computarán por la cantidad que oportunamente se hubiese fijado en la causa (art. 242, IV «in fine», en relación con los arts. 465 y 722 LECRIM).

2. *Exacción:* Según el art. 242, III LECRIM, hay que proceder a la exacción o cobro de las costas por la vía de apremio, si, presentadas las respectivas reclamaciones y hechas saber a las partes, no pagasen éstas en el plazo prudencial fijado por el órgano jurisdiccional, ni las impugnaran por ilegítimas o excesivas, en cuyo caso hay que estar al art. 244, II LECRIM.

3. *Impugnación de la tasación:* Una vez efectuada la tasación de costas, se dará vista al MF y a la parte condenada al pago para que manifiesten lo que tengan por conveniente, dentro del plazo fijado en el art. 243 LECRIM. La audiencia al abogado del Estado, dados los intereses de éste en juego, tiene que producirse también.

Los motivos por los que procede esta impugnación concreta son sólo, de acuerdo con ese precepto, la ilegitimidad del concepto integrado en las costas, o su excesiva cuantía, es decir, las costas se impugnan por indebidas o por excesivas. A la vista de lo manifestado por las partes, el letrado de la administración de justicia aprobará o reformará la tasación y regulación conforme a las reglas vigentes para el proceso civil (art. 244 LECRIM y art. 246 LEC), procediendo una vez aprobadas o reformadas a hacerlas efectivas por la vía de apremio (ejecución de obligación dineraria), en caso de impago voluntario (art. 245 LECRIM), siendo aplicable el art. 126 CP en el caso del art. 246 LECRIM.

En cuanto a la cuantía, el sistema presenta una falla importante, porque el monto total de los honorarios acaba dependiendo de lo que el abogado con derecho a costas quiera, pues si declara que la causa o el acto procesal realizado es complejo, conforme a las normas colegiales, ya no se aceptan los mínimos profesionales y su fijación es libre con el límite del art. 394.3 LEC. Es verdad que su decisión puede ser controlada por el Colegio de Abogados al que pertenece, pero lo cierto es que puede significar una suma considerable de dinero para quien esté obligado a su pago, con la que no contaba. La perversión está en que debería ser un órgano público objetivo quien decidiera la cuestión de la complejidad (Ministerio Fiscal o Tribunal competente para el caso). Se alejaría así también el temible corporativismo.

C) Impugnabilidad

La jurisprudencia más antigua negó la posibilidad de que las costas del juicio criminal pudieran ser materia propia del recurso de casación por infracción de ley, pues es claro que del de quebrantamiento de forma nunca pueden ser (Así, S TS de 31 de diciembre de 1918, CJCrim Nr. 138). Con posterioridad, el TS precisó que la apreciación de la temeridad es de la competencia exclusiva de las AP, sin que contra ella quepan, salvo obvias y evidentes excepciones, alguno o algunos de los motivos de casación por infracción de ley (S TS de 17 de octubre de 1980, RA 3716).

En nuestra opinión, esta doctrina jurisprudencial tiene que ser revisada. Pensamos, pues, que tanto las normas que establecen la condena en costas con base en el criterio del vencimiento (v. gr., art. 240-2.° LECRIM), como las que se acogen al criterio de la temeridad o mala fe (v. gr., art. 240-3.° LECRIM), son leyes en el sentido del art. 849-1.° LECRIM, que como sabemos, recoge el motivo principal de infracción de ley. En el primer caso, ello es palmario; en el segundo también es claro, aunque presenta el problema de fijar la norma un concepto jurídico indeterminado de naturaleza subjetiva que significa en definitiva tener que entrar de nuevo sobre los hechos, extremo que siempre es difícil en casación. Por tanto, en ambos casos debe ser procedente el recurso de casación por infracción de ley.

LECTURAS RECOMENDADAS: CALDERÓN CUADRADO, *El recurso de anulación penal,* Granada, 1995; CORTÉS DOMÍNGUEZ, *La cosa juzgada penal,* Bolonia, 1975; DE DIEGO DÍEZ, *El llamado «recurso» de anulación en el procedimiento abreviado,* Madrid, 1998.

LIBRO VI
EL PROCESO DE EJECUCIÓN

Lección Vigésimo segunda

La ejecución en el proceso penal

I. CONCEPTO, NATURALEZA JURÍDICA Y GRUPO NORMATIVO REGULADOR
La necesidad de la ejecución se plantea en el caso de condena del acusado.
La naturaleza de la ejecución es inequívocamente jurisdiccional.
La regulación está muy fragmentada en diversas leyes y normas inferiores.

II. EL ÓRGANO JURISDICCIONAL
El órgano competente funcionalmente.
El Juez de Vigilancia Penitenciaria, configuración y ámbito competencial.
Otros órganos jurisdiccionales competentes.

III. TÍTULO EJECUTIVO
El título ejecutivo es la sentencia de condena penal firme.
La ejecución se inicia de oficio.

IV. INCIDENTES DE LA EJECUCIÓN
Suspensión de condena.
Sustitución de la pena privativa de libertad.
Revisión de títulos ejecutivos para el cumplimiento de penas impuestas por delitos conexos.
Suspensión de la ejecución por trastorno mental del condenado.
Suspensión de la ejecución por admisión a trámite del recurso de amparo o petición de indulto.

V. TERMINACIÓN DE LA EJECUCIÓN
Causa normal: Cumplimiento de la condena.
Causas anormales: Muerte, prescripción, indulto, perdón del ofendido, anulación de sentencia.

VI. LA EJECUCIÓN DE LAS PENAS PRIVATIVAS DE LIBERTAD
Principios constitucionales.
Actos preparatorios de la ejecución.
La pena de prisión y sus diferentes grados.

VII. LA EJECUCIÓN DE LAS DEMÁS PENAS
Penas pecuniarias.
Penas privativas de derechos, penas accesorias, y sanciones no penales.

VIII. LA EJECUCIÓN DEL CONTENIDO CIVIL DE LA SENTENCIA
Sometida a las normas del proceso civil.

I. CONCEPTO, NATURALEZA JURÍDICA Y GRUPO NORMATIVO REGULADOR

El proceso de ejecución penal únicamente tiene lugar si la persona acusada ha sido condenada en la sentencia a una pena.

El resultado de un proceso penal tramitado en sus dos fases, como sabemos, solamente pueden ser una sentencia condenatoria o una sentencia absolutoria. Produciéndose la absolución, no tiene sentido un proceso de ejecución, pues son sentencias mero declarativas que no precisan de aquél. Por otra parte, que el acusado quede libre de las medidas cautelares no puede significar una ejecución de la sentencia absolutoria, sino sencillamente levantarse las mismas por haber dejado de existir los presupuestos que sirvieron para acordarlas. En el caso de ser condenatoria la sentencia, el proceso precisará de una ulterior fase de ejecución.

El problema de la naturaleza jurídica de la ejecución penal se ha planteado, fundamentalmente, y una vez resuelto el de la naturaleza jurídica de la ejecución en general, respecto a las penas privativas de libertad (hoy pena de prisión), pues su cumplimiento se realiza en largos períodos de tiempo, exige unos establecimientos especiales y requiere de un personal específico encargado de dirigir el funcionamiento de aquéllos, de mantener su seguridad y de velar por los derechos de los internos. Todo ello excede de las posibilidades de la organización judicial y ha sido atribuido a una rama de la Administración Pública, la Administración Penitenciaria. De ahí deriva la discusión sobre su naturaleza, sobre la que se mantienen tres teorías: Jurisdiccional, administrativa y mixta.

El problema, de variada respuesta si nos fijamos en el Derecho Comparado, lo resolvemos en nuestro caso atendiendo al propio diseño del sistema:

Como sabemos, la Constitución española diseña un sistema a cuya ejecución atribuye la naturaleza jurisdiccional. *En general*, de «*lege data*», nos consta (v. Tomo I de esta obra) que la función jurisdiccional comprende la ejecución («juzgando y haciendo ejecutar lo juzgado» dicen los arts. 117.3 CE, 2.1 LOPJ, 984, 985 (al que se añade un segundo párrafo por la Ley 41/2015, de 5 octubre, de modificación de la LECRIM para la agilización de la justicia penal y el fortalecimiento de las garantías procesales, que se refiere a la ejecución en el proceso por aceptación de decreto) y 990 LECRIM, (éste último reformulado por la LO 1/2015, por la que, como veremos, se modifican relevantes aspectos de la LO 10/1995 del CP, en lo que a la ejecución concierne).

Partiendo de este grupo normativo regulador, hoy no podemos sino constatar la naturaleza jurisdiccional de la ejecución, pues por la Ley General Penitenciaria (LGP) se creó el Juez de Vigilancia Penitenciaria (JVP, que se integra en el Poder Judicial como acreditan los arts. 94 y 95 LOPJ), el juez legal predeterminado por la ley, que tiene como misión: Vigilar la concreta duración de la pena, que no se establece claramente, pero que se debe deducir del art. 76.2, pues el JVP asume las funciones de los jueces sentenciadores en orden a los pronunciamientos sobre penas privativas de libertad, resuelve sobre la libertad condicional y otros beneficios, controla la suspensión de la pena por causas legales; o aprueba resoluciones en cuanto al régimen concreto de cumplimiento, v. gr., de libertad condicional, beneficios, peticiones, quejas, etc. Siendo sus decisiones recurribles jurisdiccionalmente.

El apartado VI del preámbulo del Estatuto de la víctima del delito (Ley 4/2015, de 27 de abril), apuntala definitivamente esta tesis, a la vez que legitima la intervención de la víctima en la fase de ejecución de la pena en los siguientes términos: «El Estado, como es propio de cualquier modelo liberal, conserva el monopolio absoluto sobre la ejecución de las penas, lo que no es incompatible con que se faciliten a la víctima ciertos cauces de participación que le permitan impugnar ante los Tribunales determinadas resoluciones que afecten al régimen de cumplimiento de condena de delitos de carácter especialmente grave, facilitar información que pueda ser relevante para que los Jueces y Tribunales resuelvan sobre la ejecución de la pena, responsabilidades civiles o comiso ya acordados, y solicitar la adopción de medidas de control con relación a liberados condicionales que hubieran sido condenados por hechos de los que pueda derivarse razonablemente una situación de peligro para la víctima.

La regulación de la intervención de la víctima en la fase de ejecución de la pena, cuando se trata del cumplimiento de condenas por delitos especialmente graves, garantiza la confianza y colaboración de las víctimas con la justicia penal, así como la observancia del principio de legalidad, dado que la decisión corresponde siempre a la autoridad judicial, por lo que no se ve afectada la reinserción del penado.»

El marco que permite la participación de la víctima en la ejecución, queda establecido en lo fundamental, en el art. 13 del Estatuto de la víctima del delito.

Otro elemento cualitativamente muy destacable —junto con el empoderamiento de la víctima específicamente en la fase de ejecución al que nos estamos refiriendo— es la apertura del espacio europeo de justicia a la ejecución en un país miembro, de resoluciones dictadas en otro país que lo sea también. Este nuevo y estimulante escenario se basa en la confianza y en el reconocimiento mutuo, v. gr., vid., nuevo artículo 94 bis CP, con la siguiente redacción:

«A los efectos previstos en este Capítulo, las condenas firmes de jueces o tribunales impuestas en otros Estados de la Unión Europea tendrán el mismo valor que las impuestas por los jueces o tribunales españoles salvo que sus antecedentes hubieran sido cancelados, o pudieran serlo con arreglo al Derecho español.»

Además, a diferencia del sistema anterior a la LGP, hoy el principio de legalidad está al cuidado de un órgano jurisdiccional y no de la Administración: La ejecución de las penas está sometida al principio de legalidad, en virtud del cual no podrá ejecutarse pena alguna en forma distinta a la prescrita por la ley y reglamentos que la desarrollan, ni con otras circunstancias o accidentes que los expresados en su texto, bajo control judicial (arts. 3 CP y 990, I LECRIM).

El grupo normativo regulador, integrado por las *normas legales y reglamentarias* que rigen la ejecución penal está excesivamente fragmentado.

En concreto, comprende las siguientes normas:

1. Art. 25.2 CE.
2. Arts. 94, 95 y DA-5.ª LOPJ.
3. Arts. 3, 8, 18, 45 y Anexo X LDPJ.
4. Arts. 794, 974 y 983 y ss. LECRIM.
5. Arts. 3, 32 a 60, y 80 a 108 CP, en parte modificados en 2003 de manera sustancial. Un buen número de ellos modificados asimismo por la Ley Orgánica 1/2015, de 30 de marzo (BOE de 31 de marzo), por la que se modifica la Ley Orgánica 10/1995, de 23 de noviembre, del Código Penal.
6. Ley Orgánica 1/1979, de 26 de septiembre (BOE del 5 de octubre), General Penitenciaria, varias veces modificada.
7. Ley 23/2014, de 20 de noviembre (BOE de 21 de noviembre), de reconocimiento mutuo de resoluciones penales en la Unión Europea.
8. Ley 4/2015, de 27 de abril (BOE de 28 de abril), del Estatuto de la víctima del delito.
9. Convenio de Estrasburgo sobre traslado de personas condenadas, de 21 de marzo de 1983 (Instrumento de ratificación de 18 de febrero de 1985, BOE del 10 de junio).
10. Reglamento Penitenciario, publicado por Real Decreto 190/1996, de 9 de febrero (BOE del 15).
11. Real Decreto 1436/1984, de 20 de junio (BOE de 30 de julio), sobre normas provisionales de coordinación de las Administraciones Penitenciarias.
12. Varios Acuerdos del Consejo del Poder Judicial sobre estas materias.
13. Es preciso tener en cuenta también, que diversos Estatutos de Autonomía (v. gr., art. 12 EA País Vasco) atribuyen la ejecución de la legislación estatal en materia penitenciaria a las respectivas Comunidades Autónomas, pero como el Estado tiene competencia exclusiva para la legislación penitenciaria (art. 149.1-6ª CE), se trata de cuestiones normalmente materiales, para las que es supletorio el Rto.LGP (art. 1.2).

II. EL ÓRGANO JURISDICCIONAL

Tras la promulgación de la LGP y de su Reglamento (tanto el de 1981, como el vigente de 1996), tres órganos jurisdiccionales intervienen directamente y de forma distinta en la ejecución penal: El que debe ejecutar según la competencia funcional atribuida por la ley, el JVP y, según los casos, otro grupo de jueces con funciones muy concretas.

A) El órgano competente funcionalmente

a) *Competencia funcional:* Matizando las referencias hechas al tratar (en este mismo tomo) la competencia penal, hay que distinguir ahora los procesos ordinarios por delito del juicio por delitos leves:

1. *Procesos por delito:* Hay que contemplar, a su vez, el proceso originario de la LECRIM y los procesos abreviados y juicios rápidos:

a) En el ordinario por delitos más graves la ejecución de la sentencia corresponde, en principio, al órgano jurisdiccional que hubiera dictado la que sea firme [art. 985 LECRIM, (reformulado como se ha dicho, para el proceso por aceptación de decreto, por la Ley 41/2015, de 5 de octubre, de modificación de la LECRIM para la agilización de la justicia penal y el fortalecimiento de las garantías procesales)].

Pero la sentencia dictada a continuación de la de casación por la Sala II del TS, se ejecutará por el tribunal que hubiera pronunciado la sentencia casada, a cuyo efecto la Sala II remitirá certificación de la sentencia firme (art. 986 LECRIM).

b) En los procesos penales abreviados y en los juicios rápidos la regla es la misma, correspondiendo la ejecución al JPe o Tribunal que hubiere dictado la sentencia firme, que aplicarán las reglas generales (arts. 794 y 803.3 LECRIM).

La ejecución de sentencias penales en otro país de la Unión Europea, con el fin de mejorar la reinserción social del condenado, se regula en la Decisión Marco JAI/909/2008, de 27 de noviembre, modificada por la Decisión Marco JAI/299/2009, de 26 de febrero, ambas del Consejo. Decisiones que mediante la mencionada Ley 23/2014, de 20 de noviembre, de reconocimiento mutuo de resoluciones penales en la Unión Europea, se incorporan al Derecho español.

2. *Procesos por delitos leves:* La ejecución corresponde al órgano jurisdiccional que hubiera conocido de la primera instancia. A estos efectos, el JI que hubiera conocido de la apelación, devolverá los autos y una certificación de la sentencia firme (art. 984), siendo posible también la comisión.

b) *Atribuciones:* La función ejecutiva del órgano competente funcionalmente debe entenderse hoy limitadamente, pues, al menos en orden a las penas privativas de libertad (pena de prisión), sus funciones las asume el JVP (art. 76.2, a) LGP), como veremos después.

La autoridad judicial competente funcionalmente para la ejecución de sentencias penales, tiene las siguientes atribuciones en esta fase del proceso penal:

1. *Orden de ingreso en prisión:* El ingreso forzoso de un preso se hará mediante mandamiento u orden del juez (autoridad competente), según los arts. 15.1 LGP y 15 Rto. LGP. En caso de presentación voluntaria, la autoridad judicial debe decidir si ingresa en prisión o no (art. 15.1 LGP). El art. 16.3 Rto. LGP precisa que el Director del Establecimiento recabará del tribunal sentenciador el correspondiente mandamiento en caso de ingreso voluntario.

El internamiento cautelar de extranjeros mientras se decide sobre su expulsión, no puede realizarse en centros que tengan carácter penitenciario (v. art. 60.2 LO 4/2000, de 11 de enero, sobre Derechos y Libertades de los Extranjeros en España y su Integración Social, con la LO 2/2009, de 11 de diciembre).

2. *Conocer del ingreso en departamentos especiales o en establecimientos de régimen cerrado:* De acuerdo con el art. 97 Rto. LGP (respecto a los internos preventivos), el art. 95 Rto. LGP (respecto a los penados), y el art. 273, g) Rto. LGP (respecto a ambos), podrán ser ingresados en departamentos especiales, o destinados a establecimientos de cumplimiento de régimen cerrado, los internos extremadamente peligrosos o manifiestamente inadaptados a los regímenes ordinario y abierto, lo cual se comunicará en un plazo no superior a 72 horas a la autoridad judicial correspondiente. La autoridad judicial competente conoce de ese ingreso si es preventivo (art. 97.2 Rto. LGP), pero si es penado conoce el JVP (art. 95.1 LGP). Debe destacarse de esta regulación que tanto los preventivos como los penados pueden ser ingresados en estos establecimientos especiales.

3. *Ingreso en establecimientos especiales y actuaciones urgentes:* Del traslado de los detenidos y presos a centros hospitalarios psiquiátrico-penitenciarios se dará cuenta a la autoridad judicial de que dependan (art. 186.2). Las autoridades judiciales podrán ordenar el ingreso de los detenidos y presos de cuyas causas entiendan en un centro hospitalario psiquiátrico, de acuerdo con lo dispuesto en el art. 184 Rto. LGP. También autorizan el ingreso e intervención de un interno en centro hospitalario (arts. 210.3 y 218.2), y son notificados de las defunciones de internos (art. 216.3).

Queda ahora clara la competencia judicial establecida en esos preceptos para garantizar el derecho a la vida de los internos, autorizando al médico que alimente forzosamente al preso que, por seguir una huelga de hambre, se halla en peligro de muerte, antes de que pueda llegarse a la irreversibilidad de las lesiones, problema que con relativa frecuencia ha saltado a la luz pública en España. El TC así lo ha reconocido (v. SS TC 120/1990, de 27 de junio; y 137/1990, de 19 de julio).

4. *Autorización de visitas en régimen de incomunicación:* Para visitar a un detenido o preso provisional, cuya incomunicación *se* haya dispuesto en la orden de ingreso, se requiere autorización del juez (art. 19.1 Rto. LGP). Se entiende, del juez sentenciador o del que esté conociendo de la causa.

5. *Intervención de las comunicaciones entre el interno y su abogado o procurador:* La autoridad judicial fija con qué personas puede comunicarse el interno detenido o preso (art. 19.1), y da las autorizaciones correspondientes para que pueda estar informado (el JI en este último caso, art. 19.2). Además, sólo la autoridad judicial, en los supuestos de terrorismo y demás delitos muy graves previstos en la ley, puede ordenar la suspensión o intervención de las comunicaciones orales y escritas entre internos, tanto preventivos como penados, y sus abogados y procuradores (arts. 51.2 LGP, 520 bis.2 y 527 LECRIM —con nueva redacción dada por la LO 13/2015, de 5 de octubre, de modificación de la LECRIM para el fortalecimiento de las garantías procesales y la regulación de las medidas de investigación tecnológica— y 46-6.ª Rto. LGP). El director del establecimiento puede intervenir las comunicaciones por razones de urgencia, pero debe dar cuenta a la autoridad judicial competente y al JVP (arts. 51.5 LGP, 43.1 y 48.3 Rto. LGP). Igualmente, cuando la intervención afecte a la correspondencia escrita (art. 46-5ª Rto. LGP). La autoridad judicial, por último, debe acreditar al abogado o procurador que desee visitar a un interno acusado de terrorismo o perteneciente a bandas o grupos armados (art. 48-2.ª Rto. LGP). Estrictamente en cuanto a las comunicaciones específicas entre el preso preventivo y su abogado defensor, sólo pueden ser intervenidas en casos de terrorismo y mediando autorización judicial (arts. 51.3 y 5 LGP y 48 Rto.LGP), sin posibilidad de extenderse a cualquier otro delito, trátese de hechos cometidos por la llamada criminalidad organizada, como el de blanqueo de capitales o defraudación fiscal, o no, por así exigirlo el derecho constitucional a la defensa técnica del art. 24.2 CE (STS 79/2012, de 9 de febrero, RA 199, *Caso Magistrado Garzón* escuchas telefónicas trama *Gürtel*).

6. *Prohibiciones:* La prohibición del art. 48 CP —también modificado por la LO 1/2015, de 30 de marzo, introduciendo especificaciones para casos de discapacidad intelectual— impuesta por el tribunal sentenciador, de residir en determinados lugares o de acudir a ellos, por ser donde se ha cometido el delito o por residir allí la víctima, será tenida en cuenta

cuando el preso fije su lugar de residencia en libertad condicional (art. 195, g) Rto. LGP).

7. *Autorizaciones de salida:* El tribunal sentenciador o, en su caso, el JVP (v. *infra)*, es el competente para conceder autorizaciones de salida a presos preventivos y penados (arts. 33.1, 37, 75.4 y 154 a 162 Rto. LGP). A este respecto, hay que indicar que los internos preventivos son autorizados a salir por la propia autoridad judicial de que dependan (art. 159 Rto. LGP).

8. *Libertad definitiva:* Para proceder a la excarcelación de los condenados, será precisa la aprobación de la libertad definitiva por el tribunal sentenciador (arts. 17.3 LGP, y 22, 24, 25 y 26 Rto. LGP), salvo que tenga otras causas pendientes (art. 29 Rto. LGP).

B) El Juez de Vigilancia Penitenciaria, configuración y ámbito competencial

a) *Organización y actividad jurisdiccional:* La misión fundamental del JVP es la de fiscalizar la actividad penitenciaria, no sólo en fase de ejecución de sentencias, sino también en caso de internos preventivos, además de garantizar los derechos de los presos.

1. *Configuración orgánica:* La norma general es que en cada provincia, y dentro del orden jurisdiccional penal, haya uno o varios JVP (arts. 94.1 LOPJ y 3.1 LDPJ). Podrán establecerse, ello no obstante, JVP que extiendan su jurisdicción a dos o más provincias de la misma Comunidad Autónoma (arts. 94.2 LOPJ y 3.2 LDPJ), y también podrán crearse JVP cuya jurisdicción no se extienda a toda la provincia (arts. 94.3 LOPJ y 3.2 LODPJ). Orgánicamente, el cargo de JVP será compatible con el desempeño de un órgano del orden jurisdiccional penal (art. 94.5 LOPJ).

> El número de JVP se determina en la Ley de Planta (v. sus arts. 18, 45 y Anexo X), atendiendo principalmente a los establecimientos penitenciarios existentes y a la clase de éstos (art. 95.1 LOPJ), viniendo determinada la sede de estos Juzgados por el Gobierno, previa audiencia de la Comunidad Autónoma afectada y del Consejo General del Poder Judicial (arts. 95.2 LOPJ y 8.3 LDPJ). Los JVP tienen obligación de residencia en el territorio donde radiquen los establecimientos penitenciarios sometidos a su jurisdicción (art. 78.2 LGP).

2. *La actividad jurisdiccional del JVP:* La DA-5.ª LOPJ (reformada por la LO 5/2003, de 27 de mayo, y la LO 7/2003, de 30 de junio) confirma el criterio de que el JVP sólo ejerce funciones jurisdiccionales, en tanto en cuanto todos sus actos son ahora recurribles en reforma, apelación y queja, bien entendido que en unos casos la materia es jurisdiccional penal, y en otros administrativa, como se verá inmediatamente.

El sistema de recursos recogido en dicha norma es el siguiente:

1) *Reforma:* Cabe este remedio contra todos los autos del JVP (DA-5.ª.1 LOPJ), que es previo al recurso de apelación (art. 222 LECRIM).

2) *Apelación:* Dos posibilidades existen en el orden jurisdiccional penal:

1") Cabe este recurso contra las resoluciones del JVP en materia de ejecución de penas, excepto cuando se hayan dictado resolviendo un recurso de apelación contra resoluciones administrativas que no se refieran a la clasificación del penado (DA-5.ª.2 LOPJ). En este caso, según esa misma norma, conoce de la apelación el tribunal sentenciador, salvo el caso previsto en su pár. II.

2") Cabe apelación también contra las resoluciones del JVP relativas al régimen penitenciario y demás materias no comprendidas en el número anterior, siempre que no se hayan dictado resolviendo un recurso de apelación contra resolución administrativa (DA-5.ª.3 LOPJ). Según ella también, conoce de la apelación la AP que corresponda por estar situado dentro de su demarcación el establecimiento penitenciario.

La LO 7/2003, de 30 de junio, introdujo la importante modificación, en la DA-5ª.5 LOPJ, de posibilitar la suspensión de la ejecución de la resolución sobre clasificación de penados o concesión de la libertad condicional, cuando se interponga recurso de apelación y se trate de condenados por delitos graves.

3) *Queja:* Siempre que en los dos casos anteriores se deniegue la admisión del recurso de apelación, cabe el de queja para ante los órganos jurisdiccionales respectivos (DA-5.ª.4 LOPJ).

En estos supuestos, hay que tener en cuenta las siguientes normas procesales especiales: 1) Fuente supletoria es la LECRIM, concretamente sus arts. 790 y ss.; 2) Únicamente están legitimados para recurrir el MF y el interno o liberado condicionalmente; 3) En el remedio de reforma no se requiere la asistencia ni la representación técnicas, pero en apelación y queja es necesario el abogado y el procurador; y 4) El MF es parte en todos los recursos (DA-5.ª.8 LOPJ).

4) *Casación*: Al haberse introducido en nuestro ordenamiento procesal la figura del Juez Central de Vigilancia Penitenciaria por la LO 5/2003, el sistema de recursos varía. De la apelación conoce la Audiencia Nacional (DA-5ª.6 LOPJ), pero se introduce un recurso de casación por infracción de ley contra el auto por el que se determine el máximo de cumplimiento o se deniegue su fijación (DA-5ª.7 LOPJ), sin perjuicio de proceder en determinados casos el recurso de casación penal para la unificación de doctrina (DA-5ª.8 LOPJ), que se introduce en el orden penal de esta extraña manera (interpretado por vez primera por la STS de 30 de septiembre de 2004 (RA 5840).

5) Cuando la materia no permite la recurribilidad por la vía jurisdiccional penal, por estar excluida por la DA-5.ª.2 y 3 LOPJ, no quiere decir ello

que no quepa recurso, pues según se desprende «a contrario» de la propia norma citada, cabrá siempre recurso por la *vía contencioso administrativa*, conforme a la LJCA.

b) *Atribuciones:* Las atribuciones y funciones del JVP han sido reguladas con detalle por la legislación penitenciaria. El art. 94.1 LOPJ confirma en general la disposición del art. 76 LGP, pues el JVP tendrá las funciones jurisdiccionales previstas en la LGP en materia de ejecución de penas privativas de libertad y medidas de seguridad, control jurisdiccional de la potestad disciplinaria de las autoridades penitenciarias, amparo de los derechos y beneficios de los internos en los establecimientos penitenciarios y demás que señale la ley (v. arts. 2 y 3 Rto. LGP).

Concretando, pues, además de los recursos ya dichos, los JVP tienen las siguientes competencias particulares:

1. *Llevar a cabo la ejecución de la pena privativa de libertad:* El JVP tiene atribuciones para hacer cumplir la pena impuesta (art. 76.1 LGP), estando facultado para adoptar las decisiones necesarias con el fin de que los pronunciamientos de las resoluciones en orden a las penas privativas de libertad se lleven a cabo, asumiendo las funciones que corresponderían a los jueces y tribunales sentenciadores (art. 76.2, a) LGP, en concordancia con los preceptos correspondientes del CP).

2. Garantizar los *derechos humanos y constitucionales:* El JVP salvaguarda los derechos de los internos y corrige los abusos y desviaciones que en el cumplimiento de los preceptos de régimen penitenciario puedan producirse (art. 76.1 «in fine» LGP), de acuerdo con el régimen de derechos y deberes fijado por los arts. 4 y 5 Rto. LGP, y demás preceptos de aplicación. Por ello, debe ser informado de las medidas coercitivas que aplique el director del establecimiento penitenciario en los casos del art. 45 LGP (arts. 45.2 LGP y 72.3 Rto. LGP). También relacionado con ello, pero que trataremos aparte, está su intervención en la suspensión de la comunicación entre abogado e interno, y, además:

a) Aprueba la prolongación de la estancia de los preventivos o penados por más de 5 días en el departamento de ingresos (art. 20.3 Rto. LGP);

b) Debe aprobar las sanciones de aislamiento en celda de duración superior a 14 días (arts. 76.2, d) LGP, y 236.3, 253.1 y 256.3 Rto. LGP), debiendo ser informado de los traslados de penados a departamentos de régimen cerrado (art. 95.1 Rto. LGP), o a centros extra penitenciarios (art. 182.1 Rto. LGP), y de la situación de los preventivos en régimen cerrado (art. 97.2 Rto. LGP);

c) Aprueba por vía de recurso la clasificación del interno (art. 31.1), también si se trata de supuestos individualizados de tratamiento (art. 100.2); siendo informado de su traslado a departamentos de adultos si son menores de 21 años (art. 99.4); y

d) Debe acordar lo que proceda sobre las peticiones y quejas de los internos, en relación con el régimen y el tratamiento penitenciario, en cuanto afecte a los derechos fundamentales o a los derechos y beneficios penitenciarios de aquéllos (art. 76.2, g) LGP, y arts. 43, 95.2, 128.1, 162, 167, 218, 249, 252, etc. Rto. LGP).

3. *Visitas:* El JVP debe realizar las visitas a los establecimientos penitenciarios, conforme al art. 526 LECRIM (art. 76.2, h) LGP, reformado por la Ley 5/2003, cit.).

4. *Libertad condicional de los penados:* El JVP debe resolver, conforme al art. 17.3 LGP la libertad condicional de los penados y acordar las revocaciones que

procedan (art. 76.2, b) LGP). El procedimiento para la formación del expediente de libertad condicional, resolución del JVP y posible revocación de la misma, viene regulado en los arts. 24.1 y 198 a 201 Rto. LGP.

5. *Beneficios penitenciarios:* El JVP debe aprobar las propuestas que formulen los establecimientos sobre beneficios penitenciarios (art. 76.2, c) LGP). Suprimida la redención de penas por el trabajo por el CP de 1995, hoy esos beneficios son estrictamente los contemplados en los arts. 202 y ss. Rto. LGP, básicamente el adelantamiento de la libertad condicional y la propuesta de indulto particular.

6. Permisos *de salida:* El JVP debe autorizar los permisos de salida cuya duración sea superior a dos días, excepto los de los clasificados en tercer grado (art. 76.2, i) LGP). Cuándo proceden esos permisos y cuál es el procedimiento para la solicitud y revisión, viene regulado en los arts. 117.3 y 154 ss. Rto. LGP (v. también la Instrucción 1/1995, de 10 de enero, de la DGIP, sobre estudio y tramitación de permisos de salida).

7. *Paso a régimen cerrado:* El JVP conocerá del paso a los establecimientos de régimen cerrado de los internos, a propuesta del director del establecimiento (art. 76.2, j) LGP). El acuerdo motivado debe ser comunicado al JVP en un plazo no superior a 72 horas (art. 95.1 Rto. LGP).

8. *Comunicación entre el interno y su defensor:* El JVP debe ser notificado de la intervención de las comunicaciones entre los penados y sus abogados y procuradores (arts. 43.1 y 44.2 Rto. LGP, para la comunicación oral; y el art. 46.7.º Rto. LGP, para la escrita; en relación ambas con el art. 48 Rto. LGP). Esta medida restrictiva de derechos debe ser suficientemente motivada (SS TC 128/1997, de 14 de julio; y 200/1997, de 24 de noviembre). El director de la prisión es quien autorizará la comunicación entre letrados que no tengan la condición de defensores y los penados que hayan requerido su visita (art. 48.4 Rto. LGP). Pero si los letrados traen autorización expresa del juez (caso de los preventivos), o del mismo JVP (caso de los penados), su posición jurídica es como si se tratara del abogado defensor del interno (art. 48.4, segunda frase Rto. LGP).

9. *Autorización* de *traslados:* El traslado de un penado para la práctica de diligencias judiciales ante el juez competente, como vimos *supra*, debe ser autorizado por el JVP, siempre y cuando el penado no esté a disposición de aquél (arts. 31.3, 34 y 75.4 Rto. LGP).

10. *Otras funciones:* Según el art. 77 LGP, desarrollado por diferentes preceptos del Rto. LGP, los JVP podrán dirigirse a la Administración Penitenciaria, formulando propuestas referentes a la organización y desarrollo de los servicios de vigilancia, a la ordenación de la convivencia interior en los establecimientos, a la organización y actividades de los talleres, escuela, asistencia médica y religiosa, y, en general, a las actividades regimentales, económico administrativas y de tratamiento penitenciario en sentido estricto. Estas funciones, más bien de tipo consultivo, se atribuyen al JVP porque la dirección, organización e inspección de los centros penitenciarios es materia propia de la Administración, siendo necesario que las respectivas esferas de intervención, la de ésta y la del JVP, queden perfectamente diferenciadas.

C) Otros órganos jurisdiccionales competentes

Además del órgano jurisdiccional competente funcionalmente y el JVP, pueden intervenir en la ejecución penal estas otras autoridades judiciales.

1. *Juez competente para otra causa:* También hay que tener en cuenta que el penado puede ser reclamado por el juez competente para otro proceso, a efectos de realizar las diligencias oportunas, si no está aquél a su disposición. En éste caso, ante la petición, el director del establecimiento lo pondrá en conocimiento del JVP (art. 34 Rto. LGP).

2. *Cualquier juez o tribunal:* Según los arts. 15.1 LGP y 15.1 Rto. LGP, cualquier juez o tribunal del orden jurisdiccional que fuere puede ordenar el ingreso en prisión de una persona, al igual que el Fiscal tratándose de la detención preventiva (art. 15.3 Rto. LGP).

3. *La autoridad judicial de la que dependen los internos preventivos:* Esta autoridad judicial debe ser informada de los traslados (art. 31.3 Rto. LGP), en particular a establecimientos o departamentos especiales de los sujetos de peligrosidad extrema o inadaptados (arts. 10.2 LGP, y 97.3 Rto. LGP), y es el órgano competente para aprobar los permisos de salida de los mismos (arts. 48 LGP y 159 Rto. LGP). Esta actividad no es propiamente de ejecución, pero en aras de su visión global interesa mencionarla en cuanto supone el ejercicio de funciones jurisdiccionales respecto a establecimientos de ejecución penal.

También deben emitir mandamientos de prisión dentro de las 72 horas siguientes al momento del ingreso, pues de lo contrario el interno preventivo será puesto en libertad (art. 23.1 Rto. LGP).

4. Además, el Artículo 64 de la Ley 23/2014, de 20 de noviembre, de reconocimiento mutuo de resoluciones penales en la Unión Europea, establece que son *autoridades judiciales competentes en España para transmitir y ejecutar una resolución por la que se impone una pena o medida privativa de libertad, las siguientes:*

1. Son autoridades competentes para la transmisión de una resolución por la que se impone una pena o medida privativa de libertad los Jueces de Vigilancia Penitenciaria, así como los Jueces de Menores cuando se trate de una medida impuesta de conformidad con la Ley Orgánica reguladora de la responsabilidad penal de los menores. En los supuestos en los que no se haya dado inicio al cumplimiento de la condena, será autoridad competente el tribunal que hubiera dictado la sentencia en primera instancia.

2. La autoridad competente para reconocer y acordar la ejecución de una resolución por la que se impone una pena o medida privativa de libertad será el Juez Central de lo Penal. Para llevar a cabo la ejecución de la misma, será competente el Juez Central de Vigilancia Penitenciaria, vid. Art. 86 de la Ley 23/2014, de 20 de noviembre, de reconocimiento mutuo de resoluciones penales en la Unión Europea. Cuando la resolución se refiera a una medida de internamiento en régimen cerrado de un menor la competencia corresponderá al Juez Central de Menores.

5. Finalmente, el Artículo 77 establece la competencia del Juez Central de lo Penal, quien reconocerá las resoluciones por las que se imponen penas o medidas privativas de libertad transmitidas por otros Estados miembros de la Unión Europea cuando de esta forma se facilite la reinserción social del condenado.

III. EL TÍTULO EJECUTIVO

El inicio de la ejecución penal tiene como presupuesto básico la existencia de un título ejecutivo. Aquí se muestra una de las diferencias más importantes con el proceso civil, pues en éste, al regir el principio dispositivo, se requiere además del título que el ejecutante inste la ejecución. Sin embargo, en el proceso penal, basta con constatar la concurrencia del título ejecutivo para que el órgano jurisdiccional competente funcionalmente inicie de oficio la ejecución de la sentencia de condena (art. 988, II LECRIM).

El título ejecutivo es el documento en que consta la sentencia firme, es decir, es el documento público que contiene la declaración de voluntad irrevocable de un órgano jurisdiccional de que una persona sea sometida a una pena o a una medida de seguridad. Las leyes procesales lo llaman ejecutoria o documento público y solemne, llamativamente encabezado en nombre del Rey, que contiene la sentencia (arts. 245.4 LOPJ y 141, VI y 143 LECRIM).

Por consiguiente, sólo la sentencia firme es título ejecutivo, no siéndolo cualquier otra sentencia u otro título judicial o extrajudicial. Y sólo la de condena, es decir, la sentencia absolutoria no tiene ejecución, su acomodación a la realidad se resuelve con un levantamiento o cesación de medidas cautelares anteriormente aplicadas. Y si la sentencia contuviera condena en costas, es evidente que no se trata de ejecución de la sentencia absolutoria, sino de ejecución de la condena en costas, en tanto es uno de los contenidos económicos posibles de la sentencia penal, al ser efecto del proceso.

Hay que destacar que en el proceso penal no existe ejecución provisional, pues todos los recursos contra la sentencia definitiva tienen efecto suspensivo, y las penas no pueden ejecutarse sino en virtud de sentencia firme (arts. 3.1 CP y 988 LECRIM). Existe, no obstante, una situación anómala en el art. 861 bis, b) LECRIM, puesto que puede iniciarse la ejecución respecto a los condenados no recurrentes, que luego pueden resultar absueltos o condenados a una pena menor por el efecto extensivo del recurso de casación (v. art. 903 LECRIM).

Una vez formado el título ejecutivo, el órgano jurisdiccional competente procede, de oficio, a realizar los actos legal y reglamentariamente contemplados para la ejecución de las penas impuestas. No está, por tanto, prevista, ni se requiere, pretensión ejecutiva alguna.

En concreto, tratándose de penas privativas de libertad:

1. Debe adoptar sin dilación las medidas oportunas para el ingreso del condenado en el correspondiente establecimiento, requiriendo el auxilio de las autoridades administrativas. La competencia del órgano jurisdiccional hasta el momento del ingreso es exclusiva (art. 990 LECRIM). La LO 1/2015, de 30 de marzo, introduce en dicho precepto un nuevo párrafo 4, para los supuestos de delitos contra la Hacienda pública, contrabando y contra la Seguridad Social.

2. Debe remitir, en cualquier caso, al director del establecimiento donde haya ingresado el condenado o se encuentre en situación de prisión provisional, testimonio de la ejecutoria y de la liquidación de la condena (art. 15.1 Rto. LGP, que sigue siendo poco claro respecto a estos extremos, pero así se hace en la práctica y se desprende también del art. 16.3 Rto. LGP).

IV. INCIDENTES DE LA EJECUCIÓN

La LO 1/2015, por la que se modifica la LO 10/1995 del CP, introduce un buen número de modificaciones, también en esta concreta materia. Con motivo de la ejecución de sentencias penales de condena pueden surgir cinco tipos de incidentes: El provocado por la suspensión de la condena; la sustitución de la pena privativa de libertad (antes llamada remisión condicional de ciertas penas privativas de libertad); el de revisión del título ejecutivo por conexión de delitos; la suspensión de la ejecución penal por trastorno mental del condenado; y la suspensión de la ejecución por admisión a trámite del recurso de amparo, o petición de indulto.

A) Suspensión de condena

Se regula en el CP. La ejecución de la pena privativa de libertad puede quedar en suspenso, por semejanza con el sistema anglosajón de la «probation», cuyo fin principal es evitar la cárcel por delitos menores, facilitando la rehabilitación y resocialización del delincuente, cuando tenga una duración breve y la menor peligrosidad criminal del condenado lo aconseje, de acuerdo con resolución motivada del órgano jurisdiccional sentenciador (art. 80.1 CP, y STC 115/1997, de 16 de junio). La LO 1/2015, introdujo un nuevo artículo, el 78 bis, con la siguiente redacción:«1. Cuando el sujeto haya sido condenado por dos o más delitos y, al menos, uno de ellos esté castigado por la ley con pena de prisión permanente revisable,...», incorporando nuevos requisitos para la suspensión.

Al respecto deben ser tenidas en cuenta las siguientes cuestiones:

> Presupuestos: El art. 80 establece los presupuestos para poder dejar en suspenso la ejecución:«2. Serán condiciones necesarias para dejar en suspenso la ejecución de la pena, las siguientes:
>
> 1.ª Que el condenado haya delinquido por primera vez. A tal efecto no se tendrán en cuenta las anteriores condenas por delitos imprudentes o por delitos leves, ni los antecedentes penales que hayan sido cancelados, o debieran serlo con arreglo a lo dispuesto en el artículo 136. Tampoco se tendrán en cuenta los antecedentes penales correspondientes a delitos que, por su naturaleza o cir-

cunstancias, carezcan de relevancia para valorar la probabilidad de comisión de delitos futuros.

2.ª Que la pena o la suma de las impuestas no sea superior a dos años, sin incluir en tal cómputo la derivada del impago de la multa.

3.ª Que se hayan satisfecho las responsabilidades civiles que se hubieren originado y se haya hecho efectivo el decomiso acordado en sentencia conforme al artículo 127.

Este requisito se entenderá cumplido cuando el penado asuma el compromiso de satisfacer las responsabilidades civiles de acuerdo a su capacidad económica y de facilitar el decomiso acordado, y sea razonable esperar que el mismo será cumplido en el plazo prudencial que el juez o tribunal determine. El juez o tribunal, en atención al alcance de la responsabilidad civil y al impacto social del delito, podrá solicitar las garantías que considere convenientes para asegurar su cumplimiento.»

El art. 81 establece: «El plazo de suspensión será de dos a cinco años para las penas privativas de libertad no superiores a dos años, y de tres meses a un año para las penas leves, y se fijará por el juez o tribunal, atendidos los criterios expresados en el párrafo segundo del apartado 1 del artículo 80.

En el caso de que la suspensión hubiera sido acordada de conformidad con lo dispuesto en el apartado 5 del artículo anterior, el plazo de suspensión será de tres a cinco años.». La suspensión es decretada, previa audiencia de las partes, por el órgano jurisdiccional sentenciador, atendidas las circunstancias, las características del hecho y la duración de la pena, art. 80. Se trata de una facultad discrecional judicial, y no consecuencia de un mandato legal, afectando exclusivamente a la pena, y nunca a la responsabilidad civil, art. 80. El artículo 82.1 queda redactado como sigue:

«1. El juez o tribunal resolverá en sentencia sobre la suspensión de la ejecución de la pena siempre que ello resulte posible. En los demás casos, una vez declarada la firmeza de la sentencia, se pronunciará con la mayor urgencia, previa audiencia a las partes, sobre la concesión o no de la suspensión de la ejecución de la pena.»

Revocación: El art, 86, de nueva redacción, prevé la revocación de la suspensión y sus consecuencias. En cuanto a los efectos de la suspensión, vid. Art. 85. En cuanto a la cancelación de antecedentes penales, vid., art. 136 CP, de nueva redacción.

B) Sustitución de la pena privativa de libertad

La LO 1/2015, suprimió al art. 88 CP, y los supuestos de sustitución que contemplaba, y reguló el incidente que analizamos en el reformulado art. 89, concebido para ciudadanos extranjeros condenados a penas de prisión de más de un año, y consistente en la expulsión de territorio español.

En relación con el procedimiento para su adopción, establece el propio art. 89:

3. El juez o tribunal resolverá en sentencia sobre la sustitución de la ejecución de la pena siempre que ello resulte posible. En los demás casos, una vez declarada la firmeza de la sentencia, se pronunciará con la mayor urgencia, previa audiencia al Fiscal y a las demás partes, sobre la concesión o no de la sustitución de la ejecución de la pena.

El art. 71 CP regula un supuesto de sustitución obligatoria en relación con las penas de prisión inferiores a tres meses.

C) Revisión de títulos ejecutivos para el cumplimiento de penas impuestas por delitos conexos

El art. 76 CP, que regula la penalidad de delitos en concurso real, fue modificado por la LO 1/2015, que introdujo una nueva letra e), en el apartado 1 y modificando el apartado 2 en los siguientes términos:

> «e) Cuando el sujeto haya sido condenado por dos o más delitos y, al menos, uno de ellos esté castigado por la ley con pena de prisión permanente revisable, se estará a lo dispuesto en los artículos 92 y 78 bis.»
>
> «2. La limitación se aplicará aunque las penas se hayan impuesto en distintos procesos cuando lo hayan sido por hechos cometidos antes de la fecha en que fueron enjuiciados los que, siendo objeto de acumulación, lo hubieran sido en primer lugar.»

Para fijar el límite del cumplimiento, habrá que proceder a la revisión de los títulos ejecutivos, como se determina en el art. 988, III LECRIM: «Cuando el culpable de varias infracciones penales haya sido condenado en distintos procesos por hechos que pudieron ser objeto de uno solo, conforme a lo previsto en el art. 17 de esta Ley», el órgano jurisdiccional «que hubiera dictado la última sentencia, de oficio, a instancia del Ministerio Fiscal o del condenado, procederá a fijar el límite de cumplimiento de las penas impuestas conforme al dispuesto en el art. 76 Código Penal.» Para ello, dictará un auto en el que se relacionarán todas las penas impuestas al reo, determinando el máximo de cumplimiento de las mismas. Contra tal auto podrán el MF y el condenado interponer recurso de casación por infracción de ley. Al respecto, vid., art. 86 de la Ley 23/2014, de 20 de noviembre, de reconocimiento mutuo de resoluciones penales en la UE.

D) Suspensión de la ejecución por trastorno mental del condenado

Por carecer de sentido la ejecución de la pena de prisión cuando el condenado cae en estado de trastorno mental, al ser imposible poder cumplir los fines previstos en el art. 25.2 CE, regula la LECRIM en sus arts. 991 a 994 un incidente, dividido en una fase administrativo penitenciaria y en otra fase jurisdiccional, tendente a acreditar si el condenado sufre efectivamente el trastorno mental, y, en caso afirmativo, a proceder a suspender la ejecución y determinar los efectos de la misma.

Las disposiciones de la LECRIM, notablemente arcaicas, deben ser completadas, cuando no estimarse derogadas, por la nueva normativa penitenciaria. No conviene tampoco dejar de lado una atenta observación de la realidad, que aporta en este punto no pocas alteraciones. Veámoslas:

1. *El expediente informativo:* En el momento la autoridad de ejecución es decir, hoy el director del establecimiento penitenciario, tenga conocimiento de la posibilidad de que un condenado sufra alteraciones psíquicas, debe ordenar inmediatamente la formación de un expediente, de naturaleza administrativa, cuyo único fin es valorar si la sospecha tiene visos de ser cierta (arts. 991 y 992 LECRIM).

Si este informe confirmara las sospechas, se procederá a la emisión de un dictamen psiquiátrico, trasladando al condenado a un centro adecuado, previa recomendación del técnico. Confirmándose las sospechas, y una vez remitidos los informes elaborados al director del establecimiento, éste recomendará su traslado a un centro psiquiátrico penitenciario.

Ordenado en su caso por la Dirección General el ingreso del condenado en el centro psiquiátrico, éste debe formar el expediente a que se refiere el art. 991 LECRIM, remitiéndolo directamente hoy al JVP, con lo que se da paso a la fase jurisdiccional.

2. *El incidente de enajenación mental:* Formado el expediente citado anteriormente, el JVP debe resolver el incidente o crisis de la ejecución de la pena privativa de libertad, fundamentalmente conforme a las reglas de los arts. 993 y 994 LECRIM, 60 CP, 36 a 40 LGP, y 185 a 191 Rto. LGP, entre otros. Así, el JVP, conforme a lo dispuesto en el art. 992 LECRIM, deberá realizar estas dos actuaciones:

a) Ordenar la práctica de diligencia psiquiátrica, sin perjuicio de la que ya conste en el expediente (arts. 456 y ss., y 723 a 725 LECRIM), para determinar científicamente, con intervención de las partes, la existencia o no de la enfermedad mental.

b) Dar audiencia al MF, a quien fue acusador particular en la causa y al defensor del condenado, para que manifiesten su opinión acerca del expediente administrativo remitido (art. 993 LECRIM, primer inciso). A continuación, se procede conforme a lo dispuesto en los arts. 993 y 994 LECRIM.

En su caso, el JVP ordenará la suspensión de la ejecución de la pena de prisión y que el interno reciba el tratamiento médico adecuado hasta que sane, pudiendo acordar una medida de seguridad privativa de libertad entretanto, art. 60.1 CP, comenzando el tiempo de prescripción de la pena y la misma norma contempla también la suspensión de penas privativas de derechos. Si el interno se cura antes de que se produzca la prescripción, cumple el tiempo que le quedaba al momento de producirse el trastorno, salvo que el órgano jurisdiccional sentenciador, por razones de equidad, pueda darla por extinguida o reducirla, al considerar que su cumplimiento es innecesario o contraproducente, art. 60.2 CP.

E) Suspensión de la ejecución por admisión a trámite del recurso de amparo o petición de indulto

El último incidente de la ejecución que se puede producir es debido a que, en determinados casos, el Tribunal Constitucional suspende la ejecución de la sentencia firme de condena al admitir a trámite el recurso de amparo. Según su propia doctrina, son requisitos para ello, básicamente, que la ejecución de la resolución cause un perjuicio tal que haga perder al amparo su finalidad, además de la irreparabilidad para los derechos fundamentales del condenado que implicaría la ejecución, tomando como baremos la gravedad de los hechos imputados, el bien jurídico protegido, su trascendencia social, la duración de la pena impuesta y el tiempo que reste de cumplimiento de la misma, si bien el criterio general debe ser la no suspensión (AA TC 81/1981; 36/1983; 143/1992; 284/1995; 50/1996; 310/1996; 349/1996; y 33/1998).

El art. 4.4 CP atiende además a la suspensión de la ejecución por petición de indulto.

V. TERMINACIÓN DE LA EJECUCIÓN

Respecto a la terminación de la ejecución podemos distinguir sistemáticamente entre causas normales de terminación o intrínsecas al cumplimiento de la pena, y causas anormales o externas.

A) Causa normal: Cumplimiento de la condena

El cumplimiento completo de la pena es la única causa normal de terminación. A este respecto, hay que decir que, por lo que afecta a los condenados a penas de prisión, se requiere la aprobación de la libertad definitiva por el tribunal sentenciador (art. 24.1 Rto. LGP). El procedimiento de excarcelación se detalla en los arts. 22, y 24 a 30 Rto. LGP.

B) Causas anormales: muerte, prescripción, indulto, perdón del ofendido, anulación de sentencia

Doctrinalmente se citan como causas anormales de terminación de la ejecución penal la muerte del reo, la prescripción de la pena o medida de seguridad (la del delito ha sido tratada ya en este mismo tomo), el indulto, el perdón del ofendido y la sentencia estimatoria de la revisión o del amparo constitucional en su caso.

1. *Muerte del condenado:* Si la muerte del culpable extingue la acción penal (art. 115 LECRIM), con mayor razón provocará la extinción de la ejecución penal. Así, el art. 130-1.° CP declara que la responsabilidad penal se extingue por la muerte del reo, afectando esta causa a toda clase de penas.

2. *Prescripción de la pena o medida:* Las penas impuestas por sentencia firme prescriben entre el año y los 30 años, de acuerdo con la tabla del art. 133.1 CP modificado en 2003 y no prescribiendo en ningún caso las penas por delito de lesa humanidad, de genocidio, y por los delitos contra personas y bienes protegidos en caso de conflicto armado, art. 133.2, también modificado en 2003.

El tiempo de prescripción de la pena se computa desde la fecha de la sentencia firme, o desde el quebrantamiento de condena, si ésta hubiera comenzado a cumplirse, art. 134 CP, al que la LO 1/2015 añade un segundo apartado, con la siguiente redacción:

> «2. El plazo de prescripción de la pena quedará en suspenso:
>
> a) Durante el período de suspensión de la ejecución de la pena.
>
> b) Durante el cumplimiento de otras penas, cuando resulte aplicable lo dispuesto en el artículo 75.»

Al respecto, vid. SS TC 57/2008, de 28 de abril, entre otras, con los matices de las SS TC 35/2014, de 25 de marzo; y 49/2014, de 7 de abril).

3. *Indulto:* Esta medida de gracia, fundada en el art. 62, i) CE y en el art. 18.3 LOPJ, es una de las causas de extinción de la responsabilidad criminal que trata del CP de 1995 en su art. 130.

4. *Perdón del ofendido*: La LO 1/2015 modificó los numerales 3.° y, en lo que al perdón del ofendido concierne, 5.° del apartado 1 del artículo 130, que queda redactado como sigue:

> «5.° Por el perdón del ofendido, cuando se trate de delitos leves perseguibles a instancias del agraviado o la ley así lo prevea. El perdón habrá de ser otorgado de forma expresa antes de que se haya dictado sentencia, a cuyo efecto el juez o tribunal sentenciador deberá oír al ofendido por el delito antes de dictarla.
>
> En los delitos contra menores o personas con discapacidad, necesitadas de especial protección, los jueces o tribunales, oído el Ministerio Fiscal, podrán rechazar la eficacia del perdón otorgado por los representantes de aquéllos, ordenando la continuación del procedimiento, con intervención del Ministerio Fiscal, o el cumplimiento de la condena.
>
> Para rechazar el perdón a que se refiere el párrafo anterior, el juez o tribunal deberá oír nuevamente al representante del menor o persona con discapacidad necesitada de especial protección.»

5. *Anulación de la sentencia firme de condena mediante el proceso de revisión, por extinción de la condena por declaración de inconstitucional de una ley, o por otorgamiento de amparo constitucional:* En efecto, la

sentencia rescindente dictada en revisión por la Sala II TS puede producir como efecto directo la extinción anormal de la ejecución, pero únicamente en el caso de supervivencia de la víctima de un homicidio, con base en el art. 958, II LECRIM, dado que el efecto directo debería ser la puesta en libertad del reo. En todos los demás supuestos, al tenerse que acudir al juicio rescisorio, cambia el estatus de la persona, convirtiéndose de nuevo en imputado y quedando suspendida la ejecución hasta que se dicte sentencia en ese juicio (v. los arts. 958, I, III y IV; y 960, I LECRIM).

También en el caso de que la revisión se haya basado en el art. 40.1 LOTC (inconstitucionalidad de la ley penal aplicada), resulta la extinción anormal si el reo es puesto en libertad por haberse producido la exención de responsabilidad criminal o la despenalización del hecho. A iguales conclusiones hay que llegar en determinados supuestos de otorgamiento de amparo constitucional (v. art. 55.1, a) LOTC).

VI. LA EJECUCIÓN DE LAS PENAS PRIVATIVAS DE LIBERTAD

A) Principios constitucionales

De acuerdo con el art. 25.2 CE, las penas privativas de libertad (y las medidas de seguridad) deben ejecutarse teniendo como metas irrenunciables del sistema, la reeducación y reinserción social del condenado, gozando éste de todos los derechos fundamentales reconocidos por la norma fundamental, salvo aquéllos que, como el de libertad, puedan verse limitados por el contenido del fallo condenatorio, el sentido de la pena y la ley penitenciaria (v. arts. 4 y 5 Rto. LGP). Particularmente se le reconocen el derecho al trabajo remunerado, incluida la afiliación a la seguridad social, el derecho de acceso a la cultura y el derecho al desarrollo íntegro de su personalidad.

A estos efectos, los establecimientos penitenciarios se clasifican en establecimientos de preventivos, establecimientos de cumplimiento de penas, y establecimientos especiales (centros hospitalarios, centros psiquiátricos y centros de rehabilitación social (arts. 7 a 11 LGP, desarrollados por los arts. 10 a 14 Rto. LGP).

Es muy relevante y digno de mención, el refuerzo del estatus de la víctima, aunque ésta no se hubiera mostrado parte en la causa, en relación con la ejecución en general y con la ejecución de penas privativas de libertad en particular, que consagra la *Ley 4/2015, de 27 de abril, del Estatuto de la víctima del delito*.

B) Actos preparatorios de la ejecución

Al órgano jurisdiccional le corresponde, antes de iniciarse el cumplimiento de la pena privativa de libertad:

1. Adoptar las medidas necesarias para el ingreso del condenado en el establecimiento penitenciario que corresponda, contando a estos efectos con la colaboración de las autoridades administrativas penitenciarias. El ingreso se realizará mediante la correspondiente orden o mandamiento (art. 15.1 Rto. LGP). Tras la reforma operada por la LO 1/2015, para alcanzar otros fines complementarios en relación con determinados delitos, v. gr., contra la Hacienda pública, como son la investigación del patrimonio, serán auxiliados los jueces y tribunales por los órganos de recaudación de la administración tributaria o la Seguridad Social, art. 990, LECRIM.

2. Aunque no se diga ahora tampoco claramente, según lo indicado *supra,* el órgano jurisdiccional sentenciador deberá remitir al director del establecimiento penitenciario copia de la sentencia firme (en cuyo fallo se expresa la cantidad de años, meses y días a cumplir por el condenado), y la liquidación de la condena (que practica el letrado de la administración de justicia, en donde se expresa la determinación concreta de la duración de la pena impuesta, previa deducción en su caso del tiempo de prisión provisional pasado y la fijación de los términos inicial y final de cumplimiento).

3. En caso de delitos conexos, téngase en cuenta la disposición del art. 988, III LECRIM.

> La ejecución de la pena privativa de libertad se cumple generalmente a través de un sistema progresivo. El sistema progresivo se basa en el sistema de individualización científica, el recogido en las más avanzadas legislaciones, caracterizado por un estudio particularizado de cada interno por una serie de especialistas, los que componen los equipos técnicos de tratamiento y observación (Junta de Tratamiento y Equipos Técnicos, v. arts. 272 y ss. Rto. LGP), con el fin de determinar el tipo criminológico, el diagnóstico de capacidad criminal y de adaptabilidad social y la propuesta razonada de grado de tratamiento (sistema progresivo), y de destino al tipo de establecimiento que corresponda (arts. 74.2 LGP y 20.2 Rto. LGP). En suma, se trata de individualizar al penado para clasificarlo en uno de los cuatro grados que contempla el sistema progresivo.

C) La pena de prisión y sus diferentes grados

Los principios básicos de la ejecución de la pena de prisión antedichos se contienen, además de en el art. 25.2 CE, en el art. 36 CP de 1995, modificado por la reforma operada por la LO 1/2015, de 30 de marzo, que introdujo, en la nueva redacción del art. 33.2 CP, como pena privativa de libertad grave, la denominada prisión permanente revisable, que cuenta con una muy significativa oposición, que entiende que no encaja en nuestro diseño constitucional, y más específicamente que no es compatible con sus principios y, por tanto, que vulnera el art. 25.2 CE.

1. Primer grado o de régimen cerrado, que se redefine, para penados de peligrosidad extrema o inadaptados, y preventivos en estos casos (arts. 89 a 95 Rto.LGP);

2. Segundo grado o de régimen ordinario, para penados distintos a los anteriores, detenidos y presos provisionales (arts. 76 a 79 Rto.LGP);

3. Tercer grado o de régimen abierto, para penados que puedan continuar el tratamiento en régimen de semi libertad (arts. 80 a 88 Rto.LGP). El penado, para poder pasar al tercer grado, deberá satisfacer la responsabilidad civil fijada en la sentencia. En caso de condenados por delitos de terrorismo o por pertenencia a organizaciones criminales, el paso al tercer grado está condicionado además a su arrepentimiento creíble, al cumplimiento de la mitad de la pena impuesta, si es superior a 5 años, y al cumplimiento de una serie de condiciones adicionales, art. 36.2 CP. Vid., además, art. 13 de la Ley 4/2015, de 27 de abril, del Estatuto de la víctima del delito, que faculta a la víctima a recurrir la resolución que autoriza el tercer grado.

4. Cuarto grado o de libertad condicional, se concede a los penados siempre que concurran los siguientes presupuestos: Que se encuentren en tercer grado penitenciario, que hayan extinguido las tres cuartas partes de la condena (excepcionalmente dos terceras partes), y que hayan observado buena conducta gozando de un pronóstico individualizado y favorable a la reinserción social. Los arts. 90 y 91 CP, también modificados por la tan mencionada LO 1/2015, recogen a su vez los requisitos establecidos para alcanzar la libertad condicional. El art. 90 CP, en particular, introduce para los condenados por delitos de terrorismo o cometidos en el seno de organizaciones criminales, las siguientes precisiones:

> «8. En el caso de personas condenadas por delitos cometidos en el seno de organizaciones criminales o por alguno de los delitos regulados en el Capítulo VII del Título XXII del Libro II de este Código, la suspensión de la ejecución del resto de la pena impuesta y concesión de la libertad condicional requiere que el penado muestre signos inequívocos de haber abandonado los fines y los medios de la actividad terrorista y haya colaborado activamente con las autoridades, bien para impedir la producción de otros delitos por parte de la organización o grupo terrorista, bien para atenuar los efectos de su delito, bien para la identificación, captura y procesamiento de responsables de delitos terroristas, para obtener pruebas o para impedir la actuación o el desarrollo de las organizaciones o asociaciones a las que haya pertenecido o con las que haya colaborado, lo que podrá acreditarse mediante una declaración expresa de repudio de sus actividades delictivas y de abandono de la violencia y una petición expresa de perdón a las víctimas de su delito, así como por los informes técnicos que acrediten que el preso está realmente desvinculado de la organización terrorista y del entorno y

actividades de asociaciones y colectivos ilegales que la rodean y su colaboración con las autoridades.»

Competente para acordarla es el JVP, una vez desarrollado el expediente regulado en los arts. 194, 195 y 198 a 200 Rto. LGP, quien puede imponer algunas de las reglas de conducta de las previstas en el art. 105 (art. 90.2). El período de libertad condicional dura todo el tiempo que falte al sujeto para cumplir su condena, revocándose en caso de que el condenado vuelva a delinquir o ignore las reglas de conducta impuestas.

La STS de 28 de febrero de 2006 (RA 467, *caso Parot*) ha sentado nuevos criterios en materia de beneficios penitenciarios, muy discutibles porque pueden vulnerar el principio de prohibición de retroactividad de las leyes penales desfavorables, para el cómputo del tiempo a cumplir en prisión antes de su puesta en libertad condicional respecto de condenados por múltiples actos terroristas muy graves. Esta doctrina ha sido aplicada recientemente, aunque en aspectos puramente formales, por la STC 39/2012, de 29 de marzo y concordantes, para algunos presos de ETA. Pero la STEDH de 21 de octubre de 2013 (*caso Del Río Prada v. España*) ha declarado que la doctrina Parot vulnera el art. 7 CEDH (principio de legalidad de las penas), lo que implica *de facto* su inviabilidad jurídica.

VII. LA EJECUCIÓN DE LAS DEMÁS PENAS

A) Penas pecuniarias

La ejecución de la pena de multa se regula en los arts. 50 a 53 CP, reformados, que presentan la novedad de acogerse al sistema de días multa, por ser el más justo, se dice, al tener en consideración principalmente los ingresos y posibilidades económicas del condenado, aunque es algo complejo.

La extensión mínima de la pena de multa será de 10 días, y la máxima de 2 años, salvo que sea sustitutiva de otra pena. La extensión del tiempo se fija atendiendo a las reglas generales de aplicación de las penas (art. 50.5).

La cuota diaria tendrá un mínimo de 1,20 euros, y un máximo de 400 euros, entendiéndose a efectos de cómputo que los meses tienen una duración de 30 días y los años de 360. La fijación concreta está en función no de las reglas generales, como el tiempo, sino de la capacidad económica del condenado, dependiendo del arbitrio judicial, que deberá ser motivado en la sentencia, en la que se fijará exactamente el importe de la cuota en función de las circunstancias económicas del condenado y también personales, el tiempo y forma de pago, pudiéndose reducir en caso de variar la situación económica del pasado a peor. Pero hay que tener en cuenta que cuando el CP así lo determine, la multa puede fijarse en función del daño causado, el valor del objeto del delito o el beneficio reportado por el mismo, pudiendo los tribunales recorrer toda la extensión en que la Ley permita imponerlas (la llamada multa proporcional).

La LO 1/2015, de 30 de marzo, modificó el apartado 1 del artículo 53, para el caso de no cumplimiento voluntario, quedando redactado como sigue:

> «1. Si el condenado no satisficiere, voluntariamente o por vía de apremio, la multa impuesta, quedará sujeto a una responsabilidad personal subsidiaria de un día de privación de libertad por cada dos cuotas diarias no satisfechas, que, tratándose de delitos leves, podrá cumplirse mediante localización permanente. En este caso, no regirá la limitación que en su duración establece el apartado 1 del artículo 37.
>
> También podrá el juez o tribunal, previa conformidad del penado, acordar que la responsabilidad subsidiaria se cumpla mediante trabajos en beneficio de la comunidad. En este caso, cada día de privación de libertad equivaldrá a una jornada de trabajo.»

La ejecución en España de resoluciones de países de la Unión Europea, incluyendo sanciones pecuniarias consecuencia de una infracción penal, tiene normas específicas previstas en Ley 23/2014, de reconocimiento mutuo de resoluciones penales en la Unión Europea, que deroga la Ley 1/2008, de 4 de diciembre.

B) Penas privativas de derechos, penas accesorias y sanciones no penales

1) En cuanto a las penas privativas de derechos, enumeradas en el art. 39, reformado por la LO 1/2015, de 30 de marzo, son las siguientes:

> «Son penas privativas de derechos:
>
> a) La inhabilitación absoluta.
>
> b) Las de inhabilitación especial para empleo o cargo público, profesión, oficio, industria o comercio, u otras actividades determinadas en este Código, o de los derechos de patria potestad, tutela, guarda o curatela, tenencia de animales, derecho de sufragio pasivo o de cualquier otro derecho.
>
> c) La suspensión de empleo o cargo público.
>
> d) La privación del derecho a conducir vehículos a motor y ciclomotores.
>
> e) La privación del derecho a la tenencia y porte de armas.
>
> f) La privación del derecho a residir en determinados lugares o acudir a ellos.
>
> g) La prohibición de aproximarse a la víctima o a aquellos de sus familiares u otras personas que determine el juez o el tribunal.
>
> h) La prohibición de comunicarse con la víctima o con aquellos de sus familiares u otras personas que determine el juez o tribunal.
>
> i) Los trabajos en beneficio de la comunidad.
>
> j) La privación de la patria potestad.»

Finalmente, al establecerse la responsabilidad penal de las personas jurídicas en la reforma de la LO 5/2010, de 22 de junio, el CP ha tenido que fijar sus penas, para cumplir con el principio de legalidad, en el art. 33.7, destacando como es lógico las de naturaleza económica (multa, inhabilitación para obtener subvenciones), y societaria (disolución, suspensión de actividades y clausura).

2) Por lo que a las penas accesorias concierne, para su ejecución deben tenerse en cuenta las reglas fijadas en los arts. 54 a 57 CP, éste último modificado por la LO 1/2015, de 30 de marzo, en las que se pretende una imposición ponderada de las mismas. Es preciso además tener en cuenta las reformas realizadas a la LECRIM como consecuencia de la entrada en vigor de la Ley 4/2015, de 27 de abril, del Estatuto de la víctima del delito, en lo que a los delitos a los que se refiere el art. 57 CP, concierne.

3) Finalmente, la ejecución de lo que para el CP son consecuencias accesorias, es decir, decomiso y sanciones no penales para empresas, organizaciones, grupos o cualquier otra clase de entidades o agrupaciones de personas que carecen de personalidad jurídica, se regula en los arts. 127 a 129 CP, todos ellos reformados por la LO 1/2015, de 30 de marzo, por la que se modifica la Ley Orgánica 10/1995, de 23 de noviembre, del Código Penal. También debe ser tenida en cuenta en este momento, la Disposición adicional cuarta que la propia LO 1/2015, añade a la Ley 23/2014, de 20 de noviembre, de reconocimiento mutuo de resoluciones penales en la UE, relativa a la ejecución de resoluciones de decomiso dictadas por autoridades de terceros Estados no miembros de la Unión Europea.

VIII. LA EJECUCIÓN DEL CONTENIDO CIVIL DE LA SENTENCIA

La estimación en la sentencia firme de la pretensión civil acumulada (restitución de la cosa, reparación del daño o indemnización del perjuicio) se somete, en cuanto al régimen de ejecución, a las disposiciones previstas en la LEC (arts. 536 y 614 LECRIM), concretamente, a las normas sobre ejecución de obligaciones de dar cosa mueble genérica o específica, y a las normas sobre ejecución de obligaciones pecuniarias, con las particularidades que puede introducir en esta materia el art. 112 CP.

La regla general es atender primero al cumplimiento voluntario por parte del condenado de la sentencia, entregando o devolviendo la cosa, o pagando la indemnización fijada, procediéndose a la ejecución en caso contrario por las normas antedichas, sin necesidad de escrito de parte instando el inicio de la ejecución. Existen ello no obstante determinadas particularidades:

1.º) En el proceso ordinario (y hay que entender que en los procesos abreviados y rápidos también, por la disposición del art. 758 LECRIM), las tercerías de dominio o de mejor derecho que puedan suscitarse, se sustanciarán y decidirán con base en la LEC (art. 996 LECRIM).

2.º) Específicamente en los procesos abreviados, dado que es posible que en la sentencia no se haya fijado la cuantía exacta de la indemnización, sino únicamente los criterios generales para determinarla, se arbitra como en el proceso civil un incidente de liquidación, ya en ejecución de sentencia y a instancia de parte, en el que el órgano jurisdiccional resuelve tras la práctica de la prueba y la audiencia de las partes. El auto que fije la cuantía de la responsabilidad civil es apelable sólo si lo ha dictado el JPe (art. 794.1ª LECRIM). Lo mismo para los juicios rápidos (art. 803.3).

3.º) En el juicio de delitos leves se siguen los trámites del juicio verbal civil (art. 984, III LECRIM), siendo posible igualmente el incidente de liquidación de sentencias (art. 974, II LECRIM). Hay que estar, por tanto, a la LEC y normas concordantes.

4.º) El CP de 1995 establece además dos normas particulares relativas a la ejecución de la responsabilidad civil. El primer grupo atiende al orden de prelación en el pago, arts., 126.1-1º, y, en relación con el pago fraccionado, art. 125. Y el segundo a la influencia de la suspensión de la ejecución de la pena en esta materia (arts. 80.3 y 81, modificados por la LO 1/2015, de 30 de marzo.

Es posible la ejecución provisional de los pronunciamientos sobre responsabilidad civil, conforme a lo establecido en la LEC/2000 (art. 989.1 LECRIM), permitiéndose desde la reforma operada por la LO 7/2003, de 30 de junio, que los jueces acudan para ello a las administraciones tributarias (art. 989.2 LECRIM).

El resto de contenidos civiles posibles de la sentencia penal que no constituyen responsabilidad civil ni penas pecuniarias, es decir, las costas y las multas disciplinarias, se ejecutan ante el incumplimiento voluntario por parte del condenado por la vía de apremio, por tanto, por las normas previstas para la ejecución de obligaciones pecuniarias, art. 245 LECRIM, en relación con lo dispuesto en la LEC, teniendo en cuenta el orden de prelación para su pago establecido por el art. 126 CP, cuyo apartado segundo queda, como consecuencia de la reforma operada por la Ley 4/2015, de 27 de abril, del Estatuto de la víctima del delito, redactado como sigue:

> «2. Cuando el delito hubiere sido de los que sólo pueden perseguirse a instancia de parte, se satisfarán las costas del acusador privado con preferencia a la indemnización del Estado. Tendrá la misma preferencia el pago de las costas procesales causadas a la víctima en los supuestos a que se refiere el artículo 14 de la Ley del Estatuto de la Víctima del Delito.».

LECTURAS RECOMENDADAS: GONZÁLEZ CANO, *La ejecución de la pena privativa de libertad,* Valencia, 1994; NAVARRO VILLANUEVA, *Suspensión y modificación de la condena penal,* Barcelona 2002.

LIBRO VII

LOS PROCESOS ORDINARIOS Y LOS ESPECIALES

Lección Vigésimo tercera
Los procesos ordinarios

I. CLASES

Ordinarios
Especialidades procedimentales
Especiales

II. EL PROCEDIMIENTO ORDINARIO:

A) Ámbito: Pena privativa de libertad + 9 años
B) Fases: Sumario, Fase Intermedia y Juicio oral
C) Piezas: 1) Principal; 2) Personal; 3) Responsabilidad civil directa; 4) Responsabilidad civil subsidiaria

III. EL PROCEDIMIENTO ABREVIADO:

A) Regulación (arts. 757 a 794) y Ámbito de aplicación: Pena no superior a 9 años: J. Penal (no superior a 5); AP: más de 5 años y menos de 9.
B) Características: a) Procedimiento tipo; b) Celeridad, reducción y simplificación del procedimiento; c) Víctimas. Fortalecimiento progresivo de sus garantías; d) Garantías del encausado; e) Protagonismo del Ministerio Fiscal; f) Delimitación y afianzamiento de la función de la Policía Judicial.
C) Fases del procedimiento: Diligencias previas y Juicio oral. Potenciación de la conformidad. Cabe sentencia de viva voz.

IV. PROCESO PARA ENJUICIAMIENTO RÁPIDO DE DETERMINADOS DELITOS:

A) Regulación: arts. 795 a 803 LECRIM
B) Naturaleza jurídica: connotaciones especiales, pero es ordinario.
C) Ámbito de aplicación: Tres criterios: a) Gravedad de la pena; b) Modalidad de incoación del procedimiento; c) Concurrencia de una circunstancias: flagrante delito, hecho tipificado en el elenco de delitos como ámbito de este proceso y la facilidad instructora
D) Características: a) Rapidez; b) Fortalecimiento de las funciones de la Policía Judicial; c) Instrucción concentrada en juzgado de Guardia; d) Papel protagonista del Ministerio Fiscal (diligencias urgentes); e) Medidas de protección procesal de los ofendidos y perjudicados; f) Aumento de las competencia del Letrado de Administración Justicia.
E) Fases: A') Investigación; B') Fase preparatoria del juicio oral; C') Juicio oral. Cabe sentencia in voce. Impugnación de sentencia: puede ser firme si se dicta de viva voz o apelación.
F) Ejecución de la sentencia. Se aplica reglas del abreviado

V. PROCEDIMIENTO POR DELITOS LEVES:

A) Procedimiento de doble instancia, sencillo y muy abreviado, fundado en los principios de oralidad, concentración, inmediación y publicidad.
B) Ámbito de aplicación: delitos leves
C) Atestado o denuncia —*notitia criminis*— puede dar lugar a juicio oral, sin exigencia de imputación y sin procedimiento preliminar ni fase intermedia. Elemento esencial: citación de oficio. Se permite el juicio con ausencia de las partes, sin que ello impida la notificación de la sentencia y, en su caso, de la sentencia de apelación
D) Tipos de procedimientos: inmediato y común
E) Característica fundamental: incorpora la potestad del Fiscal para terminar anticipadamente el procedimiento por razones de oportunidad cuando: a) el delito leve resulte de muy escasa gravedad; b) no exista interés público relevante en la persecución del hecho. Se potencia el archivo o sobreseimiento.

I. CLASES

El proceso penal se desarrolla formalmente a través del procedimiento, si bien no existe un único procedimiento sino una varios. Vamos a diferenciar: 1°) Procedimientos ordinarios; 2°) Especialidades procedimentales; y 3°) Procesos especiales.

1.- *Procedimientos ordinarios*: se prevén en principio para todo tipo de hechos punibles, salvo que se determine lo contrario. El criterio que permite la diversidad es la gravedad del hecho delictivo y la pena que lleva aparejada.

2.- *Especialidades procedimentales*: Son particularidades que privilegian a determinadas personas a enjuiciar, a determinados tipos de delito o a la forma en que se cometen. Esos privilegios procedimentales se incorporan al modelo ordinario, y suelen afectar esencialmente a la fase preliminar (Lecc. 24ª).

3.- Procedimientos especiales: Son verdaderos privilegios los que permiten conformar estos procedimientos especiales que se prevén para determinados delitos concretos o con determinadas circunstancias objetivas o personales, quedando regulados algunos en la LECRIM y otros en normas distintas de la LECRIM (Lecc. 25ª).

II. EL PROCEDIMIENTO ORDINARIO POR DELITOS GRAVES

Denominado en el texto original de la LECRIM como procedimiento *ordinario,* en la actualidad ha pasado a convertirse en el "procedimiento ordinario por delitos graves". La LECRIM dedica 500 artículos a su regulación, pese a su inicial configuración como procedimiento "tipo", su actual reducida aplicación práctica ha convertido el procedimiento abreviado en el procedimiento tipo. A través del procedimiento ordinario por delitos graves se conocen los delitos castigados con pena privativa de libertad superior a 9 años.

Se divide en dos períodos: sumario y plenario o juicio oral, aun cuando existe igualmente lo que en la doctrina vino consagrándose como el denominado período intermedio.

A) Sumario

En esta fase, competencia del juez de instrucción, se desarrollan una pluralidad de actuaciones tendentes a investigar los hechos y la persona de su presunto autor, adoptando medidas cautelares que garanticen el juicio oral y la efectividad de la sentencia que en su día se dicte, tanto en relación con la responsabilidad penal como, en su caso, la responsabilidad civil. Comprende desde el auto de iniciación hasta el auto de conclusión, amén de la remisión de la causa al tribunal competente para enjuiciarla y el emplazamiento de las partes.

Se estructuran estas actuaciones en "piezas": 1) *Pieza principal*: diligencias de comprobación del delito y de la averiguación del delincuente. 2) *Pieza personal* o de las medidas cautelares personales. 3) *Pieza de responsabilidad civil* o de las medidas cautelares patrimoniales. 4) Pieza de responsabilidad subsidiaria o de la responsabilidad civil de terceros.

– *Iniciación*. A través del auto de apertura o incoación del sumario por el juez de instrucción, tras la comprobación de la posible veracidad de la *notitia criminis* o tras la admisión de la querella por el juez (arts. 269 y 313).

Se pone en conocimiento del Fiscal de la Audiencia y de su Presidente formándose el sumario (arts. 306 y 308). Se incoa por la instrucción iniciada ante la gravedad de los hechos o bien como consecuencia de las diligencias practicadas en el abreviado inicialmente o en el Jurado (arts. 760 LECRIM y 28 LOTJ).

– *Desarrollo*. Práctica de las diligencias propuestas por el Fiscal, cualquiera de las partes personadas o las propuestas en la querella de no estimarlas innecesarias o perjudiciales.

La resolución denegatoria de las diligencias propuestas en la querella es apelable en ambos efectos; si se solicitaron por las partes, en un solo efecto; y si las solicitó Fiscal que no se halla en el lugar del instructor, puede plantear queja y no apelación. En cualquier caso, cabe reiterar en el juicio oral las diligencias denegadas (arts. 311 y 312).

Del mismo modo, se adoptarán aquellas medidas de aseguramiento de las fuentes o de las personas y también medidas personales y patrimoniales cautelares que garanticen la efectividad del proceso penal y de la ejecución de la sentencia que en su día pueda dictarse.

De las diligencias puede derivarse la concurrencia de algún «indicio racional de criminalidad» contra persona o personas determinadas, dictándose auto de procesamiento (art. 384).

El auto de procesamiento comporta: a) La constitución de parte del procesado; b) La formación de las piezas separadas (de responsabilidad penal, civil o en su caso, subsidiaria). Cabe contra el auto recurso de reforma y contra el denegatorio de la misma, apelación, pudiendo interponerse subsidiariamente. Contra la denegación del procesamiento sólo se concede recurso de reforma; contra la resolución de éste no cabe recurso ulterior, pero puede reproducirse ante la Audiencia la petición de procesamiento.

– *Conclusión del sumario:* Con el "auto de conclusión", remitiendo las actuaciones y piezas de convicción al tribunal competente para el enjuiciamiento de la causa (art. 622).

Dicha resolución se notifica a los acusadores, al procesado y a las demás partes contra quienes resulte responsabilidad civil, emplazándolas ante la Audiencia en el plazo de 10 días, o de 15 si fuere ante el TS, amén de ponerlo en conocimiento del Fiscal (arts. 623 y 624).

Si los hechos fueren constitutivos de delito que deba conocerse por otro procedimiento, se efectuará la remisión al competente, a salvo de los supuestos en que él sea competente para su conocimiento.

B) Fase Intermedia

Concluida la fase sumarial, el instructor remite las actuaciones al tribunal competente para el enjuiciamiento, iniciándose la fase intermedia, cuya finalidad consiste en corroborar o no la declaración de conclusión del sumario, y si se dan o no los presupuestos necesarios para la apertura del juicio oral.

Comienza con la recepción de los autos y piezas de convicción por el tribunal, quien confirma o revoca el auto de conclusión del sumario. Decisión que se traslada al Magistrado ponente, al Fiscal, partes acusadoras y defensa del procesado (arts. 726 y 727).

Puede suceder: a) Que se confirme el auto de conclusión: decide si procede apertura del juicio oral o sobreseimiento, tras la manifestación de las partes al respecto (art. 632); o b) Que se revoque: deben practicarse otras diligencias, y así las propone, en ciertos casos a propuesta de las partes, con devolución del proceso y las piezas de convicción (art. 631).

C) Fase de Plenario o Juicio oral

El auto de apertura del juicio oral supone la iniciación de la fase de plenario, el juicio oral o "verdadero proceso", del que conoce el tribunal sentenciador. En ella se practican los medios de prueba que permitirán fundar la sentencia que en su día se dicte. Se regula en los arts. 649 y siguientes, configurándose como alternativa al sobreseimiento; así, concluida la investigación, o se dicta sobreseimiento o auto de apertura del juicio oral.

– *Preparación del juicio oral.* A) Escritos de calificación provisional de las partes (primero acusadores, y luego procesados y terceros civilmente responsables), con entrega de listas de testigos o peritos que hubieran de declarar o informar de haberse propuesto estas pruebas (art. 662); B) Examen de las pruebas propuestas. Contra la admisión no cabe recurso; contra la inadmisión, cabe súplica (arts. 236) con posibilidad de protesta formal de ser desestimado, a efectos de casación por quebrantamiento de forma (art. 659); C) Citación (lugar, día y hora), a peritos y testigos propuestos (art. 660), y a las partes. Si el procesado se halla preso, se le conduce a la localidad del juicio, siendo la incomparecencia del procesado por falta de citación, motivo de casación (art. 664). El auto se notifica también a fiadores o dueños de cosas dadas en fianza (art. 664).

– *Proposición y sustanciación de cuestiones previas* (art. 666) —de previo pronunciamiento por el tribunal—. Se adjuntan los documentos que las acreditan o se designan los archivos donde se encuentran; si se incumple la aportación, no se suspende el procedimiento (arts. 667 y 668). Los efectos son diversos según la cuestión.

Así: a) Si se estima la declinatoria de jurisdicción, se remiten los autos al competente; si lo es la cosa juzgada, prescripción, amnistía o indulto implica sobreseimiento de la causa, con libertad del procesado. Cabe apelación ante TSJ (art. 676). La falta de suplicatorio es subsanable, con suspensión del procedimiento hasta la subsanación, y si no se hace, nulidad de lo actuado con sobreseimiento libre (art. 677); b) La desestimación supone continuación del proceso a partir de la suspensión. Si es por declinatoria de jurisdicción, cabe apelación; en los demás casos, cabe reproducirlos en el acto de la vista como medio de defensa, pero no cabe recurso (arts. 676 y 678).

– *Celebración de la vista oral en lugar, día y hora señalados*, tras la declaración de apertura del juicio (art. 688).

1. Por el presidente se pregunta al acusado si se confiesa culpable.
2. Dación de cuenta del letrado de la administración de jsticia de hechos y calificaciones (art. 701).
3. Práctica de los medios de prueba. Se practican las del Fiscal, las de los acusadores y las de los acusados por ese orden.
4. Conclusiones definitivas (art. 732).
5. Posible planteamiento de la tesis de desvinculación (art. 733).
6. Informes finales del Fiscal, acusadores particulares y actor civil (en su caso) y de la defensa de los acusados, por ese orden. Tras este trámite solo se permitirá a las partes la rectificación de hechos o conceptos (art. 738).
7. Derecho a la última palabra del acusado (art. 739).
8. Declaración del juicio visto para sentencia (art. 740); sentencia que debe dictarse en los 3 días siguientes a su terminación, siendo recurrible en casación.

III. EL PROCEDIMIENTO ABREVIADO

La incorporación del procedimiento abreviado en el ordenamiento jurídico español se produce por la LO 7/1988, de 28 de diciembre. Esta Ley fue la consecuencia inmediata de la STC 145/1988, de 12 de julio, que declaró la inconstitucionalidad y contrario a la imparcialidad judicial que, en los "procedimiento de urgencia y por delitos dolosos", un mismo juez instruyera y sentenciara. La desaparición de estos procedimientos de urgencia y por delitos dolosos, que habían derivado un buen número de asuntos de las Audiencias Provinciales a los Juzgados de instrucción, generaba incertidumbre ante el posible retorno de competencias a las mismas, y hacía prever un inmediato colapso en su funcionamiento.

A) Regulación

Se regula en el Título III del Libro IV (arts. 757 a 794). La instrucción corresponde a los Jueces de Instrucción —o los Jueces Centrales de Instrucción cuando se trate de delitos previstos en el art. 65—, y el enjuiciamiento es competencia, dependiendo de la pena solicitada, de los Jueces de lo Penal, Jueces Centrales de lo Penal o Audiencia Provincial o Sala Penal de la Audiencia Nacional. Se asumía, por ello, la necesidad de que las dos funciones —instrucción y resolución o fallo— fueren competencia de órganos jurisdiccionales diversos. Se fundamenta en dos ejes:

1.- Por un lado, en la creación del procedimiento abreviado, configurado en atención a la penalidad del delito (pena en abstracto legalmente establecida), diferenciando: abreviados de órgano unipersonal, y abreviados de Audiencias.

2.- Y, en segundo lugar, en la creación de órganos unipersonales nuevos, los Juzgados de lo Penal y Juzgados Centrales de lo Penal, a los que se atribuyó el enjuiciamiento, manteniendo la instrucción en sede de los Juzgados de Instrucción.

Es el procedimiento tipo, subsidiario de los demás procedimientos, lo que no es óbice a la aplicación al abreviado de forma subsidiaria igualmente las normas generales de la LECRIM propias del ordinario (arts. 758; 761; 769; 771.2; 776 y 784.3).

B) Ámbito de aplicación

A través del abreviado se conocen los delitos castigados con pena privativa de libertad no superior a 9 años, o bien con cualesquiera otras penas de distinta naturaleza, bien sean únicas, conjuntas o alternativas, cualesquiera que fuera su cuantía y duración (arts. 757 en relación con el 14 LECRIM). La atribución de competencias entre los Juzgados de lo Penal y las Audiencias Provinciales (o Centrales de lo Penal y Audiencia Nacional) se realiza según los siguientes criterios:

1.º) Los Juzgados de lo Penal o Juzgados Centrales de lo Penal, en su ámbito, conocerán de las causas por delitos castigados con pena privativa de libertad no superior a 5 años; con multa, independientemente de su cuantía, o con cualquier otra pena de diferente naturaleza a las anteriores siempre que su duración no exceda de 10 años, cualquiera que sea la forma en que hubiera de aplicarse (como única o conjunta o alternativamente con otras).

2.º) Las Audiencias Provinciales o Audiencia Nacional, de los delitos castigados con penas que, excediendo de los límites que señalan la competencia de los JP, no superen el ámbito propio de este procedimiento.

Asimismo, el procedimiento abreviado se aplicará para la tramitación de las causas por hechos delictivos que lleven aparejados penas de las anteriormente expuestas, y que se sigan contra aforados ante el Tribunal Supremo o ante los Tribunales Superiores de Justicia.

C) Notas características del procedimiento abreviado

a) Procedimiento tipo

Es un procedimiento ordinario indudablemente, que se ha ido paulatinamente convirtiendo en el modelo procedimental tipo, sin perjuicio de remisión a algunos preceptos del procedimiento ordinario. Debe destacarse que algunos de los preceptos del procedimiento ordinario han sido interpretados por la Jurisprudencia desde la práctica del abreviado.

b) Celeridad, reducción y simplificación del procedimiento

Finalidad de este procedimiento fue la de agilizar su desarrollo, así como simplificar y reducir algunos trámites —respecto el ordinario que no solo no impliquen detrimento de las garantías procesales, sino que las favorecen. Las diferencias con el ordinario por delitos graves son:

1º) No existe en el abreviado auto de procesamiento, siendo el instructor quien estima la concurrencia o no de elementos suficientes para la apertura del juicio oral (art. 783.1).

2º) Resolución más sencilla, más ágil y sobre todo menos duradera, de las posibles cuestiones de competencia que se puedan plantear (art. 759).

3º) La acusación se articula a través de dos actos: el escrito de acusación, con el contenido de la calificación provisional del ordinario (art. 650.I), más la solicitud de la apertura del juicio oral ante el órgano competente; y el segundo, después de practicada la prueba en el juicio oral, en el que las partes deben calificar de forma definitiva (arts. 781 y 788.3 y 4). Se habilita el posible aplazamiento de la sesión —hasta el límite de diez días—, a petición de la defensa, si se requiere más tiempo para poder aportar los elementos de descargo y probatorios que se estimen necesarios. No implica suspensión en todo caso, sino solo cuando la acusación modifique en este acto la tipificación penal de los hechos, o aprecie un mayor grado de participación o de ejecución, o circunstancias de agravación de la pena. Tras la práctica de nueva prueba es posible (art. 788.4 *in fine)* que las partes acusadoras modifiquen sus conclusiones definitivas.

4°) Se incorpora un trámite esencial: el saneamiento previo en la vista oral para cuestiones previas al proceso (art. 786.2); se resuelve en el mismo acto, sin posibilidad de recurso, pudiendo protestar y reproducirla en el recurso frente a la sentencia.

5°) Se potencia el consenso en el abreviado. Por un lado, se regula el reconocimiento de hechos en el procedimiento preliminar (art. 779.1-5°) (vid. Lecc 14ª); y, por otro lado, se consolida e impulsa la conformidad del acusado, tanto con el escrito de acusación (art. 781) ante el Juez de Instrucción, o también la conformidad prestada en el acto del juicio oral ante el órgano del enjuiciamiento (art. 787) (vid. Lecc. 14ª).

6°) En el régimen de suspensión de la vista: desaparece alguna de las causas de suspensión, la restricción del efecto anulatorio de las que exceden de 30 días, salvo cuando afecte a cambios en el tribunal, admitiéndose como suficiente para suspender la vista que se formule solicitud de la defensa para poder proponer pruebas complementarias (art. 788) (Lecc. 17ª).

7°) Es posible la realización de la vista en ausencia del acusado (Lecc. 4ª). Se pretende evitar dilaciones inútiles que puedan afectar a las víctimas o perjudicados por el delito (art. 786.1, II).

8°) Se impulsa el auxilio judicial (art. 762).

9°) Se eliminan algunos trámites o actuaciones, tales como: a) La querella para mostrarse parte los ofendidos o perjudicados (art. 761.2ª); b) El título oficial para los intérpretes (art. 762.8ª); c) En caso de robo, hurto, estafa, etc. la información sobre la preexistencia de las cosas, salvo si el instructor tuviera dudas (art. 762.9ª); d) Sólo se exigirá certificado de nacimiento del encausado si no puede determinarse su identidad y edad por otros medios (DNI, pasaporte...), sin que ello suponga la suspensión del procedimiento preliminar; e) El informe pericial puede prestarlo un solo perito (art. 778.1), y asimismo sólo se procede a practicar autopsia cuando se estime la insuficiencia del dictamen del forense —o de quien haga sus veces— sobre la causa y las circunstancias relevantes de la muerte (art. 778.4).

10°) Se formará piezas separadas que resulten convenientes para el enjuiciamiento de delitos conexos, si concurren elementos para hacerlo con independencia (art. 762.6ª).

c) *Víctimas. Fortalecimiento progresivo de sus garantías*

El procedimiento abreviado supuso el fortalecimiento de ciertas garantías de las víctimas.

1) Por un lado, se incorporaron medidas para el aseguramiento de las responsabilidades pecuniarias (requerimiento a la compañía aseguradora hasta el límite del seguro obligatorio si la víctima estuviere asegurada en caso de hechos relacionados con circulación de vehículos de motor, debiendo la cantidad restante afianzarse por el responsable civil directo o subsidiario; posibilidad de pensión provisional a la víctima a cargo de la compañía aseguradora o Consorcio de Compensación de Seguros; y la intervención del vehículo y permisos de circulación para asegurar las responsabilidades pecuniarias en su caso —arts. 764, 765—); y

2) Por otro, el derecho de información de las víctimas: derecho a ser parte en la causa sin querella y a nombrar Abogado o que se le nombre de oficio; y a la información de otras actuaciones de la causa aunque no sea parte, como solicitud de sobreseimiento por el Fiscal (art. 782.2), de la fecha de la celebración de la vista oral (art. 785.3) y asimismo de la sentencia que se dicte en primera instancia o en fase de recurso (art. 789.4 y 792.4).

Evidentemente la aprobación de la Ley 4/2015, de 27 de abril, del Estatuto de la víctima del delito, supera estos iniciales pasos dados con la regulación del procedimiento abreviado. Se ofrece tanto la reparación del daño, como medidas para reducir los efectos traumáticos del hecho.

d) *Garantías del acusado*

En el ámbito de los sujetos del proceso, el anteriormente investigado, ahora acusado, recibió numerosas atenciones en el abreviado, en cuanto a reforzar su "*status*" garantizado por una serie de derechos y medidas que quedan expresamente impulsadas en el marco del abreviado. Entre ellas podemos destacar: a) Designación de abogado de oficio si no designa voluntariamente (desde la detención o actuaciones que le encausen (art. 767)); b) Derecho a ser informado por el letrado de la administración de justicia, en la primera comparecencia, de sus derechos —requiriéndole domicilio para notificaciones—; y el Instructor, de los hechos que se le imputan (art. 775); c) Derecho a recurrir la sentencia dictada en ausencia del acusado (art. 793); d) Derecho a ausentarse del país en las causas por delitos derivados del uso y circulación de vehículos de motor si presta fianza suficiente (por responsabilidad civiles) y caución para responder de su posible incomparecencia; señale domicilio para notificaciones; no se halle en prisión provisional, y se le informe del posible juicio en su ausencia con declaración de rebeldía, si no concurren causas de suspensión (art. 765); e) La sentencia no puede imponer pena más grave a la solicitada por las acusaciones, ni puede condenar por delito distinto al calificado cuando esto suponga una alteración en el bien jurídico protegido o un cambio sustancial en los hechos (arts. 788 y 789). Cabe, excepcionalmente, superar estos límites cuando se hubiere modificado la calificación inicial por alguno de los acusadores, a sugerencia del juez, según lo dispuesto en el art. 788.3 (art. 789.3).

e) Protagonismo del Ministerio Fiscal

Con el procedimiento abreviado se incorpora un destacable fortalecimiento del papel del Ministerio Fiscal. Es especialmente destacable, en este sentido, el artículo 773 LECRIM, en el que se regulan las funciones del Fiscal en el mismo, si bien efectuando una división entre lo que se denominan funciones de carácter general, y las que son actuaciones específicas.

A) Funciones con carácter *general*: 1) Se constituye para el ejercicio de acciones, penal y civil; 2) Vela por el respeto de las garantías procesales del encausado y por la protección de los derechos de la víctima y de los perjudicados por el delito; 3) Instruye a la policía; 4) Aporta datos de que disponga o insta al instructor la práctica de diligencias de investigación o medidas cautelares; y 5) Solicita la conclusión del procedimiento preliminar cuando considere que se han reunido datos suficientes para formular acusación o instar diligencias complementarias (art. 773.1, II y 780.2).

B) Funciones *específicas*: 1) Posibilidad de iniciar de oficio diligencias informativas y practicar por sí o por orden a la policía las mismas, salvo las de exclusiva competencia judicial; 2) Decretar el archivo de las actuaciones si el hecho no reviste caracteres de delito, comunicándolo al perjudicado u ofendido, por si pretendiere reiterar su solicitud ante el Juez instructor; 3) Citar para su comparecencia y declaración a cualquier persona, con las mismas garantías que la prestada ante el juez (art. 773.2).

f) Delimitación y afianzamiento de la función de la Policía Judicial

La Policía judicial adquirió mayor protagonismo en la investigación en el abreviado, especialmente en: 1) La asistencia a las víctimas, incluido el traslado del cadáver si se hallare en vía pública, férrea o lugar de tránsito (art. 770); 2) Adopción de medidas precautelares o preventivas: detención, secuestro de efectos o elementos del delito que se encuentran en el lugar de los hechos (por concurrir riesgo de desaparición), la intervención de vehículos de motor y permisos de circulación y conducción; Información por escrito al ofendido de su derecho a ser parte sin querella y a nombrar

Abogado o solicitarlo de oficio (art. 771); 3) Dar a conocer al encausado de los hechos que se le imputan, los derechos que le acogen (art. 520) (art. 771.2).

D) Fases del procedimiento abreviado: Diligencias previas y Juicio oral

El procedimiento abreviado se estructura en dos fases: la de las diligencias previas y la del juicio oral. Desaparece la fase intermedia del procedimiento ordinario.

a) Diligencias previas

En esta fase del procedimiento de diligencias previas (art. 774) se realizan cuantas actuaciones vayan encaminadas a averiguar la existencia de los hechos y su posible culpabilidad, así como las posibles responsabilidades que puedan derivarse, por lo que habrá que aplicar lo dispuesto en los arts. 301 y 302. Puede iniciarse bien porque exista constancia de que los hechos deben conocerse a través del procedimiento preliminar (resultado del atestado policial o de las diligencias practicadas por el fiscal) o bien por cambio de procedimiento. Una vez acordada esta vía procesal:

1.- Se comunica al Fiscal y acusadores personados con traslado de lo actuado (art. 780).

2.- Pueden solicitar: 1) Apertura del juicio oral; 2) Sobreseimiento de la causa; 3) Práctica de diligencias complementarias. De esta solicitud pueden darse las siguientes situaciones:

a) Si la apertura del juicio oral se acuerda solo a instancia del Fiscal o del acusador popular, se dará nuevo traslado de las actuaciones a quien hubiera solicitado el sobreseimiento para que formule acusación, a no ser que renuncie a ello (por 3 días) (art. 783.1, párrafo segundo).

b) Que pidan el sobreseimiento todos los acusadores: el juez queda vinculado con carácter general.

c) Que el sobreseimiento lo pida solo el Fiscal, y no exista acusador particular: la decisión es del juez, quien puede: 1) Acordarlo; 2) Remitir la causa al superior jerárquico de aquel para que se pronuncie sobre su procedencia o improcedencia (por 10 días); y 3) Dar conocimiento de esta decisión a los ofendidos o perjudicados no personados para que ejerciten las acciones procedentes (por 15 días) (art. 782.2). No debe olvidarse la enorme proyección que en esta materia se ha dado a las víctimas en los arts. 11 y 12 especialmente del Estatuto de la víctima del delito (Ley 4/2015).

d) Que el sobreseimiento se acuerde de oficio, aun cuando se ha solicitado por alguno de los acusadores la apertura de juicio oral, cuando el instructor estime que los hechos no son constitutivos de delito o no existen indicios racionales de criminalidad (art. 783.1). Esta resolución es recurrible conforme a las normas generales. Cabe recurso de la víctima, en los términos expuestos en el art. 12 de la Ley 4/2015 de Estatuto de la víctima, teniendo en cuenta que el art. 779.1 establece la obligatoriedad de comunicar el auto de sobreseimiento a las víctimas delito, en la dirección del correo electrónico y, en su defecto, dirección postal o domicilio que hubieran designado.

e) Que se soliciten diligencias complementarias, quedando a decisión judicial la de practicarlas o no (art. 780.2).

f) Que de oficio el instructor entienda que un medio de prueba no podrá practicarse en el juicio oral o que su práctica pueda llevar a la suspensión, pudiendo acordar la práctica anticipada, respetando el principio de contradicción (art. 777). Quedará documentada por registro videográfico o por acta escrita (debido respeto del art. 730).

b) Juicio oral

La solicitud de apertura de juicio oral se efectúa en el «escrito de acusación», que contendrá, además, la pretensión punitiva y, en su caso, la civil de resarcimiento; la proposición de prueba para el acto de la vista y, en su caso, la que deba practicarse anticipadamente. Todo ello conforme a lo previsto para los escritos de calificación provisional (art. 771.1).

> El art. 785.3, modificado por el Estatuto de la Víctima, establece que si la víctima lo hubiera solicitado, aunque no sea parte en el proceso ni deba intervenir, el letrado de la administración de justicia deberá informarle, por escrito y sin retrasos innecesarios, de la fecha, hora y lugar del juicio, así como del contenido de la acusación dirigida contra el infractor.

Es posible el *escrito de calificación mixto* acusación-defensa. Implica que el acusado se conforma y que el escrito mixto integra al de acusación y al de defensa, siendo firmado de forma conjunta por los acusadores, el acusado y el abogado de éste. Sólo es posible esta modalidad si se presenta antes de la celebración de la vista oral (art. 784.3, II).

– *Actividades previas (preparación del juicio oral):* Solicitada la apertura del juicio oral, se acuerda por el instructor mediante auto, que es irrecurrible, aun cuando cabrá que se reproduzca la petición ante el tribunal sentenciador (art. 783.3). En esta resolución el instructor se pronuncia sobre: 1) Adopción, modificación, suspensión o revocación de medidas cautelares contra el acusado y los responsables civiles, exigiendo, en su caso, fianza para cubrir las responsabilidades pecuniarias; 2) Alzamiento de las medidas adoptadas respecto a los no alcanzados por la acusación; 3) El tribunal competente para el enjuiciamiento (art. 783.3).

– *Juicio oral propiamente dicho*

1) Abierto el juicio oral, se *emplazará* al encausado, con entrega de copia de los escritos de acusación, para que comparezca en el plazo de tres días en la causa con Abogado y Procurador. Si no lo hace voluntariamente, se efectuará de oficio (art. 784).

2) Traslado de las actuaciones al encausado y a terceros responsables —si hay—, para que formulen *escrito de defensa* (por 10 días comunes) (art. 784). En este momento, en su caso, se expedirá requisitoria con posible declaración de rebeldía si estuviere en paradero desconocido, dándose las condiciones legalmente establecidas (art. 784.4). El escrito de defensa puede consistir: 1. Ejercicio del derecho de defensa, con argumentos, proposición de pruebas etc, o bien; 2. Aceptar las calificaciones y responsabilidades exigidas, *conformándose* con el escrito de acusación que solicite pena de mayor gravedad, exigiéndose firma del acusado y de su abogado.

3) Remisión por el letrado de la administración de justicia de las actuaciones al órgano sentenciador, con notificación a las partes (art. 784.5).

4) Auto: 1°) Admite o rechaza la prueba propuesta; 2°) Acuerda lo procedente sobre prueba anticipada (art. 785.1, I). La decisión sobre prueba no admite recurso, pero puede reproducirse en el inicio de la vista si fue de inadmisión (art. 785.1, II).

5) Señalamiento por el letrado de la administración de justicia de las sesiones de vista oral; decisión que se notifica por escrito a la víctima, aun cuando no sea parte ni deba intervenir en el proceso (art. 785.2, y 3).

6) Las sesiones de la vista oral se celebrarán en el lugar, día y hora señalados. El acusado y su abogado defensor deberán estar presentes. Si no lo están, se suspenderán, a salvo de los supuestos en que se permite la ausencia justificada del acusado en el proceso.

> La ausencia del tercero responsable tampoco será, por sí, causa de suspensión del juicio oral si hubiera sido citado debidamente. Ni tampoco si la ausencia fuera de uno solo de los acusados habiendo varios, pudiendo continuar respecto a los presentes (art. 786.1)

7) Se iniciará leyendo el letrado de la administración de justicia los escritos de acusación y defensa. Las partes podrán: a) Solicitar turno de intervenciones orales para exponer lo que estimen oportuno acerca de la competencia del órgano judicial, vulneración de algún derecho fundamental, existencia de artículos de previo pronunciamiento, causas de la suspensión de juicio oral, nulidad de actuaciones, así como sobre el contenido y finalidad de la pruebas propuestas o que se propongan para practicarse en el acto. El Juez o Tribunal resolverá en el mismo acto sobre las cuestiones

planteadas mediante auto (o de viva voz). No cabe recurso alguno, sin perjuicio de la pertinente protesta y de que la cuestión pueda ser reproducida, en su caso, en el recurso frente a la sentencia (art. 786.2). b) Solicitar la terminación del proceso, con petición de sentencia con conformidad, o continuar el juicio con la práctica de las pruebas admitidas si no hubo conformidad.

8) Práctica de la prueba: salvo la posibilidad de que el informe pericial pueda prestarlo un solo perito, se remite a lo previsto para el procedimiento ordinario (art. 788.2).

9) Conclusiones definitivas e informes finales: elevar a definitivas las conclusiones, modificarlas, efectuar oralmente valoración de la prueba practicada y la calificación de los hechos, y contestar a las cuestiones formuladas judicialmente para el esclarecimiento de algunos aspectos de la prueba o la valoración jurídica de los hechos (art. 788.3 y 4).

Si modifican los acusadores las conclusiones provisionales, puede dar lugar: 1) A la apertura de un periodo probatorio complementario, exclusivamente para la defensa, cuando hubiera supuesto cambio en la tipificación penal de los hechos o se hubieran estimado circunstancias agravatorias del grado de participación o responsabilidad. Puede la defensa solicitar el aplazamiento de las sesiones (hasta un máximo de 10 días) para preparar su derecho de defensa (art. 788.4); 2) Posible cambio de competencia judicial. Si todas las acusaciones califican los hechos como delitos castigados con pena que exceda de la competencia del JP. Fuera del supuesto anterior, el JP resolverá lo que estime pertinente acerca de la continuación o finalización del juicio, pero en ningún caso podrá imponer una pena superior a la correspondiente a su competencia (art. 788.5). Si la competencia la tuviere la Audiencia y las calificaciones se hacen a la baja —competencia de los JP—, se mantendría su competencia.

10) Derecho a la última palabra del acusado (art. 739).

11) Finalizada la vista, se levantará acta (arts. 743 y 788.6), declarando el juicio visto para sentencia, si bien la forma de dictar sentencia puede ser de dos formas distintas: 1) Por escrito, dentro de los 5 días siguientes (art. 48.3 LOPJM; 789.1 LECRIM); 2) Sentencia *in voce*, cuando es competencia solo de los JP y así lo considere oportuno.

El fallo deberá documentarse en el acta, o anexo a ella, con una sucinta motivación, sin perjuicio de su documentación por escrito en la forma y plazo vistos antes (art. 789.2).

Contra la sentencia que se dicte es posible que se den las siguientes situaciones: 1) Apelación ante la AP, si fuera dictada por un JP; o ante la Sala de lo Penal de la AN, si lo fuera por un JCP (art. 790.1); 2) Si se hubiera dictado por una AP o la AN, se permite la casación (art. 790.1) por infracción de ley y por quebrantamiento de forma en los supuestos previstos en el art. 847 (art. 792.4).; 3) Si se dictó en ausencia del acusado, el recurso extraordinario de anulación (art. 797); 4) Si se hubiera manifestado la intención de no recurrir en el acto de comunicación «*in voce*» de la sentencia, se declarará su firmeza con pronunciamiento, en su caso y previa audiencia de las partes, sobre la condena condicional (art. 789.2); 5) En caso de sentencia de conformidad, dando lugar a la terminación del proceso sin vista oral: contra la sentencia de conformidad no cabe recurso. Si la sentencia de conformidad se dicta oralmente, se declara oralmente su firmeza si el Fiscal y las partes manifiestan en el acto su decisión de no recurrir, teniendo en cuenta que no es posible el recurso si se han respetado las condiciones legales de la conformidad (art. 787.6 y 7)

12) Ejecución de la sentencia: sigue las normas generales de la LECRIM, con la particularidad referida a las posibles incidencias liquidatorias de indemnizaciones si su cuantía no figurase específicamente determinada en el fallo (art. 794.1).

IV. PROCESO PARA ENJUICIAMIENTO RÁPIDO DE DETERMINADOS DELITOS

La aprobación de la Ley 38/2002, de 24 de octubre, de reforma parcial de la Ley de Enjuiciamiento Criminal, atendió, por pretendidas razones de urgencia en la mejora de la justicia penal y en la proyección social de la misma, a tres grandes objetivos: 1) La creación de un proceso nuevo, para el enjuiciamiento rápido de determinados delitos; 2) La modificación del procedimiento abreviado; y 3) La modificación, en el sentido de creación de una modalidad inmediata, del juicio de faltas. Aunque no era desconocida en la legislación española la modalidad procedimental del enjuiciamiento rápido de determinados delitos, este proceso revestía unos caracteres que le diferenciaban de los que le habían precedido.

A) Regulación

Los juicios rápidos se regulan en los arts. 795 a 803 de la LECRIM, que se estructuran sobre la base de la delimitación de su ámbito de aplicación, de las actuaciones de la Policía Judicial altamente incrementadas en el mismo, las diligencias urgentes a practicar ante el Juzgado de Guardia, de la preparación del juicio oral, del juicio oral mismo y de la sentencia, y finalmente, de la impugnación de ésta.

Dos notas deben destacarse con carácter general: 1°) La aplicación supletoria de las normas del procedimiento abreviado; y 2) Supone un punto y aparte respecto de los anteriores juicios rápidos (que no dejaban de ser sino una modalidad acelerada de los procedimientos abreviados, pero, en cualquier caso, proceso ordinario).

B) Naturaleza jurídica

Aun cuando este proceso fue considerado por la Exposición de Motivos como un proceso especial, y no una especialidad procedimental, no es ésta su naturaleza jurídica. Los criterios que determinan su ámbito de aplicación y la estrecha vinculación con el abreviado y con el actual proceso por delitos leves permite considerarle como una modalidad ordinaria.

Si se exigiera la concurrencia simultánea de todos los criterios nada obstaría a su condición de proceso especial, pero la posibilidad de que tan sólo concurra por ejemplo el criterio de la facilidad instructora no puede entenderse como suficiente para otorgarle dicha naturaleza. Por su parte, si se exigiera, en todo caso, que el delito que se persigue a través del juicio rápido deba ser necesariamente alguno de los que se enumeran en el art. 795.1, 2ª LECRIM, la naturaleza de proceso especial no se cuestionaría.

Debe sin embargo considerarse que hay algunos elementos que lo hacen "diferente": su ámbito de aplicación, y su abreviación en la tramitación.

Ciertamente lo especial aquí no solo es el ámbito de aplicación, sino que también se le atribuye una serie de especialidades procedimentales, que se complementan supletoriamente con las normas reguladoras del procedimiento abreviado. Éstas solas, sin embargo, no le concederían dicha naturaleza, sino la de mero procedimiento con especialidades procedimentales, pero no proceso especial.

C) Ámbito de aplicación

Su ámbito de aplicación se configura en el art. 795 LECRIM, y responde a la concurrencia de tres criterios, que atienden, en primer lugar, a la gravedad de la pena; en segundo lugar, a la modalidad de incoación del procedimiento; y, finalmente, exige que concurra al menos una de las circunstancias que específicamente se delimitan, y que responden a la flagrancia del delito, a tratarse de un hecho tipificado en el elenco de delitos establecido como ámbito de este proceso, y a la facilidad instructora. Así se exige:

a) Gravedad de la pena

Los hechos delictivos que pueden conocerse a través de estos juicios rápidos deben estar castigados con pena privativa de libertad que no exceda de cinco años, o con cualesquiera otras penas, bien sean únicas, conjuntas o alternativas, cuya duración no exceda de diez años, cualquiera que sea su cuantía. Debe estarse a la pena en abstracto. Es la naturaleza del delito (delitos menos graves) y la pena que llevan aparejada lo que juega como determinante del ámbito de aplicación. La aplicación de la reforma del CP de 2015 en cuanto a la creación de los "delitos leves" puede llegar a generar alguna duda interpretativa sobre la naturaleza del delito, especialmente cuando se trate de delimitar delitos menos graves y leves, aun cuando juega la máxima de la *vis attractiva* respecto de los leves, pero no siempre.

b) Modalidad de incoación del procedimiento

Se incoa mediante atestado policial, y siempre que ha habido detención policial, o citación policial para comparecer ante el Juzgado de guardia por tener la calidad de denunciado en el atestado policial.

El texto originario de la Ley 38/2002 parecía excluir de este procedimiento las causas que se inician por querella o por denuncia presentada ante el Juzgado de Guardia directamente, provocando absurdos en supuestos como el delito de violencia doméstica del que se obtiene la *notitia criminis* por parte hospitalario o por denuncia directa ante el JG, al no poder tramitar las diligencias por este procedimiento sino por el abreviado, quebrando con ello el espíritu que quiso el legislador atribuir en la tramitación de causas penales referidas a determinados delitos que exigen socialmente una respuesta rápida. La reforma por L.O. 15/2003 añadió un nuevo ap.4 al art. 796, que permite la vía de los juicios rápidos cuando aún no habiendo sido detenido ni localizado el presunto responsable, fuera previsible su rápida identificación y localización. En este caso las investigaciones constarán en un único atestado, que se remitirá al Juzgado de Guardia tan pronto como sea detenido o citado y, en cualquier caso, dentro de los cinco días siguientes.

c) Exigencia de concurrencia de al menos una de las tres siguientes circunstancias

1.ª) Se trate de un delito flagrante. Se considera como delito flagrante, según el art. 795.1, 1ª:

1") El que se estuviese cometiendo o se acabare de cometer cuando el delincuente sea sorprendido en el acto (lo que el TS venía considerando la «inmediatez temporal»).

Se entenderá sorprendido en el acto: *) Al delincuente que fuere detenido en el momento de estar cometiendo el delito (por ejemplo, acaba de romper la ventana del coche y se ha sentado para realizar el puente al vehículo para salir rápidamente o al poner en marcha el vehículo, con tan mala fortuna que la policía se le cruza y le impide la circulación); *) Cuando la persecución durare o no se suspendiere mientras el delincuente no se ponga fuera del inmediato alcance de los que le persiguen (sin que se establezca límite temporal a la misma, sino tan sólo la exigencia de la no suspensión en la persecución, dure lo que dure la misma).

2.ª) El que se cometiere por persona a quien se sorprendiere inmediatamente después de cometido un delito con efectos, instrumentos o vestigios que permitan presumir su participación en él.

Esto es, cuando al presunto delincuente se le encuentra en el lugar de los hechos, en relación tal a los objetos o instrumentos del delito que no haya duda razonable en cuanto a su participación. La exigibilidad de la concurrencia de que no haya duda razonable ha sido claramente sustituida por un grado menor, en cuanto el actual art. 795.1, 1ª tan sólo se refiere a la presunción de la participación de la persona a quien se sorprende inmediatamente después de cometido el delito con elementos que así la amparen.

2.ª) Se trate de alguno de los delitos establecidos expresamente en el art. 795.1, 2ª: 1) Delitos de lesiones, coacciones, amenazas o violencia física o psíquica habitual, cometidos contra las personas a que se refiere el art. 173.2 del CP (delitos y faltas, de protección integral contra la violencia de género); 2) Hurto; 3) Robo; 4) Robo y hurto de uso de vehículos; 5) Contra la seguridad del tráfico; 6) Daños referidos en el artículo 263 del Código Penal; 7) Contra la salud pública previstos en el artículo 368, inciso segundo, CP; 8) Delitos flagrantes relativos a la propiedad intelectual e industrial previstos en los arts. 270, 273, 274 y 275 del CP.

Son un elenco tasado de delitos, no complicados en su investigación, o de los frecuentes o de los que generan rechazo social, que exigen una mayor rapidez en su tramitación. La celeridad comporta en muchos casos merma de garantías, máxime cuando su justificación se halla en el mantenimiento de la "tranquilidad en las calles o la seguridad". Las estadísticas judiciales presentan un gran número de sentencias de conformidad por reconocimiento de los hechos ante el JG, pero también numerosas sentencias absolutorias derivadas de una retractación de la víctima llegado el juicio oral.

3.ª) Por hechos punibles en que se aprecie, aun no concurriendo las circunstancias 1.ª) y 2.ª), facilidad instructora, presumiéndose que la investigación será sencilla y de duración breve.

D) Características del procedimiento

Se regula con remisiones al abreviado, pudiendo destacar como notas características:

a) La rapidez en su tramitación

La rapidez se manifiesta tanto en la tramitación desde la incoación del proceso penal hasta la celebración del juicio oral, como en los plazos para dictar sentencia y para recursos.

b) Fortalecimiento de las funciones de la policía judicial

Se consagra una verdadera fase policial de investigación, al atribuir a la Policía Judicial el deber de practicar en el tiempo imprescindible y, en todo caso, durante el tiempo de la detención, determinadas diligencias específicas en este procedimiento (las referidas en art. 796 LECRIM).

La Policía asume funciones antes atribuidas a los agentes judiciales, lo que exige una buena coordinación entre los diversos cuerpos y fuerzas de seguridad que se despliegan en el territorio de cada partido judicial y también entre estos organismos y los juzgados de ese mismo partido, en especial con el juzgado que se encuentre en funciones de guardia, siguiendo en gran medida el Protocolo de coordinación entre ambos, de 28 de junio de 2005 para proteger a las víctimas de violencia de género.

En todo caso, dos son los asuntos que precisan una atención especial: el pase de detenidos y la agenda única de señalamientos. Se trata de una agenda informática —acorde con el nuevo modelo de justicia con expediente electrónico— conectada a los juzgados y a la policía, que permite no realizar señalamientos o citaciones coincidentes, evitando repeticiones en sede judicial y conformando el atestado policial, eje de la incoación del procedimiento, aproximándose cada vez más al sistema estadounidense.

c) Instrucción concentrada ante el Juzgado de guardia

La instrucción concentrada eficaz ante el Juzgado de Guardia se consigue reformulando el sistema del régimen de guardias, con plazos breves y evitación de reiteración de las diligencias policiales innecesarias.

En delitos de violencia de género el art. 779 bis rompe dicha concentración ante los Juzgados de Guardia, siendo el Juzgado de Violencia sobre la Mujer el que asume éstos. Los de Guardia resuelven los actos que afecten a la situación personal del investigado, es decir, las medidas cautelares y la orden de protección. En cualquier caso, en horas de audiencia (9 a 13 horas) los JVM tendrán la obligación de conocer las diligencias inaplazables. Corresponde a la Policía Judicial fijar el día y hora de la comparecencia ante los nuevos Juzgados, donde deberán desarrollarse estos juicios rápidos.

d) Papel protagonista del Ministerio Fiscal

Se refuerza la figura del Ministerio Fiscal, especialmente en la práctica de diligencias urgentes en el Juzgado de guardia, en la fase de preparación del juicio oral en especial en cuanto a la alternativa sobreseimiento-juicio oral se refiere, etc.

Significativa es la figura de la Fiscalía contra la Violencia sobre la Mujer, que cobra una especial importancia a la hora de coordinar las acciones civiles y penales que deban decidirse conjuntamente en un juicio rápido ante los Juzgados de violencia sobre la Mujer (LO 1/2004 arts. 70, 71 y 72. y 49 bis LEC).

e) Medidas de protección procesal de los ofendidos y perjudicados

Supuso el fortalecimiento de los ofendidos y perjudicados, a los que se les notificará las resoluciones que puedan afectarle, a saber, tanto el auto de sobreseimiento de la causa [art. 800.1 en relación con art. 782.2, a)] como la misma sentencia, aunque no se hayan mostrado parte en la causa (art. 792.4 en relación con el art. 795.2). A ellas habrá que anudar las que se incorporan mediante el Estatuto de la Víctima por Ley 4/2015.

f) Aumento de las atribuciones del Letrado de la Administración de Justicia

Informa a los detenidos de sus derechos, de las consecuencias de la conformidad al acusado, y son los que acuerdan el traslado de documentación entre las partes, así como cuantas se establecen en el Estatuto de la Víctima.

E) Fase de investigación

La fase de investigación es núcleo esencial de este procedimiento. Se consagra de modo evidente dos etapas: una de carácter policial; y otra, de carácter judicial.

a) Fase policial

Destacan dos elementos en esta fase: 1) Que se conoce al autor del delito, y 2) Que se ha producido una detención policial para comparecer ante Juzgado de Guardia.

La Policía estará obligada a practicar las diligencias oportunas en cada caso a que se refiere el art. 796, que responden a una doble finalidad: 1.ª) Favorecer el acopio de material que, junto al atestado policial, va a ser presentado al JG o JVM, como anticipo de la investigación; y 2.ª) Evitar, en la medida de lo posible, la reiteración de las diligencias ya practicadas en sede policial, siempre que el juez, con la participación del Fiscal, así lo considere pertinente. Son:

1.º) Requerir la presencia de cualquier facultativo o personal sanitario para prestar, si fuere necesario, los oportunos auxilios al ofendido, solicitando una copia de su informe para unirlo al atestado policial.

A título de ejemplo, en los delitos de lesiones o en los que se emplee la violencia física o psíquica la presencia del facultativo o personal sanitario que informe acerca del estado en que se encuentra el ofendido y le preste los auxilios oportunos, es material esencial para, agregado al atestado policial, ser remitido al Juzgado de guardia. Con ello se simplifica la actividad investigadora a realizar en la fase judicial. El forense realizará los informes a la vista de la documentación médica que se le suministre y, únicamente cuando fuere absolutamente imprescindible, podrá personarse en sede policial para reconocer al lesionado y emitir el informe. Esto último, sin embargo, será la excepción.

2.º) Informar del derecho a ser asistido de Abogado en el Juzgado de guardia, aun cuando no haya sido detenido (art. 796.1, 2ª). El Abogado designado para la defensa estará habilitado para todas las actuaciones que se verifiquen ante el Juez de Guardia.

3.º) Realizar citación ante JG o JVM en el día y la hora que se le señale (art. 796.1, 3ª, 4ª y 5ª): a) Al denunciado en el atestado policial, si no hubo detención, con apercibimiento de las consecuencias de no comparecer; b) A los testigos, con apercibimiento de las consecuencias de no comparecer; c) A los aseguradores que hubieren asumido el riesgo de las responsabilidades pecuniarias derivadas del uso o explotación de cualquier bien, empresa, industria o actividad (art. 117 CP); d) En su caso, a los vecinos y personas del entorno laboral, escolar, servicios sociales, que pudieron informar sobre actos de violencia de género anteriores al denunciado, así como de su personalidad y posibles adicciones.

La determinación del día y la hora de las citaciones se realiza por la Policía Judicial en coordinación con el JG o JVM. En caso de urgencia, puede practicarse verbalmente, con constancia en el acta de su contenido (art. 796.2).

4º.) Remitirá al Instituto de Toxicología, al Instituto de Medicina Legal o al Laboratorio correspondiente las sustancias aprehendidas cuyo análisis resulte pertinente (art. 796.1, 6ª).

Pueden realizarse detección de pruebas sin previa autorización judicial ni consentimiento del sujeto a través del test salival como primer indicio que, si es positivo, pudiera dar lugar a extracción y análisis de sangre posterior.

5.º) La práctica del análisis de sangre, de orina u otro análogo requerirá personal sanitario adecuado, que deberá remitir el resultado al JG por el medio más rápido y, en todo caso, antes del día y la hora de la citación de las personas anteriormente señaladas (art. 796.1, 7º).

6.º) Si no es posible remitir al JG algún objeto que debiera ser tasado, se solicitará por la Policía judicial la presencia de un perito o servicio para que emita un informe pericial, que podrá presentarse bien escrito, o bien emitirse oralmente ante el mismo JG.

7.º) En los delitos de violencia de género la Policía Judicial averiguará la intensidad del posible riesgo para que el juez decida sobre el alcance de las órdenes de alejamiento y de protección integral de la mujer. Verificará la existencia de otras intervenciones policiales, denuncias, partes médicos, causas pendientes, así como condenas o medidas cautelares acordadas por este tipo de delitos que aparezcan en el Registro Central de Víctimas de la Violencia de Género.

Se forma especialmente a la Policía para la asistencia y protección a las víctimas. Facilitará a la víctima un teléfono de contacto directo y permanente con los funcionarios asignados. Podrá la policía incautar armas y/o instrumentos peligrosos que pudieran encontrarse en el domicilio familiar o poder del presunto agresor, a la espera de la posible suspensión judicial del derecho a la tenencia, porte y uso de las mismas.

b) Fase judicial: «diligencias urgentes»

Esta fase queda reducida a consecuencia de las funciones de la Policía Judicial. Elementos configuradores de esta fase judicial de investigación en los juicios rápidos son los siguientes:

1.º) Competencia del Juzgado de guardia (art 799.1), y territorialmente se aplican las reglas generales de la competencia territorial de los arts. 14 y 15 LECRIM.

El art. 799.2 dispone que en aquellos partidos judiciales en que el servicio de guardia no sea permanente y tenga una duración superior a veinticuatro horas, el plazo pueda prorrogarse por un período adicional de setenta y dos horas en aquellas actuaciones en las que el atestado se hubiera recibido dentro de las cuarenta y ocho horas anteriores a la finalización del servicio de guardia. Se reduce sus posibilidades de intervención, a los efectos de presentación del detenido, en los delitos de violencia de género.

2.º) El atestado policial. Se inicia la fase judicial tras el recibimiento del atestado policial, junto con los objetos, instrumentos y pruebas que se hayan obtenido por la policía y acompañen a aquél (informes periciales, objetos aprehendidos en el momento de la comisión de los hechos, etc.). Pueden incluso hacer innecesaria la fase judicial, siempre que el JG considere que estas actuaciones policiales practicadas y el material que se aporta al atestado policial, son suficientes para ordenar la continuación del procedimiento (art. 798. 2, 1º).

Cuando se trate de actos de violencia de género para la elaboración del atestado se aconsejaba que la policía fotografiara y grabara la inspección ocular y declaración de la víctima que, con frecuencia se retractaba el día del juicio y ello dejaba sin prueba plena muchas de las agresiones. No obstante la tendencia jurisprudencial actual es no admitir como prueba ninguna grabación de la fase preliminar en virtud del art. 416 LECRIM (posible no declaración de la víctima contra su cónyuge). Y debe asegurarse la presencia de la víctima, representante legal, del presunto agresor y posibles testigos ante la Autoridad Judicial y deberá velarse por evitar que víctima y agresor se encuentren en el mismo espacio físico.

3.º) Rapidez y simplificación.

No obstante, incoadas diligencias urgentes, si la instrucción no hubiere podido desarrollarse en tiempo, podría solicitarse la conversión en diligencias previas del abreviado (art. 798.2, 2º).

4.º) Desarrollo de esta fase judicial

a") Presentación del atestado policial, objetos, instrumentos y pruebas.

Si considera el JG que son suficientes, dictará auto oral, no susceptible de recurso, ordenará seguir el procedimiento —la fase de preparación del juicio oral—. Si el JG reputa delito leve el hecho que hubiere dado lugar a la formación de diligencias, procederá a su enjuiciamiento inmediato (art. 798.2, 1º) (recuérdese la competencia del JVM en los supuestos de violencia de género).

b") Práctica de diligencias urgentes, si el Juez lo considera oportuno (art. 797) con colaboración del Fiscal, tanto en cuanto a la determinación de la conveniencia como a su orden práctico. El auto por el que las incoa no es susceptible de recurso. Pueden ser:

1.ª) Petición de los antecedentes penales del detenido o persona investigada.

2.ª) Práctica de diligencias necesarias para la calificación jurídica de los hechos, no realizadas.

3.ª) Tomar declaración del detenido puesto a disposición judicial o al investigado por los términos del atestado.

Deberá Informársele de los derechos que le asisten y de los hechos que se le imputan, además de permitir la entrevista con su Abogado, antes y después de prestar la declaración. Asimismo se le requerirá para que designe un domicilio en España a efectos de notificaciones o, en su caso, quien las reciba en su nombre, advirtiéndole de la posibilidad de celebrar el juicio en su ausencia si se cumplen los requisitos legales (art. 775 en relación con el art. 797). Ante incomparecencia del investigado a la citación policial ante el JG sin causa legítima, la orden de comparecencia podrá convertirse en orden de detención (art. 487 y art. 797).

4.ª) Tomar declaración a los testigos comparecidos, citados por la Policía Judicial.

5.ª) Informar a ofendido y perjudicado de los derechos que le asisten (arts. 109 y 110).

En concreto, derecho a mostrarse parte en la causa sin querella, a nombrar Abogado o instar el nombramiento de oficio (asistencia jurídica gratuita), a tomar conocimiento de lo actuado una vez personados, e instar lo que a su derecho convenga; información de que, de no personarse en la causa y no hacer renuncia ni reserva de acciones civiles, el Ministerio Fiscal las ejercitará si correspondiere.

Finalmente, y ya con carácter más específico, se le instruirá de las medidas de asistencia a las víctimas.

6.ª) Practicar el reconocimiento en rueda del investigado, de resultar pertinente y haber comparecido el testigo.

7.ª) Ordenar el careo entre testigos, entre testigos e investigados o entre imputados entre sí.

8.ª) Ordenar la citación, incluso verbal, de las personas necesarias, salvo los miembros de las Fuerzas y Cuerpos de Seguridad que hubieren intervenido en el atestado, cuya declaración obre en el mismo, salvo que, excepcionalmente y mediante resolución motivada, considere imprescindible su nueva declaración.

9.ª) Cualquier otra diligencia, siempre que cumpla dos condiciones: a) Sea pertinente a los fines de la investigación; y b) Se practique en el acto o dentro del plazo máximo de setenta y dos horas (por remisión hecha al art. 799).

10.ª) Entre las diligencias (arts. 87 ter.III LECRIM y 49 bis.III LEC), el Juzgado deberá recabar información sobre la posible pendencia de un proceso civil relacionado con los actos de violencia de género, requiriendo al Tribunal civil de inhibición en la causa a los efectos de que sea conjuntamente juzgada ante los JVM.

11.ª) El art. 797.2 regula la posible práctica de prueba anticipada (art. 797.2), ante la imposibilidad de práctica en juicio oral (especialmente en violencia de género), previa petición de parte. Se documentará en soporte apto para la grabación y reproducción del sonido y de la imagen o por medio de acta.

12.ª) Trámite de audiencia de las partes personadas y del Ministerio Fiscal, tras las diligencias urgentes, para adoptar la resolución procedente (art. 798.1).

13.ª) Resoluciones del Juzgado de guardia: Podrá: a) Dictar auto oral, documentado en acta, de continuación del juicio rápido, en el supuesto de que considere suficientes las diligencias practicadas. No cabe recurso alguno; b) Puede decidir no continuar por este juicio rápido:

– Porque el hecho no sea constitutivo de infracción penal-auto de sobreseimiento libre (art. 798.2, 1° en relación con el art. 779. 1, 1° y el 637.2);

– Por insuficiencia de justificación de la perpetración o por no haber actor conocido —sobreseimiento provisional (art. 798.2, 1° en relación con el 779. 1, 1° y el 641.1 y 2);

– Porque el hecho sea delito leve —enjuiciamiento inmediato (artículo 963 (798.2, 1°));

– Porque el hecho estuviere atribuido a la jurisdicción militar, en cuyo caso se inhibirá a favor del órgano competente (art. 798.2, 1° en relación con el art. 779.1, 3ª);

– Porque todos los imputados fueren menores de edad penal —traslado al Fiscal de Menores (art. 798.2, 1ª en relación con art. 779.1, 3ª).

– Por remisión al procedimiento abreviado: si considera insuficientes las diligencias practicadas, ordenará la continuación del procedimiento como «diligencias previas», con otras diligencias necesarias para concluir la instrucción. Esta decisión, probablemente sustentada en la petición de las partes personadas y del Ministerio Fiscal, deberá fundarse (art. 798.2, 2ª). Y en todo caso, con devolución de objetos intervenidos (art. 789.4)

F) Medidas cautelares en estos procesos

En la fase de investigación judicial el JG resolverá acerca de las medidas cautelares en dos momentos diversos: 1ª) Inmediatamente después de la práctica de las diligencias urgentes, en el trámite de audiencia al Fiscal y a las partes personadas; e 2ª) Inmediatamente después del auto oral que acuerda la continuación del procedimiento, también previo trámite de audiencia de las partes (arts. 798.1, en relación con el 800.1 y con el nuevo art. 505.1, II).

En todo caso, la decisión viene precedida de audiencia (art. 798), y dependerá de que existieren o no medidas cautelares ya adoptadas. En unos casos, se pronuncia sobre las cautelares en el mismo auto que resuelve la suerte del proceso (art. 798.3), tal como sucede con el auto de sobreseimiento. En otros, se continua la causa por los trámites del juicio rápido, mediante auto oral, solicitando el JG, en el mismo acto, al Fiscal y a las partes personadas, que se ratifiquen en lo pedido cautelarmente (art. 798.3 *in fine* en relación con el art. 800.1).

Contra la decisión cautelar cabe reforma y apelación, pudiendo plantear apelación de forma subsidiaria a aquélla, pero sin que sea necesario interponer previamente el de recurso de reforma para presentar el de apelación (arts. 798.3 en relación con el art. 766).

G) Fase preparatoria del juicio oral

La preparación del juicio oral se regula en los arts. 800 y 801. Se seguirá de forma inmediata y en brevísimos plazos, ante el JG que conoció de la fase judicial investigadora.

a) Sobreseimiento (alternativa al juicio oral)

Su finalidad no es tan sólo preparar el juicio oral sino también la de evitarlo (Lecc. 13ª). Se regula la alternativa en el art. 798.1. Se dicta auto oral por el que se manda o bien apertura juicio o bien sobreseimiento. Con unidad de acto se pronunciarán las partes, ratificando o, en su caso, solicitando medidas cautelares. Pueden darse, a este respecto, diversas situaciones:

1. Si Fiscal y acusador particular solicitan el sobreseimiento por cualquiera de los motivos de los arts. 637 y 641, lo acordará el juez, salvo los supuestos de núm. 1º, 2º, 3º, 5º y 6º del art. 20 CP, devolviendo las actuaciones a las acusaciones para calificación, continuando el juicio hasta sentencia, a los efectos, en su caso, de la imposición de medidas de seguridad y del enjuiciamiento de la pretensión civil.

2. Si el Fiscal solicita el sobreseimiento, no existiendo acusador particular, antes de acordarlo lo pondrá en conocimiento de las víctimas no personadas, a fin de que en el plazo de quince días, puedan, en su caso, defender lo que consideren oportuno. Si no lo hicieren, se acordará el sobreseimiento. El art. 782.2, b) permite también al juez remitir al superior jerárquico del Fiscal para que resuelva si procede o no la acusación; deberá responder en diez días.

3. Si el Fiscal o la acusación particular solicitan juicio oral, el JG lo acordará, mediante auto oral motivado, salvo que concurran los presupuestos del sobreseimiento (art. 800.1 en relación con el 783.3). Se exige la documentación en el medio de reproducción de estas actuaciones. Este auto no será susceptible de recurso alguno (art. 800.1 *in fine).*

Ante la inexistencia de norma, se aplica el art. 766.1 y 2. Cabe plantear reforma y si no fuere estimada, apelación, que puede interponerse subsidiariamente con el de reforma o separado (art. 766.1 y 2).

b) Apertura del juicio oral

Abierto el juicio oral, se distinguen dos supuestos (art. 800): a) Que tan sólo exista acusación pública (Fiscal); y b) Que se hubiere constituido acusación particular también.

1. Ejercicio de la acusación pública única

Las actuaciones que se suceden concentradamente son: a) Apertura de juicio oral; b) Inmediata presentación del escrito de acusación por el Fiscal o su formulación oral; c) Señalamiento para juicio oral (art. 800.3, II); d) Emplazamiento del acusado y, en su caso, del responsable civil para escritos de defensa ante el órgano competente para el enjuiciamiento (art. 800.2), o la formulen oralmente, procediendo en tal caso a la citación de las partes para celebración del juicio oral. Cabe conformidad. El plazo, sin exceder de 5 días, deberá fijarse por el JG, atendidas las circunstancias del hecho y los datos aportados en la investigación.

2. *Ejercicio de la acusación particular*

Se seguirán: a) Apertura del juicio oral; b) Emplazamiento al acusador particular y al Fiscal para acusación, en el plazo máximo e improrrogable de dos días —diferencia respecto del carácter inmediato de presentación de la acusación en el supuesto del ejercicio único de la acusación pública—; c) Citación de las partes por el JG, para la celebración del juicio, y a quienes deban intervenir en la prueba (art. 800.4 en relación con el 800.2 y 800.7); d) Emplazamiento del acusado y responsable civil, en su caso, para la formulación en los mismos términos anteriormente expuestos, de sus escritos de defensa.

Aun cuando no se hace referencia al acusador popular, debe entenderse posible su intervención, siempre que por la calidad del delito esto sea factible.

Si no se presenta la acusación de forma inmediata —en los supuestos de acusación pública única— o no se presenta en el plazo de dos días —con acusación particular— el art. 800.5 establece: a) Que se requerirá inmediatamente al superior jerárquico del Fiscal para que, en el plazo de dos días, presente el escrito de acusación; y b) Si el superior tampoco lo presentare, se entiende que no se pide la apertura del juicio oral y se decretará el sobreseimiento libre.

Las críticas a esta solución se asientan: a) No encaja con los supuestos legales del sobreseimiento libre; b) Tampoco queda clara la posible responsabilidad civil *ex delicto*; c) Puede favorecerse la impunidad de los delitos; d) Desprotege a las víctimas; e) Desde un punto de vista de la naturaleza y consecuencias jurídicas del sobreseimiento libre, no resulta razonable —por desproporcionada— ofrecer el efecto de cosa juzgada a un incumplimiento de plazos. La solución responde a un exceso de celo por dar respuesta al enjuiciamiento rápido e inmediato de los delitos, y en detrimento de las garantías del proceso.

3. *Escritos de defensa*

Lo significativo es: 1) Presentación inmediata salvo los supuestos en que se fija por el JG un plazo concreto, que no podrá exceder de cinco días; no se entiende prorrogable; 2) Se presentan ante el Juzgado de lo Penal, competente para el enjuiciamiento; 3) Presentados los mismos ante el Juzgado de lo Penal, o precluídos los plazos, el Juez examinará las pruebas propuestas y dictará auto admitiendo o inadmitiéndolas, y, en su caso, prevendrá lo necesario para la práctica de la prueba anticipada (art. 800.6 en relación con el 785).

4. *Posibilidad de conformidad: peculiaridades*

Cabe la conformidad en sede del propio JG (vid. Lecc. 14ª). Aun cuando favorece la celeridad, merma las garantías y derechos de los investigados y encausados, amén de suponer una no separación de funciones entre el que instruye y el que falla.

> Surge así lo que desde algunos foros se ha venido denominando como justicia del mazo, esto es, aparecen los JG del mazo, al estilo anglosajón, que desarrollarán su actividad de forma rápida y cuasi-instantánea, resolviendo en una brevedad desconocida en nuestro sistema, las causas que tiene atribuidas.

El legislador ha querido distinguir dos posibilidades: 1º) Que exista acusador particular, regulándose la conformidad en el escrito de defensa con la más grave de las acusaciones (art. 801.5 LECRIM), de difícil realidad; 2º) Que tan sólo exista acusador público, cumpliéndose los requisitos del art. 801:

a) Que el Fiscal, constituido en parte única, hubiere solicitado apertura del juicio oral, y, acordada por el Juez de guardia, hubiere presentado en el acto escrito de acusación; b) Que los hechos objeto de acusación se califiquen como delito castigado con pena de hasta 3 años de prisión, con pena de multa cualquiera que sea su cuantía o con otra pena de distinta naturaleza cuya duración no exceda de 10 años; c) Que, tratándose de pena privativa de libertad, la pena solicitada o la suma de las penas solicitadas no supere, reducida en un tercio, los dos años de prisión.

> Una de las objeciones a esta regulación es que está posibilitando que la conformidad sin designación de abogado de oficio en los supuestos en que no haya nombrado uno particular, afectando con ello al ejercicio del derecho de defensa.

Tras los oportunos controles, el JG dicta oralmente sentencia de conformidad: a) Impondrá la pena reducida en un tercio; y b) Si la pena fuere una pena privativa de libertad, acordará, en su caso la suspensión o la sustitución de la misma —es una suerte de pena condicionada—. El incumplimiento de los compromisos establecidos da lugar a un auto por el que se impondrá al acusado la pena sin reducción. El JG acordará lo procedente sobre la puesta en libertad o el ingreso en prisión del condenado, con los requerimientos oportunos, con remisión al Juzgado de lo Penal para ejecución (art. 801.4). Si el Fiscal y las partes personadas expresan su decisión de no recurrir, se declara oralmente la firmeza de la sentencia.

También es posible la conformidad en los juicios rápidos en la fase del juicio oral (arts. 800.2 y 802), si bien el régimen jurídico aplicable es el del abreviado (art. 787).

H) Juicio oral, sentencia, impugnación y ejecución

Se remite con carácter general al abreviado (art. 802.1). Las peculiaridades son: 1.ª) Si por motivo justificado no pudiere celebrarse el juicio oral en el día señalado o no pudiere concluirse en un solo acto, se señalará el día más inmediato posible y, en todo caso, dentro de los 15 días siguientes, poniéndolo en conocimiento de los interesados (art. 802.2); 2.ª) El plazo para dictar sentencia es de 3 días, a contar desde la terminación de la vista. Podrá dictarse *in voce*, sin perjuicio de la documentación del fallo y una sucinta motivación mediante la fe del Letrado de la Administración de Justicia o en anexo del acta, y todo ello sin perjuicio de la posterior redacción de la misma (art. 789, en relación con el art. 802.3).

Si se dicta la sentencia de viva voz, el Fiscal y las partes, conocido el fallo, pueden expresar su decisión de no recurrir, convirtiéndose la sentencia en firme. En cualquier otro supuesto, cabe apelación ante la AP (cuando la sentencia es dictada por el Juez de lo Penal) o, en su caso, ante la Sala de lo Penal de la AN (cuando se dictó por el Juez Central de lo Penal), y se sustanciará según lo que disponen los arts. 790 a 792.

Matizaciones: 1) El plazo para presentar el escrito de formalización es de 5 días (frente a los 10 del abreviado); 2) El plazo de las demás partes para presentar escrito de alegaciones es de 5 días (frente a los 10 del abreviado); 3) La sentencia se dictará en el plazo de 3 días (5 en el abreviado) tras la celebración de la vista, o bien en los 5 días (10 en el abreviado) siguientes a la recepción de las actuaciones, si no se celebrare vista. Supuesto especial es la sentencia de los juicios rápidos por actos de violencia de género, que será recurrible conforme a las vías aludidas pero ante las secciones especializadas en la materia de la AP (art. 82.1, 4.º y 82.4 LOPJ). Se atribuye carácter preferente a la tramitación de este recurso de apelación (vid Lecc. 19ª). Asimismo, contra la sentencia dictada en ausencia del acusado cabe anulación (art. 793) (Lecc. 21ª).

Adquirida firmeza, por conformidad del Fiscal y las partes en el acto de la lectura oral de la sentencia, por la no interposición de apelación, o por la no prosperabilidad, se procederá a su ejecución (art. 794), conforme a las reglas del abreviado.

V. PROCEDIMIENTO POR DELITOS LEVES

Este proceso es heredero del juicio de faltas, tras la aprobación de la LO1/2015, de 30 de marzo, que modifica la LO 10/1995, de 23 de noviembre, del CP. Suprimidas las faltas, se mantiene solo la consideración de delito respecto de las conductas reprochables penalmente: delitos graves, menos graves y leves, atendiendo a la naturaleza de sus respectivas penas (art. 13 CP). Esto significa que en unos casos los hechos tipificados como determinadas faltas han dejado de ser reprochables sin más; en otros, se han reconducido a ilícitos administrativos o a la vía civil; y en otros casos, la mayoría, han sido consideradas en el nuevo texto como delitos leves.

Esta supresión de las faltas y su "reconversión" ha obligado al legislador a efectuar una modificación de las normas procesales para su adaptación a la nueva realidad penal. Así, este procedimiento viene a ser heredero del viejo juicio de faltas y muchas de sus normas se han mantenido, aun cuando adaptadas a las circunstancias —manteniéndose como inspiradores del mismo el principio de oralidad y su consecuencia la concentración de actuaciones, así como la simplificación de formas—. No es, sin embargo, idéntico a su antecesor; ejemplo lo tenemos en la amplia incorporación del principio de oportunidad reglada.

A) Ámbito de aplicación del proceso por delitos leves

Es el enjuiciamiento de las conductas tipificadas como delitos leves en el CP, esto es, lo castigados con penas no privativas de libertad entre un día y un año; y la pena de multa hasta tres meses (arts. 13.3 y 4, y 33.4 CP). Ahora bien, esta afirmación lleva a considerar que son muchas las conductas que van a ser tramitadas por este procedimiento, dado que hay supuestos de extensión de los delitos menos grave a los leves y otros, que indudablemente van a propiciar numerosas dudas en torno a la aplicación o no de este procedimiento.

Son numerosas las dificultades que se presentan en la práctica para determinar cuándo estamos ante un delito leve y cuando ante uno menos grave (art. 13, 3 y 4). El punto de partida es que son delitos leves las infracciones que castiga la ley con pena leve. Se trata de la pena asignada al delito en la ley. Se parte de la cuantía o duración de la pena, pero no su máximo, de manera que si el límite mínimo se halla en el supuesto del artículo 33.4 CP, es leve, aunque el límite máximo se prolongue e invada el tramo reservado a los delitos menos graves (art. 33.3 CP). Esta situación además puede acarrear alguna desnaturalización de algunos delitos que tenían su consideración y tipificación de acuerdo con una respuesta penal pretendida y que con la nueva norma produce una aminoración de delitos menos graves a delitos leves. E igualmente puede generar dudas en cuanto a su consideración (gravedad) si los hechos delictivos llevan aparejada una pena compuesta; si todas las penas que tenga asignadas entran en los tramos del art. 33.4 CP, se considerarían leves, y si alguna de ellas lo supera, adentrándose en alguno de los tramos de los menos graves (art. 33.3 CP), parece razonable considerarlo a todos los efectos como delito menos graves. En cualquier caso, la complejidad de estas nuevas normas lleva a que en ciertos casos habrá tipos que puedan llevar penas leves y otros, menos graves, generando incertidumbre en la aplicación de la norma, y sobre todo, disparidad de criterio que, a la postre, implica desigualdad de trato ante la ley. Cuestión inversa sucede cuando se trata de establecer los lindes entre el delito grave y el delito menos grave, dado que en este caso cuando la pena, por su extensión, pueda incluirse a la vez entre las mencionadas en los dos primeros números del art. 13.4 CP, el delito será grave.

B) Características generales del procedimiento por delitos leves

a) Naturaleza: es un procedimiento de doble instancia, sencillo y muy abreviado, en el que se respetan los principios de oralidad, concentración, inmediación y publicidad además de la contradicción, aun cuando se permite la celebración del juicio con ausencia de las partes, sin que ello impida la notificación posterior de la sentencia (arts. 962.1, 963.2, 964.3, en relación 973.2) y la notificación de la sentencia de apelación (art. 976.3).

Fue en su día cuestionada la permisibilidad de la ausencia del acusado en el juicio de faltas, aun cuando el TC consideró (STC 56/1994, de 24 de febrero) que la libertad de acusación permitida en el juicio de faltas y su propia configuración abrigaba su constitucionalidad cuando se incorporaban medios para que el acusado tuviere conocimiento de su existencia, lo que especialmente quedaba cubierto por la propia denuncia siempre que se acompañe a la citación y la vista comience con su lectura. Se consideraba que la ratificación del denunciante en el acto de la vista sobre los hechos denunciados equivalía a la acusación, aunque no fueren calificados ni hubiere habido petición de condena. La experiencia pasada ha llevado a incorporar un precepto semejante (art. 969.2) en el procedimiento por delitos leves: *En estos casos, la declaración del denunciante en el juicio afirmando los hechos denunciados tendrá valor de acusación, aunque no los califique ni señale pena".*

b) Competencia: Es competente, con carácter general, para la instrucción, conocimiento y fallo en este procedimiento regulado en el Libro VI LECRIM (DA 2ª CP) —arts. 962 a 977— el Juez de Instrucción (en ciertos casos, constituido como Juez de Guardia). Específicamente también será competente cuando se trate de delitos específicos de su competencia, el Juez de Violencia sobre la Mujer (art. 14.5).

Igualmente puede ser competente el Juzgado de lo Penal (o Central de los Penal cuando se trate de delitos de su competencia) cuando la comisión del delito leve o su prueba estuviere relacionado con los delitos de los que éstos son competentes (art. 14.3). Desaparece la competencia que tenían los Juzgados de Paz sobre determinadas faltas, dado que no la tienen para conocer de delitos leves.

c) *Estructura y características:* son sustancialmente las que se presentaban en el juicio de falta, salvo la importante introducción del principio de oportunidad reglada como forma de conclusión anticipada del procedimiento por delitos leves.

– Por un lado, no se exige una actuación judicial de imputación para que pueda procederse a la apertura del juicio oral. La mera noticia de hechos presuntamente constitutivos de delito leve (por atestado policial, por denuncia) será suficiente para la citación de oficio sin audiencia de los acusadores.

– Por otro, no existe propiamente dicho un procedimiento preliminar, ni período intermedio. Esto significa que la puesta en marcha del mismo (por *notitia criminis* policial o denuncia) implica la apertura inmediata del juicio oral. Ahora bien, se mantienen dos modalidades diversas de procedimiento por delitos leves, dado que es posible diferenciar: por un lado, el procedimiento inmediato para los delitos leves de lesiones o maltrato de obra, de hurto flagrante, de amenazas, de coacciones o de injurias; y, por otro lado, el procedimiento común, para delitos leves no contemplados en el supuesto anterior.

d) *Citación*. Es una de las piezas esenciales del procedimiento, que garantiza precisamente el ejercicio de los derechos y especialmente del derecho de defensa. Es un acto complejo, que comporta la comunicación de información y también es un acto conminatorio al exponer qué debe efectuarse por quien lo recibe. Habrá por ello que tener en cuenta:

a) A quién se cita: al Fiscal en el procedimiento común (salvo que el delito leve fuere perseguible solo a instancia de parte), al querellante o denunciante (si lo hubiere), al ofendido y víctima, al denunciado y a los testigos y peritos (arts. 962.1 y 964.3).

b) Contenido de la citación: se informa del lugar, día y hora en que se va a proceder a la celebración del juicio oral, consecuencia del expediente abierto. Asimismo, se advierte de las consecuencias de no comparecencia (con sanción) y apercibimiento de celebración del juicio en ausencia. Igualmente, se informa de que debe comparecer con los medios de prueba de que intente valerse (arts. 962.1, 964.3 y 967.1). Pueden asistir con abogado si lo desean, salvo en delitos leves con pena de multa cuyo límite máximo sea de al menos 6 meses, en cuyo enjuiciamiento se aplican las reglas generales de defensa y representación (art. 967.1, I y II).

En el momento de la citación se les solicitará a todos ellos que designen, si disponen, de una dirección de correo electrónico y número de teléfono, para remisión de comunicaciones y notificaciones; en caso contrario, las notificaciones les serán remitidas por correo ordinario al domicilio que designen (art. 962.1, II, y 964.1).

e) *Ausencia del acusado*. Con carácter general, el juicio puede celebrarse en ausencia del acusado, siempre que conste su debida citación y que el juez, de oficio o a instancia de parte, no considere necesaria su declaración (art. 971). El legislador establece incluso una causa justificada, la residencia fuera de la demarcación del Juzgado; no tiene obligación de concurrir al acto del juicio, pudiendo hacer alegaciones por escrito para su defensa, y apoderar, en su caso, a abogado o procurador para que presente en el acto las alegaciones (art. 970).

Se puede realizar el juicio oral (arts. 962.1 y 964.3) con ausencia de cuantos son citados al mismo, incluido el acusado. La incomparecencia, amén de consecuencias procesales —continuidad del proceso con su ausencia—, provoca sanciones pecuniarias (multa de 200 a 2000 euros, art. 967.2).

En cuanto a la posible suspensión o no, parece que la decisión queda en manos del tribunal, por aplicación de la vieja doctrina en las faltas, de manera que podría no acordarse la suspensión si ya hubiera declarado con anterioridad o pudiera hacerlo, como se permite en el art. 970, por escrito.

f) *Postulación.* La intervención del Abogado no es necesaria con carácter general. De ahí que, como se señaló *supra,* al denunciado se le informa de que puede o no comparecer con él. No se establece, por ello, la citación al mismo, con carácter general, aun cuando la citación debiera entenderse extensiva a aquél (arts. 969.1 en relación con la querella sin firma del abogado ni procurado; arts. 967.1, 962.2 y 964.3).

Si la parte quiere ser asistida de Abogado y, por motivos justificados, no puede estar presente en la vista oral, debe considerarse como causal de suspensión, en los términos previstos en el art. 746. Lo contrario, provocaría indefensión.

Esta regla general tiene una excepción, cual es el supuesto de enjuiciamiento de delitos leves que lleven aparejada pena de multa cuyo límite sea de al menos 6 meses, dado que en estos casos ha entendido el legislador (art. 967.1, II) que debe aplicarse las reglas generales de defensa y representación.

g) *Potenciación del archivo, manifestación del principio de oportunidad, en los juicios por delitos leves, elemento diferenciador de las faltas.* La LO 1/2015 incorpora la potestad del Fiscal para terminar de forma anticipada el procedimiento por razones de oportunidad. Esta potestad supone desvinculación del "viejo" juicio de faltas y puede darse cuando concurran las siguientes circunstancias:

a) El delito leve denunciado resulte de muy escasa gravedad a la vista de la naturaleza del hecho —valorándose la antijuridicidad material de la conducta—, sus circunstancias y las personales del autor;

Se hace necesario ponderar los elementos señalados con algún criterio objetivo interpretativo de valoración del significado de "muy escasa gravedad". Como dispone la Circular de la FGE 1/2015, podrían valorarse los tipos penales desde el punto de vista utilitario o finalista, considerando que para que la renuncia de la acción pueda justificarse debe concurrir una menor necesidad de tutela por las circunstancias concurrentes, trabajando con dos parámetros complementarios: el valor relativo del bien jurídico tutelado por la norma (por ejemplo, ser menos proclive al archivo cuando se afecten bienes personales como la integridad física y moral, la dignidad o la libertad) y la intensidad del daño o riesgo efectivamente ocasionados (indemnización o no del mismo). Podría valorarse también que los antecedentes penales por delitos leves se tomarán en consideración como elemento subjetivo adverso para valorar la oportunidad del sobreseimiento de la causa.

b) No exista un interés público relevante en la persecución del hecho (art. 963.1, 1ª).

Aun cuando también este concepto afecta a la antijuridicidad material de la conducta, la Circular de la FGE 1/2015, enumera algún criterio para su interpretación: la reiteración o frecuencia de los hechos de la misma naturaleza aun cuando uno aislado pudiere incorporar interés público relevante en la persecución, o la necesidad sentida de protección de la víctima, que lleve a continuar con la causa. No parece razonable el archivo, a título de ejemplo, de los procedimientos incoados por actos de violencia física y psíquica en el seno de la convivencia familiar, o por falsedad documental, o contra la Administración Pública, entre otros. No podrá valorarse este dato sin evaluar la opinión de la víctima (art. 963.1, 1º). No se trata de considerar que es absolutamente determinante la posición de la víctima, si bien tras el EVD debe ser oída para la conformación de la opinión por parte del Fiscal; de este modo, el archivo solo se solicitará si ninguna víctima denuncia o manifiesta un interés explícito en la persecución del hecho o cuando manifestándolo, esta postura pueda mostrarse como infundada, irracional o arbitraria.

De este modo, los trámites a seguir para el ejercicio y aplicación de la oportunidad por el Fiscal serán: 1) Atestado policial con ofrecimiento de acciones por la Policía y con informaciones al denunciante y al ofendido y perjudicado; 2) Acuerdo judicial de incoación del procedimiento para enjuiciamiento de delitos leves. Es la primera decisión judicial, que implica una aceptación de relevancia penal de los hechos objeto de atestado o denuncia y de su propia competencia; 3) Traslado al Fiscal para que se pronuncie, pudiendo no instar la terminación anticipada con inmediata celebración del juicio si comparecieron las personas citadas o no habiendo comparecido alguna, el juez no considere imprescindible su presencia (art. 963.1, 2ª); o ya la terminación anticipada del proceso, manifestación del principio de oportunidad.

Esta manifestación de oportunidad por el Fiscal queda asimismo condicionada a la naturaleza de delito leve público, semipúblico o privado, esto es, a que la persecución del delito leve exija o no la denuncia del ofendido o perjudicado. Si se exige, la declaración del denunciante en juicio afirmando los hechos denunciados tiene valor de acusación, aun cuando no califique ni señale pena, y las atribuciones al Fiscal quedan mermadas o eliminadas.

Así, en los públicos no se limita la potestad del Fiscal y por ello se le permite esta manifestación del principio de oportunidad. En los semipúblicos el Fiscal, puede, tras instrucción del Fiscal General del Estado, dejar de asistir no emitiendo informe (art. 969.2). En el privado (injurias graves producidas sin publicidad, art. 209 CP), se requiere querella del ofendido o su representante legal (art. 215.1 CP), de modo que el Fiscal carece de legitimación para el ejercicio de la acción penal.

La decisión, a estos efectos, sobre la celebración del juicio oral o el sobreseimiento vendrá condicionada al informe presentado por el Fiscal.

C) Desarrollo del procedimiento

Existen dos modalidades reguladas, que atienden a varios criterios: por un lado, el tipo de delito leve; por otro, la forma en que los hechos llegan a conocimiento del juzgador; y a ello se une un dato más: que pueda conocer de la causa el Juez de Instrucción en su servicio de guardia o que esto no sea posible.

a) Procedimiento inmediato para delitos leves

Se tramitará por esta modalidad cuando se den dos condiciones: 1.- Se trate de delitos leves de lesiones o maltrato de obra, de hurto flagrante, de amenazas, de coacciones o de injurias. 2.- La Policía Judicial hubiera levantado atestado por tales hechos, al haber tenido conocimiento de ellos, estando identificado su presunto autor. Presenta el atestado precisamente ante el Juzgado de Instrucción que haya de enjuiciarlos o ante otro, pero dentro del mismo Partido Judicial, con citación ante el Juzgado de Guardia de ofendidos y perjudicados, denunciante, denunciado y testigos que pudieren dar razón de los hechos (art. 962.1). En estos casos, la tramitación de este procedimiento seguirá las siguientes actuaciones:

– *Citación*: en los términos expuestos, al denunciante y denunciado, ofendidos o perjudicados y posibles testigos ante el Juzgado de Guardia (o Juzgado de Violencia sobre la Mujer, si fuere competente), con remisión a éste del atestado (art. 962). En este procedimiento es la Policía Judicial la que lleva a cabo las mismas, en coordinación con el Juzgado de Guardia o, en su caso, el Juzgado de Violencia sobre la Mujer (art. 962.4 y 5), siendo estas citaciones adjuntadas al atestado que se entrega al juez.

En el momento de la citación se les solicitará que designen, si disponen de ellos, de una dirección de correo electrónico y un número de teléfono para comunicaciones y notificaciones; de otro modo, se efectuarán al domicilio por correo ordinario (art. 962.1, II).

– *Recepción del atestado* por el Juzgado de Guardia y *decisión judicial* sobre su propia competencia (art. 963.2), así como valoración de las condiciones para el procedimiento inmediato por delitos leves. Si lo estima procedente, acordará o sobreseimiento (con suspensión del juicio y comunicación de la suspensión a cuantos hubieren sido citados, incluida la víctima) o inmediata celebración del juicio.

La inmediata celebración del juicio se da cuando: 1) El asunto le corresponde al JG; 2) Hayan comparecido las personas citadas, o aun no comparecidas, el JG no considere necesaria su presencia; y 3) Valorará si la celebración inmediata puede impedir la práctica de algún medio de prueba, dado que si la misma fuere trascendente y no pudiera practicarse en el juicio, habrá de fijarse fecha para su celebración en el día más próximo posible, perdiendo la naturaleza de inmediatez (art. 965 en relación con el 962).

La *Vista oral* se desarrolla de acuerdo con lo que prescribe el art. 969.

1º) Será pública, salvo causa para que se celebre a puerta cerrada; 2º) Lectura de la querella o la denuncia, si las hubiere. 3º) Examen de los testigos convocados. Y práctica de los demás medios de prueba propuestos por el querellante, el denunciante y el Fiscal, si asistiere, y admitidos por el Juez. 4º) Se oye al acusado. Y se examinan los testigos de descargo y se practican las pruebas propuestas y admitidas por esta parte. 5º) Informe oral de las partes, para exponer lo conveniente en relación con sus pretensiones (primero Fiscal, si hubiere, querellante particular o denunciante y por último, el acusado). En los supuestos de ausencia del Fiscal, la declaración del denunciante en el juicio, afirmando los hechos denunciados, tiene valor de acusación, aunque no califique los mismos ni señale pena. 6º) Documentación a través de registro electrónico o a través de acta escrita.

Se dicta al finalizar la vista o, de no ser posible, en los 3 días siguientes la sentencia. Se notifica a las partes y a las víctimas, con indicación de los recursos procedentes, órgano competente y plazo (art. 973).

Se plantea la duda de si debiera considerarse aplicable la competencia de uno solo magistrado de la Audiencia cuando se interponga apelación, como en faltas, o no. Debiera entenderse aplicable el mismo criterio que en los demás delitos, a saber, tribunal integrado por tres magistrados de la AP; solución en todo caso más garantista.

La sentencia puede ser firme y ejecutable de forma inmediata si las partes, conocido el fallo, hubieran manifestado en el acto su intención de no recurrir (art. 975).

En todo caso, la ejecución queda condicionada a que posibles ofendidos o perjudicados que no fueron parte en el proceso, tras la notificación de la sentencia, no recurran. Habrá que esperar al agotamiento del plazo para que sea ejecutiva (art. 974). En el supuesto de condena con pronunciamientos indeterminados sobre responsabilidades civiles, habrá de estarse al incidente de liquidación para cuantificar daños y perjuicios (arts.712 y ss. de la LEC y 974.2 y 984 LECRIM).

b) Procedimiento común o general para delitos leves

Se tramitará a través de este procedimiento común o general para delitos leves: 1) Cuando se trate de delitos leves no contemplados en el supuesto anterior; 2) Exista atestado policial o denuncia ante un JG, estando identificado el denunciado (art. 964.2), pudiendo celebrarse de forma inmediata en el mismo o, de no ser así, ante el Juzgado de Instrucción (no de Guardia) o al que le corresponda. Y se seguirán las siguientes actuaciones:

Atestado y remisión al JG: con las diligencias practicadas y el ofrecimiento de acciones al ofendido o perjudicado (arts. 109, 110 y 967) y la designación, si dispone de ellos, de una dirección de correo electrónico y un número de teléfono para comunicaciones y notificaciones; en caso contrario, se notificará por correo ordinario al domicilio (art. 964.1).

Decisión judicial sobre posible sobreseimiento —con los mismos efectos antes descritos— o inmediata celebración del juicio, todo y que se considere competente para conocer del asunto (de lo contrario, remite al competente). El juicio inmediato se da cuando: 1) Se halle identificado el denunciado; 2) Sea posible citar a todas las personas que deban ser convocadas mientras dure el servicio de guardia; y 3) Valorará si esta inmediatez frustra la práctica de prueba trascendente.

Vista oral y pública —salvo por causa que lo impida fundadamente— se desarrollará según lo expuesto en el procedimiento inmediato y de acuerdo con la regulación del art. 969.

> 1°) Lectura de la querella o la denuncia, si las hubiere; 2°) Examen de los testigos convocados y de otros medios de prueba propuestos por querellante, el denunciante y el Fiscal, si asistiere, y admitidos por el Juez. Tras oír al acusado, se practicarán las pruebas de descargo (testigos y otras que se propongan y admitan); 4°) Informe oral de las partes, otorgando valor de acusación a la declaración del denunciante si no comparece el Fiscal; 5°) Documentación a través de registro electrónico o acta escrita.

Si no se pudiere celebrar el juicio durante el servicio de Guardia: 1) El letrado de la administración de justicia señalará para juicio para el día hábil más próximo posible dentro de los predeterminados a tal fin, y en un plazo no superior a 7 días; 2) Si considera que no es competente, el letrado de la administración de justicia remite todo lo actuado al mismo, para que se realice señalamiento del juicio y citaciones en el competente (art. 965).

Sentencia de viva voz al finalizar la vista o en los 3 días siguientes por escrito, apreciando, según conciencia, las alegaciones y pruebas de las partes, notificándose a las partes y a los ofendidos o perjudicados aunque no se hubieran constituido como tales, indicándose los recursos procedentes, órgano competente y plazo para interponerlos (art. 973). Será firme y ejecutable de forma inmediata cuando las partes manifiestan intención de no recurrir (art. 975), con posible recurso de los ofendidos o perjudicados que no se constituyeron en parte en el proceso, de ahí que haya que dejar agotar el plazo (art. 974).

LECTURAS RECOMENDADAS: ARMENTA DEU, T.: *El nuevo proceso abreviado*, Madrid, 2003; MUERZA ESPARZA, J.: *La reforma del proceso penal abreviado y el enjuiciamiento rápido de delito,* Pamplona, 2003; GASCÓN INCHAUSTI, F.: *Reforma de la LECRIM. Comentario a la Ley 38/2002 y a la LO 8/2002, de 24 de octubre,* Madrid, 2003. VEGAS TORRES, J., *El procedimiento para el enjuiciamiento rápido*, Madrid, 2003; FLORES PRADA, I., GONZÁLEZ CANO, I., *Los nuevos procesos penales (II): El juicio rápido,* Valencia, 2004; FARALDO CABANA, P., *Los delitos leves. Causas y consecuencias de la desaparición de las faltas,* Valencia, 2015; BARONA VILAR, S., *Proceso penal desde la Historia. Desde sus orígenes hasta la sociedad global del miedo,* 2017.

Lección Vigésimo cuarta

Especialidades procedimentales

I. PROCESO POR ACEPTACIÓN DE DECRETO
- A) Regulación y naturaleza jurídica
- B) Ámbito de aplicación y objeto del proceso
- C) Decreto de propuesta de imposición de pena emitido por el Fiscal
- D) Tramitación
  - a) Contenido de la comunicación
  - b) Contenido de la comparecencia
  - c) Efectos de la comparecencia-incomparecencia

II. ESPECIALIDADES EN DELITOS CONTRA LA SEGURIDAD VIAL
- A) Tres consideraciones iniciales
- B) Especialidades
  - a) Presupuestos procesales
  - b) Especialidades en la investigación
  - c) Medidas cautelares
  - d) Juicio oral
  - e) Sentencia y ejecución

III. ESPECIALIDADES EN DELITOS POR VIOLENCIA DE GÉNERO
- A) Razón de ser y regulación
- B) Bienes jurídicos protegidos
- C) Especialidades en relación con los sujetos
  - a) Competencia objetiva JVM
  - b) Competencia territorial
  - c) Competencia funciona
- D) Especialidades en el procedimiento

IV. ESPECIALIDADES EN PROCESOS CONTRA SENADORES Y DIPUTADOS. REFERENCIA A AFORADOS
- A) Especialidades
- B) Referencia a los aforados

V. ESPECIALIDADES EN PROCESOS POR CALUMNIA E INJURIA

VI. ESPECIALIDADES EN PROCESOS POR DELITOS COMETIDOS POR CUALQUIER MEDIO O SOPORTE DE PUBLICACIÓN O DIFUSIÓN

VII. LA ORDEN EUROPEA DE DETENCIÓN Y ENTREGA Y LA EXTRADICIÓN
- A) Naturaleza y objeto
- B) Contenido y forma de la orden
- C) Órgano competente
- D) Procedimiento
- E) Proceso de extradición

I. PROCESO POR ACEPTACIÓN DE DECRETO

La Ley 41/2015, de modificación de la LECRIM para la agilización de la Justicia Penal y el fortalecimiento de las garantías procesales, introdujo una importante novedad en el ordenamiento jurídico español: el proceso por aceptación de decreto. Se regula en los artículos 803 bis a hasta 803 bis j.

A) Regulación y naturaleza jurídica

Es un verdadero proceso monitorio penal, en línea con numerosos países de Europa. Ofrece elementos para ser considerado como una vía especial, dado su ámbito restrictivo de aplicación y dada su finalidad amén de su fundamento —economía procesal—, presentándose como un modelo de aceleración de la justicia penal para delitos de escasa gravedad, con máxima concentración a favor de la obtención del título ejecutivo. Este título se genera a propuesta inicial del Ministerio Fiscal a través del decreto dictado por él, posterior auto de autorización del Juez de Instrucción, posterior aceptación por el encausado y su conversión en título, esto es, en sentencia condenatoria.

Por todo ello tanto respecto de la tramitación, como respecto de la naturaleza y procedimiento de obtención del título como por su ámbito de aplicación, nos encontramos ante un proceso de naturaleza especial. El legislador presenta este proceso con un "ámbito de aplicación diferente al de los procedimientos de juicio rápido", si bien es compatible con ellos, dado que se diseña este procedimiento para aquellos supuestos en los que no es posible acudir al enjuiciamiento rápido al no concurrir alguno de los presupuestos del artículo 795, convirtiéndose en un proceso complemento del enjuiciamiento rápido.

El protagonismo del Ministerio Fiscal es innegable, dado que su labor lleva a poner fin a la fase de diligencias con la solicitud de finalización del proceso mediante sentencia condenatoria cuyo contenido sea el que se propone en su decreto. La abreviación del proceso es muy significativa, generando una clara agilización de la justicia penal, mediante la reducción o supresión de las dilaciones innecesarias, siempre que todo ello venga desde el debido respeto a los derechos de las partes.

B) Ámbito de aplicación y objeto del proceso

El artículo 803 bis a) establece los requisitos que deben concurrir cumulativamente para que pueda procederse por este proceso de aceptación de decreto:

1°. Requisito objetivo legalmente establecido: Que el delito esté castigado con pena de multa, trabajos en beneficio de la comunidad o con pena de prisión que no exceda de un año y que pueda ser suspendida de conformidad con lo dispuesto en el artículo 80, con o sin privación del derecho a conducir vehículos a motor o ciclomotores.

2°. Requisito subjetivo del Fiscal: Que el Ministerio Fiscal entienda que la pena en concreto aplicable a los hechos que se imputan es la pena de multa o trabajos en beneficio de la comunidad y, en su caso, la pena de privación del derecho a conducir vehículos a motor o ciclomotores.

3°. Requisito subjetivo de partes: Que no esté personada acusación popular o particular en la causa: requisito subjetivo de quienes pueden convertirse en parte penal (víctima o cualquier persona) pero no lo hacen, siendo el Fiscal el único acusador.

La intervención de acusador popular o de acusador particular en la causa obstaculizaría el objetivo finalista de este procedimiento, que es el de alcanzar una extrema agilidad y concentración de actuaciones, que lleve a prácticamente poner fin al mismo de forma tan breve. De ahí que se haya establecido como requisito en el artículo 803 bis a precisamente la ausencia de personación de acusación particular o a acusación popular.

4°. Requisito temporal: Para poder hacerse uso de este proceso deberá encontrarse la causa en un momento después de iniciadas diligencias de investigación por la fiscalía o de incoado un procedimiento judicial y hasta la finalización de la fase de instrucción. Incluso se permite este proceso aun cuando no haya sido llamado a declarar el investigado, siempre que se cumplan los requisitos antes expuestos (art. 803 bis a, I).

El objeto de este proceso penal viene configurado:

a) Por el hecho criminal que se le imputa. Se trata de un hecho que lleva aparejada la imposición de una pena de multa o trabajos en beneficio de la comunidad y, en su caso, de privación del derecho a conducir vehículos a motor y ciclomotores.

b) Por la persona presuntamente responsable de esos hechos, contra la que se dirige el proceso penal.

Juntamente con el ejercicio de la acción penal en el proceso penal es posible acumular en el mismo una pretensión civil (art. 803 bis b, 2°); se trata de un proceso civil, con objeto civil claramente, si bien tramitándose de forma acumulada al penal, y en el que el objeto se circunscribe a la pretensión civil. Esta pretensión civil se dirige a la obtención de la restitución de la cosa —siempre que el hecho hubiere supuesto una desapropiación de la misma— y a la indemnización del perjuicio.

Se trata en todo caso de una pretensión eventual, que no necesaria, y en todo caso esa eventualidad dependerá de que a través del hecho delictivo se hubiere incurrido en responsabilidad civil derivada del mismo.

C) Decreto de propuesta de imposición de pena emitido por el Fiscal

El proceso penal monitorio responde a una *conditio sine que non:* la posición proclive hacia el mismo por el Ministerio Fiscal. Los requisitos anteriormente expuestos ponen de relieve que, amén de encontrarse ante el restringido ámbito de aplicación del mismo, el Fiscal debe considerar que efectivamente los hechos y la pena pueden reconducirse por esta vía procedimental y generan el instrumento para ello, que es el decreto. En consecuencia será imprescindible a efectos de este proceso monitorio penal:

1.- Que el Fiscal considere aplicable a los hechos que se imputan la pena en concreto aplicable de multa o trabajos en beneficio de la comunidad y, en su caso, la pena de privación del derecho a conducir vehículos de motor;

2.- Que el Fiscal formule decreto de propuesta de imposición de pena. Si el anterior es requisito legalmente establecido, éste es la condición que genera la propia posición del Fiscal ante estos hechos.

> Este proceso por aceptación de decreto queda absolutamente condicionado a la decisión del Ministerio Fiscal. Sólo si el Fiscal considera que es la vía adecuada y así lo exterioriza a través del decreto, será posible su tramitación por esta vía.

La decisión del Fiscal se formaliza a través del decreto. Con este decreto el Ministerio Fiscal presenta una propuesta de imposición de pena de las señaladas anteriormente por la comisión de los hechos que se imputan al encausado así como, en su caso, la posible pena de privación del derecho a conducir vehículos de motor. Este decreto en el que formalmente se va a efectuar esta propuesta del Fiscal, según dispone el art. 803 bis c, deberá contener:

1.- Identificación del investigado, a quien se imputan los hechos y a quien se propone imponer las penas expuestas.

2.- Descripción de los hechos punibles que se imputan al encausado, que deben necesariamente hallarse tipificados en los términos restringidos del ámbito de aplicación de este monitorio penal.

3.- Indicación del delito cometido y mención sucinta de la prueba existente. Debe considerarse que el delito cometido debe hallarse en el marco de lo que dispone el art. 803 bis a, y asimismo debe haberse practicado medio de prueba que lleve a considerar no solo la existencia de los hechos y su tipificación, sino también la posible responsabilidad del encausado o encausados en la comisión de estos hechos.

> Al hablar de prueba ha de entenderse en estos casos y teniendo en cuenta el momento procesal en que el decreto se va a emitir que fundamentalmente se centrará en los medios de prueba preconstituidos y en cuantos elementos formen parte del atestado que se generó como consecuencia de la comisión de los hechos delictivos.

4.- Breve exposición de los motivos por los que se entiende, en su caso, que la pena de prisión debe ser sustituida.

5.- Penas propuestas.

A estos efectos, el Ministerio Fiscal podrá proponer multa o trabajos en beneficio de la comunidad y, en su caso, privación del derecho a conducir vehículos o ciclomotores, reducida hasta un tercio respecto de la legalmente prevista, aun cuando suponga pena inferior al límite previsto en el CP.

6.- Posible delimitación de la pretensión civil acumulada de restitución de la cosa o de indemnización por los daños y perjuicios que se hubieren podido ocasionar, obviamente siempre que se considere ejercitable la misma.

En la regulación que se hace en la LECRIM del proceso por aceptación de decreto del Fiscal no se incorpora referencia a las víctimas. Sin embargo, la multiplicidad de normas que han reformado el ordenamiento jurídico español exigen una interpretación sistemática del ordenamiento, esto es, la necesidad de siquiera con carácter general inspirarse en lo que supone la aprobación del Estatuto de la Víctima de delitos que ha reconocido un extenso derecho de participación activa a la víctima en el proceso penal, especialmente en el art. 3.1 con carácter general. Ello debe suponer que cuando se vaya a proceder a través del monitorio penal en algún momento la posibilidad de dar cierta participación a la víctima debería estar presente, cuanto menos en la evaluación que efectúa el Fiscal. Y aquí nos encontramos con dos datos que no pueden perderse de vista: a) Por un lado, que es muy probable que en algunos de estos hechos delictivos no se conozca la víctima o ésta sea innominada, lo que puede hacer más compleja su participación; y b) Que de la regulación *stricto sensu* no se deriva el momento en que se haría partícipe a la víctima, lo que llevaría a que el Fiscal pudiera, de alguna forma, antes de emitir su decreto de imposición de pena, evaluar la opinión de la víctima.

D) Tramitación

Una vez emitido el decreto de propuesta de imposición de la pena por el Ministerio Fiscal, los trámites que deberán seguirse en el desarrollo de este proceso serán:

*1.- Remisión al Juzgado de Instrucció*n art. *803 si se cumplen los requisitos establecidos en la norma.*

La tramitación de la causa a través del monitorio penal requiere de un acuerdo de voluntades. De este modo, tras la decisión del Fiscal de remisión a esta vía, se requiere de la autorización judicial. Es por ello que el art. 803 bis d) así lo establece. Habrá que remitir el decreto del Fiscal al Juzgado de Instrucción (órgano competente) para que éste proceda a su autorización y, en su caso, posterior notificación al investigado.

2.- Autorización judicial

El Juzgado de Instrucción examinará si se cumplen los requisitos establecidos en el artículo 803 bis a. Del examen de los mismos puede suceder:

a) Que considere que se cumplen los requisitos y autorice el decreto, dando lugar a la continuación de esta vía.

b) Que no se cumplen, en cuyo caso no autorizará el decreto, dejándole sin efecto, y por ello, continuando el proceso por los trámites pertinentes.

3.- Notificación, citación y comparecencia

El auto del Juez de Instrucción se notificará al investigado solo si es de autorización del decreto de propuesta de imposición de pena formalizado por el Fiscal. No así, si la decisión judicial es de no autorización (art. 803 bis f).

Autorizado por auto del Juez de Instrucción el decreto se notificará al investigado, juntamente con el decreto del Fiscal y se efectuará la correspondiente citación para que comparezca ante el tribunal.

a) Contenido de la comunicación

El artículo art. 803 bis f regula dos actos de comunicación, la notificación y la citación.

– Por un lado, la notificación es un acto simple que tiene por objeto dar noticia al encausado del decreto y por ello es una puesta en conocimiento en estado.

– Por otro, la citación es el acto de comunicación que consiste en intimar al encausado para que comparezca ante el tribunal en el día y la fecha en que se señale. La citación es un acto de comunicación más complejo que la notificación, por cuanto en él se pone en conocimiento y se intima a hacer algo determinado.

A través de esta comunicación, amén de notificar el decreto y citar al encausado en día y hora ante el tribunal, se le informa:

1.- De la finalidad de la comparecencia a la que es citado.

2.- De la preceptiva asistencia de letrado para su celebración (Art. 803 bis h, 1). E igualmente se le informará de que, caso de no encontrarse defendido por letrado en la causa, debe asesorarse con un abogado de confianza o solicitar un abogado de oficio (art. 803 bis g).

> Si el encausado carece de asistencia letrada se le designa abogado de oficio para su asesoramiento y asistencia. Para que la comparecencia pueda celebrarse, deberá realizarse la solicitud de designación de abogado de oficio en el término de cinco días hábiles antes de la fecha para la que se haya efectuado el señalamiento de la comparecencia (art. 803 bis g).

3.- De los efectos de su incomparecencia.

4.- De la diversa posición que puede sostener ante la propuesta del decreto, a saber, puede aceptar o puede rechazar el mismo.

b) Contenido de la comparecencia

La realización de la comparecencia es un acto necesario. Su finalidad es la de dar debido cumplimiento al principio de contradicción entendido como manifestación del derecho de defensa del encausado, de modo que en ella se oirá al encausado en torno a la aceptación o rechazo de la propuesta de sanción fijada en el decreto del Fiscal. Será registrada íntegramente por medios audiovisuales, documentándose conforme a las reglas generales en caso de imposibilidad material (art. 803 bis h, 4).

Notas esenciales de esta comparecencia:

1.- Es necesario que el encausado comparezca en el Juzgado de Instrucción a la misma asistido por letrado, garantizándose de este modo su derecho de defensa.

2.- El Juez de Instrucción se asegurará a estos efectos que el encausado ha comprendido el contenido de lo propuesto por el Fiscal en el decreto, esto es, la imposición de la pena propuesta y los efectos procesales de su aceptación, esto es, la aquiescencia con la conversión de la causa en un proceso monitorio penal, dirigido a la obtención del título ejecutivo y con la abreviación de los trámites procedimentales, en cuanto se pone fin a la tramitación seguida hasta el momento por la vía ordinaria (art. 803 bis h, 3).

c) Efectos de la comparecencia-incomparecencia

Los efectos que se producirán serán diversos según comparezca o no el encausado. Así:

– Si comparece el encausado, entiende la propuesta del Fiscal, y la acepta: se genera el título ejecutivo de condena, firme.

– Si no comparece: queda la propuesta del Fiscal sin efecto y el proceso continúa por el cauce que corresponda (art. 803 bis h, 2 y art. 803 bis j).

– Si el encausado comparece pero sin letrado: el juez suspende la comparecencia de acuerdo con lo previsto en el artículo 746 y señala nueva fecha para su celebración. (art. 803 bis h, 2).

– Si el encausado comparece pero rechaza total o parcialmente la propuesta del Fiscal, aun cuando se ha cumplido perfectamente las exigencias legales de validez de esta tramitación, quedará sin efecto la propuesta del Fiscal al considerar que no está de acuerdo el encausado con el contenido del decreto fiscal. En este caso, proseguirá la causa por el cauce que corresponda (art. 803 bis h, 2 y art. 803 bis j).

4. Conversión del decreto en sentencia condenatoria

Comparecido el encausado y aceptada la propuesta de pena en todos sus términos, el Juez de Instrucción procede a la creación del título ejecutivo.

1.- Para que se produzca esta conversión deben haberse cubierto las condiciones anteriores, a saber, que el Juez de Instrucción estuviere de acuerdo con la propuesta del Fiscal, que el encausado hubiera comparecido con asistencia letrada y que hubiera mostrado su conformidad con la propuesta de la pena que figura en el decreto del Fiscal.

2.- Esta conversión implica la creación directa de título ejecutivo. Convierte el decreto de propuesta de pena del Fiscal en resolución judicial firme, es decir, en sentencia condenatoria, dentro del plazo de tres días según dispone el artículo 803 bis i.

Ello supone que, desde que se produce la comparecencia en la que el encausado acepta el decreto del fiscal, el Juez de Instrucción cuenta con tres días para dar forma de sentencia y documentarla, a todos los efectos.

3.- Contra esta sentencia no cabe interponer recurso alguno (art. 803 bis i *in fine).*

II. ESPECIALIDADES EN DELITOS CONTRA LA SEGURIDAD VIAL

Ni la LECRIM, ni ninguna otra ley, dedican un apartado específico a los llamados delitos de tráfico. Sin embargo, dada su frecuencia práctica y las numerosas normas procesales dedicadas a especialidades o particularidades cuando se trata de estos delitos, aconsejan un tratamiento de las normas que establecen sus especialidades.

A) Tres consideraciones iniciales

1ª) El Derecho material, es decir el CP, regula los delitos y sus penas a enjuiciar criminalmente: Prevé por un lado los delitos contra la seguridad vial en los arts. 379 a 385 ter.; y por otro la pena y la medida de seguridad que necesariamente hay que imponer cometidos esos delitos, a saber, la privación del permiso de conducir, pena o medida privativa de derechos. Si es pena, es menos grave o leve (arts. 33, 39, 40, 47 y concordantes CP); si es medida de seguridad, se aplican los arts. 96 y 105 CP.

2ª) Una norma especial regula el acto de investigación más importante, pues a través del mismo se descubre uno de los principales delitos contra la seguridad vial, el de conducción bajo la influencia de drogas tóxicas, estupefacientes, sustancias psicotrópicas o bebidas alcohólicas (art. 379.2 CP): RD-Leg 6/2015, de 30 de octubre, por el que se aprueba el texto refundido de la Ley sobre Tráfico, Circulación de Vehículos de Motor y Seguridad Vial (abreviadamente, LTraf), y su Reglamento, todavía no acomodado a esta nueva norma (RD 1428/2003, de 21 de noviembre, abreviado RtoLTraf).

3ª) El proceso penal por aceptación de decreto (arts. 803 bis y ss. LECRIM) permite también el enjuiciamiento de estos delitos, pero las diferencias son importantes, pues como delitos de tráfico se enjuician los hechos más graves y menos graves en los que no procede una propuesta de pena mediante decreto del Fiscal impidiendo el juicio, ni tampoco aceptación alguna por parte del investigado, aunque sí es posible la conformidad con la acusación y en el juicio oral, atendidas las reglas generales del proceso abreviado o del juicio rápido.

B) Especialidades

Las especialidades previstas por la legislación (penal, administrativa y procesal penal) para el enjuiciamiento de los delitos de tráfico son las siguientes:

a) Presupuestos procesales

– *Competencia*: Dado que es posible la comisión de cualquier delito mediante el uso de un vehículo de motor y no sólo específicamente de tráfico, cualquier pena por aplicación de las reglas de concurso es procedente y, por tanto, se aplican las normas generales de competencia del art. 14 LECRIM. Ahora bien, en atención a los delitos de tráfico más frecuentes, la penalidad se fija por regla general en hasta 5 años de prisión, sin perjuicio de la duración de la pena de privación del permiso de conducir, por lo que usualmente será competente para instruir el JI y para enjuiciar el JPe del lugar de comisión del delito (arts. 757 y 795.1-2ª, e).

– *Procedimiento adecuado*: El enjuiciamiento de los delitos de tráfico se realiza comúnmente, en función del delito cometido, bien por los trámites del proceso penal abreviado, bien del enjuiciamiento rápido de delitos.

– *Partes*: Además de quienes lo sean por aplicación de las disposiciones generales, es parte responsable civil la Entidad privada aseguradora del vehículo, pero no la Entidad responsable del Seguro Obligatorio, que debe afianzar por el límite fijado cada año por el Gobierno, si bien es escuchada a efectos de defensa (art. 764.3 LECRIM; v. S TC 43/1989, de 20 de febrero).

– Específicamente respecto al investigado, puede renunciar durante la detención a su derecho de defensa en estos casos (art. 520.8 LECRIM).

b) Especialidades en la investigación

– *Actividades de la Policía Judicial*: Además de la práctica del test de alcoholemia (art. 14 LTraf, arts. 20 a 28 RtoLTraf, vid lección 9ª), tienen obligatoriamente que realizar los actos previstos en el art. 770-4ª y 6ª LECRIM (aseguramiento del cadáver, atestado y parte al juzgado, en caso de delito de tráfico con resultado muerte, más intervención del vehículo y de documentos), sin perjuicio de adoptar cualquier otra de las medidas previstas en el propio art. 770 y en el art. 764.4 LECRIM.

– *Actos de investigación*: Debe realizarse la identificación del investigado, su declaración y reseña de sus documentos de tráfico con ocasión de su primera declaración (arts. 762-11ª y 770-6ª LECRIM), y proporcionar asistencia inmediata a los heridos, incluyendo la intervención del Médico Forense (art. 770-1ª LECRIM). No es precisa la autopsia en este tipo de delitos (art. 778.4 LECRIM).

c) Medidas cautelares

Con carácter específico las medidas cautelares más adecuadas en las causas por delitos de tráfico son: 1) Privación provisional del permiso de conducir en caso de procesamiento (art. 529 bis); 2) Retención del permiso de circulación del vehículo y su intervención inmediata (art. 764.4 LECRIM); 3) Pago de una pensión provisional a la víctima (art. 765.1 LECRIM; 4) Fijación de fianza para responsable extranjero sin domicilio en España, requisito para permitirle su ausencia (art. 765.2 LECRIM); 5) Fianzas de los responsables civiles directos (los autores del hecho), o subsidiarios (Seguro Obligatorio, por la cuantía fijada reglamentariamente; y Entidad privada, por el resto), en los términos previstos en los arts. 764.3 LECRIM (Vid. Lecc. 12ª).

d) Juicio oral

– *Acusación y juicio*: Se suele acumular en la práctica la pretensión civil de indemnización de daños y perjuicios a la pretensión propiamente penal. Por ello, en el escrito de acusación hay que precisar con exactitud las cuantías de las indemnizaciones que se solicitan, o, al menos, las bases para su determinación y las personas civilmente responsables (art. 781.1 LECRIM).

El juicio puede tener lugar sin necesidad de esperar a la sanidad del lesionado, siempre que sea posible la acusación; si procede el sobreseimiento o el archivo provisional, en ningún caso hay que esperar a que la víctima se cure (art. 778.2 LECRIM).

El juicio no puede suspenderse por las causas enumeradas en el art. 788.1, V LECRIM (no curación y no tasación de los daños, fundamentalmente), fijándose la responsabilidad civil en fase de ejecución de sentencia.

– *Prueba*: El miembro de la Policía judicial declarará en el juicio como testigo. En cuanto a la documentación consignada en el atestado (datos de carácter objetivo, como situación de las huellas del accidente, anchura de la vía, etc.), hace fe, salvo prueba en contrario, respecto a los hechos denunciados (art. 88 LTraf), pero sólo en la vía administrativa, porque en la penal esta prueba, como todas, se valora libremente (Vid. Lecc. 15ª).

e) Sentencia y ejecución

– *Sentencia*: La sentencia penal condenatoria deberá prever exactamente las cuantías de las indemnizaciones que se fijen, o, si se han deferido para el trámite de ejecución, las bases por las que habrá de hacerse (art. 781.1 LECRIM).

La sentencia condenatoria penal, por aplicación del principio "ne bis in ídem" excluye cualquier posible sanción posterior de la Administración; no así la absolutoria, salvo que lo sea por inexistencia del hecho (art. 85 LTraf).

La fijación de la indemnización, en su caso, se realiza conforme a las disposiciones del art. 781.1 LECRIM.

– *Ejecución*: La ejecución de la pena de privación del permiso de conducir se realiza según el art. 47 CP.

III. ESPECIALIDADES EN DELITOS POR VIOLENCIA DE GÉNERO

A) Razón de ser y regulación

Sobre la base de la constatación realizada por la ONU en su IV Conferencia Mundial de 1995, en la que se reconoció que "la violencia contra las mujeres es un obstáculo para lograr los objetivos de igualdad, desarrollo y paz y viola y menoscaba el disfrute de los derechos humanos y las libertades fundamentales", siendo una "manifestación de las relaciones de poder históricamente desiguales entre mujeres y hombres", el legislador español creó por medio del instrumento jurídico que es la L.O. 1/2004, de 28 de diciembre, de medidas de protección integral contra la violencia de género, un modelo de combate del estado de derecho contra dicha específica lacra, objetivo de política criminal que se prioriza de forma destacada.

La aprobación de la Ley en 2004 fue fruto de las reclamaciones que desde finales de los años noventa llevaban realizando las organizaciones de mujeres que trabajaban en el estudio de la violencia de género y en la atención a las víctimas. Su planteamiento no era sino el de exigir al Gobierno una Ley Integral contra este tipo violencia, y lo justificaban en la necesidad de ser considerado como lo que era, una cuestión de Estado, que exigía afrontar esta pandemia social con políticas que incidieran en todas sus aristas.

La Ley enfoca el fenómeno de la violencia de género de un modo integral y multidisciplinar, lo que constituye una de sus características más destacadas. En un estadio previo al conflicto la Ley apuesta por la socialización y la educación como presupuestos para alcanzar la igualdad, el respeto a la dignidad humana y la libertad de todas las personas. Ahora bien, en absoluto es una Ley aislada ni un compartimento estanco, sino claramente respuesta de la combinación que se realiza en la Constitución entre los artículos 14 —que recoge claramente el derecho a la igualdad ante la ley sin posibilidad de discriminación por razón de sexo— con el art. 9.2, que impone la obligación a los poderes públicos de promover las condiciones para hacer real y efectiva dicha igualdad, que se anudan ambos directa e inmediatamente con la necesidad de conformar la tutela judicial efectiva.

De absoluta importancia en el marco de la lucha contra la violencia de género y la observancia de la implantación y eficacia de las medidas que pueden adoptarse es el *Observatorio contra la Violencia Doméstica y de Género,* que se creó antes de la Ley de 2004, a saber, en 2002. Su finalidad principal consiste en abordar el tratamiento coordinado de esta violencia desde la Administración de Justicia. En él se integran el Consejo General del Poder Judicial, el Ministerio de Justicia, eventualmente otros ministerios con competencia en la materia, la Fiscalía General del Estado, las CCAA con competencias transferidas en Justicia y el Consejo General de la Abogacía Española.

En el ámbito estrictamente penal la batería de medidas que se adoptaron fueron numerosas. No se creó un proceso especial, sino que, tramitándose por vía ordinaria, se incorporaron numerosas especialidades, con tratamiento específico.

B) Bienes jurídicos protegidos

Junto a los específicos bienes jurídicos protegidos por el Código Penal, la integridad física o moral de la mujer, es objeto de protección la especial situación de desigualdad que evidencia esta concreta forma de violencia, que debe ser integralmente deslegitimada y combatida.

C) Especialidades en relación con los sujetos

– *Sujeto activo:* El sujeto activo de este tipo de violencia es el varón vinculado con la víctima mediante una relación de afectividad, lo que podría incluir, a la vista de las características del caso concreto, las relaciones de pareja. Dicha relación puede ser actual o puede también pertenecer al pasado, por lo que no exige la convivencia entre el autor y la víctima.

– *Víctima:* La víctima es la mujer que sea o haya sido la esposa, o la mujer que haya estado ligada al autor por análoga relación de afectividad, aún sin convivencia. Otras posibles víctimas a las que se extiende la tutela podrían ser, art. 87 ter 1, a) LOPJ, los descendientes, propios o de la esposa o conviviente y menores o incapaces que convivan con el autor o que se hallen sujetos a la potestad, curatela, acogimiento o guarda de hecho de la esposa o conviviente.

– Órgano jurisdiccional *JVM:* Es la pieza clave en la obtención de tutela frente a los hechos de violencia de género. De ahí que se haya creado un órgano jurisdiccional específico con competencia especializada, denominado Juzgado de Violencia sobre la Mujer (JVM), creado por el art 47 la LOVG, que agrega a la LOPJ el art. 87 bis., reformado por la LO 7/2015, de 21 de julio, por la que se modificó la LO 6/1985, del Poder Judicial. Se trata de un órgano mixto, al que la LOPJ atribuye competencias civiles y penales. Su ámbito competencial territorial lo constituye la demarcación partido judicial.

La LO 7/2015, de 21 de julio insistió en la exigencia de una formación especializada de todos los operadores jurídicos para desarrollar con eficacia las respectivas funciones que tienen encomendadas en la lucha frente a esta forma de violencia sobre las mujeres. Al titular jurisdiccional se le exigen conocimientos del principio de igualdad entre mujeres y hombres, incluyendo las medidas contra la violencia de género, y su aplicación con carácter transversal en el ámbito de la función jurisdiccional. Asimismo, se asegura una asistencia técnica y profesional por parte de los equipos adscritos a la Administración de Justicia, en especial, en el ámbito de los Institutos de Medicina Legal y Ciencias Forenses, que podrán estar integrados por psicólogos y trabajadores sociales para garantizar entre otras funciones la asistencia especializada a las víctimas de violencia de género. Por último, se garantiza que la Estadística Judicial tenga también en cuenta la variable de sexo.

a) Competencia objetiva JVM

En sede penal el JVM es objetivamente competente para realizar las siguientes actuaciones (arts. 87 ter I LOPJ y 14.5 LECRIM):

1.- De la instrucción de los procesos para exigir responsabilidad penal por los delitos relativos a homicidio, aborto, lesiones, lesiones al feto, delitos contra la libertad, delitos contra la integridad moral, contra la libertad e indemnidad sexuales, contra la intimidad y el derecho a la propia imagen, contra el honor o cualquier otro delito cometido con violencia o intimidación, siempre que se hubiesen cometido contra quien sea o haya sido su esposa, o mujer que esté o haya estado ligada al autor por análoga relación de afectividad, aun sin convivencia, así como de los cometidos sobre los descendientes, propios o de la esposa o conviviente, o sobre los menores o personas con capacidad modificada judicialmente que con él convivan o que estén sujetos a la potestad, tutela, curatela, acogimiento o guarda de hecho de la esposa o conviviente, cuando también se haya producido un acto de violencia de género.

2.- De la instrucción de los procesos para exigir responsabilidad penal por cualquier delito contra los derechos y deberes familiares, cuando la víctima sea alguna de las anteriores.

3.- De la adopción de las correspondientes órdenes de protección a las víctimas de la violencia de género, sin perjuicio de las competencias atribuidas al Juez de Guardia. Al respecto, vid., arts., 130 y ss., de la Ley 23/2014, de 20 de noviembre, de reconocimiento mutuo de resoluciones penales en la UE.

4.- Del conocimiento y fallo de los delitos leves que les atribuya la ley cuando la víctima sea alguna de las personas señaladas como tales en la letra a) de este apartado.

5.- Dictará sentencia de conformidad con la acusación, en los casos establecidos en la ley, art. 87 ter 1, e) LOPJ.

6.- De la instrucción de los procesos para exigir responsabilidad penal por el delito de quebrantamiento previsto y penado en el artículo 468 CP cuando la persona ofendida por el delito cuya condena, medida cautelar o medida de seguridad se haya quebrantado sea o haya sido su esposa, o mujer que esté o haya estado ligada al autor por una análoga relación de afectividad aun sin convivencia, así como los descendientes, propios o de la esposa o conviviente, o sobre los menores o personas con la capacidad modificada judicialmente que con él convivan o que se hallen sujetos a la potestad, tutela, curatela, acogimiento o guarda de hecho de la esposa o conviviente.

Finalmente, en materia civil su competencia será exclusiva y excluyente cuando concurran simultáneamente los requisitos a los que se refiere el art. 87 ter 3 LOPJ.

b) Competencia territorial

El art. 15 bis LECRIM establece que el lugar del domicilio, donde desarrolla su vida cotidiana o tiene su arraigo la víctima será el criterio determinante para la determinación de la competencia territorial.

En los casos de primeras diligencias, como es la adopción de la orden de protección u otras medidas urgentes, a las que se refiere el art. 13 LECRIM, podrá ser territorialmente competente el juez del lugar de comisión de los hechos.

En relación con los delitos conexos, conocerá el JVM siempre que la conexión tenga su origen en alguno de los supuestos previstos en el art. 17. 3 y 4 LECRIM (art. 17 bis).

c) Competencia funcional

La LOPJ determina en sus arts. 82.1, 3° y 82.2, 4°, el criterio funcional de atribución de la competencia, para el conocimiento de los recursos de apelación interpuestos frente a las resoluciones dictadas por los JVM de la provincia, de los que conocerá, tanto en el orden penal como en el orden civil, la AP.

– *Fiscal Delegado contra la Violencia sobre la Mujer*

En la lucha contra la criminalidad por violencia contra la mujer el legislador ha creado el Fiscal delegado contra la Violencia sobre la Mujer. Es el art. 70 el que configura el órgano y detalla, además sus funciones.

– *Servicios forenses específicos*

La Ley Orgánica también realizó una interesante previsión, en su Disposición adicional segunda, esto es, que el Gobierno y las Comunidades Autónomas que hayan asumido competencias en materia de justicia organizarán en el ámbito que a cada una le es propio los servicios forenses de modo que cuenten con unidades de valoración forense integral encargadas de diseñar protocolos de actuación global e integral en casos de violencia de género.

D) Especialidades en el procedimiento

– *Procedimientos:* No existe una regla privilegiada que lleve a tramitar las actuaciones para la perseguibilidad de las conductas reprochables por violencia de género por un único procedimiento, sino que será, en función de los criterios generales de asignación del procedimiento adecuado —naturaleza de la conducta que se va a enjuiciar o duración de la pena solicitada—, aplicable el cauce procedimental correspondientes, a saber el procedimiento ordinario, el procedimiento abreviado, el procedimiento para el enjuiciamiento rápido de determinados delitos, el procedimiento por delitos leves, o el procedimiento ante el Tribunal del Jurado, según las reglas de la LECRIM.

– *Investigación*: son múltiples las referencias que permiten señalar especialidades en la misma. Vamos a señalar algunas de éstas:

1º) La ruptura de la investigación concentrada en los juicios rápidos al intervenir dos órganos en la misma (JG y JVM); y en este procedimiento se permiten diligencias policiales que tiendan a proteger a estas víctimas; es más, la Policía Judicial realizará acciones tendentes a averigüe la intensidad de la situación de riesgo a fin de que el Juez pueda decidir sobre el alcance de las órdenes de alejamiento y protección integral de mujer.

2º) En la conformación del atestado policial se recomienda que la policía fotografíe y grabe la inspección ocular y declaración de la víctima, aun cuando la tendencia jurisprudencia sea la de no admitir como prueba la grabación de la víctima contra su cónyuge obtenida en la fase preliminar.

3º) El posible uso de la videoconferencia como medio para tomar declaración a la víctima, tanto en la investigación como incluso en sede de prueba, siempre que en este último caso no se menoscaben los derechos del acusado. Se justifica su uso en gran medida derivada de la naturaleza de la relación de afectividad que existe o existió entre el agresor y la víctima, lo que hace, por ejemplo, que las retractaciones de la víctima el día del juicio se produzcan con frecuencia. Dado que la declaración de la víctima puede considerarse prueba suficiente para enervar la presunción de inocencia, fundamentando así el fallo condenatorio, y con el fin de evitar los rigores de la confrontación directa en el acto de la vista, el uso de la videoconferencia se revela como de gran utilidad.

4º) La diligencia de investigación consistente en la entrada y registro en el domicilio conyugal, no será válida si la persona que autoriza la entrada es el cónyuge con el que la mujer se enfrenta en el proceso, en determinadas situaciones de contraposición de intereses. Tampoco, y por análoga justificación, bastará con el consentimiento de la mujer, sino que será necesaria la autorización judicial.

5º) En ciertos casos es posible la práctica de la prueba anticipada (art. 797.2), siempre que concurra petición de parte y quede documentado en soporte apto para la grabación y reproducción del sonido y la imagen o por medio de acta.

– *Medidas cautelares*

En materia de medidas cautelares, de prevención o aseguramiento (son diversas) se establecen en los arts. 544 bis y 544 ter una serie de medidas que tienen un claro fin de protección de estas víctimas. Especial referencia merece la "orden de protección" que confiere a la víctima un estatuto integral de protección (con medidas penales, civiles, asistenciales, de protección social, etc) (vid. Lecc. 12ª).

– *Sentencia y ejecución*

1º) Aun cuando se han manifestado voces discrepantes (vid Lecc. 14ª), se admite la conformidad en los procesos penales competentes los JVM, admitiéndose que se dicte sentencia de conformidad en los casos del art.

801 LECRIM (art. 14.3, I *in fine* LECRIM en relación con art. 87 ter 1, e) LOPJ).

2°) En las sentencias de condena por violencia de género, deberán fijarse en las mismas disposiciones relativas a pensiones y ayudas, que serían sanciones no penales especiales. Así, el condenado perderá la condición de beneficiado por la pensión de viudedad que le pudiera corresponder, no tendrá derecho en su caso al abono de la pensión de orfandad ni será beneficiario de las ayudas y asistencia a las víctimas de delitos violentos y contra la libertad sexual (de la Ley 35/1995).

3°) Ejecución: La LO 1/2015, de 30 de marzo, eliminó la sustitución de las penas privativas de libertad, dejando únicamente la suspensión de estas penas como instrumento encaminado a la reeducación y reinserción social de los delincuentes, objetivo explicitado en el art. 25.2 CE.

Es posible la suspensión de la ejecución de la pena (art. 80 CP), con las condiciones establecidas en el art. 83.1 CP (prohibiciones y deberes al autor). Si delinque o infringe las condiciones el autor, hay que aplicar el art. 84 CP.

IV. ESPECIALIDADES EN PROCESOS CONTRA SENADORES Y DIPUTADOS. REFERENCIA A AFORADOS

El art. 71.2 CE dispone: «*Durante el periodo de su mandato los Diputados y Senadores gozarán asimismo de inmunidad y sólo podrán ser detenidos en caso de flagrante delito. No podrán ser inculpados ni procesados sin la previa autorización de la Cámara respectiva*». Se desarrolla esta inmunidad en los arts. 57 LOPJ, 750 a 756 LECRIM, 10 a 14 del Reglamento del Congreso de los Diputados, y 21 y 22 del Reglamento del Senado. También, en lo que resulte aplicable, la Ley de 9 de febrero de 1912, de jurisdicción y procedimientos especiales en las causas contra senadores y diputados.

A) Especialidades

El proceso en el que se conoce causa contra senador o diputado será el que corresponda por razón del delito y la pena, con las siguientes especialidades:

1.- La instrucción y enjuiciamiento de causas criminales contra Diputados y Senadores corresponde con exclusividad a la Sala Segunda del TS.

2.- La Cámara correspondiente debe autorizar el suplicatorio, sin cuya concesión, en un plazo máximo de 30 días, el proceso no puede continuar.

El suplicatorio es un presupuesto procesal, que consiste en la obtención de la autorización de la Cámara competente para la afección del senador o diputado al proceso penal. Es por ello que si se deniega el suplicatorio, habrá que dictarse sobreseimiento

B) Referencia a los aforados

Un aforado es una persona que, por razón de su cargo o profesión pública, goza de un tratamiento especial en el proceso penal. Vienen afectados fundamentalmente políticos, jueces y policía. Este trato privilegiado está siendo cuestionado con dureza especialmente en los últimos años, manteniéndose dos posiciones al respecto: quienes consideran que supone una vulneración del principio de igualdad de los ciudadanos ante la ley y debería desaparecer, y quienes consideran que el problema no es el privilegio —que podría defenderse en algunos supuestos, como sucede en algunos países de nuestro entorno y/o referido a aquellos hechos reprochables que se hayan podido cometer en relación con el ejercicio de la función pública que desempeñan—, sino el desmedido número de aforados que gozan del mismo en nuestro país.

Lo característico de los aforados es precisamente la aplicación de criterios de competencia objetiva que quiebran las reglas comunes, de manera que el órgano competente no lo sería si la persona no fuera aforada.

V. ESPECIALIDADES EN PROCESOS POR CALUMNIA E INJURIA

Es un proceso ordinario con especialidades procedimentales. La razón de ser de las mismas se asienta en la naturaleza de los hechos, calumnias o injurias vertidas contra particulares, que son delitos perseguibles a instancia de parte (mal llamados delitos privados), lo que propicia un escenario diverso en el proceso penal. Su regulación se encuentra en los arts. 804 a 815 LECRIM, en relación con el 278 LECRIM y los arts. 215.3 y 130.5 CP y sus especialidades son:

1.- *Principio dispositivo*: se inicia el proceso solo a instancia de parte (art. 215.1 CP), mediante querella. Y como consecuencia del mismo puede terminar con actos dispositivos como la renuncia a la acción penal (arts. 106.2 y 107 LECRIM), abandono de la querella (art. 275 LECRIM), y por el perdón del ofendido (art. 215.3 CP y 130.5 CP).

Se entiende "a instancia de parte" a instancia del ofendido por el delito, sea persona física, jurídica o incluso grupos sin personalidad (refugiados por ejemplo). No puede serlo ni el Fiscal ni el acusador popular.

2.- *Acto de conciliación y licencia:* La conciliación es presupuesto exigible en la persecución de los delitos contra el honor, debiendo presentarse la certificación del acto de conciliación junto a la querella. E igualmente en el caso de que la querella fuere por injurias o calumnias vertidas en juicio habrá que presentar la licencia del tribunal ante el que hubieren sido inferidas (art. 804-806 LECRIM).

3.- *Procedimiento:* Tratándose de particulares, es relevante también el modo en que se hayan producido los hechos. Si ha sido por escrito, con publicidad, a través de algún medio de publicación o difusión de imágenes o palabras, jugarán las peculiaridades de los arts. 816 a 823 LECRIM. No habiendo tal publicidad, se seguirán las normas de los arts. 804 a 807 LECRIM. Si las presuntas calumnias o injurias se hubieran hecho verbalmente, asimismo sin publicidad, son aplicables las previsiones de los arts. 808 a 815 LECRIM.

4.- *Prueba:* Se limitan los medios de prueba, así, la prueba testifical se circunscribirá a los testigos directos, excluyéndose los de referencia, art. 813 LECRIM. También, la *exceptio veritatis* del art. 810 LECRIM.

5.- *Conformidad*: se regula esta posibilidad en el art. 241 CP, permitiéndose al Tribunal imponer una pena inferior en grado, e incluso dejar de imponer la pena de inhabilitación si ésta fuera la adecuada. Esta posibilidad casa perfectamente con el perdón del ofendido, que permite la extinción de la responsabilidad penal (art. 214.II).

6.- *Sentencia:* Si la misma es condenatoria determinará el alcance de la indemnización por los perjuicios materiales o morales derivados del hecho delictivo considerándose el agravio producido al cometerse y su difusión. Se prevé, además, su publicidad en el mismo medio en que se produjo, de solicitarlo así el afectado (art. 214 CP).

No cabe hacer uso en este procedimiento de la tesis de desvinculación del art. 733, dada la exigencia de congruencia aplicable en el mismo, en atención del principio dispositivo.

VI. ESPECIALIDADES EN PROCESOS POR DELITOS COMETIDOS POR CUALQUIER MEDIO O SOPORTE DE PUBLICACIÓN O DIFUSIÓN

Los delitos cometidos por medios de difusión de los que queda constancia fehaciente presentan alguna particularidad procedimental, que se circunscribe al procedimiento preliminar, derivada de las propias circunstancias de su comisión. Su regulación la hallamos en los arts. 816 a 823 de la LECRIM, que se ocupa de dos objetivos básicos:

– Por un lado, la adopción de medidas asegurativas o de prevención como el secuestro de los ejemplares gráficos y elementos necesarios para su elaboración o, en su caso, la prohibición de difundir o proyectar el medio en que se haya producido la actividad presuntamente delictiva (art. 823 bis).

– Por otro lado, la averiguación inmediata del autor, para lo que se prevén distintas diligencias, según las circunstancias, arts. 817 y 818 LECRIM.

En *materia probatoria* y en relación con la determinación de la autoría, establece la LECRIM, que la confesión no será suficiente para considerar a una persona como autor único de los hechos, lo que no impedirá que se dirija la causa contra otras personas, art. 820.1.

Por su parte, en lo que a la *legitimación* se refiere, el art. 30 CP establece: 1°) En los delitos que se cometan utilizando medios o soportes de difusión mecánicos no responderán criminalmente ni los cómplices ni quienes los hubieren favorecido personal o realmente; 2°) Los autores responderán, de forma excluyente y subsidiaria, de acuerdo con el siguiente orden: Los autores materiales de la redacción del texto o producción del signo de que se trate y quienes les hayan inducido a realizarlo; los directores de la publicación o programa en que se difunda; los directores de la empresa editora, emisora o difusora; y los directores de la empresa grabadora, reproductora o impresora.

VII. LA ORDEN EUROPEA DE DETENCIÓN Y ENTREGA Y LA EXTRADICIÓN

En aplicación del Título VI del Tratado de la Unión Europea, se aprobó la Decisión Marco del Consejo de Ministros de Justicia e Interior de 13 de junio de 2002, relativa a la orden de detención europea y a los procedimientos de entrega entre estados miembros. Su finalidad es la de suprimir entre los Estados miembros el procedimiento formal de extradición para las personas que eluden la justicia después de haber sido condenadas por sentencia firme y acelerar los procedimientos de extradición relativos a las personas sospechosas de haber cometido delito, configurando una modalidad específica europea de extradición, cierto es que se instrumentaliza por medio de un sistema de ejecución mutua de las órdenes de detención, y subsiguientemente entrega entre autoridades judiciales, configurando una modalidad específica europea —más propia del siglo XXI— de extradición, sobre la base de la colaboración y la confianza recíprocas.

En un inmediato desarrollo, se promulgó en España la Ley 3/2003, de 14 de marzo, hoy derogada, que regulaba la orden europea de detención y entrega. La puesta al día de ésta norma —en atención a la experiencia acumulada en la materia y con el objetivo de mejorar su aplicación práctica— la realiza en última instancia la Ley 23/2014, de 20 de noviembre, de reconocimiento mutuo de resoluciones penales en la Unión Europea, en sus arts. 34 y ss.

Entre las características de esta orden europea de detención y entrega podemos citar:

A) Naturaleza y objeto

La orden que nos ocupa es una resolución jurisdiccional que se dicta en un estado miembro (autoridad de emisión) y se dirige a la autoridad judicial competente (de ejecución) de otro estado miembro, con el objeto de materializar la medida cautelar de la detención (u otra medida que cumpla con la finalidad de asegurar al sujeto objeto de la orden) y la entrega posterior de una persona, a la que se reclama para el ejercicio de acciones penales o para ejecutar una pena o una medida de seguridad privativas de libertad, o medida de internamiento en un centro de menores, a las que hubiera sido condenado, art. 34 de la Ley 23/2014, de reconocimiento mutuo de resoluciones penales en la UE.

Es, por ello, un instrumento de naturaleza netamente jurisdiccional. Las autoridades judiciales españolas de emisión podrán dictar una orden europea en los supuestos del art. 37 de la Ley, que determina su objeto de aplicación. Tras conocer el paradero de la persona reclamada, la autoridad judicial española se comunicará directamente con la autoridad judicial competente de ejecución. De no conocerse el paradero, y con el fin precisamente de localizar a la persona reclamada, podrá la propia autoridad judicial decidir la introducción de una descripción de la persona reclamada en el Sistema de Información Schengen (art. 40.2).

B) Contenido y forma de la orden

El art. 36 de la Ley detalla el contenido de la orden en un formato de formulario (anexo I), con mención expresa de la siguiente información: a) Identidad y nacionalidad de la persona reclamada; b) Nombre, dirección, número de teléfono y de fax, y la dirección de correo electrónico de la autoridad judicial de emisión; c) Indicación de la existencia de una sentencia firme, de una orden de detención o de cualquier otra resolución judicial ejecutiva equivalente; d) Naturaleza y tipificación legal del delito; e) Descripción de las circunstancias en que se cometió el delito y el grado de participación en el mismo de la persona buscada; f) La pena dictada, si hay una sentencia firme, o bien, la escala de penas prevista para el delito por la ley del estado miembro emisor; g) Si fuera posible, otras consecuencias del delito.

La orden deberá redactarse, o traducirse, en alguna de las lenguas oficiales del estado miembro de ejecución, o en cualquier otra aceptada por éste.

C) Órgano competente

En España, la autoridad judicial de emisión competente es el órgano jurisdiccional que conozca de la causa en la que la necesidad o conveniencia de la orden se haya planteado. La autoridad de ejecución competente es el Juez Central de Instrucción de la Audiencia Nacional. Refiriéndose la orden a menores, la competencia es del Juez Central de Menores, art. 35 de la Ley.

D) Procedimiento

Verificada la regularidad de la orden recibida, se practicará la detención siguiendo las previsiones de la LECRIM. La persona detenida será puesta a disposición del Juzgado Central de Instrucción, en el plazo máximo de 72 horas. Se comunicará a la autoridad judicial requirente esta circunstancia (y el seguimiento ulterior) y se informará al propio detenido, convenientemente asistido, de la existencia de la orden europea y de los derechos que al respecto le asisten arts. 50 y ss.

E) Proceso de extradición

La extradición (que pervive fuera del ámbito de la UE) es la consecuencia de un acto del Poder Ejecutivo, que será quien adopte la resolución definitiva (art. 6 LEP), por el que eventualmente se acuerda la entrega al Estado requirente de una persona reclamada por éste, para ser enjuiciada por sus tribunales o para la ejecución de una condena impuesta. En consecuencia, es un acto de naturaleza esencialmente política, que se fundamenta en el principio de reciprocidad (art. 13.3 CE, y otras razones de interés nacional a las que se refiere el art. 6 LEP). Ello no es óbice a la necesidad de intervención de los órganos jurisdiccionales del Estado requerido, en la forma, términos y a través de los procedimientos que regula la Ley 4/1985, de 21 de marzo, de Extradición Pasiva.

El art. 8 LEP, prevé y detalla los requisitos, para supuestos de urgencia, que posibilitarán la adopción de la detención, y la eventual posterior prisión provisional, como medida cautelar personal, cuyo mantenimiento se supedita a que la solicitud de extradición se formalice en 40 días, art. 10.1 LEP.

LECTURAS RECOMENDADAS: ASENCIO MELLADO, *El proceso por aceptación de decreto,* 2016; GÓMEZ COLOMER, *Violencia de género y proceso,* 2007; MARTÍNEZ GARCÍA, *La tutela judicial de la violencia de género,* 2008. MARTÍNEZ GARCÍA /GISBERT GRIFO: *Género y Violencia, Análisis del fenómeno de la violencia de género tras 10 años de aplicación de la ley: En el umbral de un gran cambio de modelo de sociedad,* 2015; GÓMEZ COLOMER, "Privilegios procesales inconstitucionales e innecesarios en la España democrática del Siglo XXI. El sorprendente mantenimiento de la institución del aforamiento *Teoría y realidad constitucional,* 2016; GÓMEZ COLOMER/ESPARZA LEIBAR: *Tratado jurisprudencial de aforamientos,* 2009; MARCOS FRANCISCO, *Orden europea de detención y entrega,* 2008; AA (Coord. ARANGÜENA FANEGO): *Cooperación judicial penal en la UE: la Orden Europea de Detención y Entrega,* Pamplona, 2005.

Lección Vigésimo quinta

Procesos penales especiales regulados fuera de la LECRIM y procesos civiles derivados del hecho punible

A) PROCESOS PENALES ESPECIALES REGULADOS EN LEYES PROPIAS

I. EL PROCESO ANTE EL TRIBUNAL DEL JURADO

La esencia de la institución del jurado.

El modelo español de jurado, concepción y características generales.

Hitos determinantes del proceso ante el Tribunal del Jurado. Procedimiento adecuado. Selección y constitución, el veredicto y la sentencia, los recursos.

II. EL PROCESO CON IMPLICACIÓN ACTIVA DE MENORES

Introducción. La razón biológica.

La justicia de menores en España.

Presupuestos del modelo.

Disposiciones relativas a los sujetos, actos y otros elementos del proceso. El procedimiento.

III. EL PROCESO MILITAR

El grupo normativo regulador sobre el que se sustenta la jurisdicción militar. Su encaje definitivo en el Poder Judicial.

B) PROCESOS CIVILES DERIVADOS DEL HECHO PUNIBLE

I. EL PROCESO CIVIL ACUMULADO AL PENAL

Se materializa en una pretensión de naturaleza civil, consistente en la entrega, reparación o indemnización, derivados del hecho punible, que se tramita ante el juez penal, simultáneamente con el genuino objeto del proceso penal. Un único proceso con dos objetos diferenciados y normas propias para cada uno de ellos.

La pretensión civil es disociable y puede igualmente reservarse para su tramitación posterior ante la jurisdicción civil.

II. EL PROCESO DE DECOMISO

Es un proceso dirigido a la reclamación y privación de los instrumentos o efectos del delito. Su implementación se deriva de una Directiva de la UE.

Hitos determinantes del proceso de decomiso. Procedimiento adecuado. El rol procesal del fiscal. Los terceros afectados y su intervención en el proceso. La sentencia, su impugnación y efectos. El auxilio en la ejecución de la Oficina de recuperación y gestión de activos, y de otras autoridades o funcionarios.

A) PROCESOS PENALES ESPECIALES REGULADOS EN LEYES PROPIAS

I. EL PROCESO ANTE EL TRIBUNAL DEL JURADO

El jurado ha sido percibido —sobre todo en los períodos en los que las libertades no gozaban de especial aprecio por parte de quienes detentaban el poder— como un símbolo de la esencia de la democracia, de la materialización integral de la soberanía de los ciudadanos, quienes irían más allá de configurar, más o menos directa y periódicamente, los poderes tradicionalmente representativos de la voluntad popular a través de las elecciones, el poder ejecutivo y el poder legislativo. Por medio de la institución del jurado, los ciudadanos establecerían un vínculo directo y efectivo también con el poder judicial, ejerciendo la potestad jurisdiccional, juzgando los propios ciudadanos legos en derecho, en los casos previstos por la ley. Quedaría así visiblemente de manifiesto que la soberanía, que el poder en su integridad, procede del conjunto de los ciudadanos que integran una comunidad que se constituye como estado democrático de derecho.

A) El modelo español de jurado, concepción y características generales

La LO 5/1995, de 22 de mayo del Tribunal del Jurado reintrodujo una institución histórica, aunque de escasa tradición en nuestro país, que ha estado vigente de manera fluctuante desde su introducción en el primer tercio del siglo XIX, con la Constitución de Cádiz de 1812, y que siempre —y esta vez tampoco ha sido una excepción— ha venido acompañada de una cierta polémica. La opción del Legislador es una variedad —de entre las múltiples posibles— encuadrable en el modelo de jurado puro anglosajón, desechando consiguientemente el modelo de jurado mixto o escabinado, vigente en ordenamientos a priori más próximos y afines al nuestro, como el francés.

Observamos con tristeza que una de las principales formas de participación de los ciudadanos en la administración de justicia, que está expresamente prevista en el art. 125 CE, languidece y es objeto de generalizada indiferencia, cuando no de una clara desconfianza. La última modificación significativa de la Ley Orgánica 5/1995, de 22 de mayo, del Tribunal del Jurado —la operada por la LO 1/2015, de 30 de marzo, por la que se modifica la Ley Orgánica 10/1995, de 23 de noviembre, del Código Penal— incide, limitándolo, en su artículo 1, que establece la relación de delitos para cuyo enjuiciamiento es competente este Tribunal —materia a la que se refiere esta obra en su lección 2ª— suprimiendo la letra e) de sus apartados 1 y 2.

La del Jurado es una institución asociada a las libertades, símbolo y ejemplo de que todos los poderes del estado derivan de la soberanía del pueblo, quien por tanto debería poder fiscalizarlos. No obstante, el hecho cierto y constatable es que tanto en España como en el país que es el mayor promotor de la institución en su configuración moderna, los Estados Unidos de Norteamérica, el número de asuntos resueltos por este tipo de órgano jurisdiccional es prácticamente residual, tanto cuantitativa como cualitativamente, y la tendencia es desde hace años decreciente. El valor simbólico que reconocemos a la institución, no debería estar reñido con un buen instrumento que la regulara, con una ley cuyo funcionamiento atraiga a los ciudadanos y les haga apetecible su contribución a los fines del estado de derecho, al contrario de lo que ahora ocurre en España.

El hecho diferencial básico del tribunal del jurado es que personas legas en derecho van a ejercer la función jurisdiccional como jueces legales predeterminados por la ley, juzgando aquéllos casos que la ley les atribuya. Esta circunstancia esencial debe encajarse y acomodarse a un modelo de resolución de conflictos propio de un estado de derecho, lo que significa una adaptación singular y pormenorizada a las exigencias del mismo. Nos referimos, sin ánimo de exhaustividad, a cuestiones como la independencia de los integrantes del órgano jurisdiccional, también a su imparcialidad. De la misma manera que los derechos del investigado, la motivación de las sentencias y la presunción de inocencia o la inmediación y la publicidad, deben ser objeto de un análisis específico para que puedan ser entendidos, asimilados y respetados por los jueces legos.

Por lo que al contexto jurídico doctrinal concierne, la referencia norteamericana es ya habitual, en los últimos años, en lo relativo al enjuiciamiento criminal. Es un modelo que no debemos ignorar para no caer en errores resultantes de la mera traslación de instituciones, ya que el sistema continental europeo en general, el español el particular y el norteamericano, por otro lado, presentan claras diferencias estructurales que condicionan todo ulterior desarrollo.

El jurado es hoy una institución casi simbólica, desde una perspectiva cuantitativa, ya que en los EEUU menos de un 5% de los asuntos penales se tramitan a través del Tribunal del Jurado, un porcentaje, con todo, muy superior al que se da en España, que es menor al 0´5%. Desde una perspectiva cualitativa, los casos de los que conoce el Tribual del Jurado despiertan un nada desdeñable interés mediático que, en nuestra opinión, no ha favorecido en absoluto el normal desarrollo de esta institución.

La propia institución del jurado se justifica como una forma de intervención (legitimadora) de los ciudadanos en la jurisdicción, en la decisión de asuntos procesales, que es una de las tareas prioritarias de un estado de derecho. La CE se refiere a ella en el art. 125 en el contexto de los arts. 23.1 y 117.1 del propio texto. El Jurado se ha identificado con los sistemas procesales más progresistas (lo cierto es que sólo es compatible con ellos en el contexto de regímenes políticos democráticos, como lo demuestra el hecho de que en España no se empleara la institución desde 1936). La doctrina de los EEUU de Norteamérica (El Juez Rehnquist, quien fue Presidente del Tribunal Supremo de aquel país) lo considera como "un importante baluarte frente a la tiranía y la corrupción... una garantía de que la ley se aplicará de acuerdo con la sensibilidad y deseos de la comunidad".

En este punto es preciso advertir que el debate sobre el modelo de Tribunal del Jurado no está, ni mucho menos, concluido. Baste citar como ejemplo (antecedente lejano) la Memoria de la Fiscalía General del estado de 2001, donde como reforma legislativa se propone "una remodelación del ámbito competencial de la Ley. En concreto, es común la idea de que determinados delitos, actualmente atribuidos al conocimiento del Tribunal del Jurado, deberían quedar fuera del catálogo que contempla el art. 1 de la LJ" (v. gr., allanamiento de morada, omisión del deber de socorro y amenazas). También resulta ilustrativo (antecedente más próximo) el ajuste competencial que —adicionalmente a la incorporación de la institución al texto articulado de la Ley procesal— propuso el Anteproyecto de LECRIM de 2013, cuya implementación supondría una aplicación real aún menor que la actual. Parece que algunos operadores jurídicos no están en absoluto convencidos de las bondades del Tribunal del Jurado.

Es preciso advertir que la decisión de incorporar la institución del jurado a cualquier ordenamiento es sólo la primera decisión a tomar, desencadenante de otras muchas que necesariamente deberán adoptarse, ya que la tipología de Tribunales del Jurado ofrece una notable variedad. Debemos destacar aquí que la LOTJ vigente ha generado, y es apreciable con el transcurso del tiempo, una notable insatisfacción tanto entre los operadores jurídicos cualificados, como entre la ciudadanía, de manera que no habría que descartar el repensar algunas de sus concreciones, incluso el modelo.

Lo que es innegable es que, en cuanto al modelo procesal penal, la referencia ha sido y sigue siendo, incluso en algunos casos progresivamente con más intensidad, la norteamericana de los EEUU, siendo así que, y lo hemos dicho ya, son sistemas muy diferentes. El análisis comparativo, siquiera somero, entre el modelo de jurado español y el norteamericano, nos proporcionará una buena muestra de ello, siendo ambos, en principio, concreciones del modelo de jurado puro anglosajón.

Aparte de las diferencias contextuales o extrínsecas, la existencia de jurisdicciones estatales y federal con sensibles diferencias, el monopolio del Ministerio Fiscal en el ejercicio de la acción penal, el amplio e integral juego del principio de oportunidad, el propio sistema de selección del personal jurisdiccional, etc. Por lo que al tribunal del jurado estrictamente concierne, constatamos que:

1. Naturaleza: Constituye un derecho procesal del acusado en los EEUU (VI Enmienda), un derecho renunciable, ya que el derecho a un jurado imparcial es una alternativa. En España se constituye como un órgano jurisdiccional espe-

cial, contemplado en el 125 CE, es una concreción del Derecho Fundamental al Juez ordinario predeterminado por la ley, y por tanto irrenunciable para las partes.

2. Composición y votación sobre el veredicto: En los Estados Unidos de Norteamérica varía dependiendo de las jurisdicciones, federal o estatal, siendo el número más habitual de 12 jueces legos, y no se exige necesariamente la unanimidad en la toma de decisiones. En España, el colegio lo constituyen 9 Jueces legos. La declaración de culpabilidad no requiere de unanimidad, 7 votos pueden sustentar la culpabilidad, mientras que 5 votos pueden hacer lo propio con la inculpabilidad. En ambos casos, eso sí, el veredicto deberá quedar configurado conforme a la aplicación de los principios acusatorio y de contradicción.
3. Motivación del veredicto: En los EEUU de Norteamérica, el veredicto es prácticamente monosilábico e inmotivado (*guilty or not guilty*), en función de los hechos probados (sin que esté prevista una declaración expresa). En España, se regula la declaración expresa de hechos probados y la "motivación" del veredicto (art. 61.1 d) LOTJ).
4. Instrucciones al Jurado: En los EEUU las instrucciones sirven para ilustrar de forma amplia a los Jueces legos sobre las reglas a las que han de atenerse para poder proporcionar el veredicto (función del jurado, necesidad de preservar la imparcialidad, reglas en materia de prueba, presunción de inocencia, etc.). Las mismas se facilitan de forma integral, antes de la vista, durante la práctica de la prueba y antes de la deliberación. En España, por contra, el sistema de instrucciones —cuestión clave para el correcto despliegue de la actividad de los jueces legos, máxime teniendo en cuenta el nivel de exigencia de la LOTJ con respecto a los mismos— se revela como insuficiente y poco idóneo, estando previsto al final del juicio oral, art. 54, y eventualmente una ampliación durante la deliberación, art. 57.

El ajuste final del modelo de Tribunal de Jurado al ordenamiento procesal penal está, en nuestra opinión, inconcluso, más aún, abandonado en este momento en nuestro país, y una nueva LECRIM sería una inigualable ocasión para, tras la preceptiva reflexión y fijación de aspectos positivos y otros que deban ser mejorados, su pacífica, perfecta y definitiva implantación desde la convicción de que se trata de una institución valiosa (o de lo contrario, que por cierto, también es perfectamente compatible con un estado de derecho) y no desde la resignación derivada de la existencia de la referencia constitucional que, por lo demás, valoramos como positiva.

B) Hitos determinantes del proceso ante el Tribunal del Jurado. Procedimiento adecuado. Selección y constitución, el veredicto y la sentencia, los recursos

Es preciso ahora establecer los elementos configuradores del Jurado español, resaltando aquellos que pueden considerarse más característicos.

a) Procedimiento adecuado

Desde que, como consecuencia de la denuncia o la querella, resulte contra una persona determinada, verosímilmente a juicio del Juez de Instrucción, la imputación de un delito de los atribuidos al Tribunal del Jurado, adoptará el mencionado instructor la correspondiente resolución de incoación del procedimiento adecuado para tal circunstancia, que no es otro que el establecido por la Ley del Jurado, en relación con el que la LECRIM será de aplicación supletoria, (art. 24 LJ). La Ley prevé a continuación una comparecencia que será convocada con el objeto de concretar la imputación, a la que serán llamados y en la que serán escuchados los investigados, el MF y las demás partes personadas, (art. 25 LJ). Atendiendo a lo escuchado en la vista, el Juez de instrucción adoptará la decisión de sobreseer o de continuar con el procedimiento, para lo que resolverá sobre la pertinencia y correlativa práctica de las diligencias de investigación solicitadas por las partes, en la medida en que sean imprescindibles para decidir sobre la procedencia de la apertura del juicio oral, (arts., 26 y ss. LJ).

b) Selección y constitución

El sistema de selección de candidatos se basa en el sorteo a partir de las listas censales, lo que permite garantizar anticipadamente un número suficiente de candidatos y que éstos conozcan con tiempo dicha circunstancia, al incorporarse a una lista de elaboración bienal.

El número de jurados por asunto queda establecido en 9, calculándose que para obtener sin problemas dicha cantidad, debe partirse de multiplicar por 50 (candidatos) el número de causas que se prevea que van a ser tramitadas por medio de este cauce. Arts. 13 y ss. LOTJ.

La Ley establece un procedimiento contradictorio que contempla las reclamaciones contra la inclusión en las listas realizadas por los propios candidatos, por alguna de las causas previstas en la propia Ley. En un momento posterior y de cara a la obtención de las listas definitivas de candidatos, una vez asignados a una causa en particular, podrán ser recusados, con o sin casusa, tanto por el Ministerio Fiscal como por las demás partes sobre la base de un cuestionario que los mismos candidatos a jurado deberán completar.

La constitución del Tribunal del Jurado se realizará el día y a la hora señalados para el inicio del juicio bajo la supervisión del Magistrado-Presidente, cuyo papel es esencial a partir de este momento, tal y como la LOTJ señala en sus arts. 38 y ss.

c) El veredicto

Realizado el juicio oral ante el Jurado, lo que se hace por el procedimiento común, aparece lo característico del jurado, empezando por el veredicto. Este es el elemento nuclear que caracteriza al Tribunal del Jurado y que conformará la subsiguiente sentencia. En su formación hay que distinguir dos momentos sucesivos. En primer lugar la determinación de su objeto, y en segundo la deliberación y votación que preceden a su emisión.

1) **Objeto del veredicto:** Lo primero que el Jurado debe conocer es aquello sobre lo que ha de pronunciarse, el relato ordenado de lo acaecido ante él. Su preparación corresponde al Magistrado-Presidente, que lo hará por escrito y una vez concluido el juicio oral, con el contenido específico marcado en el art. 52 LOTJ.

El objeto del veredicto deberá necesariamente contener:

a) Los hechos, contrarios o favorables, que el jurado deberá declarar probados o no. Exponiendo, en primer lugar, la perspectiva de la acusación y, a continuación, las alegaciones de la defensa.

b) Los hechos de los que pudieran deducirse el grado de ejecución o participación del acusado en el presunto delito objeto de enjuiciamiento.

c) Finalmente precisará el hecho delictivo por el cual el acusado habrá de ser declarado culpable o no culpable.

Lo expuesto son los mínimos elementos informativos de los que el Jurado debe disponer. Pero es posible que, eventualmente, se estime la concurrencia de circunstancias que pudieran excluir o modificar la eventual responsabilidad. Entonces, habrán de exponerse separadamente de los demás, los hechos de los que aquellas pudieran deducirse, con prioridad para las eximentes.

Asimismo, el Magistrado-Presidente recabará el criterio del jurado sobre la aplicación de los beneficios de remisión condicional de la pena y la petición de indulto en la propia sentencia.

Establece el art. 52 LOTJ, que el Magistrado-Presidente oirá a las partes sobre eventuales inclusiones o exclusiones, en relación con las que decidirá de plano, previamente a entregar al jurado el objeto del veredicto, entrega que se verificará en audiencia pública y con presencia de las partes.

2) **Deliberación y votación:** La deliberación, que será secreta, se celebra a puerta cerrada, en la sala habilitada al efecto, no pudiendo los miembros del Jurado mantener relación alguna con personas ajenas a él. Podrá durar el tiempo que se estime necesario —no obstante, transcurridos 2 días desde el inicio de la deliberación, el Magistrado-Presidente podría recuperar la iniciativa para evitar la paralización— pudiendo autorizar el Magistrado-Presidente los descansos que considere necesarios, manteniendo, eso sí, del régimen de incomunicación, (arts. 55 y ss. LOTJ).

Por lo que a la votación concierne, finalizada la deliberación se votará, en primer lugar, sobre los hechos integrantes de la propuesta del Magistrado-Presidente y precisamente por su orden, indicando si se consideran probados o no. El art. 59 LOTJ establece que los hechos se declararán probados por 5 votos, al menos, en el caso de los favorables mientras que los contrarios requerirán de 7. Pudiendo el Jurado, *motu proprio* si no se obtuviere la mayoría requerida, introducir las precisiones que se estimen pertinentes, no ya en su contenido que es inalterable en lo sustancial, sino en su redacción, si con la originaria no se obtuviera la mayoría necesaria para considerar los hechos como probados.

Los resultados de las votaciones se harán constar en un acta cuyo contenido se especifica en el art. 61 LOTJ, que contempla cinco apartados diferenciados:

1.°) Los hechos que se consideran probados y si lo han sido por mayoría o unanimidad.

2.°) Los que, por el contrario, no se consideran probados y de qué manera han sido declarados así.

3.°) Como consecuencia de lo anterior, si se estima al acusado culpable en relación con un hecho delictivo, o no culpable, con pronunciamientos separados para cada delito y acusado, así como la forma de adopción del acuerdo. El art. 60 LOTJ establece que serán necesarios 7 votos para establecer la culpabilidad y 5 votos para hacer lo propio con la inculpabilidad. En este apartado se incluirá, en su caso, un pronunciamiento sobre la aplicación de la remisión condicional y sobre la eventual petición de indulto.

4.°) El cuarto apartado intenta romper con el planteamiento casi mecánico de respuesta a un formulario, exigiendo la manifestación "sucinta explicación" de las razones por las que determinados hechos se han declarado, o rechazado declarar, como probados. Lo que debe quedar meridianamente claro es que lo que la Ley requiere en este punto no es una motivación, ya que lo que caracteriza a los jueces legos es su desconocimiento del derecho, por lo que es sencillamente imposible que puedan motivar. Esto ha dado lugar a una feraz controversia, por la confusión conceptual generada. Cuando hablamos de motivación nos referimos a la exigencia contenida en el derecho fundamental a la tutela judicial efectiva a la que se refiere el art. 24 CE, operación compleja y crucial, que únicamente puede realizar válidamente un Juez o tribunal profesional. Proporcionar una sucinta explicación no es pues equivalente a motivar.

5.°) Finalmente, un quinto apartado en el que se harán constar los incidentes acaecidos durante la deliberación —incluida la negativa a votar de cualquiera de los jurados, a los efectos del art. 58.2— evitando, en cuanto al resto, toda vulneración del secreto durante la deliberación.

El acta del veredicto se redactará por el propio portavoz del Jurado, a no ser que disienta del parecer mayoritario, en cuyo caso los propios jurados designarán al redactor. Se firmará personalmente por cada uno de los jurados, pudiendo hacerlo el portavoz en nombre de quien no pudiera hacerlo. La negativa a firmar se hará constar en el acta de incidencias, pero no se prevén consecuencias sancionatorias.

Una vez redactada se entregará una copia al Magistrado-Presidente que, salvo que proceda la devolución, convocará a las partes a una comparecencia para lectura pública del veredicto que se efectuará por el portavoz del Jurado.

Leído públicamente el veredicto, el encargo del Jurado finaliza, cesando en sus funciones y procediéndose a su disolución, art. 66 LOTJ.

d) La sentencia

Cesado el jurado en sus funciones, la iniciativa procesal la recupera el Magistrado-Presidente quien, en correlación con el veredicto, dictará sentencia absolutoria o condenatoria. Procederá una sentencia absolutoria cuando el veredicto sea de inculpabilidad y en relación con el acusado concreto al que afecte. Ordenará, en su caso, su inmediata puesta en libertad, (art. 67 LOTJ). La sentencia condenatoria vendrá exigida por un veredicto de culpabilidad, suponiendo la apertura de incidente previo para determinar la pena o medida que deba imponerse a cada culpable.

En el caso del Tribunal del Jurado, el Magistrado-Presidente está vinculado por el sentido del veredicto, y deberá concretar la consecuencia jurídica de tal pronunciamiento, lo que, evidentemente, no le exime de la necesidad de motivar adecuadamente la resolución, en la forma ordenada por el art. 248.3 LOPJ, como se indica en el art. 70 LOTJ, que establece el contenido de la misma. Con concreción, siendo condenatoria la resolución, de la existencia de prueba de cargo suficiente para desvirtuar la presunción de inocencia. A ella se unirá el acta del Jurado.

C) Los recursos

Con carácter general, cabe distinguir entre los recursos que el legislador ha establecido contra las resoluciones interlocutorias dictadas en el procedimiento preliminar por el instructor, y los medios de impugnación previstos en la fase de juicio oral contra las resoluciones del Magistrado-Presidente. El conocimiento de los primeros se atribuye a la Audiencia Provincial. El órgano competente para conocer de los segundos es la Sala de lo Civil y Penal del Tribunal Superior de Justicia de la correspondiente Comunidad Autónoma a la que pertenezca el órgano del enjuiciamiento, (art. 846 bis a) LECRIM); frente a éstas, está prevista la posibilidad de intentar la casación ante el Tribunal Supremo, (art. 847 LECRIM).

a) Recursos frente a resoluciones adoptadas en el procedimiento preliminar

Las reglas de la LECRIM, como norma supletoria, serán de aplicación en lo que no se contemple ni oponga a la LOTJ, (art. 24.2º), de este precepto, y habrá que referirlo a las reglas propias del procedimiento ordinario por delitos.

b) Recursos contra las resoluciones del Magistrado-Presidente en el juicio oral

Hay que distinguir entre los autos y la sentencia que ponga fin al procedimiento.

1.º) Respecto a los primeros, los autos, se establece la apelación cuando sean resolutorios de algunas de las cuestiones previas del art. 36 LOTJ, en sentido estimatorio.

2.º) Por lo que se refiere a las sentencias, serán apelables y contra la que dicte el Tribunal Superior de Justicia conociendo la apelación cabrá casación por infracción de ley y quebrantamiento de forma.

También sería procedente el recurso de casación (como único posible) si la sentencia se hubiera dictado en única instancia por los Tribunales Superiores de Justicia de las CCAA en caso de concurrir aforados, art. 847 LECRIM.

En cuanto a los motivos, adaptándolo al caso del jurado, se trataría de los siguientes:

– Quebrantamiento de normas y garantías procesales causantes de indefensión en el desarrollo del procedimiento o en la sentencia, siempre que se hubiera formulado protesta para subsanarlos.

– Cualquiera de los que, como motivo de casación, previenen los arts. 850 y 851 LECRIM.

– Defectos en el veredicto que sean producto de: parcialidad en las instrucciones impartidas al Jurado; defecto en la proposición de su objeto, si hubiera producido indefensión; o por estimación o denegación indebida de la disolución del jurado.

– La insuficiencia de prueba para justificar un veredicto de culpabilidad, afectándose con ello a la presunción de inocencia.

Si la sentencia estimase la concurrencia de defectos formales (los del apartado a) del art. 846 bis c) LECRIM) o la indebida disolución del Jurado, devolverá la causa a la Audiencia de la que proceda para celebración de nueva vista (con Jurado distinto). En otro caso, contendrá el pronunciamiento correspondiente en función de la causa estimada.

II. EL PROCESO CON IMPLICACIÓN ACTIVA DE MENORES

El proceso especial del que nos ocupamos a continuación, muestra que sobre un argumento científico incontrovertido, la ausencia de madurez en el menor —circunstancia que le hace acreedor de un tratamiento específico ante los tribunales— se ha construido un proceso en relación con el que existe la extendida percepción de que se trata de un razonablemente buen instrumento.

A) Introducción. La razón biológica

La Convención sobre los Derechos del Niño, de 20 de noviembre de 1989, adoptada por la Asamblea General de las Naciones Unidas, ratificada por España por Instrumento de 30 de noviembre de 1990 (BOE de 31 de diciembre de 1990), es uno de los textos internacionales ratificados por un mayor número de estados. En realidad lo ha sido de forma abrumadoramente mayoritaria, lo que da una idea de lo compartidos que son sus contenidos a nivel planetario, lo que, a su vez, acredita una circunstancia ciertamente excepcional.

En su preámbulo hallamos reveladoras afirmaciones y argumentos que son esenciales para entender las razones que subyacen al tratamiento que los ordenamientos nacionales dispensan a la materia que pretendemos abordar, que no es otra que la posición del menor infractor ante la justicia y los objetivos al respecto de ésta:

"Teniendo presente que la necesidad de proporcionar al niño una protección especial ha sido enunciada en la Declaración de Ginebra de 1924 sobre los Derechos del Niño y en la Declaración de los Derechos del Niño adoptada por la Asamblea General el 20 de noviembre de 1989, y reconocida en la Declaración Universal de Derechos Humanos, en el Pacto Internacional de Derechos Civiles y Políticos (en particular, en los artículos 23 y 24), en el Pacto Internacional de Derechos Económicos, Sociales y Culturales (en particular, en el artículo 10) y en los estatutos e instrumentos pertinentes de los organismos especializados y de las organizaciones internacionales que se interesan en el bienestar del niño,

Teniendo presente que, como se indica en la Declaración de los Derechos del Niño, «el niño, por su falta de madurez física y mental, necesita protección y cuidado especiales, incluso la debida protección legal, tanto antes como después del nacimiento»,

De forma más específica, las Reglas mínimas de las Naciones Unidas para la administración de la justicia de menores, adoptadas por la Asamblea General en su Resolución 40/33, de 28 de noviembre de 1985 ("Reglas de Beijing"), se sustentan sobre las siguientes orientaciones fundamentales, que más tarde el texto desarrolla de manera más pormenorizada:

> 1. "Los Estados Miembros procurarán, en consonancia con sus respectivos intereses generales, promover el bienestar del menor y de su familia.
>
> 2. Los Estados Miembros se esforzarán por crear condiciones que garanticen al menor una vida significativa en la comunidad fomentando, durante el período de edad en que el menor es más propenso a un comportamiento desviado, un proceso de desarrollo personal y educación lo más exento de delito y delincuencia posible.
>
> 3. Con objeto de promover el bienestar del menor, a fin de reducir la necesidad de intervenir con arreglo a la ley, y de someter a tratamiento efectivo,

> humano y equitativo, al menor que tenga problemas con la ley, se concederá la debida importancia a la adopción de medidas concretas que permitan movilizar plenamente todos los recursos disponibles, con inclusión de la familia, los voluntarios y otros grupos de carácter comunitario, así como las escuelas y otras instituciones de la comunidad.
>
> 4. La justicia de menores se ha de concebir como una parte integrante del proceso de desarrollo nacional de cada país y deberá administrarse en el marco general de justicia social para todos los menores, de manera que contribuya a la protección de los jóvenes y al mantenimiento del orden pacífico de la sociedad.
>
> 5. Los servicios de justicia de menores se perfeccionarán y coordinarán sistemáticamente con miras a elevar y mantener la competencia de sus funcionarios, e incluso los métodos, enfoques y actitudes adoptados".

Es por tanto una circunstancia esencialmente biológica, la falta de madurez física, emocional y mental de los menores, la que los hace merecedores de una especial atención, la que obliga a extremar el cuidado en la protección de sus derechos, tanto con carácter general como, y especialmente, en situaciones de particular vulnerabilidad, como son las que se desencadenan como consecuencia de la incoación de un proceso del que van a ser sujeto pasivo.

Mediando un conflicto jurídico en el que el menor aparezca como aparente autor de una infracción, la misma circunstancia obliga a dotar al subsiguiente proceso de normas específicas que se acomoden a la constatación antedicha, protegiendo al menor de manera integral y activa, más allá de establecer para tales casos una sanción de menor intensidad o entidad que si se tratara de un adulto.

B) La justicia de menores en España

La convicción de que el menor presuntamente delincuente debe ser sometido a un régimen especial para el enjuiciamiento y sanción de su conducta, ha sido una constante en nuestro ordenamiento positivo. Actualmente, esa regulación específica la encontramos en la LO 5/2000, de 12 de febrero. Tras la STC 30/1991, de 14 de febrero, que motivó la desaparición de la antigua Ley de Tribunales Tutelares de Menores de 11 de junio de 1948, a través de la de 5 de junio de 1992, se anunció una reforma en profundidad, que se materializó finalmente en el año 2000.

Esta Ley fue modificada antes de su entrada en vigor (que se produce el 12 de enero de 2001) por la LO 7/2000, de 22 de diciembre, en relación con los delitos de terrorismo (afecta a los artículos 7 y 9, e introduce las Disposiciones Adicionales Cuarta y Quinta) y por la LO 9/2000, de la misma fecha, que suspende la aplicación de sus normas a los infractores cuyas edades estuvieran comprendidas entre los 18 y los 21 años, durante un periodo de dos años. Posteriormente, la LO 9/2002, de 10 de diciembre (Disposición transitoria única), prorroga aquella suspensión hasta el 1 de enero de 2007; la LO 15/2003 modifica los artículos 8 y 25 y la Disposición adicional sexta, y la LO 8/2006, LORRPM de 4 de diciembre, entre otras novedades, suprime definitivamente la posible aplicación de sus normas a los comprendidos entre los 18 y los 21 años. Finalmente, cabe citar en este apartado la Ley 26/2015, de 28 de julio, de modificación del sistema de protección a la infancia y a la adolescencia.

Completa esta Ley el tratamiento integral de los menores, iniciado con la de 15 de enero de 1996, de Protección Civil del Menor, que se asienta esencialmente sobre estas bases:

1.ª) Configura un sistema de tratamiento que, siendo, penal y sancionador, es fundamentalmente educativo y de reinserción, aunque sin olvidar que las infracciones más graves deben ser también más gravemente sancionadas.

2.ª) Potencia el principio de oficialidad, estimando que el interés del menor no es disociable sino más bien equiparable al interés social y prioritaria su protección, por lo que otorga un amplio protagonismo al Fiscal como defensor de este tipo de interés, atribuyéndole tanto la instrucción de la causa —excepcionalmente en la medida en que el español es todavía un sistema basado en la atribución de la instrucción a un juez, a diferencia de lo que ocurre en la gran mayoría de modelos de Derecho Comparado (EEUU de Norteamérica o Alemania), donde es el Fiscal quien habitualmente instruye— como la acusación, en su caso. Por lo que a la acusación concierne, la misma no se ejerce en régimen de monopolio (como con carácter general ocurre en la mayor parte de ordenamientos), sino que se permite el ejercicio de la acusación particular por el ofendido y correlativamente, se reconoce el ejercicio de la pretensión civil de resarcimiento. En esto se acomoda al diseño de la LECRIM. Se excluye, no obstante, la posibilidad de ejercer la acusación en la modalidad de acusación popular, al limitarse el ejercicio de acciones exclusivamente a la víctima o a los perjudicados.

3.ª) En lo esencial se equipara el régimen procesal de las actuaciones de la justicia de menores al ordinario de la LECRIM, si bien incorporando fórmulas específicas adoptadas, más beneficiosas para el menor, tanto en el desarrollo del «expediente» (se elude en todo momento el término «proceso»), como en las medidas sancionadoras aplicables y en su ejecución. En la otra posición procesal, todo lo dicho debe ser compatible con la protección de las víctimas y perjudicados, a los que debe mantenerse permanente e integralmente informados de sus derechos, y del desarrollo de las actuaciones, incluso aunque no se hayan constituido como parte en las mismas.

C) Presupuestos del modelo

Estamos ante un verdadero proceso penal, por más que existan en él elementos y condicionantes cualitativos de primer orden que lo hagan especial. Dicho proceso, en el que expresamente se regula la vigencia del principio acusatorio, art. 8 LORRPM, se ajusta en su formulación, como no podía ser de otra manera, a las exigencias constitucionales en materia de enjuiciamiento, derivadas de la constitución de 1978 que sustenta un estado de derecho.

El sujeto pasivo del proceso es un infractor menor de edad, comprendido en la banda que se extiende entre los 14 y los 18 años, responsable de sus actos y consecuentemente imputable, por la comisión de hechos tipificados como delito, art. 1 LORRPM. Los menores de 14 años quedan sometidos a las Instituciones de Protección de Menores, dependientes de las CCAA y a las que se remitirán todas las actuaciones que el Fiscal estime procedentes. A dichos sujetos se les aplicarán las medidas previstas en la Ley de Protección Civil del Menor de 15 de enero de 1996.

El órgano competente para la instrucción de este tipo de procesos es el Ministerio Fiscal, art. 16 LORRPM. El órgano jurisdiccional competente —juez legal y predeterminado por la ley— para el enjuiciamiento de los mismos y para la posterior ejecución de las sentencias que en ellos se dicten, será el Juzgado de Menores, arts. 96 y 97 LOPJ, que lo diseña como un órgano con sede en la capital de la provincia y jurisdicción en toda ella. Será competente en cada caso, el Juzgado de Menores radicado en el lugar en el que se hayan producido los hechos, y si se hubieran cometido en varios lugares, corresponderá al del domicilio del menor y, en su defecto y subsidiariamente, se aplicarán las normas del artículo 18 de la LECRIM.

Por lo que al adecuado desarrollo del procedimiento —o expediente como la Ley opta por denominarlo— concierne, las normas contenidas en esta Ley distinguen entre unas disposiciones ordinarias, de aplicación general a los menores infractores; y otras de carácter especial, que son de aplicación exclusiva para el enjuiciamiento de menores que presuntamente hayan cometido hechos que puedan ser tipificados como delitos de terrorismo, en cualquiera de sus modalidades, contemplados por los artículos 571 a 580 del CP. El conocimiento de estos expedientes se atribuye al Juzgado Central de Menores, con sede en Madrid y jurisdicción en toda España, art. 96.2 LOPJ.

D) Los elementos personales

a) El Juez

Como no podía ser de otra manera en un sistema en el que rige el principio acusatorio, el Juez de Menores está absolutamente vinculado a las peticiones del Fiscal o del acusador particular, no pudiendo en ningún caso imponer medidas de mayor gravedad que las solicitadas por estos, art. 8.1 LORRPM, aunque sí puede proponer una calificación distinta o medidas diferentes a las propuestas, art. 37.1 LORRPM. Al iniciarse la fase de audiencia, corresponde al Juez de Menores la adopción de las decisiones que determinarán la celebración de la misma, el sobreseimiento, la remisión de las actuaciones al Juez competente o la práctica de pruebas anteriormente denegadas por el Fiscal durante la instrucción, art. 33 LORRPM.

Cabe mencionar al respecto del juez competente, y específicamente en lo relativo a la aplicación a menores de la orden europea de detención y entrega, lo establecido por la Ley 23/2014, de 20 de noviembre, de reconocimiento mutuo de resoluciones penales en la Unión Europea, cuyo art. 35.2, atribuye la competencia al Juez Central de Menores.

b) Los demás sujetos

a") El Ministerio Fiscal: Como hemos indicado ya, bajo la supervisión del Juez de Menores, v. gr., arts. 23.3 o 28.1 LORRPM, en relación con la adopción de diligencias restrictivas de derechos fundamentales o medidas cautelares, corresponde al Ministerio Fiscal un papel prevalente e integral en lo que a la instrucción concierne, de manera que:

1°) La iniciación del procedimiento queda a su exclusiva iniciativa, de oficio o como consecuencia de denuncia presentada ante él, que él mismo admitirá o no.

2°) Desarrollará, por sí, toda la actividad propia de la instrucción aunque sin adoptar medidas cautelares o practicar diligencias de investigación que afecten a derechos fundamentales, debiendo solicitar al Juez de Menores la autorización para su adopción o práctica.

3°) Puede el Ministerio Fiscal desistir de la incoación del expediente, si los hechos no revistieran especial importancia o gravedad y el menor careciera de antecedentes en la conducta cometida, poniéndolo a disposición de la entidades civiles de Protección de Menores. Este desistimiento habrá de comunicarse a los ofendidos o perjudicados.

4°) Puede también desistir de la instrucción, una vez iniciado el expediente, si los hechos carecieran de trascendencia y hubiera mediado conciliación entre la víctima y el agresor, o éste se hubiera comprometido a reparar los daños causados o a cumplir la actividad educativa propuesta por el equipo técnico. Ello, sin perjuicio de los posibles acuerdos a que hubiera podido llegarse sobre la responsabilidad civil.

5°) La Ley atribuye al Ministerio Fiscal la esencial función de acusar o de solicitar el sobreseimiento de la causa.

b") **Las víctimas y los perjudicados:** Por lo que las víctimas y demás personas perjudicadas por la actuación infractora del menor concierne, establece la Ley que los directamente afectados por los hechos, sus herederos o sus representantes podrán personarse como acusadores particulares, con todos los derechos inherentes a tal condición. Asimismo, tanto estos como los perjudicados podrán ejercitar la pretensión civil de resarcimiento, que se tramitará en pieza separada, pero simultáneamente con el proceso principal. Se establece, no obstante, un límite para la proposición de prueba que solo podrá versar sobre los hechos y las circunstancias de su comisión, pero no sobre la situación psicológica, educativa familiar y social del menor.

c") **Los menores imputados:** Como punto de partida y base de su estatus procesal, se reconocen a los menores los mismos derechos que a los adultos imputados en la LECRIM, con algunas particularidades derivadas de su condición de menor de edad. Así, desde su detención o desde el inicio mismo del expediente serán informados de esos derechos, de forma inmediata y en un lenguaje claro y comprensible, incluido naturalmente el derecho a nombrar letrado y el derecho a mantener con él una entrevista reservada, tanto con anterioridad como al término de la toma de declaración. Las declaraciones que el menor preste como detenido se efectuarán ante su letrado y ante quienes ostenten la patria potestad, tutela o guarda del menor, salvo que las circunstancias concretas del caso aconsejen lo contrario, en cuyo caso se llevarán a cabo en presencia de un Fiscal distinto al instructor del expediente, art. 17.2 LORRPM. Desde la incoación del expediente se despliega para el menor un específico estatus procesal que comprende, como hemos visto, desde el derecho a la información, al derecho a ser oído por el Juez o tribunal antes de adoptarse cualquier decisión que le afecte, pasando por la asistencia psicológica y afectiva integrales, con la presencia de sus padres o de otra persona que designe, además de la asistencia del equipo técnico adscrito al Juzgado de Menores, art. 22 LORRPM.

d") **El Equipo técnico:** Se trata de un elemento característico y clave en los procesos penales (expedientes) incoados frente a menores de edad. Adscrito funcionalmente al juzgado de menores, está integrado por psicólogos, educadores y trabajadores sociales y otros profesionales que podrán ser incorporados de forma temporal o permanente. Su función asistencial no se limita, ni mucho menos, al menor, sino que proporcionan tanto al

Fiscal como al Juez los informes que éstos le requieran sobre la situación psicológica, educativa o familiar del menor, proponiendo medidas socioeducativas apropiadas o incluso la no necesidad de continuar con el expediente, a la vista de las circunstancias concurrentes y de su incidencia en el menor. Está previsto además que pueda plantear la necesidad o conveniencia de un intento de conciliación con las víctimas, o el desarrollo de actividades de reparación del daño, pudiendo adicionalmente actuar como mediador, (arts. 19, 22, 27 LORRPM y art. 4 RD 1774/2004 que aprueba el Reglamento de la LO 5/2000, Reguladora de la Responsabilidad Penal del Menor).

E) El procedimiento

Los expedientes regulados en la LORRPM se dividirán —al igual que ocurre con carácter general en los demás procesos penales regulados en la LECRIM— en dos fases principales: fase de instrucción y fase de audiencia, o vista oral.

a) Fase de instrucción

La instrucción de este tipo de procedimientos se atribuye por la LORRPM al Ministerio Fiscal, art. 16.1. A él corresponde admitir o no a trámite la denuncia, según que los hechos sean o no indiciariamente constitutivos de delito. Custodiará además las piezas, documentos y efectos que le hayan sido remitidos y practicará las diligencias que estime pertinentes para la comprobación del hecho y de la eventual responsabilidad del menor. Consecuentemente con el resultado de sus averiguaciones, podrá resolver el archivo de las actuaciones, si los hechos no fueran punibles o carecieran de autor conocido, informando de dicha resolución a quienes hubieren formulado la denuncia, art. 16.2. De la incoación del expediente dará cuenta al Juez de Menores, quien iniciará los trámites correspondientes, art. 16.3 y 4.

En el curso de las actuaciones podrá también el Ministerio Fiscal desistir de la incoación del expediente, basándose para ello en la menor gravedad de los hechos y en la ausencia de violencia o intimidación, trasladando lo actuado a la entidad pública de protección de menores, con comunicación de dicha decisión a los ofendidos o perjudicados conocidos. No obstante, si el menor hubiera cometido con anterioridad hechos de la misma naturaleza, el Ministerio Fiscal deberá incoar el expediente, art. 18 LORRPM.

También corresponderá al Ministerio Fiscal remitir las actuaciones al órgano legalmente competente cuando la competencia para el conocimiento de los hechos no correspondiera a un Juzgado de Menores, art. 21 LORRPM.

Los derechos del menor durante la tramitación del expediente, desde el mismo momento de su incoación, serán integralmente garantizados en los términos que establece el art. 22 LORRPM, y será informado de ello por el Juez, el Ministerio Fiscal o agente de policía interviniente.

Una vez iniciado el expediente, el Ministerio Fiscal podrá desistir de su continuación si hubiera mediado conciliación con la víctima o hubiera asumido el menor el compromiso de reparar el daño causado a la víctima o al perjudicado, o si se hubiera comprometido al cumplimiento de la actividad educativa propuesta por el equipo técnico en su informe. Éste desistimiento sólo será posible si los hechos imputados son constitutivos de delitos menos graves (art. 19.1 LORRPM).

Cumplidos los compromisos adquiridos —o incluso aunque no hubieran podido llevarse a efecto por causas ajenas a la voluntad del menor— el Ministerio Fiscal dará por concluida la instrucción y solicitará al Juez de Menores el sobreseimiento y archivo de las actuaciones. En el caso de que el menor no cumpliera con los compromisos adquiridos, el Ministerio Fiscal continuará con la tramitación del expediente, arts. 19.4 y 5 LORRPM.

Concluida la instrucción, y según lo establecido en el art. 30 LORRPM, el Fiscal notificará la resolución a las partes personadas y remitirá lo actuado en el expediente al Juez de Menores, junto con un escrito de alegaciones que contendrá —entre otros aspectos a los que se hace referencia en el precepto citado— la valoración jurídica de los hechos, el grado de participación del menor y, consecuentemente, la petición de apertura de la fase de audiencia. Podrá también alternativamente solicitar el Ministerio Fiscal al Juez de Menores, el sobreseimiento de las actuaciones, por la concurrencia de alguno de los motivos previstos en la LECRrim, así como la remisión de los extremos que se estimen oportunos a la entidad pública de protección de menores, en su caso.

b) Fase de audiencia

Se desarrolla ante el Juez de Menores y se regula en los arts. 31 y ss. LORRPM. Basada en los principios de contradicción, inmediación y publicidad, art. 35 LORRPM. Por lo que a la dinámica procesal concierne, las partes actoras y, a continuación, la defensa del menor, formularán sus respectivos escritos de alegaciones y propondrán la práctica de los medios de prueba que consideren pertinentes. El art. 32 regula la posibilidad de conformidad, manifestada en comparecencia ante el juez, como consecuencia de la que el Juez de Menores dictará sentencia sin más trámite.

No habiéndose alcanzado la conformidad y a la vista de las alegaciones realizadas, el Juez acordará: a) Le celebración de la audiencia, que se señalará conforme a lo establecido en los arts. 34 y 35.1 LORRPM. b) El sobreseimiento de las actuaciones; c) El archivo y la remisión de actuaciones a la entidad pública de protección de menores correspondiente, si así lo hubiera solicitado el Ministerio Fiscal. d) La remisión al órgano jurisdiccional competente, si él no lo fuera; e) La práctica de las pruebas propuestas por las partes y denegadas por el Fiscal durante la instrucción y que no puedan practicarse en la audiencia, art. 33 LORRPM.

La audiencia se desarrollará conforme a lo establecido en el art. 37 LORRPM, y en ella las partes podrán manifestarse en relación con la necesidad de practicarse nuevas pruebas o sobre la eventual vulneración de derechos fundamentales, también podrá el Juez proponer una calificación distinta o una medida diferente a las solicitadas. A continuación, se procederá a la práctica de la prueba propuesta y admitida, que posteriormente valorarán las partes junto con la calificación jurídica de su resultado y la procedencia de las medidas propuestas. Finalmente se oirá al propio menor, quedando el expediente visto para sentencia que se dictará en el plazo máximo de 5 días, debiendo pronunciarse el juez de manera motivada, congruente y exhaustiva tanto en relación con las medidas propuestas, como sobre la responsabilidad civil derivada de la infracción, arts., 38 y 39. Esta sentencia se notificará a las víctimas y perjudicados, aunque no hubieran sido parte en el expediente, art. 4.

c) La sentencia, su flexible ejecución

Finalizada la audiencia, la resolución judicial que pone fin al proceso adoptará la forma de sentencia que, en su caso, impondrá alguna de las medidas relacionadas en el artículo 7 LORRPM, ordenadas según la restricción de derechos que suponen, correspondiendo su ejecución a las entidades públicas dependientes de las CCAA y de las ciudades de Ceuta y Melilla, bajo el control y la supervisión del Juez de Menores, arts. 44 y 45 LORRPM.

Además del registro de sentencias de cada juzgado, custodiado por el Letrado de la Administración de Justicia, art. 39 LORRPM, el RD 232/2002, de 1 de marzo, crea en el Ministerio de Justicia un Registro de las sentencias firmes dictadas en estos procesos. Con ello se pretende que los Jueces de Menores y el Fiscal dispongan de precedentes y de antecedentes sobre personas determinadas y que los datos contenidos en él sean susceptibles de explotación a efectos estadísticos.

La ejecución del fallo, siempre que no supere los dos años de duración, podrá suspenderse mediante resolución motivada adoptada de oficio o a instancia del Fiscal o de la defensa, por el Juez de Menores, oídos el equipo técnico y la entidad encargada de la ejecución. La suspensión podrá adoptarse por tiempo determinado y hasta un máximo de dos años.

Las condiciones a las que estará sometida la suspensión de la ejecución del fallo contenido en la sentencia serán las contempladas en el art. 40.2 LORRPM, que incluye la aplicación del régimen de libertad vigilada o la obligación de realizar una actividad socio-educativa recomendada por el equipo técnico o por la entidad pública encargada. En cualquier caso, la adopción y la vigencia de la suspensión se condicionarán al compromiso por parte del menor, de mostrar una actitud y disposición de reintegrarse a la sociedad, no incurriendo en nuevas infracciones, art. 40.2 LORRPM. Los pronunciamientos relativos a la responsabilidad civil derivada del delito se exceptúan de forma expresa de la posibilidad de suspensión, art. 40.1 LORRPM, *in fine*.

Los mismos sujetos legitimados referidos en el párrafo anterior —oídos el equipo técnico y la entidad pública encargada— podrán solicitar, y el Juez de Menores eventualmente adoptar mediante resolución, la sustitución de la medida impuesta por otra más adecuada, o incluso dejarla sin efecto, por aconsejarlo así las circunstancias. La evolución desfavorable del menor tras la sustitución podría permitir al Juez de Menores dejar sin efecto la misma, retomando el régimen original de ejecución, art. 51 LORRPM.

d) La responsabilidad civil

La responsabilidad civil derivada de los hechos abarcados por la LORRPM es exigible junto a la penal, en el mismo expediente y en pieza separada que se tramitará simultáneamente con las actuaciones principales. Su ejercicio corresponde al Ministerio Fiscal, a no ser que el perjudicado renuncie a ella, reserve su ejercicio para un proceso civil independiente o la ejercite por sí en el mismo expediente. La responsabilidad por los daños y perjuicios causados por el menor, es exigible tanto al menor como a sus padres, tutores, acogedores y guardadores, quienes responderán solidariamente, art. 61 LORRPM.

Los aseguradores que hubieran asumido el riesgo de las responsabilidades pecuniarias derivadas de los actos de los menores, serán responsables civiles directos hasta el límite de la indemnización legalmente establecida o pactada, sin perjuicio de su derecho de repetición, art. 63 LORRPM.

e) Derecho supletorio

En lo no previsto expresamente por la LORRPM, se aplicarán con carácter supletorio, en el ámbito del procedimiento, las disposiciones de la LECRIM, en particular las normas del procedimiento abreviado, Disposición final primera LORRPM.

F) Los recursos

Por lo que al régimen de recursos concierne, los arts. 41 y 42 LORR-PM, contemplan, con carácter general, el recurso ordinario de apelación ante la Audiencia Provincial y, frente a las resoluciones dictadas por éstas, el recuso extraordinario de casación ante la Sala Segunda del Tribunal Supremo.

La LORRPM prevé, en materia de resoluciones interlocutorias, el recurso de reforma, contra los autos y providencias de los Jueces de Menores, siendo a su vez apelable el auto resolutorio del mismo, art. 41.2. Frente a las resoluciones que ponen fin al procedimiento, la Ley habilita el recurso de apelación, que será también susceptible de ser empleado contra las resoluciones que suspendan la ejecución, art. 40, de igual manera que lo será frente a las que modifiquen las medidas impuestas, art. 14, o den cobertura a la adopción de medidas cautelares, arts. 28 y 29 y art. 41, LORRPM. De todos los recursos devolutivos conocerá la Audiencia Provincial, art.. 82.4° LOPJ y, en su caso, la Sala de lo Penal de la Audiencia Nacional, art. 65. 5° LOPJ.

El empleo del recurso extraordinario de casación está previsto a los únicos efectos de unificación de doctrina, se interpondrá ante la Sala Segunda del TS, y frente a determinadas resoluciones dictadas en apelación por las AP o la AN. Siendo de aplicación en lo que a la interposición, sustanciación y resolución del mismo se refiere, lo dispuesto en la LECRIM, en la medida en que resulte aplicable, art. 42 LORRPM.

III. EL PROCESO MILITAR

La referencia normativa superior al respecto la hallamos en el art. 117.5 CE, que establece que "El principio de unidad jurisdiccional es base de la organización y funcionamiento de los Tribunales. La ley regulará el ejercicio de la jurisdicción militar en el ámbito estrictamente castrense y en los supuestos de estado de sitio, de acuerdo con los principios de la Constitución". El grupo normativo regulador se completa con la LOPJ, arts. 3.2, que como consecuencia de la reforma operada por la LO 7/2015, de 21 de julio, por la que se modifica la LOPJ, queda redactado como sigue: «2. Los órganos de la jurisdicción militar, integrante del Poder Judicial del Estado, basan su organización y funcionamiento en el principio de unidad jurisdiccional y administran Justicia en el ámbito estrictamente castrense y, en su caso, en las materias que establezca la declaración del estado de sitio, de acuerdo con la Constitución y lo dispuesto en las leyes penales, procesales y disciplinarias militares», 9.2 y 55, que establece que el TS está integrado también por la Sala "Quinta, de lo Militar, que se regirá por su legislación específica y supletoriamente por la presente Ley y por el ordenamiento común a las demás Salas del Tribunal Supremo". El texto penal sustantivo, que tipifica las conductas constitutivas de delitos en el ámbito militar, es el Código Penal Militar, aprobado por la LO 14/2015, de 14 de octubre. En relación con las faltas, la referencia normativa la constituye la LO 8/2014, de 4 de diciembre, de Régimen Disciplinario de las Fuerzas Armadas.

La mencionada LO 7/2015, de 21 de julio, por la que se modifica la LO 6/1985 del Poder Judicial, proclama en el apartado II de su preámbulo, "el encaje definitivo de la Jurisdicción Militar en el Poder Judicial y la eliminación del privilegio de presentación de ternas de que goza el Ministerio de Defensa para la designación de los Magistrados de la Sala de lo Militar del Tribunal Supremo procedentes del Cuerpo Jurídico Militar."

Es digno de mención el significativo y relevante cambio que ha supuesto la DF 1ª de la LO 14/2015, en relación con la LO 4/1987 de Competencia y Organización de la Jurisdicción Militar, que afecta tanto a la composición de los órganos jurisdiccionales, como al nombramiento de sus componentes, destacando el nombramiento de los Auditores Presidentes y Vocales Togados, que pasan de ser designados por el Ministerio de Defensa, a ser propuestos por el CGPJ, valorándose en dicha propuesta los conocimientos técnicos y la formación jurídica. No obstante, se mantiene la figura del Vocal Militar, en cuyo nombramiento no interviene el CGPJ sino que son nombrados por el Ejecutivo entre los candidatos propuestos por los diferentes Ejércitos, una vez acordada la apertura del juicio oral.

En lo concerniente al entramado propiamente jurisdiccional, el grupo normativo regulador se completa y despliega por medio de la LO 4/1987, de 15 de julio, reguladora de la competencia y organización de la jurisdicción militar, complementada básicamente por la Ley 44/1998, de 15 de diciembre, de Planta y organización territorial de la Jurisdicción Militar, que diseñan una organización jurisdiccional propia, integrada en sus diferentes niveles por los Juzgados Togados Militares, los Tribunales Militares Territoriales, el Tribunal Militar Central y, como indicábamos anteriormente, ocupando la cúspide de este ámbito jurisdiccional, la Sala de lo Militar del Tribunal Supremo, entre los que se distribuyen, en función de la aplicación de los diferentes criterios, la competencia.

Finalmente, la LO 2/1989, de 13 de abril, procesal militar, diseña el proceso a través del que se tramitarán y resolverán los conflictos para cuyo conocimiento sea competente el orden militar, que naturalmente se debe acomodar a las exigencias específicas de un estado de derecho, en lo que a la jurisdicción, la tutela judicial efectiva (para el inculpado y los perjudicados) y el proceso concierne.

Como complemento a la estructura someramente descrita, y en consonancia con las exigencias de un sistema acusatorio, la Fiscalía Jurídico-Militar, dependiente del Fiscal General del Estado, ejercerá la acusación (no en régimen de monopolio) y practicará, de oficio o a instancia de parte, las diligencias pertinentes para la comprobación del hecho y la responsabilidad de los partícipes en el mismo, en términos similares a los ya vistos para el procedimiento abreviado.

B) PROCESOS PUNIBLES DERIVADOS DEL HECHO PUNIBLE

I. EL PROCESO CIVIL ACUMULADO AL PENAL

En el sistema procesal penal español es posible acumular al genuino objeto penal del proceso homónimo, las pretensiones civiles de restitución de la cosa, de reparación del daño y de indemnización de perjuicios causados por el hecho punible (art. 109.1 CP). De este modo, el resultado es que en el mismo proceso se produce una acumulación de objetos, civil y penal, que se tramitan en un mismo procedimiento. Todo ello es consecuencia de un origen común: el hecho del que se deriva presuntamente la responsabilidad penal y, eventualmente, la responsabilidad civil.

Las características específicas esenciales de este proceso civil acumulado al penal, que extraemos de la LECRIM, y que tenemos que destacar son:

1°) La *competencia* para conocer del mismo es del órgano penal competente.

2°) Las *Partes* en el proceso civil acumulado serán, por un lado quien reclame la pretensión civil —actor civil— y, por otro, frente a quien se solicita, que será el acusado y/o el responsable civil directo o subsidiario.

Los distintos escenarios que al respecto pueden materializarse son:

a) Que la acusación particular decida convertirse en parte civil ejercitando esta pretensión, y en ese caso sería parte penal y parte civil;

b) Es posible que la víctima no se constituya en parte penal, pero sí ejercite la pretensión civil, convirtiéndose en actor civil sin ser acusador particular;

c) Puede ser que los perjudicados no sean parte y no se pronuncien en torno a la misma tras el ofrecimiento de acciones, en cuyo caso el Fiscal tendrá que ejercitar esta pretensión, junto con el ejercicio de la acción penal (arts. 108 y 112);

d) Puede suceder que los perjudicados decidan renunciar a la pretensión civil (que es de naturaleza disponible) o reservarse expresamente el derecho a ejercitarla en cualquier momento posterior y por vía civil independiente, en cuyo caso el Fiscal no la ejercitaría conjuntamente (art. 108 y 110).

e) Cabrían además situaciones cuyo único cauce posible sería la vía civil, como en el caso de la declaración en rebeldía del acusado (art. 843), o por su fallecimiento (art. 115), también por sobreseimiento o sentencia absolutoria que no se refiera a la inexistencia de los hechos (art. 116), por inadmisión de la denuncia (art. 269) o querella (art. 313), o si hubo indulto o prescripción del delito, si no se hubiera extinguido la acción civil.

3º) Ambas *pretensiones*, la penal y la civil, pueden coexistir y tramitarse con normalidad y la adecuada separación en el único cauce procedimental penal. Incluso podría, en casos excepcionales, encauzarse por medio del procedimiento penal solo la pretensión civil —cuando acepta el acusado su responsabilidad penal, pero no la civil (arts. 655 y 695)— hallándose la misma en los escritos de calificación provisional o escritos de acusación (según fuere ordinario o abreviado, arts. 650 y 781), o en el mismo acto de la vista oral (si fuera por delitos leves, art. 969). En el supuesto de que continúe solo con el actor civil, se debería mantener en el escrito de conclusiones (art. 651). Obviamente su planteamiento exigirá la proposición de los medios de prueba específicos y adecuados de que intente valerse.

4º) Las *medidas cautelares*: podrán adoptarse medidas cautelares de naturaleza patrimonial para garantizar la efectividad de una eventual condena por responsabilidad civil (fianzas, embargos, garantías bancarias, intervención del vehículo, etc).

5º) La *sentencia:* Los pronunciamientos se referirán, diferenciándolos, al objeto penal y al objeto civil, determinando la responsabilidad penal, y todo lo relativo a la responsabilidad civil (art. 742.2). Estos pronunciamientos podrán ser recurridos de forma conjunta o separada (art. 854.1).

6º) La *ejecución:* existe una regulación específica en el articulado dedicado al procedimiento abreviado y al procedimiento por delitos leves, para determinar el importe líquido que no se hallare especificado en la sentencia. También en relación con la eventual petición de ejecución provisional de este tipo de pronunciamientos (art. 794, 1ª, 974 y 989.1).

II. EL PROCESO DE DECOMISO

La Ley 41/2015, de 5 de octubre, de modificación de la LECRIM para la agilización de la justicia penal y el fortalecimiento de las garantías procesales, incorporó al ordenamiento jurídico español, por exigencia de la Directiva 2014/42/UE del Parlamento Europeo y del Consejo, de 3 de abril de 2014, sobre el embargo y decomiso de los instrumentos y del producto del delito en la UE, el procedimiento adecuado para permitir la efectividad de las nuevas figuras de decomiso.

Dentro de esta regulación sería preciso destacar dos apartados bien diferenciados: el primero, el referido a la comunicación del propio decomiso a las personas a las que afecta o puede afectar, y a las conductas posibles que pueden adoptar dichas personas. El segundo, el referido específicamente al desarrollo del proceso en el que se reclama el decomiso de bienes, efectos o ganancias o un valor equivalente a los mismos.

A) Llamada-intervención de terceros afectados por el decomiso

Se garantiza que los terceros afectados por el embargo puedan tener conocimiento del proceso de decomiso, favoreciendo su posible participación en el mismo —lo que constituye un derecho—. Se recoge en los arts. 803 y siguientes, y de la mencionada regulación destacaremos:

a) Llamada por el juez mediante resolución

Se podrá producir de oficio o a instancia de parte, en relación con un *tercero* distinto del investigado o encausado, que pueda ser titular del bien o de derechos sobre el bien cuyo decomiso se solicita. Se podrá prescindir de la intervención de terceros cuando no se haya podido identificar o localizar al posible titular, o porque pueden concurrir hechos de los que pueda derivarse que la información en que se funda la pretensión de intervención en el procedimiento no es cierta, o porque los supuestos titulares son personas interpuestas vinculadas al investigado o encausado.

b) Conductas posibles del llamado

El llamado puede adoptar alguna de las siguientes conductas, tras la llamada: 1) Declaración de no oposición al decomiso: en este caso el juez acuerda su no intervención; 2) Participar en el proceso penal acumulado pero no respecto de la responsabilidad penal sino de forma limitada a los aspectos que afecten directamente a sus bienes, derechos o situación jurídica. Para verificar esta participación el afectado por el decomiso requiere de asistencia letrada obligatoria, y puede, voluntariamente, actuar en el juicio mediante representante legal, sin que sea necesaria su presencia física en el mismo; 3) Incomparecencia del afectado por el decomiso: no impide la continuación del juicio, en el que será declarado en rebeldía, siguiendo las normas de la LECRIM (art. 803 ter d), el mismo efecto produce la incomparecencia del tercero demandado y del encausado rebelde (art. 803 ter s).

c) Notificación e impugnación de la sentencia que acuerda el decomiso

La sentencia en la que se acuerde el decomiso se notificará a la persona afectada por el mismo, aun cuando no hubiere comparecido en el proceso.

La persona afectada podrá interponer contra dicha sentencia los recursos legalmente establecidos, siempre circunscritos a los pronunciamientos que afecten directamente a sus bienes, derechos o situación jurídica y no en lo relativo a la responsabilidad penal del encausado (art. 803 ter c).

B) Proceso de decomiso autónomo

a) Objeto

La pretensión que se ejercita en este proceso no es punitiva sino de reclamación civil, aun cuando dicha reclamación viene estrechamente vinculada a bienes o derechos que han quedado afectados como consecuencia de la presunta comisión de hechos delictivos que están siendo investigados. Esta pretensión está dirigida a reclamar el decomiso de bienes, efectos o ganancias, o un valor equivalente. Se trata de aquellos supuestos en que el fiscal se limitó en su escrito de acusación a solicitar el decomiso pero reservando su determinación a este procedimiento, o cuando el autor haya fallecido, se halle en rebeldía o sea incapaz para comparecer en juicio.

b) Competencia

Será competente para conocer de este proceso de decomiso el juez o tribunal que hubiera dictado la sentencia firme, o el que estuviera conociendo la causa penal suspendida, o el juez o tribunal competente para su enjuiciamiento cuando la causa no se hubiera iniciado.

c) Partes

Al tratarse de un proceso de reclamación civil derivada de la existencia de una causa penal, las partes se denominan actor y demandado, dado que los sujetos que conforman ambas posiciones quedan condicionados por la naturaleza de la pretensión. De tal manera que, serán:

Actor: Exclusivamente el Ministerio Público.

> Podrá el Fiscal no solo plantear la pretensión o solicitud de orden de decomiso una sola vez, sino que podrá solicitar al juez nuevas órdenes de decomiso, siempre que: a) Se descubra la existencia de bienes, efectos o ganancias a los que deba extenderse el decomiso pero de cuya existencia o titularidad no se hubiera tenido conocimiento cuando se inició el procedimiento de decomiso, y b) No se haya resuelto anteriormente sobre la procedencia del decomiso de los mismos (art. 803 ter u).

Demandado: Sujetos contra los que se dirija la acción, por su relación con los bienes a decomisar. Cualquiera que quiera comparecer deberá seguir las normas reguladoras del derecho a la asistencia letrada del encausado (art. 803 ter i).

d) Procedimiento

Constituyen el procedimiento adecuado para este proceso las normas que regulan el juicio verbal (LEC), siempre que no se contradigan con las reglas configuradas específicamente al efecto en la LECRIM.

Son sus hitos principales: a) Demanda de solicitud de decomiso autónomo (art. 803 ter l); admitida esta, podrán acordarse medidas cautelares (según las normas de la LEC); b) Notificación de la demanda a las demandadas para que en un plazo de 20 días se personen y contesten; c) Contestación (art. 803 ter m): si no se contesta en el plazo conferido, el juez acordará el decomiso definitivo de los bienes, efectos o ganancias o un valor equivalente a los mismos; d) Prueba (art. 803 ter n) y fijación de la vista, de acuerdo con las normas generales; e) Juicio y sentencia (art. 803 ter o) que sigue las normas de la LEC, art. 433. Se resuelve mediante sentencia dictada en el plazo de 20 días. Dicha resolución podrá estimar completamente la pretensión de decomiso, estimarla parcialmente o desestimarla. En los dos primeros casos identificará a los perjudicados y fijará las indemnizaciones procedentes.

e) Efectos y ejecución de la sentencia de decomiso

En cuanto a los efectos que produce la sentencia de decomiso, el art. 803 ter p establece que:

1) Produce efectos de cosa juzgada material subjetiva —respecto de las personas contra las que se haya dirigido la acción—, y objetiva —respecto de la causa de pedir consistente en los hechos relevantes para la adopción del decomiso, referidos al hecho punible y a la situación frente a los bienes del demandado—.

2) No afecta ni vincula en el posterior enjuiciamiento del encausado, si se produce.

3) A los bienes decomisados se les dará el destino previsto en la LECRIM, (art. 803 ter p), y en el CP (art. 127 octies).

> "3. Los bienes, instrumentos y ganancias decomisados por resolución firme, salvo que deban ser destinados al pago de indemnizaciones a las víctimas, serán adjudicados al Estado, que les dará el destino que se disponga legal o reglamentariamente."

4) Ejecución: El Ministerio Fiscal por sí mismo, o a través de la Oficina de recuperación y gestión de activos, o por otras autoridades, o por fun-

cionarios de la Policía judicial, podrá ordenar las diligencias de investigación necesarias para localizar bienes o derechos titularidad de la persona con relación a la cual se hubiera acordado el decomiso, siempre con la colaboración del Letrado de la administración de justicia, incluso dirigirse a entidades financieras, organismos y registros públicos y personas físicas o jurídicas para que faciliten la relación de bienes o derechos del ejecutado de los que tengan constancia.

Todas las autoridades y funcionarios a los que se dirija el Ministerio Fiscal con dicha finalidad vendrán obligados a prestar su colaboración, bajo apercibimiento de incurrir en delito de desobediencia, salvo las excepciones establecidas legalmente. Podrá igualmente solicitar el Ministerio Fiscal autorización judicial para practicar alguna diligencia adicional que requiera de la misma (art. 803 ter q).

f) Recursos y revisión de la sentencia firme

Son aplicables al procedimiento de decomiso autónomo las normas reguladoras de los recursos en el proceso penal abreviado, además de las normas reguladoras de la revisión de sentencias firmes, siendo el motivo previsto para ello la "*contradicción entre los hechos declarados probados en la misma y los declarados probados en la sentencia firme penal que, en su caso, se dicte*" (arts. 803 ter r y 954.2).

LECTURAS RECOMENDADAS: En relación con el proceso ante el tribunal del jurado: MONTERO AROCA/GÓMEZ COLOMER, *Comentarios a la Ley del Jurado,* Pamplona, 1999; CANO BARRERO, *La Ley del Jurado: jurisprudencia comentada. Diez años de aplicación de la Ley del Jurado,* Pamplona, 2007; GÓMEZ COLOMER, *El proceso especial ante el Tribunal del Jurado,* Madrid 1996; **En relación con el proceso con implicación activa de menores:** MORENILLA ALARD, *El proceso penal del menor: actualizado a la LO 8/2006, de 4 de diciembre,* Madrid 2007. **En relación con el proceso militar:** SANCRISTÓBAL REALE, *La jurisdicción militar,* Granada 2006. **En relación con el proceso civil acumulado y el proceso de decomiso:** NADAL GÓMEZ, *El ejercicio de acciones civiles en el proceso penal,* Valencia 2004. GONZÁLEZ CANO, *El decomiso como instrumento de la cooperación judicial en la Unión Europea y su incorporación al proceso penal español,* Valencia 2016.